鸟哥的 Linux 私房菜

基础学习篇（第三版）

鸟哥 著　王世江 改编

Rebecca

人民邮电出版社

北京

图书在版编目（CIP）数据

鸟哥的Linux私房菜. 基础学习篇 / 鸟哥著 ; 王世
江改编. -- 3版. -- 北京 : 人民邮电出版社, 2010.7（2013.1重印）
ISBN 978-7-115-22626-6

Ⅰ. ①鸟… Ⅱ. ①鸟… ②王… Ⅲ. ①Linux操作系统
Ⅳ. ①TP316.89

中国版本图书馆CIP数据核字(2010)第082733号

版 权 声 明

内 容 提 要

本书是最具知名度的 Linux 入门书《鸟哥的 Linux 私房菜基础学习篇》的最新版，全面而详细地介绍了 Linux 操作系统。全书分为 5 个部分：第一部分着重说明 Linux 的起源及功能，如何规划和安装 Linux 主机；第二部分介绍 Linux 的文件系统、文件、目录与磁盘的管理；第三部分介绍文字模式接口 shell 和管理系统的好帮手 shell 脚本，另外还介绍了文字编辑器 vi 和 vim 的使用方法；第四部分介绍了对于系统安全非常重要的 Linux 账号的管理，以及主机系统与程序的管理，如查看进程、任务分配和作业管理；第五部分介绍了系统管理员（root）的管理事项，如了解系统运行状况、系统服务，针对登录文件进行解析，对系统进行备份以及核心的管理等。

本书内容丰富全面，基本概念的讲解非常细致，深入浅出。各种功能和命令的介绍，都配以大量的实例操作和详尽的解析。本书是初学者学习 Linux 不可多得的一本入门好书。

鸟哥的 Linux 私房菜 基础学习篇（第三版）

◆ 著　　　　鸟　哥

　　改　　编　王世江

　　责任编辑　俞　彬

◆ 人民邮电出版社出版发行　　北京市崇文区夕照寺街 14 号

　　邮编　100061　　电子邮件　315@ptpress.com.cn

　　网址　http://www.ptpress.com.cn

　　北京隆昌伟业印刷有限公司印刷

◆ 开本：787×1092　1/16

　　印张：49.5

　　字数：1 506 千字　　　　　　　　2010 年 7 月第 3 版

　　印数：88 001 – 96 000 册　　　　2013 年 1 月北京第 12 次印刷

著作权合同登记　图字：01-2010-0678 号

ISBN 978-7-115-22626-6

定价：88.00 元

读者服务热线：**(010)67132705**　印装质量热线：**(010)67129223**

反盗版热线：**(010)67171154**

作 者 序

关于本书

一晃眼之间，私房菜的基础篇已经进入第三版了！距离第一版 2002 年已经间隔了 7 年。感觉好久了啊！为什么要有第三版呢？近年来由于信息产业的快速发展，Linux 的一些架构也有了些许的差别，尤其是 SELinux 的成熟，以及不同的 distribution 的发布。因此有必要随着时间的推移将 Linux 相关文件数据做个修订，以免读者得到旧的、不适宜的信息。这次大改版其实从 2008 年 7 月就开始进行了，只是作者平日比较懒散，加上目前任职的单位比较忙碌，所以这一改，就足足改了一年多！还真是累啊！

这次改版幅度比较大的地方，包括加入第 0 章的计算机概论，第 3 章对 MBR 与开机管理程序作了比较详细的图解说明，第 6 章增加 FHS 定义的 4 种类别，第 8 章加入 GNU 推出的 parted 命令介绍(可分割大于 2TB 的磁盘)，第 9 章加入 dump/restore 和 mkisofs/cdrecord 命令，第 10 章加入 iconv 语系编码转换命令介绍，第 14 章加入 ACL 的详细权限设置，第 15 章除了 quota 之外，再加入更实用的软件磁盘阵列与 LVM 文件系统，第 17 章则加入越来越不能取消的 SELinux 等。

由于本书想要试图将大家平时会遇到的问题都写入到里面，因此篇幅确实比较大！另外本书都是鸟哥一个人所做，当然无可避免地会有些疏漏之处，若有任何建议，欢迎到讨论区的书籍勘误向鸟哥反馈，以让小弟有机会更正错误！感谢大家！

勘误反馈：http://phorum.vbird.org/viewtopic.php?t=33387

勘误汇整：http://linux.vbird.org/book/

感谢

感谢自由软件社区的发展，让大家能够使用这么棒的操作系统！另外，对于本书来说，最要感谢的还是 netman 大哥，netman 是带领鸟哥进入 Linux 世界的启蒙老师！感谢你！另外还有 Study-Area 的伙伴，以及讨论区上面所有帮忙的朋友，尤其是众位版主！相当感谢大家的付出！

也感谢昆山科技大学给鸟哥提供了一个教学的机会，尤其是信息传播系的张世熙主任，愿意给鸟哥这个机会来学校授课，让鸟哥有更多教学的经验，也才有办法增加许多练习的机会，发现教学方面的问题，提供较多的解决方案！感谢你！

读者们的勘误反馈以及经验分享，也是让鸟哥相当感动的一个环节，包括前辈们指导鸟哥进行文章的修订，以及读者们细心发现的笔误之处，都让鸟哥有继续修订网站/书籍文章的动力！有你的支持，小弟也才有动力持续成长！感谢大家！

最要感谢的是鸟哥的老婆，谢谢你，亲爱的鸟嫂，老是要你帮忙料理生活琐事，也谢谢你常常不厌其烦地帮鸟哥处理生活大小事，今年还帮我们生了小公主宸宸，有小朋友在身旁实在是件非常开心的事，谢谢你，我最亲爱的老婆。

如何学习本书

　　这本书确实是为了 Linux 新手所写的，里面包含了鸟哥从完全不懂 Linux 到现在的所有历程，因此，如果你对 Linux 真的感兴趣，那么这本书"理论上"应该是可以符合你的需求。由于 Linux 的基本功比较枯燥，因此很多人在第一次接触就打退堂鼓了，非常可惜！你需要耐得住寂寞，要有刻苦耐劳的精神，才能够顺利地照着本书的流程阅读下去。

　　Linux 真的不好学，而且操作系统每个部分都是息息相关的，因此不论哪本书籍，章节的编排都是很伤脑筋的。建议你使用本书时，看不懂或者是很模糊的地方，可以先略过去，全部的文章都看完与做完之后，再重头仔细地重新读一遍与做一遍，相信就能够豁然开朗了起来！此外，"尽信书不如无书"，只"读"完这本书，相信你一定"不可能"学会 Linux，但如果照着这本书里面的范例实践过，且在实践时思考每个命令动作所代表的意义，并且实际自己去 man 过在线文档（man 是 Linux 中一个类似于查看的命令），那么想不会 Linux 都不容易啊！这么说，你应该清楚该如何学习了吧？没错，实践与观察才是王道！给自己机会到讨论区帮大家调试（debug）也是相当有帮助喔！大家加油！

鸟 哥

2009/12/03 于台南

目　录

第一部分　Linux 的规则与安装

第二部分　Linux 文件、目录与磁盘格式

第三部分　学习 shell 与 shell script

第四部分　Linux 使用者管理

第五部分　Linux 系统管理员

第 0 章　计算机概论

　　这几年鸟哥开始在大学任教了，在教学的经验中发现，由于对 Linux 有兴趣的朋友很多可能并非是计算机专业出身，因此对于计算机硬件及计算机方面的概念不熟。然而操作系统跟硬件有相当程度的关联性，所以如果不了解一下计算机概论，要很快地了解 Linux 的概念是有点难度的。因此，鸟哥就自作聪明地新增了一小章来谈谈计算机概论！因为鸟哥也不是相关学科出身，所以写得不好的地方还请大家多多指教。

0.1　计算机：辅助人脑的好工具

进入 21 世纪，没有用过计算机的朋友应该算很少了吧？但是，你了解计算机是什么吗？计算机的机壳里面含有什么组件？不同的计算机可以作什么事情？你生活周围都有哪些电器用品内部是含有计算机相关组件的？下面我们就来介绍一下吧！

计算机其实是：接收用户输入指令与数据，经过中央处理器的数据与逻辑单元运算处理后，以产生或存储成有用的信息。因此，只要有输入设备（不管是键盘还是触摸式屏幕）及输出设备（屏幕或直接打印出来），让你可以输入数据使该机器产生信息的，那就是一台计算机了，如图 0-1 所示。

数据　　　　　　　计算机　　　　　　有效信息

图 0-1　计算机的功能

根据这个定义你知道哪些东西是计算机了吗？包括一般商店用的简易型加减乘除计算机、打电话用的手机、开车用的卫星定位系统（GPS）、提款用的提款机（ATM）、你常使用的桌面型计算机、可携带的笔记本电脑，还有近年来很红火的 Eee PC（或称为 netbook、上网本）等，这些都是计算机！

那么计算机主要的组成部件是什么呢？下面我们以常见的个人计算机来作说明。

0.1.1　计算机硬件的五大单元

关于计算机的组成部分，其实你可以观察你的桌面型计算机分析一下，依外观来说，计算机主要分为三部分。

- **输入单元**：包括键盘、鼠标、卡片阅读机、扫描仪、手写板、触摸屏幕等。
- **中央处理器（CPU）**：含有算术逻辑、控制、记忆等单元。
- **输出单元**：例如屏幕、打印机等。

我们主要通过输入设备（如鼠标与键盘）来将一些数据输入到主机里面，然后再由主机的功能处理成为图表或文章等信息后，将结果传输到输出设备，如屏幕或打印机上面。重点在于主机，里面含有什么组件呢？如果你曾经拆开过计算机机箱，会发现其实主机里面最重要的就是一块主板，上面安插了中央处理器（CPU）以及内存，还有一些适配卡而已。

整台主机的重点在于中央处理器（Central Processing Unit, CPU），CPU 为一个具有特定功能的芯片，里头含有微指令集，如果你想要让主机进行什么特异的功能，就得要参考 CPU 是否有相关内置的微指令集才可以。由于 CPU 的工作主要在于管理与运算，因此在 CPU 内又可分为两个主要的单元，分别是算术逻辑单元与控制单元[注1]。其中算术逻辑单元主要负责程序运算与逻辑判断，控制单元则主要协调各组件与各单元间的工作。

既然 CPU 的重点是进行运算与判断，那么要被运算与判断的数据是从哪里来的？CPU 读取的数据都是从内存读取来的。内存内的数据则是从输入单元传输进来的。而 CPU 处理完毕的数据也必须要先写回内存中，最后数据才从内存传输到输出单元。

综合上面所说的，我们会知道其实计算机是由几个单元所组成的，包括输入单元、输出单元、CPU内部的控制单元、算术逻辑单元与内存五大部分。相关性如图 0-2 所示。

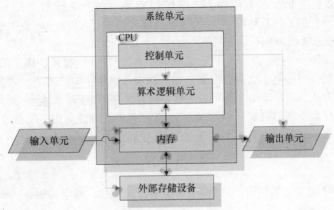

图 0-2 计算机的五大单元

图 0-2 中的系统单元其实指的就是计算机主机内的主要组件，而重点在于 CPU 与内存。特别要看的是实线部分的传输方向，**基本上数据都是流经过内存再转出去**。至于数据会流进/流出内存，则是 CPU 所发布的控制命令。而 CPU 实际要处理的数据则完全来自于内存，这是个很重要的概念。

而由上面的图示我们也能知道，所有的单元都是由 CPU 内部的控制单元来负责协调的，因此 CPU 是整个计算机系统的最重要部分。那么目前世界上有哪些主流的 CPU 呢？是否刚刚我们谈到的硬件内全部都是相同的 CPU 种类呢？下面我们就来谈一谈。

0.1.2 CPU 的种类

如前面说过的，其实 CPU 内部已经含有一些小指令集，我们所使用的软件都要经过 CPU 内部的微指令集来完成才行。这些指令集的设计主要又被分为两种设计理念，这就是目前世界上常见的两种主要 CPU 种类，分别是精简指令集（RISC）与复杂指令集（CISC）系统。下面我们就来谈谈这两种不同 CPU 种类的区别。

◆ 精简指令集（Reduced Instruction Set Computing, RISC）[注2]

  ● 这种 CPU 的设计中，微指令集较为精简，每个指令的执行时间都很短，完成的操作也很单纯，指令的执行性能较佳；但是若要做复杂的事情，就要由多个指令来完成。常见的 RISC 微指令集 CPU 主要有 Sun 公司的 SPARC 系列、IBM 公司的 Power Architecture（包括 PowerPC）系列与 ARM 系列等。

  ● 在应用方面，SPARC 架构的计算机常用于学术领域的大型工作站中，包括银行金融体系的主要服务器也都有这类的计算机架构；至于 PowerPC 架构的应用上，例如 Sony 公司出产的 Play Station 3（PS3）就是使用 PowerPC 架构的 Cell 处理器；那 ARM 呢？你常使用的各品牌手机、PDA、导航系统、网络设备（交换机、路由器）等，几乎都是使用 ARM 架构的 CPU。老实说，目前世界上使用范围最广的 CPU 可能就是 ARM 呢[注3]！

◆ 复杂指令集（Complex Instruction Set Computer, CISC）[注4]

  ● 与 RISC 不同的，在 CISC 的微指令集中，每个小指令可以执行一些较低阶的硬件操作，指令数目多而且复杂，每条指令的长度并不相同。因为指令执行较为复杂，所以每条指令花费的时间较长，但每条个别指令可以处理的工作较为丰富。常见的 CISC 微指令集 CPU 主要有 AMD、Intel、VIA 等 x86 架构的 CPU。

  ● 由于 AMD、Intel、VIA 所开发出来的 x86 架构 CPU 被大量使用于个人计算机（Personal Computer）用途上面，因此，个人计算机常被称为 x86 架构的计算机。那为何称为 x86 架构[注5]呢？这是因为最早的那个 Intel 发展出来的 CPU 代号称为 8086，后来依此架构又开发出 80286，80386 等，因此这种架构的 CPU 就被称为 x86 架构了。

- 在 2003 年以前由 Intel 所开发的 x86 架构 CPU 由 8 位升级到 16、32 位，后来 AMD 依此架构修改新一代的 CPU 为 64 位，为了区别两者的不同，因此 64 位的个人计算机 CPU 又被统称为 x86_64 的架构！
- 那么不同的 x86 架构的 CPU 有什么区别呢？除了 CPU 的整体结构（如第二层缓存、每次运作可执行的指令数等）之外，主要是在于微指令集的不同。新的 x86 的 CPU 大多含有很先进的微指令集，这些微指令集可以加速多媒体程序的运行，也能够加强虚拟化的性能，而且某些微指令集更能够增加能源效率，让 CPU 耗电量降低。由于电费越来越高，购买计算机时，除了整体的性能之外，节能省电的 CPU 特色也可以考虑。

例题

最新的 Intel/AMD 的 x86 架构中，请查询出多媒体、虚拟化、省电功能各有哪些重要的微指令集（仅供参考）。

答：
- 多媒体微指令集：MMX, SSE, SSE2, SSE3, SSE4, AMD–3DNow!
- 虚拟化微指令集：Intel–VT, AMD–SVM
- 省电功能：Intel–SpeedStep, AMD–PowerNow!
- 64/32 位兼容技术：AMD–AMD64, Intel–EM64T

0.1.3 接口设备

单有 CPU 也无法运作计算机的，所以计算机还需要其他的接口设备才能够实际运行。除了前面稍微提到的输入/输出设备以及 CPU 与内存之外，还有什么接口设备呢？其实最重要的接口设备是主板！因为主板负责将所有的设备连接在一起，让所有的设备能够进行协调与通信。而主板上面最重要的组件就是主板芯片组！这个芯片组可以将所有的设备汇集在一起！其他重要的设备还有。

- **存储设备**：包括硬盘、软盘、光盘、磁带等。
- **显示设备**：显卡对于玩 3D 游戏来说是非常重要的，它与显示的精度、色彩与分辨率都有关系。
- **网络设备**：没有网络就活不下去，所以网卡对于计算机来说也是相当重要。

更详细的各项周边设备我们将在下个小节进行介绍。在这里我们先来了解一下各组件的关系！那就是计算机是如何运行的呢？

0.1.4 运作流程

如果不是很了解计算机的运行流程，鸟哥拿个简单的想法来思考好了。假设计算机是一个人体，那么每个组件对应哪个地方呢？可以这样思考。

- **CPU=大脑**：每个人会做事情都不一样（微指令集的区别），但主要都是通过大脑来进行判断与控制身体各部分的活动。
- **内存=大脑中的记录区块**：在实际活动过程中，我们的大脑能够将外界的互动暂时记录起来，提供 CPU 来进行判断。
- **硬盘=大脑中的记忆区块**：将重要的数据记录起来，以便未来再次使用这些重要的经验。
- **主板=神经系统**：好像人类的神经一样，将所有重要的组件连接起来，包括手脚的活动都是大脑发布命令后，通过神经（主板）传输给手脚来进行活动。
- **各项接口设备=人体与外界通信的手、脚、皮肤、眼睛等**：就好像手脚一般，是人体与外界互动的关键部位。
- **显卡=脑袋中的影像**：将来自眼睛的刺激转成影响后在脑袋中呈现，所以显卡所产生的数据来源也是 CPU 控制的。

◆ 电源（Power）=心脏：所有的组件要能运作，得要有足够的电力供给才行。这电力供给就好像心脏一样，如果心脏不够强，那么全身也就无法动弹的！心脏不稳定呢？那你的身体当然可能断断续续地不稳定！

在图 0-3 所示的关系图当中，我们知道整个活动中最重要的就是大脑。而大脑当中与现在正在进行的工作有关的就是 CPU 与内存。任何外界的接触都必须要由大脑中的内存记录下来，然后由大脑中的 CPU 依据这些数据进行判断后，再发送命令给各个接口设备。如果需要用到过去的经验，就得由过去的经验（硬盘）当中读取了。

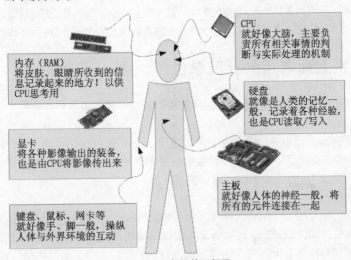

图 0-3　各组件运行图

也就是说，整个人体最重要的地方就是大脑，同样，整台主机当中最重要的就是 CPU 与内存，而 CPU 的数据通道来自于内存，如果要由过去的经验来判断事情时，也要将经验（硬盘）挪到目前的记忆（内存）当中，再交由 CPU 来判断，这一点得要再次强调。下个章节当中，我们就对目前常见的个人计算机各个组件来进行说明。

0.1.5　计算机分类

知道了计算机的基本组成与周边设备，也知道其实计算机的 CPU 种类非常多，再来我们想要了解的是计算机如何分类。计算机的分类非常多，如果以计算机的复杂度与运算能力进行分类的话，主要可以分为以下几类。

◆ 超级计算机（Supercomputer）
  ● 超级计算机是运行速度最快的计算机，但是它的维护、操作费用也最高。主要是用于需要有高速计算的项目中。例如国防军事、气象预测、太空科技，用在模拟的领域较多。至于全世界最快速的前 500 台超级计算机，则请参考：http://www.top500.org。

◆ 大型计算机（Mainframe Computer）
  ● 大型计算机通常也具有数个高速的 CPU，功能上虽不及超级计算机，但也可用来处理大量数据与复杂的运算。例如大型企业的主机、全国性的证券交易所等每天需要处理数百万笔数据的企业机构，或者是大型企业的数据库服务器等。

◆ 迷你计算机（Minicomputer）
  ● 迷你计算机仍保有大型计算机同时支持多用户的特性，但是主机可以放在一般作业场所，不像前两个大型计算机需要特殊的空调场所。通常用来作为科学研究、工程分析与工厂的流程管理等。

◆ 工作站（Workstation）

- 工作站的价格又比迷你计算机便宜许多，是针对特殊用途而设计的计算机。在个人计算机的性能还没有提升到目前的状况之前，工作站计算机的性能/价格比是所有计算机当中较佳的，因此在学术研究与工程分析方面相当常见。

◆ 微电脑（Microcomputer）

- 微电脑又可以称为个人计算机，也是我们这里主要探讨的目标。它体积小，价格低，但功能还是五脏俱全的。大致又可分为桌上型电脑、笔记本电脑等。

若光以性能来说，目前的个人计算机性能已经够快了，甚至比工作站等级以上的计算机运算速度还要快。但是工作站计算机强调的是稳定不死机，并且运算过程要完全正确，因此工作站以上等级的计算机在设计时的考虑与个人计算机并不相同！这也是为何工作站等级以上的个人计算机售价较贵的原因。

0.1.6 计算机上面常用的计算单位（大小、速度等）

计算机的运算能力是由速度来决定的，而存放在计算机存储设备当中的数据大小也是有单位的。

◆ 大小单位

- 计算机依据有没有通电来记录信息，所以理论上它只认识 0 与 1 而已。0/1 的单位我们称为 bit。但 bit 实在太小了，并且在存储数据时每份简单的数据都会使用到 8 个 bit 的大小来记录，因此定义出 Byte 这个单位，它们的关系为：
- 1Byte = 8bit
- 不过同样地，Byte 还是太小了，在较大的容量情况下，使用 Byte 相当不容易判断数据的大小，举例来说，1000000B 这样的显示方式你能够看得出有几个零吗？所以后来就有一些常见的简化单位表示法，例如 K 代表 1024，M 代表 1024K 等。而这些单位在不同的进位制下有不同的数值表示，下面就列出常见的单位与进位制对应表，如表 0-1 所示。
- 表 0-1

进位制	K	M	G	T	P
二进制	1024	1024K	1024M	1024G	1024T
十进制	1000	1000K	1000M	1000G	1000T

- 一般来说，文件大小使用的是二进制的方式，所以 1GB 的文件大小实际上为：1024x1024x1024B 这么大。速度单位则常使用十进制，例如 1GHz 就是 1000x1000x1000Hz 的意思。

◆ 速度单位

- CPU 的运算速度常使用 MHz 或者是 GHz 之类的单位，这个 Hz 其实就是秒分之一。而在网络传输方面，由于网络使用的是 bit 为单位，因此网络常使用的单位为 Mbit/s，即每秒多少 Mbit。举例来说，大家常听到的 8M/1M ADSL 传输速度，如果转成文件容量的 Byte 时，其实理论最大传输值为：1MB/s/125KB/s 的上传/下载速度。

例题

假设你今天购买了 500GB 的硬盘一个，但是格式化完毕后却只剩下 460GB 左右的空间，这是什么原因？

答：因为一般硬盘制造商会使用十进制的单位，所以 500GB 代表为 500 x 1000 x 1000 x 1000B 之意。转成文件的大小单位时使用二进制（1024 为底），所以就成为 466GB 左右的空间了。

硬盘厂商并非要骗人，只是因为硬盘的最小物理量为 512bytes，最小的组成单位为扇区（sector），通常硬盘容量的计算采用"多少个 sector"，所以才会使用十进制来处理的。相关的硬盘信息在这一章后面会提到。

0.2　个人计算机架构与接口设备

　　一般消费者常说的计算机通常指的就是 x86 的个人计算机架构，因此我们有必要来了解一下这个架构的各个组件。事实上，Linux 最早在发展的时候，就是依据个人计算机的架构来发展的，所以，真的需要了解一下。另外，因为两大主流 x86 开发商（Intel, AMD）的 CPU 架构并不兼容，而且设计理念也有所区别，所以两大主流 CPU 所需要的主板芯片组设计也就不太相同。目前最新的主板架构主要如图 0-4 所示。

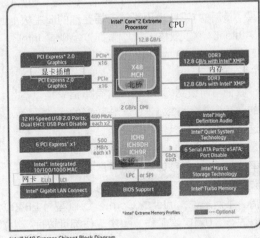

图 0-4　Intel 芯片架构

　　就如同前一节提到的，整个主板上面最重要的就是芯片组了！而芯片组通常又分为两个桥接器来控制各组件的通信，分别是：（1）北桥负责连接速度较快的 CPU、内存与显卡等组件；（2）南桥负责连接速度较慢的周边接口，包括硬盘、USB、网卡等。（芯片组的南北桥与三国的大小乔没有关系。）至于 AMD 的芯片组架构，如图 0-5 所示。

　　它与 Intel 不同的地方在于，内存是直接与 CPU 通信而不通过北桥。从前面的说明我们可以知道 CPU 的数据主要都是来自于内存，因此 AMD 为了加速这两者的通信，将内存控制组件集成到 CPU 当中，理论上这样可以加速 CPU 与内存的传输速度。这是两种 CPU 在架构上面主要的区别。

　　毕竟目前世界上 x86 的 CPU 主要生产商为 Intel，所以下面将以 Intel 的主板架构为例说明各组件！我们以技嘉公司出品的型号为 Gigabyte GA-X48-DQ6 的主板作为一个说明的范例，主板各组件如图 0-6 所示。

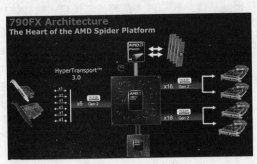

图 0-5　AMD 芯片架构

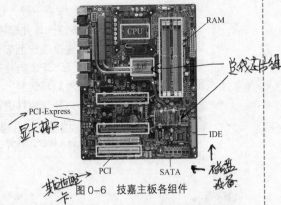

图 0-6　技嘉主板各组件

　　主要的组件为 CPU、内存、磁盘设备（IDE/SATA）、总线芯片组（南桥/北桥）、显卡接口（PCI-Express）与其他适配卡（PCI）。下面的各项组件在讲解时请参考 Intel 芯片组架构与技嘉主板各组件来印证。

0.2.1　CPU

　　如同图 0-6 所示，最上方的中央部分，那就是 CPU 插槽。由于 CPU 负责大量运算，因此 CPU 通常是具有相当高发热量的组件。所以如果你曾经拆过主板，应该就会看到 CPU 上面通常会安插一个风扇来主动散热。

　　x86 个人计算机的 CPU 主要生产商为 Intel 与 AMD，目前主流的 CPU 都是双核以上的架构了。原本的单核 CPU 仅有一个运算单元，所谓的多核则是在一个 CPU 封装当中嵌入了两个以上的运算内核，简单地说，就是一个实际的 CPU 外壳中含有两个以上的 CPU 单元。

　　不同的 CPU 型号大多具有不同的脚位（CPU 上面的插脚），能够搭配的主板芯片组也不同，所以当你想要将你的主机升级时，不能只考虑 CPU，你还得要留意你的主板上面所支持的 CPU 型号！不然买了最新的 CPU 也不能够安插在你的旧主板上面！目前主流的 CPU 有 Intel 的 Core 2 Duo 与 AMD 的 Athlon64 X2 双核 CPU，高阶产品则有 Intel 的 Core i7 与 AMD 的 Phenom II 四内核 CPU，如图 0-7 所示。

Intel最新CPU的脚位　　　　AMD最新CPU的脚位

图 0-7　不同的 CPU 脚位

　　我们前面谈到 CPU 内部含有微指令集，不同的微指令集会导致 CPU 工作效率的优劣。除了这点之外，CPU 性能的比较还有什么呢？那就是 CPU 的频率。什么是频率？简单地说，频率就是 CPU 每秒钟可以进行的工作次数。所以频率越高表示 CPU 单位时间内可以做更多的事情。举例来说，Intel 的 Core 2 Duo 型号 E8400 的 CPU 频率为 3.0GHz，表示这个 CPU 在一秒内可以进行 3.0×10^9 次工作，每次工作都可以进行少数的指令运行之意。

　　注意，不同的 CPU 之间不能单纯以频率来判断运算性能。这是因为每个 CPU 的微指令集不相同，架构也不一样，每次频率能够进行的工作指令数也不同，所以频率目前仅能用来比较同款 CPU 的速度。

◆　**CPU 的"外频"与"倍频"**

●　我们可以看到图 0-9 的芯片架构图当中各个组件都是通过北桥与南桥连接在一起。但就像一群人共同在处理一个连续作业一般，如果这一群人里面有个人的动作特别快或特别慢，将导致前面或者是后面的人事情一堆处理不完！也就是说，这一群人最好能够速度一致较佳！所以 CPU 与外部各组件的速度理论上应该要一致才好。但是因为 CPU 需要较强大的运算能力，因为很多判断与数据都是在 CPU 内处理的，因此 CPU 开发商就在 CPU 内再加上一个加速功能，所以 CPU 有所谓的外频与倍频。

●　所谓的外频指的是 CPU 与外部组件进行数据传输/运算时的速度，倍频则是 CPU 内部用来加速工作性能的一个倍数，两者相乘才是 CPU 的频率。我们以刚才的 Intel Core 2 Duo E8400 CPU 来说，它的频率是 3.0GHz，而外频是 333MHz，因此倍频就是 9 倍（3.0G=333Mx9，其中 1G=1000M）。

　　很多计算机硬件玩家很喜欢玩"超频"，所谓的超频指的是：将 CPU 的倍频或者是外频通过主板的设定功能更改成较高频率的一种方式。但因为 CPU 的倍频通常在出厂时已经被锁定而无法修改，因此较常被超频的为外频。

　　举例来说，像上述 3.0GHz 的 CPU 如果想要超频，可以将它的外频 333MHz 调整成为 400MHz，但如此一来整个主板的各个组件的运行频率可能都会被增加成原本的 1.333 倍（4/3），虽然 CPU 有可能到达 3.6GHz，但却因为频率并非正常速度，故可能会造成死机等问题。

◆ 32 位与 64 位

- 前面谈到 CPU 运算的数据都是由内存提供的，内存与 CPU 的通信速度靠的是外部频率，那么每次工作可以传送的数据量有多大呢？那就是总线的功能了。一般主板芯片组分为北桥与南桥，北桥的总线称为系统总线，因为是内存传输的主要信道，所以速度较快；南桥就是所谓的输入输出（I/O）总线，主要用于"联系"硬盘、USB、网卡等接口设备。

- 目前北桥所支持的频率可高达 333/400/533/800/1066/1333/1600MHz 等不同频率，支持情况依芯片组功能而有所不同。北桥所支持的频率我们称为前端总线速度（Front Side Bus, FSB），而每次传送的位数则是总线宽度。那所谓的总线频宽则是 "FSB x 总线宽度"，亦即每秒钟可传送的最大数据量。目前常见的总线宽度有 32/64 位（bit）。

- 而如图 0-5 图示，在该架构中前端总线最高速度可达 1600MHz。我们看到内存与北桥的频宽为 12.8GB/s，即是 1600MHz x 64bit = 1600MHz x 8Bytes = 12800MB/s = 12.8GB/s

- 与总线宽度相似，**CPU 每次能够处理的数据量称为字组大小（word size），字组大小依据 CPU 的设计而有 32 位与 64 位**。我们现在所称的计算机是 32 位或 64 位主要是依据 CPU 解析的字组大小而来的！早期的 32 位 CPU 中，因为 CPU 每次能够解析的数据量有限，因此由内存传来的数据量就有所限制了。这也导致 32 位的 CPU 最多只能支持最大到 4GB 的内存。

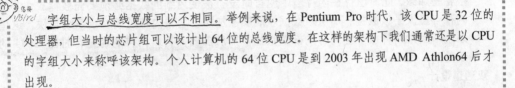

字组大小与总线宽度可以不相同。举例来说，在 Pentium Pro 时代，该 CPU 是 32 位的处理器，但当时的芯片组可以设计出 64 位的总线宽度。在这样的架构下我们通常还是以 CPU 的字组大小来称呼该架构。个人计算机的 64 位 CPU 是到 2003 年出现 AMD Athlon64 后才出现。

◆ CPU 等级

- 由于 x86 架构的 CPU 在 Intel 的 Pentium 系列（1993 年）后就有不统一的引脚位与设计，为了将不同种类的 CPU 规范等级，所以就有 i386，i586，i686 等名词出现了。基本上，在 Intel Pentium MMX 与 AMD K6 年代的 CPU 称为 i586 等级，而 Intel Celeron 与 AMD Athlon（K7）年代之后的 32 位 CPU 就称为 i686 等级。至于目前的 64 位 CPU 则统称为 x86_64 等级。

- 目前很多的程序都有对 CPU 做最佳化的设计，如果哪天你发现一些程序是注明给 686 的 CPU 使用时，就不要将它安装在 586 以下等级的计算机中，否则会无法执行该软件。不过，在 686 的机器上可以安装 386 的软件。也就是说，它们具有向下兼容的能力！

0.2.2 内存

如同图 0-6 所示的技嘉主板示意图中，右上方的那四根插槽就是内存的插槽了。内存插槽中间通常有个突起物将整个插槽稍微切分成为两个不等长的距离，这样的设计可以让用户在安装内存时，不至于前后脚位安插错误，是一种防误操作的设计。

◆ 前面提到 CPU 所使用的数据都是来自于内存（Memory），不论是软件程序还是数据，都必须要读入内存后 CPU 才能利用。个人计算机的内存主要组件为动态随机访问内存（Dynamic Random Access Memory, DRAM），随机访问内存只有在通电时才能记录与使用，断电后数据就消失了。因此我们也称这种 RAM 为挥发性内存。

- DRAM 根据技术的更新又分好几代，而使用上较广泛的有所谓的 SDRAM 与 DDR SDRAM 两种。这两种内存的区别除了在于引脚位与工作电压上的不同之外，DDR 是双倍数据传送速度（Double Data Rate），它可以在一次工作周期中进行两次数据的传送，感觉上就是 CPU 的倍频。所以传输频率方面比 SDRAM 还要好。新一代的 PC 大多使用 DDR 内存了。表 0-2 列出了 SDRAM 与 DDR SDRAM 的型号与频率及频宽之间的关系。

- 表 0-2

SDRAM/DDR	型号	数据宽度（bit）	外频（MHz）	频率（MHz）	频宽
SDRAM	PC100	64	100	100	800MB/s
SDRAM	PC133	64	133	133	1064MB/s
DDR	DDR266	64	133	266	2.1GB/s
DDR	DDR400	64	200	400	3.2GB/s
DDR	DDRII800	64	400	800	6.4GB/s

- DDR SDRAM 又依据技术的发展，有 DDR, DDRII, DDRIII 等。

内存型号的挑选与 CPU 及芯片组有关，所以在购买主板、CPU 与内存的时候必须要考虑其相关性，并不是任何主板都可以安插 DDR III 的内存呢！

- 内存除了频率/频宽与型号需要考虑之外，容量也是很重要的。因为所有的数据都得要加载到内存当中才能够被 CPU 读取，如果内存容量不够大的话将会导致某些大容量数据无法被完整加载，此时已存在内存当中但暂时没有被使用到的数据必须要先被释放，使得可用内存容量大于该数据，那份新数据才能够被加载。通常内存越大表示系统越快，这是因为系统不用常常释放一些内存内部的数据。对服务器而言，内存的容量有时比 CPU 的速度还重要。

◆ 双通道设计

  - 由于所有的数据都必须要存放在内存中，所以内存的数据宽度当然是越大越好。但传统的总线宽度一般大约仅达 64 位，为了要加大这个宽度，因此芯片组厂商就将两个内存汇整在一起，如果一条内存可达 64 位，两条内存就可以达到 128 位了，这就是双通道的设计理念。
  - 如上所述，要启用双信道的功能你必须要安插两支（或四条）内存，这两条内存最好型号都一模一样的比较好，这是因为启动双信道内存功能时，数据是同步写入/读出这一对内存中，如此才能够提升整体的频宽！所以当然除了容量大小要一致之外，型号也最好相同！
  - 你有没有发现图 0-6 所示的技嘉主板示意图上那四根内存插槽的颜色呢？是否分为两种颜色，且两两成对？为什么要这样设计？这种颜色的设计就是为了双通道来的！要启动双信道的功能时，你必须要将两根容量相同的内存插在相同颜色的插槽当中！

◆ CPU 频率与内存的关系

  - 理论上，CPU 与内存的外频应该要相同才好。不过，因为技术方面的提升，因此这两者的频率速度不会相同，但外频则应该是一致的较佳。举例来说，上面提到的 Intel E8400 CPU 外频为 333MHz，则应该选用 DDR II 667 这个型号，因为该内存型号的外频为 333MHz！

◆ DRAM 与 SRAM

  - 除了内存之外，事实上整台个人计算机当中还有许多的"内存"存在！最为我们所知的就是 CPU 内的第二层高速缓存。我们现在知道 CPU 的数据都是由内存提供的，但内存的数据毕竟得经由北桥送到 CPU 内。如果某些很常用的程序或数据可以放置到 CPU 内部的话，那么 CPU 数据的读取就不需要通过北桥了。对于性能来说不就可以大大提升了？这就是第二层缓存的设计概念。第二层缓存与内存及 CPU 的关系如图 0-8 所示。
  - 因为第二层缓存（L2 Cache）集成到 CPU 内部，因此这个 L2 内存的速度必须要与 CPU 频率相同。使用 DRAM 是无法达到这个频率速

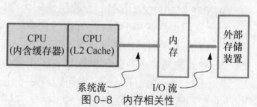

图 0-8 内存相关性

度的，此时就需要静态随机访问内存（Static Random Access Memory, SRAM）帮忙了。SRAM
在设计上使用的晶体管数量较多，价格较高，且不易做成大容量，不过由于其速度快，因此集成
到 CPU 内成为高速缓存以加快数据的访问是个不错的方式！新一代的 CPU 都有内置容量不等的
L2 缓存在 CPU 内部，以加快 CPU 的运行性能。

◆ 只读存储器（ROM）

● 主板上面的组件是非常多的，而每个组件的参数又具有可调整性。举例来说，CPU 与内存的
频率是可调整的；而主板上面如果有内置的网卡或者是显卡时，该功能是否要启动与该功能
的各项参数被记录到主板上面的一个称为 CMOS 的芯片上，这个芯片需要借着额外的电源来
发挥记录功能，这也是为什么你的主板上面会有一个电池的缘故。

● 那 CMOS 内的数据如何读取与更新呢？还记得你的计算机在开机的时候可以按下[Del]按键来
进入一个名为 BIOS 的界面吧？ BIOS（Basic Input Output System）[注7] 是一套程序，这套程
序是写死到主板上面的一个内存芯片中，这个内存芯片在没有通电时也能够将数据记录下来，
那就是只读存储器（Read Only Memory, ROM）。ROM 是一种非挥发性的内存。另外，BIOS
对于个人计算机来说是非常重要的，因为它是系统在开机的时候首先会去读取的一个小程序！

● 另外，固件（firmware）[注6] 很多也是使用 ROM 来进行软件的写入的。固件像软件一样也是
一个被计算机所执行的程序，然而它是对于硬件内部而言更加重要的部分。例如 BIOS 就是一个
韧体，BIOS 虽然对于我们日常操作计算机系统没有什么太大的关系，但是它却控制着开机时各
项硬件参数的取得！所以我们会知道很多的硬件上面都会有 ROM 来写入固件中。

● BIOS 对计算机系统来讲是非常重要的，因为它掌握了系统硬件的详细信息与开机设备的选择等。
但是计算机发展的速度太快了，因此 BIOS 程序代码也可能需要做适度的修改才行，所以你才会在
很多主板官网找到 BIOS 的更新程序。但是 BIOS 原本使用的是无法改写的 ROM，因此根本无法修
正 BIOS 程序代码。为此，现在的 BIOS 通常是写入闪存（Flash Memory）或 EEPROM[注8] 中。

0.2.3 显卡

显卡插槽如图 0-6 所示，是在中央较长的插槽上。图 0-6 所示的这块主板中提供了两个显卡插槽。
显卡又称为 VGA（Video Graphics Array），它对于图形影像的显示扮演相当关键的角色。一般对
于图形影像的显示重点在于分辨率与色彩深度，因为每个图像显示的颜色会占用内存，因此显卡上面
会有一个内存的容量，这个显卡内存容量将会影响到最终你的屏幕分辨率与色彩深度。

除了显卡内存之外，现在由于三度空间游戏（3D game）与一些 3D 动画的流行，因此显卡的"运
算能力"越来越重要。一些 3D 的运算早期是交给 CPU 去运行的，但是 CPU 并非完全针对这些 3D
来进行设计，而且 CPU 平时已经非常忙碌了。所以后来显卡厂商直接在显卡上面嵌入一个 3D 加速的
芯片，这就是 GPU 称谓的由来。

显卡主要也是通过北桥芯片与 CPU、内存等通信。如前面提到的，对于图形影像（尤其是 3D 游
戏）来说，显卡也是需要高速运算的一个组件，所以数据的传输也是越快越好。因此显卡的规格由早
期的 PCI 导向 AGP，近期 AGP 又被 PCI-Express 规格所替代了。如图 0-6 图示当中看到的就是
PCI-Express 的插槽。这些插槽最大的区别就是在数据传输的频宽了，如表 0-3 所示。

表 0-3

规　格	宽度（bit）	速度（MHz）	频　宽
PCI	32	33	133MB/s
PCI 2.2	64	66	533MB/s
PCI-X	64	133	1064MB/s
AGP 4x	32t	66x4	1066MB/s
AGP 8x	32 bit	66x8 MHz	2133 MB/s

续表

规 格	宽度（bit）	速度（MHz）	频 宽
PCIe x1	无	无	250MB/s
PCIe x8	无	无	2GB/s
PCIe x16	无	无	4GB/s

比较特殊的是，PCIe（PCI-Express）使用的是类似管线的概念来处理，每条管线可以具有 250MB/s 的频宽性能，管线越大（最大可达 x32）则总频宽越高。目前显卡大多使用 x16 的 PCIe 规格，这个规格至少可以达到 4GB/s 的频宽。比起 AGP 是快很多。此外，新的 PCIe 2.0 规格也已经推出了，这个规格又可将每个管线的性能提升一倍呢！

如果你的主机是用来打 3D 游戏的，那么显卡的选购是非常重要的！如果你的主机是用来作为网络服务器的，那么简单的入门级显卡对你的主机来说就非常够用了，因为网络服务器很少用到 3D 与图形影像功能。

例题

假设你的桌面使用 1024x768 分辨率，且使用全彩（每个像素占用 3B 的容量），请问你的显卡至少需要多少内存才能使用这样的彩度？

答：因为 1024x768 分辨率中会有 786432 个像素，每个像素占用 3B，所以总共需要 2.25MB 以上。但如果考虑屏幕的刷新率（每秒钟屏幕的刷新次数），显卡的内存还是越大越好。

0.2.4　硬盘与存储设备

计算机总是需要记录与读取数据的，而这些数据当然不可能每次都由用户经过键盘来打字。所以就需要有存储设备了。计算机系统上面的存储设备包括硬盘、软盘、MO、CD、DVD、磁带机、U 盘（闪存）等，乃至于大型机器的局域网存储设备（SAN, NAS）等，都是可以用来存储数据的。而其中最常见的就是硬盘了！

◆ **硬盘的物理组成**
  ● 大家应该都看过硬盘吧。硬盘依据桌面型与笔记本又分为 3.5 英寸及 2.5 英寸的大小。我们以 3.5 英寸的硬盘来说明。硬盘其实是由许多的盘片、机械手臂、磁头与主轴马达所组成的，整个内部如图 0-9 所示。
  ● 实际的数据都是写在具有磁性物质的盘片上，而读写主要是通过在机械手臂上的读取头（Head）来完成。实际运行时，主轴马达让盘片转动，然后机械手臂可伸展让读取头在盘片上面进行读写的操作。另外由于单一盘片的容量有限，因此有的硬盘内部会有两个以上的盘片。
◆ **盘片上的数据**
  ● 既然数据都是写入盘片上面，那么盘片上面的数据又是如何写入的呢？其实盘片上面的数据有点像图 0-10 所示。
  ● 整个盘片上面好像有多个同心圆绘制出的饼图，而由圆心以放射状的方式分割出磁盘的最小存储单位，那就是扇区（Sector），在物理组成分面，每个扇区大小为 512bytes，这个值是不会改变的。而扇区组成一个圆就成为磁道（Track），如果是在多硬盘上面，在所有盘片上面的同一个磁道可以组成一个柱面（Cylinder），柱面也是一般我们分割硬盘时的最小单位了！
  ● 在计算整个硬盘的存储量时，简单的计算公式就是：header 数量 x 每个 header 负责的柱面数量 x 每个柱面所含有的扇区数量 x 扇区的容量，单位换算为：header x cylinder/header x secter/cylinder x 512bytes/secter，简单的写法如下：Head x Cylinder x Sector x 512bytes。不过要注意的是，一般硬盘制造商在显示硬盘的容量时，大多是以十进制来编号，因此市售的 500GB 硬盘，理论上仅会有 460GB 左右的容量。

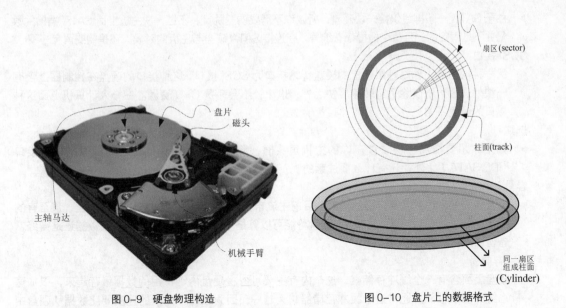

图 0-9　硬盘物理构造　　　　　　图 0-10　盘片上的数据格式

◆ 传输接口

● 由于传输速度的需求提升，目前硬盘与主机系统的连接主要有几种传输接口规格，如图 0-11 所示。

图 0-11　两款硬盘接口（左边为 IDE 接口，右边为 SATA 接口）

■ IDE 接口

● 如同图 0-6 中右侧较宽的插槽所示，那就是 IDE 的接口插槽。IDE 接口插槽所使用的排线较宽，每条排线上面可以接两个 IDE 设备，由于可以接两个设备，为了判别两个设备的主/从（Master/Slave）架构，因此这种磁盘驱动器上面需要调整跳针（Jump）成为 Master 或 Slave 才行。这种接口的最高传输速度为 Ultra 133 规格，即每秒理论传输速度可达 133MB。

■ SATA 接口

● 图 0-6 右下方所示为 SATA 硬盘的连接接口插槽。我们可以看到该插槽要比 IDE 接口的小很多，每条 SATA 连接线仅能接一个 SATA 设备。SATA 接口除了速度较快之外，由于其排线较细小，所以有利于主机壳内部的散热与安装，如图 0-12 所示。目前 SATA 已经发展到了第二代，其速度由 SATA-1 的每秒 150MB 提升到 SATA-2 每秒 300MB 的传输速度，因此目前主流的个人计算机硬盘已经被 SATA 替代了。SATA 的插槽示意图如图 0-13 所示。

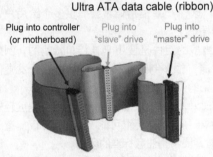

图 0-12　IDE 接口的排线

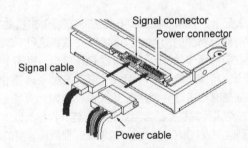

图 0-13　SATA 接口的排线

- 由于 SATA 一条排线仅接一块硬盘,所以你不需要调整跳针。不过一块主板上面 SATA 插槽的数量并不是固定的,且每个插槽都有编号,在连接 SATA 硬盘与主板的时候,还是需要留意一下。

- **SCSI 接口**
  - 另一种常见于工作站等级以上的硬盘传输接口为 SCSI 接口,这种接口的硬盘在控制器上含有一块处理器,所以除了运转速度快之外,也比较不会耗费 CPU 资源。在个人计算机上面这种接口的硬盘不常见。

- **选购**
  - 如果你想要增加一块硬盘在你的主机里头时,除了需要考虑你的主板可接受的插槽接口(IDE/SATA)之外,还有什么要注意的呢?

- **容量**
  - 通常首先要考虑的就是容量的问题。目前主流市场硬盘容量已经到达 320GB 以上,甚至有的厂商已经生产高达 2TB 的产品。硬盘可能可以算是一种消耗品,要注意重要数据还是得经常备份出来。

- **缓冲存储器**
  - 硬盘上面含有一个缓冲存储器,这个内存主要可以将硬盘内常使用的数据缓存起来,以加速系统的读取性能。通常这个缓冲存储器越大越好,因为缓冲存储器的速度要比数据从硬盘中被找出来快得多。目前主流的产品可达 16MB 左右的内存大小。

- **转速**
  - 因为硬盘主要是利用主轴马达转动盘片来访问,因此转速的快慢会影响到性能。主流的桌面型计算机硬盘为每分钟 7200 转,笔记本计算机则是 5400 转。有的厂商也推出了高达 10000 转的硬盘,若有高性能的数据访问需求,可以考虑购买高转速硬盘。

- **运转须知**
  - 由于硬盘内部机械手臂上的磁头与盘片的接触是很细微的空间,如果有抖动或者是脏污在磁头与硬盘之间,就会造成数据的损毁或者使硬盘整个损毁。因此,正确使用计算机的方式,应该是在计算机通电之后,就绝对不要移动主机,避免硬盘抖动,而导致整个硬盘数据发生问题。另外,也不要随便将插头拔掉就以为是顺利关机。因为机械手臂必须要归回原位,所以使用操作系统的正常关机方式才能够有比较好的硬盘保养,因为它会让硬盘的机械手臂归回原位。

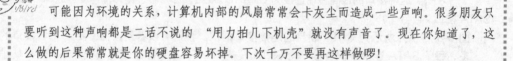

可能因为环境的关系,计算机内部的风扇常常会卡灰尘而造成一些声响。很多朋友只要听到这种声响都是二话不说的 "用力拍几下机壳"就没有声音了。现在你知道了,这么做的后果常常就是你的硬盘容易坏掉。下次千万不要再这样做啰!

0.2.5 PCI 适配卡

PCI 适配卡的插槽参见图 0-6 中左下方那个白色的插槽,这种 PCI 插槽通常会提供多个给用户,如果用户有额外需要的功能卡,就能够安插在这种 PCI 接口插槽上。

我们在前面显卡的部分稍微谈过 PCI 接口,事实上有相当多的组件是使用 PCI 接口传输的,例如网卡、声卡、特殊功能卡等。但由于 PCI Express 规格的发展,很多制造商都往 PCIe 接口开发硬件了。不过还是有很多硬件使用 PCI 接口,例如大卖场上面常见的网卡就是一个。

目前在个人计算机上面常见到的网卡是一种称为以太网(Ethernet)的规格,目前以太网卡速度轻轻松松就能到达 10/100/1000 Mbit/s 的速度,但同样速度的以太网卡所支持的标准可能不太一样,因此造成的价差是非常大的。如果想要在服务器主机上面安装新的网卡时,要特别注意标准的区别。

由于各组件的价格一直下降,现在主板上面通常已经集成了相当多的设备组件了。常见集成到主板的组件包括声卡、网卡、USB 控制卡、显卡、磁盘阵列卡等。你可以在主板上面发现很多方形的芯片，那通常是一些个别的设备芯片。由于主板已经集成了很多常用的功能芯片，所以现在的主板上面所安插的 PCI 适配卡就少很多。

0.2.6　主板

主板可以说是整合主机相当重要的一个部分，因为上面我们所谈到的所有组件都是安插在主板上面的。而主板上面负责通信各个组件的就是芯片组，如同图 0-4 所示，图中我们也可以发现芯片组一般分为北桥与南桥。北桥负责 CPU/RAM/VGA 等的连接，南桥则负责 PCI 接口与速度较慢的 I/O 设备。

由于芯片组负责所有设备的通信，所以事实上芯片组（尤其是北桥）也是一个可能会散发出高热量的组件。因此在主板上面常会发现一些外接的小风扇或者是散热片在这组芯片上面。在图 0-6 中，技嘉使用较高散热能力的热导管技术，因此你可以发现图中的南桥与北桥上面覆盖着黄铜色的散热片，且连接着数根圆形导管，主要就是为了散热。

◆　芯片组功能
- 所有的芯片组几乎都是参考 CPU 的能力去规划的，而 CPU 能够接受的内存规格也不相同，因此在新购买或升级主机时，CPU、主板、内存与相关的接口设备都需要同时考虑才行。此外，每一种芯片组的功能可能都不太相同，有的芯片组强调的是全功能，因此连显卡、音效、网络等都集成了，在这样的集成型芯片中，你几乎只要购买 CPU、主板、内存再加上硬盘，就能够组装成一台主机了。不过集成型芯片的性能通常比较弱，对于爱玩 3D 游戏的玩家以及强调高性能运算的主机来说，就不是这么适合了。
- 至于独立型芯片组虽然可能具有较高的性能，不过你可能必须要额外负担接口设备的花费。例如显卡、网卡、声卡等。但独立型芯片组也有一定程度的好处，那就是你可以随时换接口设备。

◆　设备 I/O 地址与 IRQ 中断信道
- 主板是负责各个计算机组件之间的通信，但是计算机组件实在太多了，有 I/O 设备及不同的存储设备等，主板芯片组怎么知道如何负责通信呢？这个时候就需要用到所谓的 I/O 地址与 IRQ。
- I/O 地址有点类似每个设备的门牌号码，每个设备都有它自己的地址，一般来说，不能有两个设备使用同一个 I/O 地址，否则系统就会不知道该如何运行这两个设备了。而除了 I/O 地址之外，还有个 IRQ 中断（Interrupt）。
- 如果将 I/O 地址想成是各设备的门牌号码的话，那么 IRQ 就可以想成是各个门牌连接到邮件中心（CPU）的专门路径。各设备可以通过 IRQ 中断信道来告知 CPU 该设备的工作情况，以方便 CPU 进行工作分配的任务。老式的主板芯片组 IRQ 只有 15 个，如果你的周边接口太多时可能就会不够用，这个时候你可以选择将一些没有用到的周边接口关掉，以空出一些 IRQ 来给真正需要使用的接口。当然，也有所谓的 sharing IRQ（中断共享）的技术。

◆　CMOS 与 BIOS
- 前面内存的地方我们有提过 CMOS 与 BIOS 的功能，在这里我们再来强调一下：CMOS 主要的功能为记录主板上面的重要参数，包括系统时间、CPU 电压与频率、各项设备的 I/O 地址与 IRQ 等，由于这些数据的记录要花费电力，因此主板上面才有电池。BIOS 为写入到主板上某一块闪存或 EEPROM 的程序，它可以在开机的时候执行，以加载 CMOS 当中的参数，并尝试调用存储设备中的开机程序，进一步进入操作系统当中。BIOS 程序也可以修改 CMOS 中的数据，每种主板调用 BIOS 设定程序的按键都不同，一般桌上型计算机常见的是使用[Del]按键进入 BIOS 设置界面。

◆　连接接口设备
- 主板与各项输出/输入设备的连接主要都是在主机箱的后方，主要有：
- PS/2 接口：这是常见的键盘与鼠标的接口，不过渐渐有被 USB 接口替代的趋势。
- USB 接口：目前相当流行的一个接口，支持即插即用。主流的 USB 版本为 USB 2.0，这个规格的速度可达 480Mb/s，相对之下的 USB 1.1 仅达 12Mb/s，区别很大，购买接口设备要注意。

不然复制一些数据到 USB 硬盘时，会吐血……

- 声音输出、输入与麦克风：这个是一些圆形的插孔，当你的主板上面有内置音效芯片时，才会有这三个东西。
- RJ-45 接口：如果有内置网络芯片的话，那么就会有这种接头出现。这种接头有点类似电话接头，不过内部有八根线。接上网线后在这个接头上会有信号灯亮起才对。
- 其他过时接口：包括早期的用来连接鼠标的九针串行端口（com1），以及接连打印机的 25 针并列端口（LPT1）等。

我们以技嘉主板的连接接口来看的话，主要有以下这些，如图 0-14 所示。

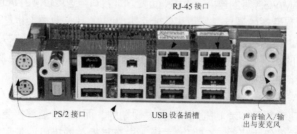

图 0-14　连接周边接口

0.2.7　电源

除了上面这些组件之外，其实还有一个很重要的组件也要来谈一谈，那就是电源（Power）。在你的机箱内，有个大的铁盒子，上面有很多电源线，那就是电源了。我们的 CPU/RAM/主板/硬盘等都需要用电，而近来的计算机组件耗电量越来越高，以前很古老的 230W 电源已经不够用了，有的系统甚至得要有 500W 以上的电源才能够运行。

电源的价差非常大。贵一点的 300W 可以到 2000 元，便宜一点的 300W 只要 250 元不到！怎么差这么多？因为电源的材料不同，供应的稳定度也会差很多。如前所述，电源相当于你的心脏，心脏差的话，活动力就会不足了。所以，稳定度差的电源供应器甚至是造成计算机不稳定的元凶呢！因此，尽量不要使用太差的电源。

- ◆　能源转换率
  - ● 电源本身也会吃掉一部分的电力。如果你的主机系统需要 300W 的电力时，因为电源本身也会消耗掉一部分的电力，因此你最好要挑选 400W 以上的电源。电源出厂前会有一些测试数据，最好挑选高转换率的电源。所谓的高转换率指的是输出的功率与输入的功率的比值。意思是说，假如你的主板用电量为 250W，但是电源其实已经使用掉 320W 的电力，则转换率为：250/320=0.78。这个数值越高表示被电源"玩掉"的电力越少，那就符合能源效益了。
- ◆　连接接口
  - ● 目前主板与电源供应器的连接接口主要有 20pin 与 24pin 两种规格，购买时也需要考虑你的主板所需要的规格。

0.2.8　选购须知

在购买主机时应该需要进行整体的考虑，很难依照某一项标准来选购的。老实说，如果你的公司需要一台服务器的话，建议不要自行组装，买品牌计算机的服务器比较好。这是因为自行组装的计算机虽然比较便宜，但是每项设备之间的适合性是否完美则有待自行检测。

另外，在性能方面并非仅考虑 CPU 的能力而已，速度的快慢与整体系统的最慢的那个设备有关，如果你是使用最快速的 Intel Core 2 Duo，加上最快的 DDR II 内存，但是配上一个慢慢的过时显卡，那么整体的 3D 速度性能将会卡在那个显卡上面。所以，在购买整套系统时，请特别留意需要将全部的接口都考虑进去。尤其是当你想要升级时，要特别注意这个问题，并非所有的旧的设备都适合继续使用的。

◆ **系统不稳定的可能原因**

● 除此之外，到底哪个组件特别容易造成系统的不稳定呢？有以下几个常见的系统不稳定的状态。

■ **系统超频**：这个行为很不好。不要这么做！

■ **电源不稳**：这也是个很严重的问题，当你测试完所有的组件都没有啥大问题时，记得测试一下电源的稳定度。

■ **内存无法负荷**：现在的内存质量相差很多，差一点的内存，可能会造成你的主机在忙碌的工作时产生不稳定或死机的现象。

■ **系统过热**："热"是造成电子零件运行不良的主因之一，如果你的主机在夏天容易死机，冬天却还好，那么考虑一下加几个风扇，有助于机箱内的散热，系统会比较稳定。这个问题也是很常见的系统死机的元凶。（鸟哥之前的一台服务器老是容易死机，后来拆开机箱研究后才发现原来是北桥上面的小风扇坏掉了，导致北桥温度太高。后来换掉风扇就稳定多了。）

> 事实上，要了解每个硬件的详细架构与构造是很难的！这里鸟哥仅是列出一些比较基本的概念而已。另外，要知道某个硬件的制造商是哪个公司时，可以看该硬件上面的信息。举例来说，主板上面都会列出这个主板的开发商与主板的型号，知道这两个信息就可以找到驱动程序了。另外，显卡上面有个小的芯片，上面也会列出显卡厂商与芯片信息。

0.3　数据表示方式

事实上我们的计算机只认识 0 与 1，记录的数据也是只能记录 0 与 1 而已，所以计算机常用的数据是二进制的。但是我们人类常用的数值运算是十进制，文字方面则有非常多的语言，常用的语言就有英文、中文（又分繁体与简体中文）、日文等。那么计算机如何记录与显示这些数值/文字呢？就得要通过一系列的转换才可以啦！下面我们就来谈谈数值与文字的编码系统。

0.3.1　数字系统

早期的计算机使用的是利用通电与否的特性的真空管，如果通电就是 1，没有通电就是 0，后来沿用至今，我们称这种只有 0/1 的环境为二进制，英文称为 Binary。所谓的十进制指的是逢十进一位，因此在个位数归为零而十位数写成 1。所以所谓的二进制，就是逢二就进一位的意思。

那二进制怎么用呢？我们先以十进制来解释好了。如果以十进制来说，3456 的意义为：

$$3456 = 3 \times 10^3 + 4 \times 10^2 + 5 \times 10^1 + 6 \times 10^0$$

特别注意：任何数值的零次方为 1，所以 10^0 的结果就是 1。同样，将这个原理带入二进制的环境中，我们来解释一下 1101010 的数值转为十进制的话，结果如下：

$1101010 = 1 \times 2^6 + 1 \times 2^5 + 0 \times 2^4 + 1 \times 2^3 + 0 \times 2^2 + 1 \times 2^1 + 0 \times 2^0$

$= 64 + 32 + 0 \times 16 + 8 + 0 \times 4 + 2 + 0 \times 1 = 106$

这样你了解二进制的意义了吗？二进制是计算机基础中的基础。了解了二进制后，八进位、十六进制就依此类推。那么知道二进制转成十进制后，如果有十进制数值转为二进制的环境时，该如何计算？刚才是乘法，现在则是除法就对了。我们同样使用十进制的 106 转成二进制来测试一下，如图 0-15 所示。

2	106	0	106/2 的余数
2	53	1	53/2 的余数
2	26	0	26/2 的余数
2	13	1	13/2 的余数
2	6	0	6/2 的余数
2	3	1	3/2 的余数
	1		

图 0-15　十进制转二进制的方法

最后的写法就如同上面的箭头所示，由最后的数字向上写，因此可得到 1101010 的数字。这些数字的转换系统是非常重要的，因为计算机的加减乘除都是使用这些机制来处理。有兴趣的朋友可以再参考一下其他计算机概论的书籍中关于 1 的补码/2 的补码等运算方式。

0.3.2　文字编码系统

既然计算机都只有记录 0/1 而已，甚至记录的数据都是使用 byte/bit 等单位来记录的，那么文字该如何记录啊？事实上文本文件也是被记录为 0 与 1 而已，而这个文件的内容要被取出来查阅时，必须要经过一个编码系统的处理才行。所谓的"编码系统"可以想成是一个"字码对照表"，它的概念如图 0-16 所示。

当我们要写入文件的文字数据时，该文字数据会由编码对照表将该文字转成数字后，再存入文件当中。同样，当我们要将文件内容的数据读出时，也会经过编码对照表将该数字转成对应的文字后再显示到屏幕上。现在你知道为何浏览器上面如果编码写错时会出现乱码了吗？这是因为编码对照表写错，导致对照的文字产生误差之故。

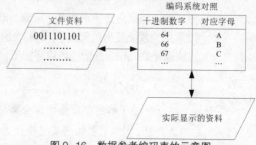

图 0-16　数据参考编码表的示意图

常用的英文编码表为 ASCII 系统，这个编码系统中，每个符号（英文、数字或符号等）都会占用 1B 的记录，因此总共会有 2^8=256 种变化。至于**中文当中的编码系统**，目前最常用的就是 big5（简体则是 gb2312）这个编码表了。每个中文字会占用 2B，理论上最多可以有 2^{16}=65536，即最多可达 6 万多个中文字。但是因为 big5 编码系统并非将所有的位都拿来运用成为对照，所以并非可显示这么多的中文字码的。目前 big5 仅定义了一万三千多个中文字，很多繁体中文利用 big5 是无法成功显示的，所以才会有造字程序之说。

big5 码的中文编码对于某些数据库系统来说是很有问题的，某些字码例如"许、盖、功"等字，由于这几个字的内部编码会被误判为单/双引号，写入时还不成问题，在读出数据的对照表时，经常就会变成乱码。不只中文字，其他非英语系国家也常常会有这样的问题出现。

为了解决这个问题，由国际组织 ISO/IEC 制订了所谓的 Unicode 编码系统，即我们常常称呼的 **UTF8** 或统一码。因为这个编码系统打破了所有国家的不同编码，因此目前应用较多所以各位亲爱的朋友，记得将你的编码系统修订一下。

0.4　软件程序运行

鸟哥在上课时经常会开玩笑地问："我们知道没有插电的计算机是一堆废铁，那么插了电的计算机是什么？"答案是"一堆会电人的废铁。"这是因为没有软件的运行，计算机的功能就无从发挥了。就好像没有了灵魂的躯体也不过就是行尸走肉，重点在于软件/灵魂。所以下面咱们就得要了解一下"软件"是什么。

一般来说，目前的计算机系统将软件分为两大类，一个是系统软件，一个是应用程序。但鸟哥认为我们还是得要了解一下什么是程序，尤其是机器程序，了解了之后再来探讨一下为什么现今的计算机系统需要"操作系统"。

0.4.1　机器程序与编译程序

我们前面谈到计算机只认识 0 与 1 而已，而且计算机最重要的运算与逻辑判断是在 CPU 内部，而 CPU 其实是具有微指令集的。因此，我们需要 CPU 帮忙工作时，就得要参考微指令集的内容，然后编写让 CPU 读得懂的指令码给 CPU 执行，这样就能够让 CPU 运行了。

不过这样的流程有几个很麻烦的地方，包括。

◆ **需要了解机器语言**：机器只认识 0 与 1，因此你必须要学习直接写给机器看的语言。这个地方相当的难呢！

◆ **需要了解所有硬件的相关功能函数**：因为你的程序必须要写给机器看，当然你就得要参考机器本身的功能，然后针对该功能去编写程序代码。例如，你要让 DVD 影片能够放映，那就得要参考 DVD 光驱的硬件信息才行。万一你的系统有比较冷门的硬件，光是参考技术手册可能就会昏倒。

◆ **程序不具有可移植性**：每个 CPU 都有独特的微指令集，同样，每个硬件都有其功能函数。因此，你为 A 计算机写的程序，理论上是没有办法在 B 计算机上面运行。而且程序代码的修改非常困难。因为是机器码，并不是人类看得懂的程序语言。

◆ **程序具有专一性**：因为这样的程序必须要针对硬件功能函数来编写，如果已经开发了一支浏览器程序，想要再开发文件管理程序时，还是得从头再参考硬件的功能函数来继续编写，每天都在和"硬件"挑战。为了解决这个问题，计算机科学家设计出一种让人类看得懂的程序语言，然后创造一种"编译器"来将这些人类能够写的程序语言转译成机器能看懂得机器码，如此一来我们修改与编写程序就变得容易多了！目前常见的编译器有 C, C++, Java, Fortran 等。机器语言与高级程序语言的差别如图 0-17 所示。

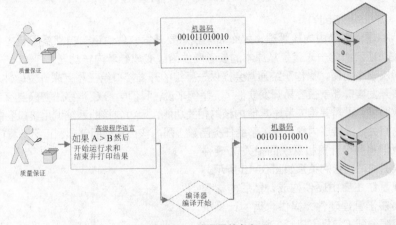

图 0-17　编译器的角色

从上面的图示我们可以看到高级程序语言的程序代码是很容易查看的。鸟哥已将经程序代码（英文）写成中文，这样比较好理解啦！所以这样已经将程序的修改问题处理完毕了。问题是，在这样的环境下面我们还得要考虑整体的硬件系统来设计程序。

举例来说，当你需要将运行的数据写入内存中，你就得要自行分配一个内存块出来让自己的数据能够填上去，所以你还得要了解到内存的地址是如何定位的。

为了要克服硬件方面老是需要重复编写句柄的问题，所以就有操作系统（Operating System, OS）了！什么是操作系统呢？下面就来谈一谈先。

0.4.2　操作系统

如同前面提到的，在早期想要让计算机执行程序就得要参考一堆硬件功能函数，并且要学习机器语言才能够编写程序。同时每次写程序时都必须要重新改写，因为硬件与软件功能不见得都一致。那如果我能够将所有的硬件都驱动，并且提供一个开发软件的参考接口来给工程师开发软件的话，那开发软件不就变得非常简单了？那就是操作系统。

◆ **操作系统内核**（Kernel）

● 操作系统其实也是一组程序，这组程序的重点在于管理计算机的所有活动以及驱动系统中的所有硬件。我们刚才谈到计算机没有软件的话只是一堆废铁，那么操作系统的功能就是让 CPU

可以开始判断逻辑与运算数值，让内存可以开始加载/读出数据与程序代码，让硬盘可以开始被访问，让网卡可以开始传输数据，让所有周边可以开始运转等。总之，硬件的所有操作都必须要通过这个操作系统来完成。

- 上述的功能就是操作系统的内核了！你的计算机能不能做到某些事情，都与内核有关。只有内核提供了相关功能，你的计算机系统才能帮你完成。举例来说，你的内核并不支持 TCP/IP 协议，那么无论你购买了什么样的网卡，这个内核都无法提供网络功能。

- 但是单有内核我们用户也不知道能作啥事的。因为内核主要在于管控硬件与提供相关的能力（例如网络功能），这些管理的操作是非常重要的，如果用户能够直接使用到内核的话，万一用户不小心将内核程序停止或破坏，将会导致整个系统的崩溃。因此内核程序所放置到内存当中的区块是受保护的，并且开机后就一直常驻在内存当中。

所以整个系统只有内核的话，我们就只能看着已经准备好运行（Ready）的计算机系统，但无法操作它！好像有点望梅止渴的那种感觉。这个时候就需要软件的帮忙了！

◆ 系统调用（System Call）

- 既然我的硬件都是由内核管理，那么如果我想要开发软件的话，自然就得要去参考这个内核的相关功能。如此一来就是从原本的参考硬件函数变成参考内核功能。

- 为了解决这个问题，操作系统通常会提供一整组的开发接口给工程师来开发软件。工程师只要遵守该开发接口那就很容易开发软件了。举例来说，我们学习 C 程序语言只要参考 C 程序语言的函数即可，不需要再去考虑其他内核的相关功能，因为内核的系统调用接口会主动将 C 程序语言的相关语法转成内核可以了解的任务函数，那内核自然就能够顺利运行该程序了！

- 如果我们将整个计算机系统的相关软/硬件绘制成图的话，它的关系如图 0-18 所示。

- 计算机系统主要由硬件构成，然后内核程序主要在于管理硬件，提供合理的计算机系统资源分配（包括 CPU 资源、内存使用资源等），因此只要硬件不同（如 x86 架构与 RISC 架构的 CPU），内核就得要进行修改才行。而由于内核只会进行计算机系统的资源分配，所以在上面还需要有应用程序的提供，用户才能够操作系统的。

- 为了保护内核，并且让程序员比较容易开发软件，因此操作系统除了内核程序之外，通常还会提供一整组开发接口，那就是系统调

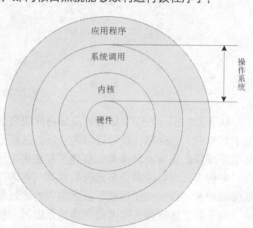

图 0-18 操作系统的角色

用层。软件开发工程师只要遵循公认的系统调用参数来开发软件，该软件就能够在该内核上面运行。所以你可以发现，软件与内核有比较大的关系，与硬件关系并不大。硬件也与内核有比较大的关系。至于与用户有关的，那就是应用程序啦！

在定义上，只要能够让计算机硬件正确无误地运行，那就算是操作系统了。所以说，操作系统其实就是内核与其提供的接口工具，不过就如同上面讲的，因为内核缺乏了与用户通信的亲和接口，所以，目前一般我们提到的"操作系统"都会包含内核与相关的用户应用软件。

简单地说，上面的图示可以带给我们下面的概念。

◆ 操作系统的内核层直接参考硬件规格写成，所以同一个操作系统程序不能够在不一样的硬件架构下运行。举例来说，个人计算机版的 Windows XP 不能直接在 RISC 架构的计算机下运行。所以你知道为何 Windows 又分为 32 位及 64 位的版本了吧？因为 32/64 位的 CPU 指令集不太相同，所以当然要设计不同的操作系统版本了。

◆ 操作系统只是在管理整个硬件资源，包括 CPU、内存、输入输出设备及系统文件。如果没有其他的应用程序辅助，操作系统只能让计算机主机准备妥当而已！并无法运行其他功能。所以你现在知道为何 Windows 上面要实现网页影像的运行还需要类似 PhotoImpact 或 Photoshop 之类的软件安装了吧？

◆ 应用程序的开发都是参考操作系统提供的开发接口，所以该应用程序只能在该操作系统上面运行而已，不可以在其他操作系统上面运行的。现在你知道为何去购买在线游戏的光盘时，光盘上面会明白地写着该软件适合用于哪一种操作系统上了吧？也该知道某些游戏为何不能够在 Linux 上面安装了吧？

◆ 内核功能

　● 既然内核主要是在负责整个计算机系统相关的资源分配与管理，那我们知道其实整部计算机系统最重要的就是 CPU 与内存，因此，内核至少也要有这些功能的：

　　■ 系统调用接口（System call interface）

　　　● 刚才谈过了，这是为了方便程序员可以轻易地通过与内核的通信，将硬件的资源进一步利用，于是需要有这个简易的接口来方便程序开发者。

　　■ 程序管理（Process control）

　　　● 总有听过所谓的"多任务环境"吧？一部计算机可能同时间有很多的工作在等待 CPU 运算处理，内核这个时候必须要能够控制这些工作，让 CPU 的资源做有效的分配才行。另外，良好的 CPU 调度机制（就是 CPU 先运行哪个工作的排列顺序）将会有效加快整体系统性能。

　　■ 内存管理（Memory management）

　　　● 控制整个系统的内存管理，这个内存控制是非常重要的，因为系统所有的程序代码与数据都必须要先存放在内存当中。通常内核会提供虚拟内存的功能，当内存不足时可以提供内存交换（swap）的功能。

　　■ 文件系统管理（Filesystem management）

　　　● 文件系统的管理，例如数据的输入/输出（I/O）等的工作。还有不同文件格式的支持等，如果你的内核不认识某个文件系统，那么你将无法使用该文件格式的文件。例如：Windows 98 就不识别 NTFS 文件格式的硬盘。

　　■ 设备驱动（Device driver）

　　　● 就如同上面提到的，硬件的管理是内核的主要工作之一，当然，设备的驱动程序就是内核需要做的事情。好在目前都有所谓的"可加载模块"功能，可以将驱动程序编辑成模块，就不需要重新的编译内核。这个也会在后续的第 20 章当中提到。

　　　事实上，驱动程序的提供应该是硬件厂商的事情！硬件厂商要推出硬件时，应该要自行参考操作系统的驱动程序开发接口，开发完毕后将该驱动程序连同硬件一同贩卖给用户才对。举例来说，当你购买显卡时，显卡包装盒都会附上一张光盘，让你可以在进入 Windows 之后进行驱动程序的安装。

◆ 操作系统与驱动程序

　● 老实说，驱动程序可以说是操作系统里面相当重要的一环了。不过，硬件可是持续在进步当中的，包括主板、显卡、硬盘等。那么比较晚推出的较新的硬件，例如显卡，我们的操作系统当然就不认识。那操作系统该如何驱动这块新的显卡？为了解决这个问题，操作系统通常会提供一个开发接口给硬件开发商，让他们可以根据这个接口设计可以驱动他们硬件的驱动程序，如此一来，只要用户安装驱动程序后，自然就可以在他们的操作系统上面驱动这块显卡了，如图 0-19 所示。

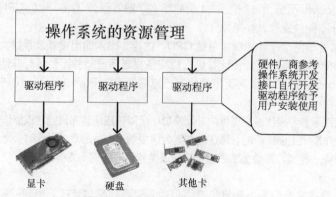

图 0-19　驱动程序与操作系统的关系

由上图我们可以得到几个小重点：

◆　操作系统必须要能够驱动硬件，如此应用程序才能够使用该硬件功能。

◆　一般来说，操作系统会提供开发接口，让开发商制作他们的驱动程序。

◆　要使用新硬件功能，必须要安装厂商提供的驱动程序才行。

◆　驱动程序是由厂商提供的，与操作系统开发者无关。

所以，如果你想要在某个操作系统上面安装一张新的显卡，那么请要求该硬件厂商提供适当的驱动程序。为什么要强调"适当的驱动程序"呢？因为驱动程序仍然是依据操作系统而开发的，所以，给 Windows 用的驱动程序当然不能使用于 Linux 的环境下了。

0.4.3　应用程序

应用程序是参考操作系统提供的开发接口所开发出来的软件，这些软件可以让用户操作，以达到某些计算机的功能利用。举例来说，Office 软件主要是用来让用户办公用的；影像处理软件主要是让用户用来处理影音数据的；浏览器软件主要是让用户用来上网浏览用等。

需要注意的是，应用程序是与操作系统有关系的，如同上面的图示当中的说明。因此，如果你想要购买新软件，请务必参考软件上面的说明，看看该软件是否能够支持你的操作系统。举例来说，如果你想要购买在线游戏光盘，务必参考一下该光盘是否支持你的操作系统，例如是否支持 Windows XP/Windows Vista/MAC/Linux 等。不要购买了才发现该软件无法安装在你的操作系统上。

我们拿常见的微软公司的产品来说明。你知道 Windows XP, Office 2007 之间的关系了吗？

◆　Windows XP 是一套操作系统，它必须先安装到个人计算机上面，否则计算机无法开机运行。

◆　Windows 98 与 Windows XP 是两套不同的操作系统，所以能在 Windows 98 上安装的软件不见得可在 Windows XP 上安装。

◆　Windows XP 安装好后，就只能拥有很少的功能，并没有办公室软件。

◆　Office 2007 是一套应用程序，要安装前必须要了解它能在哪些操作系统上面运行。

0.5　重点回顾

◆　计算机的定义为："接受用户输入指令与数据，经由中央处理器的数据与逻辑单元运算处理后，以产生或存储成有用的信息"。

- 计算机的五大单元包括输入单元、输出单元、CPU 内部的控制单元、算术逻辑单元与内存五大部分。
- 数据会流进/流出内存是 CPU 所发布的控制命令，而 CPU 实际要处理的数据则完全来自于内存。
- CPU 依设计理念主要分为精简指令集（RISC）与复杂指令集（CISC）系统。
- 关于 CPU 的频率部分，外频指的是 CPU 与外部组件进行数据传输时的速度，倍频则是 CPU 内部用来加速工作性能的一个倍数，两者相乘才是 CPU 的频率速度。
- 一般主板芯片组分为北桥与南桥，北桥的总线称为系统总线，因为是内存传输的主要信道，所以速度较快。南桥就是所谓的输入/输出（I/O）总线，主要在于连系硬盘、USB、网卡等接口设备。
- 北桥所支持的频率我们称为前端总线速度（Front Side Bus, FSB），而每次传送的位数则是总线宽度。
- CPU 每次能够处理的数据量称为字组大小（word size），字组大小依据 CPU 的设计而有 32 位与 64 位之分。我们现在所称的计算机是 32 或 64 位主要是依据这个 CPU 解析的字组大小而来的！
- 个人计算机的内存主要组件为动态随机访问内存（Dynamic Random Access Memory, DRAM），至于CPU 内部的第二层缓存则使用静态随机访问内存（Static Random Access Memory, SRAM）。
- BIOS（Basic Input Output System）是一套程序，这套程序是写死到主板上面的一个内存芯片中，这个内存芯片在没有通电时也能够将数据记录下来，那就是只读存储器（Read Only Memory, ROM）。
- 显卡的规格有 PCI/AGP/PCIe，目前的主流为 PCIe 接口。
- 硬盘是由盘片、机械手臂、磁头与主轴马达所组成的，其中盘片的组成为扇区、磁道与柱面。
- 操作系统（Operating System, OS）其实也是一组程序，这组程序的重点在于管理计算机的所有活动以及驱动系统中的所有硬件。
- 计算机主要以二进制作为单位，常用的磁盘容量单位为 Byte，其单位换算为 1Byte = 8bit。
- 操作系统仅在于驱动与管理硬件，而要使用硬件时，就得需要通过应用软件或者是 shell 的功能，来调用操作系统操纵硬件工作。目前，操作系统除了上述功能外，通常已经包含了日常工作所需要的应用软件在内了。

0.6　本章习题

实践题部分

假设你不知道你的主机内部的各项组件数据，请拆开你的主机箱，将内部所有的组件拆开，并且依序列出：

- CPU 的厂牌、型号、最高频率；
- 内存的容量、接口（DDR/DDR II 等）；
- 显卡的接口（AGP/PCIe/内置）与容量；
- 主板的厂牌、南北桥的芯片型号、BIOS 的厂牌、有无内置的网卡或声卡等；
- 硬盘的连接接口（IDE/SATA 等）、硬盘容量、转速、缓冲存储器容量等；
- 然后再将它组装回去。注意，拆装前务必先取得你主板的说明书，因此你可能必须要上网查询上述的各项数据。
- 假设你不想要拆开主机箱，但想了解你的主机内部各组件的信息时，该如何是好？如果使用的是 Windows 操作系统，可使用 CPU-Z（http://www.cpuid.com/cpuz.php）这套软件，如果是 Linux 环境下，可以使用 cat/proc/cpuinfo 及 lspci 命令来查阅各项组件的型号。
- 依据本章末的扩展阅读链接，自行搜寻出 BIOS 的主要任务，以及目前在个人计算机上面常见的 BIOS 制造商有哪几家。

0.7　参考数据与扩展阅读

◆ 注 1：对于 CPU 的原理有兴趣的读者，可以参考维基百科的说明：
- 中文 CPU（http://zh.wikipedia.org/wiki/中央处理器）。

◆ 注 2：更详细的 RISC 架构可以参考维基百科：
- http://zh.wikipedia.org/w/index.php?title=精简指令集&variant=zh-cn

◆ 注 3：关于 ARM 架构的说明，可以参考维基百科：
- http://zh.wikipedia.org/w/index.php?title=ARM 架构&variant=zh-cn

◆ 注 4：更详细的 CISC 架构可参考维基百科：
- http://zh.wikipedia.org/w/index.php?title=CISC&variant=zh-cn

◆ 注 5：更详细的 x86 架构发展史可以参考维基百科：
- http://zh.wikipedia.org/w/index.php?title=X86&variant=zh-cn

◆ 注 6：相关的固件说明可参考维基百科：
- http://zh.wikipedia.org/w/index.php?title=韧体&variant=zh-hant

◆ 注 7：相关 BIOS 的说明可以参考维基百科：
- http://zh.wikipedia.org/w/index.php?title=BIOS&variant=zh-cn

◆ 注 8：相关 EEPROM 可以参考维基百科：
- http://zh.wikipedia.org/w/index.php?title=EEPROM&variant=zh-cn

1

第1章　Linux 是什么

众所皆知，Linux 的内核原型是 1991 年由托瓦兹（Linus Torvalds）写出来的，但是托瓦兹为何可以写出 Linux 这个操作系统？为什么他要选择 386 的计算 b 机来开发？为什么 Linux 的开发可以这么迅速？又为什么 Linux 是免费的？以及目前为何有这么多的 Linux 版本（distributions）呢？了解这些后，我们才能够知道为何 Linux 可以免除专利软件之争，并且了解到 Linux 为何可以同时在个人计算机与大型主机上面大放光彩。所以，在进入 Linux 的世界之前，就让我们来谈一谈这些有趣的历史故事吧！

1.1 Linux 是什么

我们知道 Linux 是怎么在计算机上面运行的，所以说 Linux 就是一组软件。问题是这个软件是操作系统还是应用程序？并且 Linux 可以在哪些种类的计算机上面运行？而 Linux 源自哪里？为什么 Linux 还不用钱？这些我们都得来谈一谈先！

1.1.1 Linux 是什么

我们在第 0 章计算机概论里面有提到过整个计算机系统的概念，计算机是由一堆硬件所组成的，为了更有效地控制这些硬件资源，于是乎就有操作系统的产生了。操作系统除了有效地控制这些硬件资源的分配，并提供计算机运行所需要的功能（如网络功能）之外，为了要提供程序员更容易开发软件的环境，所以操作系统也会提供一整组系统调用接口来给软件程序员开发用。

知道为什么要讲这些了吗？因为 Linux 就是一套操作系统。如图 1-1 所示，Linux 就是内核与系统调用接口那两层。至于应用程序算不算 Linux 呢？当然不算啦！这点要特别注意。

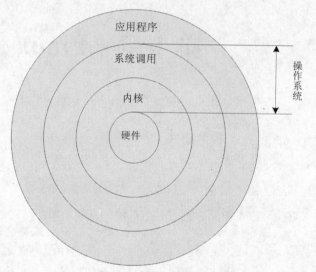

图 1-1 操作系统的角色

由上图中我们可以看到其实内核与硬件的关系非常紧密。早期的 Linux 是针对 386 来开发的，由于 Linux 只是一套操作系统并不含有其他的应用程序，因此很多工程师在下载了 Linux 内核并且实际安装之后，就只能看着计算机开始运行了！接下来这些高级工程师为了自己的需求，再在 Linux 上面安装他们所需要的软件。

> Torvalds 先生在写出 Linux 的时候，其实该内核仅能"驱动 386 所有的硬件"而已，即所谓的"让 386 计算机开始运行，并且等待用户指令输入"而已，事实上，当时能够在 Linux 上面跑的软件还很少呢！

由于不同的硬件的功能函数并不相同，例如 IBM 的 Power CPU 与 Intel 的 x86 架构就是不一样！所以同一套操作系统是无法在不同的硬件平台上面运行。举例来说，如果你想要让 x86 上面跑的那套操作系统也能够在 Power CPU 上运行时，就得要将该操作系统进行修改才行。如果能够参考硬件的功能函数并修改你的操作系统程序代码，那经过改版后的操作系统就能够在另一个硬件平台上面运行了。这个操作我们通常就称为"软件移植"了！

例题

请问 Windows 操作系统能否在苹果公司的麦金塔计算机（MAC）上面安装与运行？

答：由上面的说明中，我们知道硬件是由内核来控制的，而每种操作系统都有它自己的内核。2006年以前的苹果计算机公司是请 IBM 公司帮忙开发硬件（所谓的 Power CPU），而苹果计算机公司则在该硬件架构上开发自家的操作系统（就是俗称的麦金塔，MAC 是也）。Windows 则是开发在 x86 架构上的操作系统之一，因此 Windows 是没有办法安装到 MAC 计算机硬件上面的。

不过，在 2006 年以后，苹果计算机专门请 Intel 设计其硬件架构，也即其硬件架构已经转为 x86系统，因此在 2006 年以后的苹果计算机若使用 x86 架构时，其硬件则"可能"可以安装 Windows 操作系统了。不过，你可能需要自己想些方式来处理该硬件的兼容性。

Windows 操作系统本来就是针对个人计算机 x86 架构的硬件去设计的，所以它当然只能在 x86 的个人计算机上面运作，在不同的平台当然就无法运行了。也就是说，每种操作系统都是在它专门的机器上面运行的。这点得要先了解。不过，Linux 由于是 Open Source（开放源代码）的操作系统，所以它的程序代码可以被修改成适合在各种机器上面运行的，也就是说，Linux 是具有"可移植性"，这可是很重要的一个功能喔！

Linux 提供了一个完整的操作系统当中最底层的硬件控制与资源管理的完整架构，这个架构是沿袭 Unix 良好的传统而来的，所以相当稳定并且功能强大。此外，由于这个优良的架构可以在目前的个人计算机（x86 系统）上面跑，所以很多的软件开发者渐渐将他们的工作心血移转到这个架构上面，所以 Linux 操作系统也有很多的应用软件。

虽然 Linux 仅是其内核与内核提供的工具，不过由于内核、内核工具与这些软件开发者提供的软件的整合，使得 Linux 成为一个更完整的、功能强大的操作系统。稍微了解了 Linux 是何物之后，接下来，我们要谈一谈为什么说 Linux 是很稳定的操作系统，以及它是如何来的。

1.1.2　Linux 之前 UNIX 的历史

早在 Linux 出现之前的 20 年（大约在 20 世纪 70 年代），就有一个相当稳定而成熟的操作系统存在了。那就是 Linux 的老大哥"UNIX"。怎么这么说呢？这两个操作系统有什么关系呀？这里就介绍一下。

众所皆知，Linux 的内核是由 Linus Torvalds 在 1991 年的时候给开发出来的，并且放到网络上提供大家下载，后来大家觉得它（Linux Kernel）相当小而精巧，所以慢慢就有相当多的朋友投入其研究领域里面！但是为什么它这么棒呢？又为什么大家都可以免费下载它呢？下面说明其中的缘由。

◆ 1969 年以前：一个伟大的梦想——Bell,MIT 与 GE 的"Multics"系统
  ● 早期的计算机并不像现在的个人计算机一样普遍，它可不是一般人碰得起的，除非是军事或者是高科技用途，或者是学术院校的学术研究，否则真的很难接触到。非但如此，早期的计算机架构还很难使用，除了指令周期并不快之外，操作接口也很麻烦。因为那个时候的输入设备只有卡片阅读机，输出设备只有打印机，用户也无法与操作系统互动（多道批处理操作系统）。
  ● 在那个时候，编写程序是件非常麻烦的事情，因为程序员必须将程序相关的信息在读卡纸上面打洞，然后再将读卡纸插入卡片阅读机来将信息读入主机中运算。光是这样就很麻烦了，如果程序有个小地方写错，光是重新打卡就很惨，加上主机少，用户众多，仅等待就耗去很多的时间。
  ● 在那之后，由于硬件与操作系统的改良，使得后来可以使用键盘来进行信息的输入。不过，

在一间学校里面，主机毕竟可能只有一台，如果多人等待使用，那怎么办？大家还是得要等待。好在 20 世纪 60 年代初期麻省理工学院（MIT）开发了分时操作系统（Compatible Time-Sharing System, CTSS），它可以让大型主机通过提供多个终端机（Terminal）以连接进入主机，从而利用主机的资源进行运算工作。其架构如图 1-2 所示。

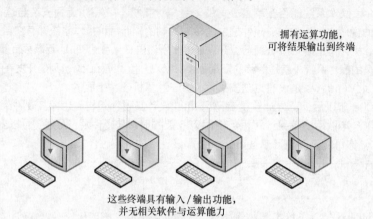

拥有运算功能，
可将结果输出到终端

这些终端具有输入/输出功能，
并无相关软件与运算能力

图 1-2　早期主机与终端机的相关性图示

> 这个兼容分时系统可以说是近代操作系统的鼻祖呢！它可以让多个用户在某一段时间内分别使用 CPU 的资源，感觉上你会觉得大家是同时使用该主机的资源。事实上，是 CPU 在每个用户的工作之间进行切换，在当时，这可是个划时代的技术！

- 如此一来，无论主机在哪里，只要在终端机前进行输入输出的作业，就可利用主机提供的功能了。不过，需要注意的是，此时终端机只具有输入/输出的功能，本身完全不具有任何运算或软件安装的能力。而且，比较先进的主机也只能提供 30 台左右的终端机而已。
- 为了加强大型主机的功能，以便让主机的资源可以提供更多用户来利用，所以在 1965 年前后，由贝尔实验室（Bell）、麻省理工学院（MIT）及通用电气公司（GE）共同发起了 Multics 的项目，Multics 项目的目的是想要让大型主机可以同时提供 300 台以上的终端机连接使用的目标。不过，到了 1969 年前后，项目进度落后，资金也短缺，所以该项目虽然继续在研究，但贝尔实验室还是退出了该项目的研究工作。（注：Multics 有复杂、多数的意思。）

> 最终 Multics 还是成功地开发出了他们的系统，完整的历史说明可以参考 http://www.multicians.org/网站内容。Multics 项目虽然后来没有受到很大的重视，但是他培养出来的人才是相当优秀的。

◆ 1969 年：Ken Thompson 的小型 File Server System

- 在认为 Multics 项目不可能成功之后，贝尔实验室就退出该项目。不过，原本参与 Multics 项目的人员中，已经从该项目当中获得一些想法，Ken Thompson 就是其中一位。
- Thompson 因为自己的需要，希望开发一个小的操作系统以提供自己的需求。在开发时，有一部 DEC（Digital Equipment Corporation）公司推出的 PDP-7 刚好没人使用，于是他就准备针对这部主机进行操作系统内核程序的编写。本来 Thompson 应该是没时间的（有家有小孩的宿命？），凑巧的是，在 1969 年 8 月份左右，刚好 Thompson 的妻儿探亲去了，于是他有了额外的一个月的时间好好待在家将一些构想实现出来！

- 经过 4 个星期的奋斗，他终于以汇编语言（Assembler）写出了一组内核程序，同时包括一些内核工具程序，以及一个小的文件系统。该系统就是 UNIX 的原型。当时 Thompson 将 Multics 庞大的复杂系统简化了不少，于是同实验室的朋友都戏称这个系统为 Unics（当时尚未有 UNIX 的名称）。
- Thompson 的这个文件系统有两个重要的概念，分别是。
  - 所有的程序或系统装置都是文件。
  - 不管构建编辑器还是附属文件，所写的程序只有一个目的，就是要有效地完成目标。
- 这些概念在后来对于 Linux 的开发有相当重要的影响。

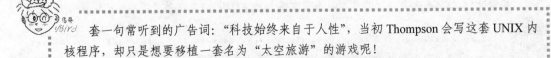

套一句常听到的广告词："科技始终来自于人性"，当初 Thompson 会写这套 UNIX 内核程序，却只是想要移植一套名为"太空旅游"的游戏呢！

◆ 1973 年：UNIX 正式诞生，Ritchie 等人以 C 语言写出第一个正式 UNIX 内核

- 由于 Thompson 写的那个操作系统实在太好用了，所以在贝尔实验室内部广为流传，并且多次经过改版。但是因为 Unics 本来是以汇编语言写成的，而如第 0 章计算机概论中谈到的，汇编语言具有专一性，加上当时的计算机机器架构都不太相同，所以每次安装到不同的机器都得要重新编写汇编语言，真不方便！
- 后来 Thompson 与 Ritchie 合作想将 Unics 改以更高级的程序语言来编写。当时现成的高级程序语言有 B 语言。但是由 B 语言所编译出来的内核性能不是很好。后来 Dennis Ritchie 将 B 语言重新改写成 C 语言，再以 C 语言重新改写与编译 Unics 的内核，最后发行出 UNIX 的正式版本！

这群高级黑客实在很厉害！因为自己的需求来开发出这么多好用的工具！C 程序语言开发成功后，甚至一直沿用至今呢！你说厉不厉害？这个故事也告诉我们，不要小看自己的潜能！你想做的，但是现实生活中没有的，就动手自己搞一个来玩吧！

- 由于贝尔实验室是隶属于美国电信大厂 AT&T 公司的，只是 AT&T 当时忙于其他商业活动，对于 UNIX 并不支持也不排斥。此外，UNIX 在这个时期的开发者都是贝尔实验室的工程师，这些工程师对于程序相当有研究，所以，UNIX 在此时不容易被一般人所接受。不过对于学术界的学者来说，这个 UNIX 真是学者们进行研究的福音！因为程序代码可改写并且可作为学术研究之用。
- 需要特别强调的是，由于 UNIX 是以较高级的 C 语言编写的，相对于汇编语言需要与硬件有密切的配合，高级的 C 语言与硬件的相关性就没有这么大了！所以，**这个改变也使得 UNIX 很容易被移植到不同的机器上**。

◆ 1977 年：重要的 UNIX 分支——BSD 诞生

- 虽然贝尔实验室属于 AT&T 公司,但是 AT&T 此时对于 UNIX 是采取较开放的态度,此外,UNIX 是以高级的 C 语言写成的，理论上是具有可移植性，即只要取得 UNIX 的源码，并且针对大型主机的特性加以修订原有的源码（Source Code），就可能将 UNIX 移植到另一台不同的主机上。所以在 1973 年以后，UNIX 便得以与学术界合作开发！最重要的接触就是与加州柏克莱（Berkeley）大学的合作了。
- 柏克莱大学的 Bill Joy 在取得了 UNIX 的内核源码后，着手修改成适合自己机器的版本，并且同时增加了很多工具软件与编译程序，最终将它命名为 Berkeley Software Distribution（BSD）。这个 BSD 是 UNIX 很重要的一个分支，Bill Joy 也是 Sun 这家公司的创办者。Sun 公司即是以 BSD 开发的内核进行自己的商业 UNIX 版本的开发的。(后来可以安装在 x86 硬件架构上面 FreeBSD 即是 BSD 改版而来！)

- ◆ **1979 年：重要的 System V 架构与版权声明**
  - 由于 UNIX 的高度可移植性与强大的性能，加上当时并没有版权的纠纷，所以让很多商业公司开始了 UNIX 操作系统的开发，例如 AT&T 自家的 System V、IBM 的 AIX 以及 HP 与 DEC 等公司，都有推出自家的主机搭配自己的 UNIX 操作系统。
  - 但是，如同我们前面提到的，操作系统的内核必须要跟硬件配合，以提供及控制硬件的资源进行良好的工作。而在早期每一家生产计算机硬件的公司还没有"协议"的概念，所以每一台计算机公司出产的硬件自然就不相同了。因此他们必须要为自己的计算机硬件开发合适的 UNIX 系统。例如在学术机构相当有名的 Sun、Cray 与 HP 就是这一种情况。他们开发出来的 UNIX 操作系统以及内含的相关软件并没有办法在其他的硬件架构下工作的。另外，由于没有厂商针对个人计算机设计 UNIX 系统，因此，在早期并没有支持个人计算机的 UNIX 操作系统的出现。

> 如同兼容分时系统的功能一般，UNIX 强调的是多用户、多任务的环境。但早期的 286 个人计算机架构下的 CPU 是没有能力达到多任务的作业，因此，并没有人对移植 UNIX 到 x86 的计算机上有兴趣。

- 每一家公司自己出品的 UNIX 虽然在架构上大同小异，但是却仅能支持自身的硬件，所以，早**先的 UNIX 只能与服务器（Server）或者是大型工作站（Workstation）划上等号**！但到了 1979 年时，AT&T 推出 System V 第七版 UNIX 后，这个情况就有点改善了。这一版最重要的特色是可以支持 x86 架构的个人计算机系统，也就是说 System V 可以在个人计算机上面安装与运行了。
- 不过因为 AT&T 由于商业的考虑，以及在当时现实环境下的思考，于是想将 UNIX 的版权收回去。因此，AT&T 在 1979 年发行的第七版 UNIX 中，特别提到了"不可对学生提供源码"的严格限制。同时，也造成 UNIX 业界之间的紧张气氛，并且也引发了很多的商业纠纷。

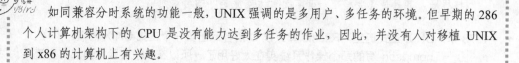

> 目前被称为纯种的 UNIX 指的就是 System V 以及 BSD 这两套。

- ◆ **1984 年之一：x86 架构的 Minix 操作系统诞生**
  - 关于 1979 年的版权声明中，影响最大的当然就是学校里教导 UNIX 内核源码相关学问的教授了。想一想，如果没有内核源码，那么如何教导学生认识 UNIX 呢？这问题对于 AndrewTanenbaum（谭宁邦）教授来说，实在是很伤脑筋的。不过，学校的课程还是得继续，那怎么办？
  - 既然 1979 年的 UNIX 第七版可以在 Intel 的 x86 架构上面进行移植，那么是否意味着可以将 UNIX 改写并移植到 x86 上面了呢？在这个想法上，谭宁邦教授于是自己动手写了 Minix 这个 UNIX Like 的内核程序！在编写的过程中，为了避免版权纠纷，谭宁邦完全不看 UNIX 内核源码！并且强调他的 Minix 必须能够与 UNIX 兼容才行！谭宁邦在 1984 年开始编写内核程序，到了 1986 年终于完成，并于次年出版 Minix 相关书籍，同时与新闻组（BBS 及 News）相结合。

> 之所以称为 Minix 的原因，是因为他是个 Mini 的 UNIX 系统。

- 这个 Minix 版本比较有趣的地方是，它并不是完全免费的，无法在网络上提供下载，必须要通过磁盘/磁带购买才行！虽然真的很便宜，毕竟因为没有在网络上流传，所以 Minix 的传递速度并没有很快。此外，购买时，随磁盘还会附上 Minix 的源码！这意味着用户可以学习 Minix 的内核程序设计概念。（这个特色对于 Linux 的开始开发阶段，可是有很大的关系！）
- 此外，Minux 操作系统的开发者仅有谭宁邦教授，因为学术很忙，加上谭宁邦始终认为 Minix

主要用在教育上面，所以对于 Minix 是点到为止。没错，Minix 是很受欢迎，不过，用户的要求/需求的可能就比较没有办法上升到比较高的地方了！

- ◆ **1984 年之二：GNU 项目与 FSF 基金会成立**
  - Richard Mathew Stallman（史托曼）在 1984 年发起的 GNU 项目，对于现今的自由软件风潮真有不可磨灭的地位。目前我们所使用的很多自由软件，几乎均直接或间接受益于 GNU 这个项目，那么史托曼是何许人也？为何他会发起这个 GNU 项目呢？
  - ■ **一个分享的环境**
    - Richard Mathew Stallman（生于 1953 年，网络上自称的 ID 为 RMS）从小就很聪明。他在 1971 年的时候，进入黑客圈中相当出名的人工智能实验室（AI Lab.），这个时候的黑客专指计算机功力很强的人，而非破坏计算机的怪客（Cracker）。
    - 当时的黑客圈对于软件的着眼点几乎都是在"分享"，所以并没有专利方面的困扰。这个特色对于史托曼的影响很大！不过，后来由于管理阶层的问题，导致优秀黑客离开该实验室，并且进入其他商业公司继续开发优秀的软件。但史托曼并不服输，仍然持续在原来的实验室开发新的程序与软件。后来，他发现，自己一个人并无法完成所有的工作，于是想要成立一个开放的团体来共同努力！
  - ■ **使用 UNIX 开发阶段**
    - 1983 年以后，因为实验室硬件的更换，使得史托曼无法继续以原有的硬件与操作系统继续自由程序的编写，而且他进一步发现，过去他所使用的 Lisp 操作系统是麻省理工学院的专利软件，是无法共享的，这对于想要成立一个开放团体的史托曼是个阻碍。于是他便放弃了 Lisp 这个系统。后来，他接触到 UNIX 这个系统，并且发现，UNIX 在理论与实际上，都可以在不同的机器间进行移植。虽然 UNIX 依旧是专利软件，但至少 UNIX 架构上还是比较开放的！于是他开始转而使用 UNIX 系统。
    - 因为 Lisp 与 UNIX 是不同的系统，所以，他原本已经编写完毕的软件是无法在 UNIX 上面运行的。为此，他就开始将软件移植到 UNIX 上面，并且，为了让软件可以在不同的平台上运行，史托曼将他开发的软件均编写成可以移植的类型，也就是他都会将程序的源码公布出来！
  - ■ **GNU 项目的推展**
    - 1984 年，史托曼开始 GNU 项目，这个项目的目的是创建一个自由、开放的 UNIX 操作系统（Free UNIX）。但是创建一个操作系统谈何容易？而且在当时的 GNU 是仅有史托曼一个人单打独斗的，这实在太麻烦，但又不想放弃这个项目，那可怎么办呢？
    - 聪明的史托曼干脆反其道而行之："既然操作系统太复杂，我就先写可以在 UNIX 上面运行的小程序，这总可以了吧？"在这个想法上，史托曼开始参考 UNIX 上面现有的软件，并依据这些软件的作用开发出功能相同的软件，开发期间史托曼绝不看其他软件的源码，以避免吃上官司。后来一堆人知道免费的 GNU 软件，并且实际使用后发现与原有的专利软件也差不了多少，便转而使用 GNU 软件，于是 GNU 项目逐渐打开知名度。
    - 虽然 GNU 项目渐渐打开了知名度，但是能见度还是不够。这时史托曼又想：不论是什么软件，都得要进行编译成为二进制文件（Binary Program）后才能够执行，如果能够写出一个不错的编译程序，那不就是大家都需要的软件了吗？因此他便开始编写 C 语言的编译程序，那就是现在相当有名的 GNU C Compiler（GCC）！这点相当重要。这是因为 C 语言编译程序版本众多，但都是专利软件，如果他的 C 编译程序够棒，性能够佳，那么将会大大地让 GNU 项目出现在众人眼前。如果你忘记了什么是编译程序，请回到第 0 章去看看编译程序！
    - 但开始编写 GCC 时并不顺利，为此，他先转而将他原先就已经写过的 Emacs 编辑器写成可以在 UNIX 上运行的软件，并公布源码。Emacs 是一种程序编辑器，它可以在用户编写程序的过程中就进行程序语法的检验，此一功能可以减少程序员排错的时间！因为 Emacs 太优秀了，因此，很多人便直接向他购买。
    - 此时因特网尚未流行，所以，**史托曼便借着 Emacs 以磁带出售，赚了一点钱，从而开始**

全力编写其他软件,并且成立自由软件基金会(Free Software Foundation,FSF),请更多工程师与志愿者来编写软件。终于还是完成了 GCC,这比 Emacs 还更有帮助!此外,他还编写了更多可以被调用的 C 函数库(GNU C Library),以及可以被用来操作操作系统的基本接口 bash shell。这些都在 1990 年左右完成。

> 如果纯粹使用文本编辑器来编辑程序的话,那么程序语法如果写错时,只能利用编译时发生的错误信息来修订了,这样实在很没有效率。Emacs 则是一个很棒的编辑器。注意:是编辑器(editor)而非编译器(compiler)!它可以很快显示出你写入的语法可能有错误的地方,这对于程序员来说,实在是一个好到不能再好的工具了。所以才会这么受到欢迎。

◆ **GNU 的通用公共许可证**
  ● 到了 1985 年,为了避免 GNU 所开发的自由软件被其他人所利用而成为专利软件,所以他与律师草拟了有名的**通用公共许可证**(General Public License, GPL),并且称呼它为 **CopyLeft**(相对于专利软件的 CopyRight)。关于 GPL 的相关内容我们在下一个小节继续谈论,在这里,必须要说明的是,由于有 GNU 所开发的几个重要软件,如:
    ■ Emacs
    ■ GNU C(GCC)
    ■ GNU C Library(GLIBC)
    ■ Bash shell
  ● 造成后来很多的软件开发者可以借由这些基础的工具来进行程序开发,进一步壮大了自由软件团体。不过,对于 GNU 的最初构想"创建一个自由的 UNIX 操作系统"来说,这些优秀的程序仍旧无法满足,因为,当下并没有"自由的 UNIX 内核"存在,所以这些软件仍只能在那些授权的 UNIX 平台上工作,一直到 Linux 的出现。更多的 FSF 开发的软件可以参考如下网页:
    ■ https://www.fsf.org/resources
◆ **1988 年:图形接口 XFree86 项目**
  ● 有鉴于图形用户接口(Graphical User Interface, GUI)的需求日益加重,在 1984 年由 MIT 与其他第三方首次发表了 X Window System,并且在 1988 年成立了非营利性质的 XFree86 这个组织。所谓的 XFree86 其实是 **X Window System + Free + x86** 的整合名称。而这个 XFree86 的 GUI 界面更在 Linux 的内核 1.0 版于 1994 年释出时集成为 Linux 操作系统当中!

> 为什么称图形用户界面为 X 呢?因为由英文单字来看,Window 中的字母 W 下面接着的就是字母 X。意指 Window 的下一版!需注意的是,X Window 并不是 X Windows!

◆ **1991 年:芬兰大学生 Linus Torvalds 的一则消息**
  ● 到了 1991 年,芬兰的赫尔辛基大学的 Linus Torvalds 在 BBS 上面贴了一则消息,宣称他以 bash, gcc 等工具写了一个小小的内核程序,这个内核程序可以在 Intel 的 386 机器上面运行,让很多人很感兴趣,从此开始了 Linux 不平凡的旅程!

1.1.3　关于 GNU 项目

GNU 项目对于整个自由软件来说是占有非常重要的角色。下面我们就来谈谈吧!
◆ **自由软件的活动**
  ● 1984 年创立 GNU 项目与 FSF 基金会的史托曼先生认为,编写程序最大的快乐就是让自己开发的好软件可供大家来使用。既然程序是想要分享给大家使用的，不过，每个人所使用的计算机软硬件并不相同，那么该程序的源码（Source code）就应该要同时发布，这样才能方便大家修改而适用于每个人的计算机中。这个将源码连同软件程序释出的举动，就称为自由软件（Free Software）运动！

- 此外，史托曼同时认为，如果你将你程序的 Source code 分享出来时，若该程序是很优秀的，那么将会有很多人使用，而每个人对于该程序都可以查阅 source code，无形之中，就会有很多人帮你排错了！你的这个程序将会越来越壮大，越来越优秀。

◆ **自由软件的版权 GNU GPL**
- 为了避免自己的开发出来的 Open source 自由软件被拿去做成商业软件，于是 Stallman 同时将 GNU 与 FSF 开发出来的软件都挂上 GPL 的版权声明，这个 FSF 的内核观念是：**版权制度是促进社会进步的手段，版权本身不是自然权力**。对于 FSF 有兴趣或者对于 GNU 想要更深入地了解的，请参考朝阳科技大学洪朝贵教授的网站 http://people.ofset.org/～ckhung/a/ c_83.php，或直接去 GNU 官网（http://www.gnu.org），里面有更为深入的解说。

> 为什么要称为 GNU 呢？其实 GNU 是 GNU's Not UNIX 的缩写，意思是说，GNU 并不是 UNIX。那么 GNU 又是什么呢？就是 GNU's Not UNIX。如果你写过程序就会知道，这个 GNU = GNU's Not UNIX 可是无穷循环。
>
> 另外，什么是 Open Source 呢？所谓的 Source 是程序开发者编写出的源程序代码，Open Source 就是，软件在发布时，同时将作者的源代码一起公布的意思。

◆ **自由（Free）的真谛**
- 那么这个 GPL（GNU General Public License）是什么呢？为什么要将自由软件挂上 GPL 的"版权声明"呢？这个版权声明对于作者有何好处？首先，史托曼对 GPL 一直是强调 Free 的，这个 Free 的意思是这样的。
- "Free software" is a matter of liberty, not price. To understand the concept, you should think of "free speech", not "free beer". "Free software" refers to the users' freedom to run, copy, distribute, study, change, and improve the software。
- 大意是说，Free Software（自由软件）是一种自由的权力，并非是"价格"。举例来说，你可以拥有自由呼吸的权力，你拥有自由发表言论的权力，但是，这并不代表你可以到处喝"免费的啤酒！（free beer）"，也就是说，自由软件的重点并不是指"免费"的，而是指具有"自由度"（freedom）的软件，史托曼进一步说明了自由度的意义是：用户可以自由执行、复制、再发行、学习、修改与强化自由软件。
- 这无疑是个好消息！因为如此一来，你所拿到的软件可能原先只能在 UNIX 上面跑，但是经过源码的修改之后，你将可以拿它在 Linux 或者是 Windows 上运行！总之，一个软件挂上了 GPL 版权声明之后，它自然就成了自由软件！这个软件就具有如下特性。
  - 取得软件与源码：你可以根据自己的需求来执行这个自由软件。
  - 复制：你可以自由复制该软件。
  - 修改：你可以将取得的源码进行程序修改工作，使之适合自己的工作。
  - 再发行：你可以将你修改过的程序再度自由发行，而不会与原先的编写者冲突。
  - 回馈：你应该将你修改过的程序代码回馈于社会！
- 但请特别留意，你所修改的任何一个自由软件都不应该也不能有下面这样的要求：
  - 修改授权：你不能将一个 GPL 授权的自由软件在你修改后而将它取消 GPL 授权。
  - 单纯销售：你不能单纯销售自由软件。
- 也就是说，既然 GPL 是站在互助互利的角度上去开发的，你自然不应该将大家的成果占为己有，因此你不可以将一个 GPL 软件的授权取消，即使你已经对该软件进行大幅度的修改。那么自由软件也不能销售吗？当然不是！还记得上一个小节里面，我们提到史托曼通过销售 Emacs 取得一些经费。自由软件是可以销售的，不过，不可仅销售该软件，应同时搭配售后服务与相关手册一起提供，这些可就需要工本费了呢！

◆ 自由软件与商业行为

- 很多人还是有疑问，目前不是有很多 Linux 开发商吗？为何他们可以销售 Linux 这个 GPL 授权的软件？原因很简单，因为他们大多都是销售"售后服务"，所以，他们所使用的自由软件都可以在他们的网站上面下载（当然，每个厂商他们自己开发的工具软件就不是 GPL 的授权软件了）。但是，你可以购买他们的 Linux 光盘，如果你购买了光盘，他们会提供相关的手册说明文件，同时也会提供你数年不等的咨询、售后服务、软件升级与其他协力工作等的附加价值！

- 所以说，目前自由软件工作者，他们所赖以维生的几乎都是在"服务"这个领域。毕竟自由软件并不是每个人都会编写，有人需要你的自由软件时，他就会请求你的协助，此时，你就可以通过服务来收费了。这样来说，自由软件确实还是具有商业空间的！

> 很多人对于 GPL 授权一直很疑惑，对于 GPL 的商业行为更是无法接受！关于这一点，鸟哥在这里还是要再次声明，GPL 是可以从事商业行为的。而很多的作者也是借由这些商业行为来得以取得生活所需，更进一步去开发更优秀的自由软件。千万不要听到"商业"就排斥。这对于开发优良软件的朋友来说，是不礼貌的。

- 上面提到的大多是与用户有关的项目，那么 GPL 对于自由软件的作者有何优点呢？大致的优点有这些：
  - 软件安全性较佳；
  - 软件执行性能较佳；
  - 软件排错时间较短；
  - 贡献的源码永远都存在。
- 这是因为既然是 Open Source 的自由软件，那么你的程序代码将会有很多人帮你查阅，如此一来，程序的漏洞与程序的优化将会进展得很快。所以，在安全性与性能上，自由软件一点都不输给商业软件。此外，因为 GPL 授权当中，修改者并不能修改授权，因此，你如果曾经贡献过程序代码，你将名留青史。
- 对于程序开发者来说，GPL 实在是一个非常好的授权，因为大家可以互相学习对方的程序编写技巧，而且自己写的程序也有人可以帮忙排错。那你会问的，对于我们这些广大的终端用户，GPL 有没有什么好处呢？当然有！虽然终端用户或许不会自己编译程序代码或者是帮人家排错，但是终端用户使用的软件绝大部分就是 GPL 的软件，全世界有一堆的工程师在帮你维护你的系统，这难道不是一件非常棒的事吗？

1.2 Torvalds 的 Linux 开发

我们前面一节当中，提到了 UNIX 的历史，也提到了 Linux 是由芬兰人 Torvalds 所开发的。那么为何托瓦兹可以开发 Linux 呢？凭空想象而来的，还是有什么渊源？这里我们就来谈一谈！

1.2.1 Minix

Linus Torvalds（托瓦兹, 1969 年出生）的外祖父是赫尔辛基大学的统计学家，他的外祖父为了让自己的小孙子能够学点东西，所以从小就将托瓦兹带到身边来管理一些微计算机。在这个时期，托瓦兹接触了汇编语言（Assembly Language），那是一种直接与芯片"对谈"的程序语言，也就是低级语言，必须要很了解硬件的架构，否则很难以汇编语言编写程序的。

在 1988 年间，托瓦兹顺利进入了赫尔辛基大学，并选读了计算机科学系。在就学期间，因为学业的需要与自己的兴趣，托瓦兹接触到了 UNIX 这个操作系统。当时整个赫尔辛基只有一部最新的 UNIX 系统，同时仅提供 16 个终端机。还记得我们上一节刚才提过的，早期的计算机仅有主机具有运算功能，终端机仅负责提供输入/输出而已。在这种情况下，实在很难满足托瓦兹的需求，因为光是等待使用 UNIX 的时间，就很耗时，为此，他不禁想到："我何不自己搞一部 UNIX 来玩？"不过，就如同 Stallman 当初的 GNU 项目一样，要写内核程序，谈何容易？

不过，幸运之神并未背离托瓦兹，因为不久之后，他就知道有一个类似 UNIX 的系统，并且与 UNIX 完全兼容，还可以在 Intel 386 机器上运行的操作系统，那就是我们上一节提过的，谭宁邦教授为了教育需要而编写的 Minix 系统！他在购买了最新的 Intel 386 的个人计算机后，就立即安装了 Minix 这个操作系统。另外，上个小节当中也谈到，Minix 这个操作系统是有附上源码的，所以托瓦兹也经由这个源码学习到了很多的内核程序设计的设计概念！

1.2.2 对 386 硬件的多任务测试

事实上，托瓦兹对于个人计算机的 CPU 其实并不满意，因为他之前接触的计算机都是工作站型的计算机，这类计算机的 CPU 特点就是可以进行"多任务处理"的能力。什么是多任务呢？理论上，一个 CPU 在一个时间内仅能进行一个程序，那如果有两个以上的程序同时出现到系统中呢？举例来说，你可以在现今的计算机中同时开启两个以上的办公软件，例如电子表格与文字处理软件。这个同时打开的操作代表着这两个程序同时要交给 CPU 来处理。

CPU 在一个时间点内仅能处理一个程序，那怎么办？没关系，这个时候如果具有多任务能力的 CPU 就会在不同的程序间切换。还记得前一章谈到的 CPU 频率吧？假设 CPU 频率为 1GHz 的话，那表示 CPU 一秒钟可以进行 10^9 次工作。假设 CPU 对每个程序都只进行 1000 次运行周期，然后就得要切换到下个程序的话，那么 CPU 一秒钟就能够切换 10^6 次呢！（当然，切换工作这件事情也会花去一些 CPU 时间，不过这里暂不讨论。）这么快的处理速度下，你会发现，两个程序感觉上几乎是同步在进行的！

为什么有的时候我同时开两个文件（假设为 A、B 文件）所花的时间要比开完 A 再去开 B 文件的时间还要多？现在是否稍微可以理解？因为如果同时打开的话，CPU 就必须要在两个工作之间不停地切换，而切换的动作还是会耗去一些 CPU 时间的。所以，同时打开两个以上的工作在一个 CPU 上，要比一个一个地执行还要耗时一点。这也是为何现在 CPU 开发商要集成两个 CPU 于一个芯片中！也是为何在运行情况比较复杂的服务器上需要比较多的 CPU 负责的原因。

早期 Intel x86 架构计算机不是很受重视的原因，就是因为 x86 的芯片对于多任务的处理不佳，CPU 在不同的作业之间切换不是很顺畅。但是这个情况在 386 计算机推出后有很大的改善。托瓦兹在得知新的 386 芯片的相关信息后，他认为，以性价比的观点来看，Intel 的 386 相当便宜，所以在性能上略有提高。最终他就贷款去买了一部 Intel 的 386 来玩。

早期的计算机性能没有现在这么好，所以压榨计算机性能就成了工程师的一项嗜好！托瓦兹本人早期是编写汇编语言的，汇编语言对于硬件有很密切的关系，托瓦兹自己也说："我始终是个性能癖"。为了彻底发挥 386 的性能，托瓦兹花了不少时间在测试 386 机器上！他的重要测试的是 386 的多功性能。首先，他写了三个小程序，一个程序会持续输出 A，一个会持续输出 B，最后一个会将两个程序进行切换。他将三个程序同时执行，结果，他看到屏幕上很顺利地一直出现 ABABAB...他知道，他成功了，如图 1-3 所示。

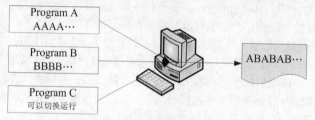

图 1-3　386 计算机的多任务测试

> 要达到多任务（Multi-Tasking）的环境，除了硬件（主要是 CPU）需要能够具有多任务的特性外，操作系统也需要支持这个功能。一些不具有多任务特性的操作系统想要同时执行两个程序是不可能的，除非先被执行的程序执行完毕，否则，后面的程序不可能被主动执行。
>
> 至于多任务的操作系统中，每个程序被执行时，都会有一个最大 CPU 使用时间，若该工作运作的时间超过这个 CPU 使用时间时，该工作就会先被丢出 CPU 的运作中，而再度进入内核工作调度中等待下一次被 CPU 取用来运作。
>
> 这有点像在开记者会，主持人（CPU）会问："谁要发问？"一群记者（工作程序）就会举手（看谁的工作重要），先举手的自然就被允许发问，问完之后，主持人又会问一次谁要发问，当然，所有人（包括刚才那个记者）都可以举手！如此一次一次地将工作给他完成，多任务的环境对于复杂的工作情况帮助很大。

1.2.3　初次释出 Linux 0.02

探索完了 386 的硬件之后，终于拿到 Minix 并且安装在托瓦兹的 386 计算机上之后，托瓦兹跟 BBS 上面那些工程师一样，他发现 Minix 虽然真的很棒，但是谭宁邦教授就是不愿意进行功能的加强，导致工程师在操作系统功能上面的欲求不满！这个时候年轻的托瓦兹就想："既然如此，那我何不自己来改写一个我想要的操作系统？"于是他就开始了内核程序的编写了。

编写程序需要什么呢？首先需要的是能够进行工作的环境，再来则是可以将源码编译成为可执行文件的编译程序。好在有 GNU 项目提供的 bash 工作环境软件以及 gcc 编译程序等自由软件，让托瓦兹得以顺利编写内核程序。他参考 Minix 的设计理念与书上的程序代码，然后仔细研究出 386 个人计算机的性能优化，然后使用 GNU 的自由软件将内核程序代码与 386 紧紧地结合在一起，最终写出他所需要的内核程序。而这个小玩意竟然真的可以在 386 上面顺利地运行，还可以读取 Minix 的文件系统。不过还不够，他希望这个程序可以获得大家的一些修改建议，于是他将这个内核放置在网络上供大家下载，同时在 BBS 上面贴了一则消息：

```
Hello everybody out there using minix-
I'm doing a (free) operation system (just a hobby,
won't be big and professional like gnu) for 386 (486) AT clones.

I've currently ported bash (1.08) and gcc (1.40),
and things seem to work. This implies that i'll get
something practical within a few months, and I'd like to know
what features most people want. Any suggestions are welcome,
but I won't promise I'll implement them :-)
```

他说，他完成了一个小的操作系统，这个内核是用在 386 机器上的，同时，他真的仅是好玩，并不是想要做一个跟 GNU 一样大的项目！另外，他希望能够得到更多人的建议与回馈来开发这个操作系统！这个概念跟 Minix 刚好背道而驰呢！这则新闻引起很多人的注意，他们也去托瓦兹提供的网站上下载了这个内核来安装。有趣的是，因为托瓦兹放置内核的那个 FTP 网站的目录为 Linux，从此，大家便称这个内核为 Linux 了。(请注意，此时的 Linux 就是那个 Kernel，另外，托瓦兹所丢到该目录下的第一个内核版本为 0.02 呢！)

同时，为了让自己的 Linux 能够兼容于 UNIX 系统，于是托瓦兹开始将一些能够在 UNIX 上面运行的软件拿来在 Linux 上运行。不过，他发现到有很多的软件无法在 Linux 这个内核上运行。这个时候他有两种做法，一种是修改软件，让该软件可以在 Linux 上运行，另一种则是修改 Linux，让 Linux 符合软件能够运作的规范。由于希望 Linux 能够兼容于 UNIX，于是托瓦兹选择了第二个做法"修改 Linux"。为了让所有的软件都可以在 Linux 上执行，于是托瓦兹开始参考标准的 POSIX 规范。

> POSIX 是可携式操作系统接口（Portable Operating System Interface）的缩写，重点在于规范内核与应用程序之间的接口，这是由美国电气与电子工程师学会（IEEE）所发布的一项标准！

这个正确的决定让 Linux 在起步的时候体质就比别人优良，因为 POSIX 标准主要是针对 UNIX 与一些软件运行时候的标准规范，只要依据这些标准规范来设计的内核与软件，理论上，就可以搭配在一起执行了。而 Linux 的开发就是依据这个 POSIX 的标准规范，UNIX 上的软件也是遵循这个规范来设计的，如此一来，让 Linux 很容易就与 UNIX 兼容共享互有的软件了。同时，因为 Linux 直接放置在网络上供大家下载，所以在运行的速度上相当快，导致 Linux 的使用率大增，这些都是造成 Linux 大受欢迎的重要因素！

1.2.4 Linux 的开发：虚拟团队的产生

Linux 能够成功，除了托瓦兹个人的理念与力量之外，其实还有个最重要的团队！

◆ **单一个人维护阶段**

- Linux 虽然是托瓦兹发明的，而且内容还绝不会涉及专利软件的版权问题。不过，如果单靠托瓦兹自己一个人的话，那么 Linux 要茁壮实在很困难，因为一个人的力量是很有限的。好在托瓦兹选择 Linux 的开发方式相当务实！首先，他将发布的 Linux 内核放置在 FTP 上面，并告知大家新的版本信息，等到用户下载了这个内核并且安装之后，如果发生问题，或者是由于特殊要求需要某些硬件的驱动程序，那么这些用户就会主动反馈给托瓦兹。在托瓦兹能够解决的问题范围内，他都能很快速地进行 Linux 内核的更新与排错。

◆ **广大志愿者加入阶段**

- 不过，托瓦兹总是有些硬件无法取得，那么他当然无法帮助进行驱动程序的编写与相关软件的改良。这个时候，就会有些志愿者站出来说："这个硬件我有，我来帮忙写相关的驱动程序。"因为 Linux 的内核是 Open Source 的，志愿者很容易就能够跟随 Linux 的原本设计架构，并且写出兼容的驱动程序或者软件。志愿者写完的驱动程序与软件托瓦兹是如何看待的呢？首先，他将该驱动程序/软件带入内核中，并且加以测试。只要测试可以运行，并且没有什么主要的大问题，那么他就会很乐意将志愿者写的程序代码加入内核中！

- 总之，托瓦兹是个很务实的人，对于 Linux 内核所欠缺的项目，他总是持"先求有且能运行，再求进一步改善"的心态！这让 Linux 用户与志愿者得到相当大的鼓励！因为 Linux 的进步太快了。用户要求虚拟内存，结果不到一个星期推出的新版 Linux 就有了！这不得不让人佩服！

- 另外，因为这种随时都有程序代码加入的状况，于是 Linux 便逐渐开发成具有模块的功能。即是将某些功能独立于内核外，在需要的时候才加载到内核中。如此一来，如果有新的硬件驱动程序或者其他协议的程序代码进来时，就可以模块化，大大增加了 Linux 内核的可维护能力！

内核是一组程序，如果这组程序每次加入新的功能都得要重新编译与改版的话会变成如何？想象一下，如果你只是换了显卡就得要重新安装新的 Windows 操作系统，会不会傻眼？模块化之后，原本的内核程序不需要变动，你可以直接将它想成是"驱动程序"即可！

◆ **内核功能细部分工开发阶段**

- 后来，因为 Linux 内核加入了太多的功能，光靠托瓦兹一个人进行内核的实际测试并加入内核源程序实在太费力，于是，就有很多的朋友跳出来帮忙这个前置作业！例如考克斯（Alan Cox）、与崔迪（Stephen Tweedie）等，这些重要的副手会先将志愿者的修补程序或者新功能的程序代码进行测试，并且将结果上传给托瓦兹看，让托瓦兹作最后内核加入的源码的选择与整并！这个分层负责的结果让 Linux 的开发更加容易！

- 特别值得注意的是，这些托瓦兹的 Linux 开发副手，以及自愿传送修补程序的黑客志愿者，其实都没有见过面，而且彼此分布在地球的各个角落，大家群策群力共同开发出现今的 Linux，我们称这群人为虚拟团队。而为了虚拟团队数据的传输，Linux 便成立了内核网站：http://www.kernel.org。

- 而这群素未谋面的虚拟团队们在 1994 年终于完成了 Linux 的内核正式版 Version 1.0。这一版同时还加入了 X Window System 的支持呢！更于 1996 年完成了 2.0 版。此外，托瓦兹指明了企鹅为 Linux 的吉祥物。

奇怪的是，托瓦兹是因为小时候去动物园被企鹅咬了一口念念不忘，而正式的 2.0 推出时，大家要他想一个吉祥物。他在想不出什么动物的情况下，就将这个念念不忘的企鹅当成了 Linux 的吉祥物了。

Linux 由于托瓦兹是针对 386 机器写的，跟 386 硬件的相关性很强，所以，早期的 Linux 确实是不具有移植性的。不过，大家知道 Open Source 的好处就是，可以修改程序代码去适合作业的环境。因此，在 1994 年以后，Linux 便被开发到很多的硬件上面去了！目前除了 x86 之外，IBM、HP、Sun 等公司的硬件也都有被 Linux 所支持。

1.2.5 Linux 的内核版本

Linux 的内核版本编号有点类似如下的样子：

```
2.6.18-92.el5
主版本.次版本.释出版本-修改版本
```

如前所述，因为对于 Linux 内核的开发者太多了，以至于造成 Linux 内核经常性的变动。但对于一般家庭计算机或企业单位应用的话，常变动的内核并不适合。因此托瓦兹便将内核的开发趋势分为两股，并根据这两个内核的开发分别给予不同的内核编号，那就是：

◆ **主、次版本为奇数：开发中版本（development）**

- 如 2.5.xx，这种内核版本主要用在测试与开发新功能，所以通常这种版本仅有内核开发工程师会使用。如果有新增的内核程序代码，会加到这种版本当中，等到众多工程师测试没问题后，才加入下一版的稳定内核中。

◆ 主、次版本为偶数：稳定版本（stable）

　● 如 2.6.xx，等到内核功能开发成熟后会加到这类的版本中，主要用在一般家庭计算机以及企业版本中。重点在于提供用户一个相对稳定的 Linux 作业环境平台。

至于释出版本则是在主、次版本架构不变的情况下，新增的功能累积到一定的程度后所新释出的内核版本。而由于 Linux 内核是使用 GPL 的授权，因此大家都能够进行内核程序代码的修改。因此，如果你有针对某个版本的内核修改过部分的程序代码，那么那个被修改过的新的内核版本就可以加上修改版本了。

Linux 内核版本与 distribution 版本（下个小节会谈到）并不相同，很多朋友常上网问到："我的 Linux 是 9.x 版，请问"之类的留言，这是不对的提问方式，因为 Linux 版本指的应该是内核版本，而目前最新的内核版本应该是 2.6.30（2009/08）才对，并不会有 9.x 的版本出现的。

你常用的 Linux 系统则应该说明为 distribution 才对。因此，如果以 CentOS 这个 distribution 来说，你应该说："我用的 Linux 是 CentOS 这个 distribution，版本为 5.x 版，请问"才对！

> 当你有任何问题想要在 Linux 论坛发言时，请务必仔细地说明你的 distribution 版本，因为各家 distributions 使用的都是 Linux 内核，不过每家 distributions 所选用的软件以及他们自己开发的工具并不相同，多少还是有点差异，所以留言时得要先声明 distribution 的版本才行。

1.2.6　Linux distributions

好了，经过上面的说明，我们知道了 Linux 其实就是一个操作系统最底层的内核及其提供的内核工具。它是 GNU GPL 授权模式，所以，任何人均可取得源码与可执行这个内核程序，并且可以修改。此外，因为 Linux 参考 POSIX 设计规范，因此兼容于 UNIX 操作系统，故亦可称之为 UNIX Like 的一种。

> 鸟哥曾在上课的时候问过同学："什么是 UNIX Like 啊"？可爱的同学们回答是："就是很喜欢（Like）UNIX 啦！"囧 rz……那个 like 是"很像"啦！所以 UNIX Like 是"很像 UNIX 的操作系统"。

◆ 可完全安装的 Linux 发布套件

　● Linux 的出现让 GNU 项目开发者放下了心里的一块大石头，因为 GNU 一直以来就是缺乏了内核程序，导致他们的 GNU 自由软件只能在其他的 UNIX 上运行。既然目前有 Linux 出现了，且 Linux 也用了很多的 GNU 相关软件，所以 Stallman 认为 Linux 的全名应该为 GNU/Linux 呢！不管怎么说，Linux 实在很不错，让 GNU 软件大多以 Linux 为主要操作系统来进行开发，此外，很多其他的自由软件团队，例如 sendmail, wu-ftp, apache 等也都有以 Linux 为开发测试平台的项目出现！如此一来，Linux 除了主要的内核程序外，可以在 Linux 上运行的软件也越来越多，如果有心，就能够将一个完整的 Linux 操作系统搞定了！

　● 虽然由 Torvalds 负责开发的 Linux 仅具有 Kernel 与 Kernel 提供的工具，不过，如上所述，很多的软件已经可以在 Linux 上运行了，因此，"Linux + 各种软件"就可以完成一个相当完整的操作系统了。不过，要完成这样的操作系统还真难，因为 Linux 早期都是由黑客工程师所开发维护的，他们并没有考虑到一般用户的能力。

　● 为了让用户能够接触到 Linux，于是很多的商业公司或非营利团体就将 Linux Kernel(含 tools) 与可运行的软件集成起来，加上自己具有创意的工具程序，这个工具程序可以让用户以光盘、DVD 或者通过网络直接安装/管理 Linux 系统。这个"Kernel + Softwares + Tools"的可完全安装的系统，我们称之为 Linux distribution，一般中文翻译成可完全安装套件，或者 Linux 发布商套件等，如图 1-4 所示。

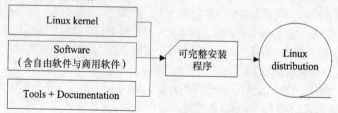

图 1-4 Linux 可完全安装发布套件

> 由于 Linux 内核是由黑客工程师写的，要由源码安装到 x86 计算机上面成为可以执行的二进制文件，这个过程可不是人人都会的，所以早期确实只有工程师对 Linux 有兴趣。一直到一些团队与商业公司将 Linux 内核配合自由软件，并提供完整的安装程序，且制成光盘/DVD 后，对于一般用户来说，Linux 才越来越具有吸引力，因为只要一直单击"下一步"就可以将 Linux 安装完成。

- 由于 GNU 的 GPL 授权并非不能从事商业行为，于是很多商业公司便专门来销售 Linux distribution。而鉴于 Linux 的 GPL 版权声明，因此，商业公司所销售的 Linux distributions 通常也都可以从 Internet 上来下载。此外，如果你想要其他商业公司的服务，那么直接向该公司购买光盘来安装，也是一个很不错的方式。

◆ **各大 Linux Distributions 的主要异同：支持标准**

- 不过，由于开发 Linux distributions 的团队与公司实在太多了，例如在中国有名的 Red Hat, SuSE, Ubuntu, Fedora, Debian 等，所以很多人都很担心，如此一来每个 distribution 是否都不相同呢？这就不需要担心了，因为每个 Linux distributions 使用的 kernel 都是 http://www.kernel.org 所发布的，而他们所选择的软件几乎都是目前很知名的软件，重复性相当高，例如网页服务器的 Apache、电子邮件服务器的 Postfix/sendmail、文件服务器的 Samba 等。

- 此外，为了让所有的 Linux distributions 开发不至于差异太大，且让这些开发商在开发的时候有所依据，还有 **Linux Standard Base**（**LSB**）等标准来规范开发者，以及目录架构的 **File system Hierarchy Standard**（**FHS**）标准规范，它们的唯一差别可能就是该开发者自家所开发出来的管理工具以及套件管理的模式。所以说，基本上，每个 Linux distributions 除了架构的严谨度与选择的套件内容外，其实差异并不太大。大家可以选择自己喜好的 distribution 来安装即可！

  ▪ FHS: http://www.pathname.com/fhs/
  ▪ LSB: http://www.linuxbase.org/

> 事实上鸟哥认为 distributions 主要分为两大系统，一种是使用 RPM 方式安装软件的系统，包括 Red Hat, Fedora, SuSE 等都是这类；一种则是使用 Debian 的 dpkg 方式安装软件的系统，包括 Debian, Ubuntu, B2D 等。

- 下面列出几个主要的 Linux distributions 发行者网址：
  ▪ Red Hat: http://www.redhat.com

- Fedora: http://fedoraproject.org/
- Mandriva: http://www.mandriva.com
- Novell SuSE: http://www.novell.com/linux/
- Debian: http://www.debian.org/
- Slackware: http://www.slackware.com/
- Gentoo: http://www.gentoo.org/
- Ubuntu: http://www.ubuntu.com/
- CentOS: http://www.centos.org/

> 到底是要买商业版还是团队版的 Linux distribution 呢？如果是要装在个人计算机上面作为桌面计算机用的，建议使用团队版，包括 Fedora, Ubuntu, OpenSuSE 等。如果是用在服务器上面的，建议使用商业版本，包括 Red Hat, SuSE 等。这是因为团队版通常开发者会加入最新的软件，这些软件可能会有一些 bug 存在。至于商业版则是经过一段时间的磨合后，才将稳定的软件放进去。
>
> 举例来说，Fedora 发出来的软件套件经过一段时间的维护后，等到该软件稳定到不容易发生错误后，Red Hat 才将该软件放到他们最新的释出版本中。所以，Fedora 的软件经常改版，Red Hat 的软件就较少改版。

- ◆ Linux 在中国
  - 当然发行套件者不仅于此。但是值得大书特书的是中文 Linux 的延伸项目——CLE 这个套件！早期的 Linux 因为是工程师开发的，而这些工程师大多以英文语系的国家为主，所以 Linux 对于国人的学习是比较困扰一点。中国的 Linux 爱好者做了很多汉化方面的工作，例如在中国台湾地区发起的 CLE 项目 (http://cle.linux.org.tw/) 开发了很多的中文套件及翻译了很多的英文文件，使得我们目前得以使用中文的 Linux 呢。
    - http://freesf.tnc.edu.tw/index.php
    - B2D: http://b2d.tnc.edu.cn/
  - 此外，如果只想看看 Linux 的话，还可以选择可光盘开机进入 Linux 的 Live CD 版本，即是 KNOPPIX 这个 Linux distributions 呢！
    - http://www.knoppix.net/
    - 中文 KNOPPIX: http://knoppix.tnc.edu.cn/

> 对于没有额外的硬盘或者是没有额外的主机的朋友来说，KNOPPIX 这个可以利用光盘开机而进入 Linux 操作系统的 Live CD 真的是一个不错的选择！你只要下载了 KNOPPIX 的镜像文件，然后将它刻录成为 CD，放入你主机的光驱，并在 BIOS 内设置光盘为第一个开机选项，就可以使用 Linux 系统了呢！

  - 如果你还想要知道更多的 Linux distributions 的下载与使用信息，可以参考：
    - http://distrowatch.com/
- ◆ 选择适合你的 Linux distribution
  - 那我到底应该要选择哪一个 distributions? 就如同我们上面提到的，其实每个 distributions 差异性并不大！不过，由于套件管理的方式主要分为 Debian 的 dpkg 及 Red Hat 系统的 RPM 方式，目前鸟哥的建议是，先学习以 RPM 套件管理为主的 RHEL/Fedora/SuSE/CentOS 等中国用户较多的版本,这样一来,发生问题时,可以提供解决的渠道比较多。如果你已经接触过 Linux 了,还想要探讨更严谨的 Linux 版本,那可以考虑使用 Debian,如果你是以性能至上来考虑,那么 Gentoo 是不错的建议!

- 总之,版本很多,但是各版本差异其实不大,建议你一定要先选定一个版本后,从头彻尾地了解它,那再继续使用其他的版本时,就可以很快进入状况。鸟哥的网站仅提供一个版本,不过是以比较基础的方式来介绍的,因此,如果好好学习这个网站的话,哪一个 distributions 对你来说都不成问题!

- 不过,如果依据计算机主机的用途来分的话,在国内鸟哥会这样建议。

  - 用于企业环境:建议使用商业版本,例如 Red Hat 的 RHEL 或者是 Novell 的 SuSE 都是很不错的选择!毕竟企业的环境强调的是连续的经营,你可不希望网管人员走了之后整个机房的主机都没有人管理。由于商业版本都会提供客户服务,所以可以降低企业的风险!

  - 用于个人或教学的服务器环境:要是你的服务器所在环境如果宕机还不会造成太大的问题的话,加上你的环境是在教学的场合当中时那么可以使用"号称"完全兼容商业版 RHEL 的 CentOS。因为 CentOS 是抓 RHEL 的源码来重新兜起来的一个 Linux distribution,所以号称兼容于 RHEL。这一版的软件完全与 RHEL 相同,改版的幅度较小,适合于服务器系统的环境。

  - 用于个人的桌面计算机:想要尝鲜吗?建议使用很炫的 Fedora/Ubuntu 等 Desktop(桌面环境)使用的版本!如果不想要安装 Linux 的话,那么 Fedora 或 CentOS 也有推出 Live CD 了!也很容易学习的!

1.3 Linux 的特色

Linux 是 Torvalds 先生所开发出来的,基于 GPL 的版权声明之下,可以在 x86 的架构下运行,也可以被移植到其他的大型主机上面。由于开发的相关理念与兼容的问题,因此,我们也可以称 Linux 为 UNIX Like 操作系统的一种。

其实 UNIX Like 可以说是目前服务器类型的操作系统的统称!因为不论是 FreeBSD, BSD, Sun UNIX, HP UNIX, Red Hat Linux, Mandrake Linux 等,都是由同一个祖先 Thompson 所写的 "UNIX" 来的,因此,这些都被统称为 UNIX Like 的操作系统!

1.3.1 Linux 的特色

那么这个系统有什么特异功能呢?简单地说,有以下几点。

- 自由与开放的使用与学习环境

  - 由于 Linux 是基于 GPL 的授权之下,因此它是自由软件,也就是任何人都可以自由使用或者是修改其中的源码的意思!这种开放性架构对科学界来说是相当重要的!因为很多的工程师由于特殊的需求,经常需要修改系统的源码,使该系统可以符合自己的需求。而这个开放性的架构将可以满足各不同需求的工程师。因此当然就有可能越来越流行。以鸟哥来说,目前环境工程界的空气质量模式最新版 Models-3/CMAQ 就是以 Linux 为基准平台设计的呢!

- 配备需求低廉

  - Linux 可以支持个人计算机的 x86 架构,系统资源不必像早先的 UNIX 系统那般,仅适合于单一公司所出产的设备。单就这一点来看，就可以造成很大的流行度。不过，如果你想要在 Linux 下执行 X Window 系统，那么硬件的等级就不能太低了！

◆　内核功能强大而稳定
- 而且由于 Linux 功能并不会输给一些大型的 UNIX 工作站，因此，近年来越来越多的公司或者是团体、个人投入这一个操作系统的开发与整合工作。例如 IBM 与 Sun 公司都有推出 x86 的 Linux 服务器呢！

◆　独立作业
- 另外，由于很多的软件套件逐渐被这套操作系统拿来使用，而很多套件软件也都在 Linux 这个操作系统上面进行开发与测试，因此，Linux 近来已经可以独立完成几乎所有的工作站或服务器的服务了，例如 Web, Mail, Proxy, FTP 等。

目前 Linux 已经是相当成熟的一套操作系统！而且不耗资源又可以自由取得！可以说给微软造成相当大的压力！此外，由于它的系统硬件要求很低，加上目前很多的人由于"Intel 的阴谋"而造成手边有相当多的淘汰掉的硬件配备，Linux 在这些被淘汰的硬件中就可以执行得相当顺畅与稳定！因此也造成相当多朋友的关注！

这些造成 Linux 成为最近几年来最受瞩目的操作系统之一，如前所述，它会受到瞩目的原因主要是因为它是"Free"的，就是可以自由取得的操作系统！然后它是开放性的系统，也就是你可以随时取得程序的源码，这对于程序开发工程师是很重要的。而且，虽然它是 Free 的自由软件，不过功能却很强大！另外，Linux 对于硬件的需求是很低的，这一点更是造成它流行的主因，因为硬件的更换率太快了，所以很多人手边都有一些很少在用的零件，这些零件组装一下就可以用来运行 Linux 了，**反正做一个工作站又不使用到屏幕（只要主机就可以）**，因此 Linux 就越来越流行！

也就是因为 Linux 具有硬件需求低、架构开放、系统稳定性及保密性功能够强、完全免费的优点，所以造成一些所谓"反微软联盟"的程序设计高手不断开发新软件，以与微软进行抗衡！

1.3.2　Linux 的优缺点

那干嘛要使用 Linux 作为我们的主机系统呢？这是因为 Linux 有下面这些优点。

◆　稳定的系统
- Linux 本来就是基于 UNIX 的概念而开发出来的操作系统，因此，Linux 具有与 UNIX 系统相似的程序接口和操作方式，当然也继承了 UNIX 稳定并且有效率的特点。安装 Linux 的主机连续运行一年以上而不曾宕机、不必关机是很平常的事。

◆　免费或少许费用
- 由于 Linux 是基于 GPL 授权下的产物，因此任何人皆可以自由取得 Linux，至于一些"**安装套件**"的发行者，他们发行的安装光盘也仅需要些许费用即可获得！不同于 UNIX 需要负担庞大的版权费用，当然也不同于微软需要不断更新你的系统，并且缴纳大量费用！

◆　安全性、漏洞的快速修补
- 如果你常玩网络的话，那么你最常听到的应该是"**没有绝对安全的主机**"。没错。不过 Linux 由于支持者众多，有相当多的热心团体、个人参与其中的开发，因此可以随时获得最新的安全信息，并随时更新，相对较安全！

◆　多任务、多用户
- 与 Windows 系统不同的，Linux 主机上可以同时允许多人上线来工作，并且资源的分配较为公平，比起 Windows 的单人多任务系统要稳定得多！这种多用户、多任务可是 UNIX Like 上面相当好的一个功能，怎么说呢？你可以在一部 Linux 主机上面规划出不同等级的用户，而且每个用户登录系统时的工作环境都可以不相同，此外，还可以允许不同的用户在同一个时间登录主机，以同时使用主机的资源。

◆ 用户与用户组的规划

● 在 Linux 的机器中，文件的属性可以分为可读、可写、可执行等参数来定义一个文件的适用性，此外，这些属性还可以分为三个种类，分别是文件拥有者、文件所属用户组、其他非拥有者与用户组者。这对于项目或者其他项目开发者具有相当良好的系统保密性。

◆ 相对比较不耗资源的系统

● Linux 只要一部 P III 以上等级的计算机就可以安装并且使用顺畅。还不需要到 P 4 或 AMD K8 等级的计算机呢！不过，如果你要架设的是属于大型的主机(服务上百人以上的主机系统)，那么就需要比较好一点的机器了。不过，目前市面上任何一款个人计算机均可以达到这一个要求！

◆ 适合需要小内核程序的嵌入式系统

● 由于 Linux 只要几百 KB 不到的程序代码就可以完整驱动整个计算机硬件并成为一个完整的操作系统，因此相当适合于目前家电或者是小电子用品的操作系统，即嵌入式系统。Linux 真的是很适合例如手机、数字相机、PDA、家电用品等操作系统！

◆ 整合度佳且多样的图形用户界面（GUI）

● 自从 1994 年 Linux 1.0 后就加入的 X Window 系统，在众多黑客的努力之下终于与 Linux 有高度整合，且主要的显卡厂商（Intel, NVidia, ATI 等）都有针对 Linux 推出最新的驱动程序，因此 Linux 的 GUI 已经有长足的进步了。另外，Linux 环境下的图形界面不只有一种呢！包括大家耳熟能详的 KDE（http://www.kde.org/）以及 GNOME（http://www.gnome.org）都是很常见的！

反正 Linux 好处说不完啦！不过虽然 Linux 具有这样多的好处，但是它先天上有一个足以致命的地方，使它的普及率受到很大的限制，就是 Linux 需要使用"命令行"的终端机模式进行系统的管理！虽然近年来有很多的图形界面开发使用在 Linux 上面，但毕竟要熟悉 Linux 还是以命令行来使用是比较好的，因此要接受 Linux 的玩家必须比较要能熟悉对计算机下命令的行为，而不是用鼠标点一点图标（icon）就行了。Linux 还可以改进的地方有以下几点。

◆ 没有特定的支持厂商

● 因为在 Linux 上面的所有套件几乎都是自由软件，而每个自由软件的开发者可能并不是公司团体，而是非营利性质的团体。如此一来，在你 Linux 主机上面的软件若发生问题，该如何是好？好在由于目前 Linux 商业界的整合还不错，目前在中国比较著名的 Red Hat 与 SuSE 均设立了服务点。你可以经由这个服务点来直接向他们购买/咨询相关的软硬件问题呢！不过，如果你没有选择有专门商业公司的 Linux distributions 时？怎么办？没有专人上门服务也不需要太担心，因为拜网络风行之赐，你要问的问题几乎在网络上都可以找到答案。看你有没有用心去找就是了！

◆ 游戏的支持度不足

● 在现代这个时候，敢说你们家的桌面计算机里面完全没有游戏的用户应该不多了！游戏软件也是个应用程序，所以它与操作系统的关系就相当密切了。可惜的是目前很多游戏开发商并没有在 Linux 平台上面开发大型游戏，这间接导致 Linux 无法进入一般家庭。

◆ 专业软件的支持度不足

● 这是鸟哥到学校教书后才发现的一件事，目前很多专业绘图软件公司所推出的专业软件并不支持 Linux 操作系统，这让同学很难在不同的平台上面操作相同的软件。很伤脑筋！

老实说，这些缺点绝大部分都不是 Linux 本身的问题，倒是一些商业方面的考虑才是最大的困扰。不过，Linux 与其他的操作系统一样，就是一个工具而已！希望大家能够在快乐中学习到 Linux 的精髓。

1.3.3　关于授权

现在市面上有好多的软件，有的是自由软件，有的是专利软件。有的专利软件免费，有的自由软件要钱。好烦啊！怎么分辨这些东西？其实，鸟哥并不是律师，对于法律也不十分懂，不过，还是有几个授权模式可以来谈一谈。

◆ **Open Source**（开放源码）

  ● 软件以 Open Source 的方式发布时，表示除了可执行的软件本身外，一定伴随着源码的释出。通常 Open Source 的软件有几个好处：

  1. 程序员通常会等到程序成熟之后才会发布（免得被笑），所以通常程序在雏形的时候，就已经具有相当的优良体质。

  2. Open Source 的精神，相信当程序原设计人将程序源码释出之后，其他的程序员接受这份源码之后，由于需要将程序改成自己所需的样式，所以会经由本身的所学来加以改善，并从中加以改善与排错，所以程序的调试功能会比传统的 Close Source 来得快！

  3. 由于程序是伴随源码的，因此，系统将会不易存在鲜为人知的木马程序或一些安全漏洞，相对而言，会更加安全！

  ● Open Source 的代表授权为 GNU 的 GPL 授权及 BSD 等，下面列出知名的 Open Source 授权网页：

  ■ **GNU General Public License**

    ● http://www.gnu.org/licenses/licenses.html#GPL
      目前有 Version 2, Version 3 两种版本，Linux 使用的是 Version 2 这一版。鸟哥也有收集一份 GPL Version 2 的中文化条文，你可以参考：
      http://linux.vbird.org/linux_basic/1010appendix_A.php

  ■ **Berkeley Software Distribution**（BSD）

    ● http://en.wikipedia.org/wiki/BSD_license
      使用 BSD Source Code 最常接触到的就是 BSD 授权模式了！这个授权模式其实与 GPL 很类似，而其精神也与 Open Source 相呼应呢！

  ■ **Apache License, Version 2.0**

    ● http://www.apache.org/licenses/LICENSE-2.0
      Apache 是一种网页服务器软件，这个软件的发布方式也是使用 Open Source 的。只是在 Apache 的授权中规定，如果想要重新发布此软件时（如果你有修改过该软件），软件的名称依旧需要定名为 Apache 才行！

◆ **Close Source**

  ● 相对于 Open Source 的软件会释出源码，Close Source 的程序则仅推出可执行的二进制程序而已。这种软件的优点是有专人维护，你不需要去改动它；缺点则是灵活度大打折扣，用户无法更改该程序成为自己想要的样式！此外，若有木马程序或者安全漏洞，将会花上相当长的一段时间来排错！这也是所谓商业软件（Copyright）常见的软件出售方式。

  ● 虽然商业软件常常代表就是需要花钱去购买，不过有些商业软件还是可以免费提供大众使用的。免费的商业软件代表的授权模式有：

  ■ **Freeware**
    http://en.wikipedia.org/wiki/Freeware
    不同于 Free Software，Freeware 为"免费软件"而非"自由软件"！虽然它是免费的软件，但是不见得要公布其源码，得看发布者的意见！这是与 Open Source 不太相同的东西！此外，目前很多标榜免费软件的程序很多都有小问题！例如假借免费软件的名义，实施用户数据窃取的目的！所以来路不明的软件请勿安装！

- **Shareware**

  http://en.wikipedia.org/wiki/Shareware

  共享软件这个名词就有趣了！与免费软件有点类似的是，Shareware 在使用初期，它也是免费的，但是，到了试用期限之后，你就必须要选择付费后继续使用或者将它移除。通常，这些共享软件都会自行编写失效程序，让你在试用期限之后就无法使用该软件。

1.4　重点回顾

- 计算机主要以二进制作为单位，而目前常用的磁盘容量单位为 B，其单位换算为 1B = 8bit，其他的以 1024 为其倍数，如 1GB=1024MB 等。
- 操作系统（Operation System）主要用于管理与驱动硬件，因此必须要能够管理内存、管理设备、负责进程管理以及系统调用等。因此，只要能够让硬件准备妥当（Ready）的情况，就是一个很棒的操作系统了。
- 操作系统重点仅在驱动与管理硬件，而要使用硬件时，就得需要通过应用软件或者是 shell 的功能，来调用操作系统操纵硬件工作。因此，目前操作系统除了上述功能外，通常已经包含了日常工作所需要的应用软件在内了。
- UNIX 的前身是由贝尔实验室（Bell Lab.）的 Ken Thompson 利用汇编语言写成的，后来在 1971～1973 年间由 Dennis Ritchie 以 C 程序语言进行改写，才称为 UNIX。
- 1977 年由 Bill Joy 释出 BSD（Berkeley Software Distribution），这些称为 UNIX like 的操作系统。
- 1984 年由 Andrew Tannenbaum 制作出 Minix 操作系统，该系统可以提供源码以及软件。
- 1984 年由 Richard Stallman 提倡 GNU 项目，倡导自由软件（Free Software），强调其软件可以自由地取得、复制、修改与再发行，并规范出 GPL 授权模式，任何 GPL（General Public License）软件均不可单纯仅销售其软件，也不可修改软件授权。
- 1991 年由芬兰人 Linus Torvalds 开发出 Linux 操作系统。简而言之，Linux 成功的地方主要在于 Minix（UNIX）、GNU、Internet、POSIX 及虚拟团队的产生。
- Linux 本身就是个了不起的操作系统，其开发网站设立在 http://www.kernel.org，我们称 Linux 操作系统最底层的数据为"内核"（Kernel）。
- 目前 Linux 内核的开发分为两种版本，分别是稳定版本的偶数版，如 2.6.x，适合于商业与家用环境使用；一种是开发中版本，如 2.5.x 版，适合开发特殊功能的环境。
- Linux distributions 是"Linux Kernel + Free Software + Documentations（Tools）+ 可完全安装的程序"所制成的一套完整的系统。

1.5　本章习题

实践题部分

- 请依据本章内容的说明，下载 Fedora 最新版本的 Live CD，并将该 Live CD 刻录成为光盘（或 DVD）后，调整你的主机 BIOS 成为使用光驱启动，在启动时放入刚才刻录的 Live CD，使用该光驱启动。在开机后你应该能够进入系统。请进入该系统，尝试打开终端机、浏览器等，并尝试操作一下该系统。由于该系统并不会影响到你的硬盘数据，请尽量玩玩！
- 承上题，打开终端机并且输入"uname –r"这个命令，出现的内核版本是什么？是稳定还是开发中版本？
- 请上网找出目前 Linux 内核的最新稳定版与开发中版本的版本号码，请注明查询的日期与版本的对应。
- 请上网找出 Linux 的吉祥物企鹅的名字，以及最原始的图文界面。（提示：请前往 http://www.

linux.org 查阅。）

简答题部分

◆ 你在你的主机上面安装了一块网卡，但是开机之后，系统却无法使用，你确定网卡是好的，那么可能的问题出在哪里？该如何解决？

◆ 我在一部主机上面安装 Windows 操作系统时，并且安装了显卡的驱动程序，它是没有问题的。但是安装 Linux 时，却无法完整显示整个 X Window。请问，我可不可以将 Windows 上面的显卡驱动程序拿来安装在 Linux 上？

◆ 一个操作系统至少要能够完整控制整个硬件，请问操作系统应该要控制硬件的哪些单元？

◆ 一 GB 的硬盘空间等于几 KB？

◆ 我在 Windows 上面玩的游戏可不可以拿到 Linux 去玩？

◆ Linux 本身仅是一个内核与相关的内核工具而已，不过，它已经可以驱动所有的硬件，所以，可以算是一个很阳春的操作系统了。经过其他应用程序的开发之后，被整合成为 Linux distributions。请问众多的 distributions 之间有何异同？

◆ UNIX 是谁写出来的？GNU 项目是谁发起的？

◆ GNU 的全名为何？它主要由哪个基金会支持？

◆ 何谓多用户（Multi-user）多任务（Multi-task）？

◆ 简单说明 GNU General Public License（GPL）与 Open Source 的精神。

◆ 什么是 POSIX?为何说 Linux 使用 POSIX 对于开发有很好的影响？

◆ Linux 的开发主要分为哪两种内核版本？

◆ 简单说明 Linux 成功的因素。

1.6 参考数据与扩展阅读

◆ Multics 项目网站：http://www.multicians.org/

◆ 网络农夫，2001，UNIX 简史：
http://netlab.cse.yzu.edu.cn/~statue/freebsd/docs/csh/

◆ Ken Thompson 的个人网站：
http://plan9.bell-labs.com/cm/cs/who/ken/index.html

◆ Dennis Ritchie 的个人网站：http://cm.bell-labs.com/cm/cs/who/dmr/

◆ Richard Stallman 的个人网站：http://www.stallman.org/

◆ GNU 项目：http://www.gnu.org

◆ XFree86 的网站：http://www.xfree86.org/

◆ 洪朝贵老师的 GNU/FSF 介绍：http://people.ofset.org/~ckhung/a/c_83.php

◆ 维基百科对 Linus Torvalds 的介绍：http://en.wikipedia.org/wiki/Linus_Torvalds

◆ POSIX 的相关说明：
  ● 维基百科：http://en.wikipedia.org/wiki/POSIX
  ● IEEE POSIX 标准：http://standards.ieee.org/regauth/posix/

2

第 2 章　Linux 如何学习

　　目前 Linux 有两种主要的操作模式，分别是图形界面与命令行界面，那么学习 Linux 要用 X Window（图形界面）好还是 Command Line（命令行界面）好？这两种学习心态有什么优缺点呢？此外，有没有比较好的入门资料可供参考？学习 Linux 有困扰的时候应该要如何发问？要到哪里去搜寻网络资源？还有，怎样进行有智慧的提问？在这一章里面，就让我们好好谈一谈！

2.1　Linux 当前的应用角色

在第 1 章"Linux 是什么"当中，我们谈到了 Linux 相关的历史，并简单介绍了一下 Linux 这个 Kernel 与 Linux distributions 等。而在开始进入 Linux 的基础学习之前，我们有必要了解一下应该要如何有效地学习 Linux！但在谈到如何学习 Linux 之前，我们就得根据 Linux 目前的一般应用来说明一下，因为每种应用你所需要的 Linux 技能都不相同！了解 Linux 的应用后，你才好理解你需要的是什么样的学习方式！

由于 Linux kernel 非常小巧精致，可以在很多省电以及较低硬件资源的环境下面执行；此外，由于 Linux distributions 集成了非常多非常棒的软件（不论是专利软件或自由软件），因此也相当适合目前个人计算机的使用呢！当前的 Linux 常见的应用可略分为企业应用与个人应用两方面来说。

2.1.1　企业环境的利用

企业对于数字化的目标在于提供消费者或员工一些产品方面的信息（例如网页介绍），以及整合整个企业内部的数据统一性（例如统一的账号管理/文件管理系统等）。另外，某些企业例如金融业等，则强调在数据库、安全强化等重大关键应用。学术单位则很需要强大的运算能力等。所以企业环境运用 Linux 做些什么呢？

◆　**网络服务器**
 ●　**这是 Linux 当前最热门的应用了**。Linux 继承了 Unix 高稳定性的良好传统，其上面的网络功能特别稳定与强大。此外，由于 GNU 计划与 Linux 的 GPL 授权模式，让很多优秀的软件都在 Linux 上面发展，且这些在 Linux 上面的服务器软件几乎都是自由软件。因此，作为一个网络服务器，例如 WWW, Mail Server, File Server 等，Linux 绝对是上上之选。当然，这也是 Linux 的强项。目前很多硬件厂商甚至搭配自家的硬件来销售 Linux 呢！例如下面的链接：
   ■　HP 公司的产品：
       http://h18000.www1.hp.com/products/servers/byos/linuxservers.html
   ■　IBM 公司的产品：http://www-07.ibm.com/servers/eserver/tw/openpower/
◆　**关键任务的应用**（金融数据库、大型企业网管环境）
 ●　由于个人计算机的性能大幅提升且价格便宜，所以金融业与大型企业的环境为了要增强自己机房的机器设备，因此很多企业渐渐走向 Intel 兼容的 x86 主机环境。而这些企业所使用的软件大多都是 Unix 操作系统平台的软件，总不能连过去发展的软件都一口气全部换掉吧！所以，这个时候符合 Unix 操作系统标准并且可以在 x86 上运行的 Linux 就渐渐崭露头角了。
 ●　目前很多金融业界都已经使用 Linux 作为他们的关键任务应用。所谓的关键任务就是该企业最重要的业务。举例来说，金融业最重要的就是那些投资者、账户的数据了，这些数据大多使用数据库系统来作为访问接口，这些数据很重要吧！很多金融业将这么重要的任务交给了 Linux 了！你说 Linux 厉不厉害[注1]？
◆　**学术机构的高性能运算任务**
 ●　学术机构的研究经常需要自行开发软件，所以对于可作为开发环境的操作系统需求非常迫切！举例来说，很多大学就很需要这方面的环境，好进行一些毕业专题的制作。又例如工程界流体力学的数值模式运算、娱乐事业的特效功能处理、软件开发者的工作平台等。由于 Linux 的创造者本身就是个计算机性能癖，所以 Linux 有强大的运算能力；并且 Linux 具有支持度相当广泛的 GCC 编译软件，因此 Linux 在这方面的优势可是相当明显的！
 ●　举个鸟哥自己的案例好了，鸟哥之前所在的研究室曾运行一套空气质量模式的数值仿真软件。这套软件原本只能在 Sun 的 SPARC 机器上面运行，后来该软件转向 Linux 操作系统平台发展，鸟哥也将自己实验室的数值模式程序由 Sun 的 Solaris 平台移植到 Linux 上面呢。据美国环保署内部人员的测试，发现 Linux 平台的整体硬件费用不但比较便宜（x86 系统）而且速度还比较快呢！

- 另外，为了加强整体系统的性能，集群计算机系统（Cluster）的平行运算能力在近年来一直被拿出来讨论[注2]。所谓的平行运算指的是将原本的工作分成多份然后交给多台主机去运算，最终再将结果收集起来的一种方式。由于通过高速网络使用到多台主机，将原本需要很长运算时间的工作一下子完成了，大幅降低等待的时间。例如气象预报就很需要这样的系统来帮忙。而 Linux 操作系统则是这种架构下相当重要的一个环境平台呢！

> 目前鸟哥所在的昆山科技大学信息传播系里就有一套由 12 台双内核个人计算机组成的集群计算机架构；这一整组设备组起来差不多 30 万左右，不过却可以让我们的数值模式大幅降低等待时间！这 12 台主机装的就是 Linux。

2.1.2 个人环境的使用

你知道你平时接触的电子商品中，哪些里面有 Linux 系统存在呢？其实相当多呢！我们就来谈一谈吧！

- **桌面计算机**
  - 所谓的桌面计算机，其实就是你我在办公室使用的计算机。一般我们称之为桌面系统。那么这个桌面系统平时都在做什么呢？大概都是这些工作吧：
  - 上网浏览+实时通信（MSN, Skype, Yahoo 等）；
  - 文字处理；
  - 网络接口的公文处理系统；
  - 办公软件（Office）处理数据；
  - 收发电子邮件；
  - 想进行这些计算机工作时，你的桌面环境需要什么呢？很简单，就是需要窗口！因为上网浏览、文字排版的所见即所得界面以及电子公文系统等，如果没有窗口界面的辅助，那么将对用户造成很大的困扰。而众所皆知的，Linux 早期都是由工程师所发展的，对于窗口界面并没有很需要，所以造成 Linux 不太亲和的印象。
  - 好在，为了要强化桌面计算机的使用率，Linux 与 X Window System 结合了。要注意的是，**X Window System 仅只是 Linux 上面的一套软件，而不是内核。所以即使 X Window 挂了，对 Linux 也可能不会有直接的影响呢！**更多关于 X Window System 的详细信息我们留待第 24 章再来介绍。
  - 近年来在各大团队的团结合作之下，Linux 的窗口系统上面能够运行的软件实在是多得吓人！而且也能够应付企业的办公环境。例如美观的 KDE 与 GNOME 窗口界面，搭配可兼容微软 Office 的 Open Office 软件，Open Office 包含了文字处理、电子表格、报表软件等，功能齐全。然后配合功能强大速度又快的 Firefox 浏览器，以及可下载信件的雷鸟（ThunderBird，类似微软的 Outlook Express），还有可连上多种实时通信的 Pidgin！Linux 能够做到企业所需要的各项功能啦！
- **手持系统（PDA、手机）**
  - 别跟我说在中国你没有用过手机！你知道吗，很多的手机、PDA、导航系统都可能使用的是 Linux 操作系统！而为了加强 Linux 操作系统在手机上面的统一标准，很多国际厂商合作了一个 LiMo 的计划（Linux Mobile phone），也有 Linux 的手机论坛，你可以参考一下下面的链接：
  - LiMo 基金会：http://www.limofoundation.org/
  - Linux 手机论坛：http://www.lipsforum.org/
  - 除此之外，还有一些社群以及 Google 这个高超的家伙也在玩 Linux 手机！例如下面的链接说明：

- ■ OpenMoKo 网站：http://www.openmoko.com/
  - ■ Google 的手机平台：http://code.google.com/android/
  - ● 了解了吧？在你天天碰的手机里头可能就含有 Linux 操作系统呢！很有趣的发现吧！
- ◆ 嵌入式系统
  - ● 在第 0 章当中我们谈到过硬件系统，而要让硬件系统顺利运作就得要编写合适的操作系统才行。那硬件系统除了我们常看到的计算机之外，其实家电产品、PDA、手机、数码相机以及其他微型的计算机配备也是硬件系统。这些计算机配备也都是需要操作系统来控制的！而操作系统是直接嵌入于产品当中的，理论上你不应该会更改到这个操作系统，所以就称为嵌入式系统。
  - ● 包括路由器、防火墙、手机、PDA、交换机、家电产品的微电脑控制器等，都可以是 Linux 操作系统。酷学园（www.study-area.org）内的 Hoyo 网友就曾经介绍过如何在嵌入式设备上面载入 Linux！目前红火的 netbook 中，很多也是使用 Linux。
  - ● 虽然嵌入式设备很多，大家也想要转而使用 Linux 操作系统，不过在中国，这方面的人才还是太少了！要玩嵌入式系统必须要很熟悉 Linux Kernel 与驱动程序的结合才行！这方面的学习可就不是那么简单。

　　总之，网络服务器、工作站计算机、桌面计算机等就是 Linux 目前最常被应用的环境了。而你如果想要针对桌面计算机，或者是网络服务器主机来学习的话，对于 Linux，你应该如何进行学习的课题呢？下面我们就来谈一谈。

2.2　鸟哥的 Linux 苦难经验回忆录

　　为什么鸟哥要先介绍 Linux 的应用，并且还要写这一章如何学习呢？原因就是鸟哥曾经受过伤害啊！什么伤害呢？是要看外科还是精神科？都不是啦！因为鸟哥玩 Linux 初期曾经犯了"天下新手都可能容易犯的错"，所以这里才先要跟大家耳提面命一番嘛！

2.2.1　鸟哥的 Linux 学习之路

- ◆ 接触 Linux 的原因
  - ● 大约在 1999 年左右，鸟哥因为学业上的需要，被迫得去学习 UNIX 系统，那个时候我们使用的 UNIX 系统是 Sun 的 SPARC+Solaris 操作系统，当时的 Sun UNIX 可不是一般人玩得起的，鸟哥也是一般人，所以当然也就玩不起 Sun UNIX。然而学业上所需要完成的计划方案还是需要进行的，那怎么办呢？这个时候就得要想一些替代方案。
  - ● 听说有另外一种可以在 PC 上头运行的 UNIX Like 系统，叫做 Linux 的，它的接口、功能以及基本的文件结构都跟 UNIX 差不多，甚至连系统稳定性也可以说是一模一样，而且对于硬件配备的要求并不高。既然玩不起几十万起跳的 UNIX 系统，那么使用一些即将淘汰的计算机配备来架设一部 Linux 主机吧！
  - ● 在经过了一些时候的努力之后，竟然真的被鸟哥架起来了（当时的版本是 Red Hat 6.1）。那么就赶快先来熟悉它，然后等到有了一定的经验值"升级"成老手之后，再来玩 UNIX，以免玩坏了几十万的大计算机。这似乎是不错的方式，所以就开始了鸟哥的 Linux 学习之路。
- ◆ 错误的学习方式阶段
  - ● 由于鸟哥之前连 UNIX 是什么都没听过，当然就更别提 Linux 这套操作系统，更可怕的是，听说 Linux 还需要使用到命令行模式！刚开始碰还真的有点紧张。还好，鸟哥玩计算机的历史可以追溯到之前的 DOS 年代，所以对于命令行模式多少还有点概念，这过去的经验或许应该可以撑上一阵子吧？但是没想到 Linux 的命令真是"博大精深"。早期的 DOS 概念简直就是不够用，因此，为了偷懒，一开始鸟哥就舍弃命令行模式，直接在 X-Window 上面玩起来了！

- 在还没有安装 Linux 之前，鸟哥就买了两三本书，每本都看了 N 遍，发现到每一本书的前半段，在 Linux 的基础方面的介绍谈得不多，基本就是以一些工具教你如何设置一些很重要的参数文件，但偏偏没有告诉你这些工具到底做了什么事情或修改了哪些文件？不过书的后半段却放上了很多的架站文件，然而却都有点"点到为止"，所以当时总觉得 Linux 很有点朦朦胧胧的感觉，而且在当时最严重的现象是只要一出现问题，身为用户的鸟哥完全无法解决，所以只好选择重新安装，重新设置与书本教的内容完全一模一样的环境！不过，即使如此，很多时候仍然解决不了发生问题的窘境！

> 那个时候真的很好笑，由于鸟哥并非信息系出身，所以身旁并没有懂计算机/操作系统的朋友，也就不知道怎么发问！曾经为了要安装光驱里面的数据，放进光驱后，利用 X Window 的自动挂载将光盘挂载起来，用完之后却发现无法退出光驱，最终竟然用回形针将光盘强制退出。这样光盘就无法再使用，只好又重新启动……

- 在当时，由于知道 Linux 可以用来作为很多功能的服务器，而鸟哥的研究室当时又需要一台电子邮件服务器，所以鸟哥就很高兴地借用书上的说明，配合 Red Hat 6.1 提供的一些工具程序，例如 Linuxconf, netcfg 等的工具来架设。然而由于工具程序的整合度并不见得很好，所以经常修改一个小地方会搞上一整天！
- 好不容易使用了所有的知道的工具来架设好了鸟哥的电子邮件服务器，请注意，这个时候鸟哥的 Linux 主机上面开了多少的端口/服务其实当时的鸟哥并不清楚，当时认为俺的机器就只有我认识的一些朋友知道而已，所以反正机器能运行就好了，其他的设置似乎也就不这么重要。

◆ 恶梦的开始
- 然而事实上，这种学习心态却造成了后来鸟哥恶梦的开端！怎么说呢？虽然 Linux 号称需要的硬件等级不高，不过 X Window 却是很耗系统资源的一项软件，因为只要涉及图形界面的话，需要亲和力，就需要多一点内存、多一些硬盘空间啦，显卡与 CPU 要好一点，且早期的图形界面整合度不是很高，所以造成 X Window 死机的机会是很高的。
- 在鸟哥当时安装的 Linux 主机当中，使用的是旧旧的计算机，系统的配备并不高，在运行了 X Window 之后，剩下可以使用的物理内存其实已经不多了，再运行其他的服务，例如邮件服务，实际上很有点吃力。所以当时的一些同仁经常抱怨我们的机器怎么老是服务不良？这个 Linux 怎么跟"号称稳定"的名号不符？而在鸟哥登录系统检查之后，才发现，X Window 又挂了？当时还不清楚原来可以使用 ps 及 kill 等命令将 X Window 杀掉即可让 Linux 恢复正常，竟然是用重启的方式来重新启动 Linux，现在想起来，当时真糗。
- 后来再重新安装一次，并选择了文字界面登录系统，果然系统是稳定多了！服务上面似乎也就安定了许多。不过，你以为恶梦这样就解决了吗？当然不是。在鸟哥的机器服务了一阵子之后，我老板竟然接到上层单位的来信，信中说明：贵单位的主机可能有尝试入侵国外主机之嫌，敬请妥善改善！这不就是警告信吗？当时至少还知道有系统注册表文件可以分析确切日期有谁在线，没想到一登录之后才发现，搞了老半天，原来我们的机器被入侵了！而身为管理者的鸟哥竟然还茫然不知，这真是一大败笔。

> 由图形界面转到文字界面竟然用"重新安装"来处理？不要怀疑，当初没有学好 Linux 的时候，就是以为需要重新安装，尤其 Windows 的经验告诉我们，这样做"才是对的"。

- 在赶快重新安装，并且重新参考很多文件，架设好了防火墙之后，以为终于从此就可以高枕无忧了。结果还是不尽然的，因为我们的电子邮件服务器早就被当成垃圾转信站，造成局域网内网络流量的大量提高，导致经常会无法连上因特网……

◆　一个贵人的出现

- 在经过了一年多以及经历那么多事件后，鸟哥还是没有觉悟！后来因为某些小事情无法解决而上网搜寻，竟然找到酷学园，并主动发出 email 给站长"网中人"（用户 netman）先生，网中人完全没有就我的问题来回答，竟然是大发雷霆地臭骂鸟哥一顿。怎么会这样？鸟哥从小到大念书几乎没有被念过，竟然读到这么大了还被人家骂！真可悲，于是乎痛定思痛，遵循网中人大哥的教诲，从他的网站（http://www.study-area.org）的内容出发，并将鸟哥原本的网站全部砍掉重练！

- 花了两三个月在网中人的网站上学习到 Linux 最基础的文件结构、命令模式与脚本（Shell and shell script）、软件管理方式和资源与账号管理等，而在将这些基础的架构理解之后，再回头看一下各式各样的 server 启动服务与相关的技巧，发现原来如此，**怎么这么简单的东西当初弄得我几天几夜睡不好**？尤其最重要的登录信息的追踪，帮鸟哥避免了很多不必要的系统伤害行为。

- 此外，为了方便鸟哥本身的管理，我于是开始了一些脚本（shell script）的编写，让日常的管理变得更轻松而有效率。当然，这些工作几乎都是在文字界面下面完成的，图形界面之下的工作毕竟还是有限的。

◆　编写文件的有趣经验

- 后来鸟哥为了想要赶快毕业，但希望能够让我在实验室的努力不被学弟学妹所搞烂，所以开始编写一些 FAQ 的文件。但是没想到越写越发现自己懂得竟然是那么少，于是就越写越多，数据也越查越多，渐渐就有"鸟哥的 Linux 私房菜"网站的出现。而在写了这个网站之后发现到更多的朋友其实与鸟哥有相同的经验，他们也在讨论区上面提供非常多有用的意见，于是网站就越来越热闹了。

- 从编写文件的经验里面也接触到很多业界的朋友，才发现一台 Linux 主机其实是做不了什么大事的。重点是我们要让 Linux 解决什么问题，而不是单纯只是去学习架站而已。尤其酷学园的 ZMAN 对鸟哥网站关于服务器方面的数据影响很大，我们不能够让 Linux 死板地定位在那边，还有更多可用的功能可以让我们去思考！

◆　鸟哥的忠言，希望不会逆耳

- 经过上面鸟哥学习之路的经验分享之后，我想，你应该也慢慢了解鸟哥想要推出这本经验之谈的书籍最主要的目的了，那就是想让想要学习 Linux 的玩家可以快速且以较为正确的心态来进入 Linux 的世界，而不要像鸟哥在 Linux 的环境中打转了一年多之后才来正确地创建概念。希望我这老家伙的苦口婆心不要让你误会啊！

- 但是玩 Linux 并不一定要很辛苦。因为你玩 **Linux** 的目的跟我又不一样！鸟哥是为了要学习 Linux 上面的功能，好应用在未来学术研究领域上，所以才这样接触它，那难道你不能只为了要使用 Linux 的桌上办公环境吗？是的。所以鸟哥想来谈一谈 Linux 的学习者心态！

2.2.2　学习心态的分别

◆　架不架站有所谓

- 大家都知道 Linux 最强项的地方在于网络，而 Windows 是赢在用户界面较为亲善。然而很多用户还是经常会比较 Linux 与 Windows 这两套相当流行的操作系统，初次接触 Linux 的人比到最后的结果都是说："**Linux 怎么都要使用文字界面来架站，怎么这么麻烦，还是 Windows 比较好用。**"事实上这么比较实在是有点不公平且没有意义，为什么呢？基本上，Windows 是很普及的一个操作系统，这点我们都无法否认，但是，一般使用 Windows 的用户用 Windows 来做什么？

  - 上网、实时通讯、聊天打发时间；

  - 做做文字工作，处理电子表格；

- 玩游戏及其他休闲娱乐。
- 当然，Windows 的工作环境还有很多可以发展的空间，不过这里我们主要以一般用户的角度来看。说了上面这几个工作，请问一下，**一般用户谁有在使用 Windows 玩架站**？很少对不对！是的！真的是很少人在玩 Windows 的架站。那么如何可以说 Linux 无法普及是文字界面惹的祸呢？鸟哥相信，如果是一般用户，应该不至于想要使用 Linux 来架设网站，所以美美的 X-Window 对于一般用户已经相当好用了，实在没有必要来学习架站的原理与过程，还有防火墙的注意事项等。
- 话再说回来，那么你干嘛要使用 Linux 架站呢？"因为 Linux 的网络功能比较强。"说得没错，但是，相对地，比较强的项目可能也具有比较"危险"的指数，当你一开始学习 Linux 就只想满脑子的玩架站，却又不好好弄懂一点 Linux 与网络基础的话，在 Windows 下面大不了是被攻击，但是在 Linux 下面，却有可能让你吃上官司的。像上面提到的鸟哥的惨痛教训！

◆ **只是图形界面，可以吗**

- 而如果你已经习惯以图形化界面来管理你的 Linux 主机时，请特别留意，因为 Linux 的软件是由多个团队研发出来的，图形界面也仅是一个团队的研发成果，你认为，一个团队的东西可以将所有团队的内容都完整无缺地表现出来吗？如果你依赖图形久了，那如果你的系统出问题，看来就只能求助于外面的工程师了，如此一来，有学跟没有学有何不同？
- 曾经有个朋友问我："Linux 怎么这么麻烦？架设一个 DNS 真是不容易呀！不像 Windows，简单得很，按几个按钮就搞定了！"这个时候鸟哥就回答了一句话："不会呀！如果你只是想要安装 DNS 的话，网络上面一大堆按部就班的设置方式教学，照着做，一样可以在十分钟之内就完成一个 DNS 主机的设置呀！"他想一想，确实有道理！同时鸟哥又反问了一件事："你以为学 Windows 就不需要了解 DNS 的概念吗？你有尝试过使用 Windows 架设 DNS 却无法让它实在运行的问题吗？果真如此的话，这个时候你怎么解决？"他愣住了！因为在 Windows 上面他确实也没有办法解决！所以说，不论是学哪一套操作系统，**理论的基础都是不变的**，也只有了解了基础之后，其他的技能才能够触类旁通呀！
- 网络上一些老手不太喜欢搞图形界面，是因为觉得图形界面默认的设置经常不合他们的意，尤其是图形化界面软件为了方便用户，经常自己加入一些设置，但是这些设置却往往是因地制宜的，所以反而经常会导致架设的网站无法正常工作！这点在网络新闻组上面已经讨论得相当清楚了！与其如此，何不一开始就玩文字界面，去弄懂它呢？

◆ **学习 Linux 还是学习 distributions**

- 此外，很多玩过 Linux 的朋友大概都会碰到这样的一个问题，就是 Linux distributions 事实上是非常多的。而每个 distribution 所提供的软件内容虽然大同小异，然而其整合的工具却都不一样，同时，每种软件在不同的 distribution 上面摆放的目录位置虽然也是大同小异，然而某些配置文件就是摆在不同的目录下，这个时候你怎么找到该信息？难道非得来一套 distribution 就学它的主要内容吗？这么一来，市面上少说也有数十套 Linux distributions，每一套都学？如果你时间多到如此地步，那鸟哥也不知道该说什么好了。如果是我的话，那么我会干脆直接学习一些 Linux 的基本技巧，可以让我很轻易地就找到不同版本之间的差异性，而且学习之路也会变得更宽广。
- 鸟哥的观念不见得一定适合你，不过就只是以一个过来人的身份给个小建议，要么就不要拿 Linux 来架站，跟 Windows 一样，玩玩 X-Window 就很开心了，要不真的得花一点时间来玩一玩比较深入的东西，"要怎么收获就怎么栽"，虽然努力不一定有成果，但最起码，有成果的时候，成果肯定是自己的！

2.2.3　X Window 的学习

如果你只是想要拿 Linux 来替代原本的 Windows 桌面的话，那么你几乎不需要通过"严格的学习"。

目前的 Linux distribution 绝大部分默认就是以桌面系统的角度来安装所需要的软件，也就是说，你只要将 Linux 安装好，接下来就能够进入 Linux 玩弄。根本就不需要什么学习。你只需要购买一本介绍 Linux 桌面设置的书籍，里面有说明输入法、打印机设置、因特网设置的书籍就很够用了。鸟哥建议的 distributions 包括有：

- Ubuntu 下载: http://www.ubuntu.com/getubuntu/download
- OpenSuSE 下载: http://software.opensuse.org/
- Fedora 下载: http://fedoraproject.org/en/get-fedora
- Mandriva 下载: http://www.mandriva.com/en/download/free

另外还有一些网络上面的桌面调教文章也可以参考的！包括：

- 杨老师的图解桌面 http://apt.nc.hcc.edu.tw/docs/FC3_X/
- Ubuntu 中文指南 http://ubuntuguide.org/wiki/Ubuntu:Hardy_cn

如果想知道更多关于图形用户界面能够使用的软件信息，可以参考下面的链接：

- Open Office（http://www.latex-project.org/ ）：
  就是办公室软件，包含电子表格、文字处理与报表软件等。
- Free Maid（http://freemind.sourceforge.net/wiki/index.php/Main_Page ）：
  可绘制组织结构的软件，酷学园里的 SAKANA 曾用过，鸟哥觉得挺好看。
- AbiWord（http://www.abisource.com/ ）：
  非常类似微软的 Word 的文字处理软件。
- Tex/LaTeX（http://www.latex-project.org/ ）：
  可进行文件排版的软件（很多自由软件文件使用此编辑器）。
- Dia（http://dia-installer.de/index_en.html ）：
  非常类似微软 Visio 的软件，可绘制流程图。
- Scribus（http://www.scribus.net/ ）：
  专业的排版软件，老实说，鸟哥确实不会用。
- GanttProject（http://ganttproject.biz/ ）：
  可绘制甘特图（就是时程表）的软件。
- GIMP（http://www.gimp.org/ ）：
  在业界相当有名的绘图自由软件！

如果你不需要很特别的专业软件的支持，那么一般的办公环境中，上面的这些软件全部免费，而且相信已经足以应付你日常所需的工作环境。不过，千万记得，玩 X Window 就好，不要搞架站的东西！**不论是 Windows/Linux/Mac/Unix 还是什么的，只要是玩到架站，它就不是这么安全的东西。所以，很多东西都需要学习。**下面我们就来谈谈，如果有心想要向 Linux 操作系统学习的话，最好具备什么心态呢？

2.3　有心向 Linux 操作系统学习的学习态度

为什么大家老是建议学习 Linux 最好能够先舍弃 X Window 的环境呢？这是因为 X Window 也只是 Linux 内的 "一套软件"，而不是 "Linux 内核"。此外，目前发展出来的 X Window 对于系统的管理上还是有无法掌握的地方，举个例子来说，如果 Linux 本身识别不到网卡的时候，请问如何以 X Window 来识别这个硬件并且驱动它呢？

还有，如果需要以 Tarball（源码）的方式来安装软件并加以设置的时候，请以 X Window 来架设它。这可能吗？当然可能，但是这是在考验 "X Window 开发商" 的技术能力，对于了解 Linux 架构与内核并没有多大的帮助的！所以说，如果从只是想要 "会使用 Linux" 的角度来看，那么确实使用 X Window 也就足够了，反正搞不定的话，花钱请专家来搞定即可；但是如果想要更深入学习 Linux 的话，那么命令行模式才是不二的学习方式！

以服务器或者是嵌入式系统的应用来说，X Window 是非必备的软件，因为服务器是要提供客户端来连接的，并不是要让用户直接在这台服务器前面按键盘或鼠标来操作的。所以图形界面当然就不是这么重要了。更多的时候甚至大家会希望你不要启动 X Window 在服务器主机上，这是因为 X Window 通常会耗掉很多系统资源的缘故！

再举个例子来说，假如你是个软件服务的工程师，你的客户人在上海，而你人在远方的北京。某一天客户来电说他的 Linux 服务器出了问题，要你马上解决它，请问：要你亲自去上海去修理？还是他搬机器过来让你修理？或者是直接请他开个账号给你进去设置即可？想当然，就会选择开账号给你进入设置即可。因为这是最简单而且迅速的方法。这个方法通常使用文字界面会较为单纯，使用图形界面则非常麻烦。所以，这时候就得要学学文字界面来操作 Linux 比较好啦！

另外，在服务器的应用上，文件的安全性、人员账号的管理、软件的安装/修改/设置、登录文件的分析以及自动化工作排程与程序的编写等，都是需要学习的，而且这些东西都还未涉及服务器软件呢。所以，建议你得要这样学习才好。

2.3.1　从头学习 Linux 基础

其实，不论学什么系统，"从头学起"是很重要的！还记得你刚接触微软的 Windows 时都在干什么？还不就是由资源管理器学起，然后慢慢玩到控制面板、桌面管理，然后还去学办公软件，我想，你总该不会直接就跳过这一段学习的历程吧？那么 Linux 的学习其实也差不多，就是要从头慢慢地学起啦！不能够还不会走路之前就想要学飞了吧！

经常有些朋友会写信来问鸟哥一些问题，不过，信件中大多数的问题都是很基础的！例如"为什么我的用户个人网页显示我没有权限进入"、"为什么我执行一个命令的时候，系统告诉我找不到该命令"、"我要如何限制用户的权限"等的问题，这些问题其实都不是很难的，只要了解了 Linux 的基础之后，应该就可以很轻易地解决掉这方面的问题呢！所以请耐心、慢慢地将后面的所有章节内容都看完。自然你就知道如何解决了！

此外，网络基础与安全也很重要，例如 TCP/IP 的基础知识、网络路由的相关概念等。很多的朋友一开始问的问题就是为什么我的邮件服务器主机无法收到信件。这种问题相当困扰，因为发生的原因太多了，而朋友们经常一接触 Linux 就是希望架站！根本没有想到要先了解一下 Linux 的基础，这是相当伤脑筋的。尤其近来计算机黑客（Cracker）相当多 （真奇怪，闲着没事干的朋友还真是不少），一个不小心你的主机就被当成黑客跳板了。甚至发生被警告的事件也层出不穷。这些都是没能好好注意一下网络基础的原因。

所以，鸟哥希望大家能够更了解 Linux，好让它可以为你做更多的事情！而且这些基础知识是学习更深入的技巧的必备条件。因此建议。

1. 计算机概论与硬件相关知识
- 因为既然想要走 Linux 这门路，信息相关的基础技能也不能没有啊！所以先理解一下基础的硬件知识，不一定要全懂。又不是真的要你去组建计算机，但是至少要"听过、有概念"。

2. 先从 Linux 的安装与命令学起
- 没有 Linux 怎么学习 Linux 呢？所以好好安装起一套你需要的 Linux 吧！虽然说 Linux distributions 很多，不过基本上架构都是大同小异的，差别在于界面的亲和力与软件的选择不同罢了。选择一套你喜欢的就好了，倒是没有哪一套特别好说。

3. Linux 操作系统的基础技能
- 这些包含了用户/用户组的概念、权限的观念、程序的定义等，尤其是权限的概念，由于不同的权限设置会妨碍你的用户的便利性，但是太过于便利又会导致入侵的可能。所以这里需要了解一下你的系统。

4. 务必学会 vi 文本编辑器
- Linux 的文本编辑器多到会让你数到生气。不过，vi 却是强烈建议要先学习的，这是因为 vi

会被很多软件所调用，加上所有的 Unix like 系统上面都有 vi，所以你一定要学会才好。

5. Shell 与 Shell 脚本的学习
 ● 其实鸟哥上面一直谈到的"命令行界面"说穿了就是一个名为 shell 的软件。既然要玩命令行
   界面，当然就是要会使用 shell 的意思。但是 shell 上面的数据太多了，包括"正则表达式"、
   "管道命令"与"数据流重定向"等，真的需要了解。此外，为了帮助你在将来的管理服务器
   更加方便，shell 脚本也是挺重要的。

6. 一定要会软件管理员
 ● 因为玩 Linux 经常会面临自己安装驱动程序或者是安装额外软件的时候，尤其是嵌入式设备
   或者是学术研究单位等。这个时候 Tarball/RPM/DPKG 等软件管理员的安装方式对你来说就
   重要！

7. 网络基础的建立
 ● 如果上面你都通过了，那么网络的基础就是下一阶段要接触的，这部分包含了"IP 概念"、"路
   由概念"等。

8. 如果连网络基础都通过了，那么网站的架设对你来说，简直就是"太简单啦"！

在一些基础知识上，可能的话，当然得去书店找书来读啊！如果你想要在网络上面阅读的话，那
么这里推荐一下由 Netman 大哥主笔的 Study-Area 里面的基础文章，相当实用！

 ◆ 计算机基础（http://www.study-area.org/compu/compu.htm）
 ◆ 网络基础（http://www.study-area.org/network/network.htm）

2.3.2　选择一本易读的工具书

一本好的工具书是需要的，不论是未来作为查询之用，还是在正确的学习方法上。可惜的是，
目前坊间的书大多强调速成的 Linux 教育，或者是强调 Linux 的网络功能，却欠缺了大部分的 Linux
基础管理，鸟哥在这里还是要再次强调，Linux 的学习历程并不容易，它需要比较长的时间来适应、
学习与熟悉，但是只要能够学会这些简单的技巧，这些技巧却可以帮助你在各个不同的操作系统之间
遨游。

你既然看到这里了，应该是已经取得了鸟哥的 Linux 私房菜——基础学习篇了吧！希望这本书可
以帮助你缩短基础学习的历程，也希望能够带给你一个有效的学习方法！而在这本书看完之后，或许
还可以参考一下 Netman 推荐的相关网络书籍：

　　http://linux.vbird.org/linux_basic/0120howtolinux/0120howtolinux_1.php

不过，要强调的是，每个人的阅读习惯都不太一样，所以，除了大家推荐的书籍之外，你必须要
亲眼看过这本书籍，确定你可以吸收得了书上的内容，再去购买！

2.3.3　实践再实践

要增加自己的体力，就是只有运动；要增加自己的知识，就只有读书；当然，要增加自己对于 Linux 的
认识，大概就只有实践经验了。所以，赶快找一台计算机，赶快安装一个 Linux distribution，然后快点进入
Linux 的世界里面！相信对于你自己的 Linux 能力必然大有所获！除了自己的实战经验之外，也可以参考网络
上一些善心人士整理的实践经验！例如最有名的 Study-Area（http://www.study-area.org）等网站。

此外，人脑不像计算机的硬盘一样，除非硬盘坏掉了或者是数据被你删除了，否则存储的数据将永
远记忆在硬盘中。在人类记忆的曲线中，**你必须要不断地重复练习才会将一件事情记得比较熟**。同样，
学习 Linux 也一样，如果你无法经常摸索的话，那么，学了后面的，前面的忘光光！学了等于没学，这
也是为什么鸟哥当初要写"鸟哥的私房菜"这个网站的主要原因，因为，我的忘性似乎比一般人还要好。
所以，除了要实践之外，还得要常摸索！才会熟悉 Linux 而且不会怕它呢！

好了，下面列出几个学习网站来提供大家作为参考实践的依据：

- Study-Area：http://www.study-area.org
- 鸟哥的私房菜馆：http://linux.vbird.org
- 卧龙大师的网络技术文件（繁体）：http://linux.tnc.edu.tw/techdoc/
- 中国 Linux 团队：http://www.linux.org.cn/
- 狼主的网络实验室 http://netlab.kh.edu.cn/index.htm
- 吴仁智的文件集：http://www.cses.tcc.edu.cn/~chihwu/

由于不同的网站当初编写的时候所用的 Linux 软件或版本与目前的主流版本并不相同，因此参考他人的实践经验时，必须要特别留意对方的版本，否则反而可能造成你的困扰。

2.3.4 发生问题怎么处理

我们是"人"不是"神"，所以在学习的过程中发生问题是很常见的。重点是，我们该如何处理在自身所发生的 Linux 问题呢？在这里鸟哥的建议是这样的流程。

1. 在自己的主机/网络数据库上查询 How-To 或 FAQ（帮助）
- 其实，在 Linux 主机及网络上面已经有相当多的 FAQ 整理出来了！所以，当你发生任何问题的时候，除了自己检查，或者到上述的实践网站上面查询一下是否有设置错误的问题之外，最重要的当然就是到各大 FAQ 的网站上查询。以下列出一些有用的 FAQ 与 How-To 网站给你参考一下：
  - Linux 自身的文件数据：/usr/share/doc（在你的 Linux 系统中）
  - CLDP 中文文件计划：http://www.linux.org.cn/CLDP/
  - The Linux Documentation Project：http://www.tldp.org/
- 上面比较有趣的是那个 TLDP（The Linux Documentation Project），它几乎列出了所有 Linux 上面可以看到的文献数据，各种 How-To 的做法等，虽然是英文的，不过，很有参考价值。
- 除了这些基本的 FAQ 之外，其实，还有更重要的问题查询方法，那就是利用谷歌（Google）帮你去搜寻答案呢！在鸟哥学习 Linux 的过程中，如果有什么奇怪的问题发生时，第一个想到的，就是去 http://www.google.com 搜寻是否有相关的议题。举例来说，我想要找出 Linux 下面的 NAT，只要在上述的网站内，输入 Linux 与 NAT，立刻就有一堆文献运行出来了！真的相当优秀好用。你也可以通过谷歌来找鸟哥网站上的数据呢！
  - Google：http://www.google.com
  - 鸟哥网站：http://linux.vbird.org/Searching.php
2. 注意信息输出，自行解决疑难杂症
- 一般而言，Linux 在下达命令的过程当中，或者是 log file（登录文件）里头就可以自己查得错误信息了，举个例子来说，当你执行：
```
[root@linux ~]# ls -l/vbird
```
- 由于系统并没有/vbird 这个目录，所以会在屏幕前显示：
```
ls:/vbird: No such file or directory
```
- 这个错误信息够明确了吧！系统很完整地告诉你"查无该数据"！所以请注意，发生错误的时候，请先自行以屏幕前的信息来进行 debug（排错），然后，如果是网络服务的问题时，请到/var/log/这个目录里头去查阅一下 log file，这样可以几乎解决大部分的问题了！
3. 搜寻过后，注意网络礼节，在讨论区大胆发言吧
- 一般来说，如果发生错误现象，一定会有一些信息对吧！那么当你要请教别人之前，就得要将这些信息整理下，否则网络上人家也无法告诉你解决的方法。这一点很重要的喔！

- 万一真的经过了自己的查询却找不到相关的信息，那么就发问吧！不过，在发问之前建议你最好先看一下"提问的智慧 http://phorum.vbird.org/viewtopic.php?t=96"这一篇讨论。然后，你可以到下面几个讨论区发问看看：
  - 酷学园讨论区：http://phorum.study-area.org
  - 鸟哥的私房菜馆讨论区：http://phorum.vbird.org
  - telnet://bbs.sayya.org
- 不过，基本上去每一个讨论区回答问题的熟手其实都差不多是那几个，所以你的问题**不要重复发表在各个主要的讨论区**！举例来说，鸟园与酷学园讨论区上的朋友重复性很高，如果你两边都发问，可能会得到反效果，因为大家都觉得，另外一边已经回答你的问题了。

4. Netman 兄给的建议

- 此外，Netman 兄提供了一些学习的基本方针，提供给大家参考：
  - 在 Windows 里面，程序有问题时，如果可能的话先将所有其他程序保存并结束，然后尝试按救命三键（Ctrl+Alt+Delete），将有问题的程序（不要选错了程序）"结束工作"，看看能不能恢复系统。**不要动不动就直接关机或重启。**
  - **有系统地设计文件目录**，不要随便到处保存文件以至以后不知道放哪里了，或找到文件也不知道为何物。
  - **养成一个做记录的习惯**。尤其是发现问题的时候，把错误信息和引发状况以及解决方法记录清楚，同时最后归类及定期整理。别以为你还年轻，等你再弄多几年计算机了，你将会非常庆幸你有此习惯。
  - 如果在网络上看到任何好文章，可以为自己留一份 copy，同时定好题目，归类存档。（鸟哥注：需要注意知识产权！）
  - 作为一个用户，人要迁就机器；做为一个开发者，要机器迁就人。
  - 学写脚本的确没设置 server 那么好玩，不过以我自己的感觉是：关键是会"偷"，偷了会改，改了会变，变则通矣。
  - 在 Windows 里面，设置不好设备，你可以骂它；在 Linux 里面，如果设置好设备了，你得要感激它！

2.4　鸟哥的建议（重点在 Solution 的学习）

除了上面的学习建议之外，还有其他的建议吗？确实是有的。其实，无论做什么事情，对人类而言，两个重要的因素会造成我们学习的原动力：

- ◆ **成就感**
- ◆ **兴趣**

很多人问过我，鸟哥是怎么学习 Linux 的？由上面鸟哥的悲惨 Linux 学习之路你会发现，原来我本人对于计算机就蛮有兴趣的，加上工作的需要，而鸟哥又从中得到了相当多的成就感，所以，就一发不可收拾地爱上 Linux！因此鸟哥个人认为，**学习 Linux 如果没有兴趣，它对你也不是什么重要的工具，那么就不要再学下去了**！因为很累人，而如果你真的想要使用这一套优良的操作系统，除了前面提到的一些建议之外，得要培养出兴趣与成就感才行！那么如何培养出兴趣与成就感呢？有几个方向可以提供给你参考：

- ◆ **建立兴趣**

  Linux 上面可以玩的东西真的太多了，你可以选择一个有趣的课题来深入研究！不论是 Shell 还是图形界面等，只要能够玩出兴趣，那么再怎么苦你都会不觉得！

- ◆ **成就感**
  - 成就感是怎么来的？说实在话，就是"被认同"来的！怎么被认同呢？写心得分享啊！当你写了心得分享，并且公告在 BBS 上面，自然有朋友会到你的网页去瞧一瞧，当大家觉得你的网页内容很棒的时候，你肯定会加油继续分享下去而无法自拔的！那就是我啦。

- 就鸟哥的经验来说，你"学会一样东西"与"要教人家会一样东西"思考的思路是不太一样的！学会一样东西可能学一学会了就算了！但是要"教会"别人，那可就不是闹着玩的。得要思考相当多的理论性与实务性方面的知识，这个时候，你所能学到的东西就更深入了。鸟哥经常说，我这个网站对我在 Linux 的了解上面真的帮助很大！

◆ **协助回答问题**

另一个创造成就感与满足感的方法就是"助人为乐！"当你在 BBS 上面告诉一些新手，回答他们的问题，你可以获得的可能只是一句"谢谢"！但是那句话真的会让人很有快乐的气氛。很多的老手都是因为有这样的满足感，才会不断地协助新来的朋友的呢！此外，回答别人问题的时候，就如同上面的说明一般，你会更深入地去了解每个项目，又多学会了好多东西呢！

◆ **参与讨论**

- 参与大家的技术讨论一直是一件提升自己能力的快速途径。因为有这些技术讨论，你提出了意见，不论讨论的结果是对是错，对你而言，都是一次的知识成长。这很重要！目前台湾地区举办 Linux 活动的能力是数一数二的 Linux 团队"酷学园"（Study Area），每个月不定期地举办自由软件相关活动，有兴趣的朋友可以看看：
- http://phorum.study-area.org/index.php/board,22.0.html

此外，除了这些鸟哥的经验之外，还有在 BBS 上面有一份对于 Linux 新手相当有帮助的文件资料，大家可以多看一看：

◆ 李果正先生的 GNU/Linux 初学者之旅：http://info.sayya.org/~edt1023/linux_entry.html

◆ 鸟哥这里有也一个备份：

http://linux.vbird.org/linux_basic/0120howtolinux/0120howtolinux_3.php

◆ 信息人的有效学习（洪朝贵教授网页）：http://people.ofset.org/~ckhung/a/c013.php

除了这些基本的初学者建议外，其实，对于未来的学习，这里建议大家要"眼光看远"！一般来说，公司发生问题时，他们绝不会只要求各位单独解决一台主机的问题而已，他们需要的是整体解决方案（Total Solution）。而我们目前学习的 Linux 其实仅是在一部主机上面进行各项设置而已，还没有到达解决整体公司所有问题的状态。当然啦，得要先学会 Linux 相关技巧后，才有办法将这些技巧用之于其他的问题上面！

所以，大家在学习 Linux 的时候，千万不要有"门户之见"，认为微软的东西就比较不好，否则，未来在职场上，竞争力会比人家弱的！有办法的话，多接触，不排斥任何学习的机会！都会带给自己很多的成长！而且要谨记："不同的环境下，解决问题的方法有很多种，只要行得通，就是好方法！"

2.5 重点回顾

- Linux 在企业应用方面，着重于网络服务器、关键任务的应用（金融数据库、大型企业网管环境）及高性能运算等任务。
- Linux 在个人环境的使用上着重于桌面计算机、手持系统（PDA、手机）、嵌入式设备（如家电用品等）。
- Linux distributions 有针对桌面计算机所开发的，例如 Ubuntu, OpenSuSE 及 Fedora 等，是学习 X Window 的好工具。
- 有心向 Linux 学习者，应该多接触文字界面（shell）的环境，包括正则表达式、管道命令与数据流重定向，最好都要学习！最好连 shell 脚本都要有能力自行编写。
- 实践是学习 Linux 的最佳方案，空读书，遇到问题也不见得能够自己处理的！
- 学习 Linux 时，建立兴趣与成就感是很重要的，另外，协助回答问题、参与团队活动也是增加热情的方式！

◆ Linux 文件计划的网站是 http://www.tldp.org。

2.6　本章习题

实践题部分

◆ 我的 Linux 系统上面老是出现问题，它有一个错误信息为 "fatal: SASL per-connection security setup"，请帮我找出可能的原因为何？

◆ Windows 的操作系统当中，老是自动出现一个名为 internet optimizer 的软件，我想要知道它是什么，可以怎么找？

◆ 想一想再回答，为何你想要学习 Linux？有没有持续学习的动力？你想要 Linux 帮你达成什么样的工作目标？

问答题部分

◆ 我的 Linux 发生问题，我老是找不到正确的答案，想要去 http://phorum.study-area.org 提问，应该要先做哪些工作才发问？

◆ 你觉得学习 Linux 最重要的一环是什么？

◆ 什么是 TLDP？全名为何？网站在哪里？

2.7　参考数据与扩展阅读

◆ 注 1：例如甲骨文（Oracle）数据库系统公司就有支持 Linux 的版本出现。有兴趣的朋友可以参考下面数则新闻：

http://www.openfoundry.org/index.php?option=com_content&Itemid=345&id=1501&lang=en&task=view

http://www.zdnet.com.cn/news/software/0,2000085678,20064784,00.htm

http://govforge.e-land.gov.cn/modules/news/article.php?storyid=84

http://www.openfoundry.org/index.php?option=com_content&Itemid=336&id=1283&lang=en&task=view

http://www.oc.com.cn/readvarticle.asp?id=9539

http://searchenterpriselinux.techtarget.com/news/article/0,289142,sid39_gci1309650,00.html

◆ 注 2：维基百科对于 cluster 的解释：

http://en.wikipedia.org/wiki/Cluster_%28computing%29

3

第 3 章　主机规划与磁盘分区

事实上，要安装好一台 Linux 主机并不是那么简单的事情，你必须要针对 distributions 的特性、服务器软件的能力、未来的升级需求、硬件扩充性需求等来考虑，对于磁盘分区、文件系统、Linux 操作较频繁的目录等，都得要有一定程度的了解，所以，安装 Linux 并不是那么简单的工作。不过，要学习 Linux 总得要有 Linux 系统存在吧？所以鸟哥在这里还是得要提前说明如何安装一台 Linux 练习机。在这一章里面，鸟哥会介绍一下，在开始安装 Linux 之前你应该要先思考哪些工作，好让你后续的主机维护轻松愉快。此外，要了解这个章节的重要性，你至少需要了解 Linux 文件系统的基本概念，所以，在你完成了后面的相关章节之后，**记得要再回来这里看看如何规划主机。**

3.1　Linux 与硬件的搭配

　　虽然个人计算机各组件的主要接口是大同小异的，包括前面第 0 章 "计算机概论" 讲到的各种接口等，但是由于新的技术来得太快，Linux 内核针对新硬件所纳入的驱动程序模块比不上硬件更新的速度，加上硬件厂商针对 Linux 所推出的驱动程序较慢，因此你在选购新的个人计算机（或服务器）时，应该要选择已经过安装 Linux 测试的硬件比较好。

　　此外，在安装 Linux 之前，你最好了解一下你的 Linux 预计是想达成什么任务，这样在选购硬件时才会知道哪个组件是最重要的。举例来说，桌面计算机（Desktop）的用户，应该会用到 X Window 系统，此时，显卡的优劣与内存的大小可就占有很大的影响。如果是想要做成文件服务器，那么硬盘或者是其他的存储设备，应该就是你最想要增购的组件。所以说，功课还是需要做的！

　　鸟哥在这里要不厌其烦地再次强调，Linux 对于计算机各组件/设备的分辨，与大家惯用的 Windows 系统完全不一样。因为，**各个组件或设备在 Linux 下面都是一个文件**。这个观念我们在第 1 章 "Linux 是什么" 里面已经提过，这里我们再次强调。因此，你在认识各项设备之后，学习 Linux 的设备文件名之前，务必要先将 Windows 对于设备名称的概念先拿掉，否则会很难理解。

3.1.1　认识计算机的硬件配置

　　什么？学 Linux 还得要玩硬件？没错！这也是为什么鸟哥要将计算机概论搬上台面之故。我们这里主要是介绍较为普遍的个人计算机架构来设置 Linux 服务器，因为比较便宜。至于各相关的硬件组件说明已经在第 0 章内讲过了，这里不再重复说明。仅将重要的主板与组件的相关性图示一下，如图 3-1 所示。

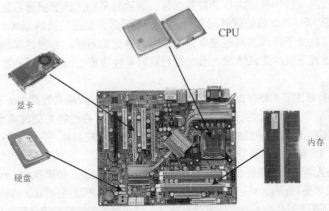

图 3-1　个人计算机各组件的相关性

　　那么我们应该如何挑选计算机硬件呢？随便买买就好，还是有特殊的考虑？下面有些思考角度可以提供给大家参考：

◆　游戏机/工作机的考虑
　●　事实上，计算机主机的硬件配置与这台主机将来的功能是很有相关性的。举例来说，家里有小孩，或者自己仍然算是小孩的朋友大概都知道：用来打游戏的游戏计算机所需要的配置一定比办公室用的工作计算机配置更高档，为什么呢？因为现在一般的三维（3D）计算机游戏所需要的 3D 光影运算太多了，所以显卡与 CPU 资源都会被消耗得非常多。当然就需要比较高级的配置，尤其是在显卡、CPU（例如 Intel 的 Core 2 Duo 及 AMD 的 Athlon64 X2 等）及主板芯片方面的功能。

- 至于办公室的工作环境中，最常使用到的软件大多是办公软件（Office），最常使用的网络功能是浏览器，这些软件所需要的运算并不高，理论上目前的入门级计算机都能够运行得非常顺畅了。（例如 Intel Celeron 及 AMD 的 Sempron）。甚至很多企业都喜欢购买将显卡、主板芯片集成在一起的集成型芯片的计算机，因为便宜又好用。

- ◆ 性价比的考虑
  - 并不是贵就比较好。如何兼顾省钱与计算机硬件的性能问题很重要。如果你喜欢购买最新最快的计算机零件，这些刚出炉的组件都非常贵，而且操作系统还不见得能够完整地支持。所以，鸟哥都比较喜欢购买主流级的产品而非最高档的。因为我们最好能够考虑到性价比，如果高一级的产品让你的花费多一倍，但是新增加的性能却只有 10%而已，那这个性价的比值太低，不建议。
  - 此外，由于电费越来越高，如何"省电"就很重要。因此目前硬件评论界"每瓦性能"的单位，每瓦电力所发挥的性能越高，当然代表越省电。这也是购买硬件时的考虑之一。要知道，如果是作为服务器用，一年 365 天中时刻都开机，则你的计算机多花费 50W 的电力时，每年就得要多花 450 度电左右，如果以企业来讲，如果有一百台计算机每年得多花十万块以上的电费呢。所以这也需要考虑。

- ◆ 支持性的考虑
  - 并非所有的产品都会支持特定的操作系统，这牵涉到硬件开发商是否有意愿提供适当的驱动程序。因此，当我们想要购买或者是升级某些计算机组件时，应该要特别注意该硬件是否有针对你的操作系统提供适当的驱动程序，否则，买了无法使用，那才叫郁闷！因此，针对 Linux 来说，下面的硬件分析就重要。

3.1.2　选择与 Linux 搭配的主机配置

由于硬件的加速发展与操作系统内核功能的增强，导致较早期的计算机已经没有能力再负荷新的操作系统了。举例来说，P-Ⅱ以前的硬件配置可能已经不再适合现在的新的 Linux distribution。而且较早期的硬件配置也可能由于保存的问题或者是电子零件老化的问题，导致这样的计算机系统反而非常容易在运行过程中出现不明的死机情况，因此在利用旧零件拼凑 Linux 使用的计算机系统时，真的得要特别留意呢！

不过由于 Linux 运行所需要的硬件配置实在不需要太高档，因此，如果有近期淘汰下来的，比 P-Ⅲ 500还要新的硬件配置，不必急着丢弃。由于 P-Ⅲ的硬件不算太老旧，在性能方面其实也算得上非常棒啦，所以鸟哥建议你如果有 P-Ⅲ以后等级的计算机被淘汰，可以拿下来测试一下，说不定能够作为你日常生活的 Linux 服务器，或者是备用服务器，都是非常好用的功能。

但是由于不同的任务的主机所需要的硬件配置并不相同，举例来说，如果你的 Linux 主机是要作为企业内部的 Mail server 或者是 Proxy server 时，或者是需要使用到图形界面的运算（X Window 内的 Open GL等功能），那么你就必须要选择高档一点的计算机配置了，使用过去的计算机零件可能并不适合呢！

下面我们稍微谈一下，如果你的 Linux 主要是作为小型服务器使用，并不负责学术方面的大量运算，而且也没有使用 X Window 的图形界面，那你的硬件需求只要像下面这样就差不多了。

- ◆ CPU
  - CPU 只要不是老旧到会让你的硬件系统死机的都能够支持。如同前面谈到的，目前的环境中，P-Ⅲ的 CPU 不算太旧而且性能也不错，也就是说 P-Ⅲ就非常好用了。

- ◆ RAM
  - 内存越大越好。事实上在 Linux 服务器中，内存的重要性比 CPU 还要高得多。因为如果内存不够大，就会使用到硬盘的内存交换空间（swap）。而由第 0 章的内容我们知道硬盘比内存的速度要慢得多，所以内存太小可能会影响到整体系统的性能。尤其如果你还想要玩 X Window的话，那内存的容量就不能少。对于一般的小型服务器来说，建议至少也要 512MB 以上的内存容量较佳。

◆ Hard Disk

- 由于数据量与数据访问频率的不同，对于硬盘的要求也不相同。举例来说，如果是一般小型服务器，通常重点在于容量，硬盘容量大于 20GB 就够用了。但如果你的服务器是作为备份或者是小企业的文件服务器，那么你可能就得要考虑较高级的磁盘阵列（RAID）模式了。

> 磁盘阵列是利用硬件技术将数个硬盘整合成为一个大硬盘的方法，操作系统只会看到最后被整合起来的大硬盘。由于磁盘阵列是由多个硬盘组成，所以可以完成速度性能、备份等任务。更多相关的磁盘阵列，我们会在第 15 章中介绍。

◆ VGA

- 对于不需要 X Window 的服务器来说，显卡算是最不重要的一个组件了。你只要有显卡能够让计算机启动，那就够了。但如果需要 X Window 系统时，你的显卡最好能够拥有 32MB 以上的内存容量，否则运行系统会很累。鸟哥曾使用一块只有 2MB 内存的显卡运行 X Window，光是按一个按钮就花费数分钟时间，真是折磨人家的耐心。

◆ Network Interface Card

- 网卡是服务器上面最重要的组件了。目前新式的主板大多拥有 10/100/1000Mb/s 的高速网络，不过，只要好一点的 10/100 网卡就非常够用了！毕竟我们的带宽并没有大到 Gb/s 的速度。如果是小型服务器，一块 Realtek RTL8139 芯片的网卡就非常好用了，不过，如果是读取非常频繁的网站，好一点的 Intel/3Com 网卡应该是比较适合。

◆ 光盘、软盘、键盘与鼠标

- 不要旧到你的计算机不支持就好了，因为这些配置都是非必备的。举例来说，鸟哥安装好 Linux 系统后，可能就将该系统的光驱、鼠标、软驱等全部拔除，只有网线连接在计算机后面而已，其他的都是通过网络连接来管理的。因为通常服务器这东西最需要的就是稳定，而稳定的最理想状态就是平时没事不要去动它是最好的。

下面鸟哥针对一般你可能会接触到的计算机主机的用途与相关硬件配置的基本要求来说明一下好了。

◆ 一般小型主机且不含 X Window 系统

- 用途：家庭用 NAT 主机（路由器功能）或小型企业的非图形界面小型主机。
- CPU：大于 P-III 500 以上等级即可。
- RAM：至少 128MB，不过还是大于 256MB 以上比较妥当！
- 网卡：一般的 10/100 Mb/s 即可应付。
- 显卡：只要能够被 Linux 捉到的显卡即可，例如 NVidia 或 ATI 的主流显卡均可。
- 硬盘：20GB 以上即可！

◆ 桌面型（Desktop）Linux 系统/含 X Window

- 用途：Linux 的练习机或办公室（Office）工作机（一般我们会用到的环境）。
- CPU：最好等级高一点，例如 P-IV 以上等级。
- RAM：一定要大于 512MB 比较好！否则容易有图形界面停顿的现象。
- 网卡：普通的 10/100 Mb/s 就好了！
- 显卡：使用 32MB 以上内存的显卡！
- 硬盘：越大越好，最好有 60GB。

◆ 中型以上 Linux 服务器

- 用途：中小型企业/学校单位的 FTP/mail/WWW 等网络服务主机。
- CPU：最好等级高一点，可以考虑使用双核系统。
- RAM：最好能够大于 1GB 以上，大于 4GB 更好！

- 网卡：知名的 3Com 或 Intel 等厂牌，比较稳定，性能较佳！也可选购 10/100/1000 Mb/s 的速度。
- 显卡：如果有使用到图形功能，则一张 64MB 内存的显卡是需要的！
- 硬盘：越大越好，如果可能的话，使用磁盘阵列，或者网络硬盘等的系统架构，能够具有更稳定安全的传输环境，更佳。
- 建议企业用计算机不要自行组装，购买商用服务器较佳：因为商用服务器已经通过制造商的散热、稳定度等测试，对于企业来说，会是一个比较好的选择。

总之，鸟哥在这里仅是提出一个方向：如果你的 Linux 主机是小型环境使用的，实时死机也不太会影响到企业环境的运行时，那么使用升级后被淘汰下来的零件以组成计算机系统来运行，那是非常好的回收再利用的案例。但如果你的主机系统是非常重要的，你想要更一部更稳定的 Linux 服务器，那基于系统的整体搭配与运行性能的考虑，购买已组装测试过的商用服务器会是一个比较好的选择。

> 一般来说，目前（2009）的入门计算机机种中，CPU 至少都是 Intel Core 的 2GHz 系列的等级以上，内存至少有 1GB，显卡内存也有 128MB 以上，所以如果你是新购置的计算机，那么该计算机用来作为 Linux 的练习机，而且加装 X Window 系统，肯定是可以运行的。

此外，Linux 开发商在发布 Linux distribution 之前，都会针对该版本所默认可以支持的硬件做说明，因此，你除了可以在 Linux 的 How-To 文件去查询硬件的支持度之外，也可以到各个相关的 Linux distributions 网站去查询呢！下面鸟哥列出几个常用的硬件与 Linux distributions 搭配的网站，建议大家想要了解你的主机支不支持该版 Linux 时，务必到相关的网站去搜寻一下！

- Red Hat 的硬件支持：https://hardware.redhat.com/?pagename=hcl
- Open SuSE 的硬件支持：http://en.opensuse.org/Hardware?LANG=en_UK
- Mandriva 的硬件支持：http://hcl.mandriva.com/
- Linux 对笔记本电脑的支持：http://www.linux-laptop.net/
- Linux 对打印机的支持：http://www.openprinting.org/
- 显卡对 XFree86/Xorg 的支持：http://www.linuxhardware.org/
- Linux 的中文 How-To（繁体）：
  http://www.linux.org.tw/CLDP/HOWTO/hardware.html#hardware

总之，如果是自己维护的一个小网站，考虑到经济因素，你可以自行组装一台主机来架设。而如果是中、大型企业，那么主机的钱不要省，因为省了这些钱，未来主机挂点时，光是要找出哪个组件出问题或者是系统过热的问题都会气死人。而且，要注意的就是未来你的 Linux 主机规划的"用途"决定你的 Linux 主机硬件配置。这一点相当重要呢！

3.1.3　各硬件设备在 Linux 中的文件名

选择好你所需要的硬件配置后，接下来得要了解一下各硬件在 Linux 当中所扮演的角色。这里鸟哥再次强调一下：在 Linux 系统中，每个设备都被当成一个文件来对待。举例来说，IDE 接口的硬盘的文件名即为/dev/hd[a-d]，其中，括号内的字母为 a-d 当中的任意一个，也即有/dev/hda,/dev/hdb,/dev/hdc,及/dev/hdd 这四个文件的意思。

> 这种中括号【】形式的表示法在后面的章节当中会使用得很频繁，请特别留意。另外先提出来强调一下，在 Linux 这个系统当中，几乎所有的硬件设备文件都在/dev 这个目录内，所以你会看到/dev/hda,/dev/fd0 等的文件名。

那么打印机与软盘呢？分别是/dev/lp0,/dev/fd0。好了，其他的接口设备呢？下面列出几个常见的设备与其在 Linux 当中的文件名，如表 3-1 所示。

表 3-1

设　备	设备在 Linux 内的文件名
IDE 硬盘	/dev/hd[a–d]
SCSI/SATA/USB 硬盘	/dev/sd[a–p]
U 盘	/dev/sd[a–p]（与 SATA 相同）
软驱	/dev/fd[0–1]
打印机	25 针:/dev/lp[0–2] USB:/dev/usb/lp[0–15]
鼠标	USB:/dev/usb/mouse[0–15] PS2:/dev/psaux
当前 CD ROM/DVD ROM	/dev/cdrom
当前鼠标	/dev/mouse
磁带机	IDE:/dev/ht0 SCSI:/dev/st0

需要特别留意的是硬盘（IDE、SCSI、USB 都一样），每个磁盘驱动器的磁盘分区（partition）不同时，其磁盘文件名还会改变。下一小节我们会介绍磁盘分区的相关概念。需要特别注意的是磁带机的文件名，在某些不同的 distribution 当中可能会发现不一样的文件名，需要稍微留意。总之，你得先背一下 IDE 与 SATA 硬盘的文件名就是了。其他的，用得到再来背吧！

更多 Linux 内核支持的硬件设备与文件名，可以参考如下网页：
http://www.kernel.org/ pub/ linux/docs/device-list/devices.txt

3.2　磁盘分区

这一章在规划的重点是为了要安装 Linux,那 Linux 系统是安装在计算机组件的哪个部分呢？就是磁盘。所以我们当然要来认识一下磁盘先。我们知道一块磁盘是可以被分区成多个分区（partition），以旧有的 Windows 观点来看，你可能会有一块磁盘并且将它分区成为 C:, D:, E:盘。那个 C, D, E 就是分区。但是 Linux 的设备都是以文件的类型存在，那分区的文件名又是什么？如何进行磁盘分区，磁盘分区有哪些限制？是我们这个小节所要探讨的内容。

3.2.1　磁盘连接的方式与设备文件名的关系

由第 0 章提到的磁盘说明，我们知道个人计算机常见的磁盘接口有两种，分别是 IDE 与 SATA 接口，目前的主流接口已经是 SATA 接口了，但是老一点的主机其实大部分还是使用 IDE 接口。我们称可连接到 IDE 接口的设备为 IDE 设备，不管是磁盘还是光盘设备。

以 IDE 接口来说，由于一个 IDE 扁平电缆可以连接两个 IDE 设备，通常主机又都会提供两个 IDE 接口，因此最多可以接到四个 IDE 设备。也就是说，如果你已经有一个光盘设备了，那么最多就只能再接三块 IDE 接口的磁盘。这两个 IDE 接口通常被称为 IDE1（primary）及 IDE2（secondary），而每条扁平电缆上面的 IDE 设备可以被区分为 Master（主设备）与 Slave（从设备）。这四个 IDE 设备的文件名如表 3-2 所示。

表 3-2

IDE\Jumper	Master	Slave
IDE1（Primary）	/dev/hda	/dev/hdb
IDE2（Secondary）	/dev/hdc	/dev/hdd

例题

假设你的主机仅有一块 IDE 接口的磁盘，而这一块磁盘接在 IDE2 的 Master 上面，请问它在 Linux 操作系统里面的设备文件名是什么？

答：比较上表的设备文件名对照，IDE2 的 Master 设备文件名为/dev/hdc。

再以 SATA 接口来说，由于 SATA/USB/SCSI 等磁盘接口都是使用 SCSI 模块来驱动的，因此这些接口的磁盘设备文件名都是/dev/sd[a-p]的格式。但是与 IDE 接口不同的是，SATA/USB 接口的磁盘根本就没有一定的顺序，那如何决定它的设备文件名呢？这个时候就得要根据 Linux 内核检测到磁盘的顺序了。这里以下面的例子来让你了解。

例题

如果你的 PC 上面有两个 SATA 磁盘以及一个 USB 磁盘，而主板上面有六个 SATA 的插槽。这两个 SATA 磁盘分别安插在主板上的 SATA1, SATA5 插槽上，请问这三个磁盘在 Linux 中的设备文件名是什么？

答：由于是使用检测到的顺序来决定设备文件名，并非与实际插槽代号有关，因此设备的文件名如下：

1. SATA1 插槽上的文件名：/dev/sda
2. SATA5 插槽上的文件名：/dev/sdb
3. USB 磁盘（开机完成后才被系统识别）：/dev/sdc

通过上面的介绍后，你应该知道了在 Linux 系统下的各种不同接口的磁盘的设备文件名了。OK！好像没问题了吶！才不是呢！问题很大吶！因为如果你的磁盘被分成两个分区，那么每个分区的设备文件名又是什么？在了解这个问题之前，我们先来复习一下磁盘的组成，因为现今磁盘的分区与它物理的组成很有关系！

3.2.2 磁盘的组成复习

我们在第 0 章谈过磁盘的组成（主要由盘片、机械手臂、磁头与主轴马达所组成)，而数据的写入其实是在盘片上面。盘片上面又可细分出扇区（Sector）与柱面（Cylinder）两种单位，其中扇区每个为 512bytes 那么大。假设磁盘只有一个盘片，那么盘片如图 3-2 所示。

那么是否每个扇区都一样重要呢？其实整块磁盘的第一个扇区特别重要，因为它记录了整块磁盘的重要信息。磁盘的第一个扇区主要记录了两个重要的信息，分别是：

- 主引导分区（Master Boot Record, MBR）：可以安装引导加载程序的地方，有 446bytes。
- 分区表（partition table）：记录整块硬盘分区的状

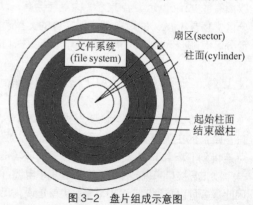

图 3-2　盘片组成示意图

态，有 64bytes。

MBR 是很重要的，因为当系统在开机的时候会主动去读取这个区块的内容，这样系统才会知道你的程序放在哪里且该如何进行开机。如果你要安装多重引导的系统，MBR 这个区块的管理就非常重要了！

那么分区表又是什么？其实你刚才拿到的整块硬盘就像一根原木，你必须要在这根原木上面切割出你想要的区段，这个区段才能够再制作成为你想要的家具。如果没有进行切割，那么原木就不能被有效地使用。同样道理，你必须要针对你的硬盘进行分区，这样硬盘才可以被你使用。

更多的磁盘分区与文件系统管理，我们将在第二篇的时候深入介绍。

3.2.3 磁盘分区表（partition table）

但是硬盘总不能真的拿锯子来切割吧？那硬盘还真的是会坏掉去。那怎么办？在前一小节的图示中，我们有看到"开始与结束柱面"吧？那是文件系统的最小单位，也就是分区的最小单位。我们就是利用参考柱面号码的方式来处理。在分区表所在的 64bytes 容量中，总共分为四组记录区，每组记录区记录了该区段的启始与结束的柱面号码。若将硬盘以长条形来看，然后将柱面以柱形图来看，那么那 64bytes 的记录区段如图 3-3 所示。

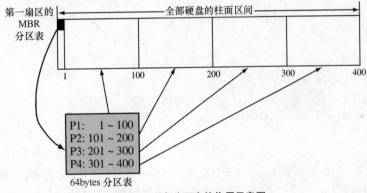

图 3-3 磁盘分区表的作用示意图

假设上面的硬盘设备文件名为/dev/hda 时，那么这四个分区在 Linux 系统中的设备文件名如下所示，重点在于文件名后面会再接一个数字，这个数字与该分区所在的位置有关。

- P1:/dev/hda1
- P2:/dev/hda2
- P3:/dev/hda3
- P4:/dev/hda4

上图中我们假设硬盘只有 400 个柱面，共分区成为四个分区，第四个分区所在为第 301 到 400 号柱面的范围。当你的操作系统为 Windows 时，那么第一到第四个分区的代号应该就是 C, D, E, F。当你有数据要写入 F 盘时，你的数据会被写入这块磁盘的 301~400 号柱面之间。

由于分区表就只有 64bytes 而已，最多只能容纳四个分区，这四个分区被称为主（Primary）或扩展（Extended）分区。根据上面的图示与说明，我们可以得到几个重点信息：

- 其实所谓的"分区"只是针对那个 64bytes 的分区表进行设置而已。
- 硬盘默认的分区表仅能写入四组分区信息。
- 这四组分区信息我们称为主（Primary）或扩展（Extended）分区。
- 分区的最小单位为柱面（cylinder）。

◆ 当系统要写入磁盘时，一定会参考磁盘分区表，才能针对某个分区进行数据的处理。

你会不会突然想到，为什么要分区啊？基本上你可以以这样的角度去思考分区：

1. 数据的安全性

● 因为每个分区的数据是分开的。所以，当你需要将某个分区的数据重整时，例如你要重新安装 Windows 时，可以将 C 盘中其他重要数据移到其他分区，例如将邮件、桌面数据移动到 D 盘去，那么重装系统并不会影响到 D 盘。所以善用分区，可以让你的数据更安全。

2. 系统的性能考虑

● 由于分区将数据集中在某个柱面的区段，例如图 3-3 当中第一个分区位于柱面号码 1～100 号，如此一来当有数据要读取自该分区时，磁盘只会搜寻前面 1～100 的柱面范围，由于数据集中了，将有助于数据读取的速度与性能！所以说，分区是很重要的。

既然分区表只有记录四组数据的空间，那么是否代表我一块硬盘最多只能分区出四个分区？当然不是。有经验的朋友都知道，你可以将一块硬盘分区成十个以上的分区的。那又是如何达到的呢？在 Windows/Linux 系统中，我们是通过刚才谈到的扩展分区的方式来处理的。扩展分区的想法是：**既然第一个扇区所在的分区表只能记录四条数据**，那我可否利用额外的扇区来记录更多的分区信息？实际上如图 3-4 所示。

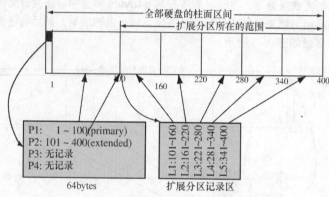

图 3-4　磁盘分区表的作用示意图

在图 3-4 当中，我们知道硬盘的四个分区记录区仅使用到两个，P1 为主分区，而 P2 则为扩展分区。请注意，扩展分区的目的是使用额外的扇区来记录分区信息，扩展分区本身并不能被拿来格式化。然后我们可以通过扩展分区所指向的那个区块继续作分区的记录。

图 3-4 右下方那个区块有继续分区出五个分区，这五个由扩展分区继续切出来的分区，就被称为**逻辑分区**（logical partition）。同时注意一下，由于逻辑分区是由扩展分区继续分区出来的，所以它可以使用的柱面范围就是扩展分区所设定的范围喔！也就是图中的 101～400 啦！

同样，上述分区在 Linux 系统中的设备文件名分别如下：

◆ P1:/dev/hda1
◆ P2:/dev/hda2
◆ L1:/dev/hda5
◆ L2:/dev/hda6
◆ L3:/dev/hda7
◆ L4:/dev/hda8
◆ L5:/dev/hda9

仔细看看，怎么设备文件名没有/dev/hda3 与/dev/hda4 呢？因为前面四个号码都是保留给 Primary 或 Extended 用的。所以逻辑分区的设备名称号码就由 5 号开始了，这是个很重要的特性，不能忘记。

关于主分区、扩展分区与逻辑分区的特性我们作个简单的定义。

- 主分区与扩展分区最多可以有四个（硬盘的限制）。
- 扩展分区最多只能有一个（操作系统的限制）。
- 逻辑分区是由扩展分区持续切割出来的分区。
- 能够被格式化后作为数据访问的分区为主分区与逻辑分区。扩展分区无法格式化。
- 逻辑分区的数量依操作系统而不同，在 Linux 系统中，IDE 硬盘最多有 59 个逻辑分区（5 号到 63 号），SATA 硬盘则有 11 个逻辑分区（5 号到 15 号）。

事实上，分区是个很麻烦的东西，因为它是以柱面为单位的"连续"磁盘空间，且扩展分区又是个类似独立的磁盘空间，所以在分区的时候要特别注意。我们举下面的例子来解释一下好了。

例题

在 Windows 操作系统当中，如果你想要将 D 与 E 盘整合成为一个新的分区，而如果有两种分区的情况，如图 3-5 所示，图中的特殊颜色区块为 D 与 E 盘的示意，请问这两种方式是否均可将 D 盘与 E 盘整合成为一个新的分区？

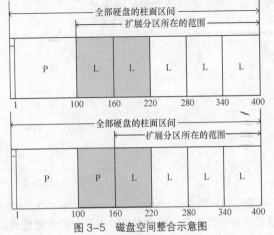

图 3-5 磁盘空间整合示意图

答：
- 上图可以整合：因为上图的 D 与 E 同属于扩展分区内的逻辑分区，因此只要将两个分区删除，然后再重新创建一个新的分区，就能够在不影响其他分区的情况下，将两个分区的容量整合成为一个。
- 下图不可整合：因为 D 与 E 分属主分区与逻辑分区，两者不能够整合在一起。除非将扩展分区破坏掉后再重新分区。但如此一来会影响到所有的逻辑分区，要注意的是：**如果扩展分区被破坏，所有逻辑分区将会被删除。**因为逻辑分区的信息都记录在扩展分区里面。

由于第一个扇区所记录的分区表与 MBR 是这么重要，几乎只要读取硬盘都会先由这个扇区先读起。因此，如果整块硬盘的第一个扇区（就是 MBR 与 partition table 所在的扇区）物理坏掉了，那这个硬盘大概就没有用了。因为系统如果找不到分区表，怎么知道如何读取柱面区间呢？下面还有一些例题你可以思考。

例题

如果我想将一块大硬盘"暂时"分成为 4 个分区，同时还有其他的剩余容量可以让我在未来的时候进行规划，我能不能分区出 4 个主分区？若不行，那么你建议该如何分区？

答：
- 由于主分区和扩展分区最多只能有 4 个，其中扩展分区最多只能有一个，这个例题想要分区出 4 个分区且还要预留剩余容量，因此 P+P+P+P 的分区方式是不适合的。因为如果使用到 4 个主分区，则即使硬盘还有剩余容量，因为无法再继续分区，所以剩余容量就被浪费掉了。
- 假设你想要将所有的四条记录都花光，那么 P+P+P+E 是比较适合的。所以可以用的 4 个分区有 3 个主分区及一个逻辑分区，剩余的容量在扩展分区中。
- 如果你要分区超过 4 个以上时，一定要有扩展分区，而且必须将所有剩下的空间都分配给扩展分区，然后再以扩展分区来规划扩展分区的空间。另外，考虑到磁盘的连续性，一般建议将扩展分区的柱面号码分配在最后面的柱面内。

例题

我能不能仅分区出一个主分区与一个扩展即可？

答：当然可以，这也是早期 Windows 操作系统惯用的手法。此外，逻辑分区的号码在 IDE 可达 63 号，SATA 则可达 15 号，因此仅一个主分区与一个扩展分区即可，因为扩展分区可继续被分出逻辑分区。

例题

假如我的 PC 有两块 SATA 硬盘，我想在第二块硬盘分出 6 个可用的分区（可以被格式化来访问数据之用），那每个分区在 Linux 系统下的设备文件名为何？且分区类型各为何？至少写出两种不同的分区方式。

答：由于 P（primary）+E（extended）最多只能有四个，其中 E 最多只能有一个。现在题目要求 6 个可用的分区，因此不可能分出四个 P。下面我们假设两种环境，一种是将前四号全部用完，一种是仅花费一个 P 及一个 E 的情况：

◆ P+P+P+E 的环境（如图 3-6 所示）

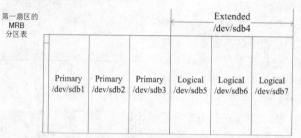

图 3-6　分区示意图

实际可用的是/dev/sdb1,/dev/sdb2,/dev/sdb3,/dev/sdb5,/dev/sdb6,/dev/sdb7 这六个，至于/dev/sdb4 这个扩展分区本身仅是提供来给逻辑分区创建使用。

◆ P+E 的环境（如图 3-7 所示）

注意到了吗？因为 1～4 号是保留给主/扩展分区的，因此第一个逻辑分区一定是由 5 号开始，所以/dev/sdb3,/dev/sdb4 就会被保留下来没有用到了！

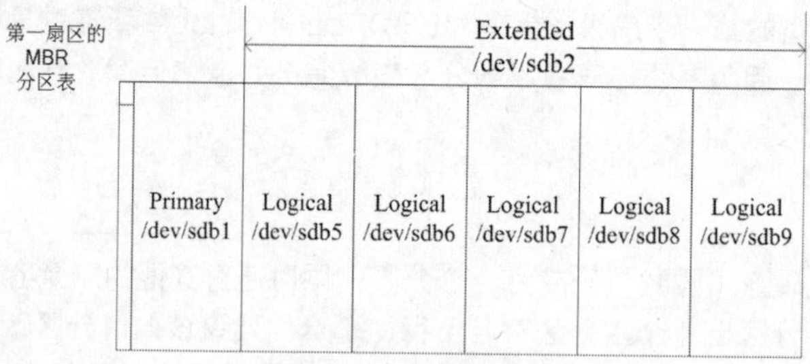

图 3-7　分区示意图

3.2.4 　开机流程与主引导分区（MBR）

我们在计算机概论里面谈到了，没有执行软件的硬件是没有用的，除了会电人之外，而为了计算机硬件系统的资源合理分配，因此有了操作系统这个系统软件的产生。由于操作系统会控制所有的硬件并且提供内核功能，因此我们的计算机就能够认识硬盘内的文件系统，并且进一步读取硬盘内的软件文件与执行该软件来完成各项软件的执行目的。

问题是，你有没有发现，既然操作系统也是软件，那么我的计算机又是如何认识这个操作系统软件并且执行它的？开机时我的计算机还没有任何软件系统，那它要如何读取硬盘内的操作系统文件啊？这就得要牵涉到计算机的开机程序了！下面就让我们来谈一谈这个开机程序吧！

在计算机概论里面我们谈到那个可爱的 BIOS 与 CMOS 两个东西，CMOS 是记录各项硬件参数且嵌入在主板上面的存储器，BIOS 则是一个写入到主板上的一个韧体（再次说明，韧体就是写入到硬件上的一个软件程序）。这个 BIOS 就是在开机的时候计算机系统会主动执行的第一个程序了。

接下来 BIOS 会去分析计算机里面有哪些存储设备，我们以硬盘为例，BIOS 会依据用户的设置去取得能够开机的硬盘，并且到该硬盘里面去读取第一个扇区的 MBR 位置。MBR 这个仅有 446bytes 的硬盘容量里面会放置最基本的引导加载程序，此时 BIOS 就功成圆满，而接下来就是 MBR 内的引导加载程序的工作了。

这个引导加载程序的目的是在加载（load）内核文件，由于引导加载程序是操作系统在安装的时候所提供的，所以它会识别硬盘内的文件系统格式，因此就能够读取内核文件，然后接下来就是内核文件的工作，引导加载程序也功成圆满，之后就是大家所知道的操作系统的任务啦！

简单地说，整个开机流程到操作系统之前的动作应该是这样的。

1. BIOS：开机主动执行的韧体，会认识第一个可开机的设备。
2. MBR：第一个可开机设备的第一个扇区内的主引导分区块，内包含引导加载程序。
3. 引导加载程序（**Boot loader**）：一支可读取内核文件来执行的软件。
4. 内核文件：开始操作系统的功能。

由上面的说明我们会知道，BIOS 与 MBR 都是硬件本身会支持的功能，至于 Boot loader 则是操作系统安装在 MBR 上面的一套软件了。由于 MBR 仅有 446bytes 而已，因此这个引导加载程序是非常小而完美的。这个 boot loader 的主要任务有下面这些项目。

◆　提供菜单：用户可以选择不同的开机选项，这也是多重引导的重要功能。
◆　载入内核文件：直接指向可开机的程序区段来开始操作系统。
◆　转交其他 loader：将引导加载功能转交给其他 loader 负责。

上面前两点还容易理解，但是第三点很有趣喔！那表示你的计算机系统里面可能具有两个以上的引导加载程序呢！有可能吗？我们的硬盘不是只有一个 MBR 而已？但是引导加载程序除了可以安装在 MBR 之外，还可以安装在每个分区的引导扇区（boot sector）。分区还有个别的启动扇区？这个特色才能造就"多重引导"的功能。

我们举一个例子来说，假设你的个人计算机只有一块硬盘，里面分成四个分区，其中第一、二分区分别安装了 Windows 及 Linux，你要如何在开机的时候选择用 Windows 还是 Linux 开机呢？假设 MBR 内安装的是可同时识别 Windows/Linux 操作系统的引导加载程序，那么整个流程如图 3-8 所示。

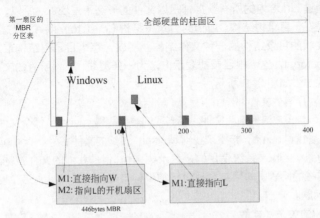

图 3-8　引导加载程序的工作执行示意图

在图 3-8 中我们可以发现，MBR 的引导加载程序提供两个菜单，菜单一（M1）可以直接加载 Windows 的内核文件来开机；菜单二（M2）则是将引导加载工作交给第二个分区的启动扇区（boot sector）。当用户在开机的时候选择菜单二时，那么整个引导加载工作就会交给第二分区的引导加载程序了。当第二个引导加载程序启动后，该引导加载程序内（上图中）仅有一个开机菜单，因此就能够使用 Linux 的内核文件来开机。这就是多重引导的工作情况。我们将上图作个总结。

◆ 每个分区都拥有自己的启动扇区（boot sector）。

◆ 图中的系统分区为第一及第二分区。

◆ 实际可开机的内核文件是放置到各分区内的。

◆ loader 只会认识自己的系统分区内的可开机内核文件，以及其他 loader 而已。

◆ loader 可直接指向或者是间接将管理权转交给另一个管理程序。

那现在请你想一想，为什么人家经常说："如果要安装多重引导，最好先安装 Windows 再安装 Linux"呢？这是因为。

◆ Linux 在安装的时候，你可以选择将引导加载程序安装在 MBR 或个别分区的启动扇区，而且 Linux 的 loader 可以手动设置菜单（就是上图的 M1, M2），所以你可以在 Linux 的 boot loader 里面加入 Windows 开机的选项。

◆ Windows 在安装的时候，它的安装程序会主动覆盖掉 MBR 以及自己所在分区的启动扇区，你没有选择的机会，而且它没有让我们自己选择菜单的功能。

因此，如果先安装 Linux 再安装 Windows 的话，那 MBR 的引导加载程序就只会有 Windows 的选项，而不会有 Linux 的选项（因为原本在 MBR 内的 Linux 的引导加载程序就会被覆盖掉）。那需要重新安装 Linux 一次吗？当然不需要，你只要用尽各种方法来处理 MBR 的内容即可。例如利用全中文的 spfdisk（http://spfdisk.sourceforge.net/）软件来安装识别 Windows/Linux 的管理程序，也能够利用 Linux 的救援模式来挽救 MBR 即可。

> 引导加载程序与启动扇区的观念是非常重要的，我们会在第 20 章分别介绍，你在这里只要先对开机需要引导加载程序和引导加载程序可以安装在 MBR 及启动扇区两处这两个观念有基本的认识即可，一开始就背太多东西会很混乱。

3.2.5 Linux 安装模式下，磁盘分区的选择（极重要）

◆ 目录树结构（directory tree）

● 我们前面有谈过 Linux 内的所有数据都是以文件的形态来呈现的，所以，整个 Linux 系统最重要的地方就是在于目录树结构。所谓的目录树结构（directory tree）就是以根目录为主，然后向下呈现分支状的目录结构的一种文件结构。所以，**整个目录树结构最重要的就是那个根目录（root directory），这个根目录的表示方法为一条斜线 "/"，所有的文件都与目录树有关。**目录树的呈现方式如图 3-9 所示。

● 如图 3-9 所示，所有的文件都是由根目录（/）衍生来的，而次目录之下还能够有其他的数据存在。图中长方形为目录，波浪形则为文件。那当我们想要取得 mydata 那个文件时，系统就得由根目录开始找，然后找到 home，接下来找到 dmtsai，最终的文件名为：/home/dmtsai/mydata。

● 我们现在知道整个 Linux 系统使用的是目录树结构，但是我们的文件数据其实是放置在磁盘分区当中的，现在的问题是如何结合目录树的架构与磁盘内的数据，这个时候就牵扯到"挂载"（mount）的问题。

◆ 文件系统与目录树的关系（挂载）

● 所谓的"挂载"就是利用一个目录当成进入点，将磁盘分区的数据放置在该目录下； 也就是说，进入该目录就可以读取该分区的意思。这个操作我们称为"挂载"，那个进入点的目录我们称为"挂载点"。由于整个 Linux 系统最重要的是根目录，因此根目录一定需要挂载到某个分区的。至于其他的目录则可依用户自己的需求来给予挂载到不同的分区。我们以图 3-10 来作为一个说明。

图 3-9　目录树相关性示意图

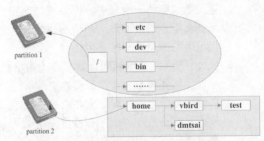

图 3-10　目录树与分区之间的相关性

图 3-10 中假设我的硬盘分为两区，partition 1 挂载到根目录，至于 partition 2 则是挂载到/home 这个目录。这也就是说，当我的数据放置在/home 内的各次目录时，数据是放置到 partition 2 的，如果不是放在/home 下面的目录，那么数据就会被放置到 partition 1。

其实判断某个文件在哪个 partition 下面是很简单的，通过反向追踪即可。以图 3-10 来说，当我想要知道/home/vbird/test 这个文件在哪个 partition 时，由 test --> vbird --> home -->/，看哪个"进入点"先被查到那就是使用的进入点了。所以 test 使用的是/home 这个进入点而不是/喔！

例题

现在让我们来想一想，我的计算机系统如何读取光盘内的数据呢？在 Windows 里面使用的是"光驱"的代号方式处理（假设为 E 盘时），但在 Linux 下面我们依旧使用目录树喔！在默认的情况下，Linux 是将光驱的数据放置到/media/cdrom 里头去的。如果光盘里面有个文件名为"我的文件"时，那么这个文件是在哪里？

答：这个文件最终会在如下的完整文件名中：

- Windows：桌面\我的计算机\E:\我的文件
- Linux：/media/cdrom/我的文件

如果光驱并非被挂载到/media/cdrom，而是挂载到/mnt 这个目录时，刚才读取的这个文件的文件名会变成：

- /mnt/我的文件

如果你了解这个文件名，这表示你已经知道挂载的意义了！初次接触 Linux 时，这里最容易搞混，因为它与 Windows 的分区代号完全不一样！

- ◆ 安装 distributions 时，挂载点与磁盘分区的规划
  - ● 既然我们在 Linux 系统下使用的是目录树系统，所以安装的时候自然就得要规划磁盘分区与目录树的挂载了。实际上，在 Linux 安装的时候已经提供了相当多的默认模式让你选择分区的方式了，不过，无论如何，分区的结果可能都不是很能符合自己的意愿！因为毕竟每个人的"想法"都不太一样！因此，强烈建议使用"自定义安装，Custom"这个安装模式！在某些 Linux distribution 中，会将这个模式写得很厉害，叫做"Expert，专家模式"，这个就厉害了，请相信你自己，了解上面的说明后，就请自称为专家了吧！没有问题！
- ◆ 自定义安装"Custom"
  - ■ 初次接触 Linux：只要分区"/"及"swap"即可。
  - ● 通常初次安装 Linux 系统的朋友们，我们都会建议他直接以一个最大的分区"/"来安装系统。这样做有个好处，就是不怕分区错误造成无法安装的困境！例如/usr 是 Linux 的可执行程序及相关的文件摆放的目录，所以它的容量需求蛮大的，万一你分了一块分区给/usr，但是却给得不够大，那么就伤脑筋了！因为会造成无法将数据完全写入的问题，就有可能会无法安装。因此如果你是初次安装的话，那么可以仅分成两个分区（"/"与 Swap"）即可。
  - ■ **建议分区的方法**：预留一个备用的剩余磁盘容量。

- 在想要学习 Linux 的朋友中，最麻烦的可能就是得要经常处理分区的问题，因为分区是系统管理员很重要的一个任务。但如果你将整个硬盘的容量都用光了，那么你要如何练习分区呢？所以鸟哥在后续的练习中也会这样做，就是请你特别预留一块不分区的磁盘容量，作为后续练习时可以用来分区之用。

- 此外，预留的分区也可以拿来作为备份之用。因为我们在实际操作 Linux 系统的过程中，可能会发现某些脚本或者是重要的文件很值得备份时，就可以使用这个剩余的容量分出新的分区，并用来备份重要的配置文件或者是脚本。这有个最大的好处，就是当我的 Linux 重新安装的时候，我的一些软件或工具程序马上就可以直接在硬盘当中找到。重新安装比较便利。为什么要重新安装？因为没有安装过 Linux10 次以上，不要说你学会了 Linux 了。

- ◆ 选择 Linux 安装程序提供的默认硬盘分区方式

  - 对于首次接触 Linux 的朋友们，鸟哥通常不建议使用各个 distribution 所提供默认的 Server 安装方式，因为会让你无法得知 Linux 在搞什么鬼，而且也不见得可以符合你的需求。而且要注意的是，选择 Server 的时候，请"确定"你的硬盘数据不再需要。因为 Linux 会自动把你的硬盘里面的旧数据全部删掉。此外，硬盘至少需要 2GB 以上才可以选择这一个模式！

现在你知道 Linux 为什么不好学了吧？因为很多基础知识都得要先了解。否则连安装都不知道怎么安装。现在你知道 Linux 的可爱了吧！因为如果你学会了。很多计算机系统/操作系统的概念都很清晰。

3.3 安装 Linux 前的规划

从前面的说明我们知道操作系统与硬件的相关性是很高的，而目前最热门的计算机硬件系统为 x86 个人计算机系统。我们也讨论了一下各硬件组件在 Linux 当中的设备文件名，同时也了解到磁盘分区与每个分区在 Linux 目录树的关系，也简单谈论了引导加载程序的用途。接下来我们得要开始安装 Linux。

安装最重要的第一件事，就是要取得 Linux distributions 的光盘数据，该如何去下载？目前有这么多的 distributions，你应该要选择哪一个版本比较好？为什么会比较好？在中国，你可以在哪里下载你所需要的 Linux distribution 呢？这都是这一小节所要讨论的！

3.3.1 选择适当的 distribution

如同第 1 章"Linux 是什么"里面谈到的，事实上每个 Linux distributions 使用的都是来自于 http://www.kernel.org 官方网站所提供的 Linux 内核，各家 distribution 使用的软件其实也都是大同小异，最大的差别或许就是在于软件的安装模式而已。所以，你只要选择其中一套，并且玩得出神入化，那么 Linux 肯定可以学成的。

不过，由于近年来网络环境实在不是很安全，因此你在选择 distribution 时，特别要了解到该 distribution 适合的环境，并且最好选择最新的 **distribution** 较佳。以鸟哥来说，如果是将 Linux 定位在服务器上面的话，那么 Red Hat Enterprise Linux 及 SuSE Enterprise Linux 应该是很不错的选择，因为它的版本改动的幅度较小，并且更新支持的期限较长。

在我们这次的练习中，不想给大家太沉重的负担，所以鸟哥选择 CentOS 这一个号称与 RHEL 完全兼容的版本来练习，目前（2009/08）最新的版本是 CentOS 5.3 版，你可以选择 i386 或 x86_64 的版本来安装，请依据你的硬件来选择。如果你不知道你的硬件规格时，那么建议就直接安装 i386 的版本即可。因为 i386 的 CentOS 5.x 是可以安装在 x86_64 的硬件中的。

你可以选择到 CentOS 的官方网站或中文镜像站点去下载最新的版本，由镜像站点来下载比较快。下面列出 CentOS 的下载点：

◆　CentOS 官方网站：http://mirror.centos.org/centos/5/isos/

你要知道的是，因为 Linux distributions 里面的软件越包越多，所以使用到的光盘（CD）越来越多了，因此目前各 distribution 都有提供 DVD 的版本。以上面的链接来说，在每个链接里面的 i386 版本中，你会发现有 DVD 版本，例如 CentOS-5.3-i386-bin-DVD.iso，也有 CD 版本，例如 CentOS-5.3-i386-bin-[1-6]of6.iso。鸟哥建议你可以下载 DVD 版本，因为只有一张，比较环保。

> 你所下载的文件扩展名是.iso，这就是所谓的 image 文件（镜像文件）。这种 image 文件是由光盘直接刻录成文件的，文件非常大，建议你不要使用浏览器（IE/Firefox）来下载，可以使用 FTP 客户端程序来下载，例如 Filezilla（http://filezilla-project.org/download.php）等。这样比较不需要担心断线的问题，因为可以续传。
>
> 此外，这种镜像文件可不能以数据格式刻录成为光盘/DVD 的！你必须要使用刻录程序的功能，将它以"镜像文件格式"刻录成为光盘或 DVD 才行。切记不要使用刻录数据文件格式来刻录。

3.3.2　主机的服务规划与硬件的关系

我们前面已经提过，由于主机的服务目的不同，所需要的硬件等级与配置自然也就不一样。下面鸟哥稍微提一提每种服务可能会需要的硬件配置规划，当然，还是得提醒，每个朋友的需求都不一样，所以设计你的主机之前，请先针对自己的需求进行考虑。如果你不知道自己的考虑为何，那么就先拿一部普通的计算机来玩一玩吧！不过要记得！不要将重要数据放在练习用的 Linux 主机上面。

◆　打造 Windows 与 Linux 共存的环境
- 在某些情况之下，你可能会想要在一台主机上面安装两套以上的操作系统，例如下面这些状况：
  - 我的环境里面仅能允许我拥有一台主机，不论是经济问题还是空间问题。
  - 因为目前各主要硬件还是针对 Windows 进行驱动程序的开发，我想要同时保有 Windows 操作系统与 Linux 操作系统，以确定在 Linux 下面的硬件应该使用哪个 I/O 端口或者是 IRQ 的分配等。
  - 我的工作需要同时使用到 Windows 与 Linux 操作系统。
- 果真如此的话，那么刚才我们在上一个小节谈到的开机流程与多重引导的数据就很重要了。因为需要如此你才能够在一部主机上面操弄两种不同的操作系统。

> 一般来说，你还可以在 Windows 操作系统上面安装 Virtualbox（http://www.virtualbox.org/）之类的软件，让你可以在 Windows 系统上面"同时"使用 Linux 系统，就是两个操作系统同时启动。不过，那样的环境比较复杂，尤其 Virtualbox 环境中很多硬件都是仿真的，会让新手很难理解系统控制原理。基本上，鸟哥很不建议使用这样的方式来学习 Linux！

- 如果你的 Linux 主机已经是想要拿来作为某些服务之用时，那么务必不要选择太久的硬件。前面谈到过，太老旧的硬件可能会有电子零件老化的问题。另外，如果你的 Linux 主机必须要全年无休地开机，那么摆放这部主机的位置也需要选择。下面再来谈一谈，在一般小型企业或学校单位中，常见的某些服务与你的硬件关系有哪些？

◆　NAT（达到路由器的功能）
- 通常小型企业或者是学校单位大多仅会有一条对外的线路，然后全公司/学校内的计算机全部通过这条线路连到因特网上。此时我们就得要使用路由器来让这一条对外线路分享给所有的公司内部员工使用。那么 Linux 能不能达到此路由的功能呢？当然可以，就是通过 NAT 服务即可完成这项任务了！

- 在这种环境中，由于 Linux 作为一个内外分离的实体，因此网络流量会比较大一点。此时 Linux 主机的网卡就需要比较好些的配置。其他的 CPU、RAM、硬盘等的影响就小很多。事实上，单利用 Linux 作为 NAT 主机来路由是很不明智的。因为 PC 的耗电能力比路由器要大得多。
- 那么为什么你还要使用 Linux 作为 NAT 呢？因为 Linux NAT 还可以额外加装很多分析软件，可以用来分析客户端的连接，或者是用来控制带宽与流量，达到更公平的带宽使用呢！更多的功能则有待后续更多的学习。你也可以参考我们在服务器架设篇当中的数据。

◆ SAMBA（加入 Windows 网络上的邻居）

- 在你的 Windows 系统之间如何传输数据呢？当然就是通过网络邻居来传输。那还用问。这也是学校老师在上课过程中要分享数据给同学常用的机制了。问题是，Windows XP 的网络邻居一般只能同时分享 10 台客户端连接，超过的话就得要等待了，真不人性化。
- 我们可以使用 Linux 上面的 SAMBA 这个软件来达成加入 Windows 邻居的功能。SAMBA 的性能不错，也没有客户端连接数的限制，相当适合于一般学校环境的文件服务器的角色呢！
- 这种服务器由于分享的数据量较大，对于系统的网卡与硬盘的大小及速度就比较重要，如果你还针对不同的用户提供文件服务器功能，那么/home 这个目录可以考虑独立出来，并且加大容量。

◆ Mail（邮件服务器）

- 邮件服务器是非常重要的，尤其对于现代人来说，电子邮件几乎已经取代了传统的人工邮件递送了。拜硬盘价格大跌及 Google/Yahoo/Microsoft 公平竞争之赐，一般免费的 Email 邮箱几乎都提供了很不错的邮件服务，包括 Web 接口的传输、大于 2GB 以上的容量空间及全年无休的服务等。例如非常多人使用的 Gmail 就是一例：http://gmail.com。
- 虽然免费的信箱已经非常够用了，老实说，鸟哥也不建议你架设邮件服务器了。问题是，如果你是一间私人单位的公司，你的公司内传送的 Email 是具有商业机密或隐私性的，那你还想要交给免费信箱去管理吗？此时才有需要架设邮件服务器。CentOS 一安装完毕就提供了 Sendmail 及 Postfix 两种邮件服务器软件了！
- 在邮件服务器上面，重要的也是硬盘容量与网卡速度，在此情境中，也可以将/var 目录独立出来，并加大容量。

◆ Web（WWW 服务器）

- WWW 服务器几乎是所有的网络主机都会安装的一个功能，因为它除了可以提供 Internet 的 WWW 连接之外，很多在网络主机上面的软件功能（例如某些分析软件所提供的最终分析结果的界面）也都使用 WWW 作为显示的接口，所以这家伙真是重要到不行的。
- CentOS 使用的是 Apache 这套软件来实现 WWW 网站的功能，在 WWW 服务器上面，如果你还有提供数据库系统的话，那么 CPU 的等级就不能太低，而最重要的则是 RAM 了！要增加 WWW 服务器的性能，通常提升 RAM 是一个不错的考虑。

◆ DHCP（提供客户端自动获取 IP 的功能）

- 如果你是个局域网管理员，你的内网共有 20 台以上的计算机给一般员工使用，这些员工假设并没有计算机网络的维护技能。那你想要让这些计算机在连上 Internet 时需要手动去设置 IP 还是它可以自动获取 IP 呢？当然是自动获取比较方便啦！这就是 DHCP 服务的功能了！客户端计算机只要选择"自动获取 IP"，其他的，就是你系统管理员在 DHCP 服务器上面设置一下即可。这个的硬件要求可以不必很高哕！

◆ Proxy（代理服务器）

- 这也是经常会安装的一个服务器软件，尤其像中小学校的带宽较不足的环境下，Proxy 将有效地解决带宽不足的问题！当然，你也可以在家里内部安装一个 Proxy 喔！但是，这个服务器的硬件要求可以说是相对而言最高的，它不但需要较强有力的 CPU 来运行，对于硬盘的速度与容量要求也很高！既然提供了网络服务，网卡则是重要的一环！

◆ FTP

- 经常看到很多朋友喜欢架设 FTP 去进行网络数据的传输，甚至很多人会架设地下 FTP 网站去传输些违法的数据。老实说，FTP 传输再怎么地下化也是很容易被发现的啦！所以，鸟哥相当不建议你架设 FTP 的喔！不过，对于大专院校来说，因为经常需要分享给全校师生一些免费的资源，此时匿名用户的 FTP 软件功能就很需要了。对于 FTP 的硬件需求来说，硬盘容量与网卡好坏相关性较高。

- 大致上我们会安装的服务器软件就是这一些啰！当然啦，还是那句老话，在目前你刚接触 Linux 的这个阶段中，还是以 Linux 基础为主，鸟哥也希望你先了解 Linux 的相关主机操作技巧，其他的架站，未来再谈吧！而上面列出的各项服务仅是提供给你，如果想要架设某种网络服务的主机时你应该如何规划主机比较好！

3.3.3 主机硬盘的主要规划

系统对于硬盘的需求跟刚才提到的主机开放的服务有关，那么除了这点之外，还有没有其他的注意事项呢？当然有，那就是数据的分类与安全性的考虑。所谓的"数据安全"并不是指数据被网络 Cracker 所破坏，而是指当主机系统的硬件出现问题时，你的文件数据能否安全保存。

经常会发现网络上有些朋友在问："我的 Linux 主机因为停电的关系，造成不正常的关机，结果导致无法开机，这该如何是好？"幸运一点的可以使用 fsck 命令来解决硬盘的问题，麻烦一点的可能还需要重新安装 Linux，另外，由于 Linux 是多用户、多线程的环境，因此很可能上面已经有很多人的数据在其中了，如果需要重新安装的话，光是搬移与备份数据就会疯掉了！所以硬盘的分区考虑是相当重要的！

虽然我们在本章的第二小节部分有谈论过磁盘分区了，但是，硬盘的规划对于 Linux 初学者而言，那将是造成你"头疼"的主要凶手之一。因为硬盘的分区技巧需要对于 Linux 文件结构有相当程度的认知之后才能够做出比较完善的规划的。所以，在这里你只要有个基础的认识即可。老实说，没有安装过十次以上的 Linux 系统，是学不会 Linux 与磁盘分区的。

无论如何，下面还是说明一下基本硬盘分区的模式。

◆ **最简单的分区方法**

- 这个在前面已经谈过了，就是仅分出根目录与内存交换空间（/& swap）即可。然后再预留一些剩余的磁盘以供后续的练习之用。不过，这当然是不保险的分区方法（所以鸟哥经常说这是"懒人分区法"）！因为如果任何一个小细节坏掉（例如坏轨的产生），你的根目录将可能整个损毁，挽救方面较困难！

◆ **稍微麻烦一点的方式**

- 较麻烦一点的分区方式就是先分析这台主机的未来用途，然后根据用途去分析需要较大容量的目录，以及读写较为频繁的目录，将这些重要的目录分别独立出来而不与根目录放在一起，那当这些读写较频繁的磁盘分区有问题时，至少不会影响到根目录的系统数据，那挽救方面就比较容易。在默认的 CentOS 环境中，下面的目录是比较符合容量大且（或）读写频繁的目录：

  - /
  - /usr
  - /home
  - /var
  - Swap

- 以鸟哥为例，通常我会希望我的邮件主机大一些，因此我的/var 通常会分个几 GB 的大小，如此一来就可以不担心会有邮件空间不足的情况了。另外，由于我开启 SAMBA 服务，因此提供每个研究室内人员的数据备份空间，所以，/home 所开放的空间也很大。至于/usr/的容量，大概只要给 2~5GB 即可！凡此种种均与你当初预计的主机服务有关！因此，请特别注意你的服务项目！然后才来进行硬盘的规划。

3.3.4 鸟哥说：关于练习机的安装建议

◆ 关于硬件方面

● 老实说，安装 Linux 是非常困难的一件事，所以在教材方面，安装（Installation）通常是在系统管理教完后才教的。那因为我们不是在大学的教室中，所以没有现成的 Linux 系统可以用，当然就得要自行安装一个啦！因此这里才会先跟大家介绍如何安装 Linux 的。虽然很多朋友都喜欢使用 Virtualbox 安装 Linux 去学习，但是 Virtualbox 或其他相关的虚拟化软件都是用仿真的方式去启动 Linux 的，新手在学习方面经常会误解。

● 有鉴于此，因此，鸟哥"强烈建议你，务必拥有一台独立的主机，而且内含一块仅有 Linux 操作系统的硬盘"，以鸟哥自己为例，我的主机上面有一个移动硬盘，而我有两块分离的硬盘，分别安装 Windows 与 Linux 系统，要使用不同的操作系统时就抽换硬盘，如此一来，主机很单纯，而抽换也很快速，不需要对机箱拆拆装装的，很方便！提供给你作为参考。

◆ 关于硬盘分区方面

● 此外，在硬盘的分区方面，鸟哥也建议新手们，先暂时用/及 swap 两个分区即可，而且，还要预留一个未分区的空间！因为我们是练习机，暂时不会提供网络服务，所以只要有/及 Swap 提供给我们进行安装 Linux 的空间即可。不过，我们未来会针对系统的磁盘部分进行分区的练习以及磁盘配额（quota）的练习，因此，预留一个磁盘空间是必须要的。

● 举例来说，如果你有一个 20GB 的硬盘，那么建议你分 15GB 来安装 Linux，512MB 给 Swap，另外的 4GB 左右不要分区，先保留下来，未来我们可以继续来练习。

◆ 关于软件方面

● 另一个容易发现问题的地方，在于用户经常会找不到某些命令，导致无法按照书上的说明去执行某些命令。因为无法执行命令，所以就会一直给他放在那边，不会继续往下学习。为什么会找不到命令呢？很简单。就是因为没有安装该软件啊！所以，强烈的建议新手，务必将所有的套件都安装。也就是选择"安装所有套件"就是了。

● 当然，上面提到的都是针对"练习机"而言。如果是你自己预计要上线的 Linux 主机，那就不建议按照上面的说明安装了。

3.3.5 鸟哥的两个实际案例

这里说一下鸟哥的两个实际的案例，这两个案例是目前还在运行的主机。要先声明的是，鸟哥的范例不见得是最好的，因为每个人的考虑并不一样。我只是提供相对可以使用的方案而已！

案例一：家用的小型 Linux 服务器，路由与文件共享中心

◆ 提供服务

● 提供家里的多台计算机的网络连接分享，所以需要 NAT 功能。提供家庭成员的数据存放容量，由于家里使用 Windows 系统的成员不少，所以搭建 SAMBA 服务器，提供网络邻居的网络驱动器功能。

◆ 主机硬件配置

■ CPU 使用 P-III 800MHz；

■ 内存大小为 512MB 的 RAM；

■ 两块网卡，控制芯片为常见的螃蟹卡（Realtek）；

■ 共有两块磁盘，一块系统盘一块数据盘。文件盘高达 160GB；

■ 显卡为以前很流行的 GeForce 2 MX，含 32MB 的内存；

■ 安装完毕后将屏幕、键盘、鼠标、DVD-ROM 等配置均删除，仅剩下网线与电源线。

◆　硬盘分区
- ■　分成/boot、/、/usr、/var、/tmp 等目录均独立；
- ■　/home 独立出来，放置到那块 160GB 的磁盘，提供给家庭成员存放个人资料；
- ■　1GB 的 Swap。

案例二：提供 Linux 的 PC 集群（Cluster）计算机群

◆　提供服务
- ●　提供研究室成员对于模式仿真的软、硬件平台，主要提供的服务并非因特网服务，而是研究室内部的研究工作分析。

◆　主机硬件配置
- ■　利用两台双 CPU（均为双核）的 x86_64 系统（泰安主板提供的特殊功能）；
- ■　使用 Geforce 7300 显卡，内含 64MB 的内存；
- ■　使用一块硬盘作为主系统，6 块磁盘组成磁盘阵列，以存储模式仿真的结果；
- ■　使用 PCI-Express 接口的网卡，速度为 Gb/s；
- ■　共有 4GB 的内存容量。

◆　硬盘分区
- ■　全部的磁盘阵列容量均给/cluster/raid 目录，占有 2TB 的容量；
- ■　2GB 的 swap 容量；
- ■　分出/、/usr、/var、/tmp 等目录，避免程序错误造成系统的困扰；
- ■　/home 也独立出来，让每个研究室成员可以拥有自己的数据存放容量。

在上面的案例中，案例一是属于小规模的主机系统，因此只要使用预计被淘汰的配置即可进行主机的架设，唯一可能需要购买的大概是网卡。而在案例二中，由于我需要大量的数值运算，且运算结果的数据非常庞大，因此就需要比较大的磁盘容量与较佳的网络系统了。以上的数据请先记住，因为下一章节在实际安装 Linux 之前，你得先进行主机的规划。

3.3.6　大硬盘配合旧主机造成的无法开机问题

随着时代的演变，如今个人计算机上面的硬盘容量竟然都已经高达 750GB 以上了！这么大的硬盘用起来当然是很爽快的，不过，也有一些问题的，那就是开机的问题。

某些比较旧的主板中，它们的 BIOS 可能找不到比较大容量的磁盘。所以，你在旧主板上面安装新的大容量磁盘时，很可能你的磁盘容量会被误判。不过，即使是这样，Linux 还是能够安装。而且能够顺利获取到完整的硬盘容量呢！为什么呢？因为当 Linux 内核顺利开机启动后，它会重新再去检测一次整个硬件而不理会 BIOS 所提供的信息，所以就能够顺利识别正确的硬盘，并且让你安装 Linux。

但是，安装完毕后，可能会无法开机！为什么？前一小节里面我们不是谈到过开机流程与 MBR 的内容吗？安装的时候是以光盘启动并且由光盘加载 Linux 内核，所以内核可以被顺利加载来安装。但是若以这样的配置来开机时，因为 BIOS 识别的硬盘是不对的，所以使用硬盘开机可能就会出现无法开机的错误了。那怎么办？

由于 BIOS 捕捉到的磁盘容量不对，但是至少在整块磁盘前面的扇区它还读得到。因此，你只要将这个磁盘最前面的容量分出一个小分区，并将这个分区与系统启动文件的放置目录摆在一起，那就是/boot 这个目录。其实，重点是将启动扇区所在分区规范在小于 1024 个柱面以内即可。那怎么做到呢？很简单，在进行安装的时候，规划出三个扇区，分别是：

◆　/boot

◆　/

◆　swap

那个/boot 只要给 100MB 左右即可。而且/boot 要放在整块硬盘的最前面。这部分你先有印象与概念即可，我们谈到第 20 章的开机流程时，会再加强说明的！

3.4　重点回顾

- 新添计算机硬件配置时，需要考虑的角度有游戏机/工作机的考虑、性价比的考虑、支持度的考虑等。
- 旧的硬件配置可能由于保存的问题或者是电子零件老化的问题，导致计算机系统非常容易在运行过程中出现不明的死机情况。
- Red Hat 的硬件支持：https://hardware.redhat.com/?pagename=hcl
- 在 Linux 系统中，每个设备都被当成一个文件来对待，每个设备都会有设备文件名。
- 磁盘的设备文件名主要分为 IDE 接口的/dev/hd[a–d]及 SATA/SCSI/USB 接口的/dev/sd[a–p]两种。
- 磁盘的第一个扇区主要记录了两个重要的信息，分别是：（1）主引导分区（Master Boot Record, MBR）：可以安装引导加载程序的地方，有 446bytes；（2）分区表（partition table）：记录整块硬盘分区的状态，有 64bytes。
- 磁盘的主分区与扩展分区最多可以有四个，逻辑分区的设备文件名号码一定由 5 号开始。
- 开机的流程是：BIOS→MBR→→boot loader→内核文件。
- boot loader 的功能主要有提供菜单、加载内核、转交控制权给其他 loader。
- boot loader 可以安装的地点有两个，分别是 MBR 与 boot sector。
- Linux 操作系统的文件使用目录树系统，与磁盘的对应需要有"挂载"的操作才行。
- 适合于新手的简单分区：建议只要有/及 swap 两个分区即可。

3.5　本章习题

实作题部分

请分析你的家庭计算机，以你的硬件配置来计算可能产生的耗电量，最终再以计算出来的总瓦数乘上你可能开机的时间，以推估出一年你可能会花费多少钱在你的这台主机上面。

问答题部分

- 一台计算机主机是否只要 CPU 够快，整体速度就会提高？
- Linux 对于硬件的要求需要的考虑是什么？是否一定要很高的配置才能安装 Linux？
- 一部好的主机在安装之前，最好先进行规划，哪些是必定需要注意的 Linux 主机规划事项？
- 请写下列配置在 Linux 中的设备文件名：
  - IDE 硬盘
  - CDROM
  - 打印机
  - 软驱
  - 网卡
- 如果你的系统经常死机，又找不到方法解决，你可以向硬件的哪个方向去搜寻？
- 目前在个人计算机上面常见的硬盘与主板的连接接口有哪两个？

3.6　参考数据与扩展阅读

SPFdisk：http://spfdisk.sourceforge.net/

4

第4章　安装 CentOS 5.x 与
多重引导小技巧

　　Linux distributions 越来越成熟，所以在安装方面也越来越简单。虽然安装非常简单，但是刚才前一章所谈到的基础知识还是需要了解的，包括 MBR、partition、boot loader、mount、software 的选择等数据。这一章鸟哥的安装定义为"一台练习机"，所以安装的方式都是以最简单的方式来处理的。另外，鸟哥选择的是 CentOS 5.x 的版本来安装。在内文中，只要标题内含有（Option）的，代表是鸟哥额外的说明，你应该看看就好，不需要实践。

4.1　本练习机的规划（尤其是分区参数）

读完第 3 章"主机规划与磁盘分区"之后，相信你对于安装 Linux 之前要做的事情已经有基本的概念了。如果你没有读第 3 章……千万不要这样跳着读，赶紧回去念一念第 3 章，了解一下安装前的各种考虑对你 Linux 的学习会比较好。

如果你已经读完第 3 章了，那么下面就实际针对第 3 章的介绍来——规划我们所要安装的练习机吧！请大家注意，我们后续的章节与本章的安装都有关联性，所以，请务必要了解到我们这一章的做法。

- ◆ Linux 主机的角色定位
  - 本主机架设的主要目的在于练习 Linux 的相关技术，所以几乎所有的数据都想要安装进来。因此连较耗系统资源的 X Window System 也必须要包含进来才行。所以使用的是前一章讲到的 Desktop 类型的使用。
- ◆ 选择的 distribution
  - 由于我们对于 Linux 的定位为"服务器"的角色，因此选择号称完全兼容于商业版 RHEL 的团队版本，就是 CentOS 5.x 版。请回到前一章去获得下载的信息。另外，由于鸟哥后续使用的硬件配置并非 64 位，因此使用的版本为 i386 的版本。
- ◆ 计算机系统硬件配置
  - 由于鸟哥身边的计算机都有用途了，只剩下一台较旧的主机。硬件配置如下所示。虽然这样的硬件配置已经过时了，不过，对于练习 Linux 或者是架设一台实际上线的 Linux Server 来说，还是很够力的：
    - ■ 主板与 CPU
  - 使用 Celoron 1.2GHz 的 CPU，内置 256KB 的 L2 高速缓存。搭配华硕小型主板（准系统用）。
    - ■ 内存
  - 总共具有三条 256MB 的 PC133 内存，总内存为 768MB。
    - ■ 硬盘
  - 使用一块 40GB 的 IBM 硬盘，规格为 IDE 接口，并且接到 IDE2 的 master，所以设备文件名为/dev/hdc！
    - ■ 网卡
  - 由于主板内置的网卡需要额外的驱动程序，所以安插了一块网卡驱动（Realtek 8139），并且在 BIOS 中关闭了内置的网卡功能。
    - ■ 显卡（VGA）
  - 由于这台主机是准系统，因此是主板内置的显示芯片。显卡内存为与主存储器分享的，鸟哥分出 64MB 给显卡使用。因此本系统主存储器仅剩（768-64=704MB）。
    - ■ 其他输入/输出设备
  - 具有一部 DVD 光驱、1.44MB 软盘驱动器、USB 光学鼠标、300W 电源，并使用 17 英寸的液晶显示器。
- ◆ 磁盘分区的配置
  - 第 3 章谈到关于旧主板加上大容量硬盘可能会导致能安装但无法开机的问题，为了避免这个问题在各位朋友的实际案例中发生，因此鸟哥将我的 40GB 硬盘进行表 4-1 所示的分区。
  - 你也可以仅分区出/及 swap。如果想要安装多重操作系统的，那甚至可以只存在/即可呢！连 swap 都不需要了。如果能安装却无法开机，可能就是由于没有/boot 存在的关系，请参考本章最后一节的说明了。

表 4-1

所需目录/设备	磁 盘 容 量	分 区 类 型
/boot	100MB	primary
/	10GB	primary
/home	5GB	primary
swap	1GB	logical

◆ 引导装载程序（boot loader）
- 练习机的引导装载程序使用 CentOS 5.x 默认的 grub 软件，并且安装到 MBR 上面。（也必须要安装到 MBR 上面才行。因为我们的硬盘是全部用在 Linux 上面的。）

◆ 选择软件
- 如前面所述，将所有的软件通通安装上去。等到将来再次重新安装时，你再使用最小安装来安装你的系统，注意，第一次安装 Linux 的朋友，真的建议要完全安装整个系统。
- 检查窗体。
- 最后，你可以使用下面的表 4-2 来检查一下你要安装的数据与实际的硬件是否吻合。

表 4-2

是与否（或详细信息）	项　目
是, DVD 版	是否已下载且刻录所需的 Linux distribution（DVD 或 CD）
CentOS 5.3, i386	Linux distribution 的版本为何（如 CentOS 5.3 i386 版本）
i386	硬件等级为何（如 i386, x86_64, SPARC 等，以及 DVD/CD-ROM）
是，均为 i386	前三项安装媒体/操作系统/硬件需求是否吻合
是	硬盘数据是否可以全部被删除
已确认分区方式	分区是否做好确认（包括/与 swap 等容量）
	硬盘数量: 1 块 40GB 硬盘 /: 10GB swap: 1GB 其他：/boot: 100MB,/home: 5GB
无	是否具有特殊的硬件设备（如 SCSI 磁盘阵列卡等）
无此需要	若有上述特殊硬件，是否已下载驱动程序
grub, MBR	引导装载程序与安装的位置在哪里
未取得 IP 参数	网络信息（IP 参数等）是否已取得
	未取得 IP 的情况下，可以应用如下的 IP 参数： 是否使用 DHCP：无 IP:192.168.1.100 子网掩码：255.255.255.0 主机名：www.vbird.tsai
默认安装	所需要的软件有哪些（默认/最小/全部/自定义安装）

- 上面的窗体中最后一条挺有趣，如果你是第一次安装 Linux，那么建议你使用全部安装；如果是已经安装过的话，那可以使用默认安装；如果要挑战自己的功力，那就使用最小安装。如果想要自行挑选软件的话，那就使用自定义安装。如果上面窗体确认过都没有问题的话，那么我们就可以开始来安装咱们的 CentOS 5.x i386 版本。

4.2　开始安装 CentOS 5

由于本章的内容主要是针对安装一台 Linux 练习机来设置的，所以安装的分区等过程较为简单。

如果你已经不是第一次接触 Linux，并且想要架设一台要上线的 Linux 主机，请务必前往第 3 章看一下整体规划的想法。在本章中，你只要依照前一小节的检查窗体说明检查你所需要的安装媒体/硬件/软件信息等，然后就能够安装啦！

安装的步骤在各主要 Linux distributions 中都差不多，主要的内容大概是：

1. 调整启动媒体（BIOS）：务必要使用 CD 或 DVD 光盘启动，通常需要调整 BIOS。
2. 选择安装结构与开机：包括图形界面/命令行界面等，也可加入特殊参数来开机进入安装界面。
3. 选择语系数据：由于不同地区的键盘按键不同，此时需要调整语系/键盘/鼠标等配置。
4. 磁盘分区：最重要的项目之一。记得将刚才的规划单拿出来设置。
5. 引导装载程序、网络、时区设置与 root 密码：一些需要的系统基础设置！
6. 软件选择：需要什么样的软件？全部安装还是默认安装即可？
7. 安装后的首次设置：安装完毕后还有一些事项要处理，包括用户、SELinux 与防火墙等。
   下面我们就真的要来安装。

4.2.1　调整启动媒体（BIOS）

你不能在 Windows 的环境下安装 Linux，你必须要使用 Linux 的安装光盘启动后才能够进行 Linux 的安装流程。目前几乎所有的 Linux distributions 以及主板都有支持从光盘启动，所以以往使用软盘启动的安装方式我们就不再介绍了。

那如何让你的主机可以用光盘启动呢？由前一章的开机流程我们知道开机的设备是由 BIOS 调整的，所以要让光盘可以启动，当然就得要进入 BIOS 调整开机启动的顺序了。不过，各家主板使用的 BIOS 程序不一样，而且进入 BIOS 的按键也不相同，因此这部分得要参考你的主板说明书才好。鸟哥这里使用的是我的测试机来解释。

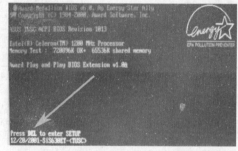

图 4- 1　按[Del]键进入 BIOS 界面

1. 开机进入 BIOS 的按键
- 将你的 PC 重新启动，在开机的界面中按下[del]按键，以进入 BIOS 界面，如图 4-1 的箭头所示。
2. 进入 BIOS 操作界面
- 然后会出现如图 4-2 所示界面，显示出目前你的 BIOS 主要结构。
- 界面中最上方为主菜单部分，有"Main, Advanced, Power, Boot, Exit"等选项。我们有兴趣的地方在"Boot"中。最下方则是一些 BIOS 操作说明，包括使用上、下、左、右等按键以及[Enter]按键等。此时，请按照 BIOS 的操作说明，利用向右的箭头键将菜单移动到"Boot"选项。
3. 开机启动的顺序调整
- 进入到 Boot 的界面后，你就可以使用[+]、[−]按键来调整开机启动的顺序。以鸟哥的环境来说，我就调整开机设备为光盘。如图 4-3 所示。

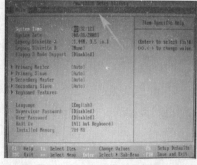

图 4- 2　BIOS 界面示意图

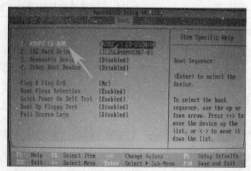

图 4- 3　BIOS 内的开机启动顺序菜单

4．保存后离开

- 接下来，只要按[F10]键然后按下[Enter]键就能够保存刚才的设置，系统会自动重新启动，就能够使用光驱里面的光盘来启动了。就是这么简单。

> 在另外一款常见的 BIOS 界面中，会有一个 "BIOS Features Setup" 之类字眼的选项，进入该选项后找到 "Boot Sequence" 或者是 "First Boot Device" 之类的字样，并选择 CD-ROM 开机为第一优先即可。通常鸟哥都是用 CD-ROM 为第一项，然后是硬盘（HD-0）。

在调整完 BIOS 内的开机启动的顺序后，理论上你的主机已经可使用可开机光盘来开机了。如果发生一些错误消息导致无法以 CentOS 5.x DVD 来开机，很可能是由于计算机硬件不支持或光驱会挑片，或者光盘有问题；如果是这样，那么建议你再仔细确认一下你的硬件是否有超频或者其他不正常的现象。另外，你的光盘来源也需要再次确认！

在进行完上面的步骤之后，请放入我们的 CentOS 5.x i386 的 DVD，重新启动准备进入安装界面。

4.2.2 选择安装结构与开机

由于为了界面获取的高分辨率，鸟哥使用 Virtualbox[注1] 这套软件来抓图给大家看。所以如果有看到与上面练习机的规划的信息不同时，请大家多多包涵！好了，如果一切都没问题，那么使用从 DVD 开机启动后，你应该会看到屏幕出现如图 4-4 所示的界面。

其中：

1. 你可以直接按下<Enter>键来进入图形界面的安装方式；
2. 也可以直接在 boot:（上图箭头 4 所指处）后面输入 "linux text" 来进入文字界面的安装；
3. 还有其他功能菜单，可按下键盘最上方那一行的[F1]、[F5]按键来查阅各功能。

图 4-4 安装程序的安装选择界面 默认的[F1]界面

要特别注意的是，如果你在 10 秒钟内没有按下任何按键的话，那么安装程序默认会使用图形界面来开始安装流程。由于目前安装程序都制作得非常棒！因此，建议你使用图形界面来安装即可。鸟哥接下来就是使用图形界面来安装的。如果想要知道安装程序还提供什么功能，我们可以按下功能键。例如图 4-5 所示就是[F2]的功能说明。

上图中箭头指的地方需要留意一下，那个还算是常用的功能！意义是这样的：

- ◆ linux noprobe（1 号箭头）
  - 不进行硬件检测，如果你有特殊硬件时，或许可以使用这一项来停止硬件检测。
- ◆ linux askmethod（2 号箭头）
  - 进入互动结构，安装程序会进行一些询问。如果你的硬盘内含有安装媒体时，或者是你的环境内有安装服务器（Installation server），那就可以选这一项来填入正确的网络主机来安装。
- ◆ memtest86（3 号箭头）
  - 这个选项会一直进行内存的读写，如果你怀疑你的内存不稳定的话，可以使用这个选项来测试你的内存。测试完成后需要重新启动。
  - 那如果按下的是[F5]时，就会进入到救援模式的说明界面，如图 4-6 所示。

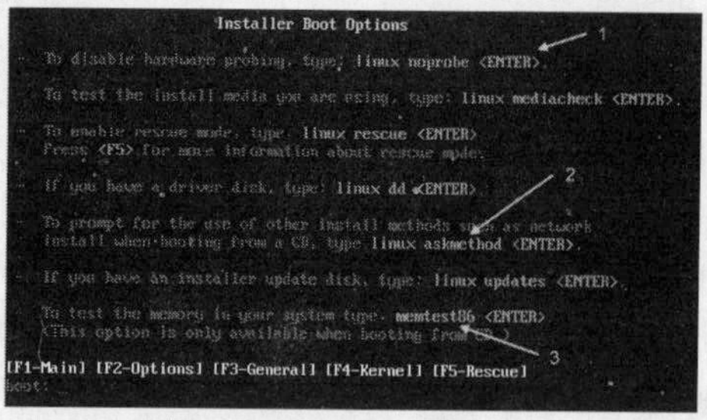

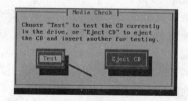

图 4- 5　安装程序的安装模式选择界面：[F2]的界面 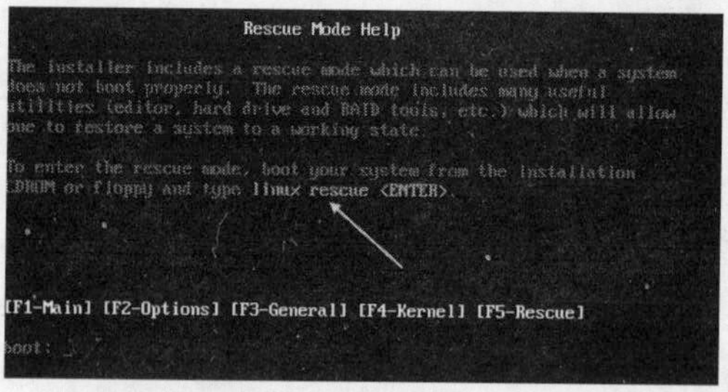　　图 4- 6　安装程序的安装模式选择界面：[F5]的救援模式说明界面

　　图 4-6 的意思是说，如果你的 Linux 系统因为设置错误导致无法启动时，可以使用"linux rescue"来进入救援模式，这很有帮助。在我们后面各章节的练习中有很多练习是需要更改系统配置文件的，万一你设置错误将可能会导致无法开机启动。此时请拿出此片 DVD 来进行救援模式，能够救回你的 Linux 而不需要重新安装呢！

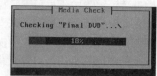

　　因为我们是首次安装 Linux，所以就请直接按下 <Enter>按键，此时安装程序会开始去检测硬件，检测的结果会显示到你的屏幕上，如图 4-7 所示。

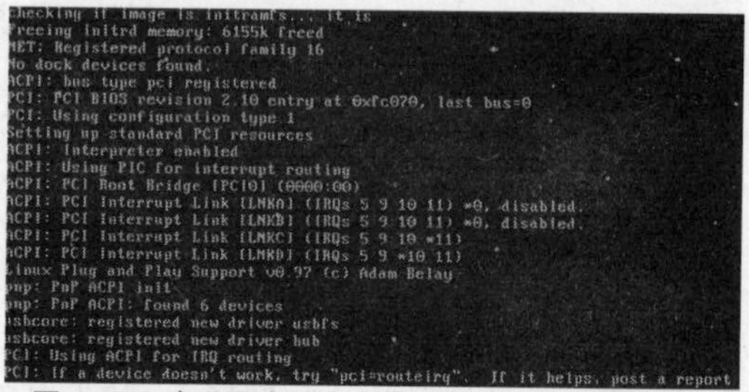

　　如果检测过程中没有问题，那么就会出现要你选择是否要进行存储媒体的检验界面，如图 4-8 所示。

　　如果你确定你所下载的 DVD 或光盘没有问题的

图 4- 7　安装程序的内核进行硬件检测流程示意图

话，那么这里可以选择 "Skip（忽略）"，不过，你也可以按 "OK" 来进行 DVD 的测试，因为通过 DVD 的测试后，后续的安装比较不会出现奇怪的问题。不过如果你按 "OK" 后，程序会开始测试光盘内的所有文件的信息，会花非常多的时间喔！如图 4-9 所示。

图 4-8　是否进行安装媒体的检测示意图

图 4-9　是否真的要测试光盘或 DVD

　　若没有问题，请按下 "Test" 按钮，此时会出现测试过程，如图 4-10 所示。

　　最终的测试结果如图 4-11 所示，按下 "OK" 即可。如果你发现了测试错误的情况，很可能是你下载的 DVD 源文件不完整，或者是光盘/DVD 不被识别，或者是刻录的速度倍数太高而导致刻录不完整等，总之，可能就是要你再重新刻一张新的 DVD。这就是测试 DVD 的优点，虽然会花去一些时间就是了。

图 4-10　开始测试 DVD 的内容

　　如果还有其他光盘想要被测试时，在图 4-12 中按下 "Test" 继续！不过我们仅有一张 DVD 而已，因此这边选择 "Continue" 来进入安装的程序。

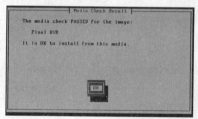

图 4-11　检验结果是正确的情况

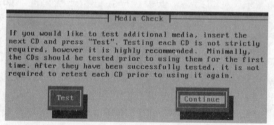

图 4-12　检验结束，开始安装的流程

4.2.3　选择语系数据

接下来就是整个安装的程序了。安装的界面如图 4-13 所示。

如果你想要了解这一版的 CentOS 5.3 有什么公告的注意事项，请按下图 4-13 中的"Release Notes"按钮（1 号箭头处），就能够看到公告的栏目。如果没有问题的话，请按下"Next"开始安装程序。如图 4-14 所示界面会出现语系的选择了。

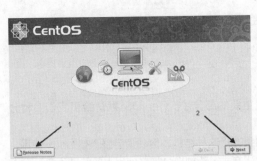

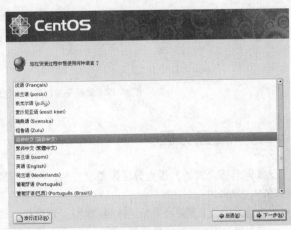

图 4-13　欢迎界面　　　　　　　　　　　　图 4-14　安装过程的语系选择

我们惯用的中文为简体中文，请先选择简体中文的选项，然后点击"下一步"即可出现如图 4-15 所示界面。

因为简体中文默认也是使用美国英语式的键盘对照表，因此你会看到界面直接就是美国英语式，你只要按下"下一步"即可。

如果没有问题的话，理论上应该会进入下个步骤，也即是磁盘分区的界面才对。不过，如果你的硬盘是全新的，而且并没有经过任何的磁盘分区时，就会出现如图 4-16 所示的警告消息。

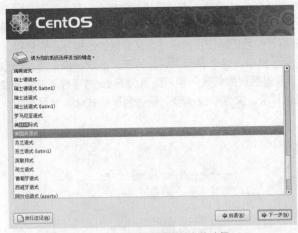

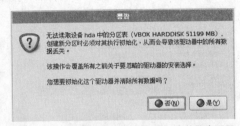

图 4-15　键盘字符映射表的选择　　　　　　图 4-16　安装程序找不到磁盘分区表的警告图示

因为鸟哥使用的是 Virtualbox 虚拟机的环境，所以默认的那块硬盘是全新的，所以才会出现上述的消息。请在图 4-16 中按下"是"。你的主机内的硬盘如果不是全新的，上述的警告界面不会出现。而如果你曾经安装过 Linux 的话，那么可能会出现如图 4-17 所示界面。

如果没有其他特别的需求，那就选择全新安装吧！接下来让我们开始磁盘分区。

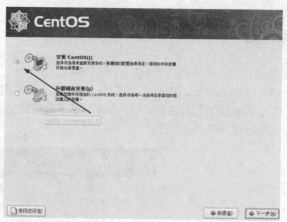

图 4-17　曾经安装过 CentOS 出现的全新安装或升级

4.2.4　磁盘分区

如同前面谈到的，磁盘分区是整个安装过程里面最重要的部分了。CentOS 默认给了我们四种分区结构，分别为：

◆ **在选定磁盘上删除所有分区并创建默认分区结构**：如果选择这种结构，你硬盘会整个被 Linux 使用，并且硬盘里面的分区全部被删除后，以安装程序的默认方式重新创建分区，使用上要特别注意！

◆ **在选定驱动上删除 Linux 分区并创建默认的分区结构**：在这块硬盘内，只有 Linux 的分区会被删除，然后再以安装程序的默认方式重新创建分区。

◆ **使用选定驱动器中的空余空间并创建默认的分区结构**：如果你的这块硬盘内还有未被分区的柱面空间（注意，是未被分区，而不是该分区内没有数据的意思），那么使用这个选项后，它不会更改原有的分区，只会在空余分区块进行默认分区的创建。

◆ **建立自定义的分区结构**：就是我们要使用的啦！不要使用安装程序的默认分区方式，使用我们需要的分区方式来处理。

如果你想要不同的分区结构，那如图 4-18 箭头所指的地方，点一下该按钮就会出现上面说明的四种结构了。但是因为我们已经规划好要创建四个分区，分别是/、/boot、/home 与 swap 四个，所以不想要使用安装程序默认的分区方式。因此如图 4-18 所示，我们所使用的是自定义分区的结构，不要搞错。

按下"下一步"后就会出现如图 4-19 的分区窗口。这个界面主要分为三大区块，最上方为硬盘的分区示意图，目前因为鸟哥的硬盘并未分区，所以呈现的就是一整块而且为 Free 的字样。中间是命令区，下方则是每个分区的设备文件名、挂载点目录、文件系统类型、是否需要格式化、分区容量大小、开始与结束的柱面号码等。

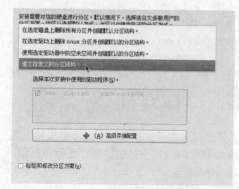

图 4-18　磁盘分区方式的挑选

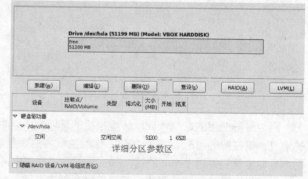

图 4-19　磁盘分区操作主界面

至于命令区，总共有六大区块，其中 RAID 与 LVM 是硬盘特殊的应用，这部分我们会在后续的第 15 章的高级文件系统当中再来说明。至于其他命令的作用如下：

◆　"新建"是增加新分区，也即是进行分区操作，以新建新的磁盘分区。

◆　"编辑"则是编辑已经存在的磁盘分区，你可以在实际状态显示区点击想要修改的分区，然后再点击"编辑"即可进行该分区的编辑操作。

◆　"删除"则是删除一个磁盘分区，同样，你得要在实际状态显示区点击想要删除的分区。

◆　"重设"则是恢复最原始的磁盘分区状态。

　　需要注意的是，你的系统与鸟哥的系统当然不可能完全一样，所以你屏幕上的硬盘信息应该不会与鸟哥的相同的。所以看到不同，不要太紧张啊，那是正常的！

◆　创建根目录的分区

　　● 好，接下来我们就尝试来创建根目录（/）的分区看看。按下"新建"后，就会出现如图 4-20 所示的界面。由于我们需要的根目录是使用 Linux 的文件系统，因此默认就是 ext3 这个文件系统。至于在挂载点的地方，你可以手动输入也可以用鼠标来挑选。最后在大小（MB）的地方输入你所需要的磁盘容量即可。不过由于鸟哥这个系统当中只有一块磁盘，所以在"允许的驱动器"里面就不能够自由挑选。

　　如果你想要知道 Linux 还支持什么文件系统类型，点一下图中的 ext3 那个按钮，就会出现如图 4-21 所示的界面。

图 4-20　新建磁盘分区的界面

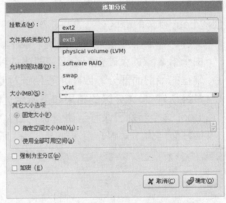

图 4-21　分区过程的文件系统类型挑选

这几种文件系统类型分别是：

◆　ext2/ext3：是 Linux 适用的文件系统类型。由于 ext3 文件系统多了日志的记录，对于系统的恢复比较快速，因此建议你务必要选择新的 ext3 而不要用 ext2 了。（日志文件系统我们会在后续的第 8 章介绍它的意义。）

◆　physical volume（LVM）：这是用来弹性调整文件系统大小的一种机制，可以让你的文件系统大小变大或变小而不改变原有的文件数据的内容。这部分我们会在第 15 章的高级文件系统管理中谈到！

◆　software RAID：利用 Linux 操作系统的特性，用软件仿真出磁盘阵列的功能！这东西很棒！不过目前我们还用不到，在后续的第 15 章再跟大家讲解。

◆　swap：就是内存交换空间。由于 swap 并不会使用到目录树的挂载，所以用 swap 就不需要指定挂载点。

◆　vfat：同时被 Linux 与 Windows 所支持的文件系统类型。如果你的主机硬盘内同时存在 Windows 与 Linux 操作系统，为了数据的交换，确实可以构建一个 vfat 的文件系统。

　　这几样东西都很有趣！不过，毕竟我们才刚开始碰这个 Linux。先安装起来，其他的以后再说。所以，你只要使用 ext3 以及 swap 这两者即可。

　　一切数据都填入妥当后，就会出现如图 4-22 所示的界面。因为我们的根目录就是需要 10GB 的大小，因此在大小（MB）的地方就得要填入 10000。因为 1G=1000M 比较好记忆。而且我们的根目录大小是固定的，所以在其他大小选项中就选择"固定大小"了。此外，如果你硬要自己调整主/扩展/逻辑分区的类型时，最后那个"强制为主分区"可以自己玩一玩先！最后按下"确定"，如图 4-22 所示。

按下"确定"后就会回到原本的分区操作界面（如图 4-23 所示）。此时你会看到分区示意图多了一个 hda1，且在实际分区域显示中，也会看到/dev/hda1 是对应到根目录的。在"格式化"的项目中出现一个打勾的符号，那代表后续的安装会将/dev/hda1 重新格式化的意思。接下来，我们继续按下"新建"来创建/boot 这个分区。

图 4-22　新建根目录分区的最终图标

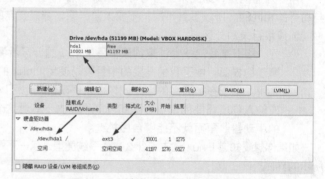

图 4-23　磁盘分区主界面的改变示意图

◆ 创建/boot 目录的分区

● 同样，在按下"新建"后，如下依序填入正确的信息，包括挂载点、文件系统、文件大小等。由于第 3 章的大硬盘配合旧主机当中我们谈到如果有/boot 独立分区时，务必让该分区在整块硬盘的最前面部分。因此，我们针对/boot 就选择"强制为主分区"。如图 4-24 所示。

● 最终创建/boot 分区的结果如下所示，仔细看输出的结果。安装程序还挺聪明的，它会主动将/boot 这个特殊目录移到磁盘最前面，所以你会看到/boot 所在的磁盘分区为/dev/hda1，而起始柱面则为 1 号呢！情况如图 4-25 所示。

图 4-24　创建/boot 分区的最终结果

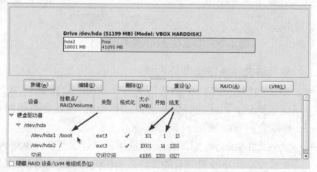

图 4-25　/boot 分区自动调整柱面号码示意图

◆ 创建内存交换空间 swap 的分区

● 在图 4-25 中继续按下"新建"来处理内存交换空间（swap）。如同上面谈到的，因为 swap 是内存交换空间，因此不需要有挂载点。所以，请如图 4-26 所示，在"文件系统类型"处选择为"swap"。

● 选择了 swap 之后，你就会发现"挂载点"部分自动变成"不适用"了，如图 4-27 所示。因为不需要挂载。那么 swap 应该要选多大呢？虽然我们已经自定义为 1GB 这么大的交换空间，不过，在传统的 Linux 说明文件当中特别有指定到"**swap 最好为物理内存的 1.5 到 2 倍之间**"。swap 交换空间是很重要的，因为它可以避免因为物理内存不足而造成的系统效能低的问题。但是如果你的物理内存有 4GB 以上时，老实说，swap 也可以不必额外设置。

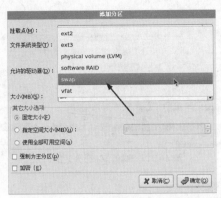

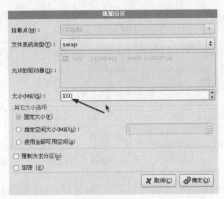

图 4-26　swap 文件系统的选择示意图　　　　　　图 4-27　新增 swap 分区的最终结果

swap 内存交换空间的功能是：当有数据被存放在物理内存里面，但是这些数据又不是常被 CPU 所取用时，那么这些不常被使用的程序将会被丢到硬盘的 swap 交换空间当中，而将速度较快的物理内存空间释放出来给真正需要的程序使用。所以，如果你的系统不是很忙，而内存又很大，自然不需要 swap。

- 某些安装程序在你没有指定 swap 为内存的 1.5～2 倍时会有警告消息的告知，此时只要将警告消息忽略，按"下一步"即可。好了，如果一切都顺利完成的话，那么你就会看到如图 4-28 所示分区结果。

◆ 创建/home 目录的分区

- 让我们继续完成最后一个分区。继续按下"新建"，然后完成如下数据的填写并按下"确定"，如图 4-29 所示。

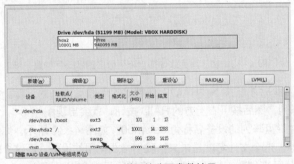

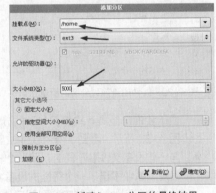

图 4-28　详细的分区参数结果　　　　　　　图 4-29　新建/home 分区的最终结果

- 分区的最终结果终于出炉。如图 4-30 所示。你会发现系统自动将/dev/hda4 变成扩展分区。然后将所有容量都给/dev/hda4，并且将 swap 分配到/dev/hda5。这就是分区的用途。这也是为什么我们要在第 3 章花这么多时间来解释分区的原因。

- 到此为止，我们这个练习机的分区就已经完成了！接下来我们额外介绍如果你还想要删除与常见软件磁盘阵列，该如何在安装时就制作呢？

◆ 删除已存在分区的方法：（Option,看看就好，别实践）

- 如果你想要将某个分区删除，或者是你刚才错误指定了一个分区的相关参数，想要重新处理时，要怎办啊？举例来说，我想要将图 4-28 中的/dev/hda5 那个 swap 分区删除掉。好，先将鼠标指定到 swap 上面点一下，如图 4-31 所示，该分区会反白，然后再按下"删除"，此时会如图 4-31 所示跳出一个窗口，在该窗口内按下"删除"，这个分区就被删除。

图 4-30　详细的分区参数结果

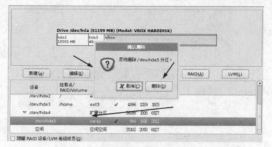

图 4-31　删除已存在分区的方法

- ◆ **创建软件磁盘阵列的方法：（Option,看看就好，别实践）**
  - 如果你知道什么是磁盘阵列的话，那么下面图 4-32 所示的步骤可以让你构建一个软件仿真的磁盘阵列。由于磁盘阵列在后面第 15 章高级文件系统管理才会讲到，这里只是先告诉你，其实磁盘阵列可以在安装时就构建了呢！首先，在分区操作按键区按下"新建"，然后出现图 4-32，选择"Software RAID"项目，并填入 1000MB 的大小，按下"确定"！
  - 上述的操作"请要连续做两次"之后，就会出现如图 4-33 所示界面。注意，由于我们尚未讲到 RAID 的等级（level），所以你应该还不了解为什么要做两次。没关系，先有个底，以后再回来查阅时，你就会知道如何处理了。两个软件 RAID 的分区信息如图 4-33 所示。

图 4-32　软件磁盘阵列分区的新建示意图

图 4-33　在已具有软件磁盘阵列分区的状态下构建 RAID

  - 由于我们已经具有软件 RAID 的分区，此时才能按下"RAID"来创建软件磁盘阵列的设备。如图 4-33 所示，看到了两个软件磁盘阵列，然后按下右上方的 RAID 按钮，就会出现图 4-34。
  - 与一般设备文件名不同的，第一个软件磁盘阵列的设备名称为/dev/md0。如图 4-34 所示，你会发现到系统多出了一个奇怪的设备名称，这个文件名就是未来给我们格式化用的设备。而这个软件磁盘阵列的设备其实是利用实体的分区来创建。按下图中的"确定"后就会出现图 4-35。

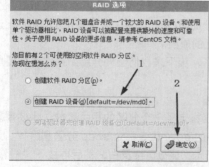

图 4-34　创建软件磁盘阵列/dev/md0

图 4-35　软件磁盘阵列的挂载点、等级与文件系统格式

- 由于我们仅创建两个软件磁盘阵列分区，因此在这边只能选择 RAID0 或 RAID1。我们以 RAID0 来作为示范，你会发现中间白色框框的地方会有两个可以选择的分区，那就是刚才我们创建起来的 software RAID 分区。我们将这个/dev/md0 挂载到/myshare 目录去，然后再按下"确定"吧。最终的结果如图 4-36 所示，在实际分区就会显示/dev/md0，而由于这个设备是 Linux 系统仿真来的，所以在柱面号码（开始/结束）的地方就会留白。这样可以了解吗？

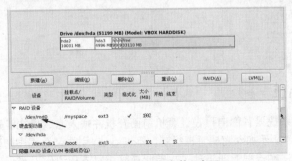

图 4-36　最终分区参数示意图

4.2.5　引导装载程序、网络、时区设置与 root 密码

◆ **引导装载程序的处理**
- 分区完成就进入引导装载程序的安装了，目前较新的 Linux distributions 大多使用 grub 引导程序，而且我们也必须要将它安装到 MBR 里面才行。因此如图 4-37 所示，在 1 号箭头的地方就得要选择整块磁盘的文件名（/dev/hda），其实那就代表该块硬盘的 MBR 之意。

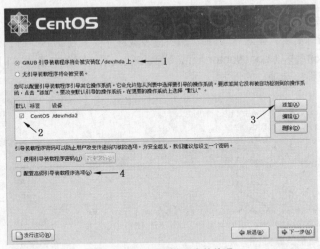

图 4-37　引导装载程序的处理

- 图 4-37 所示中 2 号箭头所指的就是开机时若出现菜单,那么菜单内就会有一个名为"CentOS"的可选择标签。这个标签代表根目录所在的位置为/dev/hda2 这样的意思。而如果开机内 5 秒钟不按下任何按键，就默认会以此一标签来开机启动。
- 如果你还想要加入/编辑各个标签，那可以按下 3 号箭头所指的那三个按键！
- 如果你觉得"CentOS"这个菜单不好看，想要自定义自己的菜单名称，那么在图中先点一下"CentOS"那个标签，然后按下 3 号箭头所指的"编辑"按钮，就会出现如图 4-38 所示界面。在如下界面中可以填写你自己想要的菜单名称。鸟哥是很讨厌麻烦的，所以就使用默认的菜单名称而已。

- 如果你的计算机系统当中还有其他的"已安装操作系统"时，而且你想要让 Linux 在开机的时候就能够让你选择不同的操作系统开机，那么就如同图 4-39 所示，你可以先按下"添加"，然后在 2 号箭头的地方选择其他操作系统所在的分区，并在 3 号箭头处填入适当的名称（例如 Windows XP 等），按下"确定"就能够在开机时添加一个菜单。

图 4-38　编辑开机菜单的标签名称

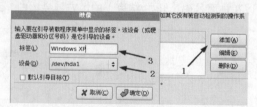
图 4-39　添加开机菜单标签的示意图

- 如果你希望你的系统只有你自己在计算机前面开机并输入密码后才能开始开机流程的话，那么可以如图 4-40 所示加入密码管理机制。不过 grub 引导装载程序密码虽然有好处，但是如此一来我们就无法在远程重新启动了，因此鸟哥暂时不建议你设置引导装载程序密码的！下面只是一个示意图，让你知道如何使用密码管理而已！

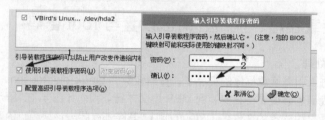
图 4-40　设置引导装载程序的密码

- **将引导装载程序安装到启动扇区（Option,看看就好，不要实践）**
  - 如果你因为特殊需求，无法将 Linux 的引导装载程序安装到 MBR 时，那就得要安装到每块 partition 的启动扇区（boot sector）了。果真如此的话，那么如图 4-41 所示，先勾选"配置高级引导装载程序选项"的地方。

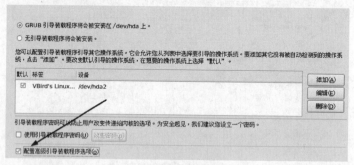
图 4-41　高级引导装载程序选项

  - 然后就会出现如图 4-42 所示界面，默认 Linux 会将引导装载程序安装到 MBR，如果你想要安装到不同的地方去，请如同图中的箭头处，选择"引导分区的第一个扇区"，就是该分区的 boot sector。
- **网络参数的设置**
  - 如果你的网卡可以被安装程序获取到的话，那么你就可以设置网络参数了。例如图 4-43 所示的模样。目前各大版本几乎都会默认网卡 IP 的取得方式为"自动获取 IP"，也就是所谓的"DHCP"网络协议。不过，由于这个协议需要有 DHCP 服务器的辅助才行，如果你的环境没有种服务器存在的话，那开机的过程中可能会等待一段时间。所以通常鸟哥都改成手动设置。不过无论如何，都要与你的网络环境相同才是。

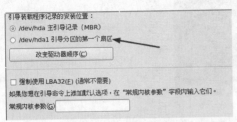

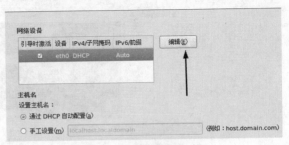

图 4-42　将引导装载程序安装到启动扇区的方法　　　　图 4-43　设置网络参数的过程

- 在图 4-43 中我们可以看到所有的网络参数都是经过 DHCP 获取得的，所以都不需要设置任何选项。至于网络设备内的白色选项中仅有一块网卡的显示。由于我们要将 IP 改为手动设置，但我们尚未谈到服务器与网络基础，所以这里你不懂也没有关系，请先按照先前我们所规划的 IP 参数去填写即可。请按下图中的"编辑"按钮，就会出现如图 4-44 所示的界面。

- 在图中的最上方我们可以看到这块网卡的制造商（AMD）与网卡卡号（Hardware address:），并且我们的 Linux 也支持 IPv4 与 IPv6（第 4 版与第 6 版的 IP 参数）。因为目前（2009）支持 IPv6 的环境还是很少，所以我们先将 IPv6 的支持取消（3 号箭头处）。

- 至于 IPv4 的 IP 参数设置，如图 4-44 所示，你得先在 1 号箭头处点击手动设置（Manual configuration），然后在 2 号箭头处输入正确的 IP 与子网掩码（Netmask），最后再按下"确定"即可。处理完毕后就会显示如图 4-45 所示的图标。

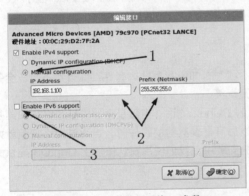

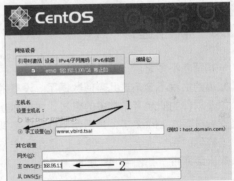

图 4-44　手动编辑网络 IP 参数　　　　　　　　图 4-45　设置网络参数的过程

- 完成 IP 参数的设置后，接下来是这台练习机的主机名，请输入你喜欢的主机名。因为目前我们的主机尚未联网，所以你可以随便填写任何你喜欢的主机名。主机名通常的格式都是"主机名.域名"，其实就有点像是"名字.姓氏"的样子。为了不与因特网的其他主机冲突，因此这里鸟哥使用我自己的名字作为主机名！填写完毕后请按下"下一步"，如图 4-46 所示。

- 怎么会出现如同上图所示的数据错误呢？别担心，因为我们的主机还不能够连上 Internet，所以出现这个错误信息是正常的。请按下"继续"来以后处理吧！

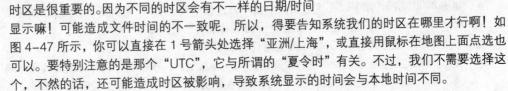

图 4-46　未设置网关的警告消息

◆ 时区的选择
- 时区是很重要的。因为不同的时区会有不一样的日期/时间显示嘛！可能造成文件时间的不一致呢，所以，得要告知系统我们的时区在哪里才行啊！如图 4-47 所示，你可以直接在 1 号箭头处选择"亚洲/上海"，或直接用鼠标在地图上面点选也可以。要特别注意的是那个"UTC"，它与所谓的"夏令时"有关。不过，我们不需要选择这个，不然的话，还可能造成时区被影响，导致系统显示的时间会与本地时间不同。

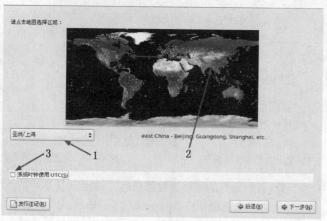

图 4-47　时区的选择

◆ **设置 root 的密码**

● 再来则是最重要的"系统管理员的密码"设置，如图 4-48 所示。在 Linux 下面系统管理员的
默认账号名称为 root，请注意，这个密码很重要。虽然我
们是练习用的主机，不过，还是请你养成良好的习惯，最
好 root 的密码可以设置得严格一点。可以设置至少 8 个
字符以上，而且含有特殊符号更好，例如 I&my_dog 之类，
有点怪，但是对你又挺好记的密码！

图 4-48　设置 root 密码

4.2.6　软件选择

一切都差不多之后，就能够开始挑选软件的安装。我怎么知道我要什么套件？你当然不可能会知
道，知道的话就不会来这儿查阅数据了。没有啦，开开玩笑。

关于软件的安装有非常多的想法，如果你是初次接触 Linux 的话，当然是全部安装最好。如果是
已经安装过多次 Linux 了，那么使用默认安装即可，以后有需要其他的软件时，再通过网络安装就好
了！这样你的系统也会比较干净。但是在这个练习机的安装中，我们使用默认值加上 CentOS 提供的
选项来安装即可。如图 4-49 所示。

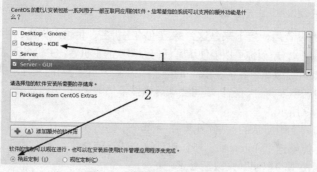

图 4-49　额外选择多的软件组

● 如图 4-49 所示，你可以在 1 号箭头所指地方选择所要的项目，然后在 2 号箭头处保持默认值，
再点"下一步"即可。这样的安装对于初学者来说已经是非常 OK 的啦！

◆ **额外的软件库自定义结构（Option,高级用户可以参考）**

● 在 Linux 的软件安装中，由于每个软件的功能非常庞大，很多软件的开发工具其实一般用户都
用不到。如果每个软件都仅释出一个文件给我们安装，那么我们势必会安装到很多不需要的文

件。所以，Linux 开发商就将一项软件分成多个文件来给用户选择。如果你想要了解每项软件背后的文件数据，就可以如图 4-50 所示，选择"现在定制"来设置专属的软件功能。

- 自定义软件的界面如图 4-51 所示，1 号箭头处为软件组，是开发商将某些相似功能的软件绑在一起成为一个组。你可以在 1 号箭头处选择你感兴趣的功能，然后在 2 号箭头处挑选该选项内的细项。鸟哥挑选了"开发"的组后，在 2 号箭头处挑选了鸟哥有兴趣的"开发工具"等，而这些工具的意义在 3 号箭头处所指的白色框框中就会有详细的说明了。

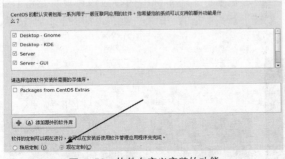

图 4-50　软件自定义安装的功能

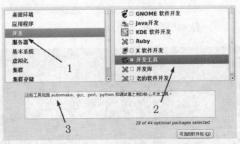

图 4-51　自己选择所需软件的界面

- 检查完毕后安装程序会去检查你所挑选的软件有没有冲突（依赖关系检查），然后就会出现下列窗口，告诉你你的安装过程写入到 /root/install.log 文件中，并且你刚才选择的所有选项写入到 /root/anaconda-ks.cfg 文件内。这两个文件很有趣，安装完毕后你可以自己先看看。

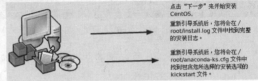

图 4-52　准备开始安装

- 然后就是开始一连串的等待了。这个等待的过程与你的硬件以及选择的软件数量有关。如图 4-53 所示，2 号箭头处所指的则是安装程序评估的剩余时间，这个时间不见得准。看看就好！

- 安装完毕并按下"Reboot"重新启动后，屏幕会出现如图 4-54 所示的消息，这是正确的信息，不要担心出问题。此时请拿出你的 DVD 光盘，让系统自动重新启动。其他的稍后设置，请参考下一小节呢！

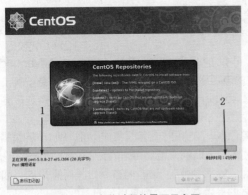

图 4-53　安装过程的界面示意图

图 4-54　安装完毕后重新启动的示意图

4.2.7　其他功能：RAM testing、安装笔记本电脑的内核参数（Option）

◆ 内存压力测试：memtest86
- CentOS 的 DVD 除了提供一般 PC 来安装 Linux 之外，还提供了不少有趣的东西，其中一个就是进行"烧机"的任务。当你组装了一台新的个人计算机，想要测试这台主机是否稳定时，就在这部主机上面运行一些比较耗系统资源的程序，让系统在高负载的情况下去运行一阵子（可能是一天），去测试稳定度的一种情况，就称为"烧机"。

- 那要如何进行呢？同样，放入 CentOS 的 DVD 到你的光驱中，然后用这张 DVD 重新启动，在进入到开机菜单时，输入 memtest86 即可。如图 4-55 所示。
- 之后系统就会进入这支内存测试的程序中，开始一直不断地对内存写入与读出。如果烧机个一两天，这支程序还是不断地跑而没有任何宕机事件，表示你的内存应该还算稳定啦。如图 4-56 所示。如果不想跑这支程序了，就按下箭头所指的"ESC"处，也即按下[Esc]按键，就能够重新启动。

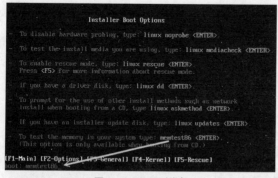

图 4-55　RAM 测试

图 4-56　RAM 测试

- 对 memtest86 有兴趣的朋友，可以参考如下的链接：

http://www.memtest.org/

◆ **安装笔记本电脑或其他类 PC 计算机的参数**

- 由于笔记本电脑加入了非常多的省电机制或者是其他硬件的管理机制，包括显卡经常是集成型的，因此笔记本电脑上面的硬件经常与一般桌面计算机不怎么相同。所以当你使用适合于一般桌面计算机的 DVD 来安装 Linux 时，可能经常会出现一些问题，导致无法顺利安装 Linux 到你的笔记本电脑中啊！那怎办？
- 其实很简单，只要在安装的时候，告诉安装程序的 linux 内核不要加载一些特殊功能即可。最常使用的方法就是，在使用 DVD 开机时，加入下面这些参数：

```
boot: linux nofb apm=off acpi=off pci=noacpi
```

- apm（Advanced Power Management）是早期的电源管理模块，acpi（Advanced Configuration and Power Interface）则是近期的电源管理模块。这两者都是硬件本身就有支持的，但是笔记本电脑可能不是使用这些机制，因此，当安装时启动这些机制将会造成一些错误，导致无法顺利安装。
- nofb 则是取消显卡上面的缓冲存储器检测。因为笔记本电脑的显卡经常是集成型的，Linux 安装程序本身可能就不是很能够检测到该显卡模块。此时加入 nofb 将可能使得你的安装过程顺利一些。
- 对于这些在开机的时候所加入的参数，我们称为"内核参数"，这些内核参数是有意义的。如果你对这些内核参数有兴趣的话，可以参考文后的参考数据来查询更多信息[注2]。

4.3　安装后的首次设置

安装完毕并且重新启动后，系统就会开始以 Linux 开机！但事实上我们的安装尚未完成。因为还没有进行诸如防火墙、SELinux、惯用登录账号的设置等。在 X Window 里面重要的音效设备也还没有设置。所以，下面我们就来处理首次进入 X Window 的设置。

重新启动后，一开始屏幕会出现如图 4-57 所示的消息，这个消息是说，你如果没有在数秒钟之内按下任意按键，那么系统就会以 CentOS(2.6.18-128.el5)那个开机选项进入开机启动的流程。

那如果你真的按下了任意按键，屏幕就会出现如图 4-58 所示的消息，该信息是由 grub 引导装载程序所控管的，目前鸟哥的系统里面也只有一个选项，那就是刚才你在读秒界面中看到的那个项目。如果你还想要加入什么特殊的参数在开机的过程当中，

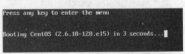

图 4-57 开机过程的读秒界面

可以使用图中箭头所指的地方，利用几个简单的选项来处理。这部分我们会在第 20 章的引导装载程序中谈到的！如果你有设置多重引导，那么在图 4-58 所示的界面中就会看到多个菜单。

一切都没有问题就按下[Enter]。此时 grub 就会去读取内核文件来进行硬件检测，并加载适当的硬件驱动程序后，就开始进行 CentOS 各项服务的启动了。图 4-59 所示中箭头有指到/vmlinuz-2.6.18-128.el5 吧?那就是我们的 Linux 内核文件。至于出现 Welcome 字样后，就是开始执行各项服务的流程了。

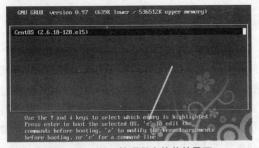

图 4-58 grub 管理程序的菜单界面

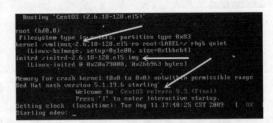

图 4-59 开机过程的内核检测与服务启动

接下来系统会开始出现图形界面，如图 4-60 所示。如果你想要知道系统目前实际在进行什么服务的启动时，可以按下箭头所指的"显示细节"。

按下"显示细节"就会出现图 4-61 所示界面，因为安装的时候我们选择的是中文，此时启动各项服务就会以中文来显示。

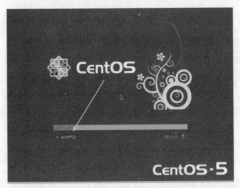

图 4-60 开机进入图形界面的示意图

图 4-61 查阅详细开机信息的示意图

怕了吧? 有这么多不知名的软件已经在你的 Linux 里面启动了。里面其实有很多是我们不需要的，在将来你了解了 Linux 相关的知识之后，就可以将那些不需要的程序（或称为服务）关掉了。目前还不需要紧张，因为我们还没有连上 Internet，还不需要太紧张。

好了，接下来让我们开始来设置 X Window 的相关功能吧！设置很简单，用鼠标点一点就可以完成了！别担心！

1. 防火墙与 SELinux

● 首先，系统会进入欢迎界面，如图 4-62 所示。图中的左手边则是等一下需要设置的选项。如果没有问题的话，按"前进"继续设置。

- 因为我们目前是 Linux 练习机而已，因此，建议你将防火墙的功能先取消，反正我们也还没有连上 Intenet。所以请在图 4-63 所示的箭头处将它点选成为"禁用"的状态。

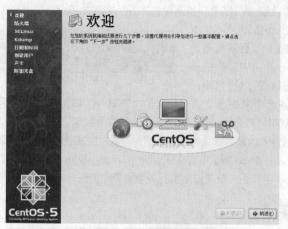

图 4-62 首次设置的欢迎界面

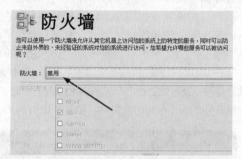

图 4-63 关闭防火墙的设置选项

- 因为我们禁用防火墙，安装程序很好心的会提示我们："你没有启用防火墙"。因为我们在服务器篇里面会提到自己设置的防火墙功能。所以如图 4-64 所示箭头所指，点击"是"即可继续。
- 接下来如图 4-65 所示出现一个"SELinux"的东西，这个 SELinux 可就重要了。它是 Security Enhanced Linux 的缩写，这个软件是由美国国家安全局（National Security Agency, NAS）[注3] 所开发的，这东西并不是防火墙。SELinux 是一个 Linux 系统访问控制（Access control）的细化设置，重点在于控制程序对于系统文件的访问权限限制。由于 CentOS 5.x 以后的 Linux 版本对于 SELinux 的设置已经非常妥当了，因此建议你务必要打开这个功能。这部分我们会在第 17 章继续说明的。

图 4-64 关闭防火墙的警告消息　　　　图 4-65 启动 SELinux 的示意图

2. Kdump 与时区的校正

- 完成了防火墙与 SELinux 的选择后，接下来会出现如图 4-66 所示的 Kdump 窗口。什么是 Kdump 呢？这个 Kdump 就是，当内核出现错误的时候，是否要将当时的内存内的消息写到文件中，而这个文件就能够给内核开发者研究为什么会宕机。我们并不是内核开发者，而且内存内的数据实在太大了，因此经常进行 Kdump 会造成硬盘空间的浪费。所以，这里建议不要启动 Kdump 的功能。
- 再来就是时间的确认。先看一下系统的日期与你的手表一致否？若不一致请自行调整它，如图 4-67 所示。
- 经常手动调整时间很讨厌吧？尤其是如果你的系统是老式计算机，一关机 BIOS 电力不足就会造成系统时间的错乱时！此时我们可以使用网络来进行时间的校正。如图 4-68 所示，先按下 1 号箭头所指处，然后勾选 2 号箭头指的"启用网络时间协议"，接下来按下 3 号箭头处所指的"添加"来增加时间服务器。

图 4-66　关闭 Kdump 示意图　　　　　　　　　图 4-67　时区与时间的校正

- 按下"添加"后就会出现如图 4-69 所示界面，由于系统默认给予的三个网络上面提供的进行时间校正的主机都不在中国，为了快速校正时间，建议你可以将图中前三个主机都删除，只保留后来我们自己加上的上海的时间服务器，就是：tock.stdtime.gov 这一个即可。输入完毕后请按下[Enter]吧！

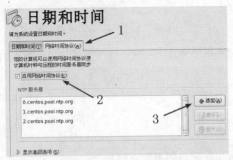

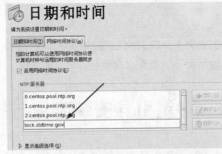

图 4-68　网络校正设置　　　　　　　　　　图 4-69　加入网络时间服务器的方式

- 由于我们的 Linux 练习机还没有连上 Internet，所以当你加上上图所指向的那台主机时，就会出现如图 4-70 所示的错误。没关系，不要理它！那是正常的。请按下"是"来继续吧！

3. 创建用户

- 一般来说，我们在操作 Linux 系统时，除非必要，否则不要使用 root 的权限，这是因为管理员（root）的权限太大了！我们可能会随时不小心搞错了一个小东东，结果却造成整个系统的挂点，所以，创建一个一般身份用户来操作才是好习惯。举例来说，鸟哥都会创建一个一般身份用户的账号（例如下面的 vbird），用这个账号来操作 Linux，而当我的主机需要额外的 root 权限来管理时，才使用身份切换命令来切换身份成为 root 来管理维护呢！
- 如图 4-71 所示，鸟哥创建的登录账号名称为 vbird，而全名仅是一个简易的说明而已，那个地方随便填没关系（不填也无所谓！）。但是两个密码栏均需填写，屏幕并不会显示出你输入的字符，而是以黑点来替代。两个字段必须输入相同的密码。

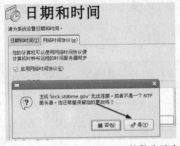

图 4-70　未连上 Interenet 的警告消息　　　　　图 4-71　一般账号的创建

4. 声卡与其他软件的安装

- 如果你的主机有声卡，而且 Linux 也能够正确捕捉到该声卡时，就会出现如图 4-72 所示的界面。如果你想要知道到底这个声卡能否顺利运行，如图 4-72 中箭头所指处，按下测试就能够听出有没有声音的输出。

- 最后，如果你还有自己的第三方软件需要安装，请放入光盘继续安装。我们当然没有附加光盘，所以图 4-73 不用理它！

图 4-72　声卡的测试

图 4-73　附加的软件光盘安装

到此为止，我们的 Linux 就安装与设置好了，接下来就能够登录 Linux。如果没有特殊需求的话，请开始阅读下一章首次登录与在线求助吧！

4.4　多重引导安装流程与技巧

有鉴于自由软件的蓬勃发展以及专利软件越来越贵，所以政府单位也慢慢希望各部门在选购计算机时，能够考虑同时含有两种以上操作系统的机器了。加上很多朋友其实也经常有需要两种不同的操作系统来处理日常生活与工作的事情。那我是否需要两台主机来操作不同的操作系统？不需要，我们可以通过多重引导来选择登录不同的操作系统。一台机器搞定不同的操作系统。

不过，就如同鸟哥之前提过的，多重引导系统是有很多风险存在的，而且你也不能随时变动这个多重操作系统的启动扇区，这对于初学者想要"很猛烈地"玩 Linux 是有点妨碍。所以，鸟哥不是很建议新手使用多重引导。所以，下面仅是提出一个大概，你可以看一看，未来我们谈到后面的章节时，你自然就会有"豁然开朗"的笑容出现了！

4.4.1　新主机仅有一块硬盘

如果你的系统是新的，并且想要安装多重操作系统时，那么这个多重操作系统的安装将显得很简单啊！假设以目前主流的 160GB 硬盘作为规划好了，而你想要有 Windows XP、Windows XP 的数据盘、Linux、Swap 及一个共享分区，那我们首先来规划一下硬盘分区。如果是这样的需求，那你可以这样规划，如表 4-3 所示。

表 4-3

Linux 设备文件名	Windows 设备	实 际 内 容	文件系统	容量（GB）
/dev/sda1	C	Windows 系统	NTFS	30
/dev/sda2	D	Windows 数据盘	NTFS	60
/dev/sda3	不要挂载	Linux 根目录（/）	Ext3	50
/dev/sda5	不要挂载	内存交换空间 swap	swap	1
/dev/sda6	E	Windows/Linux 共享	vfat	其他所有

接下来就是系统的安装了！安装一定要先装 Windows XP 再装 Linux 才好！顺序搞错了会很麻烦

喔！基本上，你可以这样安装。

1. **先装 Windows XP**
- 在这个阶段依旧使用 Windows XP 光盘启动来安装，安装到了分区时，记得依照上述表格的规划制作出两个主分区，并且将文件系统格式化为 NTFS，然后再将 Windows XP 装到 C 盘当中。理论上，此时仅有/dev/sda1,/dev/sda2 而已。

2. **安装 CentOS 5.x**
- 再来则是安装 Linux，安装时要注意的地方也是在分区的地方，请回到前一小节的磁盘分区部分来进行分区设置。另外一个要注意的地方则是在引导装载程序的地方，同样回到前一小节看一下引导装载程序是如何指定开机启动菜单。尤其是"默认开机"选项，是默认要 Windows 还是 Linux 开机呢？这需要你来选择。而且 grub 务必要安装到 MBR 上。

3. **后续维护的注意事项**
- 多重引导设置完毕后请特别注意：（1）Windows 的环境中最好将 Linux 的根目录与 swap 取消挂载，否则将来你打开资源管理器时，该软件会要求你"格式化"！如果一个不留神，你的 Linux 系统就毁了；（2）你的 Linux 不可以随便删除。因为 grub 会去读取 Linux 根目录下的/boot/目录内容，如果你将 Linux 删除了，你的 Windows 也就无法启动了，因为整个开机菜单都会不见。

4.4.2　旧主机有两块以上硬盘

如果你的主机上面已经有 Windows 了，为了担心与 Linux 冲突，所以你想要加装一块新的硬盘来安装 Linux，这样好吗？也是不错的想法啦！不过你得要注意的是，整台个人计算机仅会有一个 MBR 而已！虽然你有两块硬盘。

为什么有两块硬盘却只有一个 MBR 呢？因为你得在 BIOS 里面调整开机启动的设备，只有第一个**可开机设备内的 MBR 会被系统主动读取**。所以啰，理论上，你不会将 Windows 的引导装载程序安装到/dev/sda 而将 Linux 安装到/dev/sdb 上，而是得要将 grub 安装到/dev/sda 上，通过它来管理 Windows/Linux 才行，即使你的 Linux 是放到/dev/sdb 这块硬盘上面的。

比较聪明的朋友会想到："我可以调整 BIOS 内的开机启动顺序，使得要进入不同的操作系统时，就用不同的开机启动设备来开，如此一来应该就能够避免将 grub 安装到/dev/sda 了吧？"这个想法本身是 OK 的，只不过，因为 SATA 的设备文件名是利用检测的顺序来决定的，所以你如果这样调整来调整去的话，你的 SATA 设备文件名可能会产生不同，这对于 linux 的运行会有问题，因此如果这样随时调整 BIOS 时，可能还是会造成无法开机成功的问题！

所以鸟哥还是建议 BIOS 内的开机顺序不要改变，然后以 grub 来控制全部的开机菜单较佳！不过，如果你觉得 grub 不是这么好用，那怎办？没关系，你可以使用 spfdisk 这个国人写的引导装载程序来管理喔！如果你真的想要使用 spfdisk 来管理引导菜单的话，那你在安装 Linux 的时候，记得将 grub 安装到启动扇区（boot sector），然后重新启动进入 Windows 后，以 spfdisk 来设置正确的开机启动菜单即可。spfdisk 的官网与鸟哥之前写的教学文章可以参考：

- spfdisk 官网：http://spfdisk.sourceforge.net/
- 鸟哥的 spfdisk 教学：http://linux.vbird.org/linux_basic/0140spfdisk.php

4.4.3　旧主机只有一块硬盘

如果你想要在你的 Windows 主机上面多加一个 Linux 操作系统呢？那就得要注意啦！因为 Windows/Linux 不能共存在同一个分区上！而 Linux 的根目录最好使用 Ext3 这种 Linux 支持的文件系统。所以，你就得要清出来一个空的分区给 Linux 使用才行喔。

举例来说，如果你的系统只有 C 盘，那能不能安装 Linux 呢？很抱歉！没办法！如果你的系统有

C 与 D 盘，但是你又想要保留一个数据盘给 Windows 使用，那你就得要这样做：

1. 先将 D 盘的数据迁移出来，不论是搬到 U 盘还是 C 盘中暂时保存；
2. 在 Windows 的逻辑分区管理员中，将 D 盘删除并重建成两个分区，一个是 D，一个是 E；
3. 将 D 盘格式化为 NTFS（或 FAT32），然后将刚才的备份数据搬回 D 盘去；
4. E 盘不要挂载，这是 Linux 预计要安装的系统盘。

这种情况是比较麻烦啦，因为数据需要搬来搬去的，需要很注意移动的过程喔！否则，很容易将自己好几年辛苦工作的数据一不小心全部删除！那就欲哭无泪了！

4.5　关于大硬盘导致无法开机的问题

有些朋友可能在第一次安装完 Linux 后，却发现无法开机的问题，也就是说，确实可以使用上面鸟哥介绍的方法来安装 CentOS 5.x，但就是无法顺利开机，只要重新启动就会出现类似下面的界面：

```
# 前面是一些奇怪的提示符啊!
grub> _
```

然后等待你输入一些数据，如果不幸你发生了这样的问题，那么可能的主要原因就是以下几点。

- 你的主板 BIOS 太旧，导致捕捉不到你的新硬盘。
- 你的硬盘容量太大了（例如超过 120 GB 以上），但是主板并不支持。

如果真的是这样，那就麻烦了，你可能可以这样做：

- 前往你主板的官方网站，下载最新的 BIOS 文件，并且更新 BIOS 吧！
- 将你硬盘的 cylinders, heads, sectors 抄下来，进入 BIOS 内，将硬盘的型号以用户设置的方式手动设置好。

当然还有一个最简单的解决方法，那就是：**重新安装 Linux**，并且在磁盘分区的地方，建立一个 100MB 左右的分区，将它挂载到/boot 这个挂载点，并且要注意，/boot 的那个挂载点，必须要在整个硬盘的最前面！例如，必须是/dev/hda1 才行！

至于会产生这个问题的原因确实是与 BIOS 支持的硬盘容量有关，处理方法虽然比较麻烦，不过也只能这样做了。更多与硬盘及开机有关的问题，鸟哥会在第 20 章开机与关机程序中再进一步说明的啦！

4.6　重点回顾

- 不论你要安装什么样的 Linux 操作系统，都应该要事先规划，例如分区、引导装载程序等。
- 建议练习机安装时的磁盘分区能有/,/boot,/home, swap 四个分区。
- 调整开机启动设备的顺序必须要重新启动并进入 BIOS 系统调整。
- 安装 CentOS 5.x 的结构至少有两种，分别是图形界面与文字界面。
- 若安装笔记本电脑时失败，可尝试在开机时加入"inux nofb apm=off acpi=off"来关闭省电功能。
- 安装过程进入分区后，请以"自定义的分区结构"来处理自己规划的分区方式。
- 在安装的过程中，可以创建软件磁盘阵列（software RAID）。
- 一般要求 swap 应该要是 1.5～2 倍的物理内存量。
- 即使没有 swap，依旧能够安装与运行 Linux 操作系统。
- CentOS 5.x 的引导装载程序为 grub，安装时最好选择安装在设备 MBR 中。
- 没有连上 Internet 时，可尝试关闭防火墙，但 SELinux 最好选择"强制"状态。
- 设置时不要选择启动 kdump，因为那是供内核开发者查阅死机数据的。
- 可加入时间服务器来同步化时间，上海可选择 tock.stdtime.gov。

◆　尽量使用一般用户来操作 Linux，有必要再转身份成为 root 即可。

4.7　本章习题

◆　Linux 的目录配置以"树状目录"来配置，至于磁盘分区（partition）则需要与树状目录相配合！请问，在默认的情况下，在安装的时候系统会要求你一定要分出来的两个分区是什么？
◆　若在分区的时候，在 IDE1 的 slave 硬盘中，分出"6 个有用"的分区（具有 file system 的），此外，已知有两个主分区的分区类型！请问 6 个分区的文件名？
◆　一般而言，在 RAM 为 64 MB 或 128 MB 的系统中，swap 要开多大？
◆　什么是 GMT 时间？它与上海时间差几个钟头？
◆　软件磁盘阵列的设备文件名是什么？
◆　如果我的磁盘分区时，设置了 4 个 Primary 分区，但是磁盘还有空间，请问我还能不能使用这些空间？
◆　硬盘的第 0 轨含有 MBR 及分区表，请问，分区的最小单位是柱面还是磁头或是磁道？

4.8　参考数据与扩展阅读

◆　注 1：Virtualbox 为一个虚拟机的软件，可以在一部机器上面同时运行多个操作系统。鸟哥是在 Windows XP 上面安装 Virtualbox 本版来进行 CentOS 5.x 的抓图。其官网如下：
http://www.virtualbox.org/
◆　高级内存测试网站：http://www.memtest.org/
◆　注 2：更多的内核参数可以参考如下链接：
http://www.faqs.org/docs/Linux-HOWTO/BootPrompt-HOWTO.html
对于安装过程所加入的参数有兴趣的，则可以参考下面这篇链接，里面有详细说明硬件原因：
http://polishlinux.org/choose/laptop/
◆　注 3：SELinux 是由美国国家安全局开发出来的，SELinux 是被集成到 Linux 内核当中，SELinux 并非防火墙，它是一个访问权限控制的模块。最早之前 SELinux 的开发是有鉴于系统经常会被一般用户误用而造成系统数据的安全性问题，因此加上这个模块来防止系统被终端用户不小心滥用系统资源喔！详细的说明可以参考下面的链接：
http://www.nsa.gov/selinux/
◆　SPFdisk 的官网：http://spfdisk.sourceforge.net/

5

第 5 章　首次登录与在线求助 man page

　　终于可以开始使用 Linux 这个有趣的系统了。由于 Linux 系统使用了异步的磁盘/内存数据传输模式，同时又是个多人多任务的环境，所以你不能随便地不正常关机，关机有一定的讲究喔！错误的关机方法可能会造成磁盘数据的损毁呢！此外，Linux 有多种不同的操作方式，图形界面与文字界面的操作有何不同，我们能否在文字界面取得大量的命令说明，而不需要硬背某些命令的选项与参数等，这都是这一章要来介绍的。

5.1　首次登录系统

登录系统并不难，虽然如此，然而很多人第一次登录 Linux 的感觉都是"接下来我要干啥"。如果是以图形界面登录的话，或许还有很多好玩的事物，但要是以文字界面登录的话，面对着一片黑压压的屏幕，还真不知道要干什么。为了让大家更多了解如何正确使用 Linux，正确登录与离开系统还是需要说明的。

5.1.1　首次登录 CentOS 5.x 图形界面

启动就启动，怎么还有所谓的登录与离开? 在 Linux 系统中由于是多人多任务的环境，所以系统随时都有很多任务在进行，因此正确开关机可是很重要的。不正常的关机可能会导致文件系统错乱，造成数据的毁损呢! 这也是为什么通常我们的 Linux 主机都会加挂一个不断电系统。

如果在第 4 章一切都顺利地将 CentOS 5.x 完成安装并且重启后，应该就会出现如图 5-1 所示的等待登录的图形界面才对。界面的左上方是 CentOS 5 的 distribution 说明，而 1 号箭头所指处的地方是可以改变工作环境的地方，2 号箭头说明今天的日期/时间与主机名 (www.vbird.tsai)，3 号箭头就是我们可以使用账号登录的输入方框。

让我们来了解一下图 5-1 所示的 1 号箭头所指的那四个功能吧! 先点选一下"语言"按钮，会发现屏幕出现很多可以选择的语言。我们获取部分界面如图 5-2 所示。在其中可以选择不同的中文或者是其他语言，登录后，屏幕就会显示所选择的语言界面了。不过要注意的是，如果所选择的语言的软件文件并没有被安装，那么登录系统后就会出现很多乱码啊! 鸟哥先选择中国大陆的中文，然后按下"更改语言"按钮即可。

图 5-1　X 等待登录的界面

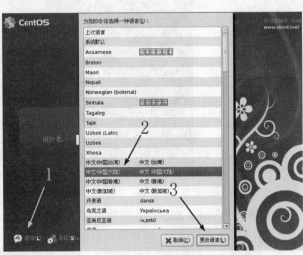

图 5-2　选择语系的界面

接下来让我们单击"会话"按钮。按下会话后屏幕就会出现如图 5-3 所示的界面。所谓的会话指的是可以使用不同的图形界面来操作整个 Linux 系统。这个图形界面并不是只有将桌面背景更改而已，而是整个显示、控制、管理、图形软件都不相同了。目前 CentOS 5.x 默认至少就提供 GNOME/KDE 这两种图形界面 (我们称为窗口管理员，Window Manager)[注1]。CentOS 5.x 默认使用的是 GNOME 这个玩意儿，如果你没有改变的话，那等一下就会登录 GNOME 的

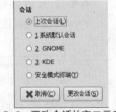

图 5-3　更改会话的窗口示意图

图形界面。

接下来准备要登录。我们在经过第 4 章的安装过程后，理论上现在会有两个可用的账号，以鸟哥的安装为例，我有 root 及 vbird 两个可用的账号。那第 4 章我们也说过，最好不要使用 root。因此，就在图 5-4 所示的地方开始用 vbird 来登录了，记得输入完毕后要按[Enter]。

接着系统会要你输入密码，此时请在密码栏填入该账号的密码！在你输入密码时该字段会显示黑点来替代，如图 5-5 所示。输入完毕后请按下[Enter]开始登录。

由于鸟哥在图 5-2 中曾经修改过语言，因此系统就会询问你是否要将刚才的设置更改成为默认值，如图 5-6 所示。你可以按下"成为默认"，让你这次的决定套用到未来的操作。让我们开始来玩一玩GNOME 这个默认的窗口管理员吧！

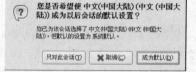

图 5-4　输入用户账号的地方

图 5-5　输入密码的示意图

图 5-6　询问是否将设定值更改为默认值的窗口

5.1.2　GNOME 的操作与注销

终于给他看到图形界面。真是很开心吧！如图 5-7 所示，整个 GNOME 的窗口大约分为三个部分。

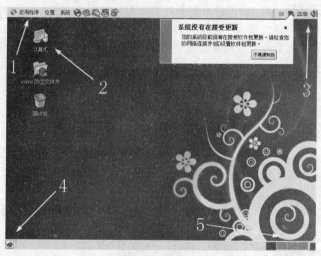

图 5-7　GNOME 的窗口界面示意图

◆ **控制面板**（control panel）
  ● 上半部有应用程序、位置与系统及快捷键的地方，可以看成是任务栏，你可以使用鼠标在 1 号箭头处（应用程序）点击一下，就会有更多的程序出现！然后移动鼠标就能够使用各个软件了。至于 3 号箭头所指的地方，就是系统时间与声音调整。另外，在 3 号箭头的左边不是有个打 X 的符号吗？那个是 CentOS 5.x 的在线更新系统（update）。由于我们尚未连上 Internet，所以这边就会显示 X 喔。

◆ **桌面**
  ● 整个界面中央就是桌面。在桌面上默认有三个小图标，例如箭头 2 所指的就是资源管理器。你可以使用鼠标连击两下就能够打开该功能。其实计算机与个人文件夹都是资源管理器。如果有执行各种程序，程序的显示也都是在桌面位置。

◆ **下方任务栏**

- 下方任务栏的目的是将各工作显示在这里，可以方便用户点击使用。其中 4 号箭头所指处为将所有工作最小化隐藏，至于 5 号箭头处指的那四个玩意儿，就是四个虚拟桌面（Virtual Desktop）了！GNOME 提供四个桌面给用户操作，你可以在那四个桌面随便点一点，看看有啥不同！尤其是当你执行不同的程序时，就会发现它的功能。
- Linux 桌面的使用方法几乎跟 Windows 一模一样，你在桌面上按下右键就可以有额外的菜单出现；你也可以直接按下桌面上的"vbird 的主文件夹"，就会出现类似 Windows 的"资源管理器"的文件/目录管理窗口，里面则出现你自己的工作目录；好了，让我们点击一下"应用程序"那个按钮。看看下拉式菜单中有什么软件可用。如图 5-8 所示。你要注意的是，因为我们的 Linux 尚未连上 Internet，所以在线更新系统会有警告消息（2 号箭头处），请你将它关闭吧！

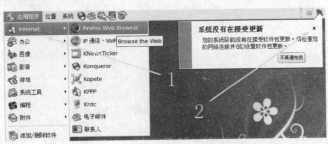

图 5-8　应用程序的下拉式菜单示意图

> 关于"个人文件夹"的内容，记得我们之前说过 Linux 是多用户、多任务的操作系统吧？每个人都会有自己的"工作目录"，这个目录是用户可以完全掌控的，所以就称为"用户个人主文件夹"了。一般来说，主文件夹都在/home 下面，以鸟哥这次的登录为例，我的账号是 vbird，那么我的主文件夹就应该在/home/vbird/下。

> 那个在线升级的按钮不是不重要。而是因为我们尚未连上 Internet，所以这里才先将它略过的。你的系统稳不稳定、安不安全与这个玩意儿相关性可大了。千万别小看它。有兴趣的朋友可以到 google 先搜寻一下 yum 这个机制来看看先。因为你的 Linux 尚未在线更新过，所以先不要连上 Internet。

◆ 使用资源管理器
- 首先我们来了解一下常用的 GNOME 资源管理器要怎么用。要说明的是，GNOME 的资源管理器其实称为"鹦鹉螺"（Nautilus），只是我们比较习惯称呼资源管理器就是了。

当你在桌面中点击"个人文件夹"就会出现如图 5-9 所示界面。默认鹦鹉螺是用小图标来显示文件，而且隐藏文件也没有显示出来呢！所以你只会看到一个文件。注意 1 号箭头所指的地方，你可以按下那个小按钮来切换到不同的目录。

- 鸟哥还是比较喜欢列表式地将所有数据都列出来，所以我们的设置需要修正一下。请在上图中按下"编辑"，点击"首选项"后，会出现如图 5-10 所

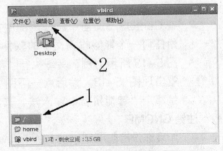

图 5-9　鹦鹉螺资源管理器的默认显示界面

示界面，请将箭头所在处的两个地方修订一下，包括以列表显示及显示隐藏文件。填完就按下右下角的"关闭"即可。

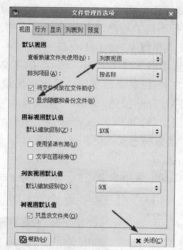

图 5-10　鹦鹉螺资源管理器的首选项窗口

- 将原本的界面关闭再重开一个资源管理器，如图 5-11 所示，按下"显示"，选择"显示隐藏文件"及"以列表视图显示"后，就可以发现到好多文件。什么是隐藏文件呢？其实文件名开头为小数点"."的，那个文件就是隐藏文件了。所以在如图 5-11 所示的界面中，你会看到多出来的文件的文件名都是小数点开头。

- 除了自己的主文件夹之外，你可以在图中左下角"vbird"处点一下，然后选择根目录（/），就会出现如图 5-12 所示界面。1 号箭头告诉我们，这个 vbird 账号无法登录该目录，所以有个红色的禁止图示；如果想要查阅某目录的内容，如 2 号箭头所指处，你可以点一下三角形的图示，就能够将该目录内的数据显示出来了；最后，如同 3 号箭头所指的，如果是出现纸张的图示，代表那是个文件而不是目录。

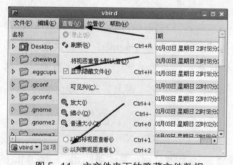

图 5-11　主文件夹下的隐藏文件数据

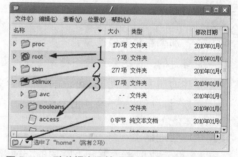

图 5-12　鹦鹉螺资源管理器的目录/文件显示情况

- ◆ 中文输入法
  - 在 CentOS 5.x 当中所使用的中文输入法为 SCIM 软件，你要启动 SCIM 很简单，只要调用任何一个能够输入文字的软件，然后按下[Ctrl]+[Space]（空格键）就能够调出来了！以图 5-13 所示为例，鸟哥执行"附件"内的"文本编辑器"软件，然后按下[Ctrl]+[Space]就出现图 5-13。然后点一下图中的箭头所指处，你就会看到很多输入法了。比较有趣的是那个"智能拼音"输入法，其实那就是大家常用的智能拼音，可以自动挑字的输入法。

- ◆ 注销 GNOME
  - 如果你没有想要继续玩 X Window 了，那就注销吧。如何注销呢？如图 5-14 所示，点击"系统"内的"注销"即可。要记得的是，注销前最好将所有不需要的程序都关闭了再注销。

● 这时会有一个确认窗口跑出来给我们确认一下，如图 5-15 所示，就给它点击"注销"吧！

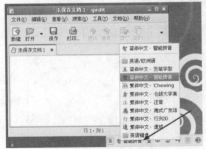

图 5-13　SCIM 中文输入法调用示意图　　　图 5-14　注销 GNOME 的按钮　　图 5-15　注销 GNOME 的确认窗口

● 请注意，注销并不是关机，只是让你的账号离开系统而已。

◆ 其他练习

● 下面的例题请大家自行参考并且实践一下喔！题目很简单，所以鸟哥就不另外抓图了！

■ 如何在控制面板中添加其他的图标（icons），让操作更方便？请尝试添加终端图标。

■ 尝试浏览一下/etc 这个目录内有哪些文件/目录存在。

■ 请将/etc/crontab 这个文件"复制"到你的主文件夹中。

■ 请修改四个 Virtual Desktop 的壁纸，让它们都不相同。

■ 尝试修改屏幕分辨率。

5.1.3　KDE 的操作与注销

玩过了 GNOME 之后，接下来让我们来了解一下 KDE 这个也是很常见的窗口管理程序。请回到图 5-1 中，在按下"会话"后请选择 KDE，然后输入你的账号密码来登录 KDE 的环境。登录后的默认界面如图 5-16 所示。

图中的箭头所指处的功能说明如下。

■ **桌面**：图中整个蓝色界面就是桌面。而一号箭头指的地方，一开始仅有垃圾桶而已，你可以自行增加其他的快速图标。当有工作被执行时，该工作就是显示在这个桌面的区域中。

■ **任务栏快捷键**：2 号箭头指的地方就是 KDE 的 K 菜单。单击该菜单就会出现更多的选项功能。感觉上就是开始菜单。至于 K 菜单的右边还有很多的快捷键，你可以自行点击。

■ **虚拟桌面**：3 号箭头所指的就是虚拟桌面。与 GNOME 相似地，CentOS 的 KDE 也提供四个虚拟桌面。你可以在各个桌面分别放置不同的底图。

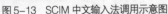

图 5-16　KDE 登录后的默认界面

■ **任务栏**：4 号箭头处，当你有执行任何工作时，该工作的图标就会显示到这个地方。

■ **小时钟**：5 号箭头所指的地方就是目前的时间。默认是数字时钟，你可以将它改为圆形的小时钟。

◆ KDE 内的文件管理

● 同样，得先来了解一下文件管理的软件啊！在 GNOME 中资源管理器被称为鹦鹉螺，在 KDE 中资源管理器被称为 Konqueror（征服家）。你可以按下"K 菜单"，然后选择"主文件夹"，如图 5-17 所示。

● 启动征服家，默认会出现如图 5-18 所示的界面。

● 图示为征服家的默认显示情况。界面的左边有点类似目录的列表，右边则是文件详细的信息。而征服家可以让你仅选择用户可以随意应用的主文件夹（2 号箭头处）或者是整个系统的文件信息（1

号箭头处）。征服家默认显示的是主文件夹啦。3 号箭头处指出该目录内有哪些信息，4 号箭头则是详细的文件参数。接下来请点击"根文件夹"。让我们瞧瞧整个文件系统有些什么东西。

图 5-17　开启征服家的方式之一

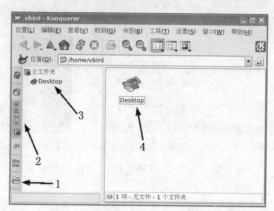

图 5-18　KDE 的征服家显示文件数据图标

- 如图 5-19 所示，当你点击根文件夹，并且按下/etc 那个文件夹后，界面右边就会出现/etc 文件夹的文件内容了。一开始文件是以小图标来显示，如果你按下列表图标，就是图中 3 号箭头处，那就会出现详细的文件数据了。如图 5-20 所示。

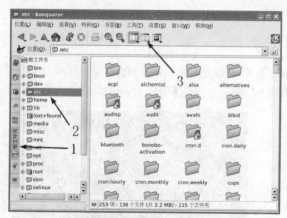

图 5-19　根目录数据的显示

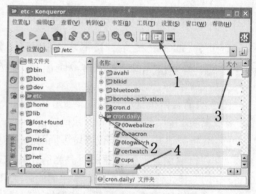

图 5-20　文件数据的详细列表显示

- 如图 5-20 所示，按下 2 号箭头处让加号（+）展开，你就能够看到更详细的文件数据。然后拉动 4 号箭头处的移动钮，你就能够看到 3 号箭头处的更详细的信息，包括文件大小、类型、修改时间与用户组等参数数据。其他更详细的数据就请自己玩玩吧！

◆ 注销 KDE 或关机
- 如果不想要玩 KDE 了，请按下"K 菜单"，然后选择"注销"功能，就会出现如图 5-21 所示界面。
- 图中界面最上方的"vbird"指的是你的账号，如果你使用不同的账号登录，这里就会有不同的账号名称。至于界面中的三个按钮功能为：
  - "结束当前会话"：就是注销而已，会回到图 5-1 等待登录的界面。
  - "关闭计算机"：就是关机的功能。
  - "重启计算机"：就是重启的功能！
- 至于更多的 X Window 相关的使用技巧，以及相关的软件

图 5-21　KDE 的注销界面示意图

应用，鸟哥这里就不多说了，因为鸟哥着重在 Linux 操作系统的基础应用以及网络服务器的应用啊！如果你还真的有兴趣，建议你可以前往杨老师的网站上查看：http://apt.nc.hcc.edu.tw/docs/FC3_X/。

◆ 其他练习
- 由"K 菜单"→"查找文件/文件夹"启动搜寻，并找文件名为 crontab 的文件在哪里。
- 任务栏的最右方原本是数字形态的时钟，请将它改为图形显示的时钟。
- 如何调出控制面板？控制面板的"区域性"里面的"键盘布局"有何用处？

◆ **重启 X Window 的快速按钮**
- 一般来说，我们是可以手动来直接修改 X Window 的配置文件的，不过，修改完成之后的设置选项并不会立刻被加载，必须要重启 X Window 才行（特别注意，不是重启，而是重启 X Window！）。那么如何重启 X Window 呢？最简单的方法就是：
- **直接注销，然后再重新登录即可；**
- **在 X Window 的界面中直接按下[Alt] + [Ctrl] + [Backspace]。**
- 第二个方法比较有趣，[Backspace]是退格键，你按下三个按钮后 X Window 立刻会被重启。如果你的 X Window 因为不明原因导致有点问题时，也可以使用这个方法来重启 X Window 喔！

5.1.4 X Window 与命令行模式的切换

我们前面一直谈到的是 X Window 的窗口管理员环境，那么在这里面有没有纯文本界面的环境啊？当然有。但是，要怎么切换 X Window 与命令行模式呢？注意，通常我们也称命令行模式为**终端界面**（terminal 或 console）。Linux 默认的情况下会提供 6 个 Terminal 来让用户登录，切换的方式为使用[Ctrl] + [Alt] + [F1]~[F6]的组合按钮。

那这 6 个终端界面如何命名呢，系统会将[F1]~[F6]命名为 tty1~tty6 的操作界面环境。也就是说，当你按下[Crtl] + [Alt] + [F1]这三个组合按钮时（按着[Ctrl]与[Alt]不放，再按下[F1]功能键），就会进入到 tty1 的 terminal 界面中了。同样的[F2]就是 tty2。那么如何回到刚才的 X 窗口界面呢？很简单啊！按下[Ctrl] + [Alt] + [F7]就可以了！我们整理一下登录的环境如下：
- [Ctrl] + [Alt] + [F1]~[F6]：文字界面登录 tty1~tty6 终端；
- [Ctrl] + [Alt] + [F7]：图形界面桌面。

在 Linux 默认的登录模式中，主要分为两种，一种是仅有纯文本界面（所谓的运行等级 run level 3）的登录环境，在这种环境中你可以有 tty1~tty6 的终端界面，但是并没有图形窗口界面的环境喔！另一种则是图形界面的登录环境（所谓的运行等级 run level 5），这也是我们第 4 章安装妥当后的默认环境。在这个环境中你就具有 tty1~tty7 了。其中的 tty7 就是开机完成后的默认等待登录的图形环境。

如果你是以纯文本环境启动 Linux 的，默认的 tty7 是没有东西的。万一如此的话，那要怎么启动 X 窗口界面呢？你可以在 tty1~tty6 的任意一个终端界面使用你的账号登录后（登录的方法下一小节会介绍），然后执行如下的命令即可：

```
[vbird@www ~]$ startx
```

不过 startx 这个命令并非万灵丹，你要让 startx 生效至少需要下面这几件事情的配合：
◆ 你的 tty7 并没有其他的窗口软件正在运作（tty7 必须是空出来的）；
◆ 你必须要已经安装了 X Window 系统，并且 X Server 是能够顺利启动的；
◆ 你最好要有窗口管理员，例如 GNOME/KDE；
◆ 启动 X 窗口所必须要的服务，例如字型服务器（X Font Server, XFS）必须要先启动。

刚才我们谈到的 Linux 启动时可以选择纯文本或者是窗口环境，也谈到了运行等级（run level）。Linux 默认提供了 7 个 Run level 给我们使用，其中最常用到的就是 run level 3 与 run level 5 这两样了。如果你想要让 Linux 在下次开机时使用纯文本环境（run level 3）来登录，只要修订一下/etc/inittab 这个文件的内容，就能够在下次重启时生效了。因为我们尚未提到 VI，所以，这部分得到系统管理员篇幅的时候再说明。

5.1.5 在终端界面登录 linux

刚才你如果有按下[Ctrl] + [Alt] + [F1]，就可以来到 tty1 的登录界面，而如果你是使用纯文本界面（其实是 run level 3）启动 Linux 主机的话，那么默认为 tty1 环境。这个环境的等待登录的界面有点像这样：

```
CentOS release 5.3 (Final)
Kernel 2.6.18-128.el5 on an i686

www login: vbird
Password:
[vbird@www ~]$ _
```

上面显示的内容是这样的。

1. **CentOS release 5.3 (Final)**
- 显示 Linux distribution 的名称（CentOS）与版本（5.3）。
2. **Kernel 2.6.18-128.el5 on an i686**
- 显示内核的版本为 2.6.18–128.el5，且目前这部主机的硬件等级为 i686。如果是使用 x86_64 的 Linux 版本且安装到 64 位的 PC，那你的硬件等级就会是 "X86_64"。
3. **www login**
- 那个 www 是你的主机名。我们在第 4 章安装时有填写主机名为：www.vbird.tsai，主机名的显示通常只取第一个小数点前的字母，所以就成为 www。至于 login:则是一个可以让我们登录的程序。你可以在 login:后面输入你的账号。以鸟哥为例，我输入的就是第 4 章创建的 vbird 那个账号。当然，你也可以使用 root 这个账号来登录的。不过 "root" 这个账号代表在 Linux 系统下无穷的权力，所以尽量不要使用 root 账号来登录。
4. **Password**
- 这一行则在第三行的 vbird 输入后才会出现，要你输入密码。请注意，在输入密码的时候，屏幕上面 "不会显示任何的字样"，所以不要以为你的键盘坏掉了！很多初学者一开始到这里都会拼命地问我的键盘怎么不能用……
5. **[vbird@www ~]$ _**
- 这一行则是正确登录之后才显示的信息，最左边的 vbird 显示的是当前用户的账号，而@之后接的 www 则是主机名，至于最右边的~则指的是 "当前所在的目录"，那个$则是我们经常讲的提示符。

> 那个~符号代表的是用户的主文件夹，它是个 "变量"！这相关的意义我们会在后续的章节依序介绍到。举例来说，root 的主文件夹在/root，所以~就代表/root 的意思。而 vbird 的主文件夹在/home/vbird，所以如果你以 vbird 登录时，看到的~就会等于/home/vbird。至于提示符方面，在 Linux 当中，默认 root 的提示符为 #，而一般身份用户的提示符为 $ 。还有，上面的第一、第二行的内容其实是来自于/etc/issue 这个文件。

这样就已登录主机了！

另外，再次强调，在 Linux 系统下最好常使用一般账号来登录即可，所以上例中鸟哥是以自己的账号 vbird 来登录的。因为系统管理员账号（root）具有无穷的权限，例如他可以删除任何一个文件或目录。因此若你以 root 身份登录 Linux 系统，一个不小心下错命令，后果不堪设想。

因此，一个称职的网络/系统管理人员，通常都会具有两个账号，平时以自己的一般账号来使用 Linux 主机的任何资源，有需要动用到系统功能修改时，才会转换身份成为 root。所以，鸟哥强烈建议你创建一个普通的账号来供自己平时使用。更详细的账号信息，我们会在后续的第 14 章的账号管理中再次提及，这里先有概念即可。

那么如何离开系统呢？其实应该说"注销 Linux"才对。注销很简单，直接这样做：

```
[vbird@www ~]$ exit
```

就能够注销 Linux 了。但是请注意：**离开系统并不是关机**！基本上，Linux 本身已经有相当多的工作在进行，你的登录也仅是其中的一个"工作"而已，所以当你离开时，这次这个登录的工作就停止了，但此时 Linux 其他的工作是还是继续在进行的。本章后面我们再来提如何正确关机，这里先建立起这个概念即可！

5.2 在命令行模式下执行命令

其实我们都是通过"程序"在跟系统通信的，本章上面提到的窗口管理员或命令行模式都是一组或一支程序在负责我们所想要完成的命令。命令行模式登录后所取得的程序被称为 shell，这是因为这个程序负责最外层的跟用户（我们）通信工作，所以才被戏称为 shell。更多与操作系统的相关性可以参考第 0 章计算机概论内的说明。

关于更多的 bash 我们在第三篇再来介绍。现在让我们来练一练打字吧！

5.2.1 开始执行命令

其实整个命令执行的方式很简单，你只要记得几个重要的概念就可以了。举例来说，你可以这样执行命令：

```
[vbird@www ~]$ command [-options] parameter1 parameter2 ...
                命令      选项       参数（1）      参数（2）
说明:
0. 一行命令中第一个输入的部分绝对是"命令（command）"或"可执行文件"。
1. command 为命令的名称，例如变换路径的命令为 cd 等。
2. 中刮号[]并不存在于实际的命令中，而加入参数设置时，通常参数前会带 - 号，
   例如 -h；有时候会使用参数的完整全名，则参数前带有 -- 符号，例如 --help。
3. parameter1 parameter2.. 为依附在 option 后面的参数，或者是 command 的参数。
4. 命令、-options，参数等这几个命令中间以空格来区分，不论空几格 shell 都视为一格。
5. 按下[Enter]按键后，该命令就立即执行。[Enter]按键代表着一行命令的开始启动。
6. 命令太长的时候，可以使用反斜杠（\）来转义[Enter]符号，使命令连续到下一行，
   注意！反斜杠后立刻接特殊字符，才能转义。
其他:
a. 在 Linux 系统中，英文大小写字母是不一样的。举例来说，cd 与 CD 并不同。
b. 更多的介绍等到第 11 章时，再来详述。
```

注意到上面的说明当中，"**第一个被输入的数据绝对是命令或者是可执行文件**"。这个是很重要的概念。还有，按下[Enter]键表示要开始执行此一条命令的意思。我们来实际操作一下：以 ls 这个"命令"列出"自己主文件夹（～）"下的"所有隐藏文件与相关的文件属性"，要实现上述的要求需要加入–al 这样的参数，所以：

```
[vbird@www ~]$ ls -al ~
[vbird@www ~]$ ls        -al   ~
[vbird@www ~]$ ls -a -l ~
```

上面这三个命令的执行结果是一样的。为什么？请参考上面的说明。关于更详细的命令行模式使用方式，我们会在第 11 章认识 BASH 再来强调。此外，请特别留意，在 Linux 的环境中，大小写字母是不一样的东西！也就是说，在 Linux 下面，VBird 与 vbird 这两个文件是"完全不一样的"文件。所以，你在执

行命令的时候千万要注意到命令是大写还是小写。例如输入下面这些命令，看看有什么现象：

```
[vbird@www ~]$ date  <==结果显示日期与时间
[vbird@www ~]$ Date  <==结果显示找不到命令
[vbird@www ~]$ DATE  <==结果显示找不到命令
```

不一样的大小写，有的会显示错误的信息。因此，请千万记得这点。

◆ **语言的支援**

● 另外，很多时候你会发现，当输入命令之后显示的结果的是乱码？这跟鸟哥说的不一样啊！不要紧张，我们前面提到过，Linux 是可以支持多国语言的，若可能的话，屏幕信息是会以该支持语言来输出的。但是，我们的终端接口（terminal）在默认的情况下，无法以中文编码输出数据的。这个时候，我们就得将支持语言改为英文，才能够以英文显示出正确的信息。像如下这样做：

```
1. 显示目前所支持的语言
[vbird@www ~]$ echo $LANG
zh_CN.UTF-8
# 上面的意思是说，目前的语言（LANG）为 zh_CN.UTF-8

2. 修改语言成为英文语系
[vbird@www ~]$ LANG=en_US
# 注意到上面的命令中没有空格符，且英文语系为 en_US！
[vbird@www ~]$ echo $LANG
en_US
# 再次确认一下，结果出现，确实是 en_US 这个英文语系！
```

● 注意一下，那个"LANG=en_US"是连续输入的，等号两边并没有空格符。这样一来，就能够在"这次的登录"查看英文信息了。为什么说是"这次的登录"呢？因为，如果你注销 Linux 后，刚才执行的命令就没有用。这个我们会在第 11 章详细说明。

5.2.2 基础命令的操作

下面我们来操作几个简单的命令。

◆ 显示日期与时间的命令：date；
◆ 显示日历的命令：cal；
◆ 简单好用的计算器：bc。

　1. 显示日期的命令：date
● 如果在文字界面中想要知道目前 Linux 系统的时间，那么就直接在命令行模式输入 date 即可显示：

```
[vbird@www ~]$ date
Mon Aug 17 17:02:52 CST 2009
```

● 上面显示为：星期 1，8 月 17 日，17:02 分，52 秒，在 2009 年的 CST 时区。如果我想要让这个程序显示出"2009/08/17"这样的日期显示方式呢？那么就使用 date 的相关功能。

```
[vbird@www ~]$ date +%Y/%m/%d
2009/08/17
[vbird@www ~]$ date +%H:%M
17:04
```

● 那个"+%Y%m%d"就是 date 命令的一些参数功能。怎么知道这些参数？要背起来吗？当然不必。下面会告诉你怎么查这些参数。

● 从上面的例子当中我们也可以知道，命令之后的参数除了前面带有减号"-"之外，某些特殊情况下，参数前面也会带有正号"+"的情况。这部分可不要轻易忘记了。

2. 显示日历的命令：cal

- 如果要列出目前这个月份的月历，直接执行 cal 即可。

```
[vbird@www ~]$ cal
      August 2009
Su Mo Tu We Th Fr Sa
                   1
 2  3  4  5  6  7  8
 9 10 11 12 13 14 15
16 17 18 19 20 21 22
23 24 25 26 27 28 29
30 31
```

- 除了本月的日历之外，连同今日所在处都会有反白的显示。cal（calendar）命令可做的事情还很多，你可以显示整年的月历情况：

```
[vbird@www ~]$ cal 2009
                  2009

      January              February                March
Su Mo Tu We Th Fr Sa   Su Mo Tu We Th Fr Sa   Su Mo Tu We Th Fr Sa
             1  2  3    1  2  3  4  5  6  7    1  2  3  4  5  6  7
 4  5  6  7  8  9 10    8  9 10 11 12 13 14    8  9 10 11 12 13 14
11 12 13 14 15 16 17   15 16 17 18 19 20 21   15 16 17 18 19 20 21
18 19 20 21 22 23 24   22 23 24 25 26 27 28   22 23 24 25 26 27 28
25 26 27 28 29 30 31                          29 30 31


       April                  May                   June
Su Mo Tu We Th Fr Sa   Su Mo Tu We Th Fr Sa   Su Mo Tu We Th Fr Sa
          1  2  3  4                1  2       1  2  3  4  5  6
 5  6  7  8  9 10 11    3  4  5  6  7  8  9    7  8  9 10 11 12 13
12 13 14 15 16 17 18   10 11 12 13 14 15 16   14 15 16 17 18 19 20
19 20 21 22 23 24 25   17 18 19 20 21 22 23   21 22 23 24 25 26 27
26 27 28 29 30         24 25 26 27 28 29 30   28 29 30
                       31
....（以下省略）....
```

- 基本上 cal 的语法为：

```
[vbird@www ~]$ cal [[month] year]
```

- 所以，如果我想要知道 2009 年 10 月的月历，可以直接执行：

```
[vbird@www ~]$ cal 10 2009
    October 2009
Su Mo Tu We Th Fr Sa
             1  2  3
 4  5  6  7  8  9 10
11 12 13 14 15 16 17
18 19 20 21 22 23 24
25 26 27 28 29 30 31
```

- 那请问今年有没有 13 月？测试一下这个命令的正确性，可以执行下列命令查看：

```
[vbird@www ~]$ cal 13 2009
cal: illegal month value: use 1-12
```

- cal 竟然会告诉我们 "错误的月份，请使用 1-12" 这样的信息。所以，将来你可以很轻易地就以 cal 来取得日历上面的日期。简直就是万年历啦！另外，由这个 cal 命令的练习我们也可以知道，某些命令有特殊的参数存在，若输入错误的参数，则该命令会有错误消息的提示，通过这个提示我们可以了解命令执行错误之处。

3. 简单好用的计算器：bc

- 如果在命令行模式当中，突然想要做一些简单的加减乘除，偏偏手边又没有计算器。这个时候要笔算吗？当然不需要。我们的 Linux 有提供一个计算程序，那就是 bc。你在命令行输入 bc 后，屏幕会显示出版本信息，之后就进入到等待指示的阶段。如下所示：

```
[vbird@www ~]$ bc
bc 1.06
Copyright 1991-1994, 1997, 1998, 2000 Free Software Foundation, Inc.
This is free software with ABSOLUTELY NO WARRANTY.
For details type `warranty'.
_  <==这个时候，光标会停留在这里等待你的输入
```

- 事实上，我们是进入到 bc 这个软件的工作环境当中了。就好像我们在 Windows 里面使用"计算器"一样。所以我们下面尝试输入的数据，都是在 bc 程序当中进行运算的操作。所以你输入的数据当然就得要符合 bc 的要求才行。在介绍基本的 bc 计算器操作之前，先介绍几个使用的运算符好了。

  - +加法
  - –减法
  - *乘法
  - /除法
  - ^指数
  - %余数

- 让我们来使用 bc 计算吧！

```
[vbird@www ~]$ bc
bc 1.06
Copyright 1991-1994, 1997, 1998, 2000 Free Software Foundation, Inc.
This is free software with ABSOLUTELY NO WARRANTY.
For details type `warranty'.
1+2+3+4   <==只有加法时
10
7-8+3
2
10*52
520
10%3      <==计算 "余数"
1
10^2
100
10/100    <==这个最奇怪。不是应该是 0.1 吗？
0
quit      <==离开 bc 这个计算器
```

- 在上文中，粗体字表示输入的数据，而在每个粗体字的下面就是输出的结果。每个计算都还算正确，怎么 10/100 会变成 0 呢？这是因为 bc 默认仅输出整数，如果要输出全部小数，那么就必须要执行 scale=number，那个 number 就是小数点后的位数，例如：

```
[vbird@www ~]$ bc
bc 1.06
Copyright 1991-1994, 1997, 1998, 2000 Free Software Foundation, Inc.
This is free software with ABSOLUTELY NO WARRANTY.
For details type `warranty'.
scale=3   <==没错！就是这里！！
1/3
```

```
.333
340/2349
.144
quit
```

- 注意，要离开 bc 回到命令提示符时，务必要输入 "quit" 来离开 bc 的软件环境。
- 从上面的练习我们大概可以知道在命令行模式里面执行命令时，会有两种主要的情况：
  - 一种是该命令会直接显示结果然后回到命令提示符等待下一个命令的输入；
  - 一种是进入到该命令的环境，直到结束该命令才回到命令提示符的环境。
- 我们以一个简单的图 5-22 来说明。
- 如图 5-22 所示，上方命令执行后立即显示信息且立刻回到命令提示符的环境。如果有进入软件功能的环境（例如上面的 bc 软件），那么就得要使用该软件的结束命令（例如在 bc 环境中输入 quit）才能够回到命令提示符中。那你怎么知道你是否在命令提示符的环境呢？很简单，你只要看到光标是在 "[vbird@www～]$" 这种提示符后面，那就是等待输入命令的环境了。

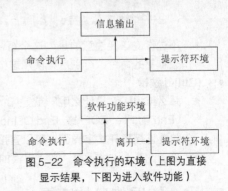

图 5-22　命令执行的环境（上图为直接显示结果，下图为进入软件功能）

5.2.3　重要的热键[Tab], [Ctrl]-c, [Ctrl]-d

在继续后面的内容之前，这里很需要跟大家再来说明一件事，那就是我们的命令行模式里头具有很多的功能组合键，这些按键可以辅助我们进行命令的编写与程序的中断。这几个按键请大家务必要记住的，很重要。

- ◆ [Tab]按键
  - [Tab]按键就是在键盘的大写灯切换按键（[Caps Lock]）上面的那个按键。在各种 UNIX Like 的 Shell 当中，这个[Tab]按键算是 Linux 的 Bash shell 最棒的功能之一了。它具有 "命令补全" 与 "文件补齐" 的功能。它可以避免我们打错命令或文件名。但是[Tab]按键在不同的地方输入，会有不一样的结果。我们举下面的例子来说明。上一小节我们不是提到 cal 这个命令吗？如果我在命令行输入 ca 再按两次[Tab]按键，会出现什么信息呢？

```
[vbird@www ~]$ ca[tab][tab]    <==[tab]按键是紧接在 a 字母后面！
cadaver            callgrind_control     capifax          card
cal                cameratopam           capifaxrcvd      case
caller             cancel                capiinfo         cat
callgrind_annotate cancel.cups           captoinfo        catchsegv
# 上面的 [tab] 指的是按下那个 tab 键，不是要你输入中括号内的 tab 的意思！
```

- 所有以 ca 为开头的命令都被显示出来。那如果你输入 "ls -al ～/.bash" 再加两个[Tab]会出现什么？

```
[vbird@www ~]$ ls -al ~/.bash[tab][tab]
.bash_history  .bash_logout  .bash_profile  .bashrc
```

- 在该目录下面所有以 .bash 为开头的文件名都会被显示出来了。注意看上面两个例子，总结一下：
  - [Tab] 接在一串命令的第一个命令的后面，则为 "命令补全"；
  - [Tab] 接在一串命令的第二个命令以后时，则为 "文件补齐"。
- 好好利用[Tab]按键，是个很好的习惯，可以让你避免很多输入错误的机会。
- ◆ [Ctrl]-c 按键
  - 如果你在 Linux 下面输入了错误的命令或参数，有的时候这个命令或程序会在系统下不停地运行，这个时候怎么办？别担心，如果你想让当前的程序 "停下来" 的话，可以按[Ctrl]与 c 按键（先按着[Ctrl]不放，再按下 c 按键，是组合键），那就是中断目前程序的按键。举例来说，如果你输入了"find /"这个命令时，系统会开始跑一些东西 (先不要理会这个命令串的意义)，此时按下 [Ctrl]-c 组合键，是否立刻发现这个命令串被终止了？

```
[vbird@www ~]$ find /
....（一堆东西都省略）....
# 此时屏幕会很花，你看不到命令提示符的。直接按下[ctrl]-c即可！
 [vbird@www ~]$ <==此时提示符就会回来了！find 程序就被中断！
```

- 不过你应该要注意的是，这个组合键是可以将正在运作中的命令中断的，如果你正在运行比较重要的命令，可别急着使用这个组合键。

◆ **[Ctrl]-d 按键**

- 那么[Ctrl]-d 是什么呢？就是[Ctrl]与 d 按键的组合。这个组合键通常代表着键盘输入结束（End Of File, EOF 或 End Of Input）的意思。另外，它也可以用来替代 exit 的输入。例如你想要直接离开文字界面，可以直接按下[Ctrl]-d 就能够直接离开了（相当于输入 exit 啊）！
- 总之，在 Linux 下面，文字界面的功能是很强悍的，要多学、多用、多熟悉。

5.2.4 错误信息的查看

执行了错误的命令怎么办？不要紧。你可以通过屏幕上面显示的错误信息来了解问题，就很容易知道如何改进错误。举个例子来说，假如想执行 date 却因为大小写打错成为 DATE 时，这个错误的信息是这样显示的：

```
[vbird@www ~]$ DATE
-bash: DATE: command not found
```

上面那个 bash:表示 Shell 的名称，本小节一开始就谈到过 Linux 的默认就是 bash。那么上面的例子说明了 bash 有错误，什么错误呢？bash 告诉你：

```
DATE: command not found
```

字面上的意思是说"命令找不到"，哪个命令呢？就是 DATE 这个命令。所以说，系统上面可能并没有 DATE 这个命令。就是这么简单。通常出现"command not found"的可能原因为：

◆ 这个命令不存在，因为该软件没有安装之故，解决方法就是安装该软件；
◆ 这个命令所在的目录目前的用户并没有将它加入命令搜寻路径中，请参考 bash 的 PATH 说明；
◆ 很简单，因为你打错命令。

另外常见的错误就是我们曾经看过的例子，如下所示：

```
[vbird@www ~]$ cal 13 2009
cal: illegal month value: use 1-12
```

屏幕会告诉我们错误的信息。通过屏幕的信息去处理即可解决你的错误。是否很简单？因此，以后如果出现了问题，屏幕上的信息真的是很重要，不能忽略了它。

介绍这几个命令让你玩一玩先，更详细的命令操作方法我们会在第三篇的时候再进行介绍。如果在操作 date 这个命令的时候，手边又没有这本书做参考，怎么知道要用哪些参数，好让输出的结果符合你想要的输出格式呢？下一节将介绍这个问题。

5.3 Linux 系统的在线求助 **man page** 与 **info page**

我们先来了解一下 Linux 有多少命令呢？在命令行模式下，你可以直接按下两个[Tab]按键，看看总共有多少命令可以让你用。

```
[[vbird@www ~]$ <==在这里不要输入任何字符，直接输入两次[tab]按键
Display all 2450 possibilities? (y or n) <==如果不想要看，按 n 离开
```

如上所示，在安装的这个系统中，少说也有 2000 多个以上的命令可以让 vbird 这个账号使用。那在 Linux 里面到底要不要背"命令"呢？当然，有的时候为了要考试（例如一些认证考试等等的）还是需要背一些重要的命令。不过，主要还是以理解"在什么情况下应该要使用哪方面的命令"为准。

既然不需要背命令，那么我们如何知道每个命令的详细用法？还有，某些配置文件的内容到底是什么？这不必担心，因为在 Linux 上开发的软件大多数都是自由软件，而这些软件的开发者为了让大家能够了解命令的用法，都会自行制作很多的文件，而这些文件也可以轻易被用户在线查询出来。这就是"在线帮助文件"。我们下面就来谈一谈，Linux 到底有多少的在线文件数据呢？

5.3.1　man page

不知道怎么使用 date 这个命令？不要担心，我们 Linux 上面的在线求助系统已经都帮你想好要怎么办了，所以你只要使用简单的方法去寻找一下说明的内容，马上就清楚地知道该命令的用法了。怎么看呢？就是找"男人"（man）。这个 man 是 manual（操作说明）的简写。只要执行"man date"马上就会有清楚的说明出现，如下所示：

```
[vbird@www ~]$ LANG="en"
# 还记得它的用意吧？前面提过了，是为了"语系"的需要。执行过一次即可。

[vbird@www ~]$ man date
DATE (1)                    User Commands                    DATE (1)
# 请注意上面这个括号内的数字
NAME  <==这个命令的完整全名，如下所示为 date 且说明简单用途为设置与显示日期/时间
      date - print or set the system date and time

SYNOPSIS  <==这个命令的基本语法如下所示
      date [OPTION]... [+FORMAT]
      date [-u|--utc|--universal] [MMDDhhmm[[CC]YY][.ss]]

DESCRIPTION  <==详细说明刚才语法谈到的参数的用法
      Display the current time in the given FORMAT, or set the system
      date.

      -d, --date=STRING  <==左边-d 为短参数名称，右边--date 为完整参数名称
          display time described by STRING, not 'now'

      -f, --file=DATEFILE
          like --date once for each line of DATEFILE

      -r, --reference=FILE
          display the last modification time of FILE
....（中间省略）....
      #下面就是格式化输出的详细数据。
      FORMAT controls the output. The only valid option for the second
      form specifies Coordinated Universal Time. Interpreted sequences
      are:

      %%    a literal %

      %a    locale's abbreviated weekday name (e.g., Sun)

      %A    locale's full weekday name (e.g., Sunday)
....（中间省略）....
ENVIRONMENT  <==与这个命令相关的环境参数有如下的说明
      TZ    Specifies the timezone, unless overridden by command line
```

```
                    parameters.  If  neither  is  specified,  the  setting  from
                    /etc/localtime is used.

AUTHOR  <==这个命令的作者
        Written by David MacKenzie.

REPORTING BUGS  <==有问题请留言给下面的 email 的意思
        Report bugs to <bug-coreutils@gnu.org>.

COPYRIGHT  <==受到著作权法的保护！用的就是 GPL 了
        Copyright ? 2006 Free Software Foundation, Inc.
        This is free software.  You may redistribute copies of it under  the
        terms   of   the   GNU   General   Public   License
        <http://www.gnu.org/licenses/gpl.html>.  There is NO WARRANTY,  to
        the extent permitted by law.

SEE ALSO  <==这个重要，你还可以从哪里查到与 date 相关的说明文件之意
        The  full  documentation for date is maintained as a Texinfo manual.
        If the info and date programs are properly installed at  your  site,
        the command

            info date

        should give you access to the complete manual.

date 5.97                    May 2006                    DATE(1)
```

> 进入 man 命令的功能后，你可以按下空格键往下翻页，可以按下"q"按键来离开 man 的环境。更多在 man 命令下的功能，本小节后面会谈到的！

现在，马上就知道一大堆的用法了。如此一来，不就可以知道 date 的相关参数了吗？真方便。出现的这个屏幕界面，我们称呼它为 man page，你可以在里头查询它的用法与相关的参数说明。如果仔细来看这个 man page 的话，你会发现几个有趣的东西。

首先，你可以看到的是"DATE（1）"，DATE 我们知道是命令的名称，那么（1）代表什么呢？它代表的是一般用户可使用的命令。在查询数据的后面的数字是有意义的。它可以帮助我们了解或者是直接查询相关的资料。常见的几个数字的意义如表 5-1 所示。

表 5-1

代　　号	代　表　内　容
1	用户在 shell 环境中可以操作的命令或可执行文件
2	系统内核可调用的函数与工具等
3	一些常用的函数（function）与函数库（library），大部分为 C 的函数库（libc）
4	设备文件的说明，通常在/dev 下的文件
5	配置文件或是某些文件的格式
6	游戏（games）
7	惯例与协议等，例如 Linux 文件系统、网络协议、ASCII code 等说明
8	系统管理员可用的管理命令
9	跟 kernel 有关的文件

上述的表格内容可以使用"man 7 man"方式来取得更详细的说明。通过这张表格的说明，将来你如果使用 man page 在查看某些数据时，就会知道该命令/文件所代表的基本意义是什么了。举例来说，如果你执行了"man null"时，会出现的第一行是"NULL（4）"，对照一下上面的数字意义，原

来 null 竟然是一个"设备文件"。

 上表中的 1, 5, 8 这三个号码特别重要,也请读者要将这三个数字所代表的意义背下来。

man page 的内容也分成好几个部分来加以介绍。前面的 man page 中,以 NAME 作为开始介绍,最后还有个 SEE ALSO 来作为结束。基本上,man page 大致分成下面这几个部分,如表 5-2 所示。

表 5-2

代　号	内 容 说 明
NAME	简短的命令、数据名称说明
SYNOPSIS	简短的命令执行语法(syntax)简介
DESCRIPTION	较为完整的说明,这部分最好仔细看看
OPTIONS	针对 SYNOPSIS 部分中,有列举的所有可用的选项说明
COMMANDS	当这个程序(软件)在执行的时候,可以在此程序(软件)中执行的命令
FILES	这个程序或数据所使用或参考或连接到的某些文件
SEE ALSO	这个命令或数据有相关的其他说明
EXAMPLE	一些可以参考的范例
BUGS	是否有相关的错误

有时候除了这些外,还可能会看到 AUTHORS 与 COPYRIGHT 等,不过也有很多时候仅有 NAME 与 DESCRIPTION 这些部分。通常在查询某个数据时是这样来查阅的。

1. 先查看 NAME 的项目,约略看一下这个数据的意思。
2. 再仔细看一下 DESCRIPTION,这个部分会提到很多相关的资料与用法,从这个地方可以学到很多小细节。
3. 而如果这个命令其实很熟悉了(例如上面的 date),那么主要就是查询关于 OPTIONS 的部分了。可以知道每个选项的意义,这样就可以执行比较细部的命令内容。
4. 最后会再看一下跟这个资料有关的还有哪些东西可以使用的。举例来说,上面的 SEE ALSO 就告知我们还可以利用 "info coreutils date" 来进一步查阅数据。
5. 某些说明内容还会列举有关的文件(FILES 部分)来提供我们参考。这些都是很有帮助的。

大致上了解了 man page 的内容后,那么在 man page 当中我还可以利用哪些按键来帮忙查阅呢?首先,如果要向下翻页的话,可以按下键盘的空格键,也可以使用[Page Up]与[Page Down]来翻页。同时,如果你知道某些关键字的话,那么可以在任何时候输入 "/word" 来主动查找关键字。例如在上面的查找当中,我输入了 "/date" 会变成怎样?

```
DATE(1)                    User Commands                    DATE(1)

NAME
    date - print or set the system date and time

SYNOPSIS
    date [OPTION]... [+FORMAT]
    date [-u|--utc|--universal] [MMDDhhmm[[CC]YY][.ss]]

DESCRIPTION
    Display  the  current  time  in  the given FORMAT, or set the system date.

....(中间省略)....

/date <==只要按下/,光标就会跑到这个地方来,你就可以开始输入查找字符串了
```

看到了吗？当你按下"/"之后，光标应该会移动到屏幕的最下面一行，并等待你输入查找的字符串了。此时，输入 date 后，man page 就会开始查找跟 date 有关的字符串，并且移动到该区域。最后，如果要离开 man page 时，直接按下" q "就能够离开了。表 5–3 整理了一些在 man page 中常用的按键。

表 5–3

按　　键	进　行　工　作
空格键	向下翻一页
[Page Down]	向下翻一页
[Page Up]	向上翻一页
[Home]	去到第一页
[End]	去到最后一页
/string	向下查询 string 字符串，如果要查询 vbird 的话，就输入/vbird
?string	向上查询 string 字符串
n, N	利用/或?来查询字符串时，可以用 n 来继续下一个查询（不论是/或?），可以利用 N 来进行反向查询。举例来说，我以/vbird 查询 vbird 字符串，那么可以 n 继续往下查询，用 N 往上查询。若以?vbird 向上查询 vbird 字符串，那我可以用 n 继续向上查询，用 N 反向查询
q	结束这次的 man page

　　要注意，上面的按键是在 man page 的界面当中才能使用的。比较有趣的是那个查询。我们可以往下或者是往上查询某个字符串，例如要在 man page 内查询 vbird 这个字符串，可以输入/vbird 或者是?vbird，只不过一个是往下而一个是往上来查询的。而要**重复**查询某个字符串时，可以使用 n 或者是 N 来操作即可呢。

　　既然有 man page，自然就是因为有一些文件数据，所以才能够以 man page 读出来。那么这些 man page 的数据放在哪里呢？不同的 distribution 通常可能有点区别，不过，通常是放在/usr/share/man 这个目录里头，然而，我们可以通过修改它的 man page 查询路径来改善这个目录的问题。**修改/etc/man.config**（有的版本为 man.conf 或 manpath.conf）即可。至于更多的关于 man 的信息你可以使用"man man"来查询。关于更详细的设置，我们会在第 11 章 bash 当中继续说明。

◆　**查询特定命令/文件的 man page 说明文件**

●　在某些情况下，你可能知道要使用某些特定的命令或者是修改某些特定的配置文件，但是偏偏忘记了该命令的完整名称。有些时候则是你只记得该命令的部分关键字。这个时候你要如何查出来你所想要知道的 man page 呢？我们以下面的几个例子来说明 man 这个命令有用的地方。

例题

你可否查出来系统中还有哪些跟"man"这个命令有关的说明文件呢？
答：你可以使用下面的命令来查询一下：

```
[vbird@www ~]$ man -f man
man                      (1)  - format and display the on-line manual pages
man                      (7)  - macros to format man pages
man.config [man]         (5)  - configuration data for man
```

　　使用–f 这个选项就可以取得更多与 man 相关的信息，而上面这个结果当中也有提示了（数字）的内容，举例来说，第二行的" man(7)"表示有个 man(7)的说明文件存在。但是却有个 man(1)存在。那当我们执行"man man"的时候，到底是找到哪一个说明文件呢？其实，你可以指定不同的文件的，举例来说，上面的两个 man 你可以这样将它的文件显示出来：

```
[vbird@www ~]$ man 1 man   <==这里是用 man（1）的文件数据
[vbird@www ~]$ man 7 man   <==这里是用 man（7）的文件数据
```

　　你可以自行将上面两个命令输入一次看看，就知道两个命令输出的结果是不同的。那个 1, 7 就是分别取出在 man page 里面关于 1 与 7 相关数据的文件。好了，那么万一我真的忘记了执行数字，只有输入 "man man" 时，那么取出的数据到底是 1 还是 7 啊？这个就跟查询的顺序有关了。查询的顺序是记录在/etc/man.conf 这个配置文件当中，**先查询到的那个说明文件就会先被显示出来**。一般来说，因为排序的关系通常会先找到数字较小的那个，所以，man man 会跟 man 1 man 结果相同。

- 除此之外，我们还可以利用"关键字"找到更多的说明文件数据。什么是关键字呢？从上面的 "man –f man" 输出的结果中，我们知道其实输出的数据是：
  - 左边部分：命令（或文件）以及该命令所代表的意义（就是那个数字）；
  - 右边部分：这个命令的简易说明，例如上述的 "–macros to format man pages"。
- 当使用 "man –f 命令" 时，man 只会找数据中的左边那个命令（或文件）的完整名称，有一点不同都不行，但如果我想要找的是"关键字"呢？也就是说，我想要同时找上面说的两个地方的内容，只要该内容有关键字存在，不需要完全相同的命令（或文件）就能够找到时，该怎么办？请看下个范例。

例题

在系统的说明文件中，只要有 man 这个关键字就将该说明列出来。
答：

```
[vbird@www ~]$ man -k man
. [builtins]          (1)  - bash built-in commands, see bash(1)
.TP 15 php [php]       (1)  - PHP Command Line Interface 'CLI'
....（中间省略）....
zshall                (1)  - the Z shell meta-man page
zshbuiltins           (1)  - zsh built-in commands
zshzle                (1)  - zsh command line editor
```

因为这个是利用关键字将说明文件里面只要含有 man 那个字相关的（不见得是完整字符串）就将它取出来。（上面的结果有特殊字体的显示是为了方便读者查看，实际的输出结果并不会有特别的颜色显示。）

- 事实上，还有两个命令与 man page 有关呢。而这两个命令是 man 的简略写法，就是这两个：

```
[vbird@www ~]$ whatis   [命令或者是数据]    <==相当于 man -f [命令或者是数据]
[vbird@www ~]$ apropos  [命令或者是数据]    <==相当于 man -k [命令或者是数据]
```

- 而要注意的是，这两个特殊命令要能使用，必须要创建 whatis 数据库才行。这个数据库的创建需要以 root 的身份执行如下的命令：

```
[root@www ~]# makewhatis
```

一般来说，鸟哥是真的不会去背命令的，只会去记住几个常见的命令而已。那么鸟哥是怎么找到所需要的命令呢？举例来说，打印的相关命令，鸟哥其实仅记得 lp（line print）而已。那我就由 man lp 开始，去找相关的说明，然后，再以 lp[tab][tab] 找到任何以 lp 为开头的命令，找到我认为可能有点相关的命令后，再以 man 去查询命令的用法。所以，如果是实际在管理 Linux，那么真的只要记得几个很重要的命令即可，其他需要的，努力找 man 吧！

5.3.2 info page

在所有的 UNIX Like 系统当中，都可以利用 man 来查询命令或者是相关文件的用法；但是，在

Linux 里面则又额外提供了一种在线求助的方法，那就是利用 info。

基本上，info 与 man 的用途其实差不多，都是用来查询命令的用法或者是文件的格式。但是与 man page 一下子输出一堆信息不同的是，info page 则是将文件数据拆成一个一个的段落，每个段落用自己的页面来撰写，并且在各个页面中还有类似网页的"超链接"来跳到各不同的页面中，每个独立的页面也被称为一个节点（node）。所以，你可以将 info page 想成是命令行模式的网页显示数据。

不过你要查询的目标数据的说明文件必须要以 info 的格式来写成才能够使用 info 的特殊功能（例如超链接）。而这个支持 info 命令的文件默认是放置在/usr/share/info/这个目录下。举例来说，info 这个命令的说明文件有写成 info 格式，所以，你使用" info info "可以得到如下的界面：

```
[vbird@www ~]$ info info
File: info.info, Node: Top, Next: Getting Started, Up: (dir)

Info: An Introduction
*********************

The GNU Project distributes most of its on-line manuals in the "Info
format", which you read using an "Info reader". You are probably using
an Info reader to read this now.

....（中间省略）....

  To read about expert-level Info commands, type `n' twice. This
brings you to `Info for Experts', skipping over the `Getting Started'
chapter.
* Menu:

* Getting Started::        Getting started using an Info reader.
* Expert Info::            Info commands for experts.
* Creating an Info File::  How to make your own Info file.
* Index::                  An index of topics, commands, and variables.

--zz-Info: (info.info.gz) Top, 29 lines --Top-------------------------------
Welcome to Info version 4.8. Type ? for help, m for menu item.
```

仔细看看上面这个显示的结果，里面的第一行显示了很多的信息。第一行里面的数据意义为。

◆ **File**：代表这个 info page 的数据是来自 info.info 文件所提供的。

◆ **Node**：代表目前的这个页面是属于 Top 节点。意思是 info.info 内含有很多信息，而 Top 仅是 info.info 文件内的一个节点内容而已。

◆ **Next**：下一个节点的名称为 Getting Started，你也可以按"N"到下个节点去。

◆ **Up**：回到上一层的节点总揽界面，你也可以按下"U"回到上一层。

◆ **Prev**：前一个节点。但由于 Top 是 info.info 的第一个节点，所以上面没有前一个节点的信息。

从第一行你可以知道这个节点的内容、来源与相关链接的信息。更有用的信息是，你可以通过直接按下 N, P, U 来去到下一个、上一个与上一层的节点（node）。第一行之后就是针对这个节点的说明。在上面的范例中，第二行以后的说明就是针对 info.info 内的 Top 这个节点所做的。

另外，你会也看到"Menu"。下面共分为四小节，分别是 Getting Started 等的，我们可以使用上下左右按键来将光标移动到该文字或者" * "上面，按下[Enter]，就可以前往该小节了。另外，也可以按下[Tab]按键，就可以快速将光标在上面的界面中的节点间移动，真的是非常方便好用。如果将 info.info 内的各个节点串在一起并绘制成图表的话，情况如图 5-23 所示。

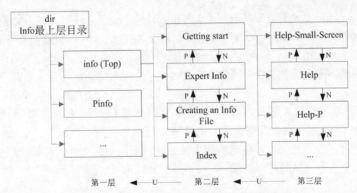

图 5-23　info page 各说明文件相关性的示意图

如图 5-23 所示，info 的说明文件将内容分成多个节点，并且每个节点都有定位与链接。在各链接之间还可以具有类似"超链接"的快速按钮，可以通过[Tab]键在各个超链接间移动，也可以使用 U, P, N 键来在各个阶层与相关链接中显示。至于在 info page 当中可以使用的按键，可以整理成表 5-4 所示。

表 5-4

按　键	进 行 工 作
空格键	向下翻一页
[Page Down]	向下翻一页
[Page Up]	向上翻一页
[Tab]	在节点之间移动，有节点的地方，通常会以"＊"显示
[Enter]	当光标在节点上面时，按下[Enter]可以进入该节点
B	移动光标到该 info 界面当中的第一个节点处
E	移动光标到该 info 界面当中的最后一个节点处
N	前往下一个节点处
P	前往上一个节点处
U	向上移动一层
S（/）	在 info page 当中进行查询
H	显示求助菜单
?	命令一览表
Q	结束这次的 info page

info page 是只有 Linux 上面才有的产物，而且易读性增强很多，不过查询的命令说明要具有 info page 功能的话，得用 info page 的格式来写成在线求助文件才行。CentOS 5 将 info page 的文件放置到 **/usr/share/info/** 目录中。至于不是以 info page 格式写成的说明文件（就是 man page），虽然也能够使用 info 来显示，不过其结果就会跟 man 相同。举例来说，你可以执行"info man"就知道结果了。

5.3.3　其他有用的文件（documents）

一般而言，命令或者软件开发者都会将自己的命令或者是软件的说明制作成"在线帮助文件"。但是，毕竟不是什么都需要做成在线帮助文件的，还有相当多的说明需要额外的文件。此时，这个所谓的 How-To（如何做的意思）就很重要了。还有，某些软件不仅是告诉你"如何做"，还会有一些相关的原理会说明。

那么这些帮助文件放在哪里呢？就是放在/usr/share/doc 这个目录下。所以说，你只要到这个目录下面，就会发现好多的说明文件文档，还不需要到网络上面找数据。举例来说，你想要知道这一版的 CentOS 相关的各项信息，可以直接到下面的目录去瞧瞧：

```
/usr/share/doc/centos-release-notes-5.3/
```

那如果想要知道本章讲过多次的 bash 是什么，则可以到/usr/share/doc/bash-3.2/这个目录中去浏览一番。而且/usr/share/doc 这个目录下的数据主要是以软件包（packages）为主的，例如 GCC 这个软件包的相关信息在/usr/share/doc/gcc-xxx（那个 xxx 表示版本的意思）中。将来你可得多查阅这个目录。

总结上面的三个（man, info, /usr/share/doc/）：

◆ 在命令行界面下，有任何你不知道的命令或文件格式，但是你想要了解它，都可以使用 man 或者是 info 来查询。

◆ 而如果你想要架设一些其他的服务，或想要利用一整套软件来达成某项功能时，请赶快到/usr/share/doc 下面查一查有没有该服务的说明文档。

◆ 另外，再次强调，因为 Linux 毕竟是外国人发明的，所以中文文件确实是比较少的。但是不要害怕，只要有英文字典，随时可以查阅。

5.4 超简单文本编辑器：nano

在 Linux 系统当中有非常多的文本编辑器存在，其中最重要的就是后续章节我们会谈到的 vi。不过其实还有很多不错用的文本编辑器存在的。在这里我们就介绍一下简单的 nano 文本编辑器。

nano 的使用其实很简单，你可以直接加上文件名就能够打开一个旧文件或新文件。下面我们就来打开一个名为 test.txt 的文件：

```
[vbird@www ~]$ nano text.txt
# 不管 text.txt 存不存在都没有关系！存在就打开旧文件，不存在就打开新文件

 GNU nano 1.3.12          File: text.txt                        .

 <==这个是光标所在处



                    [ New File ]
^G Get Help^O WriteOut^R Read Fil^Y Prev Pag^K Cut Text^C Cur Pos
^X Exit    ^J Justify ^W Where Is^V Next Pag^U UnCut Te^T To Spell
# 上面两行是命令说明列，其中^代表的是[ctrl]的意思
```

如上图所示，你可以看到第一行反白的部分，那仅是在声明 nano 的版本与文件名（File: text.txt）而已。之后你会看到最下面的三行，分别是文件的状态（New File）与两行命令说明。命令说明行反白的部分就是组合键，后面的则是该组合键的功能。那个指数符号（^）代表的是键盘的[Ctrl]按键。下面先来说说比较重要的几个组合键。

◆ [Ctrl]-G：取得在线帮助（help）。

◆ [Ctrl]-X：离开 naon 软件，若有修改过文件会提示是否需要保存。

◆ [Ctrl]-O：保存文件，若你有权限的话就能够保存文件了。

◆ [Ctrl]-R：从其他文件读入数据，可以将某个文件的内容贴在本文件中。

◆ [Ctrl]-W：查询字符串，这个也是很有帮助的命令。

◆ [Ctrl]-C：说明目前光标所在处的行数与列数等信息。

◆ [Ctrl]-_：可以直接输入行号，让光标快速移动到该行。

◆ [Alt]-Y：校正语法功能开启或关闭（单击开，再单击关）。

◆ [Alt]-M：可以支持鼠标来移动光标的功能。

比较常见的功能是这些，如果你想要取得更完整的说明，可以在 nano 的界面中按下[Ctrl]-G 或者是[F1]按键，就能够显示出完整的 naon 内命令说明了。请你在上述的界面中随便输入许多字，输入完毕之后就保存后离开，如下所示：

```
 GNU nano 1.3.12          File: text.txt                        .
```

```
Type some words in this nano editor program.
You can use [ctrl] plus some keywords to go to some functions.
Hello every one.
Bye bye.
█ <==这个是光标所在处
                        [ New File ]
^G Get Help^O WriteOut^R Read Fil^Y Prev Pag^K Cut Text^C Cur Pos
^X Exit    ^J Justify ^W Where Is^V Next Pag^U UnCut Te^T To Spell
```

此时按下[Crtl]-X 会出现类似下面的界面：

```
GNU nano 1.3.12        File: text.txt                      .

Type some words in this nano editor program.
You can use [ctrl] plus some keywords to go to some functions.
Hello every one.
Bye bye.




Save modified buffer（ANSWERING "No" WILL DESTROY CHANGES）？      .
Y Yes
N No            ^C Cancel
```

如果不要保存数据只想要离开，可以按下 N 即可离开。如果确实是需要保存的，那么按下 Y 后，最后三行会出现如下界面：

```
File Name to Write: text.txt    <==可在这里修改档名或直接按[enter]
^G Get Help      ^T To Files     M-M Mac Format   M-P Prepend
^C Cancel        M-D DOS Format  M-A Append       M-B Backup File
```

如果是单纯想要保存而已，直接按下[Enter]即可保存后离开 nano 程序。不过上图中最下面还有两行，我们知道指数符号代表[Crtl]，那个 M 是代表什么呢？就是[Alt]。其实 nano 也不需要记太多命令，只要知道怎么进入 nano、怎么离开，怎么查询字符串即可。未来我们还会学习更有趣的 vi 呢。

5.5　正确的关机方法

大概知道开机的方法，也知道基本的命令操作，而且还已经知道在线查询了，那么如何关机呢？我想，很多朋友在 DOS 的年代已经有在玩计算机了。在当时我们关掉 DOS 的系统时，经常是直接关掉电源开关，而 Windows 在你不爽的时候，按着电源开关 4 秒也可以关机。但是在 Linux 中，强烈不建议这么做。

原因何在？在 Windows（非 NT 主机系统）系统中，由于是单用户、"假多"任务的情况，所以即使你的计算机关机，对于别人应该不会有影响才对。不过，在 Linux 中，由于每个程序（或者说是服务）都是在后台执行的，因此，在你看不到的屏幕背后其实可能有很多人同时在你的主机上面工作，例如浏览网页、传送信件以 FTP 传送文件等，如果你直接按下电源开关来关机时，则其他人的数据可能就此中断，那可就伤脑筋了。

此外，最大的问题是，若不正常关机，则可能造成文件系统的毁损（因为来不及将数据回写到文件中，所以有些服务的文件会有问题）。所以正常情况下，要关机时需要注意下面几件事：

◆　查看系统的使用状态
- 　如果要看目前有谁在线，可以执行"who"这个命令，而如果要看网络的联机状态，可以执行"netstat –a"这个命令，而要看后台执行的程序可以执行"ps –aux"这个命令。使用这些命令可以让你稍微了解主机目前的使用状态，就可以让你判断是否可以关机了（这些命令在后面 Linux 常用命令中会提及）。
◆　通知在线用户关机的时刻
- 　要关机前总得给在线的用户一些时间来结束他们的工作，所以，这个时候你可以使用 shutdown 的特别命令功能。

◆ **正确的关机命令使用**

● 例如 shutdown 与 reboot 两个命令。

所以下面我们就来谈一谈几个与关机/重启相关的命令。

◆ 将数据同步写入硬盘中的命令：sync

◆ 惯用的关机命令：shutdown

◆ 重启、关机：reboot, halt, poweroff

> 由于 Linux 系统的关机/重启是很重大的系统操作，因此只有 root 账号才能够进行例如 shutdown, reboot 等命令。不过在某些 distributions 当中，例如我们这里谈到的 CentOS 系统，它允许你在本机前的 tty7 使用图形界面登录时，可以用一般账号来关机或重启。但某些 distributions 则在你要关机时，它会要你输入 root 的密码。

5.5.1 数据同步写入磁盘：sync

在第 0 章计算机概论里面我们谈到过数据在计算机中运行的模式，所有的数据都得要被读入内存后才能够被 CPU 所处理，但是数据又经常需要由内存写回硬盘当中（例如存储的动作）。由于硬盘的速度太慢（相对于内存来说），如果经常让数据在内存与硬盘中来回写入/读出，系统的性能就不会太好。

因此在 Linux 系统中，为了加快数据的读取速度，所以在默认的情况中，某些已经加载内存中的数据将不会直接被写回硬盘，而是先暂存在内存当中，如此一来，如果一个数据被你重复改写，那么由于它尚未被写入硬盘中，因此可以直接由内存当中读取出来，在速度上一定提升很多的。

不过，如此一来也造成些许的困扰，那就是万一你的系统因为某些特殊情况造成不正常关机（例如停电或者是不小心踢到开关）时，由于数据尚未被写入硬盘当中，所以就会造成数据的更新不正常。那要怎么办呢？这个时候就需要 sync 这个命令来进行数据的写入操作。直接在文字界面下输入 sync，那么在内存中尚未被更新的数据就会被写入硬盘中。所以，这个命令在系统关机或重启之前最好多执行几次。

虽然目前的 shutdown/reboot/halt 等命令均已经在关机前进行了 sync 这个工具的调用，不过，多做几次总是比较放心点。

```
[root@www ~]# sync
```

> 事实上 sync 也可以被一般账号使用。只不过一般账号用户所更新的硬盘数据就仅有自己的数据，不像 root 可以更新整个系统中的数据了。

5.5.2 惯用的关机命令：shutdown

由于 Linux 的关机是那么重要的工作，因此除了你是在主机前面以 tty7 图形界面来登录系统时，不论用什么身份都能够关机之外，若你是使用远程管理工具（如通过 pietty 使用 ssh 服务来从其他计算机登录主机），那关机就只有 root 有权限而已。

那么就来关机试试看。我们较常使用的是 shutdown 这个命令，而这个命令会通知系统内的各个进程（processes），并且将通知关闭系统中的 run level 内的一些服务。shutdown 可以达成如下的工作：

◆ 可以自由选择关机模式：是要关机、重启或进入单用户操作模式均可。

◆ 可以设置关机时间：可以设置成现在立刻关机，也可以设置某一个特定的时间才关机。

◆ 可以自定义关机消息：在关机之前，可以将自己设置的消息传送给在线用户。

◆ 可以仅发出警告消息：有时有可能你要进行一些测试，而不想让其他的用户干扰，或者是明白地告诉用户某段时间要注意一下，这个时候可以使用 shutdown 来通知用户，但却不是真的要关机。

◆ 可以选择是否要用 fsck 检查文件系统。

那么 shutdown 的语法是如何呢？聪明的读者大概已经开始 man 一下了，是很不错的举动。好了，简单的语法规则为：

```
[root@www ~]# /sbin/shutdown [-t 秒] [-arkhncfF] 时间 [警告消息]
参数:
-t sec : -t 后面加秒数，也即"过几秒后关机"的意思
-k     : 不要真的关机，只是发送警告消息出去
-r     : 在将系统的服务停掉之后就重启（常用）
-h     : 将系统的服务停掉后，立即关机（常用）
-n     : 不经过 init 程序，直接以 shutdown 的功能来关机
-f     : 关机并开机之后，强制略过 fsck 的磁盘检查
-F     : 系统重启之后，强制进行 fsck 的磁盘检查
-c     : 取消已经在进行的 shutdown 命令内容
时间   : 这是一定要加入的参数。指定系统关机的时间。时间的范例下面会说明。
范例:
[root@www ~]# /sbin/shutdown -h 10 'I will shutdown after 10 mins'
# 告诉大家，这台机器会在十分钟后关机，并且会显示在目前登录者的屏幕前方。
# 至于参数有哪些呢？以下介绍。
```

此外，需要注意的是，时间参数请务必加入命令中，否则 shutdown 会自动跳到 run-level 1（就是单用户维护的登录情况），下面提供几个时间参数的例子：

```
[root@www ~]# shutdown -h now
立刻关机，其中 now 相当于时间为 0 的状态
[root@www ~]# shutdown -h 20:25
系统在今天的 20:25 分会关机，若在21:25才执行此命令，则隔天才关机
[root@www ~]# shutdown -h +10
系统再过十分钟后自动关机
[root@www ~]# shutdown -r now
系统立刻重启
[root@www ~]# shutdown -r +30 'The system will reboot'
再过三十分钟系统会重启，并显示后面的消息给所有在线的用户
[root@www ~]# shutdown -k now 'This system will reboot'
仅发出警告信件的参数，系统并不会关机
```

5.5.3 重启、关机：reboot, halt, poweroff

还有三个命令可以进行重启与关机的任务，那就是 reboot, halt, poweroff。其实这三个命令调用的函数库都差不多，所以当你使用 "man reboot" 时，会同时出现三个命令的用法给你看呢。其实我们通常都只用记住 shutdown 与 reboot 这两个命令。不过使用 poweroff 这个命令却比较简单，通常在重启时，都会执行如下的命令：

```
[root@www ~]# sync; sync; sync; reboot
```

既然这些命令都能够关机或重启，那它们有没有什么区别啊？基本上，在默认的情况下，这几个命令都会完成一样的工作。（因为 halt 会先调用 shutdown，而 shutdown 最后会调用 halt！）不过，shutdown 可以依据目前已启动的服务来逐次关闭各服务后才关机；至于 halt 却能够在不理会目前系统状况下，进行硬件关机的特殊功能。你可以在你的主机上面使用 root 账户进行下面两个命令来关机，看看区别在哪里。

```
[root@www ~]# shutdown -h now
[root@www ~]# poweroff -f
```

更多 halt 与 poweroff 的参数功能，请务必使用 man 去查询一下。

5.5.4 切换执行等级：init

本章前面有谈到过关于 run level 的问题。之前谈到的是系统运作的模式，分为命令行界面（run

level 3）及图形界面模式（run level 5）。除了这两种模式外，有没有其他模式呢？其实 Linux 共有七种执行等级，七种等级的意义我们在后面会再谈到。本章你只要知道下面四种执行等级就好了：

- ◆ run level 0：关机
- ◆ run level 3：纯命令行模式
- ◆ run level 5：含有图形界面模式
- ◆ run level 6：重启

那如何切换各模式呢？可以使用 init 这个命令来处理。也就是说，如果你想要关机的话，除了上述的 shutdown –h now 以及 poweroff 之外，你也可以使用如下的命令来关机：

```
[root@www ~]# init 0
```

5.6 开机过程的问题排解

事实上，Linux 主机是很稳定的，除非是硬件问题与系统管理员不小心的操作，否则，很难会造成一些无法挽回的错误的。但是，毕竟我们目前使用的可能是练习机，会经常开关，所以确实可能会有一些小问题发生。好了，我们先来简单谈一谈，如果无法顺利开机时你应该如何解决。要注意的是，下面说到的内容很多都还没有开始介绍，因此，看不懂也不要太紧张，在本书全部都读完且看第二遍时，你自然就会有感觉了。

5.6.1 文件系统错误的问题

在开机的过程中最容易遇到的问题就是硬盘可能有坏道或文件系统发生错误（数据损坏）的情况，这种情况虽然不容易发生在稳定的 Linux 系统下，不过由于**不当的开关机行为**，还是可能会造成的，常见的发生原因可能有：

- ◆ 最可能发生的原因是因为**断电或不正常关机所导致的文件系统发生错误**，我的主机就曾经发生过多次因为跳闸，家里的主机又没有安装不断电系统，结果就导致硬盘内的文件系统错误。文件系统错误并非硬件错误，而是软件数据的问题。
- ◆ 硬盘使用率过高或主机所在环境不良也是一个可能的原因，例如你开放了一个 FTP 服务，里面有些数据很有用，所以一堆人抢着下载，如果你又不是使用较稳定的 SCSI 接口硬盘，仅使用一般 PC 使用的硬盘，虽然几率真的不高，但还是有可能造成硬盘坏道的。此外，如果主机所在环境没有散热的设备，或者是相对湿度比较高的环境，也很容易造成硬盘的损坏。

解决的方法其实很简单，不过因为出错扇区所挂载的目录不同，处理的流程困难度就有区别了。举例来说，如果你的根目录 "/" 并没有损坏，那就很容易解决，如果根目录已经损坏了，那就比较麻烦。

- ◆ 如果根目录没有损毁
  - ● 假设你发生错误的分区是在/dev/sda7 这一块，那么在开机的时候，屏幕应该会告诉你：**press root password or ctrl+D**，这时候请输入 root 的密码登录系统，然后进行如下操作：
    - ■ 在光标处输入 root 账户的密码登录系统，进行单用户维护工作。
    - ■ 输入 "fsck /dev/sda7"（fsck 为文件系统检查的命令，/dev/sda7 为错误的分区，请依你的情况执行参数），这时屏幕会显示开始修复硬盘的消息，如果有发现任何的错误时，屏幕会显示 "clear [Y/N]？" 的询问消息，就直接输入 Y。
    - ■ 修复完成之后，以 reboot 重启。
- ◆ 如果根目录损毁了
  - ● 一般初学者喜欢将自己的硬盘只划分为一个大分区，也即只有根目录，那文件系统错误一定是根目录的问题。这时你可以将硬盘拔掉，接到另一台 Linux 系统的计算机上，并且不要挂载

（mount）该硬盘，然后以 root 的身份执行 "fsck /dev/sdb1"（/dev/sdb1 指的是你的硬盘设备文件名，你要依你的实际状况来设置），这样就 OK。

- 另外，也可以使用近年来很热门的 Live CD，也就是利用光盘开机就能够进入 Linux 操作系统的特性，你可以前往 http://knoppix.tnc.edu.tw/这个网站来下载，并且刻录成为 CD，这个时候先用 Live CD 光盘开机，然后使用 fsck 去修复原本的根目录，例如 fsck /dev/sda1，就能够救回来了。

◆ 如果硬盘整个坏掉了
- 如果硬盘实在坏得离谱时，那就先将旧硬盘内的数据能救出来的救出来，然后换一块硬盘来重新安装 Linux。不要不愿意换硬盘。什么时候硬盘会坏掉谁也说不准的。
- 那么硬盘该如何预防发生文件系统错误的问题呢？可以参考下面的说明：
  - 妥善保养硬盘
- 例如：主机通电之后不要搬动，避免移动或震动硬盘；尽量降低硬盘的温度，可以加装风扇来冷却硬盘；或者可以换装 SCSI 硬盘。
  - 划分不同的分区
- 为什么磁盘分区这么重要。因为 Linux 每个目录被读写的频率不同，妥善地分区将会让我们的 Linux 更安全。通常我们会建议划分下列的磁盘区块：
  - /
  - /boot
  - /usr
  - /home
  - /var
- 这样划分有些好处，例如/var 是系统默认的一些数据暂存或者是 cache 数据的保存目录，像 Email 就含在这里面。如果还有使用防火墙时，因为经常访问，所以有可能会造成磁盘损坏，而当这部分的磁盘损坏时，由于其他的地方是没问题的，因此数据得以保存，而且在处理时也比较容易。

5.6.2　忘记 root 密码

经常有些朋友在设置好了 Linux 之后，结果 root 账号密码给忘记了，要重新安装吗？不需要的，你只要以单用户维护模式登录即可更改你的 root 账号密码。由于 lilo 这个引导装载程序已经很少见了，这里使用 grub 引导装载程序作为范例来介绍。

先将系统重启，在读秒的时候按下任意键就会出现如同图 4-58 所示的菜单界面，仔细看菜单下面的说明，按下 e 就能够进入 grub 的编辑模式了。此时你看到的界面有点像下面这样：

```
root (hd0,0)
kernel /vmlinuz-2.6.18-128.el5 ro root=LABEL=/ rhgb quiet
initrd /initrd-2.6.18-128.el5.img
```

此时，请将光标移动到 kernel 那一行，再按一次 e 进入 kernel 该行的编辑界面中，然后在出现的界面当中，最后方输入 single：

```
kernel /vmlinuz-2.6.18-128.el5 ro root=LABEL=/ rhgb quiet single
```

再按下[Enter]确定之后，按下 b 就可以开机进入单用户维护模式了。在这个模式下面，你会在 tty1 的地方不需要输入密码即可取得终端的控制权（而且是使用 root 的身份）。之后就能够修改 root 的密码了，请使用下面的命令来修改 root 的密码。

```
[root@www ~]# passwd
# 接下来系统会要求你输入两次新的密码，然后再来 reboot 即可顺利修改 root 密码了。
```

这里仅是介绍一个简单的处理方法而已，更多的原理与说明将会在后续的各相关章节介绍。

5.7 重点回顾

◆ 为了避免瞬间断电造成的 Linux 系统损害，建议作为服务器的 Linux 主机应该加上不断电系统来持续提供稳定的电力。

◆ 在默认的图形模式登录中，可以选择语言以及会话。会话为多种窗口管理员软件所提供，如 GNOME 及 KDE 等。

◆ CentOS 5.x 默认的中文输入法为使用 SCIM 这个软件所提供的输入。

◆ 不论是 KDE 还是 GNOME，默认都提供四个 Virtual Desktop 给用户使用。

◆ 在 X 窗口的环境下想要重启 X 窗口的组合键为[Alt]+[Ctrl]+[Backspace]。

◆ 默认情况下，Linux 提供 tty1～tty6 的文字界面登录，以及 tty7 的图形界面登录环境。

◆ 除了 run level 5 默认取得图形界面之外，run level 3 也可使用 startx 进入图形界面环境。

◆ 在终端环境中，可依据提示符为$或#判断为一般账号或 root 账号。

◆ 要取得终端支持的语言可执行 echo $LANG 或 locale 命令。

◆ date 可显示日期，cal 可显示日历，bc 可以作为计算器软件。

◆ 组合键中，[Tab]按键可作为命令补齐或文件名补齐，[Crtl]-c 可以中断目前正在运行中的程序。

◆ 在线帮助系统有 man 及 info 两个常见的命令。

◆ man page 的数字中，1 代表一般账号可用命令，8 代表系统管理员常用命令，5 代表系统配置文件格式。

◆ info page 可将一份说明文件拆成多个节点（node）显示，并具有类似超链接的功能，增加易读性。

◆ 要使系统正确关机，可使用 shutdown, poweroff 等命令。

5.8 本章习题

情境模拟题一

我们在 tty1 里面看到的欢迎界面，就是在那个登录之前的界面（CentOS release 5.3（Final）...）是怎么来的？

◆ 目标：了解到终端接口的欢迎消息是怎么来的？

◆ 前提：欢迎消息的内容是记录到/etc/issue 当中的。

◆ 需求：利用 man 找到该文件当中的变量内容。

情境模拟题一的解决步骤

1. 欢迎界面是在/etc/issue 文件中，你可以使用"nano /etc/issue"看看该文件的内容（注意，不要修改这个文件内容，看完就离开），这个文件的内容有点像下面这样：

```
CentOS release 5.3 (Final)
Kernel \r on an \m
```

2. 与 tty2 比较之下，发现到内核版本使用的是\r，而硬件等级则是\m 来替代，这两者代表的意义是什么？由于这个文件的文件名是 issue，所以我们使用"man issue"来查阅这个文件的格式。

3. 通过上一步的查询我们会知道反斜杠（\）后面接的字符是与 mingetty（8）有关，故进行"man mingetty"这个命令的查询。

4. 由于反斜杠（\）的英文为"escape"，因此在上个步骤的 man 环境中，你可以使用"/escape"来查寻各反斜杠后面所接字符所代表的意义。

5. 如果我想要在/etc/issue 文件内表示时间（localtime）与 tty 号码（如 tty1, tty2 的号码）的话，应该要找到哪个字符来表示（通过反斜杠的功能）？（答案为：\t 与 \l）

简答题部分

◆ 请问如果我以命令行模式登录 Linux 主机时，我有几个终端接口可以使用？如何切换各个不同的终端接口？

◆ 在 Linux 系统中，/VBird 与/vbird 是否为相同的文件？

◆ 我想要知道 date 如何使用，应该如何查询？

◆ 我想要在今天的 1:30 让系统自己关机，要怎么做？

◆ 如果 Linux 的 X Window 突然发生问题而挂掉，但 Linux 本身还是好好的，那么我可以按下哪三个按键来让 X Window 重启？

◆ 我想要知道 2010 年 5 月 2 日是星期几？该怎么做？

◆ 使用 man date 找出显示目前的日期与时间的参数，显示方式类似：2008/10/16−20:03。

◆ 若以 X Window 为默认的登录方式，那请问如何进入 Virtual console 呢？

◆ 简单说明在 bash shell 的环境下[Tab]按键的用途。

◆ 如何强制中断一个程序的进行？（利用按键，非利用 kill 命令。）

◆ Linux 提供相当多的在线查询，称为 man page，请问，我如何知道系统上有多少关于 passwd 的说明？可以使用其他的程序来替代 man 的这个功能吗？

◆ man −k passwd 与 man −K passwd 有什么区别（大小写的 K）？

◆ 在 man page 显示的内容中，命令（或文件）后面会接一组数字，这个数字若为 1,5,8，表示该查询的命令（或文件）意义是什么？

◆ man page 显示的内容的文件是放置在哪些目录中？

◆ 请问 "foo1 −foo2 foo3 foo4" 这一串命令中各代表什么意义？

◆ 当我输入 man date 时，在我的终端却出现一些乱码，请问可能的原因是什么？如何修正？

◆ 我输入这个命令 "ls −al /vbird"，系统回复我这个结果："ls: /vbird: No such file or directory"，请问发生了什么事？

◆ 你目前的 Linux 下面默认共有多少可以被你执行的命令？

◆ 我想知道目前系统有多少命令是以 bz 为开头的，可以怎么做？

◆ 承上题，在出现的许多命令中，请问 bzip2 是干嘛用的？

◆ Linux 提供一些在线文献数据，这些数据通常放在那个目录当中。

◆ 在终端里面登录后，看到的提示符$与#有何不同？平时操作应该使用哪一个？

◆ 我使用 dmtsai 这个账号登录系统了，请问我能不能使用 reboot 来重启？若不能，请说明原因，若可以，请说明命令如何执行。

5.9　参考数据与扩展阅读

◆ 注 1：为了让 Linux 的窗口显示效果更佳，很多团队开始发展桌面应用的环境，GNOME/KDE 都是。他们的目标就是发展出类似 Windows 桌面的一整套可以工作的桌面环境，它可以进行窗口的定位、放大、缩小，同时还提供很多的桌面应用软件。下面是 KDE 与 GNOME 的相关链接：

http://www.kde.org/

http://www.gnome.org/

◆ 杨锦昌老师的 X Window 操作图解，以 Fedora Core 3 为例（繁体）：

http://apt.nc.hcc.edu.tw/docs/FC3_X/

◆ man 7 man：取得更详细的数字说明内容

6

第 6 章　Linux 的文件权限与目录配置

Linux 最优秀的地方之一，就在于它的多用户、多任务环境。而为了让各个用户具有较保密的文件数据，因此文件的权限管理就变得很重要了。Linux 一般将文件可存取访问的身份分为 3 个类别，分别是 owner、group、others，且 3 种身份各有 read、write、execute 等权限。若管理不当，你的 Linux 主机将会变得很不舒服！另外，如果第一次接触 Linux 的话，那么，在 Linux 下面这么多的目录、文件，到底每个目录、文件代表什么意义呢？下面我们就来一一介绍。

6.1　用户与用户组

经过第 5 章的洗礼之后，你应该可以在 Linux 的命令行模式下面输入命令了。接下来，当然是要让你好好浏览一下 Linux 系统里面有哪些重要的文件。不过每个文件都有相当多的属性与权限，其中最重要的可能就是文件的所有者的概念了。所以在开始文件相关信息的介绍前，先就简单介绍用户及用户组的概念。

1. **文件所有者**

- 初次接触 Linux 的读者大概会觉得很怪异，怎么“**Linux 有这么多用户，还分什么用户组，有什么用？**”。这个“用户与用户组”的功能可是相当健全而且好用的一个安全防护。怎么说呢？由于 Linux 是个多用户、多任务的系统，因此可能常常会有多人同时使用这台主机来进行工作的情况发生，为了考虑每个人的隐私权以及每个人喜好的工作环境，因此，这个“文件所有者”的角色就显得相当重要了。

- 例如当你将你的 Email 情书转存成文件之后，放在你自己的主文件夹中，你总不希望被其他人看见自己的情书吧？这个时候你就把该文件设置成只有文件所有者才能查看与修改这个文件的内容，那么即使其他人知道你有这个相当“有趣”的文件，不过由于你有设置适当的权限，所以其他人自然也就无法知道该文件的内容。

2. **用户组概念**

- 那么用户组呢？为何要配置文件还有所属的用户组？其实用户组最有用的功能之一，就是当**你在团队开发资源的时候**，举例来说，假设主机上有两个团体，第一个团体名为 projecta，里面的成员有 class1，class2，class3 三个；第二个团体名为 projectb，里面的成员有 class4，class5，class6。这两个团体之间是有竞争性质的，但却要交纳同一份报告。每组的组员之间必须要能够互相修改对方的数据，但是其他组的组员则不能看到本组自己的文件内容，此时该如何是好？

- 在 Linux 下面这样的限制是很简单的，可以进行简单的文件权限设置，就能限制非自己团队（也即是用户组）的其他人不能够阅览内容，而且也可以让自己的团队成员可以修改你所创建的文件。同时，如果你自己还有私人隐密的文件，仍然可以设置成让自己的团队成员也看不到我的文件数据。

- 另外，如果 teacher 这个账号是 projecta 与 projectb 这两个用户组的老师，他想要同时查看两者的进度，因此需要能够进入这两个用户组的权限时，你可以设置 teacher 这个账号，同时支持 projecta 与 projectb 这两个用户组，也就是说：**每个账号都可以有多个用户组的支持**。

- 这样说或许你还不容易理解这个用户与用户组的关系吧？没关系，我们可以使用目前“家庭”的观念来进讲解。假设有一家人，家里只有三兄弟，分别是王大毛、王二毛与王三毛 3 个人，而这个家庭是登记在王大毛的名下的。所以“王大毛家有 3 个人，分别是王大毛、王二毛与王三毛”，而且这 3 个人都有自己的房间，并且共同拥有一个客厅。

  - **用户的意义**：由于王家三人各自拥有自己的房间，所以王二毛虽然可以进入王三毛的房间，但是王二毛不能翻王三毛的抽屉，因为抽屉里面可能有王三毛自己私人的东西，例如情书、日记等，这是“私人的空间”，所以当然不能让王二毛随便动了。

  - **用户组的概念**：由于共同拥有客厅，所以王家三兄弟可以在客厅打开电视机、翻阅报纸、坐在沙发上面发呆等。反正只要是在客厅的东西，三兄弟都可以使用，因为大家都是一家人嘛。

- 这样比喻应该清楚了吧？那个“王大毛家”就是所谓的“用户组”，至于三兄弟就是分别为 3 个“用户”，而这 3 个用户是在同一个用户组里面的。而 3 个用户虽然在同一用户组内，但是我们可以设置“权限”，好让某些用户个人的信息不被用户组的拥有者查询，以保留“私人的空间”。而设置用户组共享，则可让大家共同分享。

3. 其他人的概念

- 比如有个人叫张小猪，他是张小猪家的人，与王家没有关系。这个时候除非王家认识张小猪，然后开门让张小猪进入王家，否则张小猪永远没有办法进入王家，更不要说进到王三毛的房间了。不过，如果张小猪通过关系认识了王三毛，并且跟王三毛成为好朋友，那么张小猪就可以通过王三毛进入王家。那个张小猪就是所谓的"其他人，Others"。
- 因此我们就可以知道在 Linux 里面，任何一个文件都具有"User,Group 及 Others"3 种身份的个别权限，我们可以将上面的说明以下面的图 6-1 来解释。

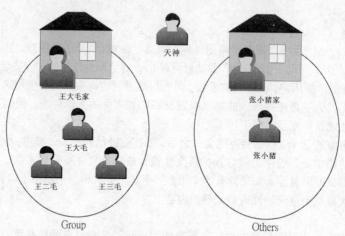

图 6-1　每个文件的所有者、用户组与其他人的示意图

- 我们以王三毛为例，王三毛这个"文件"的所有者为王三毛，他属于王大毛这个用户组，而张小猪相对于王三毛，则只是一个"其他人（others）"而已。
- 不过这里有个特殊的人物要来介绍，那就是"万能的天神"。这个天神具有无限的神力，所以他可以到达任何他想要去的地方，那个人在 Linux 系统中的身份是"root"，所以要小心。那个 root 可是"万能的天神"。
- 无论如何，"用户身份"与该用户所支持的"用户组"概念，在 Linux 的世界里面是相当重要的，它可以帮助你让你的多任务 Linux 环境变得更容易管理。更详细的"身份与用户组"设置，我们将在第 14 章账号管理再进行说明。下面我们将针对文件系统与文件权限来进行说明。

◆ **Linux 用户身份与用户组记录的文件**

- 在我们的 Linux 系统当中，默认的情况下所有的系统上的账号与一般身份用户，还有那个 root 的相关信息，都是记录在/etc/passwd 这个文件内。至于个人的密码则是记录在/etc/shadow 这个文件下。此外，Linux 所有的组名都记录在/etc/group 内。这 3 个文件可以说是 Linux 系统里面账号、密码、用户组信息的集中地。不要随便删除这 3 个文件。
- 至于更多的与账号用户组有关的设置，还有这 3 个文件的格式，我们在第 14 章的账号管理时再详细介绍，所以不要急。

6.2　Linux 文件权限概念

　　大致了解了 Linux 的用户与用户组之后，接着下来我们要来谈一谈这个文件的权限要如何针对这些所谓的"用户"与"用户组"来设置呢？这个部分是相当重要的，尤其对于初学者来说，因为文件的权限与属性是学习 Linux 的一个相当重要的关卡，如果没有这部分的概念，那么你可能老是听不懂别人在讲什么。尤其是当你的屏幕前面出现了"Permission deny"的时候，不要担心，肯定是权限设置错误。

6.2.1　Linux 文件属性

既然要让你了解 Linux 的文件属性，那么有个重要的也是常用的命令就必须要先跟你说。就是"Sls"这一个查看文件的命令。在你以 root 的身份登录 Linux 之后，执行"ls –al"看看，会看到下面的内容：

```
[root@www ~]# ls -al
total 156
drwxr-x---   4  root   root   4096   Sep  8 14:06 .
drwxr-xr-x  23  root   root   4096   Sep  8 14:21 ..
-rw-------   1  root   root   1474   Sep  4 18:27 anaconda-ks.cfg
-rw-------   1  root   root    199   Sep  8 17:14 .bash_history
-rw-r--r--   1  root   root     24   Jan  6  2007 .bash_logout
-rw-r--r--   1  root   root    191   Jan  6  2007 .bash_profile
-rw-r--r--   1  root   root    176   Jan  6  2007 .bashrc
-rw-r--r--   1  root   root    100   Jan  6  2007 .cshrc
drwx------   3  root   root   4096   Sep  5 10:37 .gconf       <=范例说明处
drwx------   2  root   root   4096   Sep  5 14:09 .gconfd
-rw-r--r--   1  root   root  42304   Sep  4 18:26 install.log  <=范例说明处
-rw-r--r--   1  root   root   5661   Sep  4 18:25 install.log.syslog
[  1  ][ 2 ][  3  ][  4  ][   5   ][    6    ][      7      ]
[ 权限 ][连接][所有者][用户组][文件容量][ 修改日期 ][    文件名    ]
```

> 由于本章后续的 chgrp, chown 等命令可能都需要使用 root 的身份才能够处理，所以这里建议你以 root 的身份登录 Linux 来学习本章。

ls 是 "list" 的意思，重点在显示文件的文件名与相关属性。而参数 "–al" 则表示列出所有的文件详细的权限与属性（包含隐藏文件，就是文件名第一个字符为 "." 的文件）。如上所示，在你第一次以 root 身份登录 Linux 时，如果你输入上述命令后，应该有上列的几个东西，先解释一下上面七列的意思。

◆ **第一列代表这个文件的类型与权限（permission）。**
  ● 这个地方最需要注意了。仔细看的话，你应该可以发现其中共有 10 个字符。（ 图 6-2 及图 6-3 内的权限并无关系。）

图 6-2　文件属性示意图　　　　图 6-3　文件的类型与权限

第一个字符代表这个文件是 "**目录、文件或链接文件等**"。
  ■ 若是[d]则是目录，例如上面文件名为 ".gconf" 的第 11 行。
  ■ 若是[-]则是文件，例如上面文件名为 "install.log" 第 5 行。
  ■ 若是[l]则表示为连接文件（ linkfile ）。
  ■ 若是[b]则表示设备文件里面的可供存储的接口设备。
  ■ 若是[c]则表示设备文件里面的串行端口设备，例如键盘、鼠标（一次性读取设备）。

接下来的字符中，以 3 个为一组，且均为 "rwx" 的 3 个参数的组合。其中[r]代表可读（read），[w]代表可写（write），[x]代表可执行（execute）。要注意的是，这 3 个权限的位置不会改变，如果没有权限，就会出现减号[-]而已。

- 第一组为 "**文件所有者的权限**"，以 "install.log" 那个文件为例，该文件的所有者可以读写，但不可执行。
- 第二组为 "**同用户组的权限**"。
- 第三组为 "**其他非本用户组的权限**"。

例题

若有一个文件的类型与权限数据为 "-rwxr-xr--"，请说明其意义。

答：先将整个类型与权限数据分开查阅，并将 10 个字符整理成为如下所示：

```
[-][rwx][r-x][r--]
 1  234  567  890
```

1：代表这个文件名为目录或文件，本例中为文件（ – ）；
234：拥有者的权限，本例中为可读、可写、可执行（ rwx ）；
567：同用户组用户权限，本例中为可读可执行（ rx ）；
890：其他用户权限，本例中为可读（ r ）。

同时注意到 rwx 所在的位置是不会改变的，有该权限就会显示字符，没有该权限就变成减号（ – ）就是了。

- 另外目录与文件的权限意义并不相同，这是因为目录与文件所记录的数据内容不相同所致。由于目录与文件的权限意义非常重要，所以鸟哥将它独立到 6.2.3 小节的目录与文件的权限意义中再来谈。
◆ **第二列表示有多少文件名连接到此节点（i-node）。**
  - 每个文件都会将它的权限与属性记录到文件系统的 i-node 中，不过我们使用的目录树却是使用文件名来记录，因此每个文件名就会连接到一个 i-node。这个属性记录的就是有多少不同的文件名连接到相同的一个 i-node 号码。关于 i-node 的相关资料我们会在第 8 章谈到文件系统时再加强介绍的。
◆ **第三列表示这个文件（或目录）的 "所有者账号"。**
◆ **第四列表示这个文件的所属用户组。**
  - 在 Linux 系统下，你的账号会附属于一个或多个的用户组中。举刚刚我们提到的例子，class1，class2，class3 均属于 projecta 这个用户组，假设某个文件所属的用户组为 projecta，且该文件的权限如图 6-3 所示（ -rwxrwx--- ），则 class1，class2，class3 三人对于该文件都具有可读、可写、可执行的权限（看用户组权限）。但如果是不属于 projecta 的其他账号，对于此文件就不具有任何权限了。
◆ **第五列为这个文件的容量大小，默认单位为 B。**
◆ **第六列为这个文件的创建文件日期或者是最近的修改日期。**
  - 这一列的内容分别为日期（月/日）及时间。如果这个文件被修改的时间距离现在太久了，那么时间部分会仅显示年份而已。如下所示：

```
[root@www ~]# ls -l /etc/termcap /root/install.log
-rw-r--r-- 1 root root 807103 Jan  7 2007  /etc/termcap
-rw-r--r-- 1 root root  42304 Sep  4 18:26 /root/install.log
# 如上所示，/etc/termcap 为 2007 年所修改过的文件，离现在太远之故；
# 至于 install.log 是今年（2009）所创建的，所以就显示完整的时间了。
```

- 如果想要显示完整的时间格式，可以使用 ls 的参数，即 "ls –l ––full–time"，就能够显示出完整的时间格式了，包括年、月、日、时间。另外，如果你当初是以简体中文安装你的 Linux 系统，那么日期字段将会以中文来显示。可惜的是**中文并没有办法在纯文本的终端机模式中正确显示**，所以此栏会变成乱码。那你就得要使用 "LANG= en_US" 来修改语言。
- 如 果 想 要 让 系 统 默 认 的 语 言 变 成 英 文 的 话，那 么 你 可 以 修 改 系 统 配 置 文 件 "/etc/sysconfig/i18n"，利用第 5 章谈到的 nano 来修改该文件的内容，使 LANG 这个变量成为上述的内容即可。

◆ **第七列为该文件名。**

- 这个字段就是文件名了。比较特殊的是：如果文件名之前多一个 "．"，则代表这个文件为 "隐藏文件"，例如前面的.gconf 那一行，该文件就是隐藏文件。你可以使用 "s" 及 "ls –a" 这两个命令去感受一下什么是隐藏文件。

对于更详细的 ls 用法，还记得怎么查询吗？对啦！使用 man ls 或 info ls 去看看它的基础用法去！。自我进修是很重要的，因为 "师傅带进门，修行看个人！"，自古只有天才学生，没有天才老师呦！加油吧！

- 这七个字段的意义是很重要的。务必清楚知道各个字段代表的意义，尤其是第一个字段的 9 个权限，那是整个 Linux 文件权限的重点之一。下面我们来做几个简单的练习，你就会比较清楚。

例题

假设 test1，test2，test3 同属于 testgroup 这个用户组，如果有下面的两个文件，请说明两个文件的所有者与其相关的权限。

```
-rw-r--r--  1 root      root          238 Jun 18 17:22 test.txt
-rwxr-xr--  1 test1     testgroup    5238 Jun 19 10:25 ping_tsai
```

答：◆ 文件 test.txt 的所有者为 root，所属用户组为 root。至于权限方面则只有 root 这个账号可以访问此文件，其他人则仅能读此文件。

◆ 另一个文件 ping_tsai 的所有者为 test1，而所属用户组为 testgroup。其中：

■ test1 可以针对此文件具有可读可写可执行的权限；

■ 而同用户组的 test2，test3 两个人与 test1 同样是 testgroup 的用户组账号，则仅可读可执行，但不能写（也即不能修改）；

■ 至于非 testgoup 这一个用户组的人则仅可以读，不能写也不能执行。

例题

如果我的目录为下面的样式，请问 testgroup 这个用户组的成员与其他人（others）是否可以进入本目录？

```
drwxr-xr--  1 test1    testgroup    5238 Jun 19 10:25 groups/
```

答：◆ 文件所有者 test1[rwx]可以在本目录中进行任何工作；

◆ 而 testgroup 这个用户组[r–x]的账号，例如 test2，test3 也可以进入本目录进行工作，但是不能在本目录下进行写入的操作；

◆ 至于 other 的权限中[r――]虽然有 r，但是由于没有 x 的权限，因此 others 的用户并不能进入此目录。

◆ **Linux 文件权限的重要性**
- 与 Windows 系统不一样的是，在 Linux 系统当中，每一个文件都多加了很多的属性进来，尤其是用户组的概念，这样有什么用途呢？其实，最大的用途是在"数据安全性"上面的。
- **系统保护的功能**
- 举个简单的例子，在你的系统中，关于系统服务的文件通常只有 root 才能读写或者是执行，例如/etc/shadow 这一个账号管理的文件，由于该文件记录了你系统中所有账号的数据，因此是很重要的一个配置文件，当然不能让任何人读取（否则密码会被窃取），只有 root 才能够来读取。所以该文件的权限就会成为[-rw-------]。
- **团队开发软件或数据共享的功能**
- 如果你有一个软件开发团队，在你的团队中，你希望每个人都可以使用某一些目录下的文件，而非你的团队的其他人则不予以开放呢！以上面的例子来说，testgroup 的团队共有三个人，分别是 test1，test2，test3，那么我就可以将团队所需的文件权限定为[-rwxrwx---]来提供给 testgroup 的工作团队使用。
- **未将权限设置妥当的危害**
- 再举个例子来说，如果你的目录权限没有设置好的话，可能造成其他人都可以在你的系统上面乱来。例如本来只有 root 才能执行的开关机、ADSL 拨号、新增或删除用户等的命令，若被你改成任何人都可以执行的话，那么如果用户不小心给你重新启动、重新拨号。那么你的系统不就会常常莫名其妙挂掉了。而且万一你的用户密码被其他不明人士取得的话，只要他登录你的系统就可以轻而易举地执行一些 root 的工作。
因此在你修改你的 linux 文件与目录的属性之前，一定要先搞清楚，什么数据是可变的，什么是不可变的。接下来我们来处理一下文件属性与权限的更改。

6.2.2　如何改变文件属性与权限

我们现在知道文件权限对于一个系统的安全重要性了，也知道文件的权限对于用户与用户组的相关性，那么如何修改一个文件的属性与权限呢？又有多少文件的权限我们可以修改呢？其实一个文件的属性与权限有很多。我们先介绍几个常用于用户组、所有者、各种身份的权限的修改的命令，如下所示。

- chgrp：改变文件所属用户组。
- chown：改变文件所有者。
- chmod：改变文件的权限。

◆ 改变所属用户组：chgrp
- 改变一个文件的用户组真是很简单的，直接以 chgrp 来改变即可，这个命令就是 change group 的简称。不过，请记得，要被改变的组名必须要在/etc/group 文件内存在才行，否则就会显示错误。
- 假设你是以 root 的身份登录 Linux 系统的，那么在你的主文件夹内有一个 install.log 的文件，如何将该文件的用户组改变一下呢？假设你已经知道在/etc/group 里面存在一个名为 users 的用户组，但是 testing 这个用户组名字就不在/etc/group 当中了，此时改变用户组为 users 与 testing 分别会有什么现象发生呢？

```
[root@www ~]# chgrp [-R] dirname/filename ...
选项与参数：
-R：进行递归（recursive）的持续更改，也即连同子目录下的所有文件、目录
```

都更新成为这个用户组之意。常常用在更改某一目录内所有的文件情况。

范例:
```
[root@www ~]# chgrp users install.log
[root@www ~]# ls -l
-rw-r--r-- 1 root users 68495 Jun 25 08:53 install.log
[root@www ~]# chgrp testing install.log
chgrp: invalid group name `testing' <== 发生错误信息, 找不到这个用户组名~
```

- 发现了吗? 文件的用户组被改成 users 了, 但是要改成 testing 的时候就会发生错误。要检查错误信息的内容。

◆ 改变文件所有者: chown

- 如何改变一个文件的所有者呢? 既然改变用户组是 change group, 那么改变所有者就是 change owner。那就是 chown 这个命令的用途, 要注意的是, 用户必须是已经存在于系统中的账号, 也就是在/etc/passwd 这个文件中有记录的用户名称才能改变。

- chown 的用途还挺多的, 它可以顺便直接修改用户组的名称。此外如果要连目录下的所有子目录或文件都同时更改文件所有者的话, 直接加上-R 的参数即可。我们来看看语法与范例:

```
[root@www ~]# chown [-R] 账号名称 文件或目录
[root@www ~]# chown [-R] 账号名称:组名 文件或目录
参数:
-R : 进行递归(recursive)的持续更改, 即连同子目录下的所有文件都更改

范例: 将 install.log 的所有者改为 bin 这个账号:
[root@www ~]# chown bin install.log
[root@www ~]# ls -l
-rw-r--r-- 1 bin users 68495 Jun 25 08:53 install.log

范例: 将 install.log 的所有者与用户组改回为 root:
[root@www ~]# chown root:root install.log
[root@www ~]# ls -l
-rw-r--r-- 1 root root 68495 Jun 25 08:53 install.log
```

　　事实上 chown 也可以使用 "chown user.group file", 即在所有者与用户组间加上小数点 "." 也行。不过很多朋友设置账号时, 喜欢在账号当中加入小数点(例如 vbird.tsai 这样的账号格式), 这就会造成系统的误判了。所以我们一般建议使用冒号 ":" 来隔开所有者与用户组。此外, chown 也能单纯地修改所属用户组呢。例如 "chown .sshd install.log" 就是修改用户组, 就是那个小数点的用途。

- 知道如何改变文件的用户组与所有者了, 那么什么时候要使用 chown 或 chgrp 呢? 或许你会觉得奇怪吧? 确实有时候需要更改文件的所有者的, 最常见的例子就是在复制文件给你之外的其他人时, 我们使用最简单的 cp 命令来说明好了:

```
[root@www ~]# cp 源文件 目标文件
```

- 假设你今天要将.bashrc 这个文件复制成为.bashrc_test 文件名, 并且是要给 bin 这个人, 你可以这样做:

```
[root@www ~]# cp .bashrc .bashrc_test
[root@www ~]# ls -al .bashrc*
-rw-r--r-- 1 root root 395 Jul 4 11:45 .bashrc
-rw-r--r-- 1 root root 395 Jul 13 11:31 .bashrc_test <==新文件的属性没变
```

- 由于复制行为(cp)会复制执行者的属性与权限, .bashrc_test 还是属于 root 所有, 如此一

来，即使你将文件给予 bin 这个用户了，那他仍然无法修改的（看属性/权限就知道了吧），所以你就必须要修改这个文件的所有者与用户组。

◆ 改变权限：chmod

● 文件权限的改变使用的是 chmod 这个命令，但是权限的设置方法有两种，分别可以使用数字或者是符号来进行权限的更改。我们就来谈一谈：

■ **数字类型改变文件权限**

● Linux 文件的基本权限就有 9 个，分别是 owner、group、others 三种身份各有自己的 read、write、execute 权限，先复习一下刚刚上面提到的数据：文件的权限字符为 "-rwxrwxrwx"，这 9 个权限是三个三个一组的。其中，我们可以使用数字来代表各个权限，各权限的分数对照表如下：

● r:4

● w:2

● x:1

● 每种身份（owner、group、others）各自的三个权限（r、w、x）分数是需要累加的，例如当权限为 [-rwxrwx---]，分数则是：

● owner = rwx = 4+2+1 = 7

● group = rwx = 4+2+1 = 7

● others= --- = 0+0+0 = 0

● 所以等一下我们设置权限的更改时，该文件的权限数字就是 770，更改权限的命令 chmod 的语法是这样的：

```
[root@www ~]# chmod [-R] xyz 文件或目录
参数:
xyz : 就是刚刚提到的数字类型的权限属性，为 rwx 属性数值的相加。
-R : 进行递归（recursive）的持续更改，即连同子目录下的所有文件都会更改
```

● 举例来说，如果要将.bashrc 这个文件所有的权限都设置启用，那么就执行：

```
[root@www ~]# ls -al .bashrc
-rw-r--r-- 1 root root 395 Jul  4 11:45 .bashrc
[root@www ~]# chmod 777 .bashrc
[root@www ~]# ls -al .bashrc
-rwxrwxrwx 1 root root 395 Jul  4 11:45 .bashrc
```

● 那如果要将权限变成 "-rwxr-xr" 呢？那么权限的分数就成为[4+2+1][4+0+1] [4+0+0]=754 了。所以你需要执行 "chmod 754 filename"。另外在实际的系统运作中最常发生的一个问题就是，常常我们以 vim 编辑一个 shell 的文字批处理文件后，它的权限通常是 "-rw-rw-r—"，也就是 664，如果要将该文件变成可执行文件，并且不要让其他人修改此文件的话，那么就需要 "-rwxr-xr-x" 这样的权限，此时就得要执行 "chmod 755 test.sh" 命令。

● 如果有些文件你不希望被其他人看到，那么应该将文件的权限设置为例如 "-rwxr-----"，那就执行 "chmod 740 filename"。

例题

将刚刚你的.bashrc 这个文件的权限修改回 "-rw-r--r—" 的情况。
答："-rw-r--r—" 的分数是 644，所以命令为：

```
chmod 644 .bashrc
```

■ **符号类型改变文件权限**

● 还有一个改变权限的方法。从之前的介绍中我们可以发现，基本上就 9 个权限，分别是 user、

group、others3 种身份。那么我们就可以通过 u,g,o 来代表 3 种身份的权限。此外 a 代表 all，也即全部的身份。那么读写的权限就可以写成 r,w,x，也就是可以使用表 6-1 所示的方式来看。

表 6-1

chmod	u g o a	+（加入） -（除去） =（设置）	r w x	文件或目录

- 来实践一下。假如我们要设置一个文件的权限成为 "–rwxr–xr–x" 时，基本上就是：
  - user（u）：具有可读、可写、可执行的权限；
  - group 与 others（g/o）：具有可读与执行的权限。
- 所以就是：

```
[root@www ~]# chmod  u=rwx,go=rx  .bashrc
# 注意：那个 u=rwx,go=rx 是连在一起的，中间并没有任何空格。
[root@www ~]# ls -al .bashrc
-rwxr-xr-x 1 root root 395 Jul  4 11:45 .bashrc
```

- 那么假如是 "–rwxr–xr" 这样的权限呢？可以使用 " chmod u=rwx,g=rx,o=r filename" 来设置。如果我不知道原先的文件属性，而我只想要增加.bashrc 这个文件的每个人均可写入的权限，那么我就可以使用：

```
[root@www ~]# ls -al .bashrc
-rwxr-xr-x 1 root root 395 Jul  4 11:45 .bashrc
[root@www ~]# chmod  a+w  .bashrc
[root@www ~]# ls -al .bashrc
-rwxrwxrwx 1 root root 395 Jul  4 11:45 .bashrc
```

- 而如果是要将权限去掉而不更改其他属性呢？例如要去掉全部人的可执行权限，则：

```
[root@www ~]# chmod  a-x  .bashrc
[root@www ~]# ls -al .bashrc
-rw-rw-rw- 1 root root 395 Jul  4 11:45 .bashrc
```

- 知道+、–、=的不同点了吗？在+与–的状态下，只要是没有指定到的选项，则该权限 "不会被变动"，例如上面的例子中，由于仅以–去掉 x 则其他两个保持当时的值不变。多练习你就会知道如何改变权限。这在某些情况下面很好用。举例来说，你想要教一个朋友如何让一个程序可以拥有执行的权，但你又不知道该文件原本的权限，此时利用 "chmoda+xfilename" 就可以让该程序拥有执行的权限了，很方便。

6.2.3　目录与文件的权限意义

现在我们知道了 Linux 系统内文件的三种身份（所有者、用户组与其他人），知道每种身份都有三种权限（r、w、x），已知道能够使用 chown, chgrp, chmod 去修改这些权限与属性，当然，利用 ls–l 去查看文件也没问题。前两小节也谈到了这些文件权限对于数据安全的重要性。那么这些文件权限对于一般文件与目录文件有何不同呢？下面来详细介绍。

◆ 权限对文件的重要性
- 文件是实际含有数据的地方，包括一般文本文件、数据库内容文件、二进制可执行文件(binary program) 等。因此权限对于文件来说，它的意义如下。
  - r（read）：可读取此文件的实际内容，如读取文本文件的文字内容等。

- ■ w（write）：可以编辑、新增或者是修改该文件的内容（但不含删除该文件）；
- ■ x（eXecute）：该文件具有可以被系统执行的权限。
- ● 那个可读（r）代表读取文件内容是还好了解，那么可执行（x）呢？这里你就必须要小心啦！因为在 Windows 下面一个文件是否具有执行的能力是通过"扩展名"来判断的，例如.exe, .bat, .com 等，但是在 Linux 下面，我们的文件是否能被执行则是由是否具有"x"这个权限来决定，而跟文件名是没有绝对的关系。
- ● 至于最后一个 w 权限呢？当你对一个文件具有 w 权限时，你可以具有写入、编辑、新增、修改文件的内容的权限，**但并不具备删除该文件本身的权限**。对于文件的 r、w、x 来说，主要都是针对"文件的内容"而言，与文件名的存在与否没有关系的。因为文件记录的是实际的数据。

- ◆ 权限对目录的重要性
  - ● 文件是存放实际数据的所在，目录主要的内容是记录文件名列表，文件名与目录有强烈的关联。所以如果是针对目录时，那个 r、w、x 对目录是什么意义呢？
  - ■ r（read contents in directory）
  - ● 表示具有读取目录结构列表的权限，所以当你具有读取（r）一个目录的权限时，表示你可以查询该目录下的文件名数据，所以你就可以利用 ls 这个命令将该目录的内容列表显示出来。
  - ■ w（modify contents of directory）
  - ● 这个可写入的权限对目录来说是很强大的。因为它表示你具有更改该目录结构列表的权限，也就是下面这些权限：
  - ■ 新建新的文件与目录；
  - ■ 删除已经存在的文件与目录（不论该文件的权限为何）；
  - ■ 将已存在的文件或目录进行重命名；
  - ■ 转移该目录内的文件、目录位置。
  - ● 总之，目录的 w 权限就与该目录下面的文件名变动有关就对了。
- ■ x（access directory）
  - ● 目录的执行权限有啥用途啊？目录只是记录文件名而已，总不能拿来执行吧？没错，目录不可以被执行，目录的 x 代表的是用户能否进入该目录成为工作目录的用途，所谓的工作目录（work directory）就是你目前所在的目录。举例来说，当你登录 Linux 时，你所在的主文件夹就是你当下的工作目录。而变换目录的命令就是"cd"（change directory）。
  - ● 大致的目录权限概念是这样，下面我们来看几个范例，让你了解一下啥是目录的权限。

例题

有个目录的权限如下所示：

```
drwxr--r-- 3 root root 4096 Jun 25 08:35 .ssh
```

系统有个账号名称为 vbird，这个账号并没有支持 root 用户组，请问 vbird 对这个目录有何权限？是否可切换到此目录中？

答：vbird 对此目录仅具有 r 的权限，因此 vbird 可以查询此目录下的文件名列表。因为 vbird 不具有 x 的权限，所以 vbird 并不能切换到此目录内。（相当重要的概念！）

- ● 上面这个例题中因为 vbird 具有 r 的权限，因为 r 一看之下好像就具有可以进入此目录的权限，其实那是错的。能不能进入某一个目录，只与该目录的 x 权限有关。此外，工作目录对于命令的执行是非常重要的，如果你在某目录下不具有 x 的权限，那么你就无法切换到该目录下，也就无法执行该目录下的任何命令，即使你具有该目录的 r 权限。
- ● 很多朋友在架设网站的时候都会卡在一些权限的设置上，他们开放目录数据给因特网的任何人来浏览，却只开放 r 的权限，如上面的范例所示那样，那样的结果就是导致网站服务器软件无法到该目录下读取文件（最多只能看到文件名），最终用户总是无法正确查阅到文件的内容（显示权限不足）。要注意：要开放目录给任何人浏览时，应该至少也要给予 r 及 x 的权限，但 w 权限不可随便给。为什么 w 不能随便给？我们来看下一个例子：

例题

假设有个账号名称为 dmtsai，他的主文件夹在/home/dmtsai/，dmtsai 对此目录具有[rwx]的权限。若在此目录下有个名为 the_root.data 的文件，该文件的权限如下：

```
-rwx------ 1 root  root  4365 Sep 19 23:20  the_root.data
```

请问 dmtsai 对此文件的权限是什么？可否删除此文件？

答：如上所示，由于 dmtsai 对此文件来说是"others"的身份，因此这个文件他无法读、无法编辑也无法执行，也就是说他无法变动这个文件的内容。

但是由于这个文件在他的主文件夹下，他在此目录下具有 rwx 的完整权限，因此对于 the_root.data 这个"文件名"来说，他是能够"删除"的。结论就是，dmtsai 这个用户能够删除 the_root.data 这个文件。

- 我们下面就来设计一个练习，让你实际练习下。不过由于很多命令我们还没有教，所以下面的命令有的先了解即可，详细的命令用法我们会在后面继续介绍的。
- ◆ **先用 root 的身份新建所需要的文件与目录环境**
  - 我们用 root 的身份在所有人都可以工作的/tmp 目录中新建一个名为 testing 的目录，该目录的权限为 744 且目录拥有者为 root。另外，在 testing 目录下再新建一个空的文件，文件名也为 testing。新建目录可用 mkdir（make directory），新建空文件可用 touch（下一章会说明）来处理。所以过程如下所示：

```
[root@www ~]# cd /tmp                <==切换工作目录到/tmp
[root@www tmp]# mkdir testing        <==新建新目录
[root@www tmp]# chmod 744 testing    <==更改权限
[root@www tmp]# touch testing/testing  <==新建空的文件
[root@www tmp]# chmod 600 testing/testing  <==更改权限
[root@www tmp]# ls -ald testing testing/testing
drwxr--r-- 2 root root 4096 Sep 19 16:01 testing
-rw------- 1 root root    0 Sep 19 16:01 testing/testing
# 仔细看一下，目录的权限是 744，且所属用户组与用户均是 root。
# 那么在这样的情况下面，一般身份用户对这个目录/文件的权限是什么？
```

- ◆ **一般用户的读写权限是什么？**
  - 在上面的例子中，虽然目录是 744 的权限设置，一般用户应该能有 r 的权限，但这样的权限用户能做啥事呢？假设系统中含有一个账号名为 vbird 的，我们可以通过" su – vbird "这个命令来切换身份。看看下面的操作先。

```
[root@www tmp]# su - vbird <==切换身份成为 vbird!
[vbird@www ~]$ cd /tmp     <==看一下，身份变了喔！提示符也变成 $ 了！
[vbird@www tmp]$ ls -l testing/
?--------- ? ? ? ?              ? testing
# 因为具有 r 的权限可以查询文件名。不过权限不足（没有 x），所以会有一堆问号。
[vbird@www tmp]$ cd testing/
-bash: cd: testing/: Permission denied
# 因为不具有 x，所以当然没有进入的权限。有没有呼应前面的权限说明啊？
```

- ◆ **如果该目录属于用户本身，会有什么状况**
  - 上面的练习我们知道了只有 r 确实可以让用户读取目录的文件名列表，不过详细的信息却还是读不到的，同时也不能将该目录变成工作目录（用 cd 进入该目录）。那如果我们让该目录变成用户的，那么用户在这个目录下面是否能够删除文件呢？下面的练习做做看。

```
[vbird@www tmp]$ exit              <==让 vbird 切换回原本的 root 身份喔!
[root@www tmp]# chown vbird testing <==修改权限,让 vbird 拥有此目录
[root@www tmp]# su - vbird          <==再次变成 vbird 来操作
[vbird@www ~]$ cd /tmp/testing      <==可以进入目录了呢!
[vbird@www testing]$ ls -l
-rw------- 1 root root 0 Sep 19 16:01 testing  <==文件不是 vbird 的!
[vbird@www testing]$ rm testing     <==尝试删掉这个文件看看!
rm: remove write-protected regular empty file `testing'? y
# 竟然可以删除,这样理解了吗?
```

- 通过上面这个简单的步骤,你就可以清楚地知道,x 在目录当中是与"能否进入该目录"有关,至于那个 w 则具有相当重要的权限,因为它可以让用户删除、更新、新建文件或目录,是个很重要的参数。

6.2.4 Linux 文件种类与扩展名

我们在基础篇一直强调一个概念,那就是:任何设备在 Linux 下面都是文件,不仅如此,连数据通信的接口也有专门的文件负责。所以,你会了解到,Linux 的文件种类真的很多,除了前面提到的一般文件(–)与目录文件(d)之外,还有哪些种类的文件呢?

- **文件种类**
  - 我们在刚刚提到使用"ls–l"查看到第一列那 10 个字符中,第一个字符为文件的类型。除了常见的一般文件(–)与目录文件(d)之外,还有哪些种类的文件类型呢?
    - **普通文件**(regular file)
  - 就是一般我们在进行访问类型的文件,在由 ls –al 所显示出来的属性方面,第一个字符为[–],例如[–rwxrwxrwx]。另外,依照文件的内容,又大略可以分为:
    - **纯文本文件**(ASCII):这是 Linux 系统中最多的一种文件类型,称为纯文本文件是因为内容为我们可以直接读到的数据,例如数字、字母等。几乎只要我们可以用来作为设置的文件都属于这一种文件类型。举例来说,你可以执行"cat ~ /.bashrc"就可以看到该文件的内容。(cat 是将一个文件内容读出来的命令。)
    - **二进制文件**(binary):还记得我们在第 0 章计算机概论里面的软件程序的运行中提过,我们的系统其实仅认识且可以执行二进制文件(binary file)。你的 Linux 当中的可执行文件(scripts、文字批处理文件不算)就是这种格式的。举例来说,刚刚执行的命令 cat 就是一个 binary file。
    - **数据格式文件**(data):有些程序在运行的过程当中会读取某些特定格式的文件,那些特定格式的文件可以被称为数据文件(data file)。举例来说,我们的 Linux 在用户登录时,都会将登录的数据记录在/var/log/wtmp 那个文件内,该文件是一个 data file,它能够通过 last 这个命令读出来。但是使用 cat 时,会读出乱码,因为它属于一种特殊格式的文件。
  - **目录**(directory)
    - 第一个属性为[d],例如[drwxrwxrwx]。
  - **连接文件**(link):
    - 就是类似 Windows 系统下面的快捷方式,第一个属性为[l](英文 L 的小写),例如[lrwxrwxrwx]。
  - **设备与设备文件**(device)
    - 与系统外设及存储等相关的一些文件,通常都集中在/dev 这个目录。通常又分为两种:
    - **块**(block)**设备文件**:就是一些存储数据,以提供系统随机访问的接口设备,例如硬盘、软盘等。你可以随机地在硬盘的不同块读写,这种设备就是成组设备,你可以自行查一下/dev/sda 看看,会发现第一个属性为[b]。
    - **字符**(character)**设备文件**:也即是一些串行端口的接口设备,例如键盘、鼠标等。这些设备的特征就是"一次性读取"的,不能够截断输出。举例来说,你不可能让鼠标"跳到"另一个界面,而是"滑动"到另一个地方。其第一个属性为[c]。

- **套接字（sockets）**
  - 既然被称为数据接口文件，这种类型的文件通常被用在网络上的数据连接。我们可以启动一个程序来监听客户端的请求，而客户端就可以通过这个 socket 来进行数据的通信了。其第一个属性为[s]，通常在/var/run 这个目录中可看到这种文件类型了。
- **管道（FIFO，pipe）**
  - FIFO 也是一种特殊的文件类型，它主要的目的在解决多个程序同时访问一个文件所造成的错误问题。FIFO 是 first-in-first-out 的缩写。第一个属性为[p]。
  - 除了设备文件是我们系统中很重要的文件，最好不要随意修改之外（通常它也不会让你修改的），另一个比较有趣的文件就是连接文件。如果你常常将应用程序放到桌面来的话，你就应该知道在 Windows 下面有所谓的"快捷方式"。同样，你可以将 linux 下的连接文件简单地视为一个文件或目录的快捷方式。至于 socket 与 FIFO 文件比较难理解，因为这两个东西与进程（process）比较有关系，这个等到将来你了解 process 之后再回来查阅。此外你也可以通过 man fifo 及 man socket 来查阅系统上的说明。

- ◆ **Linux 文件扩展名**
  - 基本上 Linux 的文件是没有所谓的"扩展名"，我们刚刚就谈过，**一个 Linux 文件能不能被执行，与它的第一列的 10 个属性有关，与文件名根本一点关系也没有**。这个观念跟 Windows 的情况不相同。在 Windows 下面，能被执行的文件扩展名通常是.com、.exe、.bat 等，而在 Linux 下面，**只要你的权限当中具有 x 的话，例如[-rwx-r-xr-x]即代表这个文件可以被执行**。
  - 不过可以被执行跟可以执行成功是不一样的。举例来说，在 root 主文件夹下的 install.log 是一个纯文本文件，如果经由修改权限成为-rwxrwxrwx 后，这个文件能够真的执行成功吗？当然不行，因为它的内容根本就没有可以执行的数据。所以说这个 x 代表这个文件具有可执行的能力，但是能不能执行成功，当然就得要看该文件的内容。
  - 虽然如此，不过我们仍然希望可以由扩展名来了解该文件是什么东西，所以通常我们还是会以适当的扩展名来表示该文件是什么种类的。下面有数种常用的扩展名：
    - *.sh：脚本或批处理文件(scripts)，因为批处理文件为使用 shell 写成的，所以扩展名就编成.sh。
    - *.Z、*.tar、*.tar.gz、*.zip、*.tgz：经过打包的压缩文件。这是因为压缩软件分别为 gunzip、tar 等的，由于不同的压缩软件，而取其相关的扩展名。
    - *.html、*.php：网页相关文件，分别代表 HTML 语法与 PHP 语法的网页文件。.html 的文件可使用网页浏览器来直接开启，至于.php 的文件，则可以通过客户端的浏览器来服务端浏览，以得到运算后的网页结果。
  - 基本上 Linux 系统上的文件名真的只是让你了解该文件可能的用途而已，真正的执行与否仍然需要权限的规范才行。例如虽然有一个文件为可执行文件，如常见的/bin/ls 这个显示文件属性的命令，不过如果这个文件的权限被修改成无法执行时，那么 ls 就变成不能执行了。
  - 上述的这种问题最常发生在文件传送的过程中。例如你在网络上下载一个可执行文件，但是偏偏在你的 Linux 系统中就是无法执行。那么就是可能文件的属性被改变了。不要怀疑，从网络上传送到你的 Linux 系统中，文件的属性与权限确实是会被改变的。

- ◆ **Linux 文件长度限制**
  - 在 Linux 下面，使用默认的 Ext2/Ext3 文件系统时，针对文件的文件名长度限制为：
    - **单一文件或目录的最大容许文件名为 255 个字符；**
    - **包含完整路径名称及目录（/）的完整文件名为 4096 个字符。**
  - 我们希望 Linux 的文件名可以一看就知道该文件在做什么的，所以文件名通常是很长。而用惯了 Windows 的人可能会受不了，因为文件名通常真的都很长，对于用惯 Windows 而导致打字速度不快的朋友来说，真的是很困扰。不过，只得劝你好好加强打字的训练了。
  - 而由第 5 章谈到的热键你也会知道，其实可以通过[Tab]按键来确认文件的文件名。如果你已经读完了本书第三篇关于 bash 的用法，那么你将会发现"变量真是一个相当好用的东西"!

具体的到第三篇谈到 bash 再详细说明。

◆ **Linux 文件名的限制**

● 由于 Linux 在文字界面下的一些命令操作关系，一般来说，你在设置 Linux 下面的文件名时，最好可以避免一些特殊字符。例如下面这些：

  * ? > < ; & ! [ ] | \ ' " ` ( ) { }

● 因为这些符号在命令行界面下是有特殊含义的。文件名的开头为小数点 "." 时，代表这个文件为 "隐藏文件"。同时由于命令执行当中，常常会使用到 –option 之类的参数，所以你最好也避免将文件名的开头以 – 或 + 来命名。

6.3 Linux 目录配置

在了解了每个文件的相关种类与属性，以及了解了如何更改文件属性/权限的相关信息后，再来要了解的就是，为什么每套 Linux distributions 版本的配置文件、执行文件、每个目录内放置的内容其实都差不多？原来是有一套标准依据的。我们下面就来介绍这方面的内容。

6.3.1 Linux 目录配置标准：FHS

因为利用 Linux 来开发产品或 distributions 的团队/公司与个人实在太多了，如果每个人都用自己的想法来配置文件放置的目录，那么将可能造成很多管理上的困扰。你能想象，你进入一个企业之后，所接触到的 Linux 目录配置方法竟然跟你以前学的完全不同吗？很难想象吧。所以，后来就有所谓的 **Filesystem Hierarchy Standard** （FHS）标准的出炉了。

根据 FHS（http://www.pathname.com/fhs/）的官方文件指出，其主要目的是希望让用户可以了解到已安装软件通常放置于那个目录下，所以其希望独立的软件开发商、操作系统制作者以及想要维护系统的用户，都能够遵循 FHS 的标准。也就是说，FHS 的重点在于规范每个特定的目录下应该要放置什么样子的数据而已。这样做好处非常多，因为 Linux 操作系统就能够在既有的面貌下（目录架构不变）发展出开发者想要的独特风格。

事实上，FHS 是根据过去的经验一直在持续改版的，FHS 依据文件系统使用的频繁与否与是否允许用户随意改动，而将目录定义成为四种交互作用的形态，用表 6-2 来说明如下。

表 6-2

	可分享的（shareable）	不可分享的（unshareable）
不变的（static）	/usr（软件放置处）	/etc（配置文件）
	/opt（第三方软件）	/boot（开机与内核文件）
可变动的（variable）	/var/mail（用户邮件信箱）	/var/run（程序相关）
	/var/spool/news（新闻组）	/var/lock（程序相关）

上表中的目录就是一些代表性的目录，该目录下面所放置的数据在下面会谈到，这里先略过不谈。我们要了解的是，什么是那四个类型？

◆ **可分享的**：可以分享给其他系统挂载使用的目录，所以包括执行文件与用户的邮件等数据，是能够分享给网络上其他主机挂载用的目录。

◆ **不可分享的**：自己机器上面运行的设备文件或者是与程序有关的 socket 文件等，由于仅与自身机器有关，所以当然就不适合分享给其他主机了。

◆ **不变的**：有些数据是不会经常变动的，跟随着 distribution 而不变动。例如函数库、文件说明文件、系统管理员所管理的主机服务配置文件等。

◆　可变动的：经常改变的数据，例如登录文件、新闻组等。

事实上，FHS 针对目录树架构仅定义出三层目录下面应该放置什么数据而已，分别是下面这三个目录的定义：

◆　/（root,根目录）：与开机系统有关；

◆　/usr（UNIX software resource）：与软件安装/执行有关；

◆　/var （variable）：与系统运作过程有关。

为什么要定义出这三层目录呢？其实是有意义的。每层目录下面所应该放置的目录也都又特定的规定。由于我们尚未介绍完整的 Linux 系统，所以下面的介绍你可能会看不懂。没关系，先有个概念即可，等到你将基础篇全部看完后，再从头将基础篇再看一遍，到时候你就会豁然开朗。

这个 root 在 Linux 里面的意义真的很多很多，多到让人搞不懂那是啥玩意儿。如果以 "账号" 的角度来看，所谓的 root 指的是 "系统管理员" 的身份，如果以 "目录" 的角度来看，所谓的 root 意即指的是根目录，就是 / 。

◆　根目录（/）的意义与内容

●　根目录是整个系统最重要的一个目录，因为不但所有的目录都是由根目录衍生出来的，同时根目录也与开机、还原、系统修复等操作有关。由于系统开机时需要特定的开机软件、内核文件、开机所需程序、函数库等文件数据，若系统出现错误时，根目录也必须要包含有能够修复文件系统的程序才行。因为根目录是这么重要，所以在 FHS 的要求方面，其希望根目录不要放在非常大的分区内，因为越大的分区你会放入越多的数据，如此一来根目录所在分区就可能会有较多发生错误的机会。

●　因此 FHS 标准建议：根目录（/）所在分区应该越小越好，且应用程序所安装的软件最好不要与根目录放在同一个分区内，保持根目录越小越好。如此不但性能较好，根目录所在的文件系统也较不容易发生问题。

有鉴于上述的说明，因此 FHS 定义出根目录（/）下面应该要有下面这些子目录的存在才好，如表 6–3 所示。

表 6–3

目　　录	应放置文件内容
/bin	系统有很多放置执行文件的目录，但/bin 比较特殊。因为/bin 放置的是在单用户维护模式下还能够被操作的命令。在/bin 下面的命令可以被 root 与一般账号所使用，主要有 cat, chmod, chown, date, mv, mkdir, cp, bash 等常用的命令
/boot	这个目录主要在放置开机会使用到的文件，包括 Linux 内核文件以及开机菜单与开机所需配置文件等。**Linux kernel 常用的文件名为 vmlinuz**，如果使用的是 grub 这个引导装载程序，则还会存在/boot/grub/这个目录
/dev	在 Linux 系统上，任何设备与接口设备都是以文件的形式存在于这个目录当中的。你只要通过访问这个目录下面的某个文件，就等于访问某个设备。比要重要的文件有/dev/null, /dev/zero, /dev/tty, /dev/lp*, /dev/hd*, /dev/sd*等
/etc	系统主要的配置文件几乎都放置在这个目录内，例如人员的账号密码文件、各种服务的起始文件等。一般来说，这个目录下的各文件属性是可以让一般用户查阅的，但是只有 root 有权利修改。FHS 建议不要放置可执行文件（binary）在这个目录中。比较重要的文件有 /etc/inittab, /etc/init.d/, /etc/modprobe.conf, /etc/X11/, /etc/fstab, /etc/sysconfig/等。另外，其下重要的目录有： ◆　**/etc/init.d/**：所有服务的默认启动脚本都是放在这里的，例如要启动或者关闭 iptables 的话：" /etc/init.d/iptables start"、"/etc/init.d/iptables stop" ◆　**/etc/xinetd.d/**：这就是所谓的 super daemon 管理的各项服务的配置文件目录 ◆　**/etc/X11/**：与 X Window 有关的各种配置文件都在这里，尤其是 xorg.conf 这个 XServer 的配置文件

续表

目 录	应放置文件内容
/home	这是系统默认的用户主文件夹（home directory）。在你创建一个一般用户账号时，默认的用户主文件夹都会规范到这里来。比较重要的是，主文件夹有两种代号： ~：代表目前这个用户的主文件夹 ~dmtsai：则代表 dmtsai 的主文件夹
/lib	系统的函数库非常多，而/lib 放置的则是在开机时会用到的函数库，以及在/bin 或/sbin 下面的命令会调用的函数库而已。什么是函数库呢？你可以将它想成是"外挂"，某些命令必须要有这些"外挂"才能够顺利完成程序的执行之意。尤其重要的是/lib/modules/这个目录，因为该目录会放置内核相关的模块（驱动程序）
/media	media 是"媒体"的英文，顾名思义，这个/media 下面放置的就是可删除的设备。包括软盘、光盘、DVD 等设备都暂时挂载于此。常见的文件名有/media/floppy，/media/cdrom 等
/mnt	如果你想要暂时挂载某些额外的设备，一般建议你可以放置到这个目录中。在比较早的时候，这个目录的用途与/media 相同。只是有了/media 之后，这个目录就用来暂时挂载了
/opt	这个是给第三方软件放置的目录。什么是第三方软件啊？举例来说，KDE 这个桌面管理系统是一个独立的计划，不过它可以安装到 Linux 系统中，因此 KDE 的软件就建议放置到此目录下了。另外如果你想要自行安装额外的软件（非原本的 distribution 提供的），那么也能够将你的软件安到这里来。不过，以前的 Linux 系统中，我们还是习惯放置在/usr/local 目录下
/root	系统管理员（root）的主文件夹。之所以放在这里，是因为如果进入单用户维护模式而仅挂载根目录时，该目录就能够拥有 root 的主文件夹，所以我们会希望 root 的主文件夹与根目录放置在同一个分区中
/sbin	Linux 有非常多的命令是用来设置系统环境的，这些命令只有 root 才能够利用来"设置"系统，其他用户最多只能用来"查询"而已。放在/sbin 下面的为开机过程中所需要的，里面包括了开机、修复、还原系统所需要的命令。至于某些服务器软件程序，一般则放置到/usr/sbin 当中。至于本机自行安装的软件所产生的系统执行文件（system binary），则放置到/usr/local/sbin 当中了。常见的命令包括 fdisk，fsck，ifconfig，init，mkfs 等
/srv	srv 可以视为"service"的缩写，是一些网络服务启动之后，这些服务所需要取用的数据目录。常见的服务例如 WWW，FTP 等。举例来说，WWW 服务需要的网页数据就可以放置在/srv/www/里面
/tmp	这是让一般用户或者是正在执行的程序暂时放置文件的地方。这个目录是任何人都能够访问，所以你需要定期清理一下。当然，重要数据不可放置在此目录。因为 FHS 甚至建议在开机时，应该要将/tmp 下的数据都删除

- 事实上 FHS 针对根目录所定义的标准就仅有上面列举的数据，不过我们的 Linux 下面还有许多目录你也需要了解一下的。下面是几个在 Linux 当中也是非常重要的目录，如表 6-4 所示。

表 6-4

目 录	应放置文件内容
/lost+found	这个目录是使用标准的 ext2/ext3 文件系统格式才会产生的一个目录，目的在于当文件系统发生错误时，将一些丢失的片段放置到这个目录下。这个目录通常会在分区的最顶层存在，例如你加装一块硬盘于/disk 中，那在这个系统下就会自动产生一个这样的目录"/disk/lost+found"
/proc	这个目录本身是一个虚拟文件系统（virtual filesystem）。它放置的数据都是在内存当中，例如系统内核、进程（process）、外部设备的状态及网络状态等。因为这个目录下的数据都是在内存当中，所以本身不占任何硬盘空间啊！比较重要的文件例如 /proc/cpuinfo，/proc/dma，/proc/interrupts，/proc/ioports，/proc/net/* 等
/sys	这个目录其实跟/proc 非常类似，也是一个虚拟的文件系统，主要也是记录与内核相关的信息。包括目前已加载的内核模块与内核检测到的硬件设备信息等。这个目录同样不占硬盘容量

- 除了这些目录的内容之外，另外要注意的是，因为根目录与开机有关，开机过程中仅有根目录会被挂载，其他分区则是在开机完成之后才会持续进行挂载的行为。就是因为如此，因此根目录下与开机过程有关的目录就不能够与根目录放到不同的分区去。那底哪些目录不可与根目录分开呢？有下面这些：

- ■　/etc：配置文件
- ■　/bin：重要执行文件
- ■　/dev：所需要的设备文件
- ■　/lib：执行文件所需的函数库与内核所需的模块
- ■　/sbin：重要的系统执行文件
- ● 这五个目录千万不可与根目录分开放在不同的分区。谈完了根目录，接下来我们就来谈谈/usr 以及/var，先看/usr 里面有些什么东西：

◆ /usr 的意义与内容

- ● 依据 FHS 的基本定义，/usr 里面放置的数据属于可分享的与不可变动的（shareable，static），如果你知道如何通过网络进行分区的挂载（例如在服务器篇会谈到的 NFS 服务器），那么/usr 确实可以分享给局域网内的其他主机来使用。
- ● 很多读者都会误会/usr 为 user 的缩写，其实 usr 是 UNIX Software Resource 的缩写，也就是 "UNIX 操作系统软件资源"所放置的目录，而不是用户的数据。这点要注意。FHS 建议所有软件开发者应该将他们的数据合理地分别放置到这个目录下的子目录，而不要自行新建该软件自己独立的目录。
- ● 因为是所有系统默认的软件（distribution 发布者提供的软件）都会放置到/usr 下面，因此这个目录有点类似 Windows 系统的 "C:\Windows\" 和 "C:\Program files\" 这两个目录的综合体，系统刚安装完毕时，这个目录会占用最多的硬盘容量。一般来说，/usr 的子目录建议有表 6–5 所示的这些：

表 6–5

目　　录	应放置文件内容
/usr/X11R6/	为 X Window 系统重要数据所放置的目录，之所以取名为 X11R6 是因为最后的 X 版本为第 11 版，且该版的第 6 次释出之意
/usr/bin/	绝大部分的用户可使用命令都放在这里。请注意它与/bin 的不同之处 （是否与开机过程有关）
/usr/include/	C/C++等程序语言的头文件（header）与包含文件（include）放置处，当我们以 tarball 方式（*.tar.gz 的方式安装软件）安装某些数据时，会使用到里头的许多包含文件喔
/usr/lib/	包含各应用软件的函数库、目标文件（object file），以及不被一般用户惯用的执行文件或脚本（script）。某些软件会提供一些特殊的命令来进行服务器的设置，这些命令也不会经常被系统管理员操作，那就会被摆放到这个目录下。要注意的是，如果你使用的是 X86_64 的 Linux 系统，那可能会有/usr/lib64/目录产生
/usr/local/	系统管理员在本机自行安装自己下载的软件（非 distribution 默认提供者），建议安装到此目录，这样会比较便于管理。举例来说，你的 distribution 提供的软件较旧，你想安装较新的软件但又不想删除旧版，此时你可以将新版软件安装于/usr/local/目录下，可与原先的旧版软件有区别。你可以自行到/usr/local 去看看，该目录下也是具有 bin，etc，include，lib 的子目录
/usr/sbin/	非系统正常运行所需要的系统命令。最常见的就是某些网络服务器软件的服务命令（daemon）
/usr/share/	放置共享文件的地方，在这个目录下放置的数据几乎是不分硬件架构均可读取的数据，因为几乎都是文本文件嘛！在此目录下常见的还有这些子目录： ◆　/usr/share/man：在线帮助文件 ◆　/usr/share/doc：软件杂项的文件说明 ◆　/usr/share/zoneinfo：与时区有关的时区文件
/usr/src/	一般源码建议放置到这里，src 有 source 的意思。至于内核源码则建议放置到/usr/src/linux/目录下

◆ /var 的意义与内容

- ● 如果/usr 是安装时会占用较大硬盘容量的目录，那么/var 就是在系统运行后才会渐渐占用硬盘容量的目录。因为/var 目录主要针对常态性变动的文件，包括缓存（cache）、登录文件（log file）以及某些软件运行所产生的文件，包括程序文件（lock file，run file），或者例如 MySQL 数据库的文件等。常见的子目录如表 6-6 所示。

表 6-6

目　　录	应放置文件内容
/var/cache/	应用程序本身运行过程中会产生的一些暂存文件
/var/lib/	程序本身执行的过程中，需要使用到的数据文件放置的目录。在此目录下各自的软件应该要有各自的目录。举例来说，MySQL 的数据库放置到/var/lib/mysql/，而 rpm 的数据库则放到/var/lib/rpm 目录下
/var/lock/	某些设备或者是文件资源一次只能被一个应用程序所使用，如果同时有两个程序使用该设备时，就可能产生一些错误的状况，因此就得要将该设备上锁（lock），以确保该设备只会给单一软件所使用。举例来说，刻录机正在刻录一块光盘，你想一下，会不会有两个人同时在使用一个刻录机刻录？如果两个人同时刻录，那写入的是谁的数据？所以当第一个人在刻录时该刻录机就会被上锁，第二个人就得要该设备被解除锁定（就是前一个人用完了）才能够继续使用
/var/log/	这是登录文件放置的目录。里面比较重要的文件如/var/log/ messages，/var/log/wtmp（记录登录者的信息）等
/var/mail/	放置个人电子邮件信箱的目录，不过这个目录也被放置到/var/spool/mail/目录中。通常这两个目录是互为连接文件
/var/run/	某些程序或者是服务启动后，会将它们的 PID 放置在这个目录下。至于 PID 的意义我们会在后续章节提到的
/var/spool/	这个目录通常放置一些队列数据，所谓的"队列"就是排队等待其他程序使用的数据啦！这些数据被使用后通常都会被删除。举例来说，系统收到新信件会放置到/var/spool/mail/中，但用户收下该信件后该封信原则上就会被删除。信件如果暂时寄不出去会被放到/var/spool/mqueue/中，等到被送出后就被删除。如果是工作排程数据（crontab），就会被放置到/var/spool/cron/目录中

- 建议在你读完整个基础篇之后，可以挑战 FHS 官方英文文件（参考本章参考数据），相信会让你对于 Linux 操作系统的目录有更深入的了解。
- 针对 FHS，各家 distributions 的异同
  - 由于 FHS 仅是定义出最上层（/）及子层（/usr,/var）的目录内容应该要放置的文件或目录数据，因此，在其他子目录层级内，就可以随开发者自行来配置了。举例来说，CentOS 的网络设置数据放在 /etc/sysconfig/network-scripts/ 目录下，但是 SuSE 则是将网络放置在 /etc/sysconfig/network/目录下，目录名称可是不同的。不过只要记住大致的 FHS 标准，差异性是有限的。

6.3.2　目录树（directory tree）

另外在 Linux 下面，所有的文件与目录都是由根目录开始的。那是所有目录与文件的源头。然后再一个一个分支下来，有点像是树枝状。因此我们也称这种目录配置方式为"目录树（directorytree）"。这个目录树有什么特性呢？它主要的特性有：

- 目录树的起始点为根目录（/, root）；
- 每一个目录不只能使用本地端的文件系统，也可以使用网络上的文件系统。举例来说，可以利用 Network File System（NFS）服务器挂载某特定目录等。
- 每一个文件在此目录树中的文件名（包含完整路径）都是独一无二的。

好，谈完了 FHS 的标准之后，实际来看看 CentOS 在根目录下面会有什么样的数据。我们可以执行以下的命令来查询：

```
[root@www ~]# ls -l /
drwxr-xr-x  2 root root 4096 Sep 5 12:34 bin
drwxr-xr-x  4 root root 1024 Sep 4 18:06 boot
```

```
drwxr-xr-x  12 root root  4320 Sep 22 12:10 dev
drwxr-xr-x 105 root root 12288 Sep 22 12:10 etc
drwxr-xr-x   4 root root  4096 Sep  5 14:08 home
drwxr-xr-x  14 root root  4096 Sep  5 12:12 lib
drwx------   2 root root 16384 Sep  5 01:49 lost+found
drwxr-xr-x   2 root root  4096 Mar 30  2007 media
drwxr-xr-x   2 root root     0 Sep 22 12:09 misc
drwxr-xr-x   2 root root  4096 Mar 30  2007 mnt
drwxr-xr-x   2 root root     0 Sep 22 12:09 net
drwxr-xr-x   2 root root  4096 Mar 30  2007 opt
dr-xr-xr-x  95 root root     0 Sep 22  2008 proc
drwxr-x---   4 root root  4096 Sep  8 14:06 root
drwxr-xr-x   2 root root 12288 Sep  5 12:33 sbin
drwxr-xr-x   4 root root     0 Sep 22  2008 selinux
drwxr-xr-x   2 root root  4096 Mar 30  2007 srv
drwxr-xr-x  11 root root     0 Sep 22  2008 sys
drwxrwxrwt   6 root root  4096 Sep 22 12:10 tmp
drwxr-xr-x  14 root root  4096 Sep  4 18:00 usr
drwxr-xr-x  26 root root  4096 Sep  4 18:19 var
```

　　上面比较特殊的应该是/selinux 这个目录了，这个目录的内容数据也是在内存中的信息，同样不会占用任何的硬盘容量。这个/selinux 是 Secure Enhance Linux（SELinux）的执行目录，而 SELinux 是 Linux 内核的重要外挂功能之一，它可以用来作为具体权限的管理，主要针对程序（尤其是网络程序）的访问权限来限制。关于 SELinux 我们会在后续的章节继续做介绍的。如果我们将整个目录树以图示的方法来显示，并且将较为重要的文件数据列出来的话，那么目录树架构如图 6-4 所示。

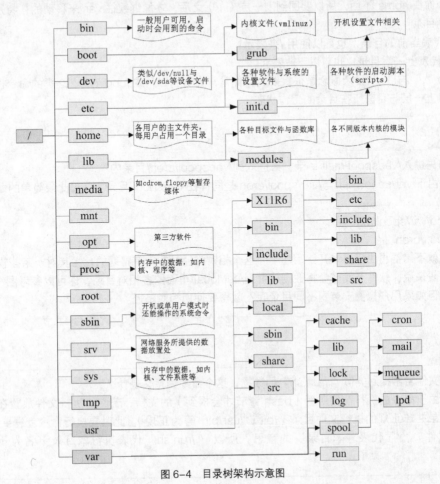

图 6-4　目录树架构示意图

这里只有就各目录进行简单的解释，看看就好，详细的解释请回到刚刚说明的表格中去查阅。看完了 FHS 标准之后，现在回到第 3 章里面去看看安装前 Linux 规划的分区情况，对于当初为何需要分区为这样的情况有点想法了吗？。根据 FHS 的定义，你最好能够将/var 独立出来，这样对于系统的数据还有一些安全性的保护。因为至少/var 死掉时，你的根目录还会活着，还能够进入救援模式。

6.3.3 绝对路径与相对路径

除了需要特别注意的 FHS 目录配置外，在文件名部分我们也要特别注意。因为根据文件名写法的不同，也可将所谓的路径（path）定义为绝对路径（absolute）与相对路径（relative）。这两种文件名/路径的写法依据是这样的：

- 绝对路径：由根目录（/）开始写起的文件名或目录名称，例如 /home/dmtsai/.bashrc。
- 相对路径：相对于目前路径的文件名写法。例如 ./home/dmtsai 或 ../../home/dmtsai/等。反正开头不是/就属于相对路径的写法。

而你必须要了解，相对路径是以"你当前所在路径的相对位置"来表示的。举例来说，你目前在/home 这个目录下，如果想要进入/var/log 这个目录时，可以怎么写呢？

1. cd/var/log（absolute）
2. cd../var/log（relative）

因为你在/home 下面，所以要回到上一层（../）之后，才能继续往/var 来移动的！特别注意这两个特殊的目录：

- .：代表当前的目录，也可以使用./来表示；
- ..：代表上一层目录，也可以../来表示。

这个"."与".."目录概念是很重要的，你常常会看到 cd..或./command 之类的命令执行方式，就是代表上一层与目前所在目录的工作状态。

例题

如何先进入/var/spool/mail/目录，再进入到/var/spool/cron/目录内？

答：由于/var/spool/mail 与/var/spool/cron 是同样在/var/spool/目录中，因此最简单的命令执行方法为：

1. cd/var/spool/mail
2. cd../cron

如此就不需要再由根目录开始写起了。这个相对路径是非常有帮助的，尤其对于某些软件开发商来说。一般来说，软件开发商会将数据放置到/usr/local/里面的各相对目录，你可以参考图 6-4 的相对位置。但如果用户想要安装到不同目录呢？就得要使用相对路径。

例题

网络文件常常提到类似"./run.sh"的数据，这个命令的意义是什么？

答：由于命令的执行需要变量（bash 章节才会提到）的支持，若你的执行文件放置在本目录，并且本目录并非正规的执行文件目录（/bin、/usr/bin 等为正规），此时要执行命令就得要严格指定该执行文件。"./"代表"本目录"的意思，所以"./run.sh"代表执行本目录下名为 run.sh 的文件。

6.3.4　CentOS 的查看

　　某些时刻你可能想要知道你的 distribution 使用的是那个 Linux 标准（Linux Standard Base），而且我们也知道 distribution 使用的都是 Linux 的内核！那你如何查看这些基本的信息呢？可以使用如下的命令来查看：

```
[root@www ~]# uname -r
2.6.18 -128.el5<==可以查看实际的内核版本
[root@www ~]# lsb_release -a
LSB Version:    :core-3.1-amd64:core-3.1-ia32:core-3.1-noarch:graphics-3.1-amd64:
graphics-3.1-ia32:graphics-3.1-noarch      <==LSB 的版本
Distributor ID: CentOS
Description:    CentOS release 5.3 (Final) <==distribution 的版本
Release:        5.3
Codename:       Final
```

6.4　重点回顾

- Linux 的每个文件中，依据权限分为用户、用户组与其他人三种身份。
- 用户组最有用的功能之一，就是当你在团队开发资源的时候，且每个账号都可以有多个用户组的支持。
- 利用 ls –l 显示的文件属性中，第一个字段是文件的权限，共有 10 位，第一位是文件类型，接下来三个为一组共三组，为用户、用户组、其他人的权限，权限有 r,w,x 三种。
- 如果文件名之前多一个 "."，则代表这个文件为 "隐藏文件"。
- 更改文件的用户组支持可用 chgrp，修改文件的所有者可用 chown，修改文件的权限可用 chmod。
- chmod 修改权限的方法有两种，分别是符号法与数字法，数字法中 r,w,x 的分数为 4,2,1。
- 对文件来讲，权限的效能为：
  - r：可读取此文件的实际内容，如读取文本文件的文字内容等。
  - w：可以编辑、新增或者是修改该文件的内容（但不含删除该文件）。
  - x：该文件具有可以被系统执行的权限。
- 对目录来说，权限的属能为：
  - r（read contents in directory）
  - w（modify contents of directory）
  - x（access directory）
- 要开放目录给任何人浏览时，应该至少也要给予 r 及 x 的权限，但 w 权限不可随便给予。
- Linux 文件名的限制为：单一文件或目录的最大容许文件名为 255 个字符；包含完整路径名称及目录（/）的完整文件名为 4096 个字符。
- 根据 FHS 的官方文件指出，其主要目的是希望让用户可以了解到已安装软件通常放置于哪个目录下。
- FHS 制定出来的四种目录特色为 shareable, unshareable, static, variable。
- FHS 所定义的三层主目录为/、/var、/usr。
- 有五个目录不可与根目录放在不同的分区，分别为/etc、/bin、/lib、/dev、/sbin 五个。

6.5　本章练习

◆ 　请说明/bin 与 usr/bin 目录所放置的执行文件有何不同之处。
◆ 　请说明/bin 与/sbin 目录所放置的执行文件有何不同之处。
◆ 　哪几个目录不能够与根目录（/）放置到不同的分区中？并请说明该目录所放置的数据是什么。
◆ 　试说明为何根目录要小一点比较好。另外在分区时，为什么/home、/usr、/var、/tmp 最好与根目录放到不同的分区？试说明可能的原因为何（由目录放置数据的内容谈起）。
◆ 　早期的 UNIX 系统文件名最多允许 14 个字符，而新的 UNIX 与 Linux 系统中，文件名最多可以容许几个字符？
◆ 　当一个文件权限为–rwxrwxrwx，则表示这个文件的意义是什么？
◆ 　我需要将一个文件的权限改为–rwxr-xr--，请问该如何执行命令？
◆ 　若我需要更改一个文件的所有者与用户组，该用什么命令？
◆ 　请问下面的目录主要放置什么数据？
◆ 　/etc/、/etc/initd、/boot、/usr/bin、/bin、/usr/sbin、/sbin、/dev、/var/log。
◆ 　若一个文件的文件名开头为“.”，例如.bashrc 这个文件，代表什么？另外如何显示出这个文件名与它的相关属性？

6.6　参考数据与扩展阅读

◆ 　FHS 的标准官方文件：http://proton.pathname.com/fhs/，是非常值得参考的文献！
◆ 　关于 Journaling（日志式）文章的相关说明：
　　http://www.linuxplanet.com/linuxplanet/reports/3726/1/

7

第 7 章　Linux 文件与目录管理

在第 6 章我们认识了 Linux 系统下的文件权限概念以及目录的配置说明。在这章当中，我们就直接来进一步地操作与管理文件与目录。包括在不同的目录间切换、创建与删除目录、创建与删除文件，还有查找文件、查看文件内容等，都会在这章作个简单的介绍。

7.1 目录与路径

由第 6 章 Linux 的文件权限与目录配置中通过 FHS 了解了 Linux 的树状目录概念之后，接下来就得要实际来搞定一些基本的路径问题了！这些目录的问题当中，最重要的莫过于第 6 章也谈过的"绝对路径"与"相对路径"的意义。绝对路径与相对路径的写法并不相同，要特别注意。此外，当你执行命令时，该命令是通过什么功能来取得的？这与路径这个变量有关。下面就让我们来谈谈。

7.1.1 相对路径与绝对路径

在开始目录的切换之前，你必须要先了解一下所谓的"路径"（PATH），有趣的是：什么是"相对路径"与"绝对路径"？虽然前一章已经稍微针对这个问题提过一次，不过，这里不厌其烦地再次强调一下。

- **绝对路径**：路径的写法一定由根目录/写起，例如/usr/share/doc 这个目录。
- **相对路径**：路径的写法不是由/写起，例如由/usr/share/doc 要到/usr/share/man 下面时，可以写成"cd ../man"，这就是相对路径的写法。相对路径意指相对于目前工作目录的路径。
  ◆ 相对路径的用途
- 那么相对路径与绝对路径有什么用处呢？假设你写了一个软件，这个软件共需要三个目录，分别是 etc、bin、man 这三个目录，然而由于不同的人喜欢安装在不同的目录下，假设甲安装的目录是/usr/local/packages/etc、/usr/local/packages/bin 及/usr/local/packages/man，不过乙却喜欢安装在/home/packages/etc、/home/packages/bin,/home/packages/man 这三个目录中，请问如果需要用到绝对路径的话，那么是否很麻烦呢？如此一来每个目录下的东西就很难对应起来。这个时候相对路径的写法就显得特别的重要了。
- 此外，如果你跟鸟哥一样，喜欢将路径的名字写得很长，好让自己知道那个目录是在干什么的，例如 /cluster/raid/output/taiwan2006/smoke 这个目录，而另一个目录在/cluster/raid/output/taiwan2006/cctm，那么我要从第一个目录到第二个目录去的话，怎么写比较方便？当然是"cd ../cctm"比较方便了。

◆ 绝对路径的用途
- 但是对于文件名的正确性来说，绝对路径的正确度要比较好。一般来说，鸟哥会建议你，如果是在写程序（shell scripts）来管理系统的条件下，务必使用绝对路径的写法。怎么说呢？因为绝对路径的写法虽然比较麻烦，但是可以肯定这个写法绝对不会有问题。如果使用相对路径在程序当中，则可能由于你执行的工作环境不同，导致一些问题的发生。这个问题在工作调度（at, cron,第 16 章）当中尤其重要。这个现象我们在 13 章讲到 shell scrip 时会再次提醒你。

7.1.2 目录的相关操作

我们之前稍微提到切换目录的命令是 cd，还有哪些可以进行目录操作的命令呢？例如创建目录啊、删除目录之类的，还有，得要先知道的，就是有哪些比较特殊的目录呢？举例来说，下面这些就是比较特殊的目录，要记下来：

```
.          代表此层目录
..         代表上一层目录
-          代表前一个工作目录
~          代表"目前用户身份"所在的主文件夹
~account   代表 account 这个用户的主文件夹（account 是个账号名称）
```

需要特别注意的是在所有目录下面都会存在的两个目录，分别是 "." 与 ".."，分别代表此层与上层目录的意思。那么来思考一下下面这个例题。

请问在 Linux 下面，根目录下有没有上层目录（..）存在?

答：若使用 "ls-al/" 去查询，可以看到根目录下确实存在 "." 与 ".." 两个目录，再仔细查阅，可发现这两个目录的属性与权限完全一致，这代表根目录的上一层（..）与根目录自己（.）是同一个目录。

下面我们就来谈一谈几个常见的处理目录的命令吧：

- cd：切换目录
- pwd：显示当前目录
- mkdir：新建一个新的目录
- rmdir：删除一个空的目录

◆ **cd（切换目录）**

- 我们知道 vbird 这个用户的主文件夹是/home/vbird/，而 root 主文件夹则是/root/，假设我以 root 身份在 Linux 系统中，那么简单说明一下这几个特殊的目录的意义：

```
[root@www ~]# cd [相对路径或绝对路径]
# 最重要的就是目录的绝对路径与相对路径，还有一些特殊目录的符号。
[root@www ~]# cd ~vbird
# 代表去到 vbird 这个用户的主文件夹，即 /home/vbird。
[root@www vbird]# cd ~
# 表示回到自己的主文件夹，即是 /root 这个目录。
[root@www ~]# cd
# 没有加上任何路径，也还是代表回到自己主文件夹的意思。
[root@www ~]# cd ..
# 表示去到目前的上层目录，即是 /root 的上层目录的意思。
[root@www /]# cd -
# 表示回到刚才的那个目录，也就是 /root 。
[root@www ~]# cd /var/spool/mail
# 这个就是绝对路径的写法，直接指定要去的完整路径名称。
[root@www mail]# cd ../mqueue
# 这个是相对路径的写法，我们由/var/spool/mail 到/var/spool/mqueue 就这样写。
```

- cd 是 Change Directory 的缩写，这是用来切换工作目录的命令。注意，目录名称与 cd 命令之间存在一个空格。一旦登录 Linux 系统后，root 会在 root 的主文件夹中。那回到上一层目录可以用 "cd.."。利用相对路径的写法必要须要确认你目前的路径才能正确去到想要去的目录。例如上文中最后一个例子，你必须要确认你是在/var/spool/mail 当中，并且知道在/var/spool 当中有个 mqueue 的目录才行。这样才能使用 cd../mqueue 到达正确的目录，否则就要直接输入 cd/var/spool/mqueue。

- 其实，我们的提示符，即那个[root@www ~]#当中，就已经有指出当前目录了，刚登录时会回到自己的主文件夹，而主文件夹还有一个代码，那就是 "~" 符号。例如通过上面的例子可以发现，使用 "cd ~" 可以回到个人的主文件夹里去。另外，针对 cd 的使用方法，如果仅输入 cd 时，代表的就是 "cd ~" 的意思，即是会回到自己的主文件夹。而那个 "cd- " 比较难以理解，请自行多做几次练习，就会比较明白了。

还是要一再地提醒，我们的 Linux 的默认命令行模式（bash shell）具有文件补齐功能，你要经常利用[Tab]按键快速完整地输入目录。这是一种好习惯。可以避免你按错键盘输入错字。

◆ pwd（显示目前所在的目录）

```
[root@www ~]# pwd [-P]
参数:
-P : 显示出当前的路径，而非使用连接 (link) 路径。

范例: 单纯显示出当前的工作目录:
[root@www ~]# pwd
/root   <== 显示出目录

范例: 显示出实际的工作目录，而非连接文件本身的目录名而已
[root@www ~]# cd /var/mail   <==注意，/var/mail 是一个连接文件
[root@www mail]# pwd
/var/mail       <==列出目前的工作目录
[root@www mail]# pwd -P
/var/spool/mail <==怎么回事? 有没有加 -P 差很多~
[root@www mail]# ls -ld /var/mail
lrwxrwxrwx 1 root root 10 Sep  4 17:54 /var/mail -> spool/mail
# 看到这里应该知道为啥了吧? 因为 /var/mail 是连接文件，连接到 /var/spool/mail。
# 所以，加上 pwd -P 的参数后，会不以连接文件的数据显示，而是显示正确的完整路径。
```

- pwd 是 Print Working Directory 的缩写，也就是显示目前所在目录的命令，例如上文中最后的目录是/var/mail 这个目录，但是提示符仅显示 mail，如果你想要知道目前所在的目录，可以输入 pwd 即可。此外，由于很多的套件所使用的目录名称都相同，例如/usr/local/etc，还有/etc，但是通常 Linux 仅列出最后面那一个目录而已，这个时候你就可以使用 pwd 来取得你的所在目录，免得搞错目录。
- 其实有趣的是那个–p 的参数。它可以让我们取得正确的目录名称，而不是以连接文件的路径来显示的。如果你使用的是 CentOS 5.x 的话，刚好/var/mail 是/var/spool/mail 的连接文件，所以，通过到/var/mail 执行 pwd –p 就能够知道这个参数的意义了。

◆ mkdir（新建新目录）

```
[root@www ~]# mkdir [-mp] 目录名称
参数:
-m : 配置文件案的权限。直接设置，不需要看默认权限 (umask)
-p : 帮助你直接将所需要的目录 (包含上层目录) 递归创建起来。

范例: 请到/tmp 下面尝试创建数个新目录看看:
[root@www ~]# cd /tmp
[root@www tmp]# mkdir test   <==创建一个名为 test 的新目录
[root@www tmp]# mkdir test1/test2/test3/test4
mkdir: cannot create directory `test1/test2/test3/test4':
No such file or directory   <== 没办法直接创建此目录。
[root@www tmp]# mkdir -p test1/test2/test3/test4
# 加了这个 -p 的参数，可以自行创建多层目录。

范例: 新建权限为 rwx--x--x 的目录
[root@www tmp]# mkdir -m 711 test2
[root@www tmp]# ls -l
drwxr-xr-x 3 root  root 4096 Jul 18 12:50 test
drwxr-xr-x 3 root  root 4096 Jul 18 12:53 test1
drwx--x--x 2 root  root 4096 Jul 18 12:54 test2
# 仔细看上面的权限部分，如果没有加上 -m 来强制设置属性，系统会使用默认属性。
# 那么你的默认属性为何? 这要通过下面介绍的 umask 才能了解。
```

- 如果想要创建新的目录的话，那么就使用 mkdir（make directory）。不过，在默认的情况下，你所需要的目录得一层一层地创建才行！例如：假如你要创建一个目录为/home/bird/testing/test1，那么首先必须要有/home，然后/home/bird、/home/bird/testing 都必须要存在，才可以创建/home/bird/testing/test1 这个目录。假如没有/home/bird/testing 时，

就没有办法创建 test1 的目录。

- 不过，现在有个更简单有效的方法。那就是加上–p 这个参数。你可以直接执行"**mkdir-p/home/ bird/testing/test1，**"则系统会自动帮你将/home、/home/bird、/home/bird/testing 依序创建起来，并且如果该目录本来就已经存在时，系统也不会显示错误信息。不过鸟哥不建议常用–p 这个参数，因为担心如果你打错字，那么目录名称就会变得乱七八糟的。

- 另外，有个地方你必须要先有概念，那就是"默认权限"的地方。我们可以利用–m 来强制给予一个新的目录相关的权限，例如上文中，我们使用–m 711 来给予新的目录 drwx--x--x 的权限。不过，如果没有给予–m 参数时，那么默认的新建目录权限又是什么呢？这个跟 umask 有关，我们在本章后头会加以介绍的。

◆ rmdir（删除"空"的目录）

```
[root@www ~]# rmdir [-p] 目录名称
参数：
-p : 连同上层"空的"目录也一起删除

范例：将mkdir范例中创建的目录（/tmp下面）删除掉。
[root@www tmp]# ls -l    <==看看有多少目录存在
drwxr-xr-x  3 root  root 4096 Jul 18 12:50 test
drwxr-xr-x  3 root  root 4096 Jul 18 12:53 test1
drwx--x--x  2 root  root 4096 Jul 18 12:54 test2
[root@www tmp]# rmdir test    <==可直接删除掉，没问题
[root@www tmp]# rmdir test1   <==因为尚有内容，所以无法删除。
rmdir: `test1': Directory not empty
[root@www tmp]# rmdir -p test1/test2/test3/test4
[root@www tmp]# ls -l         <==你看看，下面的输出中test与test1不见了。
drwx--x--x  2 root  root 4096 Jul 18 12:54 test2
# 利用 -p 这个参数，立刻就可以将 test1/test2/test3/test4 一次删除。
# 不过要注意的是，这个 rmdir 仅能"删除空的目录"。
```

- 如果想要删除旧有的目录时，就使用 rmdir 吧！例如将刚才创建的 test 删掉，使用"rmdir test"即可。目录需要一层一层地删除才行，而且被删除的目录里面必定不能存在其他的目录或文件。这也是所谓的空的目录（empty directory）的意思。那如果要将所有目录下的东西都删掉呢？这个时候就必须使用"rm –r test"了。不过，还是使用 rmdir 比较安全。你也可以尝试以–p 的参数加入，来删除上层的目录。

7.1.3　关于执行文件路径的变量：$PATH

经过第 6 章 FHS 的说明后，我们知道查看文件属性的命令 ls 的完整文件名为：/bin/ls（这是绝对路径），那你会不会觉得很奇怪："为什么我可以在任何地方执行/bin/ls 这个命令呢？为什么我在任何目录下输入 ls 就一定可以显示出一些信息而不会说找不到该/bin/ls 命令呢？"这是因为环境变量 PATH 的帮助。

当我们在执行一个命令的时候，举例来说"ls"好了，系统会依照 PATH 的设置去每个 PATH 定义的目录下查询文件名为 ls 的可执行文件，如果在 PATH 定义的目录中含有多个文件名为 ls 的可执行文件，那么先查询到的同名命令先被执行。

现在，请执行"echo $PATH"来看看到底有哪些目录被定义出来了 echo 有"显示、打印出"的意思，而 PATH 前面加的$表示后面接的是变量，所以会显示出目前的路径！

```
范例：先用 root 的身份列出查询的路径
[root@www ~]# echo $PATH
/usr/kerberos/sbin:/usr/kerberos/bin:/usr/local/sbin:/usr/local/bin:/sbin
```

```
:/bin:/usr/sbin:/usr/bin:/root/bin  <==这是同一行!

范例: 用 vbird 的身份列出查询的路径
[root@www ~]# su - vbird
[vbird@www ~]# echo $PATH
/usr/kerberos/bin:/usr/local/bin:/bin:/usr/bin:/home/vbird/bin
# 仔细看, 一般用户 vbird 的 PATH 中, 并不包含任何 "sbin" 的目录存在喔!
```

PATH (一定是大写) 这个变量的内容是由一堆目录所组成的, 每个目录中间用冒号 (:) 来隔开, 每个目录是有 "顺序" 之分的。仔细看一下上面的输出, 你可以发现无论是 root 还是 vbird 都有/bin 这个目录在 PATH 变量内, 所以当然就能够在任何地方执行 ls 来找到/bin/ls 执行文件。

我们用几个范例来让你了解一下为什么 PATH 是那么重要的项目。

例题

请问你能不能使用一般身份用户执行 ifconfig eth0 这个命令呢?

答: 如上面的范例所示, 当你使用 vbird 这个账号执行 ifconfig 时, 会出现 "–bash: ifconfig: command not found" 的字样, 因为 ifconfig 是放置到/sbin 下面, 而由上面的结果中我们可以发现 vbird 的 PATH 并没有设置/sbin, 所以默认无法执行。

但是你可以使用 "/sbin/ifconfig eth0" 来执行这个命令。因为一般用户还是可以使用 ifconfig 来查询系统 IP 的参数, 既然 PATH 没有规范到/sbin, 那么我们使用 "绝对路径" 也可以执行该命令。

例题

假设你是 root, 如果你将 ls 由/bin/ls 移动成为/root/ls (可用 "mv /bin/ls /root" 命令实现), 然后你自己本身也在/root 目录下, 请问 (1) 你能不能直接输入 ls 来执行? (2) 若不能, 你该如何执行 ls 这个命令? (3) 若要直接输入 ls 即可执行, 又该如何进行?

答: 由于这个例题的重点是将某个执行文件移动到非正规目录去, 所以我们先要进行下面的操作才行 (务必使用 root 的身份):

```
[root@www ~]# mv /bin/ls /root
# mv 为移动, 可将文件在不同的目录间进行移动作业
```

(1) 接下来不论你在哪个目录下面输入任何与 ls 相关的命令, 都没有办法顺利执行 ls 了! 也就是说, 你不能直接输入 ls 来执行, 因为/root 这个目录并不在 PATH 指定的目录中, 所以, 即使你在/root 目录下, 也不能够查询到 ls 这个命令。

(2) 因为这个 ls 确实存在于/root 下面, 并不是被删除了。所以我们可以通过使用绝对路径或者是相对路径直接指定这个执行文件, 下面的两个方法都能够执行 ls 这个命令:

```
[root@www ~]# /root/ls  <==直接用绝对路径指定该文件名
[root@www ~]# ./ls      <==因为在 /root 目录下, 就用./ls 来指定
```

(3) 如果想要让 root 在任何目录均可执行/root 下面的 ls, 那么就将/root 加入 PATH 当中即可。加入的方法很简单, 就像下面这样:

```
[root@www ~]# PATH="$PATH":/root
```

上面这个做法就能够将/root 加入到执行文件查询路径 PATH 中。不相信的话请你自行使用 "echo $PATH" 去查看。如果确定这个例题进行没有问题了, 请将 ls 放到/bin 下面, 不然系统会挂点的。

```
[root@www ~]# mv /root/ls /bin
```

例题

如果我有两个 ls 命令在不同的目录中，例如/usr/local/bin/ls 与/bin/ls，那么当我执行 ls 的时候，哪个 ls 会被执行？

答：那还用说？就找出 PATH 里面哪个目录先被查询，则那个目录下的命令就会被先执行了。

例题

为什么 PATH 查询的目录不加入本目录（.）？加入本目录的查询不是也不错？

答：如果在 PATH 中加入本目录（.）后，确实我们就能够在命令所在目录进行命令的执行了。但是由于你的工作目录并非固定（经常会使用 cd 来切换到不同的目录），因此能够执行的命令会有变动（因为每个目录下面的可执行文件都不相同。），这对用户来说并非好事。

另外，如果有个坏心用户在/tmp 下面做了一个命令，因为/tmp 是大家都能够写入的环境，所以他当然可以这样做。假设该命令可能会窃取用户的一些数据，如果你使用 root 的身份来执行这个命令，那不是很糟糕？如果这个命令的名称又是经常会被用到的 ls 时，那"中标"的几率就更高了。

所以，为了安全起见，不建议将"."加入 PATH 的查询目录中。

而由上面的几个例题我们也可以知道几件事情：

◆　不同身份用户默认的 PATH 不同，默认能够随意执行的命令也不同（如 root 与 vbird）；
◆　PATH 是可以修改的，所以一般用户还是可以通过修改 PATH 来执行某些位于/sbin 或/usr/sbin 下的命令来查询；
◆　使用绝对路径或相对路径直接指定某个命令的文件名来执行，会比查询 PATH 来得正确；
◆　命令应该要放置到正确的目录下，执行才会比较方便；
◆　本目录（.）最好不要放到 PATH 当中。

对于 PATH 更详细的"变量"说明，我们会在第三篇的 bash shell 中详细说明。

7.2　文件与目录管理

谈了谈目录与路径之后，再来讨论一下关于文件的一些基本管理吧。在文件与目录的管理上，不外乎"显示属性"、"复制"、"删除文件"及"移动文件或目录"等，由于文件与目录的管理在 Linux 当中是很重要的，尤其是每个人自己主文件夹的数据也都需要注意管理。所以我们来谈一谈有关文件与目录的一些基础管理部分。

7.2.1　查看文件与目录：ls

```
[root@www ~]# ls [-aAdfFhilnrRSt] 目录名称
[root@www ~]# ls [--color={never,auto,always}] 目录名称
[root@www ~]# ls [--full-time] 目录名称
参数：
-a ：全部的文件，连同隐藏文件（开头为 . 的文件）一起列出来（常用）
-A ：列出全部的文件（连同隐藏文件，但不包括 . 与 .. 这两个目录）
-d ：仅列出目录本身，而不是列出目录内的文件数据（常用）
-f ：直接列出结果，而不进行排序（ls 默认会以文件名排序）
-F ：根据文件、目录等信息给予附加数据结构，例如：
    *:代表可执行文件；　/:代表目录；　=:代表 socket 文件；　|:代表 FIFO 文件
-h ：将文件容量以人类较易读的方式（例如 GB，KB 等）列出来
```

```
-i  ：列出 inode 号码，inode 的意义下一章将会介绍
-l  ：列出长数据串，包含文件的属性与权限等数据（常用）
-n  ：列出 UID 与 GID，而非用户与用户组的名称（UID 与 GID 会在账号管理提到）
-r  ：将排序结果反向输出，例如：原本文件名由小到大，反向则为由大到小
-R  ：连同子目录内容一起列出来，等于该目录下的所有文件都会显示出来
-S  ：以文件容量大小排序，而不是用文件名排序
-t  ：依时间排序，而不是用文件名
--color=never  ：不要依据文件特性给予颜色显示
--color=always ：显示颜色
--color=auto   ：让系统自行依据设置来判断是否给予颜色
--full-time    ：以完整时间模式（包含年、月、日、时、分）输出
--time={atime,ctime}：输出访问时间或改变权限属性时间（ctime）
                 而非内容更改时间（modification time）
```

　　在 Linux 系统当中，这个 ls 命令可能是最常被执行的。因为我们随时都要知道文件或者是目录的相关信息。不过，我们 Linux 的文件所记录的信息实在是太多了，ls 没有需要全部都列出来。所以，当你只有执行 ls 时，默认显示的只有非隐藏文件的文件名、以文件名进行排序及文件名代表的颜色显示。举例来说，你执行 "ls/etc" 之后，只有经过排序的文件名以及以蓝色显示目录和白色显示一般文件，如此而已。

　　那如果我还想要加入其他的显示信息时，可以加入上头提到的那些有用的参数呢。举例来说，我们之前一直用到的 –l 这个长串显示数据内容，以及将隐藏文件也一起列示出来的 –a 参数等。下面则是一些常用的范例，实际试做看看：

```
范例一：将主文件夹下的所有文件列出来（含属性与隐藏文件）
[root@www ~]# ls -al ~
total 156
drwxr-x---  4 root root  4096 Sep 24 00:07 .
drwxr-xr-x 23 root root  4096 Sep 22 12:09 ..
-rw-------  1 root root  1474 Sep  4 18:27 anaconda-ks.cfg
-rw-------  1 root root   955 Sep 24 00:08 .bash_history
-rw-r--r--  1 root root    24 Jan  6 2007 .bash_logout
-rw-r--r--  1 root root   191 Jan  6 2007 .bash_profile
-rw-r--r--  1 root root   176 Jan  6 2007 .bashrc
drwx------  3 root root  4096 Sep  5 10:37 .gconf
-rw-r--r--  1 root root 42304 Sep  4 18:26 install.log
-rw-r--r--  1 root root  5661 Sep  4 18:25 install.log.syslog
# 这个时候你会看到以 "." 为开头的几个文件，以及目录文件（.）、（..）、.gconf 等
# 不过，目录文件文件名都是以深蓝色显示，有点不容易看清楚就是了。

范例二：承上题，不显示颜色，但在文件名末显示出该文件名代表的类型（type）
[root@www ~]# ls -alF --color=never  ~
total 156
drwxr-x---  4 root root  4096 Sep 24 00:07 ./
drwxr-xr-x 23 root root  4096 Sep 22 12:09 ../
-rw-------  1 root root  1474 Sep  4 18:27 anaconda-ks.cfg
-rw-------  1 root root   955 Sep 24 00:08 .bash_history
-rw-r--r--  1 root root    24 Jan  6 2007 .bash_logout
-rw-r--r--  1 root root   191 Jan  6 2007 .bash_profile
-rw-r--r--  1 root root   176 Jan  6 2007 .bashrc
drwx------  3 root root  4096 Sep  5 10:37 .gconf/
-rw-r--r--  1 root root 42304 Sep  4 18:26 install.log
-rw-r--r--  1 root root  5661 Sep  4 18:25 install.log.syslog
# 注意看到显示结果的第一行，知道为何我们会执行类似 ./command
# 之类的命令了吧？因为 ./ 代表的是 "目前目录下" 的意思。至于什么是 FIFO/Socket
# 请参考前一章节的介绍。另外，那个 .bashrc 时间仅写 2007，能否知道详细时间？

范例三：完整呈现文件的修改时间 *（modification time）
[root@www ~]# ls -al --full-time  ~
total 156
drwxr-x---  4 root root  4096 2008-09-24 00:07:00.000000 +0800 .
```

```
drwxr-xr-x 23 root root  4096 2008-09-22 12:09:32.000000 +0800 ..
-rw-------  1 root root  1474 2008-09-04 18:27:10.000000 +0800 anaconda-ks.cfg
-rw-------  1 root root   955 2008-09-24 00:08:14.000000 +0800 .bash_history
-rw-r--r--  1 root root    24 2007-01-06 17:05:04.000000 +0800 .bash_logout
-rw-r--r--  1 root root   191 2007-01-06 17:05:04.000000 +0800 .bash_profile
-rw-r--r--  1 root root   176 2007-01-06 17:05:04.000000 +0800 .bashrc
drwx------  3 root root  4096 2008-09-05 10:37:49.000000 +0800 .gconf
-rw-r--r--  1 root root 42304 2008-09-04 18:26:57.000000 +0800 install.log
-rw-r--r--  1 root root  5661 2008-09-04 18:25:55.000000 +0800 install.log.syslog
# 请仔细看，上面的 "时间" 字段变了。变成较为完整的格式。
# 一般来说，ls -al 仅列出目前短格式的时间，有时不会列出年份，
# 通过 --full-time 可以查阅到比较正确的完整时间格式。
```

　　其实 ls 的用法还有很多，包括查看文件所在 i-node 号码的 ls-i 参数，以及用来进行文件排序的 -s 参数，还有用来查看不同时间的操作的 --time=atime 等参数（更多时间说明请参考本章后面 touch 的说明）。而这些参数的存在都是因为 Linux 文件系统记录了很多有用的信息的缘故。那么 Linux 的文件系统中，这些与权限、属性有关的数据放在哪里呢？放在 i-node 里面。关于这部分，我们会在下一章继续为你作比较深入的介绍。

　　无论如何，ls 最常被使用到的功能还是那个 -l 的参数，为此，很多 distribution 在默认的情况中，已经将 ll（L 的小写）设置成为 ls-l 的意思了。其实，那个功能是 bash shell 的 alias 功能。也就是说，我们直接输入 ll 就等于是输入 ls-l 是一样的。关于这部分，我们会在后续的 bash shell 再次强调。

7.2.2　复制、删除与移动：cp, rm, mv

　　要复制文件，请使用 cp（copy）这个命令即可。不过，cp 这个命令的用途可多了。除了单纯复制之外，还可以创建连接文件（就是快捷方式），对比两文件的新旧而予以更新，以及复制整个目录等的功能呢。至于移动目录与文件，则使用 mv（move），这个命令也可以直接拿来作重命名（rename）的操作。至于删除，那就是 rm（remove）这个命令了。下面我们就来看一看。

◆　cp（复制文件或目录）

```
[root@www ~]# cp [-adfilprsu] 源文件(source) 目标文件(destination)
[root@www ~]# cp [options] source1 source2 source3 .... directory
参数：
-a ：相当于 -pdr 的意思，至于 pdr 请参考后文（常用）；
-d ：若源文件为连接文件的属性（link file），则复制连接文件属性而非文件本身；
-f ：为强制（force）的意思，若目标文件已经存在且无法开启，则删除后再尝试一次；
-i ：若目标文件（destination）已经存在时，在覆盖时会先询问操作的进行（常用）；
-l ：进行硬连接（hard link）的连接文件创建，而非复制文件本身；
-p ：连同文件的属性一起复制过去，而非使用默认属性（备份常用）；
-r ：递归持续复制，用于目录的复制行为（常用）；
-s ：复制成为符号链接文件 （symbolic link），即 "快捷方式" 文件；
-u ：若 destination 比 source 旧才更新 destination。
最后需要注意的，如果源文件有两个以上，则最后一个目的文件一定要是 "目录" 才行！
```

●　复制（cp）这个命令是非常重要的，不同身份者执行这个命令会有不同的结果产生，尤其是那个 -a、-p 的参数，对于不同身份来说，区别非常大。下面的练习中，有的身份为 root，有的身份为一般账号（在我这里用 vbird 这个账号），练习时请特别注意身份的区别。开始来做复制的练习与查看：

```
范例一：用 root 身份将主文件夹下的 .bashrc 复制到 /tmp 下，并更名为 bashrc
[root@www ~]# cp ~/.bashrc /tmp/bashrc
[root@www ~]# cp -i ~/.bashrc /tmp/bashrc
cp: overwrite `/tmp/bashrc'? n  <==n 不覆盖，y 为覆盖
# 重复做两次操作，由于 /tmp 下面已经存在 bashrc 了，加上 -i 参数后，
# 则在覆盖前会询问用户是否确定，可以按下 n 或者 y 来二次确认呢！
```

范例二: 切换目录到/tmp, 并将/var/log/wtmp 复制到/tmp 且查看属性:

```
[root@www ~]# cd /tmp
[root@www tmp]# cp /var/log/wtmp .  <==想要复制到当前目录, 最后的 "." 不要忘
[root@www tmp]# ls -l /var/log/wtmp wtmp
-rw-rw-r-- 1 root utmp 96384 Sep 24 11:54 /var/log/wtmp
-rw-r--r-- 1 root root 96384 Sep 24 14:06 wtmp
# 注意上面的特殊字体, 在不加任何参数的情况下, 文件的某些属性/权限会改变;
# 这是个很重要的特性, 连文件建立的时间也不一样了。
# 那如果你想要将文件的所有特性都一起复制过来该怎办? 可以加上 -a, 如下所示:

[root@www tmp]# cp -a /var/log/wtmp wtmp_2
[root@www tmp]# ls -l /var/log/wtmp wtmp_2
-rw-rw-r-- 1 root utmp 96384 Sep 24 11:54 /var/log/wtmp
-rw-rw-r-- 1 root utmp 96384 Sep 24 11:54 wtmp_2
#整个数据特性完全一模一样。这就是 -a 的特性。
```

- 这个 cp 的功能很多, 由于我们经常会进行一些数据的复制, 所以也会经常用到这个命令的。一般来说, 我们如果去复制别人的数据 (当然, 该文件你必须要有 read 的权限才行.) 时, 总是希望复制到的数据最后是我们自己的, 所以, **在默认的条件中, cp 的源文件与目的文件的权限是不同的, 目的文件的所有者通常会是命令操作者本身。** 举例来说, 上面的范例二中, 由于我是 root 的身份, 因此复制过来的文件所有者与用户组就改变成为 root 所有了。
- 由于具有这个特性, 因此当我们在进行备份的时候, 某些需要特别注意的特殊权限文件, 例如密码文件 (/etc/shadow) 以及一些配置文件, 就不能直接以 cp 来复制, 而必须要加上-a 或者是-p 等可以完整复制文件权限的参数才行。另外, 如果你想要复制文件给其他的用户, 也必须要注意到文件的权限 (包含读、写、执行以及文件所有者等), 否则, 其他人还是无法针对你给予的文件进行修订的操作。

范例三: 复制 /etc/ 这个目录下的所有内容到 /tmp 下面

```
[root@www tmp]# cp /etc/ /tmp
cp: omitting directory `/etc'  <== 如果是目录则不能直接复制, 要加上 -r 的参数
[root@www tmp]# cp -r /etc/ /tmp
# 还是要再次强调。-r 是可以复制目录, 但是, 文件与目录的权限可能会被改变
# 所以, 也可以利用 " cp -a /etc /tmp " 来执行命令。尤其是在备份的情况下。
```

范例四: 将范例一复制的 bashrc 创建一个连接文件 (symbolic link)

```
[root@www tmp]# ls -l bashrc
-rw-r--r-- 1 root root 176 Sep 24 14:02 bashrc  <==先查看一下文件情况
[root@www tmp]# cp -s bashrc bashrc_slink
[root@www tmp]# cp -l bashrc bashrc_hlink
[root@www tmp]# ls -l bashrc*
-rw-r--r-- 2 root root 176 Sep 24 14:02 bashrc  <==与源文件不太一样了!
-rw-r--r-- 2 root root 176 Sep 24 14:02 bashrc_hlink
lrwxrwxrwx 1 root root   6 Sep 24 14:20 bashrc_slink -> bashrc
```

- 范例四可有趣了。使用-l 及-s 都会创建所谓的连接文件 (link file), 但是这两种连接文件却有不一样的情况。这是怎么一回事啊? 那个-l 就是所谓的硬连接 (hard link), 至于-s 则是软连接 (symbolic link), 简单来说, bashrc_slink 是一个 "快捷方式", 这个快捷方式会连接到 bashrc, 所以你会看到文件名右侧会有个指向 (->) 的符号。
- 至于 bashrc_hlink 文件与 bashrc 的属性与权限完全一模一样, 与尚未进行连接前的差异则是第二列的 link 数由 1 变成 2 了。这里先不介绍硬连接, 因为硬连接涉及 i-node 的相关知识, 我们下一章谈到文件系统 (file system) 时再来讨论这个问题。

范例五: 若 ~/.bashrc 比 /tmp/bashrc 新才复制过来

```
[root@www tmp]# cp -u ~/.bashrc /tmp/bashrc
# 这个 -u 的特性是在目标文件与源文件有差异时才会复制的。
# 所以, 比较常被用于 "备份" 的工作当中。
```

范例六: 将范例四生成的 bashrc_slink 复制成为 bashrc_slink_1 与 bashrc_slink_2

```
[root@www tmp]# cp bashrc_slink bashrc_slink_1
[root@www tmp]# cp -d bashrc_slink bashrc_slink_2
[root@www tmp]# ls -l bashrc bashrc_slink*
-rw-r--r-- 2 root root 176 Sep 24 14:02 bashrc
lrwxrwxrwx 1 root root   6 Sep 24 14:20 bashrc_slink -> bashrc
-rw-r--r-- 1 root root 176 Sep 24 14:32 bashrc_slink_1       <==与源文件相同
lrwxrwxrwx 1 root root   6 Sep 24 14:33 bashrc_slink_2 -> bashrc <==是连接文件!
# 这个例子也是很有趣。原本复制的是连接文件, 但是却将连接文件的实际文件复制过来了
# 也就是说, 如果没有加上任何参数时, cp 复制的是源文件, 而非连接文件的属性!
# 若要复制连接文件的属性, 就得要使用 -d 的参数了! 如 bashrc_slink_2 所示。
```

范例七: 将主文件夹的 .bashrc 及 .bash_history 复制到 /tmp 下面

```
[root@www tmp]# cp ~/.bashrc ~/.bash_history /tmp
# 可以将多个数据一次复制到同一个目录去, 最后面一定是目录。
```

例题

　　你能否使用 vbird 的身份, 完整复制/var/log/wtmp 文件到/tmp 下面, 并更名为 vbird_wtmp 呢?
　　答: 实际做看看的结果如下:

```
[vbird@www ~]$ cp -a /var/log/wtmp /tmp/vbird_wtmp
[vbird@www ~]$ ls -l /var/log/wtmp /tmp/vbird_wtmp
-rw-rw-r-- 1 vbird vbird 96384  9月 24 11:54 /tmp/vbird_wtmp
-rw-rw-r-- 1 root  utmp  96384  9月 24 11:54 /var/log/wtmp
```

　　由于 vbird 的身份并不能随意修改文件的所有者与用户组, 因此虽然能够复制 wtmp 的相关权限与时间等属性, 但是与所有者、用户组相关的, 原本 vbird 身份无法进行的操作, 即使加上-a 参数, 也是无法达成完整复制权限的!

- 总之, 由于 cp 有种种的文件属性与权限的特性, 所以, 在复制时, 你必须要清楚了解到:
  - 是否需要完整保留来源文件的信息?
  - 源文件是否为软连接文件 (symbolic link file) ?
  - 源文件是否为特殊的文件, 例如 FIFO、socket 等?
  - 源文件是否为目录?

◆　rm（移除文件或目录）

```
[root@www ~]# rm [-fir]文件或目录
参数:
-f : 就是 force 的意思, 忽略不存在的文件, 不会出现警告信息;
-i : 互动模式, 在删除前会询问用户是否操作;
-r : 递归删除。最常用在目录的删除了。这是非常危险的参数! ! !

范例一: 将刚才在 cp 的范例中创建的 bashrc 删除掉!
[root@www ~]# cd /tmp
[root@www tmp]# rm -i bashrc
rm: remove regular file `bashrc'? y
# 如果加上 -i 的参数就会主动询问, 避免你删除错误的文件名!

范例二: 通过通配符*的帮忙, 将/tmp 下面开头为 bashrc 的文件名全部删除:
[root@www tmp]# rm -i bashrc*
# 注意那个星号, 代表的是 0 到无穷多个任意字符。

范例三: 将 cp 范例中所创建的 /tmp/etc/ 这个目录删除掉。
[root@www tmp]# rmdir /tmp/etc
rmdir: etc: Directory not empty <== 删不掉, 因为这不是空的目录!
[root@www tmp]# rm -r /tmp/etc
rm: descend into directory `/tmp/etc'? y
```

```
....（中间省略）....
# 因为身份是 root ，默认已经加入了 -i 的参数，所以你要一直按 y 才会删除！
# 如果不想要继续按 y ，可以按下[ctrl]-c 来结束 rm 的工作。
# 这是一种保护的操作，如果确定要删除掉此目录而不要询问，可以这样做:
[root@www tmp]# \rm -r /tmp/etc
# 在命令前加上反斜杠，可以忽略掉 alias 的指定参数。至于 alias 我们在 bash 章节中再谈。

范例四: 删除一个带有 - 开头的文件
[root@www tmp]# touch ./-aaa-  <==touch 这个命令可以创建空文件。
[root@www tmp]# ls -l
-rw-r--r-- 1 root  root     0 Sep 24 15:03 -aaa- <==文件大小为 0, 所以是空文件
[root@www tmp]# rm -aaa-
Try `rm --help' for more information.  <== 因为 "-" 是参数。所以系统误判了。
[root@www tmp]# rm ./-aaa-
```

- 这是删除（remove）的命令，要注意的是，通常在 Linux 系统下，为了怕文件被误杀，所以很多 distributions 都已经默认加入–i 这个参数了。而如果要连目录下的东西都一起删掉的话，例如子目录里面还有子目录时，那就要使用–r 这个参数了。不过，使用"rm -r"这个命令之前，请千万注意了，因为该目录或文件"肯定"会被 root 删掉，因为系统不会再次询问你是否要删除，所以那是个超级严重的命令执行，得特别注意。不过，如果你确定该目录不要了，那么使用 rm –r 来循环杀掉是不错的方式。

- 另外，范例四也是很有趣的例子，我们在之前就谈过，文件名最好不要使用"-"号开头，因为"-"后面接的是参数，因此，单纯使用"rm –aaa–"系统的命令就会被误判。那如果使用后面会谈到的正则表达式时，还是会出问题的。所以，只能用避过首位字符是"-"的方法，就是加上本目录"./"即可。如果 man rm 的话，其实还有一种方法，那就是 "rm –– –aaa– " 也可以。

◆ mv（移动文件与目录，或更名）

```
[root@www ~]# mv [-fiu] source destination
[root@www ~]# mv [options] source1 source2 source3 .... directory
参数:
-f : force 强制的意思，如果目标文件已经存在，不会询问而直接覆盖;
-i : 若目标文件（destination）已经存在时，就会询问是否覆盖;
-u : 若目标文件已经存在，且 source 比较新，才会更新（update）。

范例一: 复制一个文件，创建一个目录，将文件移动到目录中
[root@www ~]# cd /tmp
[root@www tmp]# cp ~/.bashrc bashrc
[root@www tmp]# mkdir mvtest
[root@www tmp]# mv bashrc mvtest
# 将某个文件移动到某个目录去，就是这样做!

范例二: 将刚才的目录名称重命名为 mvtest2
[root@www tmp]# mv mvtest mvtest2 <== 这样就重命名了。
# 其实在 Linux 下面还有个有趣的命令，名称为 rename ，
# 该命令专门进行多个文件名的同时重命名，并非针对单一文件名的更改，与 mv 不同。请 man rename。

范例三: 再创建两个文件，再全部移动到 /tmp/mvtest2 当中
[root@www tmp]# cp ~/.bashrc bashrc1
[root@www tmp]# cp ~/.bashrc bashrc2
[root@www tmp]# mv bashrc1 bashrc2 mvtest2
# 注意这边，如果有多个源文件或目录，则最后一个目标文件一定是 "目录"
# 意思是说，将所有的数据移动到该目录的意思。
```

这是移动（move）的意思。当你要移动文件或目录的时候，这个命令就很重要。同样，你也可以使用–u（update）来测试新旧文件，看看是否需要移动。另外一个用途就是 **"更改文件名"**，我们可以很轻易地使用 mv 来更改一个文件的文件名。不过，在 Linux 才有的命令当中，有个 rename 可以

用来更改大量文件的文件名，你可以利用 man rename 来查阅一下，也是挺有趣的命令。

7.2.3　取得路径的文件名与目录名称

我们前面介绍的完整文件名（包含目录名称与文件名）当中提到，完整文件名最长可以到达 4096 个字符。那么你怎么知道哪个是文件名？哪个是目录名？就是利用斜线（/）来分辨。其实，取得文件名或者是目录名称，一般的用途应该是在写程序的时候用来判断使用的。所以，这部分的命令可以用在第三篇内的 shell 里头。下面我们简单地以几个范例来谈一谈 basename 与 dirname 的用途！

```
[root@www ~]# basename /etc/sysconfig/network
network          <== 很简单！就取得最后的文件名。
[root@www ~]# dirname /etc/sysconfig/network
/etc/sysconfig <== 取得目录名。
```

7.3　文件内容查阅

如果我们要查阅一个文件的内容时，该如何是好呢？这里有相当多有趣的命令可以来分享一下：最常使用的显示文件内容的命令可以说是 cat 与 more 及 less 了。此外，如果我们要查看一个很大型的文件（好几百 MB 时），但是我们只需要后端的几行字而已，那么该如何是好？用 tail 呀！此外，tac 这个命令也可以达到。先介绍各个命令的用途吧！

- cat：由第一行开始显示文件内容。
- tac：从最后一行开始显示，可以看出 tac 是 cat 的倒写形式。
- nl：显示的时候，顺便输出行号。
- more：一页一页地显示文件内容。
- less：与 more 类似，但是比 more 更好的是，它可以往前翻页！
- head：只看头几行。
- tail：只看结尾几行。
- od：以二进制的方式读取文件内容！

7.3.1　直接查看文件内容

直接查看一个文件的内容可以使用 cat、tac、nl 这几个命令。

- cat（concatenate）

```
[root@www ~]# cat [-AbEnTv]
参数：
-A ：相当于 -vET 的整合参数，可列出一些特殊字符，而不是空白而已；
-b ：列出行号，仅针对非空白行做行号显示，空白行不标行号；
-E ：将结尾的断行字符 $ 显示出来；
-n ：打印出行号，连同空白行也会有行号，与 -b 的参数不同；
-T ：将 [Tab] 按键以 ^I 显示出来；
-v ：列出一些看不出来的特殊字符。

范例一：查看/etc/issue 这个文件的内容
[root@www ~]# cat /etc/issue
CentOS release 5.3 (Final)
Kernel \r on an \m

范例二：承上题，如果还要加印行号呢？
[root@www ~]# cat -n /etc/issue
```

```
     1  CentOS release 5.3 (Final)
     2  Kernel \r on an \m
     3
# 看到了吧！可以印出行号呢！这对于大文件要找某个特定的行时，有点用处！
# 如果不想要编排空白行的行号，可以使用 "cat -b /etc/issue"，自己测试看看：

范例三：将 /etc/xinetd.conf 的内容完整显示出来（包含特殊字符）
[root@www ~]# cat -A /etc/xinetd.conf
#$
....（中间省略）....
$
defaults$
{$
# The next two items are intended to be a quick access place to$
....（中间省略）....
^Ilog_type^I= SYSLOG daemon info $
^Ilog_on_failure^I= HOST$
^Ilog_on_success^I= PID HOST DURATION EXIT$
....（中间省略）....
includedir /etc/xinetd.d$
 $
# 上面的结果限于篇幅，鸟哥删除掉很多数据了。另外，输出的结果并不会有特殊字体，
# 鸟哥上面的特殊字体是要让你发现差异点在哪里就是了。基本上，在一般的环境中，
# 使用 [Tab] 与空格键的效果差不多，都是一堆空白。我们无法知道两者的差别。
# 此时使用 cat -A 就能够发现那些空白的地方是什么东西了。[Tab] 会以 ^I 表示，
# 断行字符则是以 $ 表示，所以你可以发现每一行后面都是 $ 啊！不过断行字符
# 在 Windows、Linux 中则不太相同，Windows 的断行字符是 ^M$。
# 这部分我们会在第 10 章 vim 软件的介绍时，再次说明到。
```

- Linux 里面有"猫"命令？不是的，cat 是 Concatenate（连续）的简写，主要的功能是将一个文件的内容连续显示在屏幕上。例如上面的例子中，我们将/etc/issue 打印出来。如果加上–n 或–b 的话，则每一行前面还会加上行号。

- 鸟哥个人是比较少用 cat。毕竟当你的文件内容的行数超过 40 行以上，根本来不及在屏幕上看到结果。所以，配合等一下要介绍的 more 或者是 less 来执行比较好，此外，如果是一般的 DOS 文件时，就需要特别留意一些奇怪的符号了，例如断行与[Tab]等，要显示出来，就得加入–a 之类的参数了。

◆ tac（反向列示）

```
[root@www ~]# tac /etc/issue

Kernel \r on an \m
CentOS release 5.3 (Final)
#与刚才上面的范例一比较，是由最后一行先显示。
```

- tac 这个好玩了。怎么说呢？详细看一下 cat 与 tac，有没有发现什么呀？tac 刚好是将 cat 反写过来，所以它的功能就跟 cat 相反，cat 是由"第一行到最后一行连续显示在屏幕上"，而 tac 则是"由最后一行到第一行反向在屏幕上显示出来"，很好玩吧！

◆ nl（添加行号打印）

```
[root@www ~]# nl [-bnw] 文件
参数：
-b ：指定行号指定的方式，主要有两种：
     -b a ：表示不论是否为空行，也同样列出行号（类似 cat -n）；
     -b t ：如果有空行，空的那一行不要列出行号（默认值）。
-n ：列出行号表示的方法，主要有三种：
     -n ln ：行号在屏幕的最左方显示；
     -n rn ：行号在自己字段的最右方显示，且不加 0 ；
     -n rz ：行号在自己字段的最右方显示，且加 0。
-w ：行号字段占用的位数。
```

```
范例一: 用 nl 列出 /etc/issue 的内容
[root@www ~]# nl /etc/issue
    1  CentOS release 5.3 (Final)
    2  Kernel \r on an \m

# 注意看, 这个文件其实有三行, 第三行为空白 (没有任何字符),
# 因为它是空白行, 所以 nl 不会加上行号。如果确定要加上行号, 可以这样做:

[root@www ~]# nl -b a /etc/issue
    1  CentOS release 5.3 (Final)
    2  Kernel \r on an \m
    3
#行号加上来, 那么如果要让行号前面自动补上 0 呢? 可这样:

[root@www ~]# nl -b a -n rz /etc/issue
000001 CentOS release 5.3 (Final)
000002 Kernel \r on an \m
000003
#自动在自己字段的地方补上 0 了。默认字段是 6 位数, 如果想要改成 3 位数呢?

[root@www ~]# nl -b a -n rz -w 3 /etc/issue
001    CentOS release 5.3 (Final)
002    Kernel \r on an \m
003
# 变成仅有 3 位数。
```

- nl 可以将输出的文件内容自动加上行号! 其默认的结果与 cat –n 有点不太一样, nl 可以将行号做比较多的显示设计, 包括位数与是否自动补 0 等的功能呢。

7.3.2 可翻页查看

前面提到的 nl 与 cat、tac 等等, 都是一次性将数据一口气显示到屏幕上面, 那有没有可以进行一页一页翻动的命令啊? 让我们可以一页一页查看, 才不会让前面的数据看不到。那就是 more 与 less 了。

◆ more (一页一页翻动)

```
[root@www ~]# more /etc/man.config
#
# Generated automatically from man.conf.in by the
# configure script.
#
# man.conf from man-1.6d
....(中间省略)....
--More--(28%)   <== 重点在这一行。你的光标也会在这里等待你的命令。
```

- 仔细看看上面的范例, 如果 more 后面接的文件内容行数大于屏幕输出的行数时, 就会出现类似上面的图示。重点在最后一行, 最后一行会显示出目前显示的百分比, 而且还可以在最后一行输入一些有用的命令。在 more 这个程序的运行过程中, 你有几个按键可以按的:
- 空格键 (Space): 代表向下翻一页;
- Enter   : 代表向下滚动一行;
- /字符串   : 代表在这个显示的内容当中, 向下查询 "字符串" 这个关键字;
- :f   : 立刻显示出文件名以及目前显示的行数;
- q   : 代表立刻离开 more, 不再显示该文件内容。
- b 或[ctrl]-b   : 代表往回翻页, 不过这操作只对文件有用, 对管道无用。
- 要离开 more 这个命令的显示工作, 可以按下 q 就能够离开了。而要向下翻页, 就使用空格键即可。比较有用的是搜寻字符串的功能, 举例来说, 我们使用 "more /etc/man.config" 来查看该文件，若想要在该文件内搜寻 MANPATH 这个字符串时，可以这样做：

```
[root@www ~]# more /etc/man.config
#
# Generated automatically from man.conf.in by the
# configure script.
#
# man.conf from man-1.6d
....（中间省略）....
/MANPATH    <== 输入了 / 之后，光标就会自动跑到最下面一行等待输入。
```

- 如同上面的说明，输入了/之后，光标就会跑到最下面一行，并且等待你的输入，你输入了字符串并按下[Enter]之后，more 就会开始向下查询该字符串，而重复查询同一个字符串，可以直接按下 n 即可。最后，不想要看了，就按下 q 即可离开 more 。

◆ less（一页一页翻动）

```
[root@www ~]# less /etc/man.config
#
# Generated automatically from man.conf.in by the
# configure script.
#
# man.conf from man-1.6d
....（中间省略）....
:  <== 这里可以等待你输入命令！
```

- less 的用法比起 more 又更加有弹性，怎么说呢？在使用 more 的时候，我们并没有办法向前面翻，只能往后面看，但若使用了 less 时，就可以使用下、下等按键的功能来往前往后翻看文件，你瞧，是不是更容易使用来查看一个文件的内容了呢！
- 除此之外，在 less 里头可以拥有更多的查询功能。不只可以向下查询，也可以向上查询，实在是很不错，基本上，可以输入的命令有：
  - 空格键   ：向下翻动一页；
  - [PageDown]   ：向下翻动一页；
  - [PageUp] ：向上翻动一页；
  - /字符串   ：向下查询"字符串"的功能；
  - ?字符串   ：向上查询"字符串"的功能；
  - n   ：重复前一个查询（与 / 或 ? 有关）；
  - N   ：反向重复前一个查询（与 / 或 ? 有关）；
  - q   ：离开 less 这个程序；
- 查阅文件内容还可以进行查询的操作，瞧！less 是否很不错啊？其实 less 还有很多的功能，详细的使用方式请使用 man less 查询一下。
- 你是否会觉得 less 使用的界面与环境与 man page 非常的类似呢？没错啦，因为 man 这个命令就是调用 less 来显示说明文件的内容的。现在你是否觉得 less 很重要呢？

7.3.3 数据选取

我们可以将输出的数据做一个最简单的选取，那就是取出前面（head）与取出后面（tail）文字的功能。不过，要注意的是，head 与 tail 都是以"行"为单位来进行数据选取的。

◆ head（取出前面几行）

```
[root@www ~]# head [-n number] 文件
参数：
-n ：后面接数字，代表显示几行的意思
```

```
[root@www ~]# head /etc/man.config
# 默认的情况中，显示前 10 行！若要显示前 20 行，就得要这样：
[root@www ~]# head -n 20 /etc/man.config

范例：如果后面 100 行的数据都不打印，只打印 /etc/man.config 的前面几行，该如何是好？
[root@www ~]# head -n -100 /etc/man.config
```

head 的英文意思就是"头"，那么用法自然就是显示出一个文件的前几行。若没有加上 –n 这个参数时，默认只显示十行，若只要一行呢？那就加入 "head –n 1 filename" 即可！

另外那个 –n 参数后面的参数较有趣，如果接的是负数，例如上面范例的 –n –100 时，代表列出前面的所有行数，但不包括后面 100 行。举例来说，/etc/man.config 共有 141 行，则上述的命令 "head –n –100 /etc/man.config" 就会列出前面 41 行，后面 100 行不会打印出来了。

◆　tail　（取出后面几行）

```
[root@www ~]# tail [-n number] 文件
参数：
-n ：后面接数字，代表显示几行的意思
-f ：表示持续检测后面所接的文件名，要等到按下 [ctrl]-c 才会结束 tail 的检测

[root@www ~]# tail /etc/man.config
# 默认的情况中，显示最后的 10 行。若要显示最后的 20 行，就得要这样：
[root@www ~]# tail -n 20 /etc/man.config

范例一：如果不知道 /etc/man.config 有几行，却只想列出 100 行以后的数据时呢？
[root@www ~]# tail -n +100 /etc/man.config

范例二：持续检测 /var/log/messages 的内容
[root@www ~]# tail -f /var/log/messages
 <==要等到输入 [crtl]-c 之后才会离开 tail 这个命令的检测。
```

- 有 head 自然就有 tail（尾）。这个 tail 的用法跟 head 的用法差不多类似，只是显示的是后面几行就是了。默认也是显示 10 行，若要显示非 10 行，就加 –n number 的参数即可。
- 范例一的内容就有趣了。其实与 head–n–xx 有异曲同工之妙。当执行 "tail–n+100/etc/man.config，"代表该文件从 100 行以后都会被列出来，同样，在 man.config 中共有 141 行，因此第 100～141 行就会被列出来，前面的 99 行都不会被显示出来。
- 至于范例二中，由于 /var/log/messages 随时会有数据写入，你想要让该文件有数据写入时就立刻显示到屏幕上，就利用 –f 这个参数，它可以一直检测 /var/log/messages 这个文件，新加入的数据都会被显示到屏幕上。直到你按下 [crtl]–c 才会离开 tail 的检测。

例题

假如我想要显示 /etc/man.config 的第 11 到第 20 行呢？

答：这个应该不算难，想一想，在第 11 到第 20 行，那么我取前 20 行，再取后 10 行，所以结果就是 "head –n 20 /etc/man.config | tail –n 10"，这样就可以得到第 11 到第 20 行之间的内容了。但是里面涉及到管道命令，第三篇的时候才介绍。

7.3.4　非纯文本文件：od

我们上面提到的都是在查阅纯文本文件的内容。那么万一我们想要查阅非文本文件，举例来说，例如 /usr/bin/passwd 这个执行文件的内容时，又该如何去读出信息呢？事实上，由于执行文件通常是二进制文件（binary file），使用上头提到的命令来读取它的内容时，确实会产生类似乱码的数据。那怎么办？没关系，我们可以利用 od 这个命令来读取。

```
[root@www ~]# od [-t TYPE] 文件
参数:
-t : 后面可以接各种"类型（TYPE）"的输出，例如:
     a      : 利用默认的字符来输出;
     c      : 使用 ASCII 字符来输出;
     d[size]: 利用十进制（decimal）来输出数据，每个整数占用 size bytes ;
     f[size]: 利用浮点数（floating）来输出数据，每个数占用 size bytes ;
     o[size]: 利用八进制（octal）来输出数据，每个整数占用 size bytes ;
     x[size]: 利用十六进制（hexadecimal）来输出数据，每个整数占用 size bytes。

范例一: 请将/usr/bin/passwd 的内容使用 ASCII 方式来输出
[root@www ~]# od -t c /usr/bin/passwd
0000000 177   E   L   F 001 001 001  \0  \0  \0  \0  \0  \0  \0  \0  \0
0000020 002  \0 003  \0 001  \0  \0  \0 260 225 004  \b   4  \0  \0  \0
0000040 020   E  \0  \0  \0  \0  \0  \0   4  \0   \0  \a  \0   (  \0
0000060 035  \0 034  \0 006  \0  \0  \0   4  \0  \0  \0   4 200 004  \b
0000100   4 200 004  \b 340  \0  \0  \0 340  \0  \0  \0 005  \0  \0  \0
.....（后面省略）....
# 最左边第一列是以进制来表示 bytes 数。以上面范例来说，第二列 0000020 代表开头是
# 第 16 个 byes 8（2 x 8）的内容之意。

范例二: 请将/etc/issue 这个文件的内容以八进制列出存储值与 ASCII 的对照表
[root@www ~]# od -t oCc /etc/issue
0000000 103 145 156 164 117 123 040 162 145 154 145 141 163 145 040 065
          C   e   n   t   O   S       r   e   l   e   a   s   e       5
0000020 056 062 040 050 106 151 156 141 154 051 012 113 145 162 156 145
          .   2       (   F   i   n   a   l   )  \n   K   e   r   n   e
0000040 154 040 134 162 040 157 156 040 141 156 040 134 155 012 012
          l       \   r       o   n       a   n       \   m  \n  \n
0000057
# 如上所示，可以发现每个字符可以对应到的数值。
# 例如 e 对应的记录数值为 145，转成十进制: 1x8^2+4x8+5=101。
```

利用这个命令，可以将数据文件或者是二进制文件的内容数据读出来。虽然读出来的数值默认是使用非文本文件，即是十六进制的数值来显示的，不过，我们还是可以通过-t c 的参数来将数据内的字符以 ASCII 类型的字符来显示，虽然对于一般用户来说，这个命令的用处可能不大，但是对于工程师来说，这个命令可以将二进制文件的内容作一个大致的输出，他们可以看出其中的含义。

如果对纯文本文件使用这个命令，你甚至可以发现到 ASCII 与字符的对照表。例如上述的范例二，你可以发现到每个英文字 e 对照到的数字都是 145，转成十进制你就能够发现那是 101 了。如果你有任何程序语言的书，拿出来对照一下 ASCII 的对照表，就能够发现真是正确的。

7.3.5 修改文件时间或创建新文件: touch

我们在 ls 这个命令的介绍时，有稍微提到每个文件在 linux 下面都会记录许多的时间参数，其实是有三个主要的变动时间，那么三个时间的意义是什么呢?

◆ modification time（mtime）
当该文件的"内容数据"更改时，就会更新这个时间。内容数据指的是文件的内容，而不是文件的属性或权限。

◆ status time（ctime）
当该文件的"状态"（status）改变时，就会更新这个时间，举例来说，像是权限与属性被更改了，都会更新这个时间。

◆ access time（atime）
当"该文件的内容被取用"时，就会更新这个读取时间（access）。举例来说，我们使用 cat 去读取/etc/man.config，就会更新该文件的 atime 了。

这是个挺有趣的现象，举例来说，我们来看一看你自己的/etc/man.config 这个文件的时间。

```
[root@www ~]# ls -l /etc/man.config
-rw-r--r-- 1 root root 4617 Jan  6 2007 /etc/man.config
[root@www ~]# ls -l --time=atime /etc/man.config
-rw-r--r-- 1 root root 4617 Sep 25 17:54 /etc/man.config
[root@www ~]# ls -l --time=ctime /etc/man.config
-rw-r--r-- 1 root root 4617 Sep  4 18:03 /etc/man.config
```

看到了吗？在默认的情况下，ls 显示出来的是该文件的 mtime，也就是这个文件的内容上次被更改的时间。至于鸟哥的系统是在 9 月 4 号的时候安装的，因此，这个文件被产生导致状态被更动的时间就回溯到那个时间点（ctime）了。而还记得刚才我们使用的范例当中，有使用到 man.config 这个文件，所以，它的 atime 就会变成刚才使用的时间了。

文件的时间是很重要的，因为，如果文件的时间误判的话，可能会造成某些程序无法顺利运行。那么万一我发现了一个文件来自未来的时间，该如何让该文件的时间变成"现在"的时刻呢？就用"touch"这个命令即可。

> 不要怀疑系统时间会"来自未来"。很多时候会有这个问题的。举例来说，在安装过后系统时间可能会被改变。因为中国时区在国际标准时间"格林威治时间, GMT"的右边，所以会比较早看到阳光，也就是说，中国时间比 GMT 时间快了 8 小时。如果安装不正确，我们的系统可能会有 8 小时快转，你的文件就有可能来自 8 小时后了。
>
> 至于某些情况下，由于 BIOS 的设置错误，导致系统时间跑到未来时间，并且你又创建了某些文件。等你将时间改回正确的时间时，该文件不就变成来自未来了？

```
[root@www ~]# touch [-acdmt] 文件
参数：
-a  ：仅修改访问时间；
-c  ：仅修改文件的时间，若该文件不存在则不创建新文件；
-d  ：后面可以接欲修改的日期而不用目前的日期，也可以使用 --date="日期或时间"；
-m  ：仅修改 mtime ；
-t  ：后面可以接欲修改的时间而不用目前的时间，格式为[YYMMDDhhmm]。

范例一：新建一个空的文件并查看时间
[root@www ~]# cd /tmp
[root@www tmp]# touch testtouch
[root@www tmp]# ls -l testtouch
-rw-r--r-- 1 root root 0 Sep 25 21:09 testtouch
# 注意到，这个文件的大小是 0 呢！在默认的状态下，如果 touch 后面有接文件，
# 则该文件的三个时间（atime、ctime、mtime）都会更新为目前的时间。若该文件不存在，
# 则会主动创建一个新的空的文件。例如上面这个例子。

范例二：将 ~/.bashrc 复制成为 bashrc，假设复制完全的属性，检查其日期
[root@www tmp]# cp -a ~/.bashrc bashrc
[root@www tmp]# ll bashrc; ll --time=atime bashrc; ll --time=ctime bashrc
-rw-r--r-- 1 root root 176 Jan  6 2007 bashrc <==这是 mtime
-rw-r--r-- 1 root root 176 Sep 25 21:11 bashrc <==这是 atime
-rw-r--r-- 1 root root 176 Sep 25 21:12 bashrc <==这是 ctime
```

在上面这个案例当中我们使用了"ll"这个命令（两个英文 L 的小写），这个命令其实就是"ls-l"的意思，ll 本身不存在，是被"做出来"的一个命令别名。相关的命令别名我们会在 bash 章节当中详谈的，这里先知道 ll="ls-l"即可。至于分号";"则代表连续命令的执行。你可以在一行命令当中写入多条命令，这些命令可以"依序"执行。由上面的命令我们会知道 ll 那一行有三个命令被执行在同一行中。

至于执行的结果当中，我们可以发现数据的内容与属性是被复制过来的，因此文件内容时间（mtime）与原本文件相同。但是由于这个文件是刚才被创建的，因此状态（ctime）与读取时间便呈现现在的时间。那如果你想要更改这个文件的时间呢？可以这样做：

```
范例三：修改案例二的 bashrc 文件，将日期调整为两天前
[root@www tmp]# touch -d "2 days ago" bashrc
[root@www tmp]# ll bashrc; ll --time=atime bashrc; ll --time=ctime bashrc
-rw-r--r-- 1 root root 176 Sep 23 21:23 bashrc
-rw-r--r-- 1 root root 176 Sep 23 21:23 bashrc
-rw-r--r-- 1 root root 176 Sep 25 21:23 bashrc
# 跟上个范例比较看看，本来是 25 日的变成了 23 日了（atime/mtime）～
# 不过，ctime 并没有跟着改变。

范例四：将上个范例的 bashrc 日期改为 2007/09/15 2:02
[root@www tmp]# touch -t 0709150202 bashrc
[root@www tmp]# ll bashrc; ll --time=atime bashrc; ll --time=ctime bashrc
-rw-r--r-- 1 root root 176 Sep 15  2007 bashrc
-rw-r--r-- 1 root root 176 Sep 15  2007 bashrc
-rw-r--r-- 1 root root 176 Sep 25 21:25 bashrc
# 注意看看，日期在 atime 与 mtime 中都改变了，但是 ctime 则是记录目前的时间！
```

通过 touch 这个命令，我们可以轻易修改文件的日期与时间，并且也可以创建一个空的文件。不过，要注意的是，即使我们复制一个文件时，复制了所有的属性，但也没有办法复制 ctime 这个属性的。ctime 可以记录这个文件最近的状态（status）被改变的时间。无论如何，还是要告知大家，我们平时看的文件属性中，比较重要的还是属于那个 mtime。我们经常关心的是这个文件的"内容"是什么时候被改动过的。

无论如何，touch 这个命令最常被使用的情况是：

◆ 创建一个空的文件；
◆ 将某个文件日期修改为目前日期（mtime 与 atime）。

7.4　文件与目录的默认权限与隐藏权限

由第 6 章 Linux 文件权限的内容我们可以知道一个文件有若干个属性，包括读写执行（r,w,x）等基本权限，以及是否为目录（d）与文件（–）或者是连接文件（l）等的属性。要修改属性的方法在前面也约略提过了（chgrp,chown,chmod），本小节会再加强补充一下。

除了基本 r,w,x 权限外，在 Linux 的 Ext2/Ext3 文件系统下，我们还可以设置其他的系统隐藏属性，这部分可使用 chattr 来设置，而以 lsattr 来查看，最重要的属性就是可以设置其不可修改的特性。让连文件的所有者都不能进行修改。这个属性可是相当重要的，尤其是在安全机制方面（security）。

首先，先来复习一下上一章谈到的权限概念，将下面的例题看一看先。

例题

你的系统有个一般身份用户 dmtsai，他的用户组属于 users，他的主文件夹在/home/dmtsai，你是 root，你想将你的～/.bashrc 复制给他，可以怎么做？

答：由上一章的权限概念我们可以知道，root 虽然可以将这个文件复制给 dmtsai，不过这个文件在 dmtsai 的主文件夹中，却可能让 dmtsai 没有办法读写（因为该文件属于 root 而 dmtsai 又不能使用 chown 之故）。此外，我们又担心覆盖掉 dmtsai 自己的.bashrc 配置文件，因此，我们可以进行如下的操作：

复制文件：cp ～/.bashrc ～dmtsai/bashrc
修改属性：chown dmtsai:users ～dmtsai/bashrc

例题

我想在/tmp 下面新建一个目录，这个目录名称为 chapter7_1，并且这个目录所有者为 dmtsai，用户组为 users，此外，任何人都可以进入该目录浏览文件，不过除了 dmtsai 之外，其他人都不能修改该目录下的文件。

答：因为除了 dmtsai 之外，其他人不能修改该目录下的文件，所以整个目录的权限应该是 drwxr-xr-x 才对。因此你应该这样做：

新建目录：mkdir/tmp/chapter7_1

修改属性：chown-Rdmtsai:users/tmp/chapter7_1

修改权限：chmod-R755/tmp/chapter7_1

在上面这个例题当中，如果你知道 755 那个分数是怎么计算出来的，那么你应该对于权限有一定程度的概念了。如果你不知道 755 怎么来的？赶快回去前一章看看 chmod 那个命令的介绍部分。这部分很重要。你得要先清楚了解到才行，否则就进行不下去。假设你对于权限都认识得差不多了，那么下面我们就要来谈一谈"新增一个文件或目录时默认的权限是什么"这个话题。

7.4.1 文件默认权限：umask

现在我们知道如何新建或者是改变一个目录或文件的属性了，不过，你知道当你新建一个**新的文件或目录**时，它的默认权限会是什么吗？那就与 umask 这个玩意儿有关了。那么 umask 是在搞什么呢？基本上，umask 就是指定"目前用户在新建文件或目录时候的权限默认值"，那么如何得知或设置 umask 呢？它的指定条件以下面的方式来指定：

```
[root@www ~]# umask
0022              <==与一般权限有关的是后面三个数字。
[root@www ~]# umask -S
u=rwx,g=rx,o=rx
```

查看的方式有两种，一种可以直接输入 umask，就可以看到数字形态的权限设置分数，一种则是加入 -S（Symbolic）这个参数，就会以符号类型的方式来显示出权限了。奇怪的是，怎么 umask 会有四组数字啊？不是只有三组吗？是没错。第一组是特殊权限用的，我们先不要理他，所以先看后面三组即可。

在默认权限的属性上，目录与文件是不一样的。从第 6 章我们知道 x 权限对于目录是非常重要的。但是一般文件的创建则不应该有执行的权限，因为一般文件通常是用于数据的记录。当然不需要执行的权限了。因此，默认的情况如下：

◆ 若用户创建"文件"则默认没有可执行（x）权限，即只有 r、w 这两个选项，也就是最大为 666，默认权限如下：

  -rw-rw-rw-

◆ 若用户新建"目录"，则由于 x 与是否可以进入此目录有关，因此默认为所有权限均开放，即为 777 分，默认权限如下：

  drwxrwxrwx

要注意的是，umask 的分数指的是"该默认值需要减掉的权限"。因为 r、w、x 分别是 4、2、1，也就是说，当要拿掉能写的权限，就是输入 2，而如果要拿掉能读的权限，也就是 4，那么要拿掉读与写的权限，也就是 6，而要拿掉执行与写入的权限，也就是 3，这样了解吗？请问你，5 是什么？就是读与执行的权限。

如果以上面的例子来说明的话，因为 umask 为 022,所以 user 并没有被拿掉任何权限,不过 group 与 others 的权限被拿掉了 2（也就是 w 这个权限），那么当用户：

◆ **新建文件时**：（ -rw-rw-rw- ）-（ ------w--w-)==>-rw-r--r--

◆ **新建目录时：**（drwxrwxrwx）－（d----w--w-）==>drwxr-xr-x
   不相信吗？我们就来测试看看吧。

```
[root@www ~]# umask
0022
[root@www ~]# touch test1
[root@www ~]# mkdir test2
[root@www ~]# ll
-rw-r--r-- 1 root root    0 Sep 27 00:25 test1
drwxr-xr-x 2 root root 4096 Sep 27 00:25 test2
```

看见了吧？确定新建文件的权限是没有错的。

◆ umask 的利用与重要性：专题制作

● 想象一个情况，如果你跟你的同学在同一台主机上工作时，因为你们两个正在进行同一个专题，老师也帮你们两个的账号创建好了相同用户组的状态，并且将/home/class/目录作为你们两个人的专题目录。想象一下，有没有可能你所制作的文件你的同学无法编辑？果真如此的话，那就伤脑筋了。

● 这个问题很常发生啊！举上面的案例来看就好了，你看一下 test1 的权限是几？644。意思是如果 umask 设定为 022，那新建的数据只有用户自己具有 w 的权限，同用户组的人只有 r 这个可读的权限而已，并无法修改。这样要怎么共同制作专题？你说是吧。

● 所以，当我们需要新建文件给同用户组的用户共同编辑时，那么 umask 的用户组就不能拿掉 2 这个 w 的权限。umask 就得要是 002 之类的才可以。这样新建的文件才能够是-rw-rw-r---的权限模样。那么如何设置 umask 呢？直接在 umask 后面输入 002 就好了。

```
[root@www ~]# umask 002
[root@www ~]# touch test3
[root@www ~]# mkdir test4
[root@www ~]# ll
-rw-rw-r-- 1 root root    0 Sep 27 00:36 test3
drwxrwxr-x 2 root root 4096 Sep 27 00:36 test4
```

● 所以说，这个 umask 对于新建文件与目录的默认权限是很有关系的。这个概念可以用在任何服务器上面，尤其是未来在你架设文件服务器，如 SAMBA Server 或者是 FTP Server 时，都是很重要的观念。这牵涉到你的用户是否能够将文件进一步利用的问题，不可小看了。

例题

假设你的 umask 为 003，请问该 umask 情况下，新建的文件与目录权限是什么？
答：umask 为 003，所以去掉的权限为---------wx，因此：
文件：（-rw-rw-rw-）－（---------wx）=-rw-rw-r--
目录：（drwxrwxrwx）－（---------wx）=drwxrwxr--

关于 umask 与权限的计算方式中，教科书喜欢使用二进制的方式来进行 AND 与 NOT 的计算，不过，鸟哥还是比较喜欢使用符号方式来计算，联想上面比较容易一点。

但是，有的作者或者是 BBS 上面的朋友喜欢使用文件默认属性 666 与目录默认属性 777 来与 umask 进行相减的计算，这是不好的。以上面例题来看，如果使用默认属性相加减，则文件变成：666-003=663，即是-rw-rw--wx，这可是完全不对的喔！想想看，原本文件就已经去除 x 的默认属性了，怎么可能突然间冒出来了？所以，这个地方得要特别小心。

- 在默认的情况中，root 的 umask 会拿掉比较多的属性，root 的 umask 默认是 022，这是基于安全的考虑，至于一般身份用户，通常他们的 umask 为 002，即保留同用户组的写入权利。其实，关于默认 umask 的设置可以参考/etc/bashrc 这个文件的内容，不过，不建议修改该文件，你可以参考第 11 章 bashshell 提到的环境参数配置文件（~/.bashrc）的说明。

7.4.2　文件隐藏属性 chattr, lsattr

什么？文件还有隐藏属性？光是那 9 个权限就快要疯掉了，竟然还有隐藏属性，真是要命，但是没办法，就是有文件的隐藏属性存在。不过，这些隐藏的属性确实对于系统有很大的帮助的，尤其是在系统安全（Security）上面，很关键。不过要先强调的是，下面的 chattr 命令只能在 Ext2/Ext3 的文件系统上面生效，其他的文件系统可能就无法支持这个命令了。下面我们就来谈一谈如何设置与检查这些隐藏的属性。

◆ chattr（设置文件的隐藏属性）

```
[root@www ~]# chattr [+-=][ASacdistu] 文件或目录名称
参数:
+ : 增加某一个特殊参数，其他原本存在参数则不动。
- : 删除某一个特殊参数，其他原本存在参数则不动。
= : 仅有后面接的参数。

A : 当设置了 A 这个属性时，若你有访问此文件（或目录）时，他的访问时间 atime
    将不会被修改，可避免 I/O 较慢的机器过度访问磁盘。这对速度较慢的计算机有帮助。
S : 一般文件是异步写入磁盘的（原理请参考第 5 章 sync 的说明），如果加上 S 这个
    属性时，当你进行任何文件的修改，该改动会 "同步" 写入磁盘中。
a : 当设置 a 之后，这个文件将只能增加数据，而不能删除也不能修改数据，只有root
    才能设置这个属性。
c : 这个属性设置之后，将会自动将此文件压缩，在读取的时候将会自动解压缩，
    但是在存储的时候，将会先进行压缩后再存储（看来对于大文件似乎蛮有用的）。
d : 当 dump 程序被执行的时候，设置 d 属性将可使该文件（或目录）不会被 dump 备份。
i : 这个 i 可就很厉害了。它可以让一个文件 "不能被删除、改名，设置连接也无法
    写入或添加数据。 "对于系统安全性有相当大的帮助。只有 root 能设置此属性。
s : 当文件设置了 s 属性时，如果这个文件被删除，它将会被完全从这个硬盘
    空间中删除。
u : 与 s 相反，当使用 u 来配置文件时，如果该文件被删除了，则数据内容其实还
    存在磁盘中，可以使用来找回该文件。
注意: 属性设置常见的是 a 与 i 的设置值，而且很多设置值必须要身为 root 才能设置

范例: 请尝试到/tmp 下面创建文件，并加入 i 的参数，尝试删除看看。
[root@www ~]# cd /tmp
[root@www tmp]# touch attrtest     <==创建一个空文件
[root@www tmp]# chattr +i attrtest <==给予 i 的属性
[root@www tmp]# rm attrtest        <==尝试删除看看
rm: remove write-protected regular empty file `attrtest'? y
rm: cannot remove `attrtest': Operation not permitted <==操作不许可
# 看到了吗? 连 root 也没有办法将这个文件删除呢! 赶紧解除设置!

范例: 请将该文件的 i 属性取消。
[root@www tmp]# chattr -i attrtest
```

- 这个命令是很重要的，尤其是在系统的数据安全上面！由于这些属性是隐藏的性质，所以需要以 lsattr 才能看到该属性。其中，个人认为最重要的当属+i 与+a 这个属性了。+i 可以让一个文件无法被更动，对于需要强烈的系统安全的人来说，真是相当重要的。里头还有相当多的属性是需要 root 才能设置的。
- 此外，如果是 log file 这种的登录文件，就更需要+a 这个可以增加但是不能修改旧有的数据与删除的参数了。未来提到登录文件（第 19 章）时，我们再来聊一聊如何设置它。

◆ lsattr（显示文件隐藏属性）

```
[root@www ~]# lsattr [-adR] 文件或目录
参数:
-a ： 将隐藏文件的属性也秀出来;
-d ： 如果接的是目录，仅列出目录本身的属性而非目录内的文件名;
-R ： 连同子目录的数据也一并列出来!

[root@www tmp]# chattr +aij attrtest
[root@www tmp]# lsattr attrtest
----ia---j--- attrtest
```

- 使用 chattr 设置后，可以利用 lsattr 来查看隐藏的属性。不过，这两个命令在使用上必须要特别小心，否则会造成很大的困扰。例如：某天你心情好，突然将/etc/shadow 这个重要的密码记录文件设置成为具有 i 的属性，那么过了若干天之后，你突然要新增用户，却一直无法添加。赶快去将 i 的属性去掉。

7.4.3　文件特殊权限：SUID, SGID, SBIT　

　　我们前面一直提到关于文件的重要权限，那就是 r、w、x 这三个读、写、执行的权限。但是，眼尖的朋友们在第 6 章的目录树章节中，一定注意到了一件事，那就是，怎么我们的/tmp 权限有些奇怪？还有，那个/usr/bin/passwd 也有些奇怪？怎么回事呢？

```
[root@www ~]# ls -ld /tmp ; ls -l /usr/bin/passwd
drwxrwxrwt 7 root root 4096 Sep 27 18:23 /tmp
-rwsr-xr-x 1 root root 22984 Jan  7  2007 /usr/bin/passwd
```

　　不是应该只有 r、w、x 吗？还有其他的特殊权限（s 跟 t）？因为 s 与 t 这两个权限的意义与系统的账号（第 14 章）及系统的进程（process,第 17 章）较为相关，所以等到后面的章节谈完后你才会比较有概念。下面的说明先看看就好，如果看不懂也没有关系，先知道 s 放在哪里称为 SUID/SGID 以及如何设置即可，等系统程序章节读完后，再回来看看。

◆ SetUID
- 当 s 这个标志出现在文件所有者的 x 权限上时，例如刚才提到的/usr/bin/passwd 这个文件的权限状态 "-rwsr-xr-x"，此时就被称为 Set UID，简称为 SUID 的特殊权限。那么 SUID 的权限对于一个文件的特殊功能是什么呢？基本上 SUID 有这样的限制与功能：
  - SUID 权限仅对二进制程序（binary program）有效；
  - 执行者对于该程序需要具有 x 的可执行权限；
  - 本权限仅在执行该程序的过程中（run-time）有效；
  - 执行者将具有该程序所有者（owner）的权限。
- 讲这么生硬的东西你可能对于 SUID 还是没有概念，没关系，我们举个例子来说明好了。我们的 Linux 系统中，所有账号的密码都记录在/etc/shadow 这个文件里面，这个文件的权限为 "-r--------1 root root"，意思是这个文件仅有 root 可读且仅有 root 可以强制写入而已。既然这个文件仅有 root 可以修改,那么鸟哥的 vbird 这个一般账号用户能否自行修改自己的密码呢？你可以使用你自己的账号输入 "passwd" 这个命令来看看，一般用户当然可以修改自己的密码了！
- 有没有冲突？明明/etc/shadow 就不能让 vbird 这个一般账户去访问的，为什么 vbird 还能够修改这个文件内的密码呢？这就是 SUID 的功能啦！通过上述的功能说明，我们可以知道：
1. vbird 对于/usr/bin/passwd 这个程序来说是具有 x 权限的，表示 vbird 能执行 passwd;
2. passwd 的拥有者是 root 这个账号;
3. vbird 执行 passwd 的过程中，会 "暂时" 获得 root 的权限;

4. /etc/shadow 可以被 vbird 所执行的 passwd 所修改。

- 但如果 vbird 使用 cat 去读取/etc/shadow 时，能够读取吗？因为 cat 不具有 SUID 的权限，所以 vbird 执行"cat /etc/shadow"时，是不能读取/etc/shadow 的。我们用一张示意图（图 7-1）来说明如下：

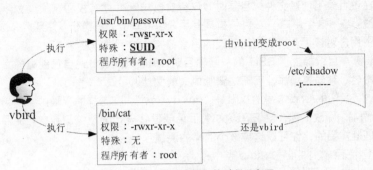

图 7-1　SUID 程序执行的过程示意图

- 另外，SUID 仅可用在二进制程序上，不能够用在 shell script 上面。这是因为 shell script 只是将很多的二进制执行文件调进来执行而已。所以 SUID 的权限部分，还是得要看 shell script 调用进来的程序的设置，而不是 shell script 本身。当然，SUID 对于目录也是无效的，这点要特别留意。

◆ Set GID

- 当 s 标志在文件所有者的 x 项目为 SUID，那 s 在用户组的 x 时则称为 Set GID, SGID。是这样没错。举例来说，你可以用下面的命令来查看具有 SGID 权限的文件：

```
[root@www ~]# ls -l /usr/bin/locate
-rwx--s--x 1 root slocate 23856 Mar 15  2007 /usr/bin/locate
```

- 与 SUID 不同的是，SGID 可以针对文件或目录来设置。如果是对文件来说，SGID 有如下的功能：
  - SGID 对二进制程序有用；
  - 程序执行者对于该程序来说，需具备 x 的权限；
  - 执行者在执行的过程中将会获得该程序用户组的支持。
- 举例来说，上面的/usr/bin/locate 这个程序可以去查询/var/lib/mlocate/mlocate.db 这个文件的内容（详细说明会在下节讲述），mlocate.db 的权限如下：

```
[root@www ~]# ll /usr/bin/locate /var/lib/mlocate/mlocate.db
-rwx--s--x 1 root slocate   23856 Mar 15  2007 /usr/bin/locate
-rw-r----- 1 root slocate 3175776 Sep 28 04:02 /var/lib/mlocate/mlocate.db
```

- 与 SUID 非常类似，若我使用 vbird 这个账号去执行 locate 时，那 vbird 将会取得 slocate 用户组的支持，因此就能够去读取 mlocate.db。
- 除了二进制程序之外，事实上 SGID 也能够用在目录上，这也是常见的一种用途。当一个目录设置了 SGID 的权限后，它将具有如下的功能：
  - 用户若对于此目录具有 r 与 x 的权限时，该用户能够进入此目录；
  - 用户在此目录下的有效用户组（effective group）将会变成该目录的用户组；
  - 若用户在此目录下具有 w 的权限（可以新建文件），则用户所创建的新文件的用户组与此目录的用户组相同。
- SGID 对于项目开发来说是非常重要的。因为这涉及用户组权限的问题，你可以参考一下本章后续情境模拟的案例，应该就能够对于 SGID 有一些了解的。

- ◆ Sticky Bit
  - 这个 Sticky Bit（SBIT）目前只针对目录有效，对于文件已经没有效果了。SBIT 对于目录的作用是：
    - ■ 当用户对于此目录具有 w, x 权限，即具有写入的权限时；
    - ■ 当用户在该目录下创建文件或目录时，仅有自己与 root 才有权利删除该文件。
  - 换句话说：当甲这个用户于 A 目录是具有用户组或其他人的身份，并且拥有该目录 w 的权限，这表示甲用户对该目录内任何人新建的目录或文件均可进行删除、重名名/、移动等操作。不过，如果将 A 目录加上了 SBIT 的权限项目时，则甲只能够针对自己创建的文件或目录进行删除、重命名、移动等操作，而无法删除他人的文件。
  - 举例来说，我们的/tmp 本身的权限是 "drwxrwxrwt"，在这样的权限内容下，任何人都可以在/tmp 内添加、修改文件，但仅有该文件/目录创建者与 root 能够删除自己的目录或文件。这个特性也是挺重要的，你可以这样做个简单的测试：
  1. 以 root 登录系统，并且进入/tmp 当中；
  2. touch test，并且更改 test 权限成为 777 ；
  3. 以一般用户登录，并进入/tmp；
  4. 尝试删除 test 这个文件！
  - 由于 SUID/SGID/SBIT 牵涉到程序的概念，因此再次强调，这部分的数据在你读完第 17 章关于程序方面的知识后，要再次回来复习一下。目前，你先有个简单的基础概念就好了，文末的参考数据也建议阅读一番。
- ◆ SUID/SGID/SBIT 权限设置
  - 前面介绍过 SUID 与 SGID 的功能,那么如何配置文件使其成为具有 SUID 与 SGID 的权限呢?这就需要第 6 章的数字更改权限的方法了。现在你应该已经知道数字形态更改权限的方式为 "三个数字" 的组合，那么如果在这三个数字之前再加上一个数字的话，最前面的那个数字就代表这几个权限了！
    - ■ 4 为 SUID
    - ■ 2 为 SGID
    - ■ 1 为 SBIT
  - 假设要将一个文件权限改为 "–rwsr–xr–x" 时，由于 s 在用户权利中，所以是 SUID，因此，在原先的 755 之前还要加上 4，也就是用 "chmod 4755 filename" 来设置。此外，还有大 S 与大 T 的产生，参考下面的范例。

注意：下面的范例只是练习而已，所以鸟哥使用同一个文件来设置，你必须了解 SUID 不是用在目录上，而 SBIT 不是用在文件上的。

```
[root@www ~]# cd /tmp
[root@www tmp]# touch test                <==创建一个测试用的空文件
[root@www tmp]# chmod 4755 test; ls -l test <==加入具有 SUID 的权限
-rwsr-xr-x 1 root root 0 Sep 29 03:06 test
[root@www tmp]# chmod 6755 test; ls -l test <==加入具有 SUID/SGID 的权限
-rwsr-sr-x 1 root root 0 Sep 29 03:06 test
[root@www tmp]# chmod 1755 test; ls -l test <==加入 SBIT 的功能
-rwxr-xr-t 1 root root 0 Sep 29 03:06 test
[root@www tmp]# chmod 7666 test; ls -l test <==具有空的 SUID/SGID 权限
-rwSrwSrwT 1 root root 0 Sep 29 03:06 test
```

- 最后一个例子就要特别小心,怎么会出现大写的 S 与 T 呢? 不都是小写的吗? 因为 s 与 t 都是替代 x 这个权限的, 但是你有没有发现啊? 我们是执行 7666。也就是说, user,group 以及 others 都没有 x 这个可执行的标志 (因为 666), 所以, 这个 S,T 代表的就是 "空的"。怎么说? SUID 是表示该文件在执行的时候具有文件拥有者的权限, 但是文件拥有者都无法执行了, 哪里来的权限给其他人使用? 当然就是空的。

- 而除了数字法之外, 你也可以通过符号法来处理。其中 SUID 为 u+s, 而 SGID 为 g+s, SBIT 则是 o+t, 来看看如下的范例:

```
# 设置权限成为 -rws--x--x 的模样:
[root@www tmp]# chmod u=rwxs,go=x test; ls -l test
-rws--x--x 1 root root 0 Aug 18 23:47 test

# 承上, 在上述的文件权限中加上 SGID 与 SBIT!
[root@www tmp]# chmod g+s,o+t test; ls -l test
-rws--s--t 1 root root 0 Aug 18 23:47 test
```

7.4.4　查看文件类型: file

如果你想要知道某个文件的基本数据, 例如是属于 ASCII 或者是 data 文件, 或者是 binary, 且其中有没有使用到动态函数库 (share library) 等等的信息, 就可以利用 file 这个命令来查看, 举例来说:

```
[root@www ~]# file ~/.bashrc
/root/.bashrc: ASCII text <==告诉我们是 ASCII 的纯文本文件。
[root@www ~]# file /usr/bin/passwd
/usr/bin/passwd: setuid ELF 32-bit LSB executable, Intel 80386, version 1
(SYSV), for GNU/Linux 2.6.9, dynamically linked (uses shared libs), for
GNU/Linux 2.6.9, stripped
# 执行文件的数据可就多得不得了! 包括这个文件的 suid 权限兼容于 Intel 386
# 等级的硬件平台、使用的是 Linux 核心 2.6.9 的动态函数库链接等。
[root@www ~]# file /var/lib/mlocate/mlocate.db
/var/lib/mlocate/mlocate.db: data <== 这是 data 文件。
```

通过这个命令, 我们可以简单地先判断这个文件的格式为何。

7.5　命令与文件的查询

文件的查询可就厉害了, 因为我们经常需要知道哪个文件放在哪里, 才能够对该文件进行一些修改或维护等操作。有些时候某些软件配置文件的文件名是不变的, 但是各 distribution 放置的目录则不同。此时就得要利用一些查询命令将该配置文件的完整文件名找出来, 这样才能修改。

7.5.1　脚本文件名的查询

我们知道在终端机模式当中, 连续输入两次[Tab]按键就能够知道用户有多少命令可以执行。那你知不知道这些命令的完整文件名放在哪里? 举例来说, ls 这个常用的命令放在哪里呢? 就通过 which 或 type 来找寻。

◆ which (寻找 "执行文件")

```
[root@www ~]# which [-a] command
参数:
-a : 将所有由 PATH 目录中可以找到的命令均列出, 而不只第一个被找到的命令名称

范例一: 分别用 root 与一般账号查询 ifconfig 这个命令的完整文件名
[root@www ~]# which ifconfig
```

```
/sbin/ifconfig              <==用 root 可以找到正确的执行文件名
[root@www ~]# su - vbird <==切换身份成为 vbird 去!
[vbird@www ~]$ which ifconfig
/usr/bin/which: no ifconfig in (/usr/kerberos/bin:/usr/local/bin:/bin:/usr/bin
:/home/vbird/bin)        <==见鬼了! 竟然一般身份账号找不到!
# 因为 which 是根据用户所设置的 PATH 变量内的目录去查找可执行文件的, 所以,
# 不同的 PATH 设置内容所找到的命令当然不一样了。因为 /sbin 不在 vbird 的
# PATH 中, 找不到也是理所当然的。
[vbird@www ~]$ exit      <==记得将身份切换回原本的 root

范例二: 用 which 去找出 which 的文件名
[root@www ~]# which which
alias which='alias | /usr/bin/which --tty-only --read-alias --show-dot '
        /usr/bin/which
# 竟然会有两个 which, 其中一个是 alias, 那是啥?
# 那就是所谓的 “命令别名”, 意思是输入 which 会等于后面接的那串命令。
# 更多的数据我们会在 bash 章节中再来谈的。

范例三: 请找出 cd 这个命令的完整文件名
[root@www ~]# which cd
/usr/bin/which: no cd in (/usr/kerberos/sbin:/usr/kerberos/bin:/usr/local/sbin
:/usr/local/bin:/sbin:/bin:/usr/sbin:/usr/bin:/root/bin)
#怎么可能没有 cd, 我明明就能够用 root 执行 cd 的。
```

- 这个命令是根据 PATH 这个环境变量所规范的路径去查询“执行文件”的文件名。所以，重点是找出执行文件而已！且 which 后面接的是完整文件名。若加上–a 参数，则可以列出所有的可以找到的同名执行文件，而非仅显示第一个而已。

- 最后一个范例最有趣，怎么 cd 这个常用的命令竟然找不到，为什么呢? 这是因为 cd 是 bash 内置的命令。但是 which 默认是查找 PATH 内所规范的目录，所以当然一定找不到的。我们可以通过 type 这个命令，关于 type 的用法我们将在第 11 章的 bash 再来谈。

7.5.2 文件名的查找

再来谈一谈怎么查找文件。在 Linux 下面也有相当优异的查找命令。通常 find 不很常用的，因为速度慢！通常我们都是先使用 whereis 或者是 locate 来检查，如果真的找不到了，才以 find 来查找。为什么呢? 因为 whereis 与 locate 是利用数据库来查找数据，所以相当快速，而且并没有实际查询硬盘，比较节省时间。

◆ whereis（寻找特定文件）

```
[root@www ~]# whereis [-bmsu] 文件或目录名
参数:
-b  :只找二进制格式的文件
-m  :只找在说明文件 manual 路径下的文件
-s  :只找 source 源文件
-u  :查找不在上述三个选项当中的其他特殊文件

范例一: 请用不同的身份找出 ifconfig 这个文件名
[root@www ~]# whereis ifconfig
ifconfig: /sbin/ifconfig /usr/share/man/man8/ifconfig.8.gz
[root@www ~]# su - vbird        <==切换身份成为 vbird。
[vbird@www ~]$ whereis ifconfig <==找到同样的结果。
ifconfig: /sbin/ifconfig /usr/share/man/man8/ifconfig.8.gz
[vbird@www ~]$ exit              <==切换身份成为 root 。
# 注意看, 明明 which 一般用户找不到的 ifconfig 却可以让 whereis 找到。
# 这是因为系统真的有 ifconfig 这个 “文件”, 但是用户的 PATH 并没有加入 /sbin。
# 所以, 未来你找不到某些命令时, 先用文件查找命令找找看再说。
```

范例二: 只找出跟 passwd 有关的 "说明文件" 文件名 (man page)
```
[root@www ~]# whereis -m passwd
passwd: /usr/share/man/man1/passwd.1.gz /usr/share/man/man5/passwd.5.gz
```

- 等一下我们会提到 find 这个查找命令, find 是很强大的查找命令, 但时间花费的很多。(因为 find 是直接查找硬盘, 如果你的硬盘比较老旧的话, 就得等很久了) 这个时候 whereis 就相当好用了。另外, whereis 可以加入参数来找寻相关的数据, 例如如果你是要找可执行文件 (binary) 那么加上 –b 就可以啦! 如果不加任何参数的话, 那么就将所有的数据列出来。
- 那么 whereis 到底是使用什么呢? 为何查找的速度会比 find 快这么多? 其实那也没有什么。这是因为 Linux 系统会将系统内的所有文件都记录在一个数据库文件里面, 而当使用 whereis 或者是下面要说的 locate 时, 都会以此数据库文件的内容为准, 因此, 有时你还会发现使用这两个执行文件时, 会找到已经被删掉的文件! 而且也找不到最新的刚才创建的文件呢! 这就是因为这两个命令是由数据库当中的结果去查找文件的所在。更多与这个数据库有关的说明, 请参考下列的 locate 命令。

◆　locate

```
[root@www ~]# locate [-ir] keyword
参数:
-i  : 忽略大小写的差异;
-r  : 后面可接正则表达式的显示方式。

范例一: 找出系统中所有与 passwd 相关的文件名
[root@www ~]# locate passwd
/etc/passwd
/etc/passwd-
/etc/news/passwd.nntp
/etc/pam.d/passwd
.... (下面省略) ....
```

- 这个 locate 的使用更简单, 直接在后面输入 "文件的部分名称" 后就能够得到结果。举上面的例子来说, 我输入 locate passwd, 那么在完整文件名 (包含路径名称) 当中, 只要有 passwd 在其中, 就会被显示出来的! 这也是个很方便好用的命令, 如果你忘记某个文件的完整文件名时。
- 但是, 这个东西还是有使用上的限制。为什么呢? 你会发现使用 locate 来寻找数据的时候特别, 这是因为 locate 寻找的数据是由已创建的数据库/var/lib/mlocate/里面的数据所查找到的, 所以不用直接在去硬盘当中访问数据, 当然是很快速。
- 那么有什么限制呢? 就是因为它是经由数据库来查找的, 而数据库的创建默认是每天执行一次 (每个 distribution 都不同, CentOS 5.x 是每天更新数据库一次), 所以当你新建文件后查找该文件, 那么 locate 会告诉你 "找不到"! 因为必须要更新数据库。
- 那能否手动更新数据库吗? 当然可以, 更新 locate 数据库的方法非常简单, 直接输入 "updatedb" 就可以了! updatedb 命令会去读取/etc/updatedb.conf 这个配置文件的设置, 然后再去硬盘里面进行查找文件名的操作, 最后就更新整个数据库文件啰! 因为 updatedb 会去查找硬盘, 所以当你执行 updatedb 时, 可能会等待数分钟的时间。
  - updatedb: 根据/etc/updatedb.conf 的设置去查找系统硬盘内的文件名, 并更新/var/lib/mlocate 内的数据库文件。
  - locate: 依据/var/lib/mlocate 内的数据库记载, 找出用户输入的关键字文件名。

◆　find

```
[root@www ~]# find [PATH] [option] [action]
参数:
1. 与时间有关的参数: 共有 -atime、-ctime 与 -mtime, 下面以 -mtime 说明。
```

```
-mtime  n : n 为数字,意义为在 n 天之前的"一天之内"被更改过的文件;
-mtime +n : 列出在 n 天之前(不含 n 天本身)被更改过的文件名;
-mtime -n : 列出在 n 天之内(含 n 天本身)被更改过的文件名;
-newer file : file 为一个存在的文件,列出比 file 还要新的文件名。
```

范例一:将过去系统上面 24 小时内有改动(mtime)的文件列出
```
[root@www ~]# find / -mtime 0
# 那个 0 是重点! 0 代表目前的时间,所以,从现在开始到 24 小时前,
# 有改动过内容的文件都会被列出来! 那如果是 3 天前的 24 小时内?
# find / -mtime 3 有改动过的文件都被列出的意思。
```

范例二:寻找 /etc 下面的文件,如果文件日期比 /etc/passwd 新就列出
```
[root@www ~]# find /etc -newer /etc/passwd
# -newer 用在分辨两个文件之间的新旧关系是很有用的!
```

- 时间参数真是挺有意思的! 我们现在知道 atime、ctime 与 mtime 的意义,如果你想要找出一天内被改动过的文件名,可以使用上述范例一的做法。但如果我想要找出"4 天内被改动过的文件名"呢? 那可以使用"find /var -mtime -4"。那如果是"4 天前的那一天",就用"find/var -mtime 4"。有没有加上"+, −"差别很大。我们可以用简单的图 7-2 来说明一下。

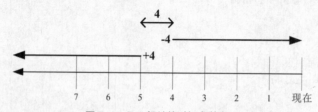

图 7-2　find 相关的时间参数意义

- 图中最右边为目前的时间,越往左边则代表越早之前的时间轴。由图 7-2 所示我们可以清楚地知道:
  - +4 代表大于等于 5 天前的文件名:ex> find /var -mtime +4
  - -4 代表小于等于 4 天内的文件名:ex> find /var -mtime -4
  - 4 则是代表 4~5 那一天的文件名:ex> find /var -mtime 4
- 非常有趣吧! 你可以在/var/目录下查找一下,感受一下输出文件的差异。再来看其他 find 的用法。

```
参数:
2. 与用户或用户组名有关的参数:
 -uid n : n 为数字,这个数字是用户的账号 ID,即 UID,这个 UID 是记录在
         /etc/passwd 里面与账号名称对应的数字。这方面我们会在第四篇介绍。
 -gid n : n 为数字,这个数字是用户组名的 ID,即 GID,这个 GID 记录在
         /etc/group 中,相关的介绍我们会第四篇说明~
 -user name : name 为用户账号名称。例如 dmtsai。
 -group name: name 为用户组名,例如 users。
 -nouser    : 寻找文件的所有者不存在 /etc/passwd 的人。
 -nogroup   : 寻找文件的所有用户组不存在于 /etc/group 中的文件。
               当你自行安装软件时,很可能该软件的属性当中并没有文件所有者,
               这是可能的,在这个时候,就可以使用 -nouser 与 -nogroup 查找。
```

范例三:查找 /home 下面属于 vbird 的文件
```
[root@www ~]# find /home -user vbird
# 这个东西也很有用的,当我们要找出任何一个用户在系统当中的所有文件时,
# 就可以利用这个命令将属于某个用户的所有文件都找出来。
```

范例四:查找系统中不属于任何人的文件
```
[root@www ~]# find / -nouser
```

```
# 通过这个命令，可以轻易就找出那些不太正常的文件。
# 如果有找到不属于系统任何人的文件时，不要太紧张，
# 那有时候是正常的，尤其是你曾经以源码自行编译软件时。
```

● 如果你想知道某个用户在系统下面创建了什么，使用上述的参数就能够找出来。至于那个
  –nouser 或–nogroup 的参数功能中，除了你自行由网络上面下载文件时会发生之外，如果你
  将系统里面某个账号删除了，但是该账号已经在系统内创建很多文件时，就可能会发生无主
  孤魂的文件存在！此时你就得使用这个–nouser 来找出该类型的文件。

参数:
3. 与文件权限及名称有关的参数:
　-name filename: 查找文件名为 filename 的文件。
　-size [+-]SIZE: 查找比 SIZE 还要大（+）或小（-）的文件。这个 SIZE 的规格有:
　　　　　　　　　c: 代表 byte，k: 代表 1024bytes。所以，要找比 50KB
　　　　　　　　　还要大的文件，就是 " -size +50k "。
　-type TYPE 　　: 查找文件的类型为 TYPE 的，类型主要有: 一般正规文件（f）、
　　　　　　　　　设备文件（b, c）、目录（d）、连接文件（l）、socket（s）、
　　　　　　　　　及 FIFO（p）等属性。
　-perm mode 　 : 查找文件权限 "刚好等于" mode 的文件，这个 mode 为类似 chmod
　　　　　　　　　的属性值，举例来说，-rwsr-xr-x 的属性为 4755。
　-perm -mode: 查找文件权限 "必须要全部包括 mode 的权限" 的文件，举例来说，
　　　　　　　　　我们要查找 -rwxr--r--，即 0744 的文件，使用 -perm -0744,
　　　　　　　　　当一个文件的权限为 -rwsr-xr-x，即 4755 时，也会被列出来，
　　　　　　　　　因为 -rwsr-xr-x 的属性已经包括了 -rwxr--r-- 的属性了。
　-perm +mode : 查找文件权限 "包含任一 mode 的权限" 的文件，举例来说，我们查找
　　　　　　　　　-rwxr-xr-x，即 -perm +755 时，但一个文件属性为 -rw-------
　　　　　　　　　也会被列出来，因为它有 -rw… 的属性存在。

范例五: 找出文件名为 passwd 的这个文件
[root@www ~]# find / -name passwd
利用这个 -name 可以查找文件名。

范例六: 找出 /var 目录下文件类型为 Socket 的文件名有哪些
[root@www ~]# find /var -type s
这个 -type 的属性也很有帮助。尤其是要找出那些怪异的文件，
例如 socket 与 FIFO 文件，可以用 find /var -type p 或 -type s 来找!

范例七: 查找文件当中含有 SGID 或 SUID 或 SBIT 的属性
[root@www ~]# find / -perm +7000
所谓的 7000 就是 ---s--s--t，那么只要含有 s 或 t 的就列出,
所以当然要使用 +7000，使用 -7000 表示要含有 ---s--s--t 的所有三个权限,
因此，就是 +7000 。

● 上述范例中比较有趣的是–perm 这个参数。它的重点在找出特殊权限的文件。我们知道 SUID
  与 SGID 都可以设置在二进制程序上，假设我想要将/bin、/sbin 这两个目录下只要具有 SUID
  或 SGID 的文件就列出来，你可以这样做:

[root@www ~]# find /bin /sbin -perm +6000

● 因为 SUID 是 4 分，SGID 是 2 分，总共为 6 分，因此可用+6000 来处理这个权限。至于 find
  后面可以接多个目录来进行查找，另外，find 本来就会查找子目录，这个也要特别注意。最后，
  我们再来看一下 find 还有什么特殊功能。

参数:
4. 其他可进行的操作:
　-exec command : command 为其他命令，-exec 后面可再接其他的命令来处理查找到
　　　　　　　　　的结果。
　-print 　　　 : 将结果打印到屏幕上，这个操作是默认操作。

范例八: 将上个范例找到的文件使用 ls -l 列出来。
[root@www ~]# find / -perm +7000 -exec ls -l {} \;

```
# 注意到，那个 -exec 后面的 ls -l 就是额外的命令，命令不支持命令别名，
# 所以仅能使用 ls -l，不可以使用 ll，特别注意。
范例九：找出系统中大于 1MB 的文件
[root@www ~]# find / -size +1000k
# 虽然在 man page 中提到可以使用 M 与 G 分别代表 MB 与 GB，
# 不过，我却试不出来这个功能。所以，目前应该是仅支持到 c 与 k 。
```

- find 的特殊功能就是能够进行额外的动作（action）。我们将范例八的例子以图解来说明，如图 7-3 所法。

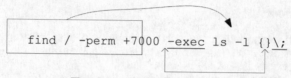

图 7-3　find 相关的额外命令

- 该范例中特殊的地方有 "{}" 以及 "\;"，还有-exec 这个关键字，这些东西的意义为：
  - {}代表的是 "由 find 找到的内容"，如上图所示，find 的结果会被放置到{}位置中。
  - -exec 一直到 "\;" 是关键字，代表 find 额外命令的开始（-exec）到结束（\;），在这中间的就是 find 命令内的额外命令。在本例中就是 "ls -l {}"。
  - 因为 ";" 在 bash 环境下是有特殊意义的，因此利用反斜杠来转义。
- 通过图 7-3 你应该就比较容易了解-exec 到 "\;" 之间的意义了吧！
- 如果你要找的文件是具有特殊属性的，例如 SUID、文件所有者、文件大小等，那么利用 locate 是没有办法达成你的查找的。此时 find 就显得很重要啦！另外，find 还可以利用通配符来找寻文件名。举例来说，你想要找出/etc 下面文件名包含 httpd 的文件，那么你就可以这样做：

```
[root@www ~]# find /etc -name '*httpd*'
```

- 不但可以指定查找的目录（连同子目录），并且可以利用额外的参数来找到最正确的文件名。

7.6　权限与命令间的关系（极重要）

　　我们知道权限对于用户账号来说是非常重要的，因为它可以限制用户能不能读取/新建/删除/修改文件或目录。在这一章我们介绍了很多文件系统的管理命令，第 6 章则介绍了很多文件权限的意义。在这个小节当中，我们就将这两者结合起来，说明一下什么命令在什么样的权限下才能够运行。

- 让用户能进入某目录成为 "可工作目录" 的基本权限是什么
  - 可使用的命令：例如 cd 等切换工作目录的命令。
  - 目录所需权限：用户对这个目录至少需要具有 x 的权限。
  - 额外需求：如果用户想要在这个目录内利用 ls 查阅文件名，则用户对此目录还需要 r 的权限。
- 用户在某个目录内读取一个文件的基本权限是什么
  - 可使用的命令：例如本章谈到的 cat, more, less 等。
  - 目录所需权限：用户对这个目录至少需要具有 x 权限。
  - 文件所需权限：用户对文件至少需要具有 r 的权限才行！
- 让用户可以修改一个文件的基本权限是什么
  - 可使用的命令：例如 nano 或未来要介绍的 vi 编辑器等。
  - 目录所需权限：用户在该文件所在的目录至少要有 x 权限。

- 文件所需权限：用户对该文件至少要有 r, w 权限。
◆ 让一个用户可以创建一个文件的基本权限是什么
    ■ 目录所需权限：**用户在该目录要具有 w, x 的权限，重点在 w。**
◆ 让用户进入某目录并执行该目录下的某个命令的基本权限是什么
    ■ 目录所需权限：用户在该目录至少要有 x 的权限。
    ■ 文件所需权限：用户在该文件至少需要有 x 的权限。

例题

让一个用户 vbird 能够进行 "cp/dir1/file1/dir2" 的命令时，请说明 dir1, file1, dir2 的最小所需权限。

答：执行 cp 时，vbird 要能够读取源文件，并且写入目标文件。所以应参考上述第二点与第四点的说明，因此各文件/目录的最小权限应该是：

◆ dir1：至少需要有 x 权限；
◆ file1：至少需要有 r 权限；
◆ dir2：至少需要有 w, x 权限。

例题

有一个文件全名为/home/student/www/index.html，各相关文件/目录的权限如下：

```
drwxr-xr-x 23 root    root    4096 Sep 22 12:09 /
drwxr-xr-x  6 root    root    4096 Sep 29 02:21 /home
drwx------  6 student student 4096 Sep 29 02:23 /home/student
drwxr-xr-x  6 student student 4096 Sep 29 02:24 /home/student/www
-rwxr--r--  6 student student  369 Sep 29 02:27 /home/student/www/index.html
```

请问 vbird 这个账号（不属于 student 用户组）能否读取 index.html 这个文件呢？

答：虽然 www 与 index.html 是可以让 vbird 读取的权限，但是因为目录结构是由根目录一层一层读取的，因此 vbird 可进入/home 但是却不可进入/home/student/，既然连进入/home/student 都不许了，当然就读不到 index.html 了！所以答案是 "vbird 不会读取到 index.html 的内容"。

那要如何修改权限呢？其实只要将/home/student 的权限修改为最小 711，或者直接给予 755 就可以。这可是很重要的概念。

7.7　重点回顾

◆ 绝对路径 "一定由根目录/写起"；相对路径 "不是由/写起"。
◆ 特殊目录有., .., -, ～, ～account，需要注意。
◆ 与目录相关的命令有 cd, mkdir, rmdir, pwd 等重要命令。
◆ rmdir 仅能删除空目录，要删除非空目录需使用 "rm –r" 命令。
◆ 用户能使用的命令是依据 PATH 变量所规定的目录去查找的。
◆ 不同的身份(root 与一般用户)系统默认的 PATH 并不相同。差异较大的地方在于/sbin 和/usr/sbin。
◆ ls 可以查看文件的属性，尤其–d, –a, –l 等参数特别重要！
◆ 文件的复制、删除、移动可以分别使用 cp, rm , mv 等命令来操作。
◆ 检查文件的内容（读文件）可使用的命令包括 cat, tac, nl, more, less, head, tail, od 等。
◆ cat –n 与 nl 均可显示行号，但默认的情况下，空白行会不会编号并不相同。
◆ touch 的目的在修改文件的时间参数，但也可用来创建空文件。
◆ 一个文件记录的时间参数有三种,分别是 access time(atime), status time (ctime), modification

time（mtime），ls 默认显示的是 mtime。

- 除了传统的 rwx 权限之外，在 Ext2/Ext3 文件系统中，还可以使用 chattr 与 lsattr 设置及查看隐藏属性。常见的包括只能新增数据的+a 与完全不能更动文件的+i 属性。
- 新建文件/目录时，新文件的默认权限使用 umask 来规范。默认目录完全权限为 drwxrwxrwx，文件则为–rw–rw–rw–。
- 文件具有 SUID 的特殊权限时，代表当用户执行此二进制程序时，在执行过程中用户会暂时具有程序所有者的权限。
- 目录具有 SGID 的特殊权限时，代表用户在这个目录下面新建的文件用户组都会与该目录的用户组名相同。
- 目录具有 SBIT 的特殊权限时，代表在该目录下用户创建的文件只有自己与 root 能够删除！
- 查看文件的类型可以使用 file 命令来查看。
- 查找命令的完整文件名可用 which 或 type，这两个命令都是通过 PATH 变量来查找文件名。
- 要查找文件的完整文件名可以使用 whereis 或 locate 到数据库文件去查找，而不实际查找文件系统。
- 利用 find 可以加入许多参数来直接查询文件系统，以获得自己想要知道的文件名。

7.8 本章习题

情境模拟题

假设系统中有两个账号，分别是 alex 与 arod，这两个人除了自己用户组之外还共同支持一个名为 project 的用户组。假设这两个用户需要共同拥有/srv/ahome/目录的开发权，且该目录不许其他人进入查阅。请问该目录的权限应设置为什么？请先以传统权限说明，再以 SGID 的功能解析。

- 目标：了解到为何项目开发时目录最好需要设置 SGID 的权限。
- 前提：多个账号支持同一用户组，且共同拥有目录的使用权！
- 需求：需要使用 root 的身份来进行 chmod、chgrp 等操作帮用户设置好他们的开发环境才行，这也是管理员的重要任务之一。

首先我们得要先制作出这两个账号的相关数据，账号/用户组的管理在后续我们会介绍，你这里先照着下面的命令来制作即可：

```
[root@www ~]# groupadd project          <==增加新的用户组
[root@www ~]# useradd -G project alex <==新建 alex 账号，且支持 project
[root@www ~]# useradd -G project arod <==新建 arod 账号，且支持 project
[root@www ~]# id alex                    <==查阅 alex 账号的属性
uid=501(alex) gid=502(alex) groups=502(alex),501(project) <==确实有支持!
[root@www ~]# id arod
uid=502(arod) gid=503(arod) groups=503(arod),501(project)
```

然后开始来解决我们所需要的环境吧！

1. 首先新建所需要开发的项目目录：

```
[root@www ~]# mkdir /srv/ahome
[root@www ~]# ll -d /srv/ahome
drwxr-xr-x 2 root root 4096 Sep 29 22:36 /srv/ahome
```

2. 从上面的输出结果可发现 alex 与 arod 都不能在该目录内创建文件，因此需要进行权限与属性的修改。由于其他人均不可进入此目录，因此该目录的用户组应为 project，权限应为 770 才合理。

```
[root@www ~]# chgrp project /srv/ahome
[root@www ~]# chmod 770 /srv/ahome
[root@www ~]# ll -d /srv/ahome
```

```
drwxrwx--- 2 root project 4096 Sep 29 22:36 /srv/ahome
# 从上面的权限结果来看，由于 alex/arod 均支持 project，因此似乎没问题了！
```

3. 实际分别以两个用户来测试看看，情况会是如何？先用 alex 新建文件，然后用 arod 去处理看看。

```
[root@www ~]# su - alex              <==先切换身份成为 alex 来处理
[alex@www ~]$ cd /srv/ahome          <==切换到用户组的工作目录去
[alex@www ahome]$ touch abcd         <==新建一个空的文件出来
[alex@www ahome]$ exit               <==离开 alex 的身份

[root@www ~]# su - arod
[arod@www ~]$ cd /srv/ahome
[arod@www ahome]$ ll abcd
-rw-rw-r-- 1 alex alex 0 Sep 29 22:46 abcd
# 仔细看一下上面的文件，由于用户组是 alex,
# 因此对于 abcd 这个文件来说，arod 应该只是其他人，只有 r 的权限而已啊！
[arod@www ahome]$ exit
```

由上面的结果我们可以知道，若单纯使用传统的 rwx 而已，则对刚才 alex 新建的 abcd 这个文件来说，arod 可以删除它，但是却不能编辑它。这不是我们要的样子，赶紧来重新规划一下。

4. 加入 SGID 的权限在里面，并进行测试看看：

```
[root@www ~]# chmod 2770 /srv/ahome
[root@www ~]# ll -d /srv/ahome
drwxrws--- 2 root project 4096 Sep 29 22:46 /srv/ahome

测试: 使用 alex 去创建一个文件，并且查阅文件权限看看:
[root@www ~]# su - alex
[alex@www ~]$ cd /srv/ahome
[alex@www ahome]$ touch 1234
[alex@www ahome]$ ll 1234
-rw-rw-r-- 1 alex project 0 Sep 29 22:53 1234
#这才是我们要的样子。现在 alex、arod 创建的新文件所属用户组都是 project,
# 由于两人均属于此用户组，加上 umask 都是 002，这样两人才可以互相修改对方的文件！
```

所以最终的结果显示，此目录的权限最好是"2770"，文件所有者属于 root 即可，至于用户组必须要为两人共同支持的 project 这个用户组才行！

简答题部分

◆ 什么是绝对路径与相对路径？

◆ 如何更改一个目录的名称？例如由/home/test 变为/home/test2。

◆ PATH 这个环境变量的意义是什么？

◆ umask 有什么用处与优点？

◆ 当一个用户的 umask 分别为 033 与 044，他所建立的文件与目录的权限是什么？

◆ 什么是 SUID？

◆ 当我要查询/usr/bin/passwd 这个文件的传统权限、文件类型与文件的隐藏属性，可以使用什么命令来查询？

◆ 尝试用 find 找出目前 Linux 系统中所有具有 SUID 的文件有哪些。

◆ 找出/etc 下面，文件大小介于 50KB 到 60KB 之间的文件，并且将权限完整地列出（ls-l）。

◆ 找出/etc 下面，文件容量大于 50KB 且文件所有者不是 root 的文件名，且将权限完整地列出（ls-l）。

◆ 找出/etc 下面，容量大于 1500KB 以及容量等于 0 的文件。

7.9　参考数据与扩展阅读

◆ 网友小洲回复 SUID/SGID 的一篇帖子：
http://phorum.vbird.org/viewtopic.php?t=20256

第 8 章　Linux 磁盘与文件系统管理

系统管理员很重要的任务之一就是管理好自己的磁盘文件系统，每个分区不可太大也不能太小，太大会造成磁盘容量的浪费，太小则会产生文件无法存储的困扰。此外，我们在前面几章谈到的文件权限与属性中，这些权限与属性分别记录在文件系统的哪个块内？这就得要谈到文件系统中的 inode 与 block 了。在本章我们的重点在于如何制作文件系统，包括分区、格式化与挂载等，是很重要的一个章节。

8.1　认识 EXT2 文件系统

Linux 最传统的磁盘文件系统（file system）使用的是 EXT2。所以要了解文件系统就得要由认识 EXT2 开始。而文件系统是创建在硬盘上面的，因此我们得了解硬盘的物理组成才行。磁盘物理组成的部分我们在第 0 章谈过了，至于磁盘分区则在第 3 章谈过了，所以下面只会很快地复习这两部分。重点在于 inode、block，还有 superblock 等文件系统的基本部分。

8.1.1　硬盘组成与分区的复习

由于各项磁盘的物理组成我们在第 0 章里面就介绍过，同时第 3 章也谈过分区的概念了，所以这个小节我们就拿之前的重点出来介绍就好了。详细的信息请你回去那两章自行复习。好了，首先说明一下磁盘的物理组成，整块磁盘的组成主要有：

◆ 圆形的盘片（主要记录数据的部分）；
◆ 机械手臂与机械手臂上的磁头（可读写盘片上的数据）；
◆ 主轴马达，可以转动盘片，让机械手臂的磁头在盘片上读写数据。

从上面我们知道数据存储与读取的重点在于盘片，而盘片上的物理组成则为（假设此磁盘为单盘片，盘片图标请参考图 3-1 的示意）：

◆ 扇区（Sector）为最小的物理存储单位，每个扇区为 512bytes；
◆ 将扇区组成一个圆，那就是柱面（Cylinder），柱面是分区（partition）的最小单位；
◆ 第一个扇区最重要，里面有硬盘主引导记录（Masterbootrecord,MBR）及分区表（partition table），其中 MBR 占有 446bytes，而 partition table 则占有 64bytes。

各种接口的磁盘在 Linux 中的文件名分别为：

◆ /dev/sd[a-p][1-15]：为 SCSI,SATA，USB，Flash 等接口的磁盘文件名；
◆ /dev/hd[a-d][1-63]：为 IDE 接口的磁盘文件名。

复习完物理组成后，来复习一下磁盘分区吧！所谓的磁盘分区指的是告诉操作系统"我这块磁盘在此分区可以访问的区域是由 A 柱面到 B 柱面之间的块"，如此一来操作系统就能够知道它可以在所指定的块内进行文件数据的读/写/查找等操作了。也就是说，磁盘分区意即指定分区的起始与结束柱面就可以。

那么指定分区的柱面范围是记录在哪里？就是第一个扇区的分区表中。但是因为分区表仅有 64bytes 而已，因此最多只能记录四条分区的记录，这四条记录我们称为主（primary）分区或扩展（extended）分区，其中扩展分区还可以再分出逻辑分区（logical），而能被格式化的则仅有分区与逻辑分区而已。

最后，我们再将第 3 章关于分区的定义拿出来说明一下：

◆ 主分区与扩展分区最多可以有 4 个（硬盘的限制）；
◆ 扩展分区最多只能有一个（操作系统的限制）；
◆ 逻辑分区是由扩展分区持续分出来的分区；
◆ 能够被格式化后作为数据访问的分区为主要分区与逻辑分区，扩展分区无法格式化；
◆ 逻辑分区的数量依操作系统而不同，在 Linux 系统中，IDE 硬盘最多有 59 个逻辑分区（5 号到 63 号），SATA 硬盘则有 11 个逻辑分区（5 号到 15 号）。

8.1.2　文件系统特性

我们都知道磁盘分区完毕后还需要进行格式化（format），之后操作系统才能够使用这个分区。为什么需要进行"格式化"呢？这是因为每种操作系统所设置的文件属性/权限并不相同，为了存放这些文件所需的数据，因此就需要将分区进行格式化，以成为操作系统能够利用的文件系统格式。

由此我们也能够知道，每种操作系统能够使用的文件系统并不相同。举例来说，Windows 98 以前的操作系统主要利用的文件系统是 FAT（或 FAT16），Windows 2000 以后的版本有所谓的 NTFS 文件系统，至于 Linux 的正规文件系统则为 Ext2（Linux second extended file system，Ext2fs）这一个。此外，在默认的情况下，Windows 操作系统是不会认识 Linux 的 Ext2。

传统的磁盘与文件系统的应用中，一个分区就是只能够被格式化成为一个文件系统，所以我们可以说一个文件系统就是一个分区。但是由于新技术的利用，例如我们常听到的 LVM 与软磁盘阵列（software raid），这些技术可以将一个分区格式化为多个文件系统（例如 LVM），也能够将多个分区合成一个文件系统（LVM,RAID）所以说，目前我们在格式化时已经不再说成针对分区来格式化了，通常我们可以称呼一个可被挂载的数据为一个文件系统而不是一个分区。

那么文件系统是如何运行的呢？这与操作系统的文件数据有关。较新的操作系统的文件数据除了文件实际内容外，通常含有非常多的属性，例如 Linux 操作系统的文件权限（rwx）与文件属性（所有者、群组、时间参数等）。文件系统通常会将这两部分的数据分别存放在不同的块，权限与属性放置到 inode 中，至于实际数据则放置到 data block 块中。另外，还有一个超级块（superblock）会记录整个文件系统的整体信息，包括 inode 与 block 的总量、使用量、剩余量等。

每个 inode 与 block 都有编号，至于这三个数据的意义可以简略说明如下：

- super block：记录此文件系统的整体信息，包括 inode/block 的总量、使用量、剩余量，以及文件系统的格式与相关信息等；
- inode：记录文件的属性，一个文件占用一个 inode，同时记录此文件的数据所在的 block 号码；
- block：实际记录文件的内容，若文件太大时，会占用多个 block。

由于每个 inode 与 block 都有编号，而每个文件都会占用一个 inode，inode 内则有文件数据放置的 block 号码。因此，我们可以知道的是，如果能够找到文件的 inode 的话，那么自然就会知道这个文件所放置数据的 block 号码，当然也就能够读出该文件的实际数据了。这是个比较有效率的做法，因为如此一来我们的磁盘就能够在短时间内读取出全部的数据，读写的性能比较好。

我们将 inode 与 block 块用图解来说明一下，如图 8-1 所示，文件系统先格式化出 inode 与 block 的块，假设某一个文件的属性与权限数据是放置到 inode4 号（下图较小方格内），而这个 inode 记录了文件数据的实际放置点为 2,7,13,15 这 4 个 block 号码，此时我们的操作系统就能够据此来排列磁盘的阅读顺序，可以一下子将 4 个 block 内容读出来。那么数据的读取就如同图 8-1 所示中的箭头所指定的模样了。

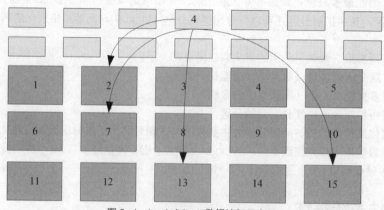

图 8-1　inode/block 数据访问示意图

这种数据访问的方法我们称为索引式文件系统（indexed allocation）。那有没有其他的惯用文件系统可以比较一下啊？有的，那就是我们惯用的 U 盘（闪存），U 盘使用的文件系统一般为 FAT 格式。FAT 这种格式的文件系统并没有 inode 存在，所以 FAT 没有办法将这个文件的所有 block 在一开始就读取出来。每个 block 号码都记录在前一个 block 当中，它的读取方式如图 8-2 所示。

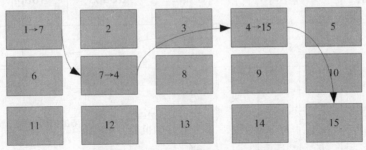

图 8-2　FAT 文件系统数据访问示意图

图 8-2 所示中我们假设文件的数据依序写入 1->7->4->15 号这四个 block 号码中，但这个文件系统没有办法一口气就知道四个 block 的号码，它得要一个一个地将 block 读出后，才会知道下一个 block 在何处。如果同一个文件数据写入的 block 分散得太过厉害时，则我们的磁盘磁头将无法在磁盘转一圈就读到所有的数据，因此磁盘就会多转好几圈才能完整地读取到这个文件的内容。

经常会听到所谓的"碎片整理"吧？需要碎片整理的原因就是文件写入的 block 太过于离散了，此时文件读取的性能将会变得很差所致。这个时候可以通过碎片整理将同一个文件所属的 block 汇合在一起，这样数据的读取会比较容易。FAT 的文件系统需要经常碎片整理一下，那么 Ext2 是否需要磁盘整理呢？

由于 Ext2 是索引式文件系统，基本上不太需要经常进行碎片整理的。但是如果文件系统使用太久，经常删除/编辑/新增文件时，那么还是可能会造成文件数据太过于离散的问题，此时或许会需要进行碎片整理一下的。鸟哥倒是没有在 Linux 操作系统上面进行过 Ext2/Ext3 文件系统的碎片整理。

8.1.3　Linux 的 Ext2 文件系统（inode）

在第 6 章当中我们介绍过 Linux 的文件除了原有的数据内容外，还含有非常多的权限与属性，这些权限与属性是为了保护每个用户所拥有数据的隐密性。而前一小节我们知道文件系统里面可能含有的 inode/block/super block 等。为什么要谈这个呢？因为标准的 Linux 文件系统 Ext2 就是使用这种 inode 为基础的文件系统。

而如同前一小节所说的，inode 的内容用于记录文件的权限与相关属性，至于 block 块则是在记录文件的实际内容，而且**文件系统一开始就将 inode 与 block 规划好了，除非重新格式化**（或者利用 **resize2fs 等命令更改文件系统大小**），**否则 inode 与 block 固定后就不再变动**。但是如果仔细考虑一下，如果我的文件系统高达数百 GB 时，那么将所有的 inode 与 block 放置在一起将是很不明智的决定，因为 inode 与 block 的数量太大时，不容易管理。

因此 Ext2 文件系统在格式化的时候基本上是区分为多个块组（block group）的，每个块组都有独立的 inode/block/superblock 系统。感觉上就好像我们在当兵时，一个营里面有分成数个连，每个连有自己的联络系统，但最终都向营部回报连上最正确的信息一般。这样分成一群比较好管理。整个来说，Ext2 格式化后如图 8-3 所示。

在整体的规划当中，**文件系统最前面有一个启动扇区**（boot sector），这个启动扇区可以安装引导装载程序，这是个非常重要的设计，因为如此一来我们就能够将不同的引导装载程序安装到个别的文件系统最前端，而不用覆盖整块硬盘唯一的 MBR，这样也才能够制作出多重引导的环境。至于每一个块组的 6 个主要内容说明如下。

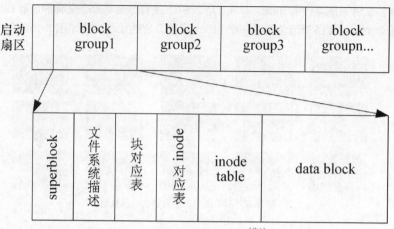

图 8-3　EXT2 文件系统示意图[注1]

◆ **data block（数据块）**

- data block 是用来放置文件内容地方，在 **Ext2** 文件系统中所支持的 block 大小有 **1KB,2KB** 及 **4KB** 三种而已。在格式化时 block 的大小就固定了，且每个 block 都有编号，以方便 inode 的记录。不过要注意的是，由于 block 大小的区别，会导致该文件系统能够支持的最大磁盘容量与最大单一文件容量并不相同。因为 block 大小而产生的 Ext2 文件系统限制如表 8-1 所示[注2]。

表 8-1

Block 大小	1KB	2KB	4KB
最大单一文件限制	16GB	256GB	2TB
最大文件系统总容量	2TB	8TB	16TB

- 你需要注意的是，虽然 Ext2 已经能够支持大于 2GB 以上的单一文件容量，不过某些应用程序依然使用旧的限制，也就是说，某些程序只能够支持小于 2GB 以下的文件而已，这就跟文件系统无关了。举例来说，鸟哥在环境工程方面的应用中有一套秀图软件称为 PAVE[注3]，这套软件就无法捉到鸟哥在数值模式仿真后产生的大于 2GB 以上的文件。害得鸟哥经常还要重跑数值模式。

  除此之外 Ext2 文件系统的 block 还有什么限制呢？基本限制如下：

◆ 原则上，block 的大小与数量在格式化完就不能够再改变了（除非重新格式化）；

◆ 每个 block 内最多只能够放置一个文件的数据；

◆ 承上，如果文件大于 block 的大小，则一个文件会占用多个 block 数量；

◆ 承上，若文件小于 block，则该 block 的剩余空间就不能够再被使用了（磁盘空间会浪费）。

- 如上第四点所说，由于每个 block 仅能容纳一个文件的数据而已，因此如果你的文件都非常小，但是你的 block 在格式化时却选用最大的 4KB 时，可能会产生一些空间的浪费。我们以下面的一个简单例题来算一下空间的浪费。

例题

假设你的 Ext2 文件系统使用 4KB 的 block，而该文件系统中有 10000 个小文件，每个文件大小均为 50bytes，请问此时你的磁盘浪费多少容量？

答：由于 Ext2 文件系统中一个 block 仅能容纳一个文件，因此每个 block 会浪费 4096 − 50 = 4046（bytes），系统中总共有一万个小文件，所有文件容量为：50 x 10000（bytes）= 488.3KB，但此时浪费的容量为：4046 x 10000（bytes）= 38.6MB。想一想，不到 1MB 的总文件容量却浪费将近 40MB 的容量，且文件越多将造成越多的磁盘容量浪费。

- 什么情况会产生上述的状况呢？例如 BBS 网站的数据。如果 BBS 上面的数据使用的是纯文本文件来记载每篇留言，而留言内容如果都写上"如题"时，想一想，是否就会产生很多小文件了呢？
- 好，既然大的 block 可能会产生较严重的磁盘容量浪费，那么我们是否就将 block 大小定为 1K 即可？这也不妥，因为如果 block 较小的话，那么大型文件将会占用数量更多的 block，而 inode 也要记录更多的 block 号码，此时将可能导致文件系统不良的读写性能。
- 所以我们可以说，在你进行文件系统的格式化之前，请先想好该文件系统预计使用的情况。以鸟哥来说，我的数值模式仿真平台随便一个文件都好几百 MB，那么 block 容量当然选择较大的。至少文件系统就不必记录太多的 block 号码，读写起来也比较方便。

- ◆ inodetable（inode 表格）
  - 再来讨论一下 inode 这个玩意儿。如前所述，inode 的内容主要记录文件的属性以及该文件实际数据是放置在哪几号 block 内！基本上，inode 记录的文件数据至少有下面这些[注4]：
    - 该文件的访问模式（read/write/excute）；
    - 该文件的所有者与组（owner/group）；
    - 该文件的大小；
    - 该文件创建或状态改变的时间（ctime）；
    - 最近一次的读取时间（atime）；
    - 最近修改的时间（mtime）；
    - 定义文件特性的标志（flag），如 SetUID 等；
    - 该文件真正内容的指向（pointer）。
  - inode 的数量与大小也是在格式化时就已经固定了，除此之外 inode 还有些什么特色呢？
    - 每个 inode 大小均固定为 128bytes；
    - 每个文件都仅会占用一个 inode 而已；
    - 承上，因此文件系统能够创建的文件数量与 inode 的数量有关；
    - 系统读取文件时需要先找到 inode，并分析 inode 所记录的权限与用户是否符合，若符合才能够开始实际读取 block 的内容。
  - 我们简略来分析一下 inode/block 与文件大小的关系好了。inode 要记录的数据非常多，但偏偏又只有 128bytes 而已，而 inode 记录一个 block 号码要花掉 4byte，假设我一个文件有 400MB 且每个 block 为 4KB 时，那么至少也要 10 万条 block 号码的记录。inode 哪有这么多可记录的信息？为此我们的系统很聪明地将 inode 记录 block 号码的区域定义为 12 个直接、一个间接、一个双间接与一个三间接记录区。我们将 inode 的结构画一下好了，如图 8-4 所示。
  - 图中最左边为 inode 本身（128bytes），里面有 12 个直接指向 block 号码的对照，这 12 个记录就能够直接取得 block 号码。至于所谓的间接就是再拿一个 block 来当作记录 block 号码的记录区，如果文件太大时，就会使用间接的 block 来记录编号。图 8-4 当中只是间接拿一个 block 来记录额外的号码而已。同理，如果文件持续长大，那么就会利用所谓的双间接，第一个 block 仅再指出下一个记录编号的 block 在哪里，实际记录的在第二个 block 当中。依此类推，三间接就是利用第三层 block 来记录编号。
  - 这样子 inode 能够指定多少个 block 呢？我们以较小的 1KB 的 block 来说明好了，可以指定的情况如下：
    - 12 个直接指向：12 × 1K=12K
      由于是直接指向，所以总共可记录 12 条记录。
    - 间接：256 × 1K=256K
      每条 block 号码的记录会花去 4bytes，因此 1K 的大小能够记录 256 条记录。

- 双间接：$256 \times 256 \times 1K = 256^2 K$

  第一层 block 会指定 256 个第二层，每个第二层可以指定 256 个号码。

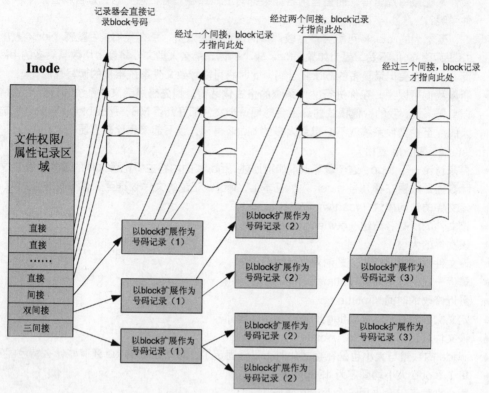

图 8-4　inode 结构示意图[注5]

- 三间接：$256 \times 256 \times 256 \times 1K = 256^3 K$

  第一层 block 会指定 256 个第二层，每个第二层可以指定 256 个第三层，每个第三层可以指定 256 个号码。

- 总额：将直接、间接、双间接、三间接加总，得到 12+256+256 $\times$ 256+256 $\times$ 256 $\times$ 256（K）=16GB

- 此时我们知道当文件系统将 block 格式化为 1K 大小时，能够容纳的最大文件为 16GB，比较一下文件系统限制表的结果可发现是一致的。但这个方法不能用在 2K 及 4K 的 block 大小的计算中，因为大于 2K 的 block 将会受到 Ext2 文件系统本身的限制，所以计算的结果会不太符合之故。

◆ Superblock（超级块）

- Superblock 是记录整个文件系统相关信息的地方，没有 Superblock，就没有这个文件系统了。它记录的信息主要有：

  - block 与 inode 的总量；

  - 未使用与已使用的 inode/block 数量；

  - block 与 inode 的大小（block 为 1K,2K,4K，inode 为 128 bytes）；

  - 文件系统的挂载时间、最近一次写入数据的时间、最近一次检验磁盘（fsck）的时间等文件系统的相关信息；

  - 一个 validbit 数值，若此文件系统已被挂载，则 valid bit 为 0，若未被挂载，则 valid bit 为 1。

- Superblock 是非常重要的，因为我们这个文件系统的基本信息都写在这里，

- 如果 superblock 死掉了，你的文件系统可能就需要花费很多时间去挽救。一般来说，superblock 的大小为 1 024bytes。相关的 superblock 信息我们等一下会以 dumpe2fs 命令来

调用出来查看。

- 此外，每个 block group 都可能含有 superblock。但是我们也说一个文件系统应该仅有一个 superblock 而已，那是怎么回事啊？事实上除了第一个 block group 内会含有 superblock 之外，后续的 block group 不一定含有 superblock，而若含有 superblock 则该 superblock 主要是作为第一个 block group 内 superblock 的备份了，这样可以进行 superblock 的救援。

◆ File system Description（文件系统描述说明）
- 这个区段可以描述每个 block group 的开始与结束的 block 号码，以及说明每个区段（superblock,bitmap,inodemap,data block）分别介于哪一个 block 号码之间。这部分也能够用 dumpe2fs 来查看的。

◆ block bitmap（块对照表）
- 如果你想要添加文件时总会用到 block。那你要使用哪个 block 来记录呢？当然是选择 "空的 block" 来记录新文件的数据。那你怎么知道哪个 block 是空的？这就得要通过 block bitmap 的辅助了。从 block bitmap 当中可以知道哪些 block 是空的，因此我们的系统就能够很快速地找到可使用的空间来处置文件。
- 同样，如果你删除某些文件时，那么那些文件原本占用的 block 号码就得要释放出来，此时在 block bitmpap 当中相对应到该 block 号码的标志就得要修改成为 "未使用中"。这就是 bitmap 的功能。

◆ inode bitmap（inode 对照表）
- 这个其实与 block bitmap 是类似的功能，只是 block bitmap 记录的是使用与未使用的 block 号码，至于 inode bitmap 则是记录使用与未使用的 inode 号码。

　　了解了文件系统的概念之后，再来当然是查看这个文件系统。刚才谈到的各部分数据都与 block 号码有关，每个区段与 superblock 的信息都可以使用 dumpe2fs 这个命令来查询的。查询的方法与结果如下：

```
[root@www ~]# dumpe2fs [-bh] 设备文件名
参数:
-b : 列出保留为坏道的部分（一般用不到吧！）
-h : 仅列出 superblock 的数据，不会列出其他的区段内容。

范例: 找出我的根目录磁盘文件名，并查看文件系统的相关信息
[root@www ~]# df    <==这个命令可以调出目前挂载的设备
Filesystem    1K-blocks     Used Available Use% Mounted on
/dev/hdc2      9920624   3822848   5585708  41% /        <==就是这个
/dev/hdc3      4956316    141376   4559108   4% /home
/dev/hdc1       101086     11126     84741  12% /boot
tmpfs           371332         0    371332   0% /dev/shm

[root@www ~]# dumpe2fs /dev/hdc2
dumpe2fs 1.39 (29-May-2006)
Filesystem volume name:   /1            <==这个是文件系统的名称（Label）
Filesystem features:      has_journal ext_attr resize_inode dir_index
  filetype needs_recovery sparse_super large_file
Default mount options:    user_xattr acl <==默认挂载的参数
Filesystem state:         clean          <==这个文件系统是没问题的（clean）
Errors behavior:          Continue
Filesystem OS type:       Linux
Inode count:              2560864        <==inode 的总数
Block count:              2560359        <==block 的总数
Free blocks:              1524760        <==还有多少个 block 可用
Free inodes:              2411225        <==还有多少个 inode 可用
First block:              0
Block size:               4096           <==每个 block 的大小
Filesystem created:       Fri Sep  5 01:49:20 2008
Last mount time:          Mon Sep 22 12:09:30 2008
```

```
Last write time:        Mon Sep 22 12:09:30 2008
Last checked:           Fri Sep 5 01:49:20 2008
First inode:            11
Inode size:             128              <==每个 inode 的大小
Journal inode:          8                <==下面这三个与下一小节有关
Journal backup:         inode blocks
Journal size:           128M

Group 0: (Blocks 0-32767) <==第一个 data group 内容，包含 block 的起始、结束号码
  Primary superblock at 0, Group descriptors at 1-1  <==超级块在 0 号 block
  Reserved GDT blocks at 2-626
  Block bitmap at 627 (+627), Inode bitmap at 628 (+628)
  Inode table at 629-1641 (+629)                 <==inode table 所在的 block
  0 free blocks, 32405 free inodes, 2 directories    <==所有 block 都用完了!
  Free blocks:
  Free inodes: 12-32416                    <==剩余未使用的 inode 号码
Group 1: (Blocks 32768-65535)
....(下面省略)....
# 由于数据量非常庞大，因此乌哥将一些信息省略输出了，可能与你的屏幕会有点区别。
# 前半部在显示出 supber block 的内容，包括卷标名称（Label）以及 inode/block 的相关信息。
# 后面则是每个 block group 的个别信息了，你可以看到各区段数据所在的号码。
# 也就是说，基本上所有的数据还是与 block 的号码有关就是了。
```

如上所示，利用 dumpe2fs 可以查询到非常多的信息，不过依内容主要可以区分为上半部是 superblock 内容，下半部则是每个 blockgroup 的信息了。从上文中我们可以查看到这个/dev/hdc2 规划的 block 为 4K，第一个 block 号码为 0 号，且 blockgroup 内的所有信息都以 block 的号码来表示的。然后在 superblock 中还有谈到目前这个文件系统的可用 block 与 inode 数量。

至于 block group 的内容我们单纯看 Group0 信息好了。从上文中我们可以发现：

- Group0 所占用的 block 号码由 0 到 32767 号，superblock 则在第 0 号的 block 块内！
- 文件系统描述说明在第 1 号 block 中。
- block bitmap 与 inode bitmap 则在 627 及 628 的 block 号码上。
- 至于 inodetable 分布于 629 ~ 1641 的 block 号码中。
- 由于一个 inode 占用 128 bytes，总共有 1 641 – 629 + 1(629 本身) = 1 013 个 block 花在 inode table 上，每个 block 的大小为 4 096 bytes（ 4KB ）。由这些数据可以算出 inode 的数量共有 1 013 × 4 096/128=32 416 个 inode。
- 这个 Group0 目前没有可用的 block 了，但是有剩余 32405 个 inode 未被使用。
- 剩余的 inode 号码为 12 号到 32416 号。

如果你对文件系统的详细信息还有更多想要了解的话，那么请参考本章最后一小节的介绍，否则看到这里对于文件系统基础认知你应该是已经相当足够。下面则是要探讨一下，那么这个文件系统概念与实际的目录树应用有啥关连。

8.1.4 与目录树的关系

由前一小节的介绍我们知道在 Linux 系统下，每个文件（不管是一般文件还是目录文件）都会占用一个 inode，且可依据文件内容的大小来分配多个 block 给该文件使用。而由第 6 章的权限说明中我们知道目录的内容在记录文件名，一般文件才是实际记录数据内容的地方。那么目录与文件在 Ext2 文件系统当中是如何记录数据的呢？基本上可以这样说。

- 目录
  - 当我们在 Linux 下的 ext2 文件系统新建一个目录时，ext2 会分配一个 inode 与至少一块 block 给

Inode number	文件名
654683	anaconda-ks.cfg
648322	install.log
648323	install.log.syslog
…	…

图 8-5 目录占用的 block 记录的数据示意图

该目录。其中，inode 记录该目录的相关权限与属性，并可记录分配到的那块 block 号码；而 block 则是记录在这个目录下的文件名与该文件名占用的 inode 号码数据。也就是说目录所占用的 block 内容在记录如下的信息：

- 如果想要实际查看 root 目录内的文件所占用的 inode 号码时，可以使用 ls-i 这个参数来处理：

```
[root@www ~]# ls -li
total 92
654683 -rw------- 1 root root  1474 Sep  4 18:27 anaconda-ks.cfg
648322 -rw-r--r-- 1 root root 42304 Sep  4 18:26 install.log
648323 -rw-r--r-- 1 root root  5661 Sep  4 18:25 install.log.syslog
```

- 由于每个人所使用的计算机并不相同，系统安装时选择的选项与分区都不一样，因此你的环境不可能与我的 inode 号码一模一样。上面所列出的 inode 仅是鸟哥的系统所显示的结果而已。而由这个目录的 block 结果我们现在就能够知道，当你使用"ll/"时，出现的目录几乎都是 1024 的倍数，为什么呢？因为每个 block 的数量都是 1K,2K,4K。看一下鸟哥的环境：

```
[root@www ~]# ll -d / /bin /boot /proc /lost+found /sbin
drwxr-xr-x 23 root root  4096 Sep 22 12:09 /           <==一个 4K block
drwxr-xr-x  2 root root  4096 Sep 24 00:07 /bin        <==一个 4K block
drwxr-xr-x  4 root root  1024 Sep  4 18:06 /boot       <==一个 1K block
drwx------  2 root root 16384 Sep  5 01:49 /lost+found <==4 个 4K block
dr-xr-xr-x 96 root root     0 Sep 22 20:07 /proc       <==此目录不占硬盘空间
drwxr-xr-x  2 root root 12288 Sep  5 12:33 /sbin       <==3 个 4K block
```

- 由于鸟哥的根目录/dev/hdc2 使用的 block 大小为 4K，因此每个目录几乎都是 4K 的倍数。其中由于/sbin 的内容比较复杂因此占用了 3 个 block，此外，鸟哥的系统中/boot 为独立的分区，该分区的 block 为 1K 而已，因此该目录就仅占用 1024 bytes 的大小。至于奇怪的/proc 我们在第 6 章就讲过该目录不占硬盘容量，所以当然耗用的 block 就是 0。

> 由上面的结果我们知道目录并不只会占用一个 block 而已，也就是说：在目录下面的文件数如果太多而导致一个 block 无法容纳的下所有的文件名与 inode 对照表时，Linux 会给予该目录多一个 block 来继续记录相关的数据。

- **文件**
  - 当我们在 Linux 下的 ext2 新建一个一般文件时，ext2 会分配一个 inode 与相对于该文件大小的 block 数量给该文件。例如：假设我的一个 block 为 4KB，而我要新建一个 100KB 的文件，那么 linux 将分配一个 inode 与 25 个 block 来存储该文件。但同时请注意，由于 inode 仅有 12 个直接指向，因此还要多一个 block 来作为块号码的记录。

- **目录树读取**
  - 好了，经过上面的说明你也应该要很清楚地知道 inode 本身并不记录文件名，文件名的记录是在目录的 block 当中。因此在第 6 章文件与目录的权限说明中，我们才会提到新增/删除/重命名文件名与目录的 w 权限有关的特点。那么因为文件名是记录在目录的 block 当中，因此当我们要读取某个文件时，就务必会经过目录的 inode 与 block，然后才能够找到那个待读取文件的 inode 号码，最终才会读到正确的文件的 block 内的数据。
  - 由于目录树是由根目录开始读起，因此系统通过挂载的信息可以找到挂载点的 inode 号码（通常一个文件系统的最顶层 inode 号码会由 2 号开始），此时就能够得到根目录的 inode 内容，并依据该 inode 读取根目录的 block 内的文件名数据，再一层一层地往下读到正确的文件名。

- 举例来说，如果我想要读取/etc/passwd 这个文件时，系统是如何读取的呢？

```
[root@www ~]# ll -di / /etc /etc/passwd
      2 drwxr-xr-x  23 root root  4096 Sep 22 12:09 /
1912545 drwxr-xr-x 105 root root 12288 Oct 14 04:02 /etc
1914888 -rw-r--r--   1 root root  1945 Sep 29 02:21 /etc/passwd
```

- 在鸟哥的系统上面与/etc/passwd 有关的目录与文件数据如上所示，该文件的读取流程为（假设读取者身份为 vbird 这个一般身份用户）：

1. /的 inode

- 通过挂载点的信息找到/dev/hdc2 的 inode 号码为 2 的根目录 inode，且 inode 具有的权限让我们可以读取该 block 的内容（有 r 与 x）。

2. /的 block

- 经过上个步骤取得 block 的号码，并找到该内容有 etc/目录的 inode 号码（1912545）。

3. etc/的 inode

- 读取 1912545 号 inode 得知 vbird 具有 r 与 x 的权限，因此可以读取 etc/的 block 内容。

4. etc/的 block

- 经过上个步骤取得 block 号码，并找到该内容有 passwd 文件的 inode 号码（1914888）。

5. passwd 的 inode

- 读取 1914888 号 inode 得知 vbird 具有 r 的权限，因此可以读取 passwd 的 block 内容。

6. passwd 的 block

- 最后将该 block 内容的数据读出来。

◆ 文件系统大小与磁盘读取性能

- 另外，关于文件系统的使用效率上，当你的一个文件系统规划得很大时，例如 100GB 这么大时，由于硬盘上面的数据总是经常变动的，所以，整个文件系统上面的文件通常无法连续写在一起（block 号码不会连续的意思），而是填入式地将数据填入没有被使用的 block 当中。如果文件写入的 block 真的分得很散，此时就会有所谓的**文件数据离散**的问题发生了。

- 如前所述，虽然我们的 ext2 在 inode 处已经将该文件所记录的 block 号码都记上了，所以数据可以一次性读取，但是如果文件真的太过离散，确实还是会发生读取效率低的问题，因为磁头还是得要在整个文件系统中来来去去地频繁读取。那么可以将整个文件系统内的数据全部复制出来，将该文件系统重新格式化，再将数据复制回去即可解决这个问题。

- 此外，如果文件系统真的太大了，那么当一个文件分别记录在这个文件系统的最前面与最后面的 block 号码中，此时会造成硬盘的机械手臂移动幅度过大，也会造成数据读取性能低。而且磁头在搜寻整个文件系统时，也会花费比较多的时间。因此，分区的规划并不是越大越好，而是真的要针对你的主机用途来进行规划才行。

8.1.5 Ext2/Ext3 文件的访问与日志文件系统的功能

上一小节谈到的仅是读取而已，那么如果是新建一个文件或目录时，我们的 Ext2 是如何处理的呢？这个时候就得要 blockbitmap 及 inode bitmap 的帮忙了。假设我们想要新增一个文件，此时文件系统的行为是：

1. 先确定用户对于欲添加文件的目录是否具有 w 与 x 的权限，若有的话才能添加。

2. 根据 inode bitmap 找到没有使用的 inode 号码，并将新文件的权限/属性写入。

3. 根据 block bitmap 找到没有使用中的 block 号码，并将实际的数据写入 block 中，且更新 inode 的 block 指向数据。

4. 将刚才写入的 inode 与 block 数据同步更新 inode bitmap 与 block bitmap，并更新 superblock 的内容。

一般来说,我们将 inode table 与 data block 称为数据存放区域,至于其他例如 super block、block bitmap 与 inode bitmap 等区段就被称为 metadata（中间数据）,因为 super block,inode bitmap 及 block bitmap 的数据是经常变动的,每次添加、删除、编辑时都可能会影响到这三个部分的数据,因此才被称为中间数据的。

◆ 数据的不一致（Inconsistent）状态

● 在一般正常的情况下,上述的新增操作当然可以顺利完成。但是如果有个万一怎么办? 例如你的文件在写入文件系统时,因为不明原因导致系统中断（例如突然停电、系统内核发生错误等的怪事发生时）,所以写入的数据仅有 inode table 及 data block 而已,最后一个同步更新中间数据的步骤并没有做完,此时就会发生 meta data 的内容与实际数据存放区产生不一致的情况了。

● 既然不一致当然就得要克服。在早期的 Ext2 文件系统中,如果发生这个问题,那么系统在重新启动的时候,就会通过 Super block 当中记录的 valid bit（是否有挂载）与文件系统的 state（clean 与否）等状态来判断是否强制进行数据一致性的检查。若有需要检查时则以 e2fsck 这支程序来进行的。

● 不过,这样的检查真的是很费时,因为要针对 meta data 区域与实际数据存放区来进行比对,得要搜寻整个文件系统呢! 如果你的文件系统有 100GB 以上,而且里面的文件数量又多时,系统真忙碌,而且在对 Internet 提供服务的服务器主机上面,这样的检查真的会造成主机修复时间的拉长,这也就造成后来所谓日志文件系统的兴起了。

◆ 日志文件系统（Journaling file system）

● 为了避免上述提到的文件系统不一致的情况发生,因此我们的前辈们想到一个方式,如果在我们的文件系统当中规划出一个块,该块专门记录写入或修订文件时的步骤,那不就可以简化一致性检查的步骤了? 也就是说:

1. 预备: 当系统要写入一个文件时,会先在日志记录块中记录某个文件准备要写入的信息。

2. 实际写入: 开始写入文件的权限与数据; 开始更新 meta data 的数据。

3. 结束: 完成数据与 meta data 的更新后,在日志记录块当中完成该文件的记录。

● 在这样的程序当中,万一数据的记录过程当中发生了问题,那么我们的系统只要去检查日志记录块就可以知道哪个文件发生了问题,针对该问题来做一致性的检查即可,而不必针对整块文件系统去检查,这样就可以达到快速修复文件系统的能力了。这就是日志式文件最基础的功能。

● 那么我们的 Ext2 可达到这样的功能吗? 当然可以。就通过 Ext3 即可。Ext3 是 Ext2 的升级版本,并且可向下兼容 Ext2 版本呢,目前我们才建议大家可以直接使用 Ext3 这个文件系统。如果你还记得 dumpe2fs 输出的信息,可以发现 superblock 里面含有下面这样的信息:

```
Journal inode:        8
Journal backup:       inode blocks
Journal size:         128M
```

● 通过 inode8 号记录 journal 块的 block 指向,而且具有 128MB 的容量在处理日志呢。这样对于所谓的日志文件系统有没有比较有概念一点呢? 如果想要知道为什么 Ext3 文件系统会更适用于目前的 Linux 系统,我们可以参考 Red Hat 公司中首席内核开发者 MichaelK.Johnson 的话[注6]:

● "为什么你想要从 Ext2 转换到 Ext3 呢? 有四个主要的理由:可利用性、数据完整性、速度及易于转换。" 对于可利用性,他指出,这意味着从系统中止到快速重新复原而不是持续地让 e2fsck 执行长时间的修复。Ext3 的日志式条件可以避免数据毁损的可能。他也指出:"除了写入若干数据超过一次时,Ext3 往往会较快于 Ext2,因为 Ext3 的日志使硬盘磁头的移动能更有效地进行。" 然而或许决定的因素还是在 Johnson 先生的第四个理由中。

● "它是可以轻易的从 Ext2 更改到 Ext3 来获得一个强而有力的日志文件系统而不需要重新做格式化"。"那是正确的,为了体验一下 Ext3 的好处是不需要去做一种长时间的、冗长乏味的且易于产生错误的备份工作及重新格式化的操作"。

8.1.6 Linux 文件系统的操作

我们现在知道了目录树与文件系统的关系了，但是由第 0 章的内容我们也知道，所有的数据都得要加载到内存后 CPU 才能够对该数据进行处理。如果你经常编辑一个很大的文件，在编辑的过程中又频繁地要系统来写入磁盘中，由于磁盘写入的速度要比内存慢很多，因此你会经常耗在等待硬盘的写入/读取上。真没效率。

为了解决这个效率的问题，因此我们的 Linux 使用的方式是通过一个称为异步处理（asynchronously）的方式。所谓的异步处理是这样的：

当系统加载一个文件到内存后，如果该文件没有被改动过，则在内存区段的文件数据会被设置为（clean）的。但如果内存中的文件数据被更改过了（例如你用 nano 去编辑过这个文件），此时该内存中的数据会被设置为 Dirty。此时所有的操作都还在内存中执行，并没有写入到磁盘中。系统会不定时地将内存中设置为 Dirty 的数据写回磁盘，以保持磁盘与内存数据的一致性。你也可以利用第 5 章谈到的 sync 命令来手动强迫写入磁盘。

我们知道内存的速度要比硬盘快得多，因此如果能够将常用的文件放置到内存当中，这不就会增加系统性能吗？因此我们 Linux 系统上面文件系统与内存有非常大的关系：

- 系统会将常用的文件数据放置到主存储器的缓冲区，以加速文件系统的读/写。
- 承上，因此 Linux 的物理内存最后都会被用光。这是正常的情况，可加速系统性能。
- 你可以手动使用 sync 来强迫内存中设置为 Dirty 的文件回写到磁盘中。
- 若正常关机时，关机命令会主动调用 sync 来将内存的数据回写入磁盘内。
- 但若不正常关机（如断电、死机或其他不明原因），由于数据尚未回写到磁盘内，因此重新启动后可能会花很多时间在进行磁盘检验，甚至可能导致文件系统的损毁（非磁盘损坏）。

8.1.7 挂载点（mount point）的意义

每个文件系统都有独立的 inode、block、super block 等信息，这个文件系统要能够链接到目录树才能被我们使用。将文件系统与目录树结合的操作我们称为挂载。关于挂载的一些特性我们在第 3 章稍微提过，重点是：挂载点一定是目录，该目录为进入该文件系统的入口。因此并不是你有任何文件系统都能使用，必须要"挂载"到目录树的某个目录后，才能够使用该文件系统的。

举例来说，如果你是依据鸟哥的方法安装你的 CentOS 5.x 的话，那么应该会有三个挂载点才是，分别是/,/boot,/home 三个（鸟哥的系统上对应的设备文件名为/dev/hdc2,/dev/hdc1,/dev/hdc3）。那如果查看这三个目录的 inode 号码时，我们可以发现如下的情况：

```
[root@www ~]# ls -lid / /boot /home
2 drwxr-xr-x 23 root root 4096 Sep 22 12:09 /
2 drwxr-xr-x  4 root root 1024 Sep  4 18:06 /boot
2 drwxr-xr-x  6 root root 4096 Sep 29 02:21 /home
```

由于文件系统最顶层的目录的 inode 一般为 2 号，因此可以发现/,/boot,/home 为三个不同的文件系统。（因为每一行的文件属性并不相同，且三个目录的挂载点也均不相同之故。）我们在第 7 章一开始的路径中曾经提到根目录下的.与..是相同的东西，因为权限是一模一样的。如果从使用文件系统的观点来看，同一个文件系统的某个 inode 只会对应到一个文件内容而已（因为一个文件占用一个 inode 的原因），因此我们可以通过判断 inode 号码来确认不同文件名是否为相同的文件。所以可以这样看：

```
[root@www ~]# ls -ild / /. /..
2 drwxr-xr-x 23 root root 4096 Sep 22 12:09 /
2 drwxr-xr-x 23 root root 4096 Sep 22 12:09 /.
2 drwxr-xr-x 23 root root 4096 Sep 22 12:09 /..
```

上面的信息中由于挂载点均为/，因此三个文件（/,/.,/..）均在同一个文件系统内，而这三个文件的 inode 号码均为 2 号，因此这三个文件名都指向同一个 inode 号码，当然这三个文件的内容也就完全一模一样。也就是说，根目录的上层（/..）就是它自己。

8.1.8　其他 Linux 支持的文件系统与 VFS

虽然 Linux 的标准文件系统是 ext2，且还有增加了日志功能的 ext3，事实上，Linux 还有支持很多文件系统格式的，尤其是最近这几年推出了好几种速度很快的日志文件系统，包括 SGI 的 XFS 文件系统，可以适用于更小型文件的 Reiserfs 文件系统，以及 Windows 的 FAT 文件系统等，都能够被 Linux 所支持。常见的支持文件系统有：

- ◆ 传统文件系统：ext2/minix/MS-DOS/FAT（用 vfat 模块）/iso9660（光盘）等；
- ◆ 日志文件系统：ext3/ReiserFS/Windows'NTFS/IBM'sJFS/SGI'sXFS；
- ◆ 网络文件系统：NFS/SMBFS。

想要知道你的 Linux 支持的文件系统有哪些，可以查看下面这个目录：

```
[root@www ～]# ls -l /lib/modules/$（uname -r）/kernel/fs
```

系统目前已加载到内存中支持的文件系统则有：

```
[root@www ～]# cat /proc/filesystems
```

- ◆ Linux VFS
  - ● 了解了我们使用的文件系统之后，再来则是要提到，那么 Linux 的内核又是如何管理这些认识的文件系统呢？其实，整个 Linux 的系统都是通过一个名为 Virtual Filesystem Switch（虚拟文件系统，VFS）的内核功能去读取文件系统的。也就是说，整个 Linux 认识的文件系统其实都是 VFS 在进行管理，我们用户并不需要知道每个分区上头的文件系统是什么，VFS 会主动帮我们做好读取的操作。
  - ● 假设你的/使用的是/dev/hda1，用 Ext3，而/home 使用/dev/hda2，用 reiserfs，那么你取用 /home/dmtsai/.bashrc 时，有特别指定要用的什么文件系统的模块来读取吗？这个就是 VFS 的功能。通过这个 VFS 的功能来管理所有的文件系统，省去我们需要自行设置读取文件系统的定义。整个 VFS 可以约略用图 8-6 来说明。

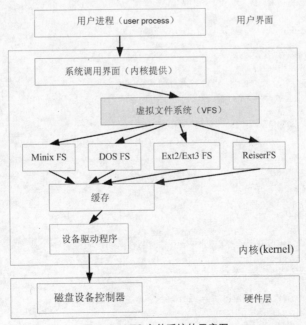

图 8-6　VFS 文件系统的示意图

- 老实说，文件系统真的不好懂，如果你想要对文件系统有更深入的了解，文末的相关链接[注7]务必要参考参考才好。鸟哥有找了一些数据放置于这里：
  - Ext2/Ext3 文件系统：http://linux.vbird.org/linux_basic/1010appendix_B.php
- 有兴趣的朋友务必要前往参考下才好。

8.2 文件系统的简单操作

稍微了解了文件系统后，再来我们要知道如何查询整体文件系统的总容量与每个目录所占用的容量。此外，前两章谈到的文件类型中尚未讲得很清楚的连接文件（Link file）也会在这一小节当中介绍的。

8.2.1 磁盘与目录的容量：df, du

现在我们知道磁盘的整体数据是在 superblock 块中，但是每个各别文件的容量则在 inode 当中记载的。那在命令行界面下面该如何调出这几个数据呢？下面就让我们来谈一谈这两个命令：

- df：列出文件系统的整体磁盘使用量；
- du：评估文件系统的磁盘使用量（常用于评估目录所占容量）。

◆ df

```
[root@www ~]# df [-ahikHTm] [目录或文件名]
参数：
-a  : 列出所有的文件系统，包括系统特有的 /proc 等文件系统；
-k  : 以 KB 的容量显示各文件系统；
-m  : 以 MB 的容量显示各文件系统；
-h  : 以人们较易阅读的 GB、MB、KB 等格式自行显示；
-H  : 以 M=1000K 替代 M=1024K 的进位方式；
-T  : 连同该分区的文件系统名称 （例如 ext3） 也列出；
-i  : 不用硬盘容量，而以 inode 的数量来显示。

范例一：将系统内所有的文件系统列出来。
[root@www ~]# df
Filesystem     1K-blocks     Used Available Use% Mounted on
/dev/hdc2      9920624    3823112   5585444   41% /
/dev/hdc3      4956316     141376   4559108    4% /home
/dev/hdc1       101086      11126     84741   12% /boot
tmpfs           371332          0    371332    0% /dev/shm
# 在 Linux 下面如果 df 没有加任何参数，那么默认会将系统内所有的
# （不含特殊内存内的文件系统与 swap） 都以 1 KB 的容量来列出来。
# 至于那个 /dev/shm 是与内存有关的挂载。

范例二：将容量结果以易读的容量格式显示出来
[root@www ~]# df -h
Filesystem      Size  Used Avail Use% Mounted on
/dev/hdc2       9.5G  3.7G  5.4G  41% /
/dev/hdc3       4.8G  139M  4.4G   4% /home
/dev/hdc1        99M   11M   83M  12% /boot
tmpfs           363M     0  363M   0% /dev/shm
# 不同于范例一，这里会以 G、M 等容量格式显示出来，比较容易看。

范例三：将系统内的所有特殊文件格式及名称都列出来
[root@www ~]# df -aT
Filesystem   Type 1K-blocks     Used Available Use% Mounted on
/dev/hdc2    ext3  9920624  3823112   5585444  41% /
proc         proc        0        0         0   -  /proc
sysfs        sysfs       0        0         0   -  /sys
```

```
devpts       devpts       0        0        0    - /dev/pts
/dev/hdc3    ext3    4956316   141376  4559108   4% /home
/dev/hdc1    ext3     101086    11126    84741  12% /boot
tmpfs        tmpfs    371332        0   371332   0% /dev/shm
none   binfmt_misc       0        0        0    - /proc/sys/fs/binfmt_misc
sunrpc rpc_pipefs       0        0        0    - /var/lib/nfs/rpc_pipefs
# 系统里面其实还有很多特殊的文件系统存在的。那些比较特殊的文件系统几乎
# 都是在内存当中，例如 /proc 这个挂载点。因此，这些特殊的文件系统
# 都不会占据硬盘空间。

范例四: 将 /etc 下面的可用的磁盘容量以易读的容量格式显示
[root@www ~]# df -h /etc
Filesystem           Size  Used Avail Use% Mounted on
/dev/hdc2            9.5G  3.7G  5.4G  41% /
# 这个范例比较有趣一点，在 df 后面加上目录或者是文件时，df
# 会自动分析该目录或文件所在的分区，并将该分区的容量显示出来，
# 所以，你就可以知道某个目录下面还有多少容量可以使用了。

范例五: 将目前各个分区当中可用的 inode 数量列出
[root@www ~]# df -ih
Filesystem           Inodes IUsed IFree IUse% Mounted on
/dev/hdc2             2.5M   147K  2.3M    6% /
/dev/hdc3             1.3M     46  1.3M    1% /home
/dev/hdc1             26K      34   26K    1% /boot
tmpfs                91K       1   91K    1% /dev/shm
# 这个范例则主要列出可用的 inode 剩余量与总容量。分析一下与范例一的关系，
# 你可以清楚地发现到，通常 inode 的数量剩余都比 block 还要多呢!
```

- 先来说明一下范例一所输出的结果信息:
  - Filesystem: 代表该文件系统是在哪个分区，所以列出设备名称。
  - 1k-blocks: 说明下面的数字单位是 1KB。可利用–h 或–m 来改变容量。
  - Used: 顾名思义，就是使用掉的硬盘空间啦!
  - Available: 也就是剩下的磁盘空间大小。
  - Use%: 就是磁盘的使用率。如果使用率高达 90%以上时，最好需要注意一下了，免得容量不足造成系统问题。(例如最容易被填满的/var/spool/mail 这个放置邮件的磁盘)。
  - Mountedon: 就是磁盘挂载的目录所在 (挂载点)。
- 由于 df 主要读取的数据几乎都是针对整个文件系统，因此读取的范围主要是在 Super block 内的信息，所以这个命令显示结果的速度非常快速。在显示的结果中你需要特别留意的是那个根目录的剩余容量，因为我们所有的数据都是由根目录衍生出来的，因此当根目录的剩余容量剩下 0 时，那你的 Linux 可能就问题很大了。

> 说个陈年老笑话，鸟哥还在念书时，别的研究室有个管理 Sun 工作站的研究生发现，他的硬盘明明还有好几 GB，但是就是没有办法将光盘内几 MB 的数据 copy 进去，他就去跟老板讲说机器坏了。明明才来维护过几天而已为何会坏了。结果他老板就将服务商叫来骂了 2 小时左右。
>
> 后来，服务商发现原来硬盘的"总空间"还有很多，只是某个分区填满了，偏偏该研究生就是要将数据 copy 去那个分区。后来那个研究生就被命令"再也不许碰 Sun 主机"了。

- 另外需要注意的是，如果使用–a 这个参数时，系统会出现/proc 这个挂载点，但是里面的东西都是 0，不要紧张。/proc 的东西都是 Linux 系统所需要加载的系统数据，而且是挂载在内存当中的，所以当然没有占任何的硬盘空间。

- 至于那个/dev/shm/目录,其实是利用内存虚拟出来的磁盘空间。由于是通过内存虚拟出来的磁盘,因此你在这个目录下面新建任何数据文件时,访问速度是非常快速的(在内存内工作)。不过,也由于它是内存虚拟出来的,因此这个文件系统的大小在每部主机上都不一样,而且新建的东西在下次开机时就消失了,因为是在内存中。

◆ du

```
[root@www ~]# du [-ahskm] 文件或目录名称
选项与参数:
-a : 列出所有的文件与目录容量,因为默认仅统计目录下面的文件量而已;
-h : 以人们较易读的容量格式 (G/M) 显示;
-s : 列出总量而已,而不列出每个各别的目录占用容量;
-S : 不包括子目录下的总计,与 -s 有点差别;
-k : 以 KB 列出容量显示;
-m : 以 MB 列出容量显示。

范例一: 列出目前目录下的所有文件容量
[root@www ~]# du
8        ./test4        <==每个目录都会列出来
8        ./test2
....中间省略....
12       ./.gconfd      <==包括隐藏文件的目录
220      .              <==这个目录 (.) 所占用的总量
# 直接输入 du 没有加任何参数时,则 du 会分析目前所在目录
# 的文件与目录所占用的硬盘空间。但是,实际显示时,仅会显示目录容量(不含文件),
# 因此 . 目录有很多文件没有被列出来,所以全部的目录相加不会等于 . 的容量。
# 此外,输出的数值数据为 1K 大小的容量单位。

范例二: 同范例一,但是将文件的容量也列出来
[root@www ~]# du -a
12       ./install.log.syslog   <==有文件的列表了
8        ./.bash_logout
8        ./test4
8        ./test2
....中间省略....
12       ./.gconfd
220      .

范例三: 检查根目录下面每个目录所占用的容量
[root@www ~]# du -sm /*
7        /bin
6        /boot
.....中间省略....
0        /proc
.....中间省略....
1        /tmp
3859     /usr     <==系统初期最大就是它了。
77       /var
# 这是个很常被使用的功能:利用通配符 * 来代表每个目录,
# 如果想要检查某个目录下那个子目录占用最大的容量,可以用这个方法找出来
# 值得注意的是,如果刚才安装好 Linux 时,那么整个系统容量最大的应该是 /usr
# 而 /proc 虽然有列出容量,但是那个容量是在内存中,不占硬盘空间。
```

- 与 df 不一样的是,du 这个命令其实会直接到文件系统内去查找所有的文件数据,所以上述第三个范例命令的运行会执行一小段时间。此外,在默认的情况下,大小的输出是以 KB 来设计的,如果你想要知道目录占了多少 MB,那么就使用−m 这个参数即可。而如果你只想要知道该目录占了多少容量的话,使用−s 就可以。

- 至于−S 这个参数部分,由于 du 默认会将所有文件的大小均列出,因此假设你在/etc 下面使用du时,所有的文件大小,包括/etc 下面的子目录容量也会被计算一次。然后最终的容量(/etc)也会加总一次,因此很多朋友都会误会 du 分析的结果不太对劲。所以,如果想要列出某目录下的全部数据,或许也可以加上−S 的参数,减少子目录的计算。

8.2.2　连接文件：ln

关于连接（link）数据，我们在第 6 章的 Linux 文件属性及 Linux 文件种类与扩展名当中提过一些信息，不过当时由于尚未讲到文件系统，因此无法较完整地介绍连接文件。不过在上一小节谈完了文件系统后，我们可以来了解一下连接文件了。

在 Linux 下面的连接文件有两种，一种是类似 Windows 的快捷方式功能的文件，可以让你快速连接到目标文件（或目录）；另一种则是通过文件系统的 inode 连接来产生新文件名，而不是产生新文件，这种称为硬连接（hard link）。这两个完全是不一样的东西。现在就分别来介绍。

◆ hard link（硬连接或实际连接）

- 在前一小节当中，我们知道几件重要的信息，包括：
  - 每个文件都会占用一个 inode，文件内容由 inode 的记录来指向。
  - 想要读取该文件，必须要经过目录记录的文件名来指向到正确的 inode 号码才能读取。
- 也就是说，其实文件名只与目录有关，但是文件内容则与 inode 有关。那么想一想，有没有可能有多个文件名对应到同一个 inode 号码呢？那就是 hard link 的由来。所以简单地说：hard link 只是在某个目录下新建一条文件名连接到某 inode 号码的关联记录而已。
- 举个例子来说，假设我系统有个/root/crontab 它是/etc/crontab 的实际连接，也就是说这两个文件名连接到同一个 inode，自然这两个文件名的所有相关信息都会一模一样（除了文件名之外）。实际的情况可以如下所示：

```
[root@www ~]# ln /etc/crontab .     <==创建实际连接的命令
[root@www ~]# ll -i /etc/crontab /root/crontab
1912701 -rw-r--r-- 2 root root 255 Jan  6 2007 /etc/crontab
1912701 -rw-r--r-- 2 root root 255 Jan  6 2007 /root/crontab
```

- 你可以发现两个文件名都连接到 1912701 这个 inode 号码，是否文件的权限、属性完全一样呢？因为这两个"文件名"其实是一模一样的"文件"，而且你也会发现第二个字段由原本的 1 变成 2 了！那个字段称为"连接"，这个字段的意义为"有多少个文件名连接到这个 inode 号码"的意思。如果将读取到正确数据的方式画成示意图，就如图 8-6 所示。

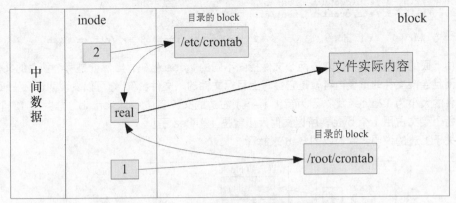

图 8-7　实际连接的文件读取示意图

- 上图的意思是，你可以通过 1 或 2 的目录 inode 指定的 block 找到两个不同的文件名，而不管使用哪个文件名均可以指到 real 那个 inode 去读取到最终数据。那这样有什么好处呢？最大的好处就是"安全"。如图 8-7 所示中，如果你将任何一个"文件名"删除，其实 inode 与 block 都还是存在的。此时你可以通过另一个"文件名"来读取到正确的文件数据。此外，不论你使用哪个"文件名"来编辑，最终的结果都会写入到相同的 inode 与 block 中，因此均能进行数据的修改。

- 一般来说，使用 hard link 设置连接文件时，磁盘的空间与 inode 的数目都不会改变。我们还是由图 8-6 来看，hard link 只是在某个目录下的 block 多写入一个关连数据而已，既不会增加 inode 也不会耗用 block 数量。

> 在 hard link 的制作中，其实还是可能会改变系统的 block 的，那就是当你添加这条数据却刚好将目录的 block 填满时，就可能会新加一个 block 来记录文件名关联性，而导致磁盘空间的变化。不过，一般 hard link 所用掉的关联数据量很小，所以通常不会改变 inode 与磁盘空间的大小。

- 由图 8-6 其实我们也能够知道，事实上 hard link 应该仅能在单一文件系统中进行的，应该是不能够跨文件系统才对。因为图 8-6 就是在同一个文件系统上，所以 hard link 是有限制的：

- **不能跨文件系统；**
- **不能连接到目录。**

- 不能跨文件系统还好理解，那不能硬连接到目录又是怎么回事呢？这是因为如果使用 hard link 连接到目录时，连接的数据需要连同被连接目录下面的所有数据都建立连接，举例来说，如果你要将/etc 使用硬连接创建一个/etc_hd 的目录时，那么在/etc_hd 下面的所有文件名同时都与/etc 下面的文件名要创建硬连接的，而不是仅连接到/etc_hd 与/etc 而已。并且，未来如果需要在/etc_hd 下面创建新文件时，连带的，/etc 下面的数据又得要创建一次 hard link，因此造成环境相当大的复杂度。目前 hard link 对于目录暂时还是不支持的。

- ◆ **symbolic link**（符号连接，也即是快捷方式）

- 相对于 hard link，symbolic link 可就好理解多了，基本上，**symbolic link** 就是在创建一个独立的文件，而这个文件会让数据的读取指向它连接的那个文件的文件名。由于只是利用文件来作为指向的操作，所以，当源文件被删除之后，**symbolic link** 的文件会"开不了"，会一直说"无法打开某文件"。实际上就是找不到源文件"文件名"而已。

- 举例来说，我们先创建一个符号连接文件连接到/etc/crontab 去看看：

```
[root@www ~]# ln -s /etc/crontab crontab2
[root@www ~]# ll -i /etc/crontab /root/crontab2
1912701 -rw-r--r-- 2 root root 255 Jan  6  2007 /etc/crontab
 654687 lrwxrwxrwx 1 root root  12 Oct 22 13:58 /root/crontab2 -> /etc/crontab
```

- 由上面的结果我们可以知道两个文件指向不同的 inode 号码，当然就是两个独立的文件存在。而且**连接文件的重要内容就是它会写上目标文件的"文件名"**，你可以发现为什么上面连接文件的大小为 12bytes 呢？因为箭头（->）右边的文件名"/etc/crontab"总共有 12 个英文，每个英文占用 1 个 byte，所以文件大小就是 12bytes 了！

- 关于上述的说明，我们以图 8-8 来解释。

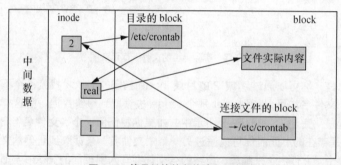

图 8-8 符号链接的文件读取示意图

- 由 1 号 inode 读取到连接文件的内容仅有文件名，根据文件名连接到正确的目录去取得目标文件的 inode，最终就能够读取到正确的数据了。你可以发现的是，如果目标文件（ /etc/crontab）被删除了，那么整个环节就会无法继续进行下去，所以就会发生无法通过连接文件读取的问题了。
- 这里还是得特别留意，这个 symbolic link 与 Windows 的快捷方式可以划上等号，由 symbolic link 所创建的文件为一个独立的新的文件，所以会占用掉 inode 与 block。
- 由上面的说明来看，似乎 hard link 比较安全，因为即使某一个目录下的关联数据被删掉了，也没有关系，只要有任何一个目录下存在着关联数据，那么该文件就不会不见。举上面的例子来说，我的/etc/crontab 与/root/crontab 指向同一个文件，如果我删除了/etc/crontab 这个文件，该删除的操作其实只是将/etc 目录下关于 crontab 的关联数据拿掉而已，crontab 所在的 inode 与 block 其实都没有被变动。
- 不过由于 hard link 的限制太多了，包括无法做"目录"的连接，所以在用途上面是比较受限的，反而是 symbolic link 的使用方面较广。实践一下就知道怎么回事了。要制作连接文件就必须要使用 ln 这个命令。

```
[root@www ~]# ln [-sf] 源文件 目标文件
参数:
-s : 如果不加任何参数就进行连接，那就是 hard link，至于 -s 就是 symbolic link
-f : 如果目标文件存在时，就主动将目标文件直接删除后再创建。

范例一: 将 /etc/passwd 复制到 /tmp 下面，并且查看 inode 与 block
[root@www ~]# cd /tmp
[root@www tmp]# cp -a /etc/passwd .
[root@www tmp]# du -sb ; df -i .
18340    .  <==先注意一下这里的容量是多少。
Filesystem          Inodes   IUsed  IFree IUse% Mounted on
/dev/hdc2          2560864  149738 2411126   6% /
# 利用 du 与 df 来检查一下目前的参数，那个 du -sb
# 是计算整个 /tmp 下面有多少 bytes 的啦!

范例二: 将 /tmp/passwd 制作 hard link 成为 passwd-hd 文件，并查看文件与容量
[root@www tmp]# ln passwd passwd-hd
[root@www tmp]# du -sb ; df -i .
18340    .
Filesystem          Inodes   IUsed  IFree IUse% Mounted on
/dev/hdc2          2560864  149738 2411126   6% /
#即使多了一个文件在 /tmp 下面，整个 inode 与 block 的容量并没有改变。

[root@www tmp]# ls -il passwd*
586361 -rw-r--r-- 2 root root 1945 Sep 29 02:21 passwd
586361 -rw-r--r-- 2 root root 1945 Sep 29 02:21 passwd-hd
# 原来是指向同一个 inode，另外，那个第二列的连接数也会增加!

范例三: 将 /tmp/passwd 创建一个符号连接
[root@www tmp]# ln -s passwd passwd-so
[root@www tmp]# ls -li passwd*
586361 -rw-r--r-- 2 root root 1945 Sep 29 02:21 passwd
586361 -rw-r--r-- 2 root root 1945 Sep 29 02:21 passwd-hd
586401 lrwxrwxrwx 1 root root    6 Oct 22 14:18 passwd-so -> passwd
# passwd-so 指向的 inode number 不同。这是一个新的文件，这个文件的内容是指向
# passwd 的。passwd-so 的大小是 6bytes，因为 passwd 共有 6 个字符之故

[root@www tmp]# du -sb ; df -i .
18346    .
Filesystem          Inodes   IUsed  IFree IUse% Mounted on
/dev/hdc2          2560864  149739 2411125   6% /
#整个容量与 inode 使用数都改变了。
```

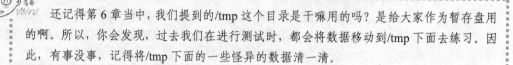

范例四: 删除源文件 passwd, 其他两个文件是否能够开启?
```
[root@www tmp]# rm passwd
[root@www tmp]# cat passwd-hd
......正常显示完毕!
[root@www tmp]# cat passwd-so
cat: passwd-so: No such file or directory
[root@www tmp]# ll passwd*
-rw-r--r-- 1 root root 1945 Sep 29 02:21 passwd-hd
lrwxrwxrwx 1 root root    6 Oct 22 14:18 passwd-so -> passwd
#符号连接果然无法打开。另外, 如果符号链接的目标文件不存在,
# 其实文件名的部分就会有特殊的颜色显示。
```

还记得第 6 章当中, 我们提到的/tmp 这个目录是干嘛用的吗? 是给大家作为暂存盘用的啊。所以, 你会发现, 过去我们在进行测试时, 都会将数据移动到/tmp 下面去练习。因此, 有事没事, 记得将/tmp 下面的一些怪异的数据清一清。

- 使用 ln 如果不加任何参数的话, 那么就是 hard link。如同范例二的情况, 增加了 hard link 之后, 可以发现使用 ls -l 时, 显示的 link 那一列属性增加。而如果这个时候删掉 passwd 会发生什么事情呢? passwd -hd 的内容还是会跟原来 passwd 相同, 但是 passwd-so 就会找不到该文件。

- 而如果 ln 使用-s 的参数时, 就做成差不多是 Windows 下面的 "快捷方式" 的意思。当你修改 Linux 下的 symbolic link 文件时, 则改动的其实是 "源文件", 所以不论你的这个源文件被连接到哪里去, 只要你修改了连接文件, 源文件就跟着变了, 以上面为例, 由于你使用-s 的参数创建一个名为 passwd-so 的文件, 则你修改 passwd-so 时, 其内容与 passwd 完全相同, 并且, 当你按下存储之后, 被改变的将是 passwd 这个文件!

- 此外, 如果你做了下面这样的连接:

```
ln -s /bin /root/bin
```

- 那么如果你进入/root/bin 这个目录下, 该目录其实是/bin 这个目录, 因为你做了连接文件。所以, 如果你进入/root/bin 这个刚才创建的连接目录, 并且将其中的数据删掉时, /bin 里面的数据就通通不见了。这点请千万注意, 所以赶紧利用 "rm /root/bin" 将这个连接文件删除。

- 基本上, symbolic link 的用途比较广, 所以你要特别留意 symbolic link 的用法, 将来一定还会经常用到的。

◆ 关于目录的连接数量

- 或许你已经发现了, 那就是, 当我们以 hard link 进行文件的连接时, 可以发现, 在 ls -l 所显示的第二字段会增 1 才对, 那么请教, 如果新建目录时, 它默认的连接数量会是多少? 让我们来想一想, 一个 "空目录" 里面至少会存在些什么? 就是存在.与..这两个目录。那么, 当我们创建一个新目录名称为/tmp/testing 时, 基本上会有三个东西, 那就是:

  - /tmp/testing
  - /tmp/testing/.
  - /tmp/testing/..

- 而其中/tmp/testing 与/tmp/testing/.实际是一样的,都代表该目录,而/tmp/testing/..则代表/tmp 这个目录, 所以说, 当我们新建一个新的目录时, 新的目录的连接数为 2, 而上层目录的连接数则会增加 1 不信的话, 我们来做个测试看看:

```
[root@www ~]# ls -ld /tmp
drwxrwxrwt 5 root root 4096 Oct 22 14:22 /tmp
[root@www ~]# mkdir /tmp/testing1
[root@www ~]# ls -ld /tmp
drwxrwxrwt 6 root root 4096 Oct 22 14:37 /tmp
[root@www ~]# ls -ld /tmp/testing1
drwxr-xr-x 2 root root 4096 Oct 22 14:37 /tmp/testing1
```

- 原本的所谓上层目录/tmp 的连接数量由 5 增加为 6，至于新目录/tmp/testing 则为 2，这样可以理解目录的连接数量的意义了吗？

8.3　磁盘的分区、格式化、检验与挂载

对于一个系统管理者（root）而言，磁盘的管理是相当重要的一环，尤其近来硬盘已经渐渐被当成是消耗品了。如果我们想要在系统里面新增一块硬盘时，应该有哪些动作需要做的呢？

1. 对磁盘进行分区，以新建可用的分区。
2. 对该分区进行格式化（format），以创建系统可用的文件系统。
3. 若想要仔细一点，则可对刚才新建好的文件系统进行检验。
4. 在 Linux 系统上，需要创建挂载点（也即是目录），并将它挂载上来。

在上述的过程当中，还有很多需要考虑的，例如磁盘分区需要定多大、是否需要加入 journal 的功能、inode 与 block 的数量应该如何规划等的问题。但是这些问题的决定都需要与你的主机用途加以考虑的。所以，在这个小节里面，鸟哥仅会介绍几个操作而已，更详细的设置，则需要以你未来的经验来参考。

8.3.1　磁盘分区：fdisk

```
[root@www ~]# fdisk [-l] 设备名称
参数：
-l ：输出后面接的设备所有的分区内容。若仅有 fdisk -l 时，
     则系统将会把整个系统内能够找到的设备的分区均列出来。

范例：找出你系统中的根目录所在磁盘，并查阅该硬盘内的相关信息
[root@www ~]# df /              <==注意：重点在找出磁盘文件名而已
Filesystem        1K-blocks     Used Available Use% Mounted on
/dev/hdc2          9920624  3823168   5585388  41% /

[root@www ~]# fdisk /dev/hdc <==仔细看，不要加上数字。
The number of cylinders for this disk is set to 5005.
There is nothing wrong with that, but this is larger than 1024,
and could in certain setups cause problems with:
1) software that runs at boot time (e.g., old versions of LILO)
2) booting and partitioning software from other OSs
   (e.g., DOS FDISK, OS/2 FDISK)

Command (m for help):█   <==等待你的输入!
```

由于每个人的环境都不一样，因此每台主机的磁盘数量也不相同。所以你可以先使用 df 这个命令找出可用磁盘文件名，然后再用 fdisk 来查阅。在你进入 fdisk 这个程序的工作界面后，如果你的硬盘太大的话（通常指柱面数量多于 1024 以上），就会出现如上信息。这个信息仅是在告知你，因为某些旧版的软件与操作系统并无法支持大于 1024 柱面（cylinter）后的扇区使用，不过我们新版的 Linux 是没问题。下面继续来看看 fdisk 内如何操作相关操作。

```
Command (m for help): m   <== 输入 m 后，就会看到下面这些命令介绍
Command action
   a   toggle.a bootable flag
   b   edit bsd disklabel
   c   toggle the dos compatibility flag
   d   delete a partition          <==删除一个分区
   l   list known partition types
   m   print this menu
   n   add a new partition          <==新增一个分区
   o   create a new empty DOS partition table
   p   print the partition table    <==在屏幕上显示分区表
   q   quit without saving changes  <==不存储，离开 fdisk 程序
   s   create a new empty Sun disklabel
   t   change a partition's system id
   u   change display/entry units
   v   verify the partition table
   w   write table to disk and exit <==将刚才的操作写入分区表
   x   extra functionality (experts only)
```

　　老实说，使用 fdisk 这个程序是完全不需要背命令的。如上所示，你只要按下 m 就能够看到所有的操作。比较重要的操作在上面已经用底线画出来了，你可以参考。其中比较不一样的是 q 与 w 这两个玩意儿，不管你进行了什么操作，只要离开 fdisk 时按下"q"，那么所有的操作都不会生效！相反，按下"w"就是操作生效的意思。所以，你可以随便玩 fdisk，只要离开时按下的是"q"即可。好了，先来看看分区表信息。

```
Command (m for help): p  <== 这里可以输出目前磁盘的状态

Disk /dev/hdc: 41.1 GB, 41174138880 bytes        <==这个磁盘的文件名与容量
255 heads, 63 sectors/track, 5005 cylinders      <==磁头、扇区与柱面大小
Units = cylinders of 16065 * 512 = 8225280 bytes <==每个柱面的大小

  Device Boot     Start       End      Blocks   Id  System
/dev/hdc1   *         1        13      104391   83  Linux
/dev/hdc2            14      1288    10241437+  83  Linux
/dev/hdc3          1289      1925     5116702+  83  Linux
/dev/hdc4          1926      5005    24740100    5  Extended
/dev/hdc5          1926      2052     1020096   82  Linux swap / Solaris
# 设备文件名 开机区否  开始柱面   结束柱面  1KB 大小容量  磁盘分区内的系统

Command (m for help): q
# 想要不存储离开吗？按下 q 就对了! 不要随便按 w 。
```

　　使用"p"可以列出目前这块磁盘的分区表信息，这个信息的上半部显示整体磁盘的状态。以鸟哥这块磁盘为例，这个磁盘共有 41.1GB 左右的容量，共有 5005 个柱面，每个柱面通过 255 个磁头在管理读写，每个磁头管理 63 个扇区，而每个扇区的大小均为 512bytes，因此每个柱面为 $255 \times 63 \times 512 = 16065 \times 512 = 8225280$ bytes。

　　下半部的分区表信息主要列出每个分区的信息项目。每个项目的意义为：

◆ Device：设备文件名，依据不同的磁盘接口/分区位置而变。

◆ Boot：表示是否为开机引导模块，通常 Windows 系统的 C 盘需要这模块。

◆ Start,End：表示这个分区在哪个柱面号码之间，可以决定此分区的大小。

◆ Blocks：就是以 1K 为单位的容量。如上所示，/dev/hdc1 大小为 104 391 KB = 102MB。

◆ ID,System：代表这个分区内的文件系统应该是啥。不过这个项目只是一个提示而已，不见得真的代表此分区内的文件系统。

　　从上文我们可以发现几件事情：

◆ 整个磁盘还可以进行额外的分区，因为最大柱面为 5005，但只使用到 2052 号而已；

◆ /dev/hdc5 是由/dev/hdc4 分区出来的，因为/dev/hdc4 为扩展分区，且/dev/hdc5 柱面号码在 /dev/hdc4 之内。

　　fdisk 还可以直接秀出系统内的所有分区喔！举例来说，鸟哥刚才插入一个 U 盘到这部 Linux 系统中，那该如何查看这个磁盘的代号与这个磁盘的分区呢？

```
范例：查阅目前系统内的所有分区有哪些
[root@www ~]# fdisk -l
Disk /dev/hdc: 41.1 GB, 41174138880 bytes
255 heads, 63 sectors/track, 5005 cylinders
Units = cylinders of 16065 * 512 = 8225280 bytes

   Device Boot      Start         End      Blocks   Id  System
/dev/hdc1   *           1          13      104391   83  Linux
/dev/hdc2              14        1288    10241437+  83  Linux
/dev/hdc3            1289        1925     5116702+  83  Linux
/dev/hdc4            1926        5005    24740100    5  Extended
/dev/hdc5            1926        2052     1020096   82  Linux swap / Solaris

Disk /dev/sda: 8313 MB, 8313110528 bytes
59 heads, 58 sectors/track, 4744 cylinders
Units = cylinders of 3422 * 512 = 1752064 bytes

   Device Boot      Start         End      Blocks   Id  System
/dev/sda1               1        4745     8118260    b  W95 FAT32
```

　　由上面的信息我们可以看到我有两块磁盘，磁盘文件名为/dev/hdc 与/dev/sda，/dev/hdc 已经在上面谈过了，至于/dev/sda 则有 8GB 左右的容量，且全部的柱面都已经分区给/dev/sda1，该文件系统应该为 Windows 的 FAT 文件系统。这样很容易查阅到分区方面的信息。

　　这个 fdisk 只有 root 才能执行，此外，请注意，使用的"设备文件名"请不要加上数字，因为分区是针对"整个硬盘设备"而不是某个分区呢！所以执行"fdisk /dev/hdc1"就会发生错误。要使用 fdisk/dev/hdc 才对！那么我们知道可以利用 fdisk 来查阅硬盘的分区信息外，下面再来说一说进入 fdisk 之后的几个常做的工作。

　　再次强调，你可以使用 fdisk 在你的硬盘上面胡乱地进行实际操作，都不要紧，但是请千万记住，不要按下 w。离开的时候按下 q 就万事无妨了。

◆　**删除磁盘分区**

　　如果你是按照鸟哥建议的方式去安装你的 CentOS，那么你的磁盘应该会预留一块容量来做练习的。实际练习新增硬盘之前，我们先来玩一玩删除好了，如果想要测试一下如何将你的/dev/hdc 全部的分区删除，应该怎么做？

1. fdisk/dev/hdc：先进入 fdisk 界面。
2. p：先看一下分区的信息，假设要删掉/dev/hdc1。
3. d：这个时候会要你选择一个分区，就选 1。
4. w（or）q：按 w 可存储到磁盘数据表中，并离开 fdisk；当然，如果你反悔了，直接按下 q 就可以取消刚才的删除操作了。

```
# 练习一：先进入 fdisk 的界面当中去！
[root@www ~]# fdisk /dev/hdc

# 练习二：先看看看整个分区表的情况是如何
Command (m for help):p

Disk /dev/hdc: 41.1 GB, 41174138880 bytes
255 heads, 63 sectors/track, 5005 cylinders
Units = cylinders of 16065 * 512 = 8225280 bytes
```

```
    Device Boot      Start         End      Blocks   Id  System
/dev/hdc1   *          1          13      104391   83  Linux
/dev/hdc2            14        1288    10241437+  83  Linux
/dev/hdc3          1289        1925     5116702+  83  Linux
/dev/hdc4          1926        5005    24740100    5  Extended
/dev/hdc5          1926        2052     1020096   82  Linux swap / Solaris

# 练习三:  按下 d 给它删除。
Command (m for help): d
Partition number (1-5): 4

Command (m for help): d
Partition number (1-4): 3

Command (m for help): p

Disk /dev/hdc: 41.1 GB, 41174138880 bytes
255 heads, 63 sectors/track, 5005 cylinders
Units = cylinders of 16065 * 512 = 8225280 bytes

    Device Boot      Start         End      Blocks   Id  System
/dev/hdc1   *          1          13      104391   83  Linux
/dev/hdc2            14        1288    10241437+  83  Linux
# 因为 /dev/hdc5 是由 /dev/hdc4 所衍生出来的逻辑分区,因此 /dev/hdc4 被删除,
# /dev/hdc5 就自动不见了。最终就会剩下两个分区而已。

Command (m for help): q
# 鸟哥这里仅是做一个练习而已,所以,按下 q 就能够离开。
```

◆ 练习新增磁盘分区

新增磁盘分区有好多种情况,因为新增主分区、扩展分区、逻辑分区的显示结果都不太相同。下面我们先将/dev/hdc 全部删除成为干净未分区的磁盘,然后依序新增给大家看看。

```
# 练习一:  进入 fdisk 的分区软件界面中,并删除所有分区:
[root@www ~]# fdisk /dev/hdc
Command (m for help): d
Partition number (1-5): 4

Command (m for help): d
Partition number (1-4): 3

Command (m for help): d
Partition number (1-4): 2

Command (m for help): d
Selected partition 1
# 由于最后仅剩下一个分区,因此系统主动选取这个分区删除。

# 练习二:  开始新增,我们先新增一个主分区,且指定为 4 号看看。
Command (m for help): n
Command action                <==因为是全新磁盘,因此只会问 extended/primary 而已
  e   extended
  p   primary partition (1-4)
p                             <==选择 Primary 分区
Partition number (1-4): 4 <==设置为 4 号!
First cylinder (1-5005, default 1): <==直接按下[Enter]按键决定。
Using default value 1          <==起始柱面就选用默认值。
Last cylinder or +size or +sizeM or +sizeK (1-5005, default 5005): +512M
# 这个地方有趣了,我们知道分区是由 n1 到 n2 的柱面号码 (cylinder),
# 但柱面的大小每块磁盘都不相同,这个时候可以填入 +512M 来让系统自动帮我们找出
```

```
# 最接近 512M 的那个 cylinder 号码。因为不可能刚好等于 512MB
# 如上所示：这个地方输入的方式有两种：
# （1）直接输入柱面的号码，你得要自己计算柱面/分区的大小才行；
# （2）用 +XXM 来输入分区的大小，让系统自己分柱面的号码。
#     +与 M 是必须要有的，XX 为数字

Command （m for help）: p

Disk /dev/hdc: 41.1 GB, 41174138880 bytes
255 heads, 63 sectors/track, 5005 cylinders
Units = cylinders of 16065 * 512 = 8225280 bytes

  Device Boot      Start         End      Blocks   Id  System
/dev/hdc4              1          63      506016   83  Linux
# 注意，只有 4 号。1 ~ 3 保留下来了。
```

```
# 练习三：  继续新增一个，这次我们新增扩展分区好了！
Command （m for help）: n
Command action
  e   extended
  p   primary partition （1-4）
e  <==选择的是 Extended 。
Partition number （1-4）: 1
First cylinder （64-5005, default 64）: <=[enter]
Using default value 64
Last cylinder or +size or +sizeM or +sizeK （64-5005, default 5005）: <=[enter]
Using default value 5005
# 还记得我们在第 3 章的磁盘分区表曾谈到过的，扩展分区最好能够包含所有
# 未分区的区间；所以在这个练习中，我们将所有未配置的柱面都给了这个分区。
# 所以在开始/结束柱面的位置上，按下两个[Enter]用默认值即可！

Command （m for help）: p

Disk /dev/hdc: 41.1 GB, 41174138880 bytes
255 heads, 63 sectors/track, 5005 cylinders
Units = cylinders of 16065 * 512 = 8225280 bytes

  Device Boot      Start         End      Blocks   Id  System
/dev/hdc1             64        5005    39696615    5  Extended
/dev/hdc4              1          63      506016   83  Linux
# 如上所示，所有的柱面都在 /dev/hdc1 里面
```

```
# 练习四：  这次我们随便新增一个 2GB 的分区看看。
Command （m for help）: n
Command action
  l   logical （ or over）    <==因为已有扩展分区，所以出现逻辑分区
  p   primary partition （1-4）
p  <==玩一下，能否新增主分区
Partition number （1-4）: 2
No free sectors available   <==肯定不行！因为没有多余的柱面可供配置

Command （m for help）: n
Command action
  l   logical （5 or over）
  p   primary partition （1-4）
l  <==只能使用逻辑分区
First cylinder （64-5005, default 64）: <=[enter]
Using default value 64
Last cylinder or +size or +sizeM or +sizeK （64-5005, default 5005）: +2048M

Command （m for help）: p
```

```
Disk /dev/hdc: 41.1 GB, 41174138880 bytes
255 heads, 63 sectors/track, 5005 cylinders
Units = cylinders of 16065 * 512 = 8225280 bytes

   Device Boot      Start         End      Blocks   Id  System
/dev/hdc1             64        5005    39696615    5  Extended
/dev/hdc4              1          63      506016   83  Linux
/dev/hdc5             64         313     2008093+  83  Linux
# 这样就新增了 2GB 的分区，且由于是逻辑分区，所以由 5 号开始。
Command (m for help): q
# 鸟哥这里仅是做一个练习而已，所以，按下 q 就能够离开。
```

- 上面的练习非常重要，注意，不要按下 w，会让你的系统损坏的，上面的一连串练习中，最重要的地方其实就在于创建分区的形式（primary/extended/logical）以及分区的大小了，一般来说新建分区的形式会有下面的数种状况：
  - 1-4 号尚有剩余，且系统未有扩展分区：
    此时会出现让你挑选 Primary/Extended 的选项，且你可以指定 1~4 号间的号码。
  - 1-4 号尚有剩余，且系统有扩展分区：
    - 此时会出现让你挑选 Primary/Logical 的选项；若选择 p 则你还需要指定 1~4 号间的号码；若选择 l（L 的小写）则不需要设置号码，因为系统会自动指定逻辑分区的文件名号码。
  - 1-4 没有剩余，且系统有扩展分区：
    - 此时不会让你挑选分区类型，直接会进入 logical 的分区形式。

例题

请依照你的系统情况，新建一个大约 1GB 左右的分区，并显示该分区的相关信息。
答：鸟哥的磁盘为/dev/hdc，尚有剩余柱面号码，因此可以这样做：

```
[root@www ~]# fdisk /dev/hdc
Command (m for help): n
First cylinder (2053-5005, default 2053): <==[enter]
Using default value 2053
Last cylinder or +size or +sizeM or +sizeK (2053-5005, default 5005): +2048M

Command (m for help): p

Disk /dev/hdc: 41.1 GB, 41174138880 bytes
255 heads, 63 sectors/track, 5005 cylinders
Units = cylinders of 16065 * 512 = 8225280 bytes

   Device Boot      Start         End      Blocks   Id  System
/dev/hdc1   *          1          13      104391   83  Linux
/dev/hdc2             14        1288    10241437+  83  Linux
/dev/hdc3           1289        1925     5116702+  83  Linux
/dev/hdc4           1926        5005    24740100    5  Extended
/dev/hdc5           1926        2052     1020096   82  Linux swap / Solaris
/dev/hdc6           2053        2302     2008093+  83  Linux

Command (m for help): w
The partition table has been altered!

Calling ioctl() to re-read partition table.

WARNING: Re-reading the partition table failed with error 16: Device or
resource busy.
The kernel still uses the old table.
The new table will be used at the next reboot.
```

```
Syncing disks. <==竟然需要重启才能够生效！我可不要重新启动！

[root@www ~]# partprobe <==强制让内核重新找一次分区表
```

在这个实践题中，请务必要按下"w"这个操作，因为我们实际上确实要新建这个分区。但请仔细看一下最后的警告消息，因为我们的磁盘无法卸载（因为含有根目录），所以内核无法重新取得分区表信息，因此此时系统会要求我们重新启动（reboot）以更新内核的分区表信息才行。

- 如上的练习中，最终写入分区表后竟然会让内核无法找到分区表信息。此时你可以直接使用重启来处理，也可以使用 GNU 推出的工具程序来处置，那就是 partprobe 这个命令。这个命令的执行很简单，它仅是告知内核必须要读取新的分区表而已，因此并不会在屏幕上出现任何信息才是。这样一来，我们就不需要重启。

◆ 操作环境的说明
- 以 root 的身份进行硬盘的分区时，最好是在单用户维护模式下面比较安全一些，此外，在进行分区的时候，如果该硬盘某个分区还在使用当中，那么很有可能系统内核会无法重载硬盘的分区表，解决的方法就是将该使用中的分区给卸载，然后再重新进入分区一遍，重新写入分区表，那么就可以成功。

◆ 注意事项
- 另外在实践过程中请特别注意，因为 SATA 硬盘最多能够支持到 15 号的分区，IDE 则可以支持到 63 号。但目前大家常见的系统都是 SATA 磁盘，因此在练习的时候千万不要让你的分区超过 15 号。否则即使你还有剩余的柱面容量，但还是会无法继续进行分区的。
- 另外需要特别留意的是，**fdisk 没有办法处理大于 2TB 以上的磁盘分区**。因为虽然 Ext3 文件系统已经支持达到 16TB 以上的磁盘，但是分区命令却无法支持。时至今日所有的硬件价格大跌，硬盘也已经达到单块 1TB 之商，若加上磁盘阵列（RAID），高于 2TB 的磁盘系统应该会很常见。此时你就得使用 parted 这个命令了，我们会在本章最后谈一谈这个命令的用法。

8.3.2　磁盘格式化

分区完毕后自然就是要进行文件系统的格式化。格式化的命令非常简单，那就是 mkfs（即 make file system 之意）这个命令。这个命令其实是个综合的命令，它会去调用正确的文件系统格式化工具软件。

◆ mkfs

```
[root@www ~]# mkfs [-t 文件系统格式] 设备文件名
参数:
-t ：可以接文件系统格式，例如 ext3, ext2, vfat 等（系统有支持才会生效）

范例一：请将上个小节当中所制作出来的 /dev/hdc6 格式化为 ext3 文件系统
[root@www ~]# mkfs -t ext3 /dev/hdc6
mke2fs 1.39 (29-May-2006)
Filesystem label=              <==这里指的是分区的名称（label）
OS type: Linux
Block size=4096 (log=2)        <==block 的大小设置为 4K
Fragment size=4096 (log=2)
251392 inodes, 502023 blocks   <==由此设置决定的 inode/block 数量
25101 blocks (5.00%) reserved for the super user
First data block=0
Maximum filesystem blocks=515899392
16 block groups
32768 blocks per group, 32768 fragments per group
15712 inodes per group
Superblock backups stored on blocks:
        32768, 98304, 163840, 229376, 294912
```

```
Writing inode tables: done
Creating journal (8192 blocks): done <==有日志记录
Writing superblocks and filesystem accounting information: done

This filesystem will be automatically checked every 34 mounts or
180 days, whichever comes first. Use tune2fs -c or -i to override.
# 这样就创建起来我们所需要的 Ext3 文件系统了。

[root@www ~]# mkfs[tab][tab]
mkfs       mkfs.cramfs mkfs.ext2   mkfs.ext3   mkfs.msdos  mkfs.vfat
# 按下两个[Tab]，会发现 mkfs 支持的文件格式如上所示，可以格式化 vfat 。
```

- mkfs 其实是个综合命令而已，事实上如上所示，当我们使用 "mkfs –t ext3..." 时，系统会去调用 mkfs.ext3 这个命令来进行格式化的操作。若如同上面所展现的结果，那么这个系统支持的文件系统格式化工具有 cramfs,ext2,ext3,msdoc,vfat 等，而最常用的应该是 ext3,vfat 两种。vfat 可以用在 Windows/Linux 共享的 U 盘。
- 此时不会让你挑选分区类型，直接会进入 logical 的分区形式。

例题

将刚才的/dev/hdc6 格式化为 Windows 可读的 vfat 格式。
答：mkfs–tvfat/dev/hdc6

- 在格式化为 Ext3 的范例中，我们可以发现结果里面含有非常多的信息，由于我们没有详细指定文件系统的具体选项，因此系统会使用默认值来进行格式化。其中比较重要的部分为：文件系统的卷标（label）、block 的大小以及 inode 的数量。如果你要指定这些东西，就得要了解一下 Ext2/Ext3 的公用程序，即 mke2fs 这个命令。

◆ mke2fs

```
[root@www ~]# mke2fs [-b block 大小] [-i block 大小] [-L 卷标] [-cj] 设备
参数:
-b : 可以设置每个 block 的大小，目前支持 1024, 2048, 4096 bytes 三种。
-i : 多少容量给予一个 inode 呢？
-c : 检查磁盘错误，仅下达一次 -c 时，会进行快速读取测试；
     如果下达两次 -c -c 的话，会测试读写（read-write）。
-L : 后面可以接卷标名称（label），这个 label 是有用的，e2label 命令介绍会谈到。
-j : 本来 mke2fs 是 EXT2，加上 -j 后，会主动加入 journal 而成为 EXT3。
```

- mke2fs 是一个很详细但是很麻烦的命令，因为里面的设置太多了！现在我们进行如下的假设：
  - 这个文件系统的卷标设置为：vbird_logical；
  - 我的 block 指定为 2048 大小；
  - 每 8192bytes 分配一个 inode；
  - 构建为 journal 的 Ext3 文件系统。
- 开始格式化/dev/hdc6 结果会变成如下所示：

```
[root@www ~]# mke2fs -j -L "vbird_logical" -b 2048 -i 8192 /dev/hdc6
mke2fs 1.39 (29-May-2006)
Filesystem label=vbird_logical
OS type: Linux
Block size=2048 (log=1)
Fragment size=2048 (log=1)
251968 inodes, 1004046 blocks
50202 blocks (5.00%) reserved for the super user
First data block=0
Maximum filesystem blocks=537919488
62 block groups
```

```
16384 blocks per group, 16384 fragments per group
4064 inodes per group
Superblock backups stored on blocks:
      16384, 49152, 81920, 114688, 147456, 409600, 442368, 802816

Writing inode tables: done
Creating journal (16384 blocks): done
Writing superblocks and filesystem accounting information: done
# 比较看看，跟上面的范例用默认值的结果有什么不一样的啊？
```

- 其实 mke2fs 所使用的各项参数也可以用在 "mkfs–text3..." 后面，因为最终使用的公用程序是相同的，特别要注意的是–b,–i 及–j 这几个参数，尤其是–j 这个参数，当没有指定-j 的时候，mke2fs 使用 ext2 为格式化文件格式，若加入-j 时，则格式化为 ext3 这个 Journaling 的文件系统。
- 老实说，如果没有特殊需求的话，使用 "mkfs –t ext3...." 不但容易记忆，而且非常好用。

8.3.3　磁盘检验：fsck,badblocks

由于系统在运行时谁也说不准啥时硬件或者是电源会有问题，所以死机可能是难免的情况（不管是硬件还是软件）。现在我们知道文件系统运行时会有硬盘与内存数据异步的状况发生，因此莫名其妙地死机非常可能导致文件系统的错乱。如果文件系统真的发生错乱的话，那该如何是好？就挽救啊！此时那个好用的 fsck（即 file system check）就得拿来仔细分析一下了。

◆　fsck

```
[root@www ～]# fsck [-t 文件系统] [-ACay] 设备名称
参数：
-t  ：如同 mkfs 一样，fsck 也是个综合软件而已，因此我们同样需要指定文件系统。
      不过由于现今的 Linux 太聪明了，它会自动通过 super block 去分辨文件系统，
      因此通常可以不需要这个参数的。请看后续的范例说明。
-A  ：依据 /etc/fstab 的内容，将需要的设备扫描一次。/etc/fstab 在下一小节说明，
      通常开机过程中就会执行此命令。
-a  ：自动修复检查到的有问题的扇区，所以你不用一直按 y。
-y  ：与 -a 类似，但是某些文件系统仅支持 -y 这个参数。
-C  ：可以在检验的过程当中使用一个直方图来显示目前的进度！

EXT2/EXT3 的额外参数功能：（e2fsck 这支命令所提供）
-f  ：强制检查，一般来说，如果 fsck 没有发现任何 unclean 的标志，不会主动进入
      细化检查的，如果你想要强制 fsck 进入细化检查，就得加上 -f 标志。
-D  ：针对文件系统下的目录进行优化配置。

范例一：强制将前面我们新建的 /dev/hdc6 这个设备检验一下！
[root@www ～]# fsck -C -f -t ext3 /dev/hdc6
fsck 1.39 （29-May-2006）
e2fsck 1.39 （29-May-2006）
Pass 1: Checking inodes, blocks, and sizes
Pass 2: Checking directory structure
Pass 3: Checking directory connectivity
Pass 4: Checking reference counts
Pass 5: Checking group summary information
vbird_logical: 11/251968 files （9.1% non-contiguous）, 36926/1004046 blocks
# 如果没有加上 -f 的参数，则由于这个文件系统不曾出现问题，
# 检查非常快速，若加上 -f 强制检查，才会一项一项显示过程。
```

```
范例二：查看系统有多少文件系统支持的 fsck 软件
[root@www ~]# fsck[tab][tab]
fsck          fsck.cramfs fsck.ext2    fsck.ext3    fsck.msdos   fsck.vfat
```

- 这是用来检查与修正文件系统错误的命令。注意：通常只有身为 root 且你的文件系统有问题的时候才使用这个命令，否则在正常状况下使用此命令，可能会造成对系统的危害，通常使用这个命令的场合都是在系统出现极大的问题，导致你在 Linux 开机的时候得进入单用户模式下进行维护的行为时，才必须使用此命令。
- 另外，如果你怀疑刚才格式化成功的硬盘有问题的时候，也可以使用 fsck 来检查硬盘。其实就有点像是 Windows 的 scandisk。此外，由于 fsck 在扫描硬盘的时候，可能会造成部分文件系统的损坏，所以执行 fsck 时，被检查的分区务必不可挂载到系统上！即是需要在卸载的状态！
- 不知道你还记不记得第 6 章的目录配置中我们提过，ext2/ext3 文件系统的最顶层（就是挂载点那个目录下面）会存在一个 "lost+found" 的目录。该目录就是在当你使用 fsck 检查文件系统后，若出现问题时，有问题的数据会被放置到这个目录中。所以理论上这个目录不应该会有任何数据，若系统自动产生数据在里面，那你就得特别注意你的文件系统了。
- 另外，我们的系统实际执行的 fsck 命令，其实是调用 e2fsck 这个软件。可以 mane2fsck 找到更多的参数辅助。

◆ badblocks

```
[root@www ~]# badblocks -[svw] 设备名称
参数：
-s ： 在屏幕上列出进度；
-v ： 可以在屏幕上看到进度；
-w ： 使用写入的方式来测试，建议不要使用此参数，尤其是待检查的设备已有文件时！

[root@www ~]# badblocks -sv /dev/hdc6
Checking blocks 0 to 2008093
Checking for bad blocks (read-only test): done
Pass completed, 0 bad blocks found.
```

刚才谈到的 fsck 是用来检验文件系统是否出错,至于 badblocks 则是用来检查硬盘或软盘扇区有没有坏轨的命令。由于这个命令其实可以通过 "mke2fs –c 设备文件名" 在进行格式化的时候处理磁盘表面的读取测试，因此目前大多不使用这个命令。

8.3.4 磁盘挂载与卸载

我们在本章一开始时的挂载点的意义当中提过挂载点是目录，而这个目录是进入磁盘分区（其实是文件系统）的入口就是了。不过要进行挂载前，你最好先确定几件事：

◆ 单一文件系统不应该被重复挂载在不同的挂载点（目录）中；
◆ 单一目录不应该重复挂载多个文件系统；
◆ 作为挂载点的目录理论上应该都是空目录才是。

尤其是上述的后两点。如果你要用来挂载的目录里面并不是空的，那么挂载了文件系统之后，原目录下的东西就会暂时消失。举个例子来说，假设你的/home 原本与根目录(/)在同一个文件系统中，下面原本就有/home/test 与/home/vbird 两个目录，然后你想要添加新的硬盘，并且直接挂载在/home下面，那么当你挂载上新的分区时，则/home 目录显示的是新分区内的数据，至于原先的 test 与 vbird 这两个目录就会暂时被隐藏掉了，并不是被覆盖掉，而是暂时隐藏了起来，等到新分区被卸载之后，则/home 原本的内容就会再次显示出来。

而要将文件系统挂载到我们的 Linux 系统上，就要使用 mount 这个命令，不过，这个命令真的是博大精深。

```
[root@www ~]# mount -a
[root@www ~]# mount [-l]
[root@www ~]# mount [-t 文件系统] [-L Label 名] [-o 额外选项] \
[-n]  设备文件名  挂载点
参数:
-a : 依照配置文件 /etc/fstab 的数据将所有未挂载的磁盘都挂载上来。
-l : 单纯输入 mount 会显示目前挂载的信息,加上 -l 可增列 Label 名称。
-t : 与 mkfs 的参数非常类似的,可以加上文件系统种类来指定欲挂载的类型。
     常见的 Linux 支持类型有 ext2、ext3、vfat、reiserfs、iso9660 (光盘格式)、
     nfs、cifs、smbfs (此三种为网络文件系统类型)。
-n : 在默认的情况下,系统会将实际挂载的情况实时写入 /etc/mtab 中,以利其他程序
     的运行。但在某些情况下 (例如单用户维护模式) 为了避免问题,会刻意不写入。
     此时就得要使用这个 -n 的参数了。
-L : 系统除了利用设备文件名 (例如 /dev/hdc6) 之外,还可以利用文件系统的卷标名称
     (Label) 来进行挂载。最好为你的文件系统取一个独一无二的名称。
-o : 后面可以接一些挂载时额外加上的参数,比方说账号、密码、读写权限等:
     ro, rw:      挂载文件系统成为只读 (ro) 或可读写 (rw)。
     async, sync: 此文件系统是否使用同步写入 (sync) 或异步 (async) 的
                  内存机制,请参考文件系统运行方式。默认为 async。
     auto, noauto: 允许此分区被以 mount -a 自动挂载 (auto)。
     dev, nodev:  是否允许此分区上可创建设备文件? dev 为可允许。
     suid, nosuid: 是否允许此分区含有 suid/sgid 的文件格式?
     exec, noexec: 是否允许此分区上拥有可执行 binary 文件?
     user, nouser: 是否允许此分区让任何用户执行 mount ? 一般来说,
                   mount 仅有 root 可以进行,但下达 user 参数,则可让
                   一般 user 也能够对此分区进行 mount。
     defaults:    默认值为 rw, suid, dev, exec, auto, nouser, and async
     remount:     重新挂载,这在系统出错,或重新更新参数时,很有用。
```

　　会不会觉得光是看这个命令的参数就快要昏倒了? 如果有兴趣的话看一下 man mount,那才会真的昏倒的。事实上 mount 是个很有用的命令,它可以挂载 ext3/vfat/nfs 等文件系统,由于每种文件系统的数据并不相同,详细的参数自然也就不相同,不过实际应用时却简单。下面介绍几个简单范例先。

◆　挂载 Ext2/Ext3 文件系统

```
范例一: 用默认的方式将刚才创建的 /dev/hdc6 挂载到 /mnt/hdc6 上面。
[root@www ~]# mkdir /mnt/hdc6
[root@www ~]# mount /dev/hdc6 /mnt/hdc6
[root@www ~]# df
Filesystem        1K-blocks     Used Available Use% Mounted on
.....中间省略.....
/dev/hdc6         1976312       42072  1833836   3% /mnt/hdc6
# 看起来,真的有挂载! 且文件大小为 2GB 左右。
```

● 竟然这么简单,利用 "mount 设备文件名挂载点" 就能够顺利挂载了。真是方便。为什么可以这么方便呢 (甚至不需要使用–t 这个参数)? 由于文件系统几乎都有 super block,我们的 Linux 可以通过分析 super block 搭配 Linux 自己的驱动程序去测试挂载,如果成功挂载了,就立刻自动使用该类型的文件系统挂载起来。那么系统有没有指定哪些类型的文件系统才需要进行上述的挂载测试呢? 主要是参考下面这两个文件:

■ /etc/filesystems: 系统指定的测试挂载文件系统类型;

■ /proc/filesystems: Linux 系统已经加载的文件系统类型。

● 那我怎么知道我的 Linux 有没有相关文件系统类型的驱动程序呢? 我们 Linux 支持的文件系统之驱动程序都写在如下的目录中:

■ /lib/modules/$ (uname-r) /kernel/fs/

● 例如 vfat 的驱动程序就写在 "/lib/modules/$ (uname–r) /kernel/fs/vfat/" 这个目录下。简单地测试挂载后,接下来让我们检查看看目前已挂载的文件系统状况。

范例二：查看目前已挂载的文件系统，包含各文件系统的 Label 名称

```
[root@www ~]# mount -l
/dev/hdc2 on / type ext3 (rw) [/1]
proc on /proc type proc (rw)
sysfs on /sys type sysfs (rw)
devpts on /dev/pts type devpts (rw,gid=5,mode=620)
/dev/hdc3 on /home type ext3 (rw) [/home]
/dev/hdc1 on /boot type ext3 (rw) [/boot]
tmpfs on /dev/shm type tmpfs (rw)
none on /proc/sys/fs/binfmt_misc type binfmt_misc (rw)
sunrpc on /var/lib/nfs/rpc_pipefs type rpc_pipefs (rw)
/dev/hdc6 on /mnt/hdc6 type ext3 (rw) [vbird_logical]
# 除了实际的文件系统外，很多特殊的文件系统（proc/sysfs...）也会被显示出来！
# 值得注意的是，加上-l 参数可以列出如上特殊字体的卷标（label）
```

- 这个命令输出的结果可以让我们看到非常多的信息，以/dev/hdc2 这个设备来说好了，它的意义是/dev/hdc2 是挂载到/目录，文件系统类型为 ext3，且挂载为可读写（rw），另外，这个文件系统有卷标，名字（label）为/1。这样，你会解释上文中的最后一行输出结果了吗？自己解释一下先。接下来请拿出你的 CentO SDVD 放入光驱中，并拿 FAT 格式的 U 盘（不要用 NTFS 的）插入 USB 接口中，我们来测试挂载一下！

◆ 挂载 CD 或 DVD 光盘

范例三：将你用来安装 Linux 的 CentOS 原版光盘挂载。

```
[root@www ~]# mkdir /media/cdrom
[root@www ~]# mount -t iso9660 /dev/cdrom /media/cdrom
[root@www ~]# mount /dev/cdrom /media/cdrom
# 你可以指定 -t iso9660 这个光盘的格式来挂载，也可以让系统自己去测试挂载。
# 所以上述的命令只要做一个就够了，但是目录的创建初次挂载时必须要进行。

[root@www ~]# df
Filesystem        1K-blocks      Used Available Use% Mounted on
.....中间省略.....
/dev/hdd           4493152   4493152         0 100% /media/cdrom
# 因为我的光驱使用的是/dev/hdd 的 IDE 接口之故！
```

光驱一旦挂载之后就无法退出光盘，除非你将它卸载才能够退出。从上面的数据你也可以发现，因为是光盘，所以磁盘使用率达到 100%，因为你无法直接写入任何数据到光盘当中。另外，其实/dev/cdrom 是个连接文件，正确的磁盘文件名得要看你的光驱是什么连接接口的环境。以鸟哥为例，我的光驱接在/dev/hdd 中，所以正确的挂载应该是"mount/dev/hdd/media/cdrom"比较正确。

> 话说当时年记小（其实是刚接触 Linux 的那一年），摸 Linux 到处碰壁。连将光驱挂载后，光驱竟然都不让我退片，那个时候难过得要死。解决的方法竟然是重新启动。

◆ 格式化与挂载软盘

- 软盘的格式化可以直接使用 mkfs 即可。但是软盘也是可以格式化成为 ext3 或 vfat 格式的。挂载的时候我们同样使用系统的自动测试挂载即可。如果你有软盘的话（很少人有了吧），请先放置到软盘驱动器当中。下面来测试看看（软盘请勿放置任何数据，且将写保护打开）。

范例四：格式化后挂载软盘到 /media/floppy/ 目录中。

```
[root@www ~]# mkfs -t vfat /dev/fd0
# 我们格式化软盘成为 Windows/Linux 可共同使用的 FAT 格式。
[root@www ~]# mkdir /media/floppy
```

```
[root@www ~]# mount -t vfat /dev/fd0 /media/floppy
[root@www ~]# df
Filesystem        1K-blocks      Used Available Use% Mounted on
.....中间省略.....
/dev/fd0              1424       164      1260  12% /media/floppy
```

- 与光驱不同的是，你挂载了软盘后竟然还是可以退出软盘。不过，如此一来你的文件系统将会有莫名奇妙的问题发生，整个 Linux 最重要的就是文件系统，而文件系统是直接挂载到目录树上头，几乎任何命令都会或多或少使用到目录树的数据，因此你当然不可以随意将光盘/软盘拿出来。所以，软盘也请卸载之后再退出，这是很重要的一点。

◆ 挂载 U 盘
- 请拿出你的 U 盘并插入 Linux 主机的 USB 接口中。注意，你的这个 U 盘不能够是 NTFS 的文件系统。接下来让我们测试测试。

```
范例五：找出你的 U 盘设备文件名，并挂载到 /mnt/flash 目录中
[root@www ~]# fdisk -l
.....中间省略.....
Disk /dev/sda: 8313 MB, 8313110528 bytes
59 heads, 58 sectors/track, 4744 cylinders
Units = cylinders of 3422 * 512 = 1752064 bytes

   Device Boot     Start       End    Blocks   Id System
/dev/sda1             1      4745   8118260    b  W95 FAT32
# 从上面的特殊字体可得知磁盘的大小以及设备文件名，知道是 /dev/sda1

[root@www ~]# mkdir /mnt/flash
[root@www ~]# mount -t vfat -o iocharset=cp950 /dev/sda1 /mnt/flash
[root@www ~]# df
Filesystem        1K-blocks      Used Available Use% Mounted on
.....中间省略.....
/dev/sda1          8102416   4986228   3116188  62% /mnt/flash
```

- 如果带有中文文件名的数据，那么可以在挂载时指定一下挂载文件系统所使用的语言。在 man mount 找到 vfat 文件格式当中可以使用 iocharset 来指定语系，而中文语系是 cp950，所以也就有了上述的挂载命令选项了。
- 万一你使用的是可移动硬盘，也就是利用笔记本电脑所做出来的 U 盘时，通常这样的硬盘都使用 NTFS 格式的。怎办？没关系，可以参考下面这个网站[注8]：
  - NTFS 文件系统官网：Linux-NTFSProject:http://www.linux-ntfs.org/
  - CentOS 5.x 的相关驱动程序下载页面：http://www.linux-ntfs.org/doku.php?id=redhat:rhel5
- 将上面提供的驱动程序下载下来并且安装之后，就能够使用 NTFS 的文件系统了。只是由于文件系统与 Linux 内核有很大的关系，因此以后如果你的 Linux 系统有升级（update）时，你就得要重新下载一次相对应的驱动程序版本。

◆ 重新挂载根目录与挂载不特定目录
- 整个目录树最重要的地方就是根目录了，所以根目录根本就不能够被卸载的！问题是，如果你的挂载参数要改变，或者是根目录出现"只读"状态时，如何重新挂载呢？最可能的处理方式就是重新启动。不过你也可以这样做：

```
范例六：将/重新挂载，并加入参数 rw 与 auto
[root@www ~]# mount -o remount,rw,auto/
```

- 重点是那个"-o remount,xx"的参数。请注意，要重新挂载（remount）时，这是个非常重要的机制。尤其是当你进入单用户维护模式时，你的根目录常会被系统挂载为只读，这个时候这个命令就太重要了。
- 另外，我们也可以利用 mount 来将某个目录挂载到另外一个目录去。这并不是挂载文件系

统，而是额外挂载某个目录的方法，虽然下面的方法也可以使用 symboliclink 来连接，不过在某些不支持符号链接的程序运行中，还是得要通过这样的方法才行。

```
范例七: 将 /home 这个目录暂时挂载到 /mnt/home 下面:
[root@www ~]# mkdir /mnt/home
[root@www ~]# mount --bind /home /mnt/home
[root@www ~]# ls -lid /home/ /mnt/home
2 drwxr-xr-x 6 root root 4096 Sep 29 02:21 /home/
2 drwxr-xr-x 6 root root 4096 Sep 29 02:21 /mnt/home

[root@www ~]# mount -l
/home on /mnt/home type none (rw,bind)
```

- 看起来，其实两者连接到同一个 inode。通过这个 mount --bind 的功能，你可以将某个目录挂载到其他目录去，而并不是整块文件系统。所以从此进入/mnt/home 就是进入/home 的意思。

◆ umount（将设备文件卸载）

```
[root@www ~]# umount [-fn]设备文件名或挂载点
参数:
-f : 强制卸载。可用在类似网络文件系统 (NFS) 无法读取到的情况下;
-n : 不更新 /etc/mtab 的情况下卸载。
```

- 就是直接将已挂载的文件系统卸载即是。卸载之后，可以使用 df 或 mount -l 看看是否还存在目录树中。卸载的方式可以执行设备文件名或挂载点，下面的范例做示范。

```
范例八: 将本章之前自行挂载的文件系统全部卸载:
[root@www ~]# mount
.....前面省略.....
/dev/hdc6 on /mnt/hdc6 type ext3 (rw)
/dev/hdd on /media/cdrom type iso9660 (rw)
/dev/sda1 on /mnt/flash type vfat (rw,iocharset=cp950)
/home on /mnt/home type none (rw,bind)
# 先找一下已经挂载的文件系统，如上所示，特殊字体即为刚才挂载的设备。

[root@www ~]# umount /dev/hdc6        <==用设备文件名来卸载
[root@www ~]# umount /media/cdrom    <==用挂载点来卸载
[root@www ~]# umount /mnt/flash      <==因为挂载点比较好记忆
[root@www ~]# umount /dev/fd0        <==用设备文件名较好记
[root@www ~]# umount /mnt/home       <==一定要用挂载点。因为挂载的是目录
```

- 由于全部卸载了，此时你才可以退出光盘、软盘、U 盘等设备。如果你遇到这样的情况:

```
[root@www ~]# mount /dev/cdrom /media/cdrom
[root@www ~]# cd /media/cdrom
[root@www cdrom]# umount /media/cdrom
umount: /media/cdrom: device is busy
umount: /media/cdrom: device is busy
```

- 由于你目前正在/media/cdrom/目录内，也就是说其实你正在使用该文件系统的意思。所以自然无法卸载这个设备! 那该如何是好? 离开该文件系统的挂载点即可。以上述的案例来说，你可以使用 "cd/" 回到根目录，就能够卸载/media/cdrom 了。

◆ 使用 Label name 进行挂载的方法

- 除了磁盘的设备文件名之外，其实我们可以使用文件系统的卷标 (label) 名称来挂载。举例来说，我们刚才卸载的/dev/hdc6 卷标名称是 (vbird_logical)，你也可以使用 dumpe2fs 这个命令来查询一下。然后就这样做即可:

```
范例九: 找出 /dev/hdc6 的 label name，并用 label 挂载到 /mnt/hdc6
[root@www ~]# dumpe2fs -h /dev/hdc6
Filesystem volume name:   vbird_logical
```

```
.....下面省略.....
#卷标名称为 vbird_logical 。

[root@www ~]# mount -L "vbird_logical" /mnt/hdc6
```

- 这种挂载的方法有一个很大的好处：**系统不必知道该文件系统所在的接口与磁盘文件名**。更详细的说明我们会在下一小节当中的 e2label 介绍。

8.3.5　磁盘参数修改

　　某些时刻，你可能会希望修改一下目前文件系统的一些相关信息，举例来说，你可能要修改 Label name，或者是 journal 的参数，或者是其他硬盘运行时的相关参数（例如 DMA 启动与否）。这个时候，就得需要下面这些相关的命令功能。

- mknod
  - 还记得我们说过，在 Linux 下面所有的设备都以文件来代表，但是那个文件如何代表该设备呢？就是通过文件的 **major** 与 **minor** 数值来替代。所以，那个 major 与 minor 数值是有特殊意义的，不是随意设置的。举例来说，在鸟哥的这个测试机当中，那个用到的磁盘/dev/hdc 的相关设备代码如下：

```
[root@www ~]# ll /dev/hdc*
brw-r----- 1 root disk 22, 0 Oct 24 15:55 /dev/hdc
brw-r----- 1 root disk 22, 1 Oct 20 08:47 /dev/hdc1
brw-r----- 1 root disk 22, 2 Oct 20 08:47 /dev/hdc2
brw-r----- 1 root disk 22, 3 Oct 20 08:47 /dev/hdc3
brw-r----- 1 root disk 22, 4 Oct 24 16:02 /dev/hdc4
brw-r----- 1 root disk 22, 5 Oct 20 16:46 /dev/hdc5
brw-r----- 1 root disk 22, 6 Oct 25 01:33 /dev/hdc6
```

- 上面的 22 为主设备代码（Major），而 0～6 则为次设备代码（Minor）。我们的 Linux 内核认识的设备数据就是通过这两个数值来决定。举例来说，常见的硬盘文件名/dev/hda 与/dev/sda 设备代码如表 8-2 所示。

表 8-2

磁盘文件名	Major	Minor
/dev/hda	3	0～63
/dev/hdb	3	64～127
/dev/sda	8	0～15
/dev/sdb	8	16～31

- 如果你想要知道更多内核支持的硬件设备代码（major，minor）请参考官网的连接[注9]：
  - http://www.kernel.org/pub/linux/docs/device-list/devices.txt
- 基本上，Linux 内核升为 2.6 版以后，硬件文件名已经都可以被系统自动实时产生了，我们根本不需要手动创建设备文件。不过某些情况下面我们可能还是得要手动处理设备文件的，例如在某些服务被放到特定目录下时（chroot），就需要这样做了。此时这个 mknod 就得要知道如何操作。

```
[root@www ~]# mknod 设备文件名 [bcp] [Major] [Minor]
参数:
设备种类:
  b : 设置设备名称成为一个外部存储设备文件，例如硬盘等;
  c : 设置设备名称成为一个外部输入设备文件，例如鼠标/键盘等;
  p : 设置设备名称成为一个 FIFO 文件;
Major : 主设备代码;
Minor : 次设备代码。
```

范例一：由上述的介绍我们知道 /dev/hdc10 设备代码 22, 10，请建立并查阅此设备
```
[root@www ~]# mknod /dev/hdc10 b 22 10
[root@www ~]# ll /dev/hdc10
brw-r--r-- 1 root root 22, 10 Oct 26 23:57 /dev/hdc10
# 上面那个 22 与 10 是有意义的，不要随意设置。
```

范例二：创建一个 FIFO 文件，文件名为 /tmp/testpipe
```
[root@www ~]# mknod /tmp/testpipe p
[root@www ~]# ll /tmp/testpipe
prw-r--r-- 1 root root 0 Oct 27 00:00 /tmp/testpipe
# 注意：这个文件可不是一般文件，不可以随便就放在这里。
# 测试完毕之后请删除这个文件，看一下这个文件的类型，是 p。
```

◆ e2label
  ● 我们在介绍 mkfs 命令时有谈到设置文件系统卷标（Label）的方法。那如果格式化完毕后想要修改卷标呢？就用这个 e2label 来修改了。那什么是 Label 呢？我们拿你曾用过的 Windows 系统来说明。当你打开资源管理器时，C/D 等盘不是都会有个名称吗？那就是 label（如果没有设置名称，就会显示"本机磁盘驱动器"的字样）。
  ● 这个东西除了有趣且可以让你知道磁盘的内容是什么之外，也会被使用到一些配置文件当中。举例来说，刚才我们聊到的磁盘的挂载时，不就有用到 Label name 来进行挂载吗？目前 CentOS 的配置文件，也就是那个/etc/fstab 文件的设置都默认使用 Label name。那这样做有什么好处与缺点呢？
    ■ 优点：不论磁盘文件名怎么变，不论你将硬盘插在哪个 IDE/SATA 接口，由于系统是通过 Label，所以磁盘插在哪个接口将不会有影响。
    ■ 缺点：如果插了两块硬盘，刚好两块硬盘的 Label 有重复的，那就惨了，因为系统可能会无法判断哪个磁盘分区才是正确的。
  ● 鸟哥一直是个比较"硬派"作风的人，所以我还是比较喜欢直接利用磁盘文件名来挂载。不过，如果没有特殊需求的话，那么利用 Label 来挂载也成。但是你就不可以随意修改 Label 的名称了。

```
[root@www ~]# e2label 设备名称  新的 Label 名称

范例一：将 /dev/hdc6 的卷标改成 my_test 并查看是否修改成功
[root@www ~]# dumpe2fs -h /dev/hdc6
Filesystem volume name:   vbird_logical  <==原本的卷标名称
.....下面省略.....

[root@www ~]# e2label /dev/hdc6 "my_test"
[root@www ~]# dumpe2fs -h /dev/hdc6
Filesystem volume name:   my_test        <==改过来啦。
.....下面省略.....
```

◆ tune2fs
```
[root@www ~]# tune2fs [-jlL] 设备代号
参数:
-l : 类似 dumpe2fs -h 的功能. 将 super block 内的数据读出来。
-j : 将 ext2 的文件系统转换为 ext3 的文件系统;
-L : 类似 e2label 的功能，可以修改文件系统的 Label。

范例一：列出 /dev/hdc6 的 super block 内容
[root@www ~]# tune2fs -l /dev/hdc6
```

  ● 这个命令的功能其实很广泛，上面鸟哥仅列出很简单的一些参数而已，更多的用法请自行参考 man tune2fs。比较有趣的是，如果你的某个分区原本是 ext2 的文件系统，如果想要将它更新成为 ext3 文件系统的话，利用 tune2fs 就可以很简单地转换过来。

◆ hdparm

● 如果你的硬盘是 IDE 接口的，那么这个命令可以帮助你设置一些高级参数。如果你是使用 SATA 接口的，那么这个命令就没有多大用途了。另外，目前的 Linux 系统都已经稍微优化过，所以这个命令最多是用来测试性能，而且建议你不要随便调整硬盘参数，文件系统容易出问题，除非你真的知道你调整的数据是什么。

```
[root@www ~]# hdparm [-icdmXTt] 设备名称
参数：
-i ：将内核检测到的硬盘参数显示出来。
-c ：设置 32bit （32 位）访问模式。这个 32 位访问模式指的是在硬盘在与
     PCI 接口之间传输的模式，而硬盘本身是依旧以 16 位模式在跑的。
     默认的情况下，这个设置值都会被打开，建议直接使用 c1 即可。
-d ：设置是否启用 DMA 模式，-d1 为启动，-d0 为取消。
-m ：设置同步读取多个 sector 的模式。一般来说，设置此模式，可降低系统因为
     读取磁盘而损耗的性能。不过，西部数据的硬盘则不怎么建议设置此值。
     一般来说，设置为 16/32 是优化，不过，西部数据硬盘建议值则是 4/8 。
     这个值的最大值，可以利用 hdparm -i /dev/hda 输出的 MaxMultSect
     来设置。一般如果不知道，设置 16 是合理的。
-X ：设置 UltraDMA 的模式，一般来说，UDMA 的模式值加 64 即为设定值。
     并且，硬盘与主板芯片必须要同步，所以，取最小的那个。一般来说：
     33MHz DMA mode 0~2 （X64~X66）
     66MHz DMA mode 3~4 （X67~X68）
     100MHz DMA mode 5  （X69）
     如果你的硬盘上面显示的是 UATA 100 以上的，那么设置 X69 也不错。
-T ：测试暂存区 cache 的访问性能
-t ：测试硬盘的实际访问性能 （较正确）！

范例一：取得我硬盘的最大同步访问 sector 值与目前的 UDMA 模式
[root@www ~]# hdparm -i /dev/hdc
Model=IC35L040AVER07-0, FwRev=ER4OA41A, SerialNo=SX0SXL98406 <==硬盘的厂牌型号
Config={ HardSect NotMFM HdSw>15uSec Fixed DTR>10Mbs }
RawCHS=16383/16/63, TrkSize=0, SectSize=0, ECCbytes=40
BuffType=DualPortCache, BuffSize=1916kB, MaxMultSect=16, MultSect=16
CurCHS=16383/16/63, CurSects=16514064, LBA=yes, LBAsects=80418240
IORDY=on/off, tPIO={min:240,w/IORDY:120}, tDMA={min:120,rec:120}
PIO modes:  pio0 pio1 pio2 pio3 pio4
DMA modes:  mdma0 mdma1 mdma2
UDMA modes: udma0 udma1 udma2 udma3 udma4 *udma5 <==有 * 为目前的值
AdvancedPM=yes: disabled （255） WriteCache=enabled
Drive conforms to: ATA/ATAPI-5 T13 1321D revision 1:
   ATA/ATAPI-2 ATA/ATAPI-3 ATA/ATAPI-4 ATA/ATAPI-5
# 这块硬盘缓存 （BuffSize）只有 2MB，但使用的是 UDMA5 ，还可以。

范例二：由上个范例知道最大 16 位/UDMA 为 mode 5，所以可以设置为：
[root@www ~]# hdparm -d1 -c1 -X69 /dev/hdc

范例三：测试这块硬盘的读取性能
[root@www ~]# hdparm -Tt /dev/hdc
/dev/hdc:
 Timing cached reads:   428 MB in  2.00 seconds = 213.50 MB/sec
 Timing buffered disk reads: 114 MB in  3.00 seconds =  38.00 MB/sec
# 鸟哥的这台测试机没有很好。这样的速度，实在差强人意。
```

● 如果你是使用 SATA 硬盘的话，这个命令唯一可以做的就是最后面那个测试的功能而已，虽然这样的测试不是很准确，至少是一个可以比较的基准。鸟哥在我的 cluster 机器上面测试的 SATA （/dev/sda）与 RAID （/dev/sdb）结果如下，可以提供给你参考。

```
[root@www ~]# hdparm -Tt /dev/sda /dev/sdb
/dev/sda:
 Timing cached reads:   4152 MB in  2.00 seconds = 2075.28 MB/sec
```

```
Timing buffered disk reads:  304 MB in  3.01 seconds = 100.91 MB/sec

/dev/sdb:
 Timing cached reads:   4072 MB in  2.00 seconds = 2036.31 MB/sec
 Timing buffered disk reads:  278 MB in  3.00 seconds =  92.59 MB/sec
```

8.4　设置开机挂载

手动处理 mount 不是很人性化，我们总是需要让系统"自动"在开机时进行挂载的。本小节来介绍开机挂载。另外，从 FTP 服务器下载的镜像文件能否不用刻录就可以读取内容？我们也需要介绍先。

8.4.1　开机挂载/etc/fstab 及 /etc/mtab

刚才上面说了许多，那么可不可以在开机的时候就将我要的文件系统都挂好呢？这样我就不需要每次进入 Linux 系统都还要再挂载一次。当然可以，那就直接到/etc/fstab 里面去修改就行。不过，在开始说明前，这里要先跟大家说一说系统挂载的一些限制：

◆　根目录/是必须挂载的，而且一定要先于其他 mount point 被挂载进来。
◆　其他挂载点必须为已新建的目录，可任意指定，但一定要遵守必需的系统目录架构原则。
◆　所有挂载点在同一时间之内，只能挂载一次。
◆　所有分区在同一时间之内，只能挂载一次。
◆　如若进行卸载，你必须先将工作目录移到挂载点（及其子目录）之外。
让我们直接查阅一下/etc/fstab 这个文件的内容。

```
[root@www ~]# cat /etc/fstab
# Device          Mount point    filesystem parameters      dump fsck
LABEL=/1            /             ext3       defaults        11
LABEL=/home        /home          ext3       defaults        12
LABEL=/boot        /boot          ext3       defaults        12
tmpfs              /dev/shm       tmpfs      defaults        0 0
devpts             /dev/pts       devpts     gid=5,mode=620  0 0
sysfs              /sys           sysfs      defaults        0 0
proc               /proc          proc       defaults        0 0
LABEL=SWAP-hdc5    swap           swap       defaults        0 0
# 上述特殊字体的部分与实际磁盘有关。其他则是虚拟文件系统或
# 与内存交换空间（swap）有关。
```

其实/etc/fstab（file system table）就是将我们利用 mount 命令进行挂载时，将所有的参数写入到这个文件中就可以了。除此之外，/etc/fstab 还添加了 dump 这个备份用的命令支持，与开机时是否进行文件系统检验 fsck 等命令有关。

这个文件的内容共有六个字段，这六个字段非常重要。你一定要背下来才好。各个字段的详细数据如下：

因为某些 distributions 的/etc/fstab 文件排列方式蛮丑的，虽然每一列之间只要以空格符分开即可，但就是觉得不雅观，所以通常鸟哥就会自己排列整齐，并加上批注符号（就是#），来帮我记住这些信息。

◆　第一列：磁盘设备文件名或该设备的 Label
●　这个字段请填入文件系统的设备文件名。但是由上文我们知道系统默认使用的是 Label 名称。

在鸟哥的这个测试系统中/dev/hdc2 卷标名称为/1，所以上面的 "LABEL=/1" 也可以被替代成为 "/dev/hdc2" 的意思。至于 Label 可以使用 dumpe2fs 命令来查阅的。

记得有一次有个网友写信给鸟哥，他说，依照 e2label 的设置去练习修改自己的分区的 Label name 之后，却发现，再也无法顺利开机成功！后来才发现，原来他的/etc/fstab 就是以 Label name 去挂载的。但是因为在练习的时候，将 Label name 改名字过了，导致在开机的过程当中再也找不到相关的 Label name 了。

所以，这里再次强调，利用设备名称（ex>/dev/hda1）来挂载分区时，是被固定死的，所以你的硬盘不可以随意插在任意的插槽，不过它还是有好处的。而使用 Label name 来挂载虽然没有插槽方面的问题，不过，你就得要随时注意你的 Label name。尤其是新增硬盘的时候。

◆ 第二列：挂载点（mount point）
  ● 就是挂载点啊！挂载点是什么？一定是目录。
◆ 第三列：磁盘分区的文件系统
  ● 在手动挂载时可以让系统自动测试挂载，但在这个文件当中我们必须要手动写入文件系统才行。包括 ext3，reiserfs，nfs，vfat 等。
◆ 第四列：文件系统参数
  ● 记不记得我们在 mount 这个命令中谈到很多特殊的文件系统参数？还有我们使用过的 "–oiocharset=cp950"？这些特殊的参数就是写入在这个字段中。虽然之前在 mount 中已经提过一次，这里我们利用表 8–3 所示的方式再整理一下。

表 8–3

参　数	内 容 意 义
async/sync （异步/同步）	设置磁盘是否以异步方式运行。默认为 async（性能较佳）
auto/noauto （自动/非自动）	当下达 mount –a 时，此文件系统是否会被主动测试挂载。默认为 auto
rw/ro （可读写/只读）	让该分区以可读写或者是只读的型态挂载上来，如果你想要分享的数据是不给用户随意更改的，这里也能够设置为只读。则不论在此文件系统的文件是否设置 w 权限，都无法写入
exec/noexec （可执行/不可执行）	限制在此文件系统内是否可以进行 "执行" 的工作？如果是纯粹用来存储数据，那么可以设置为 noexec 会比较安全，相对地，会比较麻烦
user/nouser （允许/不允许用户挂载）	表示是否允许用户使用 mount 命令来挂载。一般来说，我们当然不希望一般身份的 user 能使用 mount，因为太不安全了，因此这里应该要设置为 nouser
suid/nosuid （具有/不具有 suid 权限）	表示该文件系统是否允许 SUID 的存在。如果不是执行文件放置目录，也可以设置为 nosuid 来取消这个功能
usrquota	注意名称是 "usrquota"，不要拼错了。这个是在启动文件系统支持磁盘配额模式，更多数据我们在第四篇再谈
grpquota	注意名称是 "grpquota"，启动文件系统对群组磁盘配额模式的支持
defaults	同时具有 rw,suid，dev，exec，auto，nouser，async 等参数。基本上，默认情况使用 defaults 设置即可

◆ 第五列：能否被 dump 备份命令作用：

- dump 是一个用来作为备份的命令（我们会在第 25 章备份策略中谈到这个命令），我们可以通过 fstab 指定哪个文件系统必须要进行 dump 备份。0 代表不要做 dump 备份，1 代表要每天进行 dump 的操作，2 也代表其他不定日期的 dump 备份操作，通常这个数值不是 0 就是 1。

◆ 第六列：是否以 fsck 检验扇区

- 开机的过程中，系统默认会以 fsck 检验我们的文件系统是否完整（clean）。不过，某些文件系统是不需要检验的，例如内存交换空间（swap），或者是特殊文件系统，例如/proc 与/sys 等。所以，在这个字段中，我们可以设置是否要以 fsck 检验该文件系统。0 是不要检验，1 表示最早检验（一般只有根目录会设置为 1），2 也是要检验，不过 1 会比较早被检验。一般来说，根目录设置为 1，其他的要检验的文件系统都设置为 2 就好了。

例题

假设我们要将/dev/hdc6 每次开机都自动挂载到/mnt/hdc6，该如何进行?
答：首先，请用 nano 将下面这一行写入/etc/fstab 当中;

```
[root@www ~]# nano /etc/fstab
/dev/hdc6  /mnt/hdc6    ext3    defaults   1 2
```

再来看看/dev/hdc6 是否已经挂载，如果挂载了，请务必卸载再说。

```
[root@www ~]# df
Filesystem        1K-blocks      Used Available Use% Mounted on
/dev/hdc6         1976312      42072   1833836   3% /mnt/hdc6
# 竟然不知道何时被挂载了，赶紧给他卸载先。

[root@www ~]# umount /dev/hdc6
```

最后测试一下刚才我们写入/etc/fstab 的语法有没有错误。这点很重要，因为这个文件如果写错了，则你的 Linux 很可能将无法顺利开机完成! 所以请务必要测试。

```
[root@www ~]# mount -a
[root@www ~]# df
```

最终有看到/dev/hdc6 被挂载起来的信息才是成功挂载了，而且以后每次开机都会顺利将此文件系统挂载起来的。由于这个范例仅是测试而已，请务必回到/etc/fstab 当中，将上述这行批注或者是删除掉!

```
[root@www ~]# nano /etc/fstab
# /dev/hdc6  /mnt/hdc6    ext3    defaults   1 2
```

- /etc/fstab 是开机时的配置文件，不过，实际文件系统的挂载是记录到/etc/mtab 与/proc/mounts 这两个文件当中的。每次我们在改动文件系统的挂载时，也会同时更动这两个文件。但是，万一发生你在/etc/fstab 中输入的数据有误，导致无法顺利开机成功，而进入单用户维护模式当中，那时候的/可是 readonly 的状态，当然你就无法修改/etc/fstab，也无法更新/etc/mtab。那么办? 没关系，可以利用下面这一招:

```
[root@www ~]# mount -n -o remount,rw /
```

8.4.2 特殊设备 loop 挂载（镜像文件不刻录就挂载使用）

◆ 挂载光盘/DVD 镜像文件

- 想象一下如果今天我们下载了 Linux 或者是其他所需光盘/DVD 的镜像文件后，难道一定需要刻录成为光盘才能够使用该文件里面的数据吗？当然不是啦！我们可以通过 loop 设备来挂载的。

- 那要如何挂载呢？鸟哥将整个 CentOS 5.2 的 DVD 镜像文件挂到测试机上面，然后利用这个文件来挂载给大家参考。

```
[root@www ~]# ll -h /root/centos 5.2_x86_64.iso
-rw-r--r-- 1 root root 4.3G Oct 27 17:34 /root/centos5.2_x86_64.iso
# 看到上面的结果吧？这个文件就是镜像文件，文件非常大。

[root@www ~]# mkdir /mnt/centos_dvd
[root@www ~]# mount -o loop /root/centos5.2_x86_64.iso /mnt/centos_dvd
[root@www ~]# df
Filesystem          1K-blocks      Used Available Use% Mounted on
/root/centos5.2_x86_64.iso
                      4493152   4493152         0 100% /mnt/centos_dvd
# 就是这个项目。.iso 镜像文件内的所有数据可以在 /mnt/centos_dvd 中看到。

[root@www ~]# ll /mnt/centos_dvd
total 584
drwxr-xr-x 2 root root 522240 Jun 24 00:57 CentOS <==瞧！就是 DVD 的内容。
-rw-r--r-- 8 root root    212 Nov 21  2007 EULA
-rw-r--r-- 8 root root  18009 Nov 21  2007 GPL
drwxr-xr-x 4 root root   2048 Jun 24 00:57 images
......下面省略.....

[root@www ~]# umount /mnt/centos_dvd/
# 测试完成，得将数据卸载！
```

- 如此一来我们不需要将这个文件刻录成为光盘或者是 DVD 就能够读取内部的数据了。换句话说，你也可以在这个文件内"动手脚"去修改文件。这也是为什么很多镜像文件提供后，还得要提供验证码（MD5）给用户确认该影响文件没有问题。

◆ 新建大文件以制作 loop 设备文件。

- 想一想，既然能够挂载 DVD 的镜像文件，那么我能不能制作出一个大文件，然后将这个文件格式化后挂载呢？这是个有趣的操作，而且还能够帮助我们解决很多系统的分区不良的情况。举例来说，如果当初在分区时，你只有分出一个根目录，假设你已经没有多余的空间可以进行额外的分区。偏偏根目录的空间还很大，此时你就能够制作出一个大文件，然后将这个文件挂载。如此一来感觉上你就多了一个分区。用途非常广泛。

- 下面我们在/home 下创建一个 512MB 左右的大文件，然后将这个大文件格式化并且实际挂载来实践一下。这样你会比较清楚鸟哥在讲什么。

■ 创建大型文件

- 首先，我们得先有一个大的文件。怎么创建这个大文件呢？在 Linux 下面我们有一个很好用的程序 dd！它可以用来创建空的文件。详细的说明请先翻到下一章压缩命令的运用来查阅，这里鸟哥仅作一个简单的范例而已。假设我要创建一个空的文件在/home/loopdev，那可以这样做：

```
[root@www ~]# dd if=/dev/zero of=/home/loopdev bs=1M count=512
512+0 records in   <==读入 512 条数据
512+0 records out  <==输出 512 条数据
536870912 bytes（537 MB）copied, 12.3484 seconds, 43.5 MB/s
# 这个命令的简单意义如下：
# if 是 input file，输入文件。那个 /dev/zero 是会一直输出 0 的设备！
# of 是 output file，将一堆零写入到后面接的文件中。
# bs 是每个 block 大小，就像文件系统那样的 block。
# count 则是总共几个 bs 的意思。

[root@www ~]# ll -h /home/loopdev
-rw-r--r-- 1 root root 512M Oct 28 02:29 /home/loopdev
```

- dd 就好像在堆砖块一样,将 512 块、每块 1MB 的砖块堆栈成为一个大文件（ /home/loopdev ）！最终就会出现一个 512MB 的文件。

- **格式化**

  很简单就创建了一个 512MB 的文件,接下来当然是格式化了。

```
[root@www ~]# mkfs -t ext3 /home/loopdev
mke2fs 1.39 (29-May-2006)
/home/loopdev is not a block special device.
Proceed anyway? (y,n) y  <==由于不是正常的设备，所以这里会提示你。
Filesystem label=
OS type: Linux
Block size=1024 (log=0)
Fragment size=1024 (log=0)
131072 inodes, 524288 blocks
26214 blocks (5.00%) reserved for the super user
.....以下省略.....
```

- **挂载**

  - 那要如何挂载啊? 利用 mount 的特殊参数, 那个–o loop 的参数来处理!

```
[root@www ~]# mount -o loop /home/loopdev /media/cdrom/
[root@www ~]# df
Filesystem          1K-blocks    Used Available Use% Mounted on
/home/loopdev          507748    18768    462766    4% /media/cdrom
```

  - 通过这个简单的方法, 感觉上你就可以在原本的分区在不改动原有的环境下制作出你想要的分区就是了, 尤其是想要玩 Linux 上面的虚拟机的话, 也就是以一台 Linux 主机再切割成为数个独立的主机系统时, 类似 VMware 这类的软件, 在 Linux 上使用 xen 这个软件, 它就可以配合这种 loop device 的文件类型来进行根目录的挂载, 真的非常有用。

8.5　内存交换空间（swap）的构建

还记得在安装 Linux 之前大家经常会告诉你的话吧? 就是安装时一定需要的两个分区。一个是根目录, 另外一个就是 swap（内存交换空间）。关于内存交换空间的解释在第 4 章安装 Linux 内的磁盘分区时有提过, swap 的功能就是在应付物理内存不足的情况下所造成的内存扩展记录的功能。

一般来说, 如果硬件的配备足够的话, 那么 swap 应该不会被我们的系统所使用到, swap 会被利用到的时刻通常就是物理内存不足的情况了。从第 0 章的计算机概论当中, 我们知道 CPU 所读取的数据都来自于内存, 那当内存不足的时候, 为了让后续的程序可以顺利运行, 因此在内存中暂不使用的程序与数据就会被挪到 swap 中了。此时内存就会空出来给需要执行的程序加载。由于 swap 是用硬盘来暂时放置内存中的信息, 所以用到 swap 时, 你的主机硬盘灯就会开始闪个不停。

虽然目前主机的内存都很大, 至少都有 1GB 以上。因此在个人使用上你不设置 swap 应该也没有什么太大的问题。不过服务器可就不同了, 由于你不会知道何时会有大量来自网络的请求, 因此你最好能够预留一些 swap 来缓冲一下系统的内存用量, 至少达到 "备而不用" 的地步。

现在想象一个情况, 你已经将系统创建起来了, 此时却才发现你没有构建 swap, 那该如何是好呢? 通过本章上面谈到的方法, 你可以使用如下的方式来创建你的 swap。

- ◆ 设置一个 swap 分区
- ◆ 创建一个虚拟内存的文件
  不啰嗦, 下面立刻来处理。

8.5.1　使用物理分区构建 swap

新建 swap 分区的方式也是非常简单。通过下面几个步骤就可搞定:

1. 分区：先使用 fdisk 在你的磁盘中分出一个分区给系统作为 swap。由于 Linux 的 fdisk 默认会将分区的 ID 设置为 Linux 的文件系统，所以你可能还得要设置一下 system ID 就是了。
2. 格式化：利用新建 swap 格式的 "mkswap 设备文件名" 就能够格式化该分区成为 swap 格式。
3. 使用：最后将该 swap 设备启动，方法为 "swapon 设备文件名"。
4. 查看：最终通过 free 这个命令来查看一下内存的使用情况。

我们立刻来实践。既然我们还有多余的磁盘空间可以分区，那么让我们继续分出 256MB 的磁盘分区，然后将这个磁盘分区做成 swap。

◆　先进行分区的行为。

```
[root@www ~]# fdisk /dev/hdc
Command (m for help): n
First cylinder (2303-5005, default 2303): <==这里按[Enter]
Using default value 2303
Last cylinder or +size or +sizeM or +sizeK (2303-5005, default 5005): +256M

Command (m for help): p

 Device Boot     Start        End      Blocks   Id  System
.....中间省略.....
/dev/hdc6        2053        2302    2008093+  83  Linux
/dev/hdc7        2303        2334     257008+  83  Linux <==新增的选项

Command (m for help): t              <==修改系统 ID
Partition number (1-7): 7            <==七号分区
Hex code (type L to list codes): 82 <==改成 swap 的 ID
Changed system type of partition 7 to 82 (Linux swap / Solaris)

Command (m for help): p

 Device Boot     Start        End      Blocks   Id  System
.....中间省略.....
/dev/hdc6        2053        2302    2008093+  83  Linux
/dev/hdc7        2303        2334     257008+  82  Linux swap / Solaris

Command (m for help): w
# 此时就将分区表更新了!

[root@www ~]# partprobe
# 这个操作很重要的。不要忘记让内核更新分区表。
```

◆　开始构建 swap 格式。

```
[root@www ~]# mkswap /dev/hdc7
Setting up swapspace version 1, size = 263172 kB <==非常快速!
```

◆　开始查看与加载。

```
[root@www ~]# free
             total       used       free     shared    buffers     cached
Mem:        742664     684592      58072          0      43820     497144
-/+ buffers/cache:     143628     599036
Swap:      1020088         96    1019992
# 我有 742664KB 的物理内存，使用 684592KB 剩余 58072KB，使用掉的内存有
# 43820KB / 497144KB 用在缓冲/快取的用途中。
# 至于 swap 已经存在了 1020088KB 。这样会看了吧?

[root@www ~]# swapon /dev/hdc7
[root@www ~]# free
             total       used       free     shared    buffers     cached
Mem:        742664     684712      57952          0      43872     497180
```

```
-/+ buffers/cache:    143660    599004
Swap:   1277088       96    1276992 <==有增加了，看到否?


[root@www ~]# swapon -s
Filename          Type          Size   Used   Priority
/dev/hdc5         partition     1020088 96     -1
/dev/hdc7         partition     257000 0      -2
# 上面列出目前使用的 swap 设备有哪些的意思。
```

8.5.2 使用文件构建 swap

如果是在物理分区无法支持的环境下，此时前一小节提到的 loop 设备构建方法就派得上用场了。与物理分区不一样的只是利用 dd 去新建一个大文件而已。多说无益，我们就再通过文件新建的方法创建一个 128MB 的内存交换空间吧。

◆ 使用 dd 这个命令来新增一个 128MB 的文件在/tmp 下面：

```
[root@www ~]# dd if=/dev/zero of=/tmp/swap bs=1M count=128
128+0 records in
128+0 records out
134217728 bytes （134 MB） copied, 1.7066 seconds, 78.6 MB/s

[root@www ~]# ll -h /tmp/swap
-rw-r--r-- 1 root root 128M Oct 28 15:33 /tmp/swap
```

这样一个 128MB 的文件就新建完毕。若忘记上述的各项参数的意义，请回前一小节查阅一下。

◆ 使用 mkswap 将/tmp/swap 这个文件格式化为 swap 的文件格式：

```
[root@www ~]# mkswap /tmp/swap
Setting up swapspace version 1, size = 134213 kB
# 这个命令执行时请特别小心，因为弄错字节，将可能使你的文件系统挂掉。
```

◆ 使用 swapon 来将/tmp/swap 启动。

```
[root@www ~]# free
            total     used     free    shared   buffers   cached
Mem:       742664    450860   291804      0     45584    261284
-/+ buffers/cache:   143992   598672
Swap:     1277088      96    1276992

[root@www ~]# swapon /tmp/swap
[root@www ~]# free
            total     used     free    shared   buffers   cached
Mem:       742664    450860   291804      0     45604    261284
-/+ buffers/cache:   143972   598692
Swap:     1408152      96    1408056

[root@www ~]# swapon -s
Filename          Type          Size   Used   Priority
/dev/hdc5         partition     1020088 96     -1
/dev/hdc7         partition     257000 0      -2
/tmp/swap         file          131064 0      -3
```

◆ 使用 swapoff 关掉 swap file

```
[root@www ~]# swapoff /tmp/swap
[root@www ~]# swapoff /dev/hdc7
[root@www ~]# free
            total     used     free    shared   buffers   cached
Mem:       742664    450860   291804      0     45660    261284
-/+ buffers/cache:   143916   598748
Swap:     1020088      96    1019992 <==回复成最原始的样子了。
```

8.5.3 swap 使用上的限制

说实话，swap 在目前的桌面计算机来讲，存在的意义已经不大，这是因为目前的 x86 主机所含的内存实在都太大了（一般入门级至少也都有 512MB），所以，我们的 Linux 系统大概都用不到 swap。不过，如果是针对服务器或者是工作站这些常年上线的系统来说的话，那么，无论如何，swap 还是需要创建的。

因为 swap 主要的功能是当物理内存不够时，将某些在内存当中所占的程序暂时移动到 swap 当中，让物理内存可以被需要的程序来使用。另外，如果你的主机支持电源管理模式，也就是说，你的 Linux 主机系统可以进入"休眠"模式的话，那么，运行当中的程序状态则会被记录到 swap 去，以作为"唤醒"主机的状态依据。另外，有某些程序在运行时，本来就会利用 swap 的特性来存放一些数据段，所以，swap 还是需要创建的，只是不需要太大。

不过，swap 在被创建时，是有限制的。

◆ 在内核 2.4.10 版本以后，单一 swap 已经没有 2GB 的限制了。

◆ 但是，最多还是仅能创建 32 个 swap！

◆ 而且，由于目前 x86_64（64 位）最大内存寻址到 64GB，因此，swap 总量最大也是仅能达 64GB 就是了。

8.6 文件系统的特殊查看与操作

文件系统实在是非常有趣的东西，鸟哥学了好几年还是很多东西不很懂。在学习的过程中很多朋友在讨论区都有提供一些想法，这些想法将它归纳起来有下面几点可以参考。

8.6.1 boot sector 与 super block 的关系

在过去非常多的文章都写到引导装载程序是安装到 super block 内的，但是我们由官方的 How to 文件知道，图 8-3 所示的结果是将可安装开机信息的 **boot sector**（启动扇区）独立出来，并非放置到 **superblock** 当中。那么也就是说过去的文章写错了？这其实还是可以讨论的。

经过一些搜寻，鸟哥找到几篇文章（非官方文件）的说明，大多是网友分析的结果。如下所示[注10]：

◆ The Second Extended File System: http://www.nongnu.org/ext2-doc/ext2.html

◆ Rob's ext2 documentation: http://www.landley.net/code/toybox/ext2.html

◆ Life is different blog: ext2 文件系统分析： http://www.qdhedu.com/blog/post/7.html

这几篇文章有几个重点，归纳一下如下：

◆ superblock 的大小为 1024bytes；

◆ superblock 前面需要保留 1024bytes 下来，以让引导装载程序可以安装。

分析上述两点我们知道 boot sector 应该会占有 1024bytes 的大小，但是整个文件系统主要是依据 block 大小来决定的。因此要讨论 boot sector 与 superblock 的关系时，不得不将 block 的大小拿出来讨论。

◆ **block 为 1024bytes（1KB）时：**

● 如果 block 大小刚好是 1024 的话，那么 boot sector 与 superblock 各会占用掉一个 block，所以整个文件系统图就会如同图 8-3 所显示的那样，boot sector 是独立于 superblock 外面的。由于鸟哥在基础篇安装的环境中有个/boot 的独立文件系统在/dev/hdc1 中，使用 dumpe2fs 查看的结果有点像下面这样：（如果你是按照鸟哥的教学安装你的 CentOS 时，可以发现相同的情况。）

```
[root@www ~]# dumpe2fs /dev/hdc1
dumpe2fs 1.39 (29-May-2006)
```

```
Filesystem volume name:    /boot
....（中间省略）....
First block:               1
Block size:                1024
....（中间省略）....

Group 0:（Blocks 1-8192）
  Primary superblock at 1, Group descriptors at 2-2
  Reserved GDT blocks at 3-258
  Block bitmap at 259（+258）, Inode bitmap at 260（+259）
  Inode table at 261-511（+260）
  511 free blocks, 1991 free inodes, 2 directories
  Free blocks: 5619-6129
  Free inodes: 18-2008
# 看到最后一个特殊字体的地方吗？Group0 的 superblock 是由 1 号 block 开始。
```

- 由此我们可以发现 0 号 block 是保留下来的，那就是留给 boot sector 用的。所以整个分区的文件系统分区如图 8-9 所示。

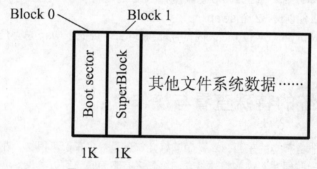

图 8-9　1K block 的 boot sector 示意图

- ◆ block 大于 1024 bytes（2K，4K）时：
  - 如果 block 大于 1024 的话，那么 superblock 将会在 0 号。我们从本章一开始介绍 dumpe2fs 时的内容来说明一下好了。

```
[root@www ~]# dumpe2fs /dev/hdc2
dumpe2fs 1.39（29-May-2006）
....（中间省略）....
Filesystem volume name:    /1
....（中间省略）....
Block size:                4096
....（中间省略）....

Group 0:（Blocks 0-32767）
  Primary superblock at 0, Group descriptors at 1-1
  Reserved GDT blocks at 2-626
  Block bitmap at 627（+627）, Inode bitmap at 628（+628）
  Inode table at 629-1641（+629）
  0 free blocks, 32405 free inodes, 2 directories
  Free blocks:
  Free inodes: 12-32416
```

- 我们可以发现 superblock 就在第一个 block（第 0 号）上面。但是 superblock 其实就只有 1024bytes。为了怕浪费更多空间，因此第一个 block 内就含有 boot sector 与 superblock。举上面的文字来说明，因为每个 block 占有 4K，因此在第一个 block 内 superblock 仅占有 1024～2047（由 0 号起算的话）之间的空间，至于 2048bytes 以后的空间就真的是保留了。而 0～1023 就保留给 boot sector 来使用，如图 8-9 所示。

◆ 因为上述的情况，如果在比较大的 block 尺寸（size）中，我们可能可以说你能够将引导装载程序安装到 superblock 所在的 block 号码中，就是 0 号，但事实上还是安装到启动扇区的保留区域中。所以说，以前的文章说引导装载程序可以安装到 superblock 内也不能算全错，但比较正确的说法，应该是安装到该文件系统最前面的 1024 bytes 内的区域，就是启动扇区这样比较好。

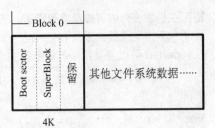

图 8-10　4K block 的 boot sector 示意图

8.6.2　磁盘空间的浪费问题

我们在前面的 block 介绍中谈到了一个 block 只能放置一个文件，因此太多小文件将会浪费非常多的磁盘空间。但你有没有注意到，整个文件系统中包括 superblock、inode table 与其他数据等，其实都会浪费磁盘空间，所以当我们在/dev/hdc6 新建起 ext3 文件系统时，一挂载就立刻有很多空间被用掉了。

另外，不知道你有没有发现到，当你使用 ls-l 去查询某个目录下的数据时，第一行都会出现一个"total"的字样。其实那就是该目录下的所有数据所占用的实际 block 数量×block 大小的值。我们可以通过 ll-s 来查看看看上述的意义：

```
[root@www ~]# ll -s
total 104
 8 -rw-------  1 root root  1474 Sep  4 18:27 anaconda-ks.cfg
 8 -rw-r--r--  2 root root   255 Jan  6 2007 crontab
 4 lrwxrwxrwx  1 root root    12 Oct 22 13:58 crontab2 -> /etc/crontab
48 -rw-r--r--  1 root root 42304 Sep  4 18:26 install.log
12 -rw-r--r--  1 root root  5661 Sep  4 18:25 install.log.syslog
 4 -rw-r--r--  1 root root     0 Sep 27 00:25 test1
 8 drwxr-xr-x  2 root root  4096 Sep 27 00:25 test2
 4 -rw-rw-r--  1 root root     0 Sep 27 00:36 test3
 8 drwxrwxr-x  2 root root  4096 Sep 27 00:36 test4
```

上面的特殊字体部分就是每个文件所使用掉 block 的大小。举例来说，那个 crontab 虽然仅有 255bytes，不过它却占用了两个 block（每个 block 为 4K），将所有的 block 汇总就得到 104KB 那个数值了。如果计算每个文件实际大小的加总结果，其实只有 56.5KB 而已，所以这样就耗费掉好多空间了。

如果想要查询某个目录所占用的所有空间时，那就使用 du，不过 du 如果加上-s 这个参数时，还可以依据不同的规范去找出文件系统所消耗的空间。举例来说，我们就来看看/etc/这个目录的空间状态。

```
[root@www ~]# du -sb /etc
108360494      /etc    <==单位是 bytes

[root@www ~]# du -sm /etc
118    /etc    <==单位是 KB
```

使用 byte 去分析时，发现到实际的数据占用约 103.3 MB，但是使用 block 去测试，就发现其实耗用了 118MB，此时文件系统就耗费了约 15MB。这样看得懂我们在讲的数据了吧?

8.6.3　利用 GNU 的 parted 进行分区行为

虽然你可以使用 fdisk 很快地将你的分区调整妥当,不过 fdisk 却无法支持到高于 2TB 以上的分区。此时就得需要 parted 来处理了。不要觉得 2TB 你用不着，现在已经有单块硬盘高达 2TB 了。如果再搭配主机系统有内置磁盘阵列设备，要使用数个 TB 的单一磁盘设备也不是不可能的。所以，还是得要学一下这个重要的工具 parted。

parted 可以直接用一行命令行完成分区，是一个非常好用的命令。它的语法如下：

```
[root@www ~]# parted [设备] [命令 [参数]]
参数:
命令功能:
新增分区: mkpart [primary|logical|extended] [ext3|vfat] 开始 结束
分区表  : print
删除分区: rm [partition]

范例一: 以 parted 列出目前本机的分区表资料
[root@www ~]# parted /dev/hdc print
Model: IC35L040AVER07-0 (ide)           <==硬盘接口与型号
Disk /dev/hdc: 41.2GB                    <==磁盘文件名与容量
Sector size (logical/physical): 512B/512B <==每个扇区的大小
Partition Table: msdos                   <==分区表形式

Number  Start    End     Size    Type      File system  Flags
 1      32.3kB   107MB   107MB   primary   ext3         boot
 2      107MB    10.6GB  10.5GB  primary   ext3
 3      10.6GB   15.8GB  5240MB  primary   ext3
 4      15.8GB   41.2GB  25.3GB  extended
 5      15.8GB   16.9GB  1045MB  logical   linux-swap
 6      16.9GB   18.9GB  2056MB  logical   ext3
 7      18.9GB   19.2GB  263MB   logical   linux-swap
[ 1 ]   [ 2 ]   [ 3 ]   [ 4 ]   [ 5 ]     [ 6 ]
```

上面是最简单的 parted 命令功能简介，你可以使用 “man parted” 或者是 “parted /dev/hdc help mkpart” 去查询更详细的数据。比较有趣的地方在于分区表的输出。我们将上述的分区表示意拆成六部分来说明：

1. Number：这个就是分区的号码。举例来说，1 号代表的是/dev/hdc1 的意思。
2. Start：表示起始的柱面位置，它以容量作为单位。
3. End：表示结束的柱面位置。
4. Size：由上述两者的分析，得到这个分区有多少容量。
5. Type：就是分区的类型，有 primary，extended，logical 等类型。
6. File system：就如同 fdisk 的 System ID。

接下来我们尝试来新建一个全新的分区。因为我们仅剩下逻辑分区可用，所以等一下下面我们选择的会是 logical 的分区类型。

```
范例二: 新建一个约为 512MB 的逻辑分区
[root@www ~]# parted /dev/hdc mkpart logical ext3 19.2GB 19.7GB
# 请参考前面的命令介绍，因为我们的 /dev/hdc7 在 19.2GB 位置结束，
# 所以我们当然要由 19.2GB 位置处继续下一个分区，这样懂了吧?
[root@www ~]# parted /dev/hdc print
.....前面省略.....
 7    18.9GB  19.2GB  263MB  logical  linux-swap
 8    19.2GB  19.7GB  502MB  logical  <==就是刚才新建的。
```

```
范例三: 将刚才新建的第八号磁盘分区删除。
[root@www ~]# parted /dev/hdc rm 8
# 这样就删除了，所以这个命令的执行要特别注意。
# 因为命令一下去就立即生效了，如果写错的话，会欲哭无泪的。
```

关于 parted 的介绍我们就到这里。除非你有使用到大于 2TB 以上的磁盘，否则请使用 fdisk 这个程序来进行分区。

8.7　重点回顾

◆ 基本上 Linux 最主要的文件系统为 Ext2，该文件系统内的信息主要有：

- superblock：记录此文件系统的整体信息，包括 inode/block 的总量、使用量、剩余量，以及文件系统的格式与相关信息等。
- inode：记录文件的属性，一个文件占用一个 inode，同时记录此文件的数据所在的 block 号码。
- block：实际记录文件的内容，若文件太大时，会占用多个 block。

◆ Ext2 文件系统的数据访问为索引式文件系统（indexed allocation）。

◆ 需要碎片整理的原因就是文件写入的 block 太过于离散了，此时文件读取的性能将会变得很差所致。这个时候可以通过碎片整理将同一个文件所属的 blocks 汇集在一起。

◆ Ext2 文件系统主要有 boot sector，superblock，inode bitmap，block bitmap，inode table，data block 等六大部分。

◆ data block 是用来放置文件内容数据地方，在 Ext2 文件系统中所支持的 block 大小有 1KB、2KB 及 4KB 三种而已。

◆ inode 记录文件的属性/权限等数据，每个 inode 大小均固定为 128bytes；每个文件都仅会占用一个 inode 而已；因此文件系统能够新建的文件数量与 inode 的数量有关。

◆ 文件的 block 记录文件的实际数据，目录的 block 则记录该目录下面文件名与其 inode 号码的对照表。

◆ 日志（journal）文件系统会多出一块记录区，随时记载文件系统的主要活动，可加快系统恢复时间。

◆ Linux 文件系统为增加性能，会让主存储器作为大量的磁盘高速缓存。

◆ 实际连接只是多了一个文件名对该 inode 号码的连接而已。

◆ 符号连接就类似 Windows 的快捷方式功能。

◆ 磁盘的使用必需要经过分区、格式化与挂载，分别惯用的命令为 fdisk、mkfs 和 mount。

◆ 开机自动挂载可参考/etc/fstab 的设置，设置完毕务必使用 mount –a 测试语法正确否。

8.8　本章习题

情境模拟题一

复原本章的各例题练习，本章新增非常多的分区，请将这些分区删除，恢复到原本刚安装好时的状态。

◆ 目标：了解到删除分区需要注意的各项信息；

◆ 前提：本章的各项范例练习你都必须要做过，才会有/dev/hdc6、/dev/hdc7 出现；

◆ 需求：熟悉 fdisk、umount、swapoff 等命令。

由于本章处理完毕后，将会有/dev/hdc6 与/dev/hdc7 这两个新增的分区，所以请删除掉这两个分区。删除的过程需要注意的是：

1. 需先以 free/swapon–s/mount 等命令查阅，/dev/hdc6,/dev/hdc7 不可以被使用，如果有被使用，则你必须要使用 umount 卸载文件系统。如果是内存交换空间，则需使用 swapon –s 找出被使用的分区，再以 swapoff 去卸载。

2. 查看/etc/fstab，该文件不能存在这两个分区。

3. 使用 "fdisk/dev/hdc" 删除，注意，由于是逻辑分区，这些分区一定从 5 号开始连续编号，因此你最好不要从 6 号删除。否则原本的 7 号在你删除 6 号后将会变成 6 号。因此，你应该由 7 号删除掉，再删除 6 号。

情境模拟题二

由于我的系统分区原本不够好，我的用户希望能够独立一个文件系统附挂在 /srv/myproject 目录下。那你该如何新建新的文件系统，并且让这个文件系统每次开机都能够自动挂载到 /srv/myproject 上，且该目录是给 project 这个组共享的，其他人不可具有任何权限，且该文件系统具有 5GB 的容量。

◆ 目标：理解文件系统的构建、自动挂载文件系统与选项开发必须要的权限；
◆ 前提：你需要进行过第 7 章的情境模拟才可以继续本章；
◆ 需求：本章的所有概念必须要清楚！

那就让我们开始来处理这个流程。

1. 首先，我们必须要使用 fdisk /dev/hdc 来创建新的分区，由于本章之前范例的分区已经在上一个练习中删除，因此你应该会多出一个 /dev/hdc6 才对："fdisk /dev/hdc"，然后按下 n，按下 [Enter] 选择默认的起始柱面，按下 "+5000M" 新建 5GB 的磁盘分区，可以多按一次 p 看看是否正确，若无问题则按下 w 写入分区表。

2. 避免重新启动，因此使用 partprobe 强制内核更新分区表；如果屏幕出现类似："end_request:I/O error dev fd0，sector 0" 的错误时，不要担心。这个说明的是"找不到软盘"，我们本来就没有软盘，所以这个错误是可以忽略的。

3. 新建完毕后，开始进行格式化的操作如下："mkfs –t ext3 /dev/hdc6"，这样就 OK 了！

4. 开始新建挂载点，利用 "mkdir /srv/myproject" 来新建即可。

5. 编写自动挂载的配置文件 "nano /etc/fstab"，在这个文件最下面新增一行，内容如下：/dev/hdc6 /srv/myproject ext3 defaults 1 2。

6. 测试自动挂载：" mount –a"，然后使用 "df" 查看有无挂载即可！

7. 设置最后的权限，使用 "chgrp project /srv/myproject" 以及 "chmod 2770 /srv/myproject" 即可。

简答题部分

◆ 如果由于你的主机磁盘容量不够大，你想要增加一块新磁盘，并将该磁盘全部分区成单一分区，且将该分区挂载到 /home 目录，你该如何处置？
◆ 如果扇区 /dev/hda3 有问题，偏偏它是被挂载上的，请问我要如何修理此扇区？
◆ 我们经常说，开机的时候发现硬盘有问题，请问，这个问题的产生是文件系统的损坏还是硬盘的损坏？
◆ 当我有两个文件，分别是 file1 与 file2，这两个文件互为 hard link 的文件，请问，若我将 file1 删除，然后再以类似 vi 的方式重新新建一个名为 file1 的文件，则 file2 的内容是否会被改动？

8.9 参考数据与扩展阅读

◆ 注 1：根据 The Linux Document Project 的文件所绘制的图示，详细的参考文献可以参考如下链接：
Filesystem How–To: http://tldp.org/HOWTO/Filesystems–HOWTO–6.html
◆ 注 2：参考维基百科所得数据，链接网址如下：
条目：Ext2 介绍 http://en.wikipedia.org/wiki/Ext2
◆ 注 3：PAVE 为一套绘图软件，常应用于数值模式的输出文件再处理：
PAVE 使用手册：http://www.ie.unc.edu/cempd/EDSS/pave_doc/index.shtml
◆ 注 4：详细的 inode 表格所定义的标志可以参考如下链接：

John's spec of the second extended filesystem: http://uranus.it.swin.edu.au/～jn/explore
2fs/es2fs.htm

◆　注 5：参考 Ext2 官网提供的述说文件，这份文件非常值得参考的。
　　文章名称："Design and Implementation of the Second Extended Filesystem "
　　http://e2fsprogs.sourceforge.net/ext2intro.html
◆　注 6：Red Hat 自己推出的白皮书内容：
　　文章名称：Whitepaper: Red Hat's New Journaling File System: ext3
　　http://www.redhat.com/support/wpapers/redhat/ext3/
◆　注 7：其他值得参考的 Ext2 相关文件系统文章的链接：
　　The Second Extended File System – An introduction: http://www.freeos.com/articles/3912/
　　ext3 or ReiserFS? Hans Reiser Says Red Hat's Move Is Understandable
　　http://www.linuxplanet.com/linuxplanet/reports/3726/1/文件系统的比较：
　　http://en.wikipedia.org/wiki/Comparison_of_file_systems
◆　注 8：NTFS 文件系统官网：Linux–NTFS Project: http://www.linux–ntfs.org/
◆　注 9：Linux 内核所支持的硬件的设备代号（Major,Minor）查询：
　　http://www.kernel.org/pub/linux/docs/device–list/devices.txt
◆　注 10：与 Boot sector 及 Superblock 的探讨有关的讨论文章：
　　The Second Extended File System: http://www.nongnu.org/ext2–doc/ext2.html
　　Rob's ext2 documentation: http://www.landley.net/code/toybox/ext2.html
　　Life is different blog: ext2 文件系统分析： http://www.qdhedu.com/blog/post/7.html

9

第 9 章　文件与文件系统的压缩与打包

　　在 Linux 下面有相当多的压缩指令命令可以运行操作。喔！这些压缩指令命令可以让我们更方便地从网络上面下载大型的文件呢！此外，我们知道在 Linux 下面的扩展名是没有什么很特殊的意义的，不过，针对这些压缩指令命令所做出来的压缩文件，为了方便记忆，还是会有一些特殊的命名方式啦！

9.1　压缩文件的用途与技术

你是否有过文件太大，导致无法以一张软盘存储？你是否有过发现一个软件里面有好多文件，这些文件要将它复制与携带都很不方便的问题？还有，你是否有过要备份某些重要数据，偏偏这些数据量太大了，耗掉了你很多的磁盘空间呢？这个时候，那个好用的"**文件压缩**"技术可就派得上用场了。

因为这些比较大型的文件通过所谓的文件压缩技术之后，可以将它的磁盘使用量降低，可以达到减低文件大小的效果，此外，有的压缩程序还可以进行大小限制，使一个大型文件可以分成为数个小型文件，以方便软盘携带。

那么什么是"文件压缩"呢？我们来稍微谈一谈它的原理好了。目前我们使用的计算机系统中都是使用所谓的 byte 单位来计量的。不过，事实上，计算机最小的计量单位应该是 bit 才对，此外，我们也知道 1byte = 8bit。但是如果今天我们只是记忆一个数字，也即是 1 这个数字呢？它会如何记录？假设一个 byte 可以看成下面的模样：

□□□□□□□□

由于 1byte = 8bit，所以每个 byte 当中会有 8 个空格，而每个空格可以是 0, 1，这里仅是作为一个简略的介绍，更多的详细资料数据请参考第零第 0 章的计算器计算机概论。

由于我们记录数字是 1，考虑计算机所谓的二进制，如此一来，1 会在最右边占据 1 个 bit，而其他的 7 个 bit 将会自动被填上 0。其实在这样的例子中，那 7 个 bit 应该是"空的"。不过，为了要满足目前我们的操作系统数据的访问，所以就会将该数据转为 byte 的形态来记录了。而一些聪明的计算机工程师就利用一些复杂的计算方式，将这些没有使用到的空间"丢"出来，以让文件占用的空间变小，这就是压缩的技术。

另外一种压缩技术也很有趣，它是将重复的数据进行统计记录的。举例来说，如果你的数据为"111...."，共有 100 个 1 时，那么压缩技术会记录为"100 个 1"而不是真的有 100 个 1 的位存在。这样也能够精简文件记录的容量。

简单地说，你可以将它想成，其实文件里面有相当多的"空间"存在，并不是完全填满的，而"压缩"的技术就是将这些"空间"填满，以让整个文件占用的容量下降。不过，这些压缩过的文件并无法直接被我们的操作系统所使用的，因此，若要使用这些被压缩过的文件数据，则必须将它"还原"成未压缩前的模样，那就是所谓的"解压缩"。而至于压缩前与压缩后的文件所占用的磁盘空间大小，就可以被称为是"压缩比"。更多的技术文件或许你可以参考一下：

◆　RFC 1952 文件：http://www.ietf.org/rfc/rfc1952.txt
◆　鸟哥站上的备份：http://linux.vbird.org/linux_basic/0240tarcompress/0240tarcompress_gzip.php

这个"压缩"与"解压缩"的操作有什么好处呢？最大的好处就是压缩过的文件变小了，所以你的硬盘无形之中就可以容纳更多的数据。此外，在一些网络数据的传输中，也会由于数据量的降低，好让网络带宽可以用来做更多的工作。而不是老是卡在一些大型的文件传输上面呢。目前很多的 WWW 网站也是利用文件压缩的技术来进行数据的传送，好让网站带宽的可利用率上升。

上述的 WWW 网站压缩技术蛮有趣的！它让你网站上面"看得到的数据"在经过网络传输时，使用的是"压缩过的数据"，等到这些压缩过的数据到达你的计算机主机时，再进行解压缩，由于目前的计算机指令命令周期相当快速，因此其实在网页浏览的时候，时间都是花在数据的传输上面，而不是 CPU 的运算啦！如此一来，由于压缩过的数据量降低了，自然传送的速度就会加快不少！

若你是一位软件工程师，那么相信你也会喜欢将你自己的软件压缩之后提供大家下载来使用，毕竟没有人喜欢自己的网站天天都是带宽满载的吧？举个例子来说，Linux 2.6.27.4 完整的内核大小有 300MB 左右，而由于内核主要多是 ASCII 码的纯文本文件，这种文件的"多余空间"最多了。而一个提供下载的压缩过的 2.6.27.4 内核大约仅有 60MB 左右，差了几倍呢？你可以自己算一算。

9.2 Linux 系统常见的压缩命令

在 Linux 的环境中，压缩文件案的扩展名大多是*.tar,*.tar.gz,*.tgz,*.gz,*.Z,*.bz2，为什么会有这样的扩展名呢？不是说 Linux 的扩展名没有什么作用吗？

这是因为 Linux 支持的压缩命令非常多，且不同的命令所用的压缩技术并不相同，当然彼此之间可能就无法相互压缩/解压缩文件。所以，当你下载到某个压缩文件时，自然就需要知道该文件是由哪种压缩命令所制作出来的，好用来对照着解压缩。也就是说，虽然 Linux 文件的属性基本上是与文件名没有绝对关系的，但是为了帮助我们人类小小的大脑，所以适当的扩展名还是必要的。下面我们就列出几个常见的压缩文件案扩展名：

```
*.Z       compress 程序压缩的文件;
*.gz      gzip 程序压缩的文件;
*.bz2     bzip2 程序压缩的文件;
*.tar     tar 程序打包的数据，并没有压缩过;
*.tar.gz  tar 程序打包的文件，其中经过 gzip 的压缩;
*.tar.bz2 tar 程序打包的文件，其中经过 bzip2 的压缩。
```

Linux 上常见的压缩命令就是 gzip 与 bzip2，至于 compress 已经不再流行了。gzip 是由 GNU 计划所开发出来的压缩命令，该命令已经替换了 compress。后来 GNU 又开发出 bzip2 这个压缩比更好的压缩命令。不过，这些命令通常仅能针对一个文件来压缩与解压缩，如此一来，每次压缩与解压缩都要一大堆文件，岂不烦人？此时，那个所谓的打包软件 tar 就显得很重要了。

这个 tar 可以将很多文件"打包"成为一个文件。甚至是目录也可以这么玩。不过，单纯的 tar 功能仅是"打包"而已，即是将很多文件集结成为一个文件，事实上，它并没有提供压缩的功能，后来，GNU 计划中，将整个 tar 与压缩的功能结合在一起，如此一来提供使用者更方便并且更强大的压缩与打包功能。下面我们就来谈一谈这些在 Linux 下面基本的压缩命令吧。

9.2.1 Compress

compress 这个压缩命令是非常老旧的一款，大概只有在非常旧的 UNIX 机器上面还会找到这个软件。我们的 CentOS 默认并没有安装这个软件到系统当中，所以想要了解这个软件的使用时，请先安装 ncompress 这个软件。不过，由于 gzip 已经可以解开使用 compress 压缩的文件，因此，compress 可以不用学习了。但是，如果你所在的环境还是有老旧的系统，那么还是得要学习一下。如果你有网络的话，那么安装其实很简单。

```
[root@www ~]# yum install ncompress
base        100%  |==========================|  1.1kB    00:00
updateS     100%  |==========================|  951B     00:00
addonS      100%  |==========================|  951B     00:00
extraS      100%  |==========================|  1.1kB    00:00
Setting upInstall Process
Parsing package install arguments
Resolving DependencieS             <==开始分析依赖性
--> Running transactionCheck
---> Package ncompress.i386 0:4.2.4-47 set to be updated
--> Finished Dependency Resolution

DependencieSResolved

==========================================================
  Package      Arch   Version     Repository     Size
==========================================================
Installing:
  ncompress    i386   4.2.4-47    base           23 k

Transaction Summary
==========================================================
Install     1Package(s) <==最后分析所要安装的软件数
Update      0Package(s)
Remove      0Package(s)

Total download size: 23 k
ISthiSok [y/N]: y    <==这里请按下 y 来确认安装
Downloading Packages:
 (1/1): ncompress-4.2.4-47 100% |==========================|  23 kB    00:00
warning: rpmts HdrFromFdno: Header V3 DSA signature: NOKEY, key ID e8562897
ImportinggPG key 0xE8562897 "CentOS-5 Key (CentOS5 Official Signing Key)
<centos-5-key@centos.org>" from http://mirror.centos.org/centos/RPM-GPG-KEY-CentOS-5
ISthiSok [y/N]: y    <==这里则是与数字签名有关
Running rpm check debug
Running Transaction Test
Finished Transaction Test
Transaction Test Succeeded
Running Transaction
  Installing: ncompresS        ######################### [1/1]

Installed: ncompress.i386 0:4.2.4-47
Complete!
```

　　关于 yum 更详细的用法我们会在后续的章节介绍，这里仅是提供一个大概的用法而已。等你安装好这个软件后，接下来让我们看看如何使用 compress。

```
[root@www ~]#compress[-rcv] 文件或目录  <==这里是压缩
[root@www ~]# uncompress 文件.Z        <==这里是解压缩
选项与参数:
-r : 可以连同目录下的文件也同时给予压缩;
-c : 将压缩数据输出成为 standard output (输出到屏幕);
-v : 可以显示出压缩后的文件信息以及压缩过程中的一些文件名变化。

范例一: 将 /etc/man.config 复制到 /tmp，并加以压缩
[root@www ~]#cd /tmp
[root@www tmp]#cp/etc/man.config .
[root@www tmp]#compress-v man.config
man.config: -- replaced with man.config.ZCompression: 41.86%
[root@www tmp]# ls-l /etc/man.config /tmp/man*
-rw-r--r--1root root 4617 Jan 6 2007 /etc/man.config  <==原有文件
-rw-r--r--1root root 2684 Nov 10 17:14 /tmp/man.config.Z <==经过压缩的文件
```

不知道你有没有发现，复制到/tmp 的 man.config 不见了，因为被压缩成为 man.config.Z。也就是说，在默认的情况中，被 compress 压缩的源文件会不见，而压缩文件会被创建起来，而且扩展名会是 *.Z。仔细看一下，文件由原本的 4617bytes 降低到 2684bytes 左右，确实有减少一点。那么如何解压缩呢？

```
范例二：将刚才的压缩文件解开
[root@www tmp]# uncompress man.config.Z
[root@www tmp]# ll man*
-rw-r--r--1root root 4617 Nov 10 17:14 man.config
```

解压缩直接用 uncompress 即可。解压缩完毕后该文件就自动变回来了。不过，那个压缩文件却又不存在。这样可以理解用法了吗？那如果我想要保留原文件且又要新建压缩文件呢？可以使用–c 的语法。

```
范例三：将 man.config 压缩成另外一个文件来备份
[root@www tmp]#compress-c man.config > man.config.back.Z
[root@www tmp]# ll man*
-rw-r--r--1root root 4617 Nov 10 17:14 man.config
-rw-r--r--1root root 2684 Nov 10 17:24 man.config.back.Z
# 这个 -c 的参数比较有趣。它会将压缩过程的数据输出到屏幕上，而不是写入成为
# *.Z 的压缩文件。所以，我们可以通过数据流重定向的方法将数据输出成为另一个文件名。
# 关于数据流重定向，我们会在第 11 章 bash 中详细谈论的。
```

再次强调，compress 已经很少人在使用了，因为这个程序无法解开*.gz 的文件，而 gzip 则可以解开 *.Z 的文件，所以，如果你的 distribution 上面没有 compress 的话，那就不要进行上面的练习了。

9.2.2　gzip,zcat

gzip 可以说是应用最广的压缩命令了。目前 gzip 可以解开 compress、zip 与 gzip 等软件所压缩的文件。至于 gzip 所新建的压缩文件为*.gz 的文件名。让我们来看看这个命令的语法吧：

```
[root@www~]#gzip [-cdtv#] 文件名
[root@www ~]# zcat 文件名.gz
参数:
-c  ：将压缩的数据输出到屏幕上，可通过数据流重定向来处理;
-d  ：解压缩的参数;
-t  ：可以用来检验一个压缩文件的一致性，看看文件有无错误;
-v  ：可以显示出原文件/压缩文件的压缩比等信息;
-#  ：压缩等级，-1 最快，但是压缩比最差，-9 最慢，但是压缩比最好默认是 -6。

范例一：将 /etc/man.config 复制到 /tmp 中，并且以 gzip 压缩
[root@www ~]#cd /tmp
[root@www tmp]#cp/ etc/man.config .
[root@www tmp]#gzip -v man.config
man.config:      56.1% -- replaced with man.config.gz
[root@www tmp]# ll /etc/man.config /tmp/man*
-rw-r--r--1root root 4617 Jan 6  2007 /etc/man.config
-rw-r--r--1root root 2684 Nov 10 17:24 /tmp/man.config.back.Z
-rw-r--r--1root root 2057 Nov 10 17:14 /tmp/man.config.gz  <==gzip 压缩比较佳
```

与 compress 类似，当你使用 gzip 进行压缩时，在默认的状态下原本的文件会被压缩成为.gz 的文件名，原文件就不再存在了。你也可以发现，由于 gzip 的压缩比要比 compress 好得多，所以当然建议使用 gzip。此外，使用 gzip 压缩的文件在 Windows 系统中，竟然可以被 WinRAR 这个软件解压缩。至于其他的用法如下：

```
范例二：由于 man.config 是文本文件，请将范例一的压缩文件的内容读出来。
[root@www tmp]# zcat man.config.gz
# 由于 man.config 这个原本的文件是文本文件，因此我们可以尝试使用 zcat  去读取。
# 此时屏幕上会显示 man.config.gz 解压缩之后的文件内容。
```

范例三: 将范例一的文件解压缩
```
[root@www tmp]#gzip -d man.config.gz
# 不要使用 gunzip 这个命令, 使用 gzip-d 来进行解压缩。
# 与 gzip 相反, gzip -d 会将原本的 .gz 删除, 产生原本的 man.config 文件。
```
范例四: 将范例三解开的 man.config 用最佳的压缩比压缩, 并保留原来的文件
```
[root@www tmp]#gzip -9 -c man.config > man.config.gz
```

其实 gzip 的压缩已经优化过了, 所以虽然 gzip 提供 1~9 的压缩等级, 不过使用默认的 6 就非常好用了。因此上述的范例四可以不要加入那个–9 的参数。范例四的重点在那个–c 与>的使用。

cat 可以读取纯文本文件, 那个 zcat 则可以读取纯文本被压缩后的压缩文件。由于 gzip 这个压缩命令主要想要用来替代 compress 的, 所以不但 compress 的压缩文件可以使用 gzip 来解开, 同时 zcat 这个命令可以同时读取 compress 与 gzip 的压缩文件。

9.2.3　bzip2,bzcat

若说 gzip 是为了替代 compress 并提供更好的压缩比而成立的, 那么 bzip2 则是为了取代 gzip 并提供更佳的压缩比而来的。bzip2 真是很不错的东西,这玩意的压缩比竟然比 gzip 还要好。至于bzip2 的用法几乎与 gzip 相同, 用下面的用法介绍。

```
[root@www ~]#bzip2[-cdkzv#] 文件名
[root@www ~]# bzcat 文件名.bz2
参数:
-c : 将压缩过程中产生的数据输出到屏幕上;
-d : 解压缩的参数;
-k : 保留原文件, 而不会删除原始的文件;
-z : 压缩的参数;
-v : 可以显示出原文件/压缩文件的压缩比等信息;
-# : 与 gzip 同样的, 都是在计算压缩比的参数, -9 最佳, -1 最快。
```
范例一: 将刚才的 /tmp/man.config 以 bzip2 压缩
```
[root@www tmp]#bzip2-z man.config
# 此时 man.config 会变成 man.config.bz2
```
范例二: 将范例一的文件内容读出来
```
[root@www tmp]# bzcat man.config.bz2
# 此时屏幕上会显示 man.config.bz2 解压缩之后的文件内容。
```
范例三: 将范例一的文件解压缩
```
[root@www tmp]#bzip2 -d man.config.bz2
```
范例四: 将范例三解开的 man.config 用最佳的压缩比压缩, 并保留原本的文件
```
[root@www tmp]#bzip2 -9 -c man.config > man.config.bz2
```

使用 compress 扩展名自动创建为 .Z, 使用 gzip 扩展名自动创建为.gz。这里的 bzip2 则是自动将扩展名构建为.bz2。所以当我们使用具有压缩功能的 bzip2 –z 时, 那么刚才的 man.config 就会自动变成了 man.config.bz2 这个文件名。

好了, 那么如果我想要读取这个文件的内容呢? 是否一定要解压缩? 当然不需要。使用简便的 bzcat 这个命令来读取内容即可。例如上面的例子中, 我们可以使用 bzcat man.config.bz2 来读取数据而不需要解压缩。此外, 当你要解开一个压缩文件时, 这个文件的名称为.bz,.bz2,.tbz,.tbz2 等, 那么就可以尝试使用 bzip2 来解压缩。当然, 也可以使用 bunzip2 这个命令来替代 bzip2 –d。

9.3　打包命令: **tar**

前一小节谈到的命令大多仅能针对单一文件来进行压缩,虽然 gzip 与 bzip2 也能够针对目录来进

行压缩，不过，这两个命令对目录的压缩指的是将目录内的所有文件"分别"进行压缩的操作。而不像在 Windows 的系统，可以使用类似 WinRAR 这一类的压缩软件来将好多数据"包成一个文件"的样式。

这种将多个文件或目录包成一个大文件的命令功能，我们可以称呼它是一种"打包命令"。那 Linux 有没有这种打包命令呢？那就是鼎鼎大名的 tar。tar 可以将多个目录或文件打包成一个大文件，同时还可以通过 gzip/bzip2 的支持，将该文件同时进行压缩。更有趣的是，由于 tar 的使用太广泛了，目前 Windows 的 WinRAR 也支持.tar.gz 文件名的解压缩。所以下面我们就来介绍一下。

9.3.1 tar

tar 的参数非常多。我们只讲几个常用的参数，更多参数你可以自行 man tar 查询。

```
[root@www ~]#tar [-j|-z] [cv] [-f 新建的文件名] filename...  <==打包与压缩
[root@www ~]#tar [-j|-z] [tv] [-f 新建的文件名]              <==查看文件名
[root@www ~]#tar [-j|-z] [xv] [-f 新建的文件名] [-C 目录]   <==解压缩
参数:
-c  : 新建打包文件，可搭配 -v 来查看过程中被打包的文件名（filename）。
-t  : 查看打包文件的内容含有哪些文件名，重点在查看文件名。
-x  : 解打包或解压缩的功能，可以搭配 -C（大写）在特定目录解开。
      特别留意的是，-c, -t, -x 不可同时出现在一串命令行中。
-j  : 通过 bzip2 的支持进行压缩/解压缩，此时文件名最好为 *.tar.bz2。
-z  : 通过 gzip 的支持进行压缩/解压缩，此时文件名最好为 *.tar.gz。
-v  : 在压缩/解压缩的过程中，将正在处理的文件名显示出来。
-f filename: -f 后面要接被处理的文件名。建议 -f 单独写一个参数。
-C 目录     : 这个参数用在解压缩时，若要在特定目录解压缩，可以使用这个参数。

其他后续练习会使用到的参数介绍:
-p  : 保留备份数据的原本权限与属性，常用于备份（-c）重要的配置文件。
-P  : 保留绝对路径，即允许备份数据中含有根目录存在之意。
--exclude=FILE: 在压缩的过程中，不要将 FILE 打包。
```

其实最简单的使用 tar 就只要记忆下面的方式即可：

◆ 压　缩：tar -jcv -f filename.tar.bz2 要被压缩的文件或目录名称
◆ 查　询：tar -jtv -f filename.tar.bz2
◆ 解压缩：tar -jxv -f filename.tar.bz2 -C 欲解压缩的目录

那个 filename.tar.bz2 是我们自己取的文件名，tar 并不会主动产生创建的文件名。我们要自定义。所以扩展名就显得很重要了。如果不加[-j|-z]的话，文件名最好取为*.tar 即可。如果是-j 参数，代表有 bzip2 的支持，因此文件名最好就取为*.tar.bz2，因为 bzip2 会产生.bz2 的扩展名。至于如果是加上了-z 的 gzip 的支持，那文件名最好取为*.tar.gz。

另外，由于"-f filename"是紧接在一起的，过去很多文章常会写成"-jcvf filename"，这样是对的，但由于参数的顺序理论上是可以变换的，所以很多读者会误认为"-jvfc filename"，也可以，事实上这样会导致产生的文件名变成 C，因为-fc。所以建议你在学习 tar 时，将"-f filename"与其他参数独立出来，会比较不容易发生问题。

闲话少说，让我们来测试几个常用的 tar 方法。

◆ 使用 tar 加入-j 或-z 的参数备份/etc/目录。

有事没事备份一下/etc 这个目录是件好习惯。备份/etc 最简单的方法就是使用 tar。让我们来试验一下：

```
[root@www ~]#tar -zpcv -f /root/etc.tar.gz /etc
tar: Removing leading `/' from member names <==注意这个警告消息
```

```
/etc/
....中间省略....
/etc/esd.conf
/etc/crontab
# 由于加上 -v 这个参数，因此正在作用中的文件名就会显示在屏幕上。
# 如果你可以翻到第一页，会发现出现上面的错误信息，下面会讲解。
# 至于 -p 的参数，重点在于保留原本文件的权限与属性之意。

[root@www ~]#tar -jpcv -f /root/etc.tar.bz2 /etc
# 显示的消息会跟上面一模一样。

[root@www ~]# ll /root/etc*
-rw-r--r--1root root  8740252 Nov 15 23:07 /root/etc.tar.bz2
-rw-r--r--1root root 13010999 Nov 15 23:01/root/etc.tar.gz
[root@www ~]# du -sm /etc
118     /etc
# 为什么建议你使用 -j 这个参数？从上面的数值你可以知道了吧？
```

- 由上述的练习，我们知道使用 bzip2 也即−j 这个参数来制作备份时，能够得到比较好的压缩比。如上所示，由原本的/etc/（118MＢ）下降到 8.7MB 左右。至于加上 "−p" 这个参数的原因是为了保存原本文件的权限与属性。我们曾在第 7 章的 Cp 命令介绍时谈到权限与文件类型（例如连接文件）对复制的不同影响。同样，在备份重要的系统数据时，这些原本文件的权限需要做完整的备份比较好。此时−p 这个参数就派上用场了。接下来让我们看看打包文件内有什么数据存在。

◆ **查阅 tar 文件的数据内容**（可查看文件名），**与备份文件名有否根目录的意义**
  - 要查看文件名非常简单，可以这样做：

```
[root@www ~]#tar -jtv -f /root/etc.tar.bz2
....前面省略....
-rw-r--r-- root/root 1016 2008-05-25 14:06:20 etc/dbus-1/session.conf
-rw-r--r-- root/root  153 2007-01-07 19:20:54 etc/esd.conf
-rw-r--r-- root/root  255 2007-01-06 21:13:33 etc/crontab
```

如果加上−v 这个参数时，详细的文件权限/属性都会被列出来。如果只是想要知道文件名而已，那么就将−v 去掉即可。从上面的数据我们可以发现一件很有趣的事情，那就是每个文件名都没了根目录了。这也是上一个练习中出现的那个警告信息 "tar:Removing leading `/' from member names（删除了文件名开头的`/'）" 所告知的情况。

  - 那为什么要去掉根目录呢？主要是为了安全，我们使用 tar 备份的数据可能会需要解压缩回来使用，在 tar 所记录的文件名（就是我们刚才使用 tar -jtvf 所查看到的文件名）那就是解压缩后的实际文件名。如果去掉了根目录，假设你将备份数据在/tmp 中解开，那么解压缩的文件名就会变成 "/tmp/etc/xxx"。但如果没有去掉根目录，解压缩后的文件名就会是绝对路径，即解压缩后的数据一定会被放置到/etc/xxx 去。如此一来，你的原本的/etc/下面的数据就会被备份数据所覆盖过去了。

你会说："既然是备份数据，那么还原回来也没有什么问题吧？" 想象一个状况，你备份的数据是一年前的旧版 CentOS 4.x，你只是想要了解一下过去的备份内容究竟有哪些数据而已，结果一解开该文件，却发现你目前新版的 CentOS 5.x 下面的 /etc 被旧版的备份数据覆盖了。此时你该如何是好？所以当然是去掉根目录比较安全一些的。

- 如果你确定你就是需要备份根目录到 tar 的文件中，那可以使用–P（大写）这个参数，请看下面的例子分析：

```
范例: 将文件名中的（根）目录也备份下来，并查看一下备份文件的内容文件名
[root@www ~]#tar -jpPcv -f /root/etc.and.root.tar.bz2 /etc
....中间过程省略....
[root@www ~]#tar -jtf /root/etc.and.root.tar.bz2
/etc/dbus-1/session.conf
/etc/esd.conf
/etc/crontab
# 这次查阅文件名不含 -v 参数，所以仅有文件名而已，没有详细属性/权限等参数。
```

  - 有发现不同点了吧？ 如果加上–P 参数，那么文件名内的根目录就会存在。不过，鸟哥个人建议，还是不要加上–P 这个参数来备份。毕竟很多时候，我们备份是为了要未来追踪问题用的，倒不一定需要还原回原本的系统中。所以拿去根目录后，备份数据的应用会比较有弹性，也比较安全。

- **将备份的数据解压缩，并考虑特定目录的解压缩操作（-C 参数的应用）**
  那如果想要解打包呢？ 很简单的操作就是直接进行解打包。

```
[root@www ~]#tar -jxv -f /root/etc.tar.bz2
[root@www ~]# ll
....（前面省略）....
drwxr-xr-x 105 root root   12288 Nov 1104:02 etc
....（后面省略）....
```

此时该打包文件会在**本目录下进行解压缩**的操作。所以，你等一下就会在主文件夹下面发现一个名为 etc 的目录。所以如果你想要将该文件在/tmp 下面解开，可以执行 cd /tmp 后，再执行上述的命令即可。不过，这样好像很麻烦，有没有更简单的方法可以指定欲解开的目录呢？ 有的，可以使用–C 这个参数。举例来说：

```
 [root@www ~]#tar -jxv -f /root/etc.tar.bz2 -C /tmp
[root@www ~]# ll /tmp
....（前面省略）....
drwxr-xr-x 105 root root   12288 Nov 1104:02 etc
....（后面省略）....
```

这样一来，你就能够将该文件在不同的目录解开。鸟哥个人认为，这个–C 的参数务必要记一下。处理完毕后，请记得将这两个目录删除一下。

```
[root@www~]#rm -rf/root/etc /tmp/etc
```

再次强调，这个"rm –rf "是很危险的命令。执行时请务必要确认一下后面接的文件名。我们要删除的是/root/etc 与/tmp/etc，你可不要将/etc/删除掉了，否则系统会死掉。

- **仅解开单一文件的方法**
  刚才我们解压缩都是将整个打包文件的内容全部解开。想象一个情况，如果我只想要解开打包文件内的其中一个文件而已，那该如何做呢？ 你只要使用–jtv 找到你要的文件名，然后将该文件名解开即可。我们用下面的例子来说明一下：

```
# 1. 先找到我们要的文件名，假设解开 shadow 文件好了:
[root@www ~]#tar -jtv -f /root/etc.tar.bz2 |grep'shadow'
-r-------- root/root 1230 2008-09-29 02:21:20 etc/shadow-
-r-------- root/root  622 2008-09-29 02:21:20 etc/gshadow-
-r-------- root/root  636 2008-09-29 02:21:25 etc/gshadow
-r-------- root/root 1257 2008-09-29 02:21:25 etc/shadow  <==这是我们要的。
# 先找出重要的文件名。其中那个 grep 是"选取"关键字的功能。我们会在第三篇说明。
```

```
# 这里你先有个概念即可，那个坚线 | 配合 grep 可以选取关键字的意思。

# 2. 将该文件解开。语法与实际方法如下：
[root@www ~]#tar -jxv -f 打包文件.tar.bz2 待解开文件名
[root@www ~]#tar -jxv -f /root/etc.tar.bz2 etc/shadow
etc/shadow
[root@www ~]# ll etc
total 8
-r--------1root root 1257 Sep29 02:21shadow  <==只有一个文件啦。
#此时只会解开一个文件而已。不过，重点是那个文件名。你要找到正确的文件名。
# 在本例中，你不能写成 /etc/shadow ，因为它是记录在 etc.tar.bz2 内的文件名。
```

◆　**打包某目录，但不含该目录下的某些文件的做法**

假设我们想要打包/etc//root 这几个重要的目录，但却不想要打包/root/etc*开头的文件，因为该文件都是刚才我们才创建的备份文件。而且假设这个新的打包文件要放置成为/root/system.tar.bz2，当然这个文件自己不要打包自己（因为这个文件放置在/root 下面），此时我们可以通过--exclude 的帮忙。那个 exclude 就是不包含的意思。所以你可以这样做：

```
[root@www ~]#tar -jcv  -f /root/system.tar.bz2 --exclude=/root/etc* \
> --exclude=/root/system.tar.bz2 /etc /root
```

上面的命令是一整行的，其实你可以打成"tar -jcv -f /root/system.tar.bz2 --exclude=/ root/etc* --exclude=/root/system.tar.bz2 /etc/root"，如果想要两行输入时，最后面加上反斜杠（\）并立刻按下 [Enter]，就能够到第二行继续输入了。通过这个--exclude="file"的操作，我们可以将几个特殊的文件或目录删除在打包之列，让打包的操作变得更简便。

另外，在新版的 tar 命令中，鸟哥发现原本的"--excludefile"似乎无法实际操作。使用 man tar 明明有看到这个参数的说明，但使用 info tar 才发现，参数功能已经变成了"--exclude=file"的模式。这个地方得要特别留意。

◆　**仅备份比某个时刻还要新的文件**

某些情况下你会想要备份新的文件而已，并不想要备份旧文件。此时--newer-mtime 这个参数就很重要。其实有两个参数，一个是"--newer"，另一个就是"--newer-mtime"，这两个参数有何不同呢？我们在第 7 章的 touch 介绍中谈到过三种不同的时间参数，当使用--newer 时，表示后续的日期包含"mtime 与 ctime"，而--newer-mtime 则仅是 mtime 而已。那就让我们来尝试处理一下。

```
#1. 先由 find 找出比 /etc/passwd 还要新的文件
[root@www ~]# find /etc -newer /etc/passwd
....（过程省略）....
# 此时会显示出比 /etc/passwd 这个文件的 mtime 还要新的文件名，
# 这个结果在每台主机都不相同。你先自行查阅自己的主机即可，不会跟鸟哥一样。


[root@www ~]# ll /etc/passwd
-rw-r--r--1root root 1945 Sep29 02:21/etc/passwd


# 2. 好了，那么使用 tar 来进行打包，日期为上面看到的 2008/09/29
[root@www ~]#tar-jcv -f /root/etc.newer.then.passwd.tar.bz2 \
> --newer-mtime="2008/09/29" /etc/*
....（中间省略）....
/etc/smartd.conf    <==真的有备份的文件
....（中间省略）....
/etc/yum.repos.d/   <==目录都会被记录下来
tar: /etc/yum.repos.d/CentOS-Base.repo: file iSunchanged; not dumped
# 最后一行显示的是"没有被备份的"，也即 not dumped 的意思。
```

```
# 3. 显示出文件即可
[root@www ~]#tar -jtv -f /root/etc.newer.then.passwd.tar.bz2 | \
>grep -v '/$'
# 通过这个命令可以调出 tar.bz2 内的结尾非 / 的文件名。
```

现在你知道这个命令的好用了吧？它甚至可以进行差异文件的记录与备份呢，这样子的备份就会显得更容易。你可以这样想象，如果我在一个月前才进行过一次完整的数据备份，那么这个月想要备份时，当然可以仅备份上个月进行备份的那个时间点之后的更新的文件即可。为什么呢？因为原本的文件已经有备份了。干嘛还要进行一次？只要备份新数据即可。这样可以降低备份的容量。

- ◆ **基本名称： tarfile, tarball？**
  - 值得一提的是，tar 打包出来的文件有没有进行压缩所得到的文件称谓不同。如果仅是打包而已，就是 "tar –cv –f file.tar" 而已，这个文件我们称呼为 tarfile。如果还有进行压缩的支持，例如 "tar -jcv -f file.tar.bz2" 时，我们就称呼为 tarball（tar 球）。这只是一个基本的称谓而已，不过很多书籍与网络都会使用到这个 tarball 的名称。所以我得要跟你介绍一下。
  - 此外，tar 除了可以将数据打包成为文件之外，还能够将文件打包到某些特别的设备去，举例来说，磁带机（tape）就是一个常见的例子。磁带机由于是一次性读取/写入的设备，因此我们不能够使用类似 cp 等命令来复制的。那如果想要将/home, /root, /etc 备份到磁带机（/dev/st0）时，就可以使用 "tar -cv -f /dev/st0 /home /root /etc"，很简单容易吧？**磁带机用在备份** （尤其是企业应用）是很常见的工作。

- ◆ **特殊应用：利用管道命令与数据流**
  在 tar 的使用中，有一种方式最特殊，那就是通过标准输入输出的数据流重定向（standard input/standard output），以及管道命令（pipe）的方式，将待处理的文件一边打包一边解压缩到目标目录去。关于数据流重定向与管道命令更详细的数据我们会在第 11 章 bash 中再跟大家介绍，下面先来看一个例子。

```
# 将 /etc 整个目录一边打包一边在 /tmp 中解开
[root@www ~]#cd /tmp
[root@www ~]#tar -cvf - /etc |tar -xvf -
# 这个操作有点像是 cp -r /etc /tmp 依旧是有其有用途的。
# 要注意的地方在于输出文件变成 - 而输入文件也变成 - ，又有一个 | 存在。
# 这分别代表 standard output, standard input 与管道命令。
# 简单的想法中，你可以将 - 想成是在内存中的一个设备（缓冲区）。
# 更详细的数据流与管道命令，请翻到 bash 章节。
```

在上面的例子中，我们想要将/etc 下面的数据直接复制到目前所在的路径，也就是/tmp 下面，但是又觉得使用 cp –r 有点麻烦，那么就直接以这个打包的方式来打包，其中，命令里面的–就是表示那个被打包的文件。由于我们不想要让中间文件存在，所以就以这一个方式来进行复制的行为。

- ◆ **例题：系统备份范例**
  - 系统上有非常多的重要目录需要进行备份，而且其实我们也不建议你将备份数据放置到/root 目录下。假设目前你已经知道重要的目录有下面这几个：
    - /etc/ （配置文件）
    - /home/ （用户的主文件夹）
    - /var/spool/mail/ （系统中，所有账号的邮件信箱）
    - /var/spool/cron/ （所有账号的工作调度配置文件）
    - /root （系统管理员的主文件夹）
  - 然后我们也知道，由于第 8 章曾经做过的练习的关系,/home/loop*不需要备份,而且/root 下面的压缩文件也不需要备份,另外假设你要将备份的数据放置到/backups,并且该目录仅有 root 有权限进入。此外，每次备份的文件名都希望不相同，例如使用 backup–system–20091130.tar.bz2 之类的文件名来处理。那你该如何处理这个备份数据呢？（请先动手操作试试，再来查看一下下面的参考解答。）

```
#1. 先处理要放置备份数据的目录与权限：
[root@www ~]# mkdir /backups
[root@www ~]#Chmod 700 /backups
[root@www ~]# ll -d /backups
drwx------ 2 root root 4096 Nov 30 16:35 /backups

# 2. 假设今天是 2009/11/30，则新建备份的方式如下：
[root@www ~]#tar -jcv -f /backups/backup-system-20091130.tar.bz2 \
> --exclude=/root/*.bz2 --exclude=/root/*.gz --exclude=/home/loop* \
> /etc /home /var/spool/mail /var/spool/cron /root
....（过程省略）....

[root@www ~]# ll -h /backups/
-rw-r--r--1root root 8.4M Nov 30 16:43 backup-system-20091130.tar.bz2
```

9.4 完整备份工具：dump

某些时刻你想要针对文件系统进行备份或者是存储的功能时，不能不谈到这个 dump 命令。这玩意儿我们曾在前一章的/etc/fstab 里面稍微谈过。其实这个命令除了能够针对整个文件系统备份之外，也能够仅针对目录来备份。下面就让我们来谈一谈这个命令的用法。

9.4.1 dump

其实 dump 的功能很强，它除了可以备份整个文件系统之外，还可以制定等级。什么意思啊？假设你的/home 是独立的一个文件系统，那你第一次进行过 dump 后，再进行第二次 dump 时，你可以指定不同的备份等级，假如指定等级为 1 时，此时新备份的数据只会记录与第一次备份所有差异的文件而已。我们用一张简图 9–1 来说明。

图 9–1 dump 运行的等级（level）

如图 9–1 所示，上方的"实时文件系统"是一直随着时间而变化的数据，例如在/home 里面的文件数据会一直变化一样。而下面的方块则是 dump 备份起来的数据，第一次备份时使用的是 level 0，这个等级也是完整的备份。等到第二次备份时，实时文件系统内的数据已经与 level 0 不一样了，而level1 仅只是比较目前的文件系统与 level 0 之间的差异后，备份有变化过的文件而已。至于 level 2则是与 level 1 进行比较。

虽然 dump 支持整个文件系统或者是单一目录，但是对于目录的支持是比较不足的，这也是 dump的限制所在。简单地说，如果想要备份的数据如下时，则有不同的限制情况：

◆ 当待备份的数据为单一文件系统

如果是单一文件系统，那么该文件系统可以使用完整的 dump 功能，包括利用 0~9 的数个 level来备份，同时，备份时可以使用挂载点或者是设备文件名（例如/dev/sda5 之类的设备文件名）来进行备份。

◆ **待备份的数据只是目录，并非单一文件系统**

例如你仅想要备份/home/someone/，但是该目录并非独立的文件系统时。此时备份就有限制。包括：

- 所有的备份数据都必须要在该目录（本例为/home/someone/）下面；
- 且仅能使用 level 0，即仅支持完整备份而已；
- 不支持-u 参数，即无法创建/etc/dumpdates 这个 level 备份的时间记录文件。

dump 的参数虽然非常繁杂，不过如果只是想要简单的操作时，你只要记得下面的几个参数就很够用了。

```
[root@www ~]# dump [-Suvj] [-level] [-f 备份文件] 待备份数据
[root@www ~]# dump -W
参数:
-S    : 仅列出后面的待备份数据需要多少磁盘空间才能够备份完毕;
-u    : 将这次 dump 的时间记录到 /etc/dumpdateS 文件中;
-v    : 将 dump 的文件过程显示出来;
-j    : 加入 bzip2 的支持，将数据进行压缩，默认 bzip2 压缩等级为 2;
-level: 就是我们谈到的等级，从 -0 ~ -9 共 10 个等级;
-f    : 有点类似 tar，后面接产生的文件，可接例如 /dev/st0 设备文件名等;
-W    : 列出在 /etc/fstab 里面的具有 dump 设置的分区是否有备份过。
```

◆ **用 dump 备份完整的文件系统**

现在就让我们来做几个范例。假如你要将系统的最小的文件系统找出来进行备份，那该如何进行呢？

```
# 1. 先找出系统中最小的那个文件系统，如下所示:
[root@www ~]# df -h
Filesystem      Size  Used Avail Use% Mounted on
/dev/hdc2       9.5G  3.7G  5.3G  42% /
/dev/hdc3       4.8G  651M  3.9G  15% /home
/dev/hdc1        99M   11M   83M  12% /boot  <==看起来最小的就是它。
tmpfS           363M     0  363M   0% /dev/shm

# 2. 先测试一下如果要备份此文件系统需多少容量
[root@www ~]# dump -S/dev/hdc1
5630976   <==注意一下，这个单位是 byte，所以差不多是 5.6MB。

# 3. 将完整备份的文件名记录成为 /root/boot.dump，同时更新记录文件:
[root@www ~]# dump -0u -f /root/boot.dump/boot
 DUMP: Date of thiSlevel0dump: Tue Dec  2 02:53:45 2008<==记录等级与备份时间
 DUMP: Dumping /dev/hdc1 (/boot) to /root/boot.dump   <==dump 的源与目标
 DUMP: Label: /boot                              <==文件系统的 label
 DUMP: Writing 10 Kilobyte records
 DUMP: mapping (PasSI)[regular files]            <==开始进行文件对应
 DUMP: mapping (PasSII)[directories]
 DUMP: estimated 5499 blocks.                    <==评估整体 block 数量
 DUMP: Volume1started with block1at: Tue Dec  2 02:53:46 2008
 DUMP: dumping (PasSIII)[directories]            <==开始 dump 工作
 DUMP: dumping (PasSIV)[regular files]
 DUMP:Closing /root/boot.dump                    <==结束写入备份文件
 DUMP: Volume1completed at: Tue Dec  2 02:53:47 2008
 DUMP: Volume15550 blockS (5.42MB)               <==最终备份数据容量
 DUMP: Volume1took 0:00:01
 DUMP: Volume1transfer rate: 5550 kB/s
 DUMP: 5550 blockS (5.42MB) on1volume (s)
 DUMP: finished in1seconds, throughput 5550 kBytes/sec
 DUMP: Date of thiSlevel0dump: Tue Dec  2 02:53:45 2008
 DUMP: Date thiSdumpCompleted:  Tue Dec  2 02:53:47 2008
 DUMP: Average transfer rate: 5550 kB/s
 DUMP: DUMPISDONE
# 在命令的执行方面，dump 后面接 /boot 或 /dev/hdc1 都可以的。
```

```
# 而执行 dump 的过程中会出现如上的一些信息，你可以自行仔细查看。

[root@www ~]# ll /root/boot.dump/etc/dumpdates
-rw-rw-r--1root disk      43 Dec  2 02:53 /etc/dumpdates
-rw-r--r--1root root 5683200 Dec  2 02:53 /root/boot.dump
# 由于加上 -u 的选项，因此 /etc/dumpdates 文件的内容会被更新。注意，
# 这个文件仅有在 dump 完整的文件系统时才有支持自动更新的功能。

# 4. 查看一下系统自动新建的记录文件:
[root@www ~]#cat /etc/dumpdates
/dev/hdc1   0  Tue Dec  2 02:53:47 2008 +0800
[文件系统] [等级] [      Ctime 的时间       ]
```

这样很简单地就新建了/root/boot.dump 文件，该文件将整个/boot/文件系统都备份下来了。并且将备份的时间写入/etc/dumpdates 文件中，准备让下次备份时可以作为一个参考依据。现在让我们来进行一个测试，检查看看能否真的新建 level 1 的备份呢。

```
# 1. 看一下有没有任何文件系统被 dump 过的数据
[root@www ~]# dump -W
Last dump(s)done (Dump'>' file systems):
> /dev/hdc2     (      /)Last dump: never
> /dev/hdc3     (  /home)Last dump: never
  /dev/hdc1     (  /boot)Last dump: Level 0, Date Tue Dec  2 02:53:47 2008
# 如上面的结果，该结果会找出 /etc/fstab 里面第五字段设置有需要 dump 的
# 分区，然后与 /etc/dumpdateS 进行比对，可以得到上面的结果。
# 尤其是第三行，可以显示我们曾经对 /dev/hdc1 进行过 dump 的备份操作。

# 2. 先恶搞一下，新建一个大约 10 MB 的文件在 /boot 内:
[root@www ~]#dd if=/dev/zero of=/boot/testing.img bs=1MCount=10
10+0 recordSin
10+0 recordSout
10485760 byteS(10 MB)Copied, 0.166128 seconds, 63.1MB/s

# 3. 开始新建差异备份文件，此时我们使用 level 1 吧:
[root@www ~]# dump -1u -f /root/boot.dump.1/boot
....(中间省略)....

[root@www ~]# ll /root/boot*
-rw-r--r--1root root  5683200 Dec  2 02:53 /root/boot.dump
-rw-r--r--1root root 10547200 Dec  2 02:56 /root/boot.dump.1
# 看看文件大小，岂不是就是刚才我们所新建的那个大文件的大小吗?

# 4. 最后再看一下是否有记录 level 1 备份的时间点呢?
[root@www ~]# dump -W
Last dump(s)done (Dump'>' file systems):
> /dev/hdc2     (      /)Last dump: never
> /dev/hdc3     (  /home)Last dump: never
> /dev/hdc1     (  /boot)Last dump: Level 1, Date Tue Dec  2 02:56:33 2008
....(中间省略)....
```

通过这个简单的方式，我们就能够仅备份差异文件的部分了。下面再来看看针对单一目录的 dump 用途。

◆ 用 dump 备份非文件系统，即单一目录的方法

现在让我们来处理一下/etc 的 dump 备份。因为/etc 并非单一文件系统，它只是个目录而已。所以依据限制的说明，–u evel 1~9 都是不适用的。我们只能够使用 level 0 的完整备份将/etcdump 下来，因此就变得很简单了。

```
#让我们将 /etc 整个目录通过 dump 进行备份，且含压缩功能
[root@www ~]# dump -0j -f /root/etc.dump.bz2 /etc
 DUMP: Date of thiSlevel0dump: Tue Dec  2 12:08:22 2008
 DUMP: Dumping /dev/hdc2 (/ (dir etc))to /root/etc.dump.bz2
 DUMP: Label: /1
```

```
DUMP: Writing 10 Kilobyte records
DUMP:Compressing output atCompression level 2 （bzlib）
DUMP: mapping （PasSI）[regular files]
DUMP: mapping （PasSII）[directories]
DUMP: estimated 115343 blocks.
DUMP: Volume1started with blocklat: Tue Dec  2 12:08:23 2008
DUMP: dumping （PasSIII）[directories]
DUMP: dumping （PasSIV）[regular files]
DUMP:Closing /root/etc.dump.bz2
DUMP: Volume1completed at: Tue Dec  2 12:09:49 2008
DUMP: Volume1took 0:01:26
DUMP: Volume1transfer rate: 218 kB/s
DUMP: Volume1124680kB uncompressed, 18752kBCompressed, 6.649:1
DUMP: 124680 blockS （121.76MB）on1volume （s）
DUMP: finished in 86 seconds, throughput 1449 kBytes/sec
DUMP: Date of thiSlevel0dump: Tue Dec  2 12:08:22 2008
DUMP: Date thiSdumpCompleted:  Tue Dec  2 12:09:49 2008
DUMP: Average transfer rate: 218 kB/s
DUMP: Wrote 124680kB uncompressed, 18752kBCompressed, 6.649:1
DUMP: DUMPISDONE
# 上面特殊字体的部分显示：原本有 124680KB 的容量，被压缩成为 18752KB，
# 整个压缩比为 6.649:1，还可以。
```

一般来说 dump 不会使用包含压缩的功能，不过如果你想要将备份的空间降低的话，那个–j 的参数是可以使用的。加上–j 之后你的 dump 结果会使用较少的硬盘空间。如上述的情况来看，文件大小由原本的 128MB 左右下滑到 18MB 左右，当然可以节省备份空间。

9.4.2 restore

备份文件就是在急用时可以恢复系统的重要数据，所以有备份当然就得要学学如何恢复了。dump的恢复使用的是 restore 这个命令。这个命令的参数也非常多，你可以自行 man restore。鸟哥在这里仅作个简单的介绍。

```
[root@www ~]# restore -t [-f dumpfile] [-h]        <==用来查看 dump 文件
[root@www ~]# restore -C [-f dumpfile] [-D 挂载点] <==比较 dump 与实际文件
[root@www ~]# restore -i [-f dumpfile]             <==进入互动模式
[root@www ~]# restore -r [-f dumpfile]             <==还原整个文件系统
参数：
相关的各种模式，各种模式无法混用。例如不可以写 -tC 。
-t ：此模式用在查看 dump 起来的备份文件中含有什么重要数据。类似 tar-t 功能。
-C ：此模式可以将 dump 内的数据拿出来跟实际的文件系统做比较，
     最终会列出"在 dump 文件内有记录的，且目前文件系统不一样"的文件。
-i ：进入互动模式，可以仅还原部分文件，用在 dump 目录时的还原。
-r ：将整个文件系统还原的一种模式，用在还原针对文件系统的 dump 备份。
其他较常用到的参数功能：
-h ：查看完整备份数据中的 inode 与文件系统 label 等信息。
-f ：后面就接你要处理的那个 dump 文件。
-D ：与 -C 进行搭配，可以查出后面接的挂载点与 dump 内有不同的文件。
```

◆　用 restore 查看 dump 后的备份数据内容

要找出 dump 的内容就使用 restore –t 来查阅。例如我们将 boot.dump 的文件内容显示出来看看。

```
[root@www ~]# restore -t -f /root/boot.dump
Dump  date: Tue Dec 2 02:53:45 2008            <==说明备份的日期
Dumped from: the epoch
Level0dumpof /boot on www.vbird.tsai:/dev/hdc1 <==说明 level 状态
Label: /boot                                   <==说明该文件系统的表头。
     2     .
```

```
     11      ./lost+found
   2009      ./grub
   2011      ./grub/grub.conf
....下面省略....

[root@www ~]# restore -t -f /root/etc.dump
Dumptape isCompressed.                  <==加注说明数据有压缩
Dump date: Tue Dec  2 12:08:22 2008
Dumped from: the epoch
Level0dumpof / (dir etc) on www.vbird.tsai:/dev/hdc2 <==是目录。
Label: /1
      2      .
1912545      ./etc
1912549      ./etc/rpm
1912550      ./etc/rpm/platform
....下面省略....
```

这个查阅的数据其实显示出的是文件名与原文件的 inode 状态，所以我们可以说，dump 会参考 inode 的记录。通过这个查询我们也能知道 dump 的内容为何。再来查一查如何还原。

◆　**比较差异并且还原整个文件系统**

为什么 dump 可以进行累积备份呢？就是因为它具有可以查询文件系统与备份文件之间的差异，并且将分析到的差异数据进行备份的缘故。所以我们先来看看，如何查询有变动过的信息呢？你可以使用如下的方法检验：

```
# 1. 先尝试更改文件系统的内容:
[root@www ~]#cd /boot
[root@www boot]# mvConfig-2.6.18-128.el5Config-2.6.18-128.el5-back

# 2. 看看查询文件系统与备份文件之间的差异。
[root@www boot]# restore -C -f /root/boot.dump
Dump date: Tue Dec  2 02:53:45 2008
Dumped from: the epoch
Level0dumpof /boot on www.vbird.tsai:/dev/hdc1
Label: /boot
filesys= /boot
restore: unable to stat ./config-2.6.18-128.el5: No such file or directory Some fileSwere modified!
1compare errors
# 看到上面的特殊字体了吧。那就是有差异的部分。总共有一个文件被更改。
# 我们刚才确实有改动过该文件。

# 3. 将文件系统改回来。
[root@www boot]# mv config-2.6.18-128.el5-back config-2.6.18-128.el5
[root@www boot]#cd /root
```

如同上面的操作，通过曾经备份过的信息，也可以找到与目前实际文件系统中有差异的数据呢。如果你不想要进行累积备份，但也能通过这个操作找出最近这一阵子有变动过的文件。那如何还原呢？由于 dump 是记录整个文件系统的，因此还原时你也应该要给予一个全新的文件系统才行。因此下面我们先新建一个文件系统，然后再来还原。

```
# 1. 先新建一个新的分区来使用，假设我们需要的是 150MB 的容量
[root@www ~]# fdisk /dev/hdc
Command (m for help): n
FirstCylinder (2335-5005, default 2335): <==这里按[Enter]
Using default value 2335
LastCylinder or +size or +sizeM or +sizeK (2335-5005, default 5005): +150M
Command (m for help): p
....中间省略....
/dev/hdc8          2335          2353       152586   83  Linux
```

```
Command（m for help）: w

[root@www ~]# partprobe    <==很重要的操作。别忘记。
# 这样就能够新建一个 /dev/hdc8 的分区，然后继续格式化。

[root@www ~]# mkfS -t ext3 /dev/hdc8
[root@www ~]# mount /dev/hdc8 /mnt

# 2．开始进行还原的操作。请你务必回到新文件系统的挂载点下面。
[root@www ~]#cd /mnt
[root@www mnt]# restore -r -f /root/boot.dump
restore: ./lost+found: File exists
```

由于我们是备份整个文件系统，因此你也可以构建一个全新的文件系统来进行还原的操作。整个还原的操作也不难，如上面最后一个命令，就是将备份文件中的数据还原到本目录下。你必须要更改目录到挂载点所在的那个目录才行。这样还原的文件才不会跑错地方。如果你还想要将 level 1 的/root/boot.dump.1 那个文件的内容也还原的话，那就继续使用 "restore –r –f /root/ boot.dump.1" 去还原。

◆ 仅还原部分文件的 restore 互动模式

某些时候你只是要将备份文件的某个内容找出来而已，并不想要全部解开，那该如何是好？此时你可以进入 restore 的互动模式(interactive mode)。在下面我们使用 etc.dump 来进行范例说明。假如你要将 etc.dump 内的 passwd 与 shadow 找出来而已，该如何进行呢?

```
[root@www ~]# cd /mnt
[root@www mnt]# restore -i -f /root/etc.dump
restore >
# 此时你就已经进入 restore 的互动模式解密中。要注意的是:
# 你目前已经在 etc.dump 这个文件内了。所有的操作都是在 etc.dump 内。

restore > help
AvailableCommandSare:
     lS[arg] - list directory          <==列出 etc.dump 内的文件或目录
     Cd arg -Change directory          <==在 etc.dump 内更改目录
     pwd - printCurrent directory      <==列出 etc.dump 内的路径文件名
     add [arg] - add `arg' to list of fileSto be extracted
     delete [arg] - delete `arg' from list of fileSto be extracted
     extract - extract requested files
# 上面三个命令是重点。各命令的功能为:
# add file    : 将 file 加入等一下要解压缩的文件列表中
# delete file : 将 file 解压缩的列表中删除，并非删除 etc.dump 内的文件。
# extract     : 开始将刚才选择的文件列表解压缩。
     setmodeS- set modeSof requested directories
     quit - immediately exit program
     what - list dumpheader information
     verbose - toggle verbose flag (useful with ``ls'')
     prompt - toggle the prompt display
     helpor `?' - print thiSlist

restore > ls
.:
etc/ <==会显示出在 etc.dump 内主要的目录，因为我们备份 /etc ，所以文件名为此。

restore >cd etc                  <==在 etc.dump 内变换路径到 etc 目录下
restore > pwd                    <==列出本目录的文件名为?
/etc
restore > lSpasswd shadowgroup <==看看，真的有这三个文件。
passwd
shadow
group
restore > add passwd shadowgroup<==加入解压缩列表
restore > delete group          <==加错了。将 group 从解压缩列表中删除
restore > ls passwd shadowgroup
*passwd <==有要被解压缩的，文件名之前会出现 * 的符号。
```

```
*shadow
group
restore > extract                    <==开始进行解压缩。
You have not read any volumeSyet.    <==这里会询问你需要的 volume
UnlesSyou know which volume your file(s)are on you should start
with the last volume and work towardSthe first.
Specify next volume # (none if no more volumes):1<==只有一个 volume
set owner/mode for '.'? [yn] n <==不需要修改权限

restore > quit                        <==离开 restore 的功能

[root@www ~]# ll -d etc
drwxr-xr-x 2 root root 1024 Dec 15 17:49 etc <==解压缩后所新建出来的目录。
[root@www ~]# ll etc
total 6
-rw-r--r--1root root 1945 Sep29 02:21passwd
-r--------1root root 1257 Sep29 02:21shadow
```

　　通过交互式的 restore 功能，可以让你将备份的数据取出一部份，而不必全部都得解压缩才能够
取得你想要的文件数据。而 restore 内的 add 除了可以增加文件外，也能够增加整个备份的目录。

9.5　光盘写入工具

　　某些时刻你可能会希望将系统上最重要的数据备份出来，虽然目前 U 盘已经够便宜，你可以使用
U 盘来备份。不过某些重要的、需要重复备份的数据（可能具有时间特性），你可能会需要使用类似
DVD 之类的存储媒体来备份出来。举例来说，你的系统配置文件或者是讨论区的数据库文件（变动性
非常频繁）。虽然 Linux 图形解析已经有不少的刻录软件可用，但有时如果你希望系统自动在某些时刻
帮你主动进行刻录时，那么命令行界面的刻录行为就有帮助了。

　　那么命令行模式的刻录行为要怎么处理呢？通常的做法是这样的：

- 先将所需要备份的数据构建成为一个镜像文件（iso），利用 mkisofs 命令来处理；
- 将该镜像文件刻录至光盘或 DVD 当中，利用 cdrecord 命令来处理。

下面我们就分别来谈谈这两个命令的用法。

9.5.1　mkisofs：新建镜像文件

　　我们从 FTP 站下载下来的 Linux 镜像文件（不管是 CD 还是 DVD）都得要继续刻录成为光盘/DVD
后，才能够进一步的使用，包括安装或更新你的 Linux。同样的道理，你想要利用刻录机将你的数据
刻录到 DVD 时，也得要先将你的数据包成一个镜像文件，这样才能够写入 DVD 片中。而将你的数据
包成一个镜像文件的方式就通过 mkisofs 这个命令。mkisofs 的使用方式如下：

```
[root@www ~]# mkisofs [-o 镜像文件] [-rv] [-m file] 待备份文件.. [-V vol] \
> -graft-point isodir=systemdir ...
参数：
-o ：后面接你想要产生的那个镜像文件名。
-r ：通过 Rock Ridge 产生支持 UNIX/Linux 的文件数据，可记录较多的信息。
-v ：显示构建 ISO 文件的过程。
-m file ：-m 为排除文件（exclude）的意思，后面的文件不备份到镜像文件中。
-V vol ：新建 Volume。
-graft-point: graft 有转嫁或移植的意思，相关数据在下面文章内说明。
```

　　其实 mkisofs 有非常多好用的参数可以选择，不过如果我们只是想要制作数据光盘时，上述的参
数也就够用了。光盘的格式一般称为 ISO9660，这种格式一般仅支持旧版的 DOS 文件名，即文件名只
能以 8.3（文件名 8 个字符，扩展名 3 个字符）的方式存在。如果加上-r 的参数之后，那么文件信息
能够被记录得比较完整，可包括 UID/GID 与权限等。所以，记得加这个-r 的参数。

此外，一般默认的情况下，所有要被加到镜像文件中的文件都会被放置到镜像文件中的根目录，如此一来可能会造成刻录后的文件分类不易的情况。所以，你可以使用–graft–point 这个参数，当你使用这个参数之后，可以利用如下的方法来定义位于镜像文件中的目录，例如：

◆ 镜像文件中的目录所在=实际 Linux 文件系统的目录所在
◆ /movies/=/srv/movies/（在 Linux 的/srv/movies 内的文件，加至镜像文件中的/movies/目录）
◆ /linux/etc=/etc（将 Linux 中的/etc/内的所有数据备份到镜像文件中的/linux/etc/目录中）

我们通过一个简单的范例来说明一下。如果你想要将/root,/home,/etc 等目录内的数据全部刻录起来的话，先得要处理一下镜像文件，我们先不使用–graft–point 参数来处理这个镜像文件试看看：

```
[root@www ~]# mkisofS -r -v -o /tmp/system.img /root /home /etc
INFO:    ISO-8859-1character encoding detected by locale settings.
        Assuming ISO-8859-1encoded filenameSon source filesystem,
        use -input-charset to override.
mkisofS2.01 (cpu-pc-linux-gnu)
Scanning /root
Scanning /root/test4
....中间省略....
 97.01% done, estimate finish Tue Dec 16 17:07:14 2008   <==显示百分比
 98.69% done, estimate finish Tue Dec 16 17:07:15 2008
Total translation table size: 0
Total rockridge attributes bytes: 9840   <==额外记录属性所占用的空间
Total directory bytes: 55296             <==目录占用空间
Path table size (bytes) : 406
Done with: The File(s)           Block(s)   298728
Writing:  Ending Padblock        Start Block 298782
Done with: Ending Padblock       Block(s)   150
Max brk space used 0
298932 extents written (583 MB)

[root@www ~]# ll -h /tmp/system.img
-rw-r--r--1root root 584M Dec 16 17:07 /tmp/system.img
[root@www ~]# mount -o loop/tmp/system.img /mnt
[root@www ~]# df -h
Filesystem          Size  Used Avail Use% Mounted on
/tmp/system.img      584M  584M  0100% /mnt   <==就是这玩意。
[root@www ~]# ls /mnt
alex           Crontab2            etc.tar.gz         system.tar.bz2
anaconda-ks.cfg etc                install.log         test1
arod           etc.and.root.tar.bz2  install.log.syslog test2
boot.dump      etc.dump            loopdev            test3
# 看吧。一堆数据都放置在一起。包括有的没有的目录与文件等等。

[root@www ~]# umount /mnt
```

由上面的范例我们可以看到，三个目录（/root, /home, /etc）的数据全部放置到了镜像文件的最顶层目录中。真是不方便，尤其由于/root/etc 的存在，导致那个/etc 的数据似乎没有被包含进来。真不合理，而且还有 lost+found 的目录存在。此时我们可以使用–graft–point 来处理。

```
[root@www ~]# mkisofS -r -V 'linux_file' -o /tmp/system.img \
> -m /home/lost+found -graft-point /root=/root /home=/home /etc=/etc
[root@www ~]# ll -h /tmp/system.img
-rw-r--r--1root root 689M Dec 17 11:41/tmp/system.img
# 上面的命令会新建一个大文件，其中 -graft-point 后面接的就是我们要备份的数据。
# 必须要注意的是那个等号的两边，等号左边是在镜像文件内的目录，右侧则是实际的数据。

[root@www ~]# mount -o loop/tmp/system.img /mnt
[root@www ~]# ll /mnt
dr-xr-xr-x 105 root root 32768 Dec 17 11:40 etc
dr-xr-xr-x   5 root root 2048 Dec 17 11:40 home
dr-xr-xr-x 7root root 4096 Dec 17 11:40 root
# 数据是分门别类地放在各个目录中，最后将数据卸载一下：

[root@www ~]# umount /mnt
```

其实鸟哥一直觉得很奇怪，怎么我的数据会这么大（600 多 MB）？原来是/home 里面在第 8 章的时候，练习时多了一个/home/loopdev 的大文件。所以重新制作一次 iso 文件，并多加一个"–m/home/loopdev"来排除该文件的备份，最终的文件则仅有 176MB。接下来让我们处理刻录的操作了。

9.5.2　cdrecord：光盘刻录工具

我们是通过 cdrecord 这个命令来进行命令行界面的刻录，这个命令常见的参数有下面几个。

```
[root@www ~]#cdrecord -scanbuSdev=ATA                  <==查询刻录机位置
[root@www ~]#cdrecord -v dev=ATA:x,y,z blank=[fast|all] <==抹除重复读写片
[root@www ~]#cdrecord -v dev=ATA:x,y,z -format          <==格式化 DVD+RW
[root@www ~]#cdrecord -v dev=ATA:x,y,z [可用参数功能] file.iso
参数:
-scanbuS      :用在扫描磁盘总线并找出可用的刻录机，后续的设备为 ATA 接口
-v            :在 cdrecord 运行的过程中，显示过程而已。
dev=ATA:x,y,z :后续的 x, y, z 为你系统上刻录机所在的位置，非常重要。
blank=[fast|all]: blank 为抹除可重复写入的 CD/DVD-RW，使用 fast 较快，all 较完整。
-format       :仅针对 DVD+RW 这种格式的 DVD 而已。
[可用参数功能] 主要是写入 CD/DVD 时可使用的参数，常见的参数包括:
    -data     :指定后面的文件以数据格式写入，不是以 CD 音轨（-audio）方式写入。
    speed=X   :指定刻录速度，例如 CD 可用 speed=40 为 40 倍数，DVD 则用 speed=4 之类。
    -eject    :指定刻录完毕后自动退出光盘。
    fs=Ym     :指定多少缓冲存储器，可用在将镜像文件先暂存至暂存区。默认为 4M,
              一般建议可增加到 8M，不过，还是得视你的刻录机而定。
针对 DVD 的参数功能:
    driveropts=burnfree :打开 Buffer Underrun Free 模式的写入功能
    -sao      :支持 DVD-RW 的格式
```

◆ **检测你的刻录机所在位置**
- 命令行模式的刻录确实是比较麻烦，因为没有所见即所得的环境。要刻录首先就得要找到刻录机才行。而由于早期的刻录机都是使用 SCSI 接口，因此查询刻录机的方法就得要配合着 SCSI 接口的认定来处理了。查询刻录机的方式为:

```
[root@www ~]#cdrecord –scanbus dev=ATA
Cdrecord-Clone 2.01（cpu-pc-linux-gnu）Copyright （C）1995-2004 J?rg Schilling
....中间省略....
scsibus1:
    1,0,0  100）*
    1,1,0  101）'ASUS   ' 'DRW-2014S1       ' '1.01' Removable CD-ROM
    1,2,0  102）*
    1,3,0  103）*
    1,4,0  104）*
    1,5,0  105）*
    1,6,0  106）*
    1,7,0  107）*
```

- 利用 cdrecord –scanbus 就能够找到正确的刻录机。由于目前个人计算机上最常使用的磁盘驱动器接口为 IDE 与 SATA，这两种接口都能够使用 dev=ATA 这种模式来查询，因此上述的命令得要背一下。另外，在查询的结果当中可以发现有一台刻录机，其中也显示出这台刻录机的型号，而最重要的就是上面有底线的那三个数字。那三个数字就是代表这台刻录机的位置。以上的例子中，这台刻录机的位置在"ATA:1,1,0"这个地方。
- 那么现在要如何将/tmp/system.img 刻录到 CD/DVD 里面去呢？鸟哥这里先以 CD 为例，鸟哥用的是 CD-RW（可重复读写）的光盘，虽然 CD-RW 或 DVD-RW 比较贵一点，不过至少可以重复利用，对环境的冲击比较小。建议大家使用可重复读写的光盘。由于 CD-RW 可能要先进行抹除的工作（将原本里面的数据删除）然后才能写入，因此，下面我们先来看看如何抹除一片 CD/DVD 的方法，然后直接写入光盘。

> 由于 CD/DVD 都是使用 cdrecord 这个命令，因此不论是 CD 还是 DVD，下达执行命令的方法都差不多！不过，DVD 的写入需要额外的 driveropts=burnfree 或 -dao 等选项的辅助才行。另外，CD 有 CD-R(（一次写入)）与 CD-RW(（重复写入)），至于 DVD 则主要有两种格式，分别是 DVD-R 及 DVD+R 两种格式。如果是可重复读写的则为 DVD-RW 和 DVD+RW。除了 DVD+RW 的抹除方法可能不太一样之外，其他写入的方式则是一样的。

◆ 进行 CD 的刻录操作

```
# 1. 先抹除光盘的原始内容（非可重复读写则可略过此步骤）：
[root@www ~]#cdrecord -v dev=ATA:1,1,0 blank=fast
# 中间会显示出一堆信息告诉你抹除的进度，而且会有 10 秒钟的时间等待你的取消。
# 可以避免"手滑"的情况。

# 2. 开始刻录：
[root@www ~]#cdrecord -v dev=ATA:1,1,0 fs=8m -dummy -data \
> /tmp/system.img
....中间省略....
  Track 01:  168 of  176 MB written (fifo 100%)[buf 100%]  10.5x. <==显示百分比
# 上面会显示进度，还有 10.5x 代表目前的刻录速度。
cdrecord: fifo had 2919 putSand 2919gets.
cdrecord: fifo was0timeSempty and 2776 timeSfull, min fill waS97%.

# 3. 刻录完毕后，测试挂载一下，检验内容：
[root@www ~]# mount -t iso9660 /dev/cdrom /mnt
[root@www ~]# df -h /mnt
Filesystem            Size  Used Avail Use% Mounted on
/dev/hdd              177M  177M     0 100% /mnt      <==确实是光盘内容。

[root@www ~]# ll /mnt
dr-xr-xr-x 105 root root 32768 Dec 17 11:54 etc
dr-xr-xr-x   5 root root  2048 Dec 17 11:54 home
dr-xr-xr-x  7root root  4096 Dec 17 11:54 root

[root@www ~]# umount /mnt    <==不要忘了卸载
```

事实上如果你忘记抹除可写入光盘时，其实 cdrecord 很聪明，会主动帮你抹除。因此上面的信息你只要记得刻录的功能即可。特别注意-data 那个参数。因为如果没有加上-data 的参数时，默认数据会以音轨格式写入光盘中，所以最好能够加上-data 这个参数。上述的功能是针对 CD，下面我们使用一张可重复读写的 DVD-RW 来测试一下写入的功能。

◆ 进行 DVD-RW 的刻录操作

```
#1. 同样，先来抹除一下原本的内容：
[root@www ~]#cdrecord -v dev=ATA:1,1,0 blank=fast

# 2. 开始写入 DVD，请注意，有些参数与 CD 并不相同了。
[root@www ~]#cdrecord -v dev=ATA:1,1,0 fs=8m -data -sao \
> driveropts=burnfree /tmp/system.img

# 3. 同样，来给他测试测试。
[root@www ~]# mount /dev/cdrom /mnt
[root@www ~]# df -h /mnt
Filesystem            Size  Used Avail Use% Mounted on
/dev/hdd              177M  177M     0 100% /mnt
[root@www ~]# umount /mnt
```

- 整体命令没有很大的区别。只是 CD-RW 会自动抹除，但 DVD-RW 似乎得要自己手动抹除才行，并不会主动进入自动抹除的功能，害得鸟哥重新测试过好几次。现在你就知道如何将你的数据刻录出来了。

- 如果你的 Linux 是用来作为服务器之用的话，那么无时无刻去想如何备份重要数据是相当重要的。关于备份我们会在第五篇再仔细谈一谈，这里你要会使用这些工具即可。

9.6　其他常见的压缩与备份工具

还有一些很好用的工具得要跟大家介绍，尤其是 dd 这个命令。

9.6.1　dd

我们在第 8 章当中的特殊 loop 设备挂载时使用过 dd 这个命令对吧？不过，这个命令可不只是制作一个文件而已。这个 dd 命令最大的功效，鸟哥认为，应该是在于"备份"。因为 dd 可以读取磁盘设备的内容（几乎是直接读取扇区），然后将整个设备备份成一个文件呢。真的是相当好用，dd 的用途有很多，但是我们仅讲一些比较重要的参数，如下：

```
[root@www ~]#dd if="input file" of="output file" bs="block size" \
>count="number"
参数：
if  : 就是 input file ，也可以是设备。
of  : 就是 output file ，也可以是设备。
bs  : 规划的一个 block 的大小，若未指定则默认是 512bytes（一个扇区的大小）。
count: 多少个 bs 的意思。

范例一：将 /etc/passwd 备份到 /tmp/passwd.back 当中
[root@www ~]#dd if=/etc/passwd of=/tmp/passwd.back
3+1recordSin
3+1recordSout
1945 byteS（1.9 kB）Copied, 0.000332893 seconds, 5.8 MB/s
[root@www ~]# ll /etc/passwd /tmp/passwd.back
-rw-r--r--1root root 1945 Sep29 02:21/etc/passwd
-rw-r--r--1root root 1945 Dec 17 18:09 /tmp/passwd.back
# 仔细看一下，我的 /etc/passwd 文件大小为 1945bytes，因为我没有设置 bs,
# 所以默认是 512bytes 为一个单位，因此，上面那个 3+1 表示有 3 个完整的
# 512bytes，以及未满 512bytes 的另一个 block 的意思。
# 事实上，感觉好像是 cp 这个命令。

范例二：将自己的磁盘第一个扇区备份下来
[root@www ~]#dd if=/dev/hdc of=/tmp/mbr.back bs=512Count=1
1+0 recordSin
1+0 recordSout
512 byteS（512 B）Copied, 0.0104586 seconds, 49.0 kB/s
# 第一个扇区内含有 MBR 与分区表，通过这个操作，
# 我们可以一口气将这个磁盘的 MBR 与分区表进行备份。

范例三：找出你系统最小的那个分区，并且将它备份下来：
[root@www ~]# df -h
Filesystem              Size Used Avail Use% Mounted on
/dev/hdc2               9.5G 3.9G 5.1G 44% /
/dev/hdc3               4.8G 651M 3.9G 15% /home
/dev/hdc1              99M  21M  73M 23% /boot   <==就备份它好了。
[root@www ~]#dd if=/dev/hdc1of=/tmp/boot.whole.disk
208782+0 recordSin
208782+0 recordSout
106896384 byteS（107 MB）Copied, 6.24721seconds, 17.1MB/s
[root@www ~]# ll -h /tmp/boot.whole.disk
-rw-r--r--1root root 102M Dec 17 18:14 /tmp/boot.whole.disk
# 等于是将整个 /dev/hdc1 通通备份下来的意思，如果要还原呢？就反向回去。
#ddif=/tmp/boot.whole.disk of=/dev/hdc1 即可。非常简单。
# 简单地说，如果想要整个硬盘备份的话，就类似 Norton 的 ghost 软件一般，
# 由 disk 到 disk，利用dd 就可以了。
```

你可以说，tar 可以用来备份关键数据，而 dd 则可以用来备份整块分区或整块磁盘，如果要将数据填回到文件系统当中，可能需要考虑到原本的文件系统才能成功。让我们来完成下面的例题试看看。

▶ 例题

你想要将你的/dev/hdc1 完整地复制到另一个分区上，请使用你的系统上面未分区完毕的空间再新建一个与/dev/hdc1 差不多大小的分区（只能比/dev/hdc1 大，不能比它小），然后将之进行完整的

复制(包括需要复制启动扇区的区块)。

　　答: 由于需要复制启动扇区的区块,所以使用 cp 或者是 tar 这种指令命令是无法达成完成需求的。此时那个 dd 就派上用场了。你可以这样做:

```
# 1. 先进行分区的操作
[root@www ~]# fdisk -l /dev/hdc
   Device Boot    Start    End    Blocks  Id  System
/dev/hdc1   *      1   13    104391  83  Linux
# 上面鸟哥仅获取重要的数据而已。我们可以看到 /dev/hdc1 仅有 13 个磁柱

[root@www ~]# fdisk /dev/hdc
Command (m for help): n
FirstCylinder (2354-5005, default 2354): 这里按 enter
Using default value 2354
LastCylinder or +size or +sizeM or +sizeK (2354-5005, default 5005): 2366

Command (m for help): p
  Device Boot    Start    End    BlockS  Id  System
/dev/hdc9        2354   2366    104391  83  Linux

Command (m for help): w
# 为什么要使用 2366 呢? 因为 /dev/hdc1 使用 13 个磁柱,因此新的分区
# 我们也给它 13 个磁柱,因此 2354 + 13 -1= 2366。

[root@www ~]# partprobe

# 2. 不需要格式化,直接进行扇区表面的复制。
[root@www ~]# dd if=/dev/hdc1of=/dev/hdc9
208782+0 recordSin
208782+0 recordSout
106896384 byteS (107 MB) Copied, 16.8797 seconds, 6.3 MB/s

[root@www ~]# mount /dev/hdc9 /mnt
[root@www ~]# df
Filesystem         1K-blockS    Used Available Use% Mounted on
/dev/hdc1           101086    21408   74459  23% /boot
/dev/hdc9           101086    21408   74459  23% /mnt
# 这两个磁盘大小会 "一模一样"。
[root@www ~]# umount /mnt
```

　　非常有趣的范例吧? 新分区出来的分区不需要经过格式化,因为 dd 可以将原本旧的分区中扇区表面的数据整个复制过来。当然连同 superblock, boot sector, meta data 等全部也会复制过来。是否很有趣呢? 未来你想要构建两块一模一样的磁盘时,只要执行 “dd if=/dev/sda of=/dev/sdb”,就能够让两块磁盘一模一样,甚至/dev/sdb 不需要分区与格式化,因为该命令可以将/dev/sda 内的所有数据,包括 MBR 与分区表也复制到/dev/sdb 中。

9.6.2　cpio

　　这个命令挺有趣的,因为 cpio 可以备份任何东西,包括设备设备文件。不过 cpio 有个大问题,那就是 cpio 不会主动去找文件来备份。cpio 得要配合类似 find 等可以找到文件名的命令来告知 cpio 该被备份的数据在哪里。因为牵涉到我们在第三篇才会谈到的数据流重定向,所以这里你就先背一下语法,等到第三篇讲完你就知道如何使用 cpio。

```
[root@www ~]#cpio -ovcB > [file|device] <==备份
[root@www ~]#cpio -ivcdu < [file|device] <==还原
[root@www ~]#cpio -ivct < [file|device] <==查看
备份会使用到的参数:
 -o: 将数据 Copy 输出到文件或设备上。
 -B: 让默认的 Blocks 可以增加至 5120 bytes,默认是 512 bytes。
     这样的好处是可以让大文件的存储速度加快 (请参考 i-nodes 的观念。)
还原会使用到的参数:
 -i: 将数据自文件或设备复制到系统当中。
 -d: 自动新建目录。使用 cpio 所备份的数据内容不见得会在同一层目录中,因此我们
```

　　　　必须要让 cpio 在还原时可以新建新目录，此时就得要 -d 参数的帮助。
　　-u：自动将较新的文件覆盖较旧的文件。
　　-t：需配合 -i 参数，可用在查看以 cpio 新建的文件或设备的内容。
一些可共享的参数：
　　-v：让存储的过程中文件名可以在屏幕上显示。
　　-c：一种较新的 portable format 方式存储。

　　你应该会发现一件事情，就是上述的参数与命令中怎么会没有指定需要备份的数据呢？还有那个大于（ > ）与小于（ < ）符号是怎么回事？因为 cpio 会将数据整个显示到屏幕上，因此我们可以通过将这些屏幕的数据重新导向（ > ）一个新的文件。至于还原呢？就是将备份文件读进来 cpio（ < ）进行处理之意。我们来进行几个案例你就知道了。

```
范例：找出/boot 下面的所有文件，然后将它备份到 /tmp/boot.cpio 去。
[root@www ~]# find /boot -print
/boot
/boot/message
/boot/initrd-2.6.18-128.el5.img
....以下省略....
# 通过这个 find 我们可以找到 /boot 下面应该要存在的文件名，包括文件与目录

[root@www ~]# find /boot |Cpio -ocvB > /tmp/boot.cpio
[root@www ~]# ll -h /tmp/boot.cpio
-rw-r--r--1root root 16M Dec 17 23:30 /tmp/boot.cpio
```

　　我们使用 find/boot 可以找出文件名，然后通过"｜"（即键盘上的 shift+\的组合），就能将文件名传给 cpio 来进行处理，最终会得到/tmp/boot.cpio 那个文件。接下来让我们来进行解压缩看看。

```
范例：将刚才的文件在 /root/ 目录下解开
[root@www ~]# cpio -idvc < /tmp/boot.cpio
[root@www ~]# ll /root/boot
# 你可以自行比较一下 /root/boot 与 /boot 的内容是否一模一样。
```

　　事实上 cpio 可以将系统的数据完整地备份到磁带机上头去（如果你有磁带机的话）。

◆　备份：find/|cpio-ocvB>/dev/st0
◆　还原：cpio-idvc</dev/st0

　　这个 cpio 好像不怎么好用。但是，它可是备份的时候的一项利器。因为它可以备份任何的文件，包括/dev 下面的任何设备文件。所以它可是相当重要的呢。而由于 cpio 必须要配合其他的程序，例如 find 来新建文件名，所以 cpio 与管道命令及数据流重定向的相关性就相当重要了。

　　其实系统里面已经含有一个使用 cpio 新建的文件。那就是/boot/initrd-xxx 这个文件。现在让我们来将这个文件解压缩看看，看你能不能发现该文件的内容为何。

```
#1. 我们先来看看该文件是属于什么文件格式，然后再加以处理：
[root@www ~]# file /boot/initrd-2.6.18-128.el5.img
/boot/initrd-2.6.18-128.el5.img:gzip Compressed data, ...
# 看起来似乎是使用 gzip 进行压缩过，那如何处理呢？

# 2. 通过更名，将该文件增加扩展名，然后予以解压缩看看：
[root@www ~]# mkdir initrd
[root@www ~]#cd initrd
[root@www initrd]#cp/boot/initrd-2.6.18-128.el5.img initrd.img.gz
[root@www initrd]#gzip -d initrd.img.gz
[root@www initrd]# ll
-rw-------1root root 5408768 Dec 17 23:53 initrd.img
[root@www initrd]# file initrd.img
initrd.img: ASCIICpio archive（SVR4 with noCRC）
#确实是 cpio 的文件。

# 3. 开始使用 cpio 解开此文件：
```

```
[root@www initrd]#Cpio -iduvc < initrd.img
sbin
init
sysroot
....以下省略....
#这样就将这个文件解开了。
```

9.7　重点回顾

- ◆　压缩命令为通过一些运算方法去将原本的文件进行压缩，以减少文件所占用的磁盘空间。压缩前与压缩后的文件所占用的磁盘空间比值，就可以称为"压缩比"。
- ◆　压缩的好处是可以减少磁盘空间的浪费，在 WWW 网站也可以利用文件压缩的技术来进行数据的传送，好让网站带宽的可利用率上升。
- ◆　压缩文件的扩展名大多是.tar,*.tar.gz,*.tgz,*.gz,*.Z,*.bz2。
- ◆　常见的压缩命令有 gzip 与 bzip2，其中 bzip2 压缩比 gzip 还要更好，建议使用 bzip2。
- ◆　tar 可以用来进行文件打包，并可支持 gzip 或 bzip2 的压缩。
- ◆　压　缩：tar –jcv –f filename.tar.bz2 被压缩的文件或目录名称。
- ◆　查　询：tar –jtv –f filename.tar.bz2。
- ◆　解压缩：tar –jxv –f filename.tar.bz2 –C 欲解压缩的目录。
- ◆　dump 命令可备份文件系统或单一目录。
- ◆　dump 的备份若针对文件系统时，可进行 0～9 的 level 差异备份。其中 level 0 为完整备份。
- ◆　restore 命令可还原被 dump 构建的备份文件。
- ◆　要新建光盘刻录数据时，可通过 mkisofs 命令来构建。
- ◆　可通过 cdrecord 来写入 CD 或 DVD 刻录机。
- ◆　dd 可备份完整的分区或磁盘，因为 dd 可读取磁盘的扇区表面数据。
- ◆　cpio 为相当优秀的备份命令，不过必须要搭配类似 find 命令来读入欲备份的文件名数据，才可进行备份操作。

9.8　本章习题

情境模拟题一

你想要让系统恢复到第 8 章情境模拟后的结果，即仅剩下/dev/hdc6 以前的分区，本章练习产生的分区都需要恢复原状。因此/dev/hdc8,/dev/hdc9（在本章练习过程中产生的）请将它删除。删除的方法同第 8 章的情境模拟题一所示。

情境模拟题二

你想要逐时备份/srv/myproject 这个目录内的数据，又担心每次备份的信息太多，因此想要使用 dump 的方式来逐一备份数据到/backups 这个目录下。该如何处理？

- ◆　目标：了解到 dump 以及各个不同 level 的作用；
- ◆　前提：被备份的数据为单一分区，即本例中的/srv/myproject；
- ◆　需求：/srv/myproject 为单一文件系统，且在/etc/fstab 内此挂载点的 dump 字段为 1。
　实际处理的方法其实还挺简单的。我们可以这样做看看：
　1. 先替该目录制作一些数据，即复制一些东西过去。

- cp -a/etc/boot/srv/myproject
2. 开始进行 dump，记得，一开始是使用 level 0 的完整备份。
- mkdir /backups
  dump -0u –j –f /backups/myproject.dump/srv/myproject
- 上面多了个–j 的参数，目的是为了要进行压缩，减少备份的数据量。
3. 尝试将/srv/myproject 这个文件系统加大，将/var/log/的数据复制进去。
- cp –a /var/log//srv/myproject
- 此时原本的/srv/myproject 已经被改变了。继续进行备份。
4. 将/srv/myproject 以 level 1 来进行备份：
- dump -1u –j –f /backups/myproject.dump.1/srv/myproject
  ls -l/backups
- **你应该就会看到两个文件，其中第二个文件（myproject.dump.1）会小得多。这样就搞定了备份数据。**

情境模拟三

假设过了一段时间后，你的 /srv/myproject 变得怪怪的，你想要将该文件系统以刚才的备份数据还原，此时该如何处理呢？你可以这样做的：

1. 先将/srv/myproject 卸载，并且将该分区重新格式化。
- umount /dev/hdc6
  mkfs –t ext 3/dev/hdc6
2. 重新挂载原本的分区，此时该目录内容应该是空的。
- mount –a
- 你可以自行使用 df 以及 ls –l/srv/myproject 查阅一下该目录的内容，是空的。
3. 将完整备份的 level 0 的文件/backups/myproject.dump 还原回来：
- cd /srv/myproject
  restore –r –f /backups/myproject.dump
  此时该目录的内容为第一次备份的状态，还需要进行后续的处理才行。
4. 将后续的 level 1 的备份也还原回来：
- cd /srv/myproject
  restore –r –f /backups/myproject.dump.1
- 此时才是恢复到最后一次备份的阶段。如果还有 level 2,level 3 时，就得要一个一个依序还原才行。

9.9 参考数据与扩展阅读

- ◆ 台湾学术网络管理文件：BackupToolSin UNIX（Linux）：
  http://nmc.nchu.edu.tw/tanet/backup_tools_in_UNIX.htm
- ◆ Linux How to 文件计划 （繁体）：
  http://www.linux.org.tw/CLDP/HOWTO/hardware/CD–Writing–HOWTO/CD–Writing–HOWTO–3.html
- ◆ 熊宝贝工作记录之 Linux 刻录实作：
  http://csc.ocean–pioneer.com/docum/linux_burn.html
- ◆ PHP5 网管实验室（繁体）： http://www.php5.idv.tw/html.php?mod=article&do=show&shid=26
- ◆ CentOS 5.x 之 man dump
- ◆ CentOS 5.x 之 man restore

10

第 10 章　vim 程序编辑器

系统管理员的重要工作就是修改与设置某些重要软件的配置文件，因此至少得要学会一种以上的命令行界面的文本编辑器。在所有的 Linux distributions 上头都会有的一套文本编辑器就是 vi，而且很多软件默认也是使用 vi 作为它们编辑的界面，因此笔者建议你务必要学会使用 vi 这个强大的文本编辑器。此外，vim 是高级版的 vi，vim 不但可以用不同颜色显示文字内容，还能够进行诸如 shell 脚本，C 等程序编辑功能，你可以将 vim 视为一种程序编辑器。鸟哥也是用 vim 编辑鸟站的网页文章呢！

10.1　vi 与 vim

由前面一路走来，我们一直建议使用文本模式来处理 Linux 的系统设置问题，因为不但可以让你比较容易了解到 Linux 的运行状况，也比较容易了解整个设置的基本思想，更能保证你的修改可以顺利被运行。所以，在 Linux 的系统中使用文本编辑器来编辑你的 Linux 参数配置文件可是一件很重要的事情。因此系统管理员至少应该要熟悉一种文本编辑器。

> 再次强调，不同的 Linux distribution 各有其不同的附加软件，例如 Red Hat Enterprise Linux 与 Fedora 的 ntsysv 与 setup 等，而 SuSE 则有 YAST 管理工具等，因此，如果你只会使用此种类型的软件来控制你的 Linux 系统时，当接管不同的 Linux distributions 时，就会茫然失措。

在 Linux 的世界中，绝大部分的配置文件都是以 ASCII 的纯文本形式存在，因此利用简单的文字编辑软件就能够修改设置了。与微软的 Windows 系统不同的是，如果你用惯了 Microsoft Word 或 Corel Wordperfect 的话，那么除了 X Window 里面的图形界面编辑程序（如 Emacs）用起来尚可应付外，在 Linux 的文本模式下，会觉得文本编辑程序都没有图形界面来得直观与方便。

> 什么是纯文本文件？其实文件记录的就是 0 与 1，而我们通过编码系统来将这些 0 与 1 转成我们认识的文字就是了。在第 0 章里面的数据表示方式有较多说明，请自行查阅，ASCII 就是其中一种广为使用的文字编码系统，ASCII 系统中的图标与代码可以参考 http://zh.wikipedia.org/wiki/ASCII。

那么 Linux 在命令行界面下的文本编辑器有哪些呢？其实有非常多。经常听到的就有 Emacs，pico，nano，joe，与 vim 等[注1]。既然有这么多命令行界面的文本编辑器，那么我们为什么一定要学 vi？还有那个 vim 是做啥用的？下面就来谈一谈先。

10.1.1　为何要学 vim

文本编辑器那么多，我们之前在第 5 章也曾经介绍过那简单好用的 nano，既然已经学会了 nano，干吗鸟哥还一直要你学这不是很友善的 vi 呢？其实是有原因的。因为：

◆　所有的 UNIX Like 系统都会内置 vi 文本编辑器，其他的文本编辑器则不一定会存在；
◆　很多软件的编辑接口都会主动调用 vi（例如后来会谈到的 crontab，visudo，edquota 等命令）；
◆　vim 具有程序编辑的能力，可以主动以字体颜色辨别语法的正确性，方便程序设计；
◆　程序简单，编辑速度相当快速。

其实重点是上述的第二点，因为有太多 Linux 上面的命令都默认使用 vi 作为数据编辑的接口，所以你必须要学会 vi，否则很多命令你根本就无法操作。这样说，有刺激到你务必要学会 vi 的热情了吗？

那么什么是 vim 呢？其实你可以将 vim 视作 vi 的高级版本，vim 可以用颜色或底线等方式来显示一些特殊的信息。举例来说，当你使用 vim 去编辑一个 C 程序语言的文件，或者是我们后续会谈到的 shell script 程序时，vim 会依据文件的扩展名或者是文件内的开头信息判断该文件的内容而自动调用该程序的语法判断式，再以颜色来显示程序代码与一般信息。也就是说，这个 vim 是个"程序编辑器"。

甚至一些 Linux 基础配置文件内的语法，都能够用 vim 来检查，例如我们在第 8 章谈到的/etc/fstab 这个文件的内容。

简单来说，vi 是老式的文字处理器，不过功能已经很齐全了，但是还是有可以进步的地方。vim 则可以说是程序开发者的一项很好用的工具，就连 vim 的官方网站（http://www.vim.org）自己也说 vim 是一个"程序开发工具"而不是文字处理软件。因为 vim 里面加入了很多额外的功能，例如支持正则表达式的查找架构、多文件编辑、块复制等。这对于我们在 Linux 上面进行一些配置文件的修订工作时是很棒的一项功能。

> 什么时候会使用到 vim 呢？其实鸟哥的整个网站都是在 vim 的环境下一字一字地搭建起来的。早期鸟哥使用网页制作软件编写网页，但是老是发现网页编辑软件都不怎么友善，尤其是写到 PHP 方面的程序代码时。后来就干脆不使用别的编辑软件，直接使用 vim，然后标签（tag）也都自行用键盘输入。这样整个文件也比较干净。所以说，鸟哥我是很喜欢 vim 的。

下面会先就简单的 vi 做个介绍，然后再跟大家报告一下 vim 的功能与用法。

10.2　vi 的使用

基本上 vi 共分为 3 种模式，分别是**一般模式、编辑模式与命令行模式**。这 3 种模式的作用分别如下。

◆　**一般模式**

以 vi 打开一个文件就直接进入一般模式了（这是默认的模式）。在这个模式中，你可以使用上下左右按键来移动光标，你可以删除字符或删除整行，也可以复制、粘贴你的文件数据。

◆　**编辑模式**

在一般模式中可以进行删除、复制、粘贴等的操作，但是却无法编辑文件内容的。要等到你按下"i, I, o, O, a, A, r, R"等任何一个字母之后才会进入编辑模式。通常在 Linux 中，按下这些按键时，在界面的左下方会出现 INSERT 或 REPLACE 的字样，此时才可以进行编辑。而如果要回到一般模式时，则必须要按下【Esc】这个按键即可退出编辑模式。

◆　**命令行模式**

在一般模式当中，输入"：、／、？"3 个中的任何一个按钮，就可以将光标移动到最下面那一行。在这个模式当中，可以提供你查找数据的操作，而读取、保存、大量替换字符、离开 vi、显示行号等的操作则是在此模式中完成的。

简单地说，我们可以将这 3 个模式想成下面的图来表示，如图 10-1 所示。

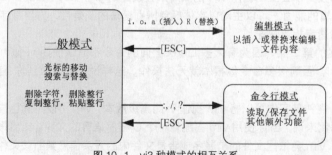

图 10-1　vi3 种模式的相互关系

注意到上面的图标，你会发现一般模式与编辑模式及命令行模式可互相切换，但编辑模式与命令行模式之间不可互相切换。这非常重要。我们下面以一个简单的例子来进行说明。

10.2.1　简单执行范例

如果你想要使用 vi 来新建一个名为 test.txt 的文件时，你可以按如下介绍做。

1. 使用 vi 进入一般模式

```
[root@www ~]# vi test.txt
```

- 直接输入"vi 文件名"就能够进入 vi 的一般模式了。请注意，记得 vi 后面一定要加文件名，不管该文件名存在与否。整个界面主要分为两部分，上半部与最下面一行两者可以视为独立的。如图 10-2 所示，图中那个虚线是不存在的，是用来说明而已。上半部显示的是文件的实际内容，最下面一行则是状态显示行（如[New File]信息），或者是命令执行行。
- 如果你打开的文件是旧文件（已经存在的文件），则可能会出现如图 10-3 所示的信息。

图 10-2　用 vi 打开一个新文件

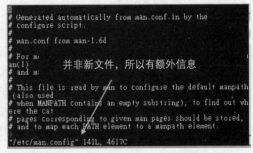

图 10-3　用 vi 打开一个旧文件

- 如图 10-3 所示，箭头所指的那个""/etc/man.config" 141L，4617C"代表的是文件名为 /etc/man.conf，文件内有 141 行以及具有 4617 个字符的意思。那一行的内容并不是在文件内，而是 vi 显示一些信息的地方。此时是在一般模式的环境下。接下来开始来输入。

2. 按下 i 进入编辑模式，开始编辑文字

在一般模式之中，只要按下 i，o，a 等字符就可以进入编辑模式了。在编辑模式当中，你可以发现在左下角状态栏中会出现-INSERT-的字样，那就是可以输入任意字符的提示。这个时候，键盘上除了[Esc]这个按键之外，按下其他的按键都可以视作为一般的输入了，所以你可以进行任何的编辑，如图 10-4 所示。

在 vi 里面，[Tab] 键所得到的结果与空格符所得到的结果是不一样的，特别强调一下。

3. 按下[Esc]键回到一般模式

好了，假设我已经按照上面的样式给他编辑完毕了，那么应该要如何退出呢？就是按下[Esc]即可。马上你就会发现界面左下角的-INSERT-不见了。

4. 在一般模式中输入":wq"保存后离开 vi

- OK，我们要存档了，保存并离开的命令很简单，输入":wq"即可保存离开。（注意了，按下:该光标就会移动到最下面一行去。）这时你在提示符后面输入"ls-l"即可看到我们刚才新建的 test.txt 文件。整个显示如图 10-5 所示那样。

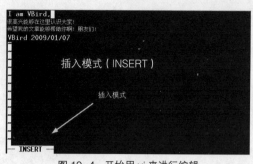

图 10-4　开始用 vi 来进行编辑

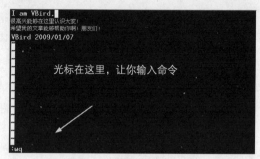

图 10-5　保存并离开 vi 环境

- 如此一来，你的文件 test.txt 就已经创建起来了。需要注意的是，如果你的文件权限不对，例如为 –r--r--r-- 时，那么可能会无法写入，此时可以使用"强制写入"的方式吗？可以。使用 ":wq!" 多加一个感叹号即可。不过，需要特别注意。那个是在你的权限可以改变的情况下才能成立的。关于权限的概念，请自行回去翻一下第 6 章的内容。

10.2.2　按键说明

除了上面简易范例的 I、[Esc]、:wq 之外，其实 vim 还有非常多的按键可以使用。在介绍之前还是要再次强调，vim 的三种模式只有一般模式可以与编辑、命令行模式切换，编辑模式与命令行模式之间并不能切换的。这点在图 10-2 里面已介绍过。下面就来谈谈 vim 中会用到的按键功能。

第一部分：一般模式可用的按钮说明，光标移动、复制粘贴、查找替换等，如表 10-1 所示。

表 10-1

移动光标的方法	
h 或向左箭头键（←）	光标向左移动一个字符
j 或向下箭头键（↓）	光标向下移动一个字符
k 或向上箭头键（↑）	光标向上移动一个字符
l 或向右箭头键（→）	光标向右移动一个字符
如果你将右手放在键盘上的话，你会发现 hjkl 是排列在一起的，因此可以使用这四个按键来移动光标。如果想要进行多次移动的话，例如向下移动 30 行，可以使用 "30j 或 30↓" 的组合按键，即加上想要进行的次数（数字）后，按下操作即可	
[Ctrl]+[f]	屏幕向下移动一页，相当于[Page Down]按键（常用）
[Ctrl]+[b]	屏幕向上移动一页，相当于[PageUp]按键（常用）
[Ctrl]+[d]	屏幕向下移动半页
[Ctrl]+[u]	屏幕向上移动半页
+	光标移动到非空格符的下一行
−	光标移动到非空格符的上一行
n<space>	那个 n 表示"数字"，例如 20。按下数字后再按空格键，光标会向右移动这一行的 n 个字符。例如 20<space>，则光标会向后面移动 20 个字符距离
0 或功能键[Home]	这是数字"0"：移动到这一行的最前面字符处（常用）
$或功能键[End]	移动到这一行的最后面字符处（常用）
H	光标移动到这个屏幕的最上方那一行的第一个字符
M	光标移动到这个屏幕的中央那一行的第一个字符
L	光标移动到这个屏幕的最下方那一行的第一个字符

续表

移动光标的方法	
G	移动到这个文件的最后一行（常用）
nG	n 为数字。移动到这个文件的第 n 行。例如 20G 则会移动到这个文件的第 20 行（可配合:set nu）
gg	移动到这个文件的第一行，相当于 1G（常用）
N[Enter]	n 为数字。光标向下移动 n 行（常用）
查找与替换	
/word	向下寻找一个名称为 Word 的字符串。例如要在文件内查找 vbird 这个字符串，就输入/vbird 即可（常用）
?word	向上寻找一个字符串名称为 Word 的字符串
n	这个 n 是英文按键。代表重复前一个查找的操作。举例来说，如果刚才我们执行/vbird 去向下查找 vbird 这个字符串，则按下 n 后，会向下继续查找下一个名称为 vbird 的字符串。如果是执行?vbird 的话，那么按下 n 则会向上继续查找名称为 vbird 的字符串
N	这个 N 是英文按键。与 n 刚好相反，为"反向"进行前一个查找操作。例如输入/vbird 后，按下 N 则表示向上查找 vbird
使用/word 配合 n 及 N 是非常有帮助的。可以让你重复地找到一些关键字	
:n1,n2s/word1/word2/g	n1 与 n2 为数字。在第 n1 与 n2 行之间寻找 word1 这个字符串，并将该字符串替换为 word2。举例来说，在 100 到 200 行之间查找 vbird 并替换为 VBIRD 则用":100,200s/vbird/VBIRD/g"（常用）
:1,$s/word1/word2/g	从第一行到最后一行查找 word1 字符串，并将该字符串替换为 word2（常用）
:1,$s/word1/word2/gc	从第一行到最后一行查找 word1 字符串，并将该字符串替换为 word2。且在替换前显示提示字符给用户确认（confirm）是否需要替换（常用）
删除、复制与粘贴	
x,X	在一行字当中，x 为向后删除一个字符（相当于[Del]按键），X 为向前删除一个字符（相当于[Backspace]）（常用）
nx	n 为数字，连续向后删除 n 个字符。举例来说，我要连续删除 10 个字符，"10x"
dd	删除光标所在的那一整行（常用）
ndd	n 为数字。删除光标所在的向下 n 行，例如 20dd 则是删除 20 行（常用）
d1G	删除光标所在到第一行的所有数据
dG	删除从光标所在到最后一行的所有数据
d$	删除从光标所在处到该行的最后一个字符
d0	那个是数字的 0，删除从光标所在处到该行的最前面一个字符
yy	复制光标所在的那一行（常用）
nyy	n 为数字。复制光标所在的向下 n 行，例如 20yy 则是复制 20 行（常用）
y1G	复制光标所在行到第一行的所有数据
yG	复制光标所在行到最后一行的所有数据
y0	复制光标所在的那个字符到该行行首的所有数据
y$	复制光标所在的那个字符到该行行尾的所有数据
p,P	p 为将已复制的数据在光标下一行粘贴，P 则为粘贴在光标上一行。举例来说，我目前光标在第 20 行，且已经复制了 10 行数据。则按下 p 后，那 10 行数据会粘贴在原本的 20 行之后，也即由 21 行开始粘贴。但如果是按下 P 呢？那么原本的第 20 行会被变成 30 行（常用）

续表

移动光标的方法	
J	将光标所在行与下一行的数据结合成同一行
c	重复删除多个数据，例如向下删除 10 行，[10cj]
u	复原前一个操作（常用）
[Ctrl]+r	重做上一个操作（常用）
这个 u 与[Ctrl]+r 是很常用的命令。一个是复原，另一个则是重做一次，利用它们，你的编辑会更加得心应手	
.	不要怀疑。这就是小数点。意思是重复前一个操作的意思。如果你想要重复删除、重复粘贴等操作，按下小数点"."就好了（常用）

第二部分：一般模式切换到编辑模式的可用的按钮说明

进入插入或替换的编辑模式	
i, I	进入插入模式（Insert mode）： i 为从目前光标所在处插入，I 为在目前所在行的第一个非空格符处开始插入（常用）
a, A	进入插入模式（Insert mode）： a 为从目前光标所在的下一个字符处开始插入，A 为从光标所在行的最后一个字符处开始插入（常用）
o, O	进入插入模式（Insert mode）： 这是英文字母 o 的大小写。o 为在目前光标所在的下一行处插入新的一行；O 为在目前光标所在处的上一行插入新的一行（常用）
r, R	进入替换模式（Replace mode）： r 只会替换光标所在的那一个字符一次；R 会一直替换光标所在的文字，直到按下[Esc]键为止（常用）
上面这些按键中，在 vi 界面的左下角处会出现"--INSERT--"或"--REPLACE--"的字样。由名称就知道该操作了吧。特别注意的是，我们上面也提过了，你想要在文件里面输入字符时，一定要在左下角处看到 INSERT 或 REPLACE 才能输入	
[Esc]	退出编辑模式，回到一般模式中（常用）

第三部分：一般模式切换到命令行模式的可用的按钮说明

命令行的保存、离开等命令	
:w	将编辑的数据写入硬盘文件中（常用）
:w!	若文件属性为"只读"时，强制写入该文件。不过，到底能不能写入，还是跟你对该文件的文件权限有关啊
:q	离开 vi（常用）
:q!	若曾修改过文件，又不想存储，使用"!"为强制离开不保存文件
注意一下啊，那个感叹号（!）在 vi 当中经常具有"强制"的意思	
:wq	包车后离开，若为":wq!"则为强制保存后离开（常用）
ZZ	这是大写的 Z。若文件没有更动，则不保存离开，若文件已经被更动过，则保存后离开
:w[filename]	将编辑的数据保存成另一个文件（类似于另存文件）
:r[filename]	在编辑的数据中，读入另一个文件的数据，即将"filename"这个文件内容加到光标所在行后面
:n1,n2 w [filename]	将 n1 到 n2 的内容保存成 filename 这个文件
:! command	暂时离开 vi 到命令行模式下执行 command 的显示结果。例如 ":! ls /home" 即可在 vi 当中查看/home 下面以 ls 输出的文件信息

续表

命令行的保存、离开等命令	
vim 环境的更改	
:set nu	显示行号，设置之后，会在每一行的前缀显示该行的行号
:set nonu	与 set nu 相反，为取消行号

- 特别注意，在 vi 中，数字是很有意义的。**数字通常代表重复做几次的意思。也有可能是代表去到第几个什么什么的意思。**举例来说，要删除 50 行，则是用"50dd"对。数字加在操作之前，那我要向下移动 20 行呢？那就是"20j"或者是"20↓"即可。

- 会这些命令就已经很厉害了，因为常用到的命令也只有不到一半。通常 vi 的命令除了上面注明的常用的几个外，其他是不用背的，你可以做一张简单的命令表在你的屏幕上，一有疑问可以马上查询。这也是当初鸟哥使用 vim 的方法。

10.2.3　一个案例练习

赶紧测试一下你是否已经熟悉 vi 这个命令呢？请依照下面的需求进行命令操作。（下面的操作为使用 CentOS 5.2 中的 man.config 来做练习的，该文件你可以在这里下载：http://linux. vbird.org/linux_basic/0310vi/man.config。）看看你的显示结果与笔者的结果是否相同。

1. 请在/tmp 这个目录下新建一个名为 vitest 的目录。
2. 进入 vitest 这个目录当中。
3. 将/etc/man.config 复制到本目录下面（或由上述的链接下载 man.config 文件）。
4. 使用 vi 打开本目录下的 man.config 这个文件。
5. 在 vi 中设置一下行号。
6. 移动到第 58 行，向右移动 40 个字符，请问你看到的双引号内是什么目录？
7. 移动到第一行，并且向下查找一下"bzip2"这个字符串，请问它在第几行？
8. 接着下来，我要将 50 到 100 行之间的"man"改为"MAN"，并且一个一个挑选是否需要修改，如何执行命令？如果在挑选过程中一直按"y"，结果会在最后一行出现改变了几个 man 呢？
9. 修改完之后，突然反悔了，要全部复原，有哪些方法？
10. 复制 65 到 73 这九行的内容（含有 MANPATH_MAP），并且粘贴到最后一行之后。
11. 21 到 42 行之间的开头为"#"符号的批注数据我不要了，要如何删除？
12. 将这个文件另存成一个 man.test.config 的文件名。
13. 去到第 27 行，并且删除 15 个字符，结果出现的第一个字符是什么？
14. 在第一行新增一行，该行内容输入"Iam a student..."。
15. 保存后离开。

整个步骤可以的显示结果如下：

1. "mkdir /tmp/vitest"
2. "cd /tmp/vitest"
3. "cp /etc/man.config ."
4. "vi man.config"
5. ":set nu"，然后你会在界面中看到左侧出现数字即为行号。
6. 先按下"58G"再按下"40→"会看到"/dir/bin/foo"这个字样在双引号内。
7. 先执行"1G"或"gg"后，直接输入"/bzip2"，则会去到第 118 行才对。
8. 直接执行":50,100s/man/MAN/gc"即可。若一直按"y"最终会出现"在 23 行内替换 25 个字符串"的说明。

9. 简单的方法可以一直按"u"回复到原始状态，或者使用不存储离开":q!"之后，再重新读取一次该文件。

10. 输入"65G"，然后再输入"9yy"，之后最后一行会出现"复制九行"之类的说明字样。按下"G"到最后一行，再按"p"粘贴九行。

11. 因为 21～42 行共 22 行，因此用"21G" → "22dd"就能删除 22 行，此时你会发现光标所在 21 行的地方变成 MANPATH 开头，批注的"#"符号那几行都被删除了。

12. ":w man.test.config"，你会发现最后一行出现"man.test.config" [New]..的字样。

13. 输入"27G"之后，再输入"15x"即可删除 15 个字符，出现"you"的字样。

14. 先输入"1G"去到第一行，然后按下大写的"O"便新增一行且在插入模式；开始输入"I am a student..."后，按下[Esc]回到一般模式等待后续工作。

15. 输入":wq"。

如果你的结果都可以查得到，那么 vi 的使用上面应该没有太大的问题。剩下的问题就是多打字练习。

10.2.4　vim 的保存文件、恢复与打开时的警告信息

目前主要的编辑软件都会有"恢复"的功能，也即当你的系统因为某些原因而导致类似死机的情况时，还可以通过某些特别的机制来让你将之前未保存的数据"救"回来。这就是笔者这里所谓的"恢复"功能。那么 vim 有没有恢复功能呢？vim 就是通过"保存文件"来挽回数据的。

当我们在使用 vim 编辑时，vim 会在被编辑的文件的目录下再新建一个名为 .filename.swp 的文件。例如我们在上一个小节谈到的编辑 /tmp/vitest/man.config 这个文件时，vim 会主动创建 /tmp/vitest/.man.config.swp 的暂存文件，你对 man.config 做的操作就会被记录到这个 .man.config.swp 当中。如果你的系统因为某些原因断线了，导致你编辑的文件还没有保存，这个时候 .man.config.swp 就能够发挥救援的功能了。我们来测试一下。下面的练习有些部分的命令我们尚未谈到，没关系，你先照着做，后续再回来了解。

```
[root@www ~]# cd /tmp/vitest
[root@www vitest]# vim man.config
# 此时会进入到 vim 的界面，请在 vim 的一般模式下按下[ctrl]-z 的组合键

[1]+  Stopped              vim man.config  <==按下 [ctrl]-z 会告诉你这个信息
```

当我们在 vim 的一般模式下按下[ctrl]-z 的组合键时，你的 vim 会被丢到后台去执行。这部分的功能我们会在第 17 章的程序管理当中谈到，你这里先知道一下即可。回到命令提示符后，接下来我们来模拟将 vim 的工作不正常的中断。

```
[root@www vitest]# ls -al
total 48
drwxr-xr-x 2 root root 4096 Jan 12 14:48 .
drwxrwxrwt 7 root root 4096 Jan 12 13:26 ..
-rw-r--r-- 1 root root 4101 Jan 12 13:55 man.config
-rw-r--r-- 1 root root 4096 Jan 12 14:48 .man.config.swp  <==就是它，暂存文件
-rw-r--r-- 1 root root 4101 Jan 12 13:43 man.test.config

[root@www vitest]# kill -9 %1 <==这里模拟断线停止 vim 工作
[root@www vitest]# ls -al .man.config.swp
-rw-r--r-- 1 root root 4096 Jan 12 14:48 .man.config.swp  <==暂存文件还是会存在
```

那个 kill 可以模拟将系统的 vim 工作删除的情况，你可以假装死机了。由于 vim 的工作被不正常中断，导致暂存盘无法通过正常流程来结束，所以暂存文件就不会消失，而继续保留下来。此时如果你继续编辑那个 man.config，会出现什么情况呢？会出现如下所示的状态：

```
[root@www vitest]# vim man.config
E325: ATTENTION  <==错误代码
Found a swap file by the name ".man.config.swp"  <==下面数行说明有暂存文件的存在
```

```
        owned by: root    dated: Mon Jan 12 14:48:24 2009
        file name: /tmp/vitest/man.config <==这个暂存盘属于哪个实际的文件?
        modified: no
        user name: root    host name: www.vbird.tsai
        process ID: 11539
While opening file "man.config"
        dated: Mon Jan 12 13:55:07 2009
下面说明可能发生这个错误的两个主要原因与解决方案。
(1) Another program may be editing the same file.
    If this is the case, be careful not to end up with two
    different instances of the same file when making changes.
    Quit, or continue with caution.

(2) An edit session for this file crashed.
    If this is the case, use ":recover" or "vim -r man.config"
    to recover the changes (see ":help recovery").
    If you did this already, delete the swap file ".man.config.swp"
    to avoid this message.

Swap file ".man.config.swp" already exists!下面说明你可进行的操作
[O]pen Read-Only, (E)dit anyway, (R)ecover, (D)elete it, (Q)uit, (A)bort:
```

　　由于暂存盘存在的关系,因此 vim 会主动判断你的这个文件可能有些问题,在上面的图示中 vim 提示两点主要的问题与解决方案,分别是这样的:

◆　**问题一:可能有其他人或程序同时在编辑这个文件。**

　　● 由于 Linux 是多人、多任务的环境,因此很可能有很多人同时在编辑同一个文件。如果在多人共同编辑的情况下,万一大家同时保存,那么这个文件的内容将会变得乱七八糟。为了避免这个问题,因此 vim 会出现这个警告窗口。解决的方法则是:

　　■ 找到另外那个程序或人员,请他将该 vim 的工作结束,然后你再继续处理。

　　■ 如果你只是要看该文件的内容并不会有任何修改编辑的行为,那么可以选择打开成为只读(O)文件,即上述界面反白部分输入英文 "o" 即可,其实就是[O]pen Read-Only 的参数。

◆　**问题二:在前一个 vim 的环境中,可能因为某些不明原因导致 vim 中断(crashed)。**

　　这就是常见的不正常结束 vim 产生的后果。解决方案依据不同的情况而不同。常见的处理方法为:

　　■ 如果你之前的 vim 处理操作尚未保存,此时你应该要按下 "R",即使用(R)ecover 的选项,此时 vim 会载入.man.config.swp 的内容,让你自己来决定要不要保存。这样就能够救回来你之前未保存的工作。不过那个.man.config.swp 并不会在你结束 vim 后自动删除,所以你离开 vim 后还得要自行删除.man.config.swp 才能避免每次打开这个文件都会出现这样的警告。

　　■ 如果你确定这个暂存文件是没有用的,那么你可以直接按下 "D" 删除掉这个暂存文件,即(D)elete it 这个选项即可。此时 vim 会载入 man.config,并且将旧的.man.config.swp 删除后,新建这次会使用的新的.man.config.swp。

　　至于这个发现暂存盘警告信息的界面中,有出现六个可用按钮,各按钮的说明如下:

◆　**[O]pen Read-Only**:打开此文件成为只读文件,可以用在你只是想要查阅该文件内容并不想要进行编辑行为时。一般来说,在上课时,如果你是登录到同学的计算机去看他的配置文件,结果发现其实同学他自己也在编辑时,可以使用这个模式;

◆　**(E)dit anyway**:还是用正常的方式打开你要编辑的那个文件,并不会载入暂存文件的内容。不过很容易出现两个用户互相改变对方的文件等问题。

◆　**(R)ecover**:就是加载暂存文件的内容,用在你要救回之前未保存的工作。不过当你救回来并且保存离开 vim 后,还是要手动自行删除那个暂存文件。

◆　**(D)elete it**:你确定那个暂存文件是无用的。那么打开文件前会先将这个暂存文件删除。这个操作其实是比较常做的。因为你可能不确定这个暂存文件是怎么来的,所以就删除掉它。

◆　**(Q)uit**:按下 q 就离开 vim,不会进行任何操作回到命令提示符。

◆　**(A)bort**:忽略这个编辑行为,感觉上与 quit 非常类似。也会送你回到命令提示符就是。

10.3　vim 的功能

其实，目前大部分的 distributions 都以 vim 替代 vi 的功能了。如果你使用 vi 后，却看到界面的右下角有显示目前光标所在的行列号码，那么你的 vi 已经被 vim 所替代了，为什么要用 vim 呢? 因为 vim 具有颜色显示的功能，并且还支持许多的程序语法 (syntax)，因此，当你使用 vim 编辑程序时 (不论是 C 语言，还是 shell script)，我们的 vim 将可帮你直接进行程序除错 (debug) 的功能。

如果你在文本模式下，输入 alias 时，出现这样的界面:

```
[root@www ~]# alias
....其他省略....
alias vi='vim'   <==重点在这行啊。
```

这表示当你使用 vi 这个命令时，其实就是执行 vim。如果你没有这一行，那么你就必须要使用 vimfilename 来启动 vim。基本上，vim 的一般用法与 vi 完全一模一样。那么我们就来看看 vim 的界面是怎样的。假设我想要编辑/etc/man.config，则输入 "vim /etc/man.config"。

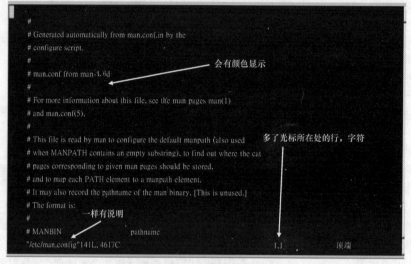

图 10-6　vim 的图示示意

图 10-6 是 vim 的示意图，在这个界面中有几点特色要说明:

1. 由于 man.config 是系统规划的配置文件，因此 vim 会进行语法检验，所以你会看到界面中内部主要为深蓝色，且深蓝色那一行是以批注符号 (#) 为开头;
2. 最下面一行的左边显示该文件的属性，包括 141 行与 4617 字符;
3. 最下面一行的右边出现的 1,1 表示光标所在为第一行第一个字符位置之意 (请看一下上图中的游标所在)。

所以，如果你向下移动到其他位置时，出现的非批注的数据就会如图 10-7 所示。

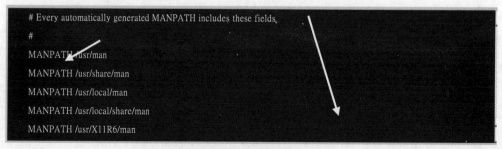

图 10-7　非批注的数据

看到了吗? 除了批注之外, 其他的行就会有特别的颜色显示。可以避免你打错字。而且, 最右下角的 30%代表目前这个界面占整体文件的 30%。

10.3.1　块选择 (Visual Block)

刚才我们提到的简单的 vi 操作过程中, 几乎提到的都是以行为单位的操作。那么如果我想要搞定的是一个块范围呢? 举例来说, 像下面这种格式的文件:

```
192.168.1.1    host1.class.net
192.168.1.2    host2.class.net
192.168.1.3    host3.class.net
192.168.1.4    host4.class.net
.....中间省略......
```

这个文件我将它放置到 http://linux.vbird.org/linux_basic/0310vi/hosts, 你可以自行下载来看一看。假设我想要将 host1,host2 等复制起来, 并且加到每一行的后面, 也即每一行的结果要是 "192.168.1.2 host2.class.net host2" 这样的情况时, 一般编辑器似乎不容易达到这个需求, 但是咱们的 vim 是可以的。那就使用块选择 (Visual Block)。当我们按下 v 或者 V 或者[Ctrl]+v 时, 这个时候光标移动过的地方就会开始反白, 这三个按键的意义如表 10-2 所示。

表 10-2

块选择的按键意义	
v	字符选择, 会将光标经过的地方反白选择
V	行选择, 会将光标经过的行反白选择
[Ctrl]+v	块选择, 可以用长方形的方式选择数据
y	将反白的地方复制起来
d	将反白的地方删除

下面来实际进行我们需要的操作。就是将 host 再加到每一行的最后面, 你可以这样做:

1. 使用 vim hosts 来打开该文件, 记得该文件请由上述的链接下载先。
2. 将光标移动到第一行的 host 那个 h 上头, 然后按下[ctrl]-v, 左下角出现块示意, 如图 10-8 所示。
3. 将光标移动到最底部, 此时光标移动过的区域会反白, 如图 10-9 所示。

图 10-8　进入块功能的示意图

图 10-9　块选择的结果示意图

4. 此时你可以按下 "y" 来进行复制, 当你按下 y 之后, 反白的块就会消失不见。
5. 最后, 将光标移动到第一行的最右边, 并且再用编辑模式向右按两个空格键, 回到一般模式后, 再按下 "p" 后, 你会发现很有趣。如图 10-10 所示。

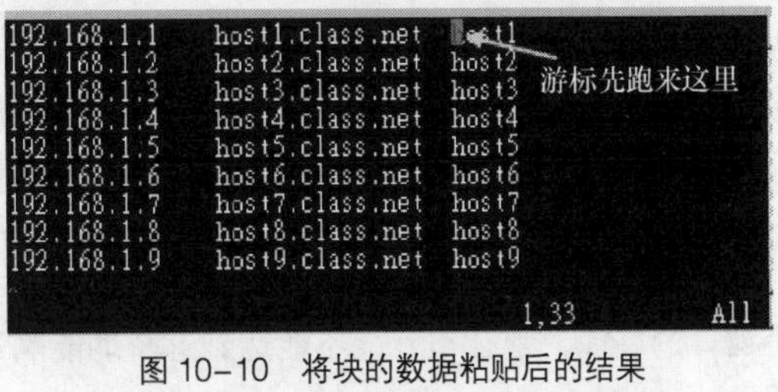

通过上述的功能, 你可以复制一个块, 并且是贴在某个 "块的范围" 内, 而不是以行为单位来处理你的整份文件。鸟哥个人是觉得这玩意儿

图 10-10　将块的数据粘贴后的结果

非常有帮助，至少在进行排列整齐的文本文件中复制/删除块时，会是一个非常棒的功能。

10.3.2　多文件编辑

假设一个例子，你想要将刚才我们的 hosts 内的 IP 复制到你的/etc/hosts 这个文件去，那么该如何编辑？我们知道在 vi 内可以使用：":r filename"来读入某个文件的内容，不过，这样毕竟是将整个文件读入。如果我只是想要部分内容呢？这个时候多文件同时编辑就很有用了。我们可以使用 vim 后面同时接好几个文件来同时打开。相关的按键如表 10-3 所示。

表 10-3

多文件编辑的按键	
:n	编辑下一个文件
:N	编辑上一个文件
:files	列出目前这个 vim 的打开的所有文件

在过去，鸟哥想要将 A 文件内的 10 条消息"移动"到 B 文件去，通常要开两个 vim 窗口来复制，偏偏每个 vim 都是独立的，因此并没有办法在 A 文件执行"nyy"再跑到 B 文件去执行"p"。在这种情况下最常用的方法就是通过鼠标圈选，复制后粘贴。不过这样一来还是有问题，因为鸟哥超级喜欢使用[Tab]按键进行编排对齐操作，通过鼠标却会将[Tab]转成空格键，这样内容就不一样了。此时这个多文件编辑就派上用场了。

现在你可以做一下练习。假设你要将刚才笔者提供的 hosts 内的前四行 IP 数据复制到你的/etc/hosts 文件内，那可以怎么进行呢？可以这样：

1. 通过"vim hosts /etc/hosts"命令来使用一个 vim 打开两个文件
2. 在 vim 中先使用 ":files" 查看一下编辑的文件数据有什么，结果如图 10-11 所示。至于图中最后一行显示的是"按下任意键"就会回到 vim 的一般模式。

图 10-11　多文件编辑示意图

3. 在第一行输入"4yy"复制四行。
4. 在 vim 的环境下输入"n"会来到第二个编辑的文件，即/etc/hosts 内。
5. 在/etc/hosts 下按"G"到最后一行，再输入"p"粘贴。
6. 按下多次的"u"来还原原本的文件数据。
7. 最终按下":q"来离开 vim 的多文件编辑。

利用多文件编辑的功能，可以让你很快就将需要的数据复制到正确的文件内。当然这个功能也可以利用窗口界面来达到，那就是下面要提到的多窗口功能。

10.3.3　多窗口功能

在开始这个小节前，先来想象两个情况：

◆ 当我有一个文件非常大，我查阅到后面的数据时，想要对照前面的数据，是否需要使用[Ctrl]+f与[Ctrl]+b（或 PageUp、PageDown 功能键）来跑前跑后查阅？
◆ 我有两个需要对照着看的文件，不想使用前一小节提到的多文件编辑功能。

在一般窗口界面下的编辑软件大多有"切割窗口或者是冻结窗口"的功能来将一个文件切割成多个窗口的展现，那么 vim 能不能达到这个功能啊？可以。但是如何切割窗口并放入文件呢？很简单。

在命令行模式输入 ":sp{filename}" 即可。那个 filename 可有可无，如果想要在新窗口启动另一个文件，就加入文件名，否则仅输入:sp 时，出现的则是同一个文件在两个窗口间。

让我们来测试一下，你先使用 "vim /etc/man.config" 打开这个文件，然后用 "1G" 去到第一行，之后输入 ":sp" 再次打开这个文件一次，然后再输入 "G"，结果会变成图 10-12 所示。

万一你再输入 ":sp /etc/hosts" 时，就会变成图 10-13 所示。

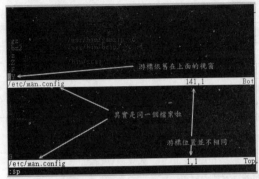

图 10-12　窗口切割的示意图

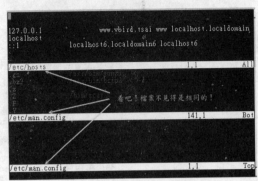

图 10-13　窗口切割的示意图

两个文件同时在一个屏幕上面显示，你还可以利用[Ctrl]+w+↑及[Ctrl]+w+↓在两个窗口之间移动呢。这样的话，复制、查阅等就变得很简单了。切割窗口的相关命令功能有很多，不过你只要记得这几个就好了，如表 10-4 所示。

表 10-4

多窗口情况下的按键功能	
:sp [filename]	打开一个新窗口，如果有加 filename，表示在新窗口打开一个新文件，否则表示两个窗口为同一个文件内容（同步显示）
[ctrl]+w+ j [ctrl]+w+↓	按键的按法是：先按下[ctrl]不放，再按下 w 后放开所有的按键，然后再按下 j（或向下箭头键），则光标可移动到下方的窗口
[ctrl]+w+ k [ctrl]+w+↑	同上，不过光标移动到上面的窗口
[ctrl]+w+q	其实就是:q 结束离开。举例来说，如果我想要结束下方的窗口，那么利用[ctrl]+w+↓移动到下方窗口后，按下:q 即可离开，也可以按下[ctrl]+w+q

鸟哥第一次玩 vim 的切割窗口时，真是很高兴。竟然有这种功能，太棒了！

10.3.4　vim 环境设置与记录：～/.vimrc, ～/.viminfo

有没有发现，如果我们以 vim 软件来查找一个文件内部的某个字符串时，这个字符串会被反白，而下次我们再次以 vim 编辑这个文件时，该查找的字符串反白情况还是存在呢。甚至于在编辑其他文件时，如果其他文件内也存在这个字符串，竟然还是主动反白。另外，当我们重复编辑同一个文件时，当第二次进入该文件时，光标竟然就在上次离开的那一行上面。

这是因为我们的 vim 会主动将你曾经做过的行为记录下来，好让你下次可以轻松作业。那个记录操作的文件就是：～/.viminfo。如果你曾经使用过 vim，那你的主文件夹应该会存在这个文件才对。这个文件是自动产生的，你不必自行创建。而你在 vim 里头所做过的操作就可以在这个文件内部查询到。

此外，每个 distributions 对 vim 的默认环境都不太相同，举例来说，某些版本在查找到关键字时并不会高亮度反白，有些版本则会主动帮你进行缩排的行为。但这些其实都可以自行设置的，那就是 vim 的环境设置。vim 的环境设置参数有很多，如果你想要知道目前的设置值，可以在一般模式时输入 ":set all" 来查阅，不过设置选项实在太多了，所以鸟哥在这里仅列出一些平时比较常用的一些简单的设置值，提供给你参考，如表 10-5 所示。

所谓的缩排，就是当您按下[Enter]编辑新的一行时，光标不会在行首，而是在与上一行的第一个非空格符处对齐。

表 10-5

vim 的环境设置参数	
:set nu :set nonu	就是设置与取消行号
:set hlsearch :set nohlsearch	hlsearch 就是 high light search（高亮度查找）。这个就是设置是否将查找的字符串反白的设置值。默认值是 hlsearch
:set autoindent :set noautoindent	表示是否自动缩排，autoindent 就是自动缩排
:set backup	表示是否自动保存备份文件，一般是 nobackup 的，如果设置 backup 的话，那么当你改动任何一个文件时，则原文件会被另存成一个文件名为 filename～的文件。举例来说，我们编辑 hosts，设置:set backup，那么当改动 hosts 时，在同目录下，就会产生 hosts～文件名的文件，记录原始的 hosts 文件内容
:set ruler	还记得我们提到的右下角的一些状态栏说明吗？这个 ruler 就是在显示或不显示该设置值的
:set showmode	这个则是是否要显示--INSERT--之类的字眼在左下角的状态栏
:set backspace=（012）	一般来说，如果我们按下 i 进入编辑模式后，可以利用退格键（backspace）来删除任意字符的。但是，某些 distribution 则不许如此。此时，我们就可以通过 backspace 来设置。当 backspace 为 2 时，就是可以删除任意值；为 0 或 1 时，仅可删除刚才输入的字符，而无法删除原本就已经存在的文字了
:set all	显示目前所有的环境参数设置值
:set	显示与系统默认值不同的设置参数，一般来说就是你有自行变动过的设置参数
:syntax on :syntax off	表示是否依据程序相关语法显示不同颜色。举例来说，在编辑一个纯文本文件时，如果开头是以#开始，那么该行就会变成蓝色。如果你懂得写程序，那么这个:syntax on 还会主动帮你除错呢。但是，如果你仅是编写纯文本文件，要避免颜色对你的屏幕产生的干扰，则可以取消这个设置
:set bg=dark :set bg=light	可用以显示不同的颜色色调，默认是 light。如果你经常发现批注的字体深蓝色实在很不容易看，那么这里可以设置为 dark，会有不同的样式

总之，这些设置值很有用处的。但是我是否每次使用 vim 都要重新设置一次各个参数值？其实我们可以通过配置文件来直接规定我们习惯的 vim 操作环境。**整体 vim 的设置值一般是放置在/etc/vimrc 这个文件中**，不过，不建议你修改它。你可以修改～/.vimrc 这个文件（默认不存在，请你自行手动创建），将你所希望的设置值写入。举例来说，可以是这样的一个文件：

```
[root@www ~]# vim ~/.vimrc
"这个文件的双引号（"）是批注
set hlsearch            "高亮度反白
set backspace=2         "可随时用退格键删除
set autoindent          "自动缩排
set ruler               "可显示最后一行的状态
set showmode            "左下角那一行的状态
set nu                  "可以在每一行的最前面显示行号
set bg=dark             "显示不同的底色色调
syntax on               "进行语法检验，颜色显示
```

在这个文件中，使用"set hlsearch"或"：set hlsearch"，即最前面有没有冒号"："效果都是一样的。至于双引号则是批注符号，不要用错批注符号，否则每次使用 vim 时都会发生警告信息。创建

好这个文件后，当你下次重新以 vim 编辑某个文件时，该文件的默认环境设置就是这么设置的。这样是否很方便你的操作？所以多利用 vim 的环境设置功能吧！

10.3.5　vim 常用命令示意图

　　为了方便大家查询在不同的模式下可以使用的 vim 命令，笔者查询了一些 vim 与 Linux 教育训练手册，发现图 10-14 非常值得大家参考，可以更快速有效地查询到需要的功能。

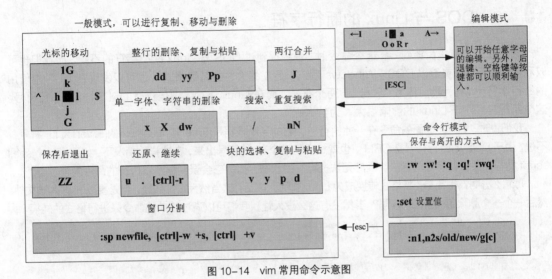

图 10-14　vim 常用命令示意图

10.4　其他 vim 使用注意事项

　　vim 其实不是那么好学，虽然它的功能确实非常强大。所以下面我们还有一些需要注意的地方要来跟大家分享。

10.4.1　中文编码的问题

　　很多朋友经常说他们的 vim 里面怎么无法显示正常的中文，其实这很有可能是因为编码的问题。因为中文编码有 gb2312、big5 与 utf8 等，如果你的文件是使用 big5 编码制作的，但在 vim 的终端界面中你使用的是统一码（utf8），由于编码的不同，你的文件内容当然就是一堆乱码了。怎么办？这时你得要考虑许多东西了。例如：

1. 你的 Linux 系统默认支持的语系数据：这与/etc/sysconfig/i18n 有关；
2. 你的终端接口（bash）的语系：这与 LANG 这个变量有关；
3. 你的文件原本的编码；
4. 打开终端机的软件，例如在 GNOME 下面的窗口界面。

　　事实上最重要的是上面的第三与第四点，只要这两点的编码一致，你就能够正确看到与编辑你的中文文件，否则就会看到一堆乱码。

　　一般来说，中文编码使用 big5 时，在写入某些数据库系统中，在"许、盖、功"这些字体上面会发生错误。所以近期以来大多希望大家能够使用 utf8 来进行中文编码。但是在 Windows XP 上的软件经常默认使用 big5 的编码。此时就得要注意上述的这些情况。

在 Linux 本机前的 tty1～tty6 原本默认就不支持中文编码，所以不用考虑这个问题，因为你一定会看到乱码。现在笔者假设我们的文件文件内编码为 big5 时，而且我的环境是使用 Linux 的 GNOME，启动的终端界面为 GNOME-terminal 软件，那笔者通常是这样来修正语系编码的行为：

```
root@www ~]# LANG=zh_CN.big5
```

然后在终端界面工具栏的"终端机"→"设置字符编码"→"中文（繁体）（BIG5）"选项点击一下，如果一切都没有问题了，再用 vim 去打开那个 big5 编码的文件，就没有问题了。

10.4.2　DOS 与 Linux 的断行字符

我们在第 7 章里面谈到 cat 这个命令时，曾经提到过 DOS 与 Linux 断行字符的不同。而我们也可以利用 cat -A 来查看以 DOS（Windows 系统）建立的文件的特殊格式，也可以发现在 DOS 中使用的断行字符为^M$，我们称为 CR 与 LF 两个符号。而在 Linux 下面，则是仅有 LF（$）这个断行符号。这个断行符号对于 Linux 的影响很大，为什么呢？

我们说过，Linux 下面的命令在开始执行时，它的判断依据是[Enter]，而 Linux 的[Enter]为 LF 符号，不过，由于 DOS 的断行符号是 CRLF，也就是多了一个^M 的符号出来，在这样的情况下，如果是一个 shell script 的程序文件，将可能造成"程序无法执行"的状态，因为它会误判程序所执行的命令内容。

那怎么办啊？很简单，将格式转换成为 Linux 即可。废话！这当然大家都知道，但是要以 vi 进入该文件，然后一个一个删除每一行的 CR 吗？当然没有这么没人性！我们可以通过简单的命令来进行格式的转换。

```
[root@www ~]# dos2UNIX [-kn] file [newfile]
[root@www ~]# UNIX2dos [-kn] file [newfile]
参数：
-k ：保留该文件原本的 mtime 时间格式（不更新文件上次内容经过修订的时间）
-n ：保留原本的旧文件，将转换后的内容输出到新文件，如：dos2UNIX -n old new

范例一：将刚才上述练习的 /tmp/vitest/man.config 修改成为 dos 断行
[root@www ~]# cd /tmp/vitest
[root@www vitest]# cp -a /etc/man.config .
[root@www vitest]# ll man.config
-rw-r--r-- 1 root root 4617 Jan  6 2007 man.config
[root@www vitest]# UNIX2dos -k man.config
UNIX2dos: converting file man.config to DOS format ...
# 屏幕会显示上述的信息，说明断行转为 DOS 格式了。
[root@www vitest]# ll man.config
-rw-r--r-- 1 root root 4758 Jan  6 2007 man.config
# 断行字符多了 ^M，所以容量增加了。

范例二：将上述的 man.config 转成 man.config.linux 的 Linux 断行字符
[root@www vitest]# dos2UNIX -k -n man.config man.config.linux
dos2UNIX: converting file man.config to file man.config.linux in UNIX format ...
[root@www vitest]# ll man.config*
-rw-r--r-- 1 root root 4758 Jan  6 2007 man.config
-rw------- 1 root root 4617 Jan  6 2007 man.config.linux
```

因为断行字符以及 DOS 与 Linux 操作系统下面一些字符的定义不同，因此，不建议你在 Windows 系统当中将文件编辑好之后，才上传到 Linux 系统，会容易发生错误问题。而且，如果你在不同的系统之间复制一些纯文本文件时，千万记得要使用 UNIX2dos 或 dos2UNIX 来转换一下断行格式。

10.4.3　语系编码转换

很多朋友都会有的问题就是想要将语系编码进行转换。举例来说，想要将 big5 编码转成 utf8。这个时候怎么办？难不成要每个文件打开会转存成 utf8 吗？不需要这样做。使用 iconv 这个命令即可。笔者将之前的 vi 章节做成 big5 编码的文件，你可以照下面的链接来下载先：

http://linux.vbird.org/linux_basic/0310vi/vi.big5

在终端机的环境下你可以使用"wget 网址"来下载上述的文件。笔者将它下载在/tmp/vitest 目录下。接下来让我们使用 iconv 这个命令来玩一玩编码转换。

```
[root@www ~]# iconv --list
[root@www ~]# iconv -f 原本编码 -t 新编码 filename [-o newfile]
参数:
--list : 列出 iconv 支持的语系数据
-f     : from, 后接原本的编码格式;
-t     : to, 即后来的新编码要是什么格式;
-o file: 如果要保留原本的文件, 那么使用 -o 新文件名, 可以建立新编码文件。

范例一: 将 /tmp/vitest/vi.big5 转成 utf8 编码。
[root@www ~]# cd /tmp/vitest
[root@www vitest]# iconv -f big5 -t utf8 vi.big5 -o vi.utf8
[root@www vitest]# file vi*
vi.big5: ISO-8859 text, with CRLF line terminators
vi.utf8: UTF-8 Unicode text, with CRLF line terminators
#有明显的不同吧?
```

　　这个命令支持的语系非常多，除了繁体中文的 big5,utf8 编码之外，也支持简体中文的 gb2312，所以大家可以简单地将鸟站的网页数据下载后，利用这个命令来转成简体，就能够轻松读取文件数据。不过不要将转成简体的文件又上传成为你自己的网页，这明明是鸟哥写的不是吗?

　　不过如果是要将繁体中文的 utf8 转成简体中文的 utf8 编码时，那就得费些功夫了。举例来说，如果要将刚才那个 vi.utf8 转成简体的 utf8 时，可以这样做:

```
[root@www vitest]# iconv -f utf8 -t big5 vi.utf8 | \
> iconv -f big5 -t gb2312 | iconv -f gb2312 -t utf8 -o vi.gb.utf8
```

10.5　重点回顾

- ◆　Linux 下面的配置文件多为文本文件，故使用 vim 即可进行设置编辑。
- ◆　vim 可视为程序编辑器，可用以编辑 shell script、配置文件等，避免打错字。
- ◆　vi 为所有 UNIX like 的操作系统都会存在的编辑器，且执行速度快。
- ◆　vi 有三种模式，一般模式可变换到编辑与命令行模式，但编辑模式与命令行模式不能互换。
- ◆　常用的按键有 i,[Esc],:wq 等。
- ◆　vi 的界面大致可分为两部分:上半部的本文与最后一行的状态+命令行模式。
- ◆　数字是有意义的，用来说明重复进行几次操作的意思，如 5yy 为复制 5 行的意思。
- ◆　光标的移动中，大写的 G 经常使用，尤其是 1G、G，表示移动到文章的头、尾功能。
- ◆　vi 的替换功能也很棒。:n1,n2s/old/new/g 要特别注意学习起来。
- ◆　小数点 "." 为重复进行前一次操作，也是经常使用的按键功能。
- ◆　进入编辑模式几乎只要记住 i，o，R 三个按钮即可，尤其是新增一行的 o 与替代的 R。
- ◆　vim 会主动创建 swap 暂存文件，所以不要随意断线。
- ◆　可以使用[ctrl]-v 进行复制/粘贴/删除的行为。
- ◆　使用:sp 功能可以切割窗口。
- ◆　vim 的环境设置可以写入～/.vimrc 文件中。
- ◆　可以使用 iconv 进行文件语系编码的转换。
- ◆　使用 dos2UNIX 及 UNIX2dos 可以变更文件每一行的行尾断行字符。

10.6　本章练习

实作题部分

- ◆　在第 8 章的情境模拟题二的第五点，编写/etc/fstab 时，当时使用 nano 这个命令，请尝试使用 vim 去编辑/etc/fstab，并且将第 8 章新增的那一行的 defatuls 改成 default，会出现什么状态?

离开前请务必要修订成原本正确的信息。此外，如果将该行批注（最前面加#），你会发现字体颜色也有变化。

◆ 尝试在你的系统中，你惯常使用的那个账号的目录下，将本章介绍的 vimrc 内容进行一些常用设置，包括：

■ 设置查找高亮度反白；

■ 设置语法检验启动；

■ 设置默认启动行号显示；

■ 设置有两行状态栏（一行状态+一行命令行）:set laststatus=2。

简答题部分

◆ 我用 vi 打开某个文件后，要在第 34 行向右移动 15 个字符，应该在一般模式中执行什么命令？

◆ 在 vi 打开的文件中，如何去到该文件的页首或页尾？

◆ 在 vi 打开的文件中，如何在光标所在行中移动到行头及行尾？

◆ vi 的一般模式情况下，按下"r"有什么功能？

◆ 在 vi 的环境中，如何将目前正在编辑的文件另存新文件名为 newfilename？

◆ 在 linux 下面最常使用的文本编辑器为 vi，请问如何进入编辑模式？

◆ 在 vi 软件中，如何由编辑模式跳回一般模式？

◆ 在 vi 环境中，若上下左右键无法使用时，请问如何在一般模式移动光标？

◆ 在 vi 的一般模式中，如何删除一行、n 行；如何删除一个字符？

◆ 在 vi 的一般模式中，如何复制一行、n 行并加以粘贴？

◆ 在 vi 的一般模式中如何查找 string 这个字符串？

◆ 在 vi 的一般模式中，如何替换 word1 成为 word2，而若需要使用确认机制，又该如何？

◆ 在 vi 目前的编辑文件中，在一般模式下，如何读取一个文件 filename 进入当前文件？

◆ 在 vi 的一般模式中，如何存盘、离开、存盘后离开、强制存盘后离开？

◆ 在 vi 下面做了很多的编辑操作之后，却想还原成原来的文件内容，应该怎么进行？

◆ 我在 vi 这个程序当中，不想离开 vi，但是想执行 ls/home 这个命令，vi 有什么额外的功能可以达到这个目的？

10.7　参考数据与扩展阅读

◆ 维基百科：ASCII 的代码与图示对应表：http://zh.wikipedia.org/wiki/ASCII

◆ 注 1：常见文本编辑器链接：

■ emacs: http://www.gnu.org/software/emacs/

■ pico: http://www.ece.uwaterloo.ca/～ece250/Online/UNIX/pico/

■ nano: http://sourceforge.net/projects/nano/

■ joe: http://sourceforge.net/projects/joe-editor/

■ vim: http://www.vim.org

■ 常见文本编辑器比较：
http://encyclopedia.thefreedictionary.com/List+of+text+editors

■ 维基百科的文本编辑器比较：http://en.wikipedia.org/wiki/Comparison_of_text_editors

◆ 关于 vim 是什么的说明（繁体）：http://www.vim.org/6k/features.zh.txt。

◆ 李果正兄的大家来学 vim：http://info.sayya.org/～edt1023/vim/

◆ 麦克星球 Linux Fedora 心得笔记：
繁体/简体中文的转换方法：http://blog.xuite.net/michaelr/linux/15650102

第 11 章　认识与学习 bash

　　在 Linux 的环境下，如果你不懂 bash 是什么，那么其他的东西就不用学了。因为前面几章我们使用终端机执行命令的方式，就是通过 bash 的环境来处理的。所以说它很重要。bash 的东西非常多，包括变量的设置与使用、bash 操作环境的构建、数据流重定向的功能，还有那好用的管道命令。好好清一清脑门，准备用功去，这个章节几乎是所有命令行（command line）与将来主机维护与管理的重要基础，一定要好好仔细阅读。

11.1　认识 bash 这个 shell

我们在第 1 章 Linux 是什么当中提到了：管理整个计算机硬件的其实是操作系统的内核（kernel），这个内核是需要被保护的，所以我们一般用户就只能通过 shell 来跟内核通信，以让内核达到我们所想要达到的工作。那么系统有多少 shell 可用呢？为什么我们要使用 bash？下面分别来谈一谈。

11.1.1　硬件、内核与 shell

什么是 Shell？这应该是个蛮有趣的话题，相信只要摸过计算机，对于操作系统（不论是 Linux、UNIX 或者是 Windows）有点概念的朋友们大多听过这个名词，因为只要有"操作系统"那么就离不开 Shell。不过在讨论 Shell 之前，我们先来了解一下计算机的运作状况。举个例子来说：当你要计算机传输出来"音乐"的时候，你的计算机需要什么东西呢？

1. 硬件：当然就是需要你的硬件有"声卡芯片"这个配备，否则怎么会有声音；
2. 内核管理：操作系统的内核可以支持这个芯片组，当然还需要提供芯片的驱动程序；
3. 应用程序：需要用户（就是你）输入发生声音的命令。

这就是基本的一个输出声音所需要的步骤。也就是说，你必须要"输入"一个命令之后，"硬件"才会通过你执行的命令来工作。那么硬件如何知道你执行的命令呢？那就是 kernel（内核）的控制工作了。也就是说，我们必须要通过"Shell"将我们输入的命令与内核通信，好让内核可以控制硬件来正确无误地工作。基本上，我们可以通过图 11-1 来说明一下。

我们在第 0 章的操作系统小节曾经提到过，操作系统其实是一组软件，由于这组软件在控制整个硬件与管理系统的活动监测，如果这组软件能被用户随意操作，若用户应用不当，将会使得整个系统崩溃。因为操作系统管理的就是整个硬件功能，所以当然不能够随便被一些没有管理能力的终端用户随意使用。

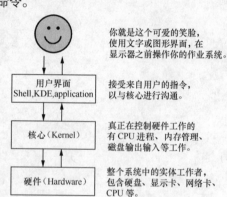

你就是这个可爱的笑脸，使用文字或图形界面，在显示器之前操作你的作业系统。

接受来自用户的指令，以与核心进行沟通。

真正在控制硬件工作的有 CPU 进程、内存管理、磁盘输出输入等工作。

整个系统中的实体工作者，包含硬盘、显示卡、网络卡、CPU 等。

图 11-1　硬件、内核与用户的相关性图示

但是我们总是需要让用户操作系统的，所以就有了在操作系统上面发展的应用程序。用户可以通过应用程序来指挥内核，让内核达成我们所需要的硬件任务。如果考虑如第 0 章所提供的操作系统图（见图 0-18），我们可以发现应用程序其实是在最外层，就如同鸡蛋的外壳一样，因此这个也就被称呼为 shell。

其实 shell 的功能只是提供用户操作系统的一个接口，因此这个 shell 需要可以调用其他软件才好。我们在第 5 章到第 10 章提到过很多命令，包括 man, chmod, chown, vi, fdisk, mkfs 等命令，这些命令都是独立的应用程序，但是我们可以通过 shell（就是命令行模式）来操作这些应用程序，让这些应用程序调用内核来运行所需的工作。这样对于 shell 是否有了一定的概念了？

也就是说，只要能够操作应用程序的接口都能够称为 shell。狭义的 shell 指的是命令行方面的软件，包括本章要介绍的 bash 等。广义的 shell 则包括图形界面的软件，因为图形界面其实也能够操作各种应用程序来调用内核工作。不过在本章中，我们主要还是在使用 bash。

11.1.2 为何要学命令行界面的 shell

命令行界面的 shell 是很不好学的，但是学了之后好处很多。所以在这里鸟哥要先对你进行一些心理辅导，先来了解一下为什么学习 shell 是有好处的，这样你才会有信心继续玩下去。

◆ 命令行界面的 shell：大家都一样。

- 鸟哥经常听到这个问题："我干嘛要学习 shell 呢？不是已经有很多的工具可以提供我设置我的主机了？我为何要花这么多时间去学命令呢？不是用 X Window 按一按几个按钮就可以搞定了吗？"。还是得一再地强调，X Window 还有 Web 界面的设置工具例如 Webmin[注1] 是真的好用的软件，它真的可以帮助我们很简易地设置好我们的主机，甚至是一些很高级的设置都可以帮我们搞定。

- 但是鸟哥在前面的章节里面也已经提到过相当多次了，X Window 与 Web 界面的工具，它的界面虽然亲善，功能虽然强大，但毕竟它是将所有利用到的软件都集成在一起的一组应用程序而已，并非是一个完整的套件，所以某些时候当你升级或者是使用其他套件管理模块（例如 tarball 而非 rpm 文件等）时，就会造成设置的困扰了。甚至不同的 distribution 所设计的 X Window 界面也都不相同，这样也造成学习方面的困扰。

- 命令行界面的 shell 就不同了。几乎各家 distributions 使用的 bash 都是一样的。如此一来，你就能够轻轻松松转换不同的 distributions，就像武侠小说里面提到的"一法通、万法通。"

◆ 远程管理：命令行界面就是比较快。

- 此外，Linux 的管理经常需要通过远程联机，而联机时命令行界面的传输速度一定比较快，而且，较不容易出现断线或者是信息外流的问题，因此，shell 真的是得学习的一项工具。而且，它可以让你更深入 Linux，更了解它，而不是只会按一按鼠标而已。所谓"天助自助者"，多摸一点文本模式的东西，会让你与 Linux 更亲近。

◆ Linux 的任督二脉：shell 是也。

- 有些朋友也很可爱，常会说："我学这么多干什么？又不常用，也用不到。"有没有听过"书到用时方恨少"？当你的主机一切安然无恙的时候，你当然会觉得好像学这么多的东西一点帮助也没有。万一某一天真的不幸中标了，你该如何是好？是直接重新安装？还是先追踪入侵来源后进行漏洞的修补？或者是干脆就关站好了？这当然涉及很多的考虑，但就从鸟哥的观点来看，多学一点总是好的，尤其我们可以有备而无患，甚至学得不精也没有关系，毕竟没有人要你一定要背这么多的内容，了解概念就很了不起了。

- 此外，如果你真的有心想要将你的主机管理的好，那么良好的 shell 程序编写是一定需要的。就鸟哥自己来说，鸟哥管理的主机虽然还不算多，只有区区不到十部，但是如果每部主机都要花上几十分钟来查阅它的登录文件信息以及相关的信息，那么鸟哥可能会疯掉。基本上也太没有效率了。这个时候如果能够通过 shell 提供的数据流重定向以及管道命令。那么鸟哥分析日志信息只要花费不到十分钟就可以看完所有的主机之重要信息了，相当好用。

- 由于学习 shell 的好处真的是很多，所以如果你是个系统管理员，或者有心想要管理系统的话，那么 shell 与 shell scripts 这个东西真的有必要看一看，因为它就像"打通任督二脉，任何武功都能随你应用"一样。

11.1.3 系统的合法 shell 与 /etc/shells 功能

知道什么是 Shell 之后，那么我们来了解一下 Linux 使用的是哪一个 shell 呢？什么？哪一个？难道说 shell 不就是"一个 shell 吗？"。那可不！由于早年的 UNIX 年代，发展者众多，所以由于 shell 依据发展者的不同就有许多的版本，例如常听到的 Bourne SHell（sh）、Sun 里头默认的 C SHell、商业上常用的 K SHell、还有 TCSH 等，每一种 Shell 都各有其特点。至于 Linux 使用的这一种版本就称

为 "Bourne Again SHell（简称 bash）"，这个 Shell 是 Bourne Shell 的增强版本，也是基于 GNU 的架构下发展出来的。

在介绍 shell 的优点之前，先来说一说 shell 的简单历史吧[注2]。第一个流行的 shell 是由 Steven Bourne 发展出来的，为了纪念他所以就称为 Bourne shell，或直接简称为 sh。而后来另一个广为流传的 shell 是由柏克莱大学的 Bill Joy 设计依附于 BSD 版的 UNIX 系统中的 shell，这个 shell 的语法有点类似 C 语言，所以才得名为 C shell，简称为 csh。由于在学术界 Sun 主机势力相当庞大，而 Sun 主要是 BSD 的分支之一，所以 C shell 也是另一个很重要而且流传很广的 shell 之一。

由于 Linux 是由 C 程序语言编写的，很多程序员使用 C 来开发软件，因此 C shell 相对就很热门了。另外，还记得我们在第 1 章 Linux 是什么中提到的吧？Sun 公司的创始人就是 Bill Joy，而 BSD 最早就是 Bill Joy 发展出来的。

那么目前我们的 Linux（以 CentOS 5.x 为例）有多少我们可以使用的 shell 呢？你可以检查一下 /etc/shells 这个文件，至少就有下面这几个可以用的 shell：

◆ /bin/sh（已经被/bin/bash 所替代）
◆ /bin/bash（就是 Linux 默认的 shell）
◆ /bin/ksh（Kornshell 由 AT&T Bell lab.发展出来的，兼容于 bash）
◆ /bin/tcsh（整合 C Shell，提供更多的功能）
◆ /bin/csh（已经被/bin/tcsh 所替代）
◆ /bin/zsh（基于 ksh 发展出来的，功能更强大的 shell）

虽然各家 shell 的功能都差不多，但是在某些语法的执行方面则有所不同，因此建议你还是得要选择某一种 shell 来熟悉一下较佳。Linux 默认就是使用 bash，所以最初你只要学会 bash 就非常不错了。另外，为什么我们系统上合法的 shell 要写入/etc/shells 这个文件？这是因为系统某些服务在运行过程中，会去检查用户能够使用的 shells，而这些 shell 的查询就是借助/etc/shells 这个文件。

举例来说，某些 FTP 网站会去检查用户的可用 shell，而如果你不想要让这些用户使用 FTP 以外的主机资源时，可能会给予该用户一些奇怪的 shell，让用户无法以其他服务登录主机。这个时候，你就得将那些怪怪的 shell 写到/etc/shells 当中了。举例来说，我们的 CentOS 5.x 的/etc/shells 里头就有个/sbin/nologin 文件的存在，这个就是我们所说奇怪的 shell。

那么再想一想，我这个用户什么时候可以取得 shell 来工作呢？还有我这个用户默认会取得哪一个 shell？还记得我们在第 5 章的在终端界面登录 linux 小节当中提到的登录操作吧？当我登录的时候系统就会给我一个 shell 让我来工作了。而这个登录取得的 shell 就记录在/etc/passwd 这个文件内。这个文件的内容是什么？

```
[root@www ~]# cat /etc/passwd
root:x:0:0:root:/root:/bin/bash
bin:x:1:1:bin:/bin:/sbin/nologin
daemon:x:2:2:daemon:/sbin:/sbin/nologin
.....（下面省略）.....
```

如上所示，在每一行的最后一个数据，就是你登录后可以取得的默认的 shell。那你也会看到，root 是/bin/bash，不过系统账号 bin 与 daemon 等就使用那个奇怪的/sbin/nologin，关于用户这部分的内容，我们留在第 14 章的账号管理时提供更多的说明。

11.1.4 bash shell 的功能

既然/bin/bash 是 Linux 默认的 shell，那么总是得了解一下这个 shell 吧！bash 是 GNU 计划中重要的工具软件之一，目前也是 Linux distributions 的标准 shell。bash 主要兼容于 sh，并且依据一些用户需求而加强的 shell 版本。不论你使用的是那个 distribution，都需要学习 bash。那么这个 shell 有什么好处，为什么 Linux 要使用它作为默认的 shell 呢？bash 主要的优点有下面几个：

◆ 命令记忆能力（history）
  ● 在 bash 的功能里头，鸟哥个人认为相当棒的一个就是 "它能记忆使用过的命令"。这功能真的相当好。因为我只要在命令行中按上下键就可以找到前/后一个输入的命令。而在很多distribution 里头，默认的命令记忆功能可以到达 1000 个。也就是说，你曾经执行过的命令几乎都被记录下来了。
  ● 这么多的命令记录在哪里呢？在你的主文件夹内的.bash_history 中。不过需要留意的是，～/.bash_history 记录的是前一次登录以前所执行过的命令，而至于这一次登录所执行的命令都被暂存在临时内存中，当你成功注销系统后，该命令记忆才会记录到.bash_history 当中。
  ● 这有什么功能呢？最大的好处就是可以查询曾经做过的操作。如此可以知道你的执行步骤，那么就可以追踪你曾执行过的命令，以作为排错的工具。但如此一来也有个烦恼，就是如果被黑客入侵了，那么它只要翻你曾经执行过的命令，刚好你的命令又跟系统有关（例如直接输入 MySQL 的密码在命令行上面），那你的主机可就危险了。到底记录命令的数目越多还是越少越好？所以，最好是将记录的命令数目减小一点。

◆ 命令与文件补全功能（[Tab]按键的好处）
  ● 还记得我们在第 5 章内的重要的几个热键小节当中提到的[Tab]这个按键吗？这个按键的功能就是在 bash 里面才有的。经常在 bash 环境中使用[Tab]是个很好的习惯，因为至少可以让你少打很多字，并且确定输入的数据是正确的。使用[Tab]按键的时机依据[Tab]接在命令后或参数后而有所不同。我们再复习一次：
  ■ [Tab]接在一串命令的第一个字的后面，则为命令补全；
  ■ [Tab]接在一串命令的第二个字以后时，则为文件补齐。
  ● 所以说，如果我想要知道我的环境中所有可以执行的命令有几个，就直接在 bash 的提示符后面连续按两次[Tab]按键就能够显示所有的可执行命令了。那如果想要知道系统当中所有以 c为开头的命令呢？就按下 "c[Tab][Tab]" 就好。
  ● 真的是很方便的功能，在 bash shell 下面多按几次[Tab]是一个不错的习惯。

◆ 命令别名设置功能（alias）
  ● 假如我需要知道这个目录下面的所有文件（包含隐藏文件）及所有的文件属性，那么我就必须要执行 "ls-al" 这样的命令串，有没有更快的替代方式？就使用命令别名呀。例如鸟哥最喜欢直接以 lm 这个自定义的命令来替换上面的命令，也就是说，lm 会等于 ls-al 这样的一个功能，那么要如何做呢？就使用 alias 即可。你在命令行输入 alias 就可以知道目前的命令别名有哪些了。也可以直接执行命令来设置别名：
    alias lm='ls –al'

◆ 作业控制、前台、后台控制（job control，foreground，background）
  ● 这部分我们在第 17 章 Linux 过程控制中再提。使用前后、后台的控制可以让作业进行得更为顺利。至于作业控制（jobs）的用途则更广，可以让我们随时将工作丢到后台中执行。而不怕不小心使用了[Ctrl]+C 来中断该进程。此外也可以在单一登录的环境中达到多任务的目的呢！

◆ 程序脚本（shell script）
  ● 在 DOS 年代还记得将一堆命令写在一起的所谓的 "批处理文件" 吧？在 Linux 下面的 shell script 则发挥更为强大的功能，可以将你平时管理系统常需要执行的连续命令写成一个文件，该文件并且可以通过交互的方式来进行主机的检测工作。也可以通过 shell 提供的环境变量及相关命令来进行设计。整个设计下来几乎就是一个小型的程序语言了。该 script 的功能真的是超乎我的想象之外。以前在 DOS 下面需要程序语言才能写的东西，在 Linux 下面使用简单的 shell scripts 就可以帮你完成。这部分我们在第 13 章再来谈。

◆ 通配符（Wildcard）

- 除了完整的字符串之外，bash 还支持许多的通配符来帮助用户查询与命令执行。举例来说，想要知道/usr/bin 下面有多少以 X 为开头的文件吗？使用 "ls–l /usr/bin/X*" 就能够知道了。此外还有其他可供利用的通配符，这些都能够加快用户的操作。

11.1.5 bash shell 的内置命令：type

我们在第 5 章提到关于 Linux 的在线帮助文件部分，也就是 man page 的内容，那么 bash 有没有什么说明文件？当然有！在 shell 的环境下直接输入 man bash，你可以看到非常多并且很详尽的数据。

不过在这个 bash 的 man page 当中，不知道你是否有察觉到怎么这个说明文件里面有其他的文件说明啊？举例来说，那个 cd 命令的说明就在这个 man page 内，然后我直接输入 man cd 时，怎么出现的界面中，最上方竟然出现一堆命令的介绍？为了方便 shell 的操作，其实 bash 已经 "内置" 了很多命令，例如上面提到的 cd，还有例如 umask 等的命令，都是内置在 bash 当中的。

那我怎么知道这个命令是来自于外部命令（指的是其他非 bash 所提供的命令）或是内置在 bash 当中的呢？利用 type 这个命令来查看即可。举例来说：

```
[root@www ~]# type [-tpa] name
参数:
type: 不加任何参数时，type 会显示出 name 是外部命令还是 bash 内置命令
-t  : 当加入 -t 参数时，type 会将 name 以下面这些字眼显示出它的意义:
    file   : 表示为外部命令;
    alias  : 表示该命令为命令别名所设置的名称;
    builtin : 表示该命令为 bash 内置的命令功能。
-p  : 如果后面接的 name 为外部命令时，才会显示完整文件名;
-a  : 会由 PATH 变量定义的路径中，将所有含 name 的命令都列出来，包含 alias

范例一: 查询一下 ls 这个命令是否为 bash 内置
[root@www ~]# type ls
ls is aliased to `ls --color=tty' <==未加任何参数，列出 ls 的最主要使用情况
[root@www ~]# type -t ls
alias                      <==仅列出 ls 执行时的依据
[root@www ~]# type -a ls
ls is aliased to `ls --color=tty' <==最先使用 aliase
ls is /bin/ls              <==还有找到外部命令在 /bin/ls

范例二: 那么 cd 呢?
[root@www ~]# type cd
cd is a shell builtin            <==看到了吗? cd 是 shell 内置命令
```

通过 type 这个命令我们可以知道每个命令是否为 bash 的内置命令。此外由于利用 type 找到后面的名称时，如果后面接的名称并不能以执行文件的状态被找到，那么该名称是不会被显示出来的。也就是说 type 主要在找出 "执行文件" 而不是一般文件名。所以，这个 type 也可以用来作为类似 which 命令的用途了。

11.1.6 命令的执行

我们在第 5 章的开始执行命令小节已经提到过在 shell 环境下的命令执行方法，如果你忘记了请回到第 5 章再去复习一下。这里不重复说明了。鸟哥这里仅就反斜杠(\ )来说明一下命令执行的方式。

```
范例: 如果命令串太长的话，如何使用两行来输出?
[vbird@www ~]# cp /var/spool/mail/root /etc/crontab \
> /etc/fstab /root
```

上面这个命令的用途是将三个文件复制到/root 这个目录下而已。不过因为命令太长，于是鸟哥就利用"\[Enter]"来将[Enter]这个按键"转义"开来，让[Enter]按键不再具有"开始执行"的功能。好让命令可以继续在下一行输入。需要特别留意，**[Enter]按键是紧接着反斜杠（\）的，两者中间没有其他字符**。因为\仅转义"紧接着的下一个字符"而已。所以万一我写成 "\[Enter]"，即[Enter]与反斜杠中间有一个空格时，则转义的是空格键而不是[Enter]按键。这个地方请再仔细看一遍，很重要。

如果顺利转义[Enter]后，下一行最前面就会出现>的符号，你可以继续输入命令。也就是说那个>是系统自动出现的，你不需要输入。

总之当我们顺利在终端机（tty）上面登录后，Linux 就会依据/etc/passwd 文件的设置给我们一个shell（默认是 bash），然后我们就可以依据上面的命令执行方式来操作 shell，之后我们就可以通过man 这个在线查询来查询命令的使用方式与参数说明，很不错吧？那么我们就赶紧来操作 bash 这个shell。

11.2　**shell** 的变量功能

变量是 bash 环境中非常重要的一个玩意儿，我们知道 Linux 是多用户、多任务的环境，每个人登录系统都能取得一个 bash，每个人都能够使用 bash 执行 mail 这个命令来收取"自己"的邮件，问题是 bash 是如何得知你的邮件信箱是哪个文件？这就需要"变量"的帮助了。所以你说变量重不重要呢？下面我们将介绍重要的环境变量、变量的使用与设置等数据。

11.2.1　什么是变量？

那么什么是"变量"呢？简单地说就是让某一个特定字符串代表不固定的内容就是了。举个大家在高中时都会学到的数学例子，那就是 "y=ax+b"这东西，在等号左边的（y）就是变量，在等号右边的（ax+b）就是变量内容。要注意的是，左边是未知数，右边是已知数。讲得更简单一点，我们可以用一个简单的"字眼"来替代另一个比较复杂或者是容易变动的数据。这最大的好处就是"方便"。

◆　变量的可变性与方便性

● 举例来说，我们每个账号的邮件信箱默认是以 MAIL 这个变量来进行访问的，当 dmtsai 这个用户登录时，他便会取得 MAIL 这个变量，而这个变量的内容其实就是/var/spool/mail/dmtsai，那如果 vbird 登录呢？他取得的 MAIL 这个变量的内容其实就是/var/spool/mail/vbird。而我们使用信件读取命令 mail 来读取自己的邮件信箱时，这个程序可以直接读取 MAIL 这个变量的内容，就能够自动分辨出属于自己的信箱信件了。这样一来程序员就真的很方便了。

图 11-2　程序、变量与不同用户的关系

● 如图 11-2 所示，由于系统已经帮我们规划好 MAIL 这个变量，所以用户只要知道 mail 这个命令如何使用即可，mail 会主动使用 MAIL 这个变量，就能够如上图所示取得自己的邮件信箱

了。(注意大小写,小写的 mail 是命令,大写的 MAIL 则是变量名称。)

- 那么使用变量真的比较好吗?这是当然的。想象一个例子,如果 mail 这个命令将 root 收信的邮件信箱(mailbox)中文件名为/var/spool/mail/root 的文件内容直接写入程序代码中。那么当 dmtsai 要使用 mail 时,将会取得/var/spool/mail/root 这个文件的内容。所以你就需要帮 dmtsai 也设计一个 mail 的程序,将/var/spool/mail/dmtsai 写死到 mail 的程序代码当中。那系统要有多少个 mail 命令啊?反过来说使用变量就变得很简单了。因为你不需要改动程序代码,只要将 MAIL 这个变量带入不同的内容即可让所有用户通过 mail 取得自己的信件。当然简单多了。

◆ **影响 bash 环境操作的变量**

- 某些特定变量会影响到 bash 的环境。举例来说,我们前面已经提到过很多次的那个 PATH 变量,你能不能在任何目录下执行某个命令与 PATH 这个变量有很大的关系。例如你执行 ls 这个命令时,系统就是通过 PATH 这个变量里面的内容所记录的路径顺序来查找命令的呢。如果在找完 PATH 变量内的路径还找不到 ls 这个命令时,就会在屏幕上显示 "command not found" 的错误信息了。

- 如果说得明白一点,那么由于在 Linux 下面,所有的执行都是需要一个执行码,而就如同上面提到的,你真正以 shell 来跟 Linux 通信,是在正确的登录 Linux 之后。这个时候你就有一个 bash 的执行程序,也才可以真正经由 bash 来跟系统通信。而在进入 shell 之前,也正如同上面提到的,由于系统需要一些变量来提供它数据的访问(或者是一些环境的设置参数值,例如是否要显示彩色等的),所以就有一些所谓的 "环境变量" 需要来读入系统中了。这些环境变量例如 PATH、HOME、MAIL、SHELL 等,为了区别与自定义变量的不同,环境变量通常以大写字符来表示。

◆ **脚本程序设计(shell script)的好帮手**

- 这些还都只是系统默认的变量的目的,如果是个人的设置方面的应用呢?例如你要写一个大型的 script 时,有些数据因为可能由于用户习惯的不同而有区别,比如说路径好了,由于该路径在 script 被使用在相当多的地方,如果下次换了一台主机,都要修改 script 里面的所有路径,那么我一定会疯掉。这个时候如果使用变量,而将该变量的定义写在最前面,后面相关的路径名称都以变量来替代。那么你只要修改一行就等于修改整篇 script 了,方便得很。所以良好的程序员都会善用变量的定义,如图 11-3 所示。

- 最后我们就简单地对 "什么是变量" 作个简单定义好了:变量就是以一组文字或符号等,来替代一些设置或者是一串保留的数据,例如:我设置了 "myname" 就是 "VBird",所以当你读取 myname 这个变量的时候,系统自然就会知道那就是 VBird 了。那么如何显示变量呢?这就需要使用到 echo 这个命令。

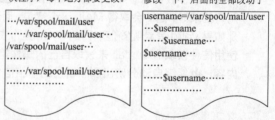

没有变量的情况下,每修订一次程序,每个地方都要更改。

有变量的情况,最上方的 username 修改一下,后面的全部改动了

图 11-3 变量应用于 shell script 的示意图

11.2.2 变量的显示与设置:echo, unset

说得口沫横飞的,也不知道 "变量" 与 "变量代表的内容" 有什么关系?那我们就将 "变量" 的 "内容" 显示出来。你可以利用 echo 这个命令来显示变量,但是变量在被显示时,前面必须要加上字符 "$" 才行,举例来说要知道 PATH 的内容,该如何是好?

◆ 变量的显示:echo

```
[root@www ~]# echo $variable
[root@www ~]# echo $PATH
```

```
/usr/local/sbin:/usr/local/bin:/sbin:/bin:/usr/sbin:/usr/bin:/root/bin
[root@www ~]# echo ${PATH}
```

- 变量的显示就如同上面的范例，利用 ehco 就能够读出，只是需要在变量名称前面加上$，或者是以${变量}的方式来显示都可以。当然那个 echo 的功能可是很多的，我们这里单纯是拿 echo 来读出变量的内容而已，更多的 echo 使用，请自行 man echo 吧。

例题

请在屏幕上面显示出你的环境变量 HOME 与 MAIL：

答：　■　echo $HOME 或者是 echo ${HOME}
　　　　■　echo $MAIL 或者是 echo ${MAIL}

- 现在我们知道了变量与变量内容的之间的相关性了，那么我要如何"设置"或者是"修改"某个变量的内容啊？很简单啦。用"等号（ = ）"连接变量与它的内容就好了。举例来说：我要将 myname 这个变量名称的内容设置为 VBird，那么：

```
[root@www ~]# echo $myname
     <==这里并没有任何数据，因为这个变量尚未被设置，是空的。
[root@www ~]# myname=VBird
[root@www ~]# echo $myname
VBird <==出现了。因为这个变量已经被设置了。
```

- 如此一来，这个变量名称 myname 的内容就带有 VBird 这个数据了，而由上面的例子当中，我们也可以知道：在 bash 当中，当一个变量名称尚未被设置时，默认的内容是"空"的。另外变量在设置时，还是需要符合某些规定的，否则会设置失败。这些规则如下所示。

◆ **变量的设置规则**
1. 变量与变量内容以一个等号"="来连接，如下所示：
- "myname=VBird"
2. 等号两边不能直接接空格符，如下所示为错误的：
- "myname=VBird" 或 "myname=VBird Tsai"
3. 变量名称只能是英文字母与数字，但是开头字符不能是数字，如下为错误的：
- "2myname=VBird"
4. 变量内容若有空格符可使用双引号""或单引号"'"将变量内容结合起来，但是
■ 双引号内的特殊字符如$等，可以保有原本的特性，如下所示：
- 若 "var="lang is $LANG""，则 "echo $var" 可得 "lang is en_US"
■ 单引号内的特殊字符则仅为一般字符（纯文本），如下所示：
- 若 "ar='lang is $LANG'"，则 "echo $var" 可得 "lang is $LANG"
5. 可用转义字符 "\" 将特殊符号（如[Enter]、$、\、空格符、! 等）变成一般字符。
6. 在一串命令中，还需要通过其他的命令提供的信息，可以使用反单引号"`命令`"或 "$（命令）"。特别注意，那个是键盘上方的数字键 1 左边那个按键，而不是单引号。例如想要取得内核版本的设置：
- "version=$（ uname-r ）" 再 "echo $version" 可得 "2.6.18-128.el5"
7. 若该变量为了增加变量内容时，则可用"$变量名称"或${变量}累加内容，如下所示：
- "PATH="$PATH":/home/bin"
8. 若该变量需要在其他子进程执行，则需要以 export 来使变量变成环境变量：
- "export PATH"
9. 通常大写字符为系统默认变量，自行设置变量可以使用小写字符，方便判断（纯粹依照用户兴趣与嗜好）。

10. 取消变量的方法为使用"unset 变量名称"，例如取消 myname 的设置：

- "unset myname"
- 下面让鸟哥举几个例子来让你看看，就知道怎么设置好你的变量。

```
范例一: 设置一个变量 name ，且内容为 VBird
[root@www ~]# 12name=VBird
-bash: 12name=VBird: command not found  <==屏幕会显示错误。因为不能以数字开头。
[root@www ~]# name = VBird          <==还是错误，因为有空白。
[root@www ~]# name=VBird              <==OK 啦!

范例二: 承上题，若变量内容为 VBird's name 呢，就是变量内容含有特殊符号时。
[root@www ~]# name=VBird's name
# 单引号与双引号必须要成对，在上面的设置中仅有一个单引号，因此当你按下 enter 后，
# 你还可以继续输入变量内容。这与我们所需要的功能不同，失败。
# 记得，失败后要复原请按下 [ctrl]-c 结束。
[root@www ~]# name="VBird's name"  <==OK 的啦!
# 命令是由左边向右找→，先遇到的引号先有用，因此如上所示，单引号会失效。
[root@www ~]# name='VBird's name'  <==失败。
# 因为前两个单引号已成对，后面就多了一个不成对的单引号了，因此也就失败了。
[root@www ~]# name=VBird\'s\ name    <==OK !
# 利用反斜杠（\）转义特殊字符，例如单引号与空格键，这也是 OK 的!

范例三: 我要在 PATH 这个变量当中"累加" /home/dmtsai/bin 这个目录
[root@www ~]# PATH=$PATH:/home/dmtsai/bin
[root@www ~]# PATH="$PATH":/home/dmtsai/bin
[root@www ~]# PATH=${PATH}:/home/dmtsai/bin
# 上面这三种格式在 PATH 里头的设置都是 OK 的。但是下面的例子就不见得了。

范例四: 承范例三，我要将 name 的内容多出 "yes" 呢?
[root@www ~]# name=$nameyes
# 知道了吧? 如果没有双引号，那么变量成了什么? name 的内容是 $nameyes 这个变量。
#我们可没有设置过 nameyes 这个变量。所以应该是下面这样才对。
[root@www ~]# name="$name"yes
[root@www ~]# name=${name}yes  <==此例较贴切。

范例五: 如何让我刚才设置的 name=VBird 可以用在下个 shell 的程序?
[root@www ~]# name=VBird
[root@www ~]# bash        <==进入到所谓的子进程
[root@www ~]# echo $name  <==子进程: 再次 echo 一下;
    <==嘿嘿! 并没有刚才设置的内容。
[root@www ~]# exit        <==子进程: 离开这个子进程
[root@www ~]# export name
[root@www ~]# bash        <==进入到所谓的子进程
[root@www ~]# echo $name  <==子进程: 在此执行。
VBird <==看吧! 出现设置值了。
[root@www ~]# exit        <==子进程: 离开这个子进程
```

- 什么是"子进程"呢? 就是说在我目前这个 shell 的情况下，去打开另一个新的 shell，新的那个 shell 就是子进程。在一般的状态下，父进程的自定义变量是无法在子进程内使用的。但是通过 export 将变量变成环境变量后，就能够在子进程下面应用了。至于程序的相关概念，我们会在第 17 章程序管理当中提到。

```
范例六: 如何进入到你目前内核的模块目录?
[root@www ~]# cd /lib/modules/`uname -r`/kernel
[root@www ~]# cd /lib/modules/$(uname -r)/kernel
```

- 每个Linux都能够拥有多个内核版本，且几乎distribution的所有内核版本都不相同。以CentOS 5.3（未更新前）为例，它的默认内核版本是 2.6.18-128.el5，所以内核模块目录在 /lib/modules/2.6.18-128.el5/kernel/内。也由于每个 distributions 的这个值都不相同，但是我们却可以利用 uname-r 这个命令先取得版本信息，所以就可以通过上面命令当中的内含命令 `uname –r`先取得版本输出到 cd 那个命令当中，就能够顺利进入目前内核的驱动程序所放置

的目录，非常方便。

- 其实上面的命令可以说是做了两次操作：
- 1. 先进行反单引号内的操作 "uname-r" 并得到内核版本为 2.6.18-128.el5；
- 2. 将上述的结果代入原命令，故得命令为 "cd/lib/modules/2.6.18-128.el5/kernel/"。

范例七：取消刚才设置的 name 这个变量内容
```
[root@www ~]# unset name
```

- 根据上面的案例你可以试试看就可以了解变量的设置。这个是很重要的。请勤加练习。其中较为重要的一些特殊符号的使用，例如单引号、双引号、转义字符、"$"、反单引号等，下面的例题想一想。

例题

在变量的设置当中，单引号与双引号的用途有何不同？

答：单引号与双引号的最大不同在于双引号仍然可以保有变量的内容，但单引号内仅能是一般字符，而不会有特殊符号。我们以下面的例子做说明：假设你定义了一个变量 name=VBird，现在想以 name 这个变量的内容定义出 myname 显示 VBird its me 这个内容，要如何设置呢？

```
[root@www ~]# name=VBird
[root@www ~]# echo $name
VBird
[root@www ~]# myname="$name its me"
[root@www ~]# echo $myname
VBird its me
[root@www ~]# myname='$name its me'
[root@www ~]# echo $myname
$name its me
```

发现了吗？没错！使用了单引号的时候，那么$name 将失去原有的变量内容，仅为一般字符的显示类型而已。这里必须要特别小心注意。

例题

在命令执行的过程中，反单引号（`）这个符号代表的意义为何？

答：在一串命令中，在`之内的命令将会被先执行，而其执行出来的结果将作为外部的输入信息。例如 uname -r 会显示出目前的内核版本，而我们的内核版本在/lib/modules 里面，因此，你可以先执行 uname -r 找出内核版本，然后再以 "cd 目录" 回到该目录下，当然也可以执行如同上面范例六的执行内容。

另外再举个例子，我们也知道，locate 命令可以列出所有的相关文件名，但是如果我想要知道各个文件的权限呢？举例来说，我想要知道每个 crontab 相关文件名的权限：

```
[root@www ~]# ls -l `locate crontab`
```

如此一来，先以 locate 将文件名数据都列出来，再以 ls 命令来处理即可。

例题

若你有一个常去的工作目录名称为 "/cluster/server/work/taiwan_2005/003/"，如何进行该目录的简化？

答：在一般的情况下，如果你想要进入上述的目录得要执行 "cd/cluster/server/work/taiwan_2005/003/"，以鸟哥自己的案例来说，鸟哥跑数值模式经常会设置很长的目录名称（避免忘记），但如此一来变换目录就很麻烦，此时鸟哥习惯利用下面的方式来降低命令执行错误的问题：

```
[root@www ~]# work="/cluster/server/work/taiwan_2005/003/"
[root@www ~]# cd $work
```

将来我想要使用其他目录作为我的模式工作目录时，只要更改 work 这个变量即可。而这个变量又可以在 bash 的配置文件中直接指定，那我每次登录只要执行 "cd $work" 就能够去到数值模式仿真的工作目录了。是否很方便呢？

老实说，使用 "version=$（uname -r）" 来替代 "version=`uname -r`" 比较好，因为反单引号大家老是容易打错或看错，所以现在鸟哥都习惯使用 $（ 命令 ）来介绍这个功能。

11.2.3 环境变量的功能

环境变量可以帮我们达到很多功能，包括主文件夹的变换、提示符的显示、执行文件查找的路径等，那么既然环境变量有那么多的功能，问一下目前我的 shell 环境中，有多少默认的环境变量啊？我们可以利用两个命令来查阅，分别是 env 与 export。

◆ 用 env 查看环境变量与常见环境变量说明

```
范例一：列出目前的 shell 环境下的所有环境变量与其内容。
[root@www ~]# env
HOSTNAME=www.vbird.tsai    <== 这台主机的主机名
TERM=xterm               <== 这个终端机使用的环境是什么类型
SHELL=/bin/bash          <== 目前这个环境下使用的 Shell 是哪一个程序
HISTSIZE=1000            <== 记录命令的条数，在 CentOS 中默认可记录 1000 笔
USER=root                <== 用户的名称
LS_COLORS=no=00:fi=00:di=00;34:ln=00;36:pi=40;33:so=00;35:bd=40;33;01:cd=40;33;01:
or=01;05;37;41:mi=01;05;37;41:ex=00;32:*.cmd=00;32:*.exe=00;32:*.com=00;32:*.btm=0
0;32:*.bat=00;32:*.sh=00;32:*.csh=00;32:*.tar=00;31:*.tgz=00;31:*.arj=00;31:*.taz=
00;31:*.lzh=00;31:*.zip=00;31:*.z=00;31:*.Z=00;31:*.gz=00;31:*.bz2=00;31:*.bz=00;3
1:*.tz=00;31:*.rpm=00;31:*.cpio=00;31:*.jpg=00;35:*.gif=00;35:*.bmp=00;35:*.xbm=00
;35:*.xpm=00;35:*.png=00;35:*.tif=00;35: <== 一些颜色显示
MAIL=/var/spool/mail/root <== 这个用户所取用的 mailbox 位置
PATH=/sbin:/usr/sbin:/bin:/usr/bin:/usr/X11R6/bin:/usr/local/bin:/usr/local/sbin:
/root/bin                <== 不再多讲。是执行文件命令查找路径
INPUTRC=/etc/inputrc     <== 与键盘按键功能有关。可以设置特殊按键。
PWD=/root                <== 目前用户所在的工作目录（利用 pwd 取出）
LANG=en_US               <== 这个与语系有关，下面会再介绍
HOME=/root               <== 这个用户的主文件夹
_=/bin/env               <== 上一次使用的命令的最后一个参数（或命令本身）
```

- env 是 environment（环境）的简写，上面的例子当中，是列出了所有的环境变量。当然如果使用 export 也会是一样的内容，只不过 export 还有其他额外的功能，我们等一下再提这个 export 命令。那么上面这些变量有些什么功能呢？下面我们就一个一个来分析。
- HOME
  - 代表用户的主文件夹。还记得我们可以使用 cd~去到自己的主文件夹吗？或者利用 cd 就可以直接回到用户主文件夹了。那就是使用这个变量，有很多程序都可能会用到这个变量的值。
- SHELL
  - 它告知我们目前这个环境使用的 shell 是哪个程序？Linux 默认使用/bin/bash 的。

■ HISTSIZE

这个与"历史命令"有关，即是我们曾经执行过的命令可以被系统记录下来，而记录的"条数"则是由这个值来设置的。

■ MAIL

当我们使用 mail 这个命令在收信时系统会去读取的邮件信箱文件（mailbox）。

■ PATH

就是执行文件查找的路径，目录与目录中间以冒号（:）分隔，由于文件的查找是依序由 PATH 的变量内的目录来查询，所以目录的顺序也是重要的。

■ LANG

这个重要。就是语系数据，很多信息都会用到它。举例来说，当我们在启动某些 Perl 的程序语言文件时，它会主动去分析语系数据文件，如果发现有它无法解析的编码语系，可能会产生错误。一般来说，我们中文编码通常是 zh_CN.gb2312 或者是 zh_CN.UTF-8，这两个编码偏偏不容易被解译出来，所以有的时候，可能需要修改一下语系数据。这部分我们会在下个小节做介绍的。

■ RANDOM

- 这是"随机数"的变量。目前大多数的 distributions 都会有随机数生成器，那就是/dev/random 这个文件。我们可以通过这个随机数文件相关的变量（$RANDOM）来随机取得随机数值。在 BASH 的环境下，这个 RANDOM 变量的内容介于 0～32767 之间，所以你只要 echo $RANDOM 时，系统就会主动随机取出一个介于 0～32767 的数值。万一我想要使用 0～9 之间的数值呢？利用 declare 声明数值类型，然后这样做就可以了：

```
[root@www ~]# declare -i number=$RANDOM*10/32768 ; echo $number
8    <== 此时会随机取出 0～9 之间的数值。
```

- 大致上是有这些环境变量，里面有些比较重要的参数，在下面我们都会另外进行一些说明的。

◆ 用 set 查看所有变量（含环境变量与自定义变量）

- bash 可不只有环境变量，还有一些与 bash 操作接口有关的变量，以及用户自己定义的变量存在的。那么这些变量如何查看呢？这个时候就得要使用 set 这个命令了。set 除了环境变量之外，还会将 bash 内的其他变量全部显示出来。下面鸟哥仅列出几个重要的内容：

```
[root@www ~]# set
BASH=/bin/bash             <== bash 的主程序放置路径
BASH_VERSINFO=([0]="3" [1]="2" [2]="25" [3]="1" [4]="release"
[5]="i686-redhat-linux-gnu")       <== bash 的版本。
BASH_VERSION='3.2.25(1)-release'  <== 也是 bash 的版本。
COLORS=/etc/DIR_COLORS.xterm       <== 使用的颜色记录文件
COLUMNS=115                        <== 在目前的终端机环境下，使用的字段有几个字符长度
HISTFILE=/root/.bash_history       <== 历史命令记录的放置文件，隐藏文件
HISTFILESIZE=1000        <== 保存的（与上个变量有关）的文件命令的最大记录条数。
HISTSIZE=1000            <== 目前环境下可记录的历史命令最大条数。
HOSTTYPE=i686            <== 主机安装的软件主要类型。我们用的是 i686 兼容机器软件
IFS=$' \t\n'             <== 默认的分隔符
LINES=35                 <== 目前的终端机下的最大行数
MACHTYPE=i686-redhat-linux-gnu   <== 安装的机器类型
MAILCHECK=60             <== 与邮件有关。每 60 秒去扫描一次信箱有无新信。
OLDPWD=/home             <== 上个工作目录。我们可以用 cd - 来使用这个变量。
OSTYPE=linux-gnu         <== 操作系统的类型。
PPID=20025              <== 父进程的 PID（会在后续章节才介绍）
PS1='[\u@\h \W]\$ '      <== PS1 就厉害了。这个是命令提示符，也就是我们常见的
                            [root@www ~]# 或 [dmtsai ~]$ 的设置值。可以改动的。
PS2='> '                <== 如果你使用转义符号（\）第二行以后的提示符也可以被列出来。
name=VBird              <== 刚才设置的自定义变量
$                       <== 目前这个 shell 所使用的 PID
?                       <== 刚才执行完命令的回传码。
```

- 一般来说，不论是否为环境变量，只要跟我们目前这个 shell 的操作接口有关的变量，通常都会被设置为大写字符，也就是说，基本上，在 Linux 默认的情况中，使用{大写的字母}来设置的变量一般为系统内定需要的变量。那么上面那些变量当中，有哪些是比较重要的？大概有这几个吧！

- **PS1**（提示符的设置）
  - 这是 PS1（数字的 1，不是英文字母），这个东西就是我们的"命令提示符"。当我们每次按下 [Enter] 按键去执行某个命令后，最后要再次出现提示符时，就会主动去读取这个变量值了。上面 PS1 内显示的是一些特殊符号，这些特殊符号可以显示不同的信息，每个 distributions 的 bash 默认的 PS1 变量内容可能有些区别，你可以用 man bash[注3] 查询一下 PS1 的相关说明，以理解下面的一些符号意义。
    - \d：可显示出"星期月日"的日期格式，如"Mon Feb 2"。
    - \H：完整的主机名。举例来说，鸟哥的练习机为"www.vbird.tsai"。
    - \h：仅取主机名在第一个小数点之前的名字，如鸟哥主机则为"www"，后面的省略。
    - \t：显示时间，为 24 小时格式的"HH:MM:SS"。
    - \T：显示时间，为 12 小时格式的"HH:MM:SS"。
    - \A：显示时间，为 24 小时格式的"HH:MM"。
    - \@：显示时间，为 12 小时格式的"am/pm"样式。
    - \u：目前用户的账号名称，如"root"。
    - \v：BASH 的版本信息，如鸟哥的测试主版本为 3.2.25（1），仅取"3.2"显示。
    - \w：完整的工作目录名称，由根目录写起的目录名称。但主文件夹会以～替代。
    - \W：利用 basename 函数取得工作目录名称，所以仅会列出最后一个目录名。
    - \#：执行的第几个命令。
    - \$：提示符，如果是 root 时，提示符为#，否则就是$。
  - 好了让我们来看看 CentOS 默认的 PS1 内容：[\u@\h \W]\$，现在你知道那些反斜杠后的数据意义了吧？要注意，那个反斜杠后的数据为 PS1 的特殊功能，与 bash 的变量设置没关系。不要搞混了。那你现在知道为何你的命令提示符是"[root@www～]#"了吧？好了，那么假设我想要有类似下面的提示符：
  - [root@www /home/dmtsai 16:50 #12]#
  - 那个#代表第 12 次执行的命令。那么应该如何设置 PS1 呢？可以这样：

```
[root@www ~ ]# cd /home
[root@www home]# PS1='[\u@\h \w \A #\#]\$ '
[root@www /home 17:02 #85]#
# 看到了吗？提示符变了。变得很有趣吧！其中，那个 #85 比较有趣，
# 如果你再随便输入几次 ls 后，该数字就会增加。为什么？上面有说明。
```

- **$**（关于本 shell 的 PID）
  - "$"本身也是个变量。这个代表的是目前这个 Shell 的线程代号，即是所谓的 PID（Process ID）。更多的进程观念，我们会在第四部分的时候提及。想要知道我们的 shell 的 PID，用"echo $$"即可，出现的数字就是你的 PID 号码。

- **?**（关于上个执行命令的回传码）
  - 问号也是一个特殊的变量？没错！在 bash 里面这个变量很重要。这个变量是上一个执行的命令所回传的值，上面这句话的重点是"上一个命令"与"回传值"两个地方。当我们执行某些命令时，这些命令都会回传一个执行后的代码。一般来说，如果成功执行该命令，则会回传一个 0 值，如果执行过程发生错误，就会回传"错误代码"才对。一般就是以非 0 的数值来替代。我们以下面的例子来说明：

```
[root@www ~]# echo $SHELL
/bin/bash                              <==可顺利显示，没有错误。
```

```
[root@www ~]# echo $?
0                                    <==因为没问题，所以回传码为 0
[root@www ~]# 12name=VBird
-bash: 12name=VBird: command not found <==发生错误了，bash 回报有问题
[root@www ~]# echo $?
127                                  <==因为有问题，回传错误代码（非 0）
# 错误代码回传码依据软件而有不同，我们可以利用这个代码来找出错误的原因。
[root@www ~]# echo $?
0
#怎么又变成正确了？这是因为 "?" 只与 "上一个执行命令" 有关，
# 所以，我们上一个命令是执行 "echo $?"，当然没有错误，所以是 0 没错。
```

- **OSTYPE, HOSTTYPE, MACHTYPE（主机硬件与内核的等级）**

  - 我们在第 0 章计算机概论内的 CPU 等级说明中谈过 CPU，目前个人计算机的 CPU 主要分为 32、64 位，其中 32 位又可分为 i386、i586、i686，而 64 位则称为 x86_64。由于不同等级的 CPU 命令集不太相同，因此你的软件可能会针对某些 CPU 进行优化，以求取较佳的软件性能。所以软件就有 i386、i686 及 x86_64 之分。以目前的主流硬件来说，几乎都是 x86_64 的天下。但是毕竟旧机器还是非常多，以鸟哥的环境来说，我用 P-III 等级的计算机，所以上面就发现我的等级是 i686。

  - 要留意的是，较高级的硬件通常会向下兼容旧有的软件，但较高级的软件可能无法在旧机器上面安装。我们在第 3 章就曾说明过，这里再强调一次，你可以在 x86_64 的硬件上安装 i386 的 Linux 操作系统，但是你无法在 i686 的硬件上安装 x86_64 的 Linux 操作系统。这点得要牢记。

- **export：自定义变量转成环境变量**

  - 谈了 env 与 set 现在知道有所谓的环境变量与自定义变量，那么这两者之间有什么差异呢？其实这两者的差异在于该变量是否会被子进程所继续引用。那么什么是父进程？子进程？这就得要了解一下命令的执行行为了。

  - 当你登录 Linux 并取得一个 bash 之后，你的 bash 就是一个独立的进程，被称为 PID 的就是。接下来你在这个 bash 下面所执行的任何命令都是由这个 bash 所衍生出来的，那些被执行的命令就被称为子进程了。我们可以用下面的图示来简单说明一下父进程与子进程的概念。

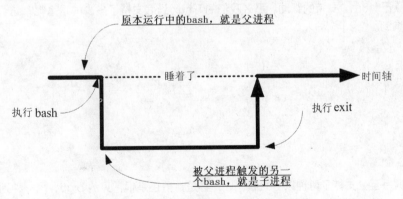

图 11-4　进程相关性示意图

  - 如图 11-4 所示，我们在原本的 bash 下面执行另一个 bash，结果操作的环境接口会跑到第二个 bash 去（就是子进程），那原本的 bash 就会处于暂停的情况（就是 sleep）。整个命令运行的环境是实线的部分。若要回到原本的 bash 去，就只有将第二个 bash 结束掉（执行 exit 或 logout）才行。更多的程序概念我们会在第四部分谈及，这里只要有这个概念即可。

  - 这个程序概念与变量有什么关系啊？关系可大了！因为子进程仅会继承父进程的环境变量，子进程不会继承父进程的自定义变量，所以你原本 bash 中的自定义变量在进入了子进程后就会消失不见，一直到你离开子进程并回到原本的父进程后，这个变量才会又出现。

- 换个角度来说，如果我能将自定义变量变成环境变量的话，那不就可以让该变量值继续存在于子进程了？没错！此时那个 export 命令就很有用了。如你想要让该变量内容继续在子进程中使用，那么就请执行：

```
[root@www ~]# export 变量名称
```

- 在引用自己的变量设置给后来调用的文件或其他程序时，像鸟哥经常在自己的主控文件后面调用其他附属文件（类似函数的功能），但是主控文件与附属文件内都有相同的变量名称，若一再重复设置时，要修改也很麻烦，此时只要在原本的第一个文件内设置好 export 变量，后面所调用的文件就能够使用这个变量设置了，而不需要重复设置，这非常适用于 shell script 当中。如果仅执行 export 而没有接变量时，那么此时将会把所有的"环境变量"显示出来。例如：

```
[root@www ~]# export
declare -x HISTSIZE="1000"
declare -x HOME="/root"
declare -x HOSTNAME="www.vbird.tsai"
declare -x INPUTRC="/etc/inputrc"
declare -x LANG="en_US"
declare -x LOGNAME="root"
# 后面的鸟哥就都直接省略了。不然....浪费版面～ ^_^
```

那如何将环境变量转成自定义变量呢？可以使用本章后续介绍的 declare。

11.2.4 影响显示结果的语系变量（locale）

还记得我们在第 5 章里面提到的语系问题吗？就是当我们使用 man command 的方式去查询某个数据的说明文件时，该说明文件的内容可能会因为我们使用的语系不同而产生乱码。另外利用 ls 查询文件的时间时，也可能会有乱码出现在时间的部分。那就是语系的问题了。

目前大多数的 Linux distributions 已经都是支持日渐流行的各国及地区代码了，也都支持大部分的语系。这有赖于 i18n[注4]支持的帮助。那么我们的 Linux 到底支持了多少的语系呢？这可以由 locale 这个命令来查询到。

```
[root@www ~]# locale -a
....（前面省略）....
zh_CN
zh_CN.big5
zh_CN.euctw
zh_CN.utf8
zu_ZA
zu_ZA.iso88591
zu_ZA.utf8
```

繁体中文语系至少支持了两种以上的编码，一种是目前还是很常见的 big5，另一种则是越来越热门的 utf-8 编码。那么我们如何修订这些编码呢？其实可以通过下面这些变量：

```
[root@www ~]# locale          <==后面不加任何参数即可
LANG=en_US                    <==主语言的环境
LC_CTYPE="en_US"              <==字符（文字）辨识的编码
LC_NUMERIC="en_US"           <==数字系统的显示信息
LC_TIME="en_US"              <==时间系统的显示数据
LC_COLLATE="en_US"           <==字符串的比较与排序等
LC_MONETARY="en_US"          <==币值格式的显示等
LC_MESSAGES="en_US"          <==信息显示的内容，如菜单、错误信息等
LC_ALL=                       <==整体语系的环境
....（后面省略）....
```

基本上，你可以逐一设置每个与语系有关的变量数据，但事实上如果其他的语系变量都未设置，且你有设置 LANG 或者是 LC_ALL 时，则其他的语系变量就会被这两个变量所替代。这也是为什么我们在 Linux 当中，通常说明仅设置 LANG 这个变量而已，因为它是最主要的设置变量。好了那么你应该要觉得奇怪的是，为什么在 Linux 主机的终端机接口（tty1～tty6）的环境下，如果设置"LANG=zh_TW.big5"这个设置值生效后，使用 man 或者其他信息输出时，都会有一堆乱码，尤其是使用 ls-l 这个参数时。

因为在 Linux 主机的终端机接口环境下是无法显示像中文这么复杂的编码文字，所以就会产生乱码了。也就是如此我们才会必须要在 tty1～tty6 的环境下，装一些中文化接口的软件，才能够看到中文。不过如果你是在 Windows 主机中以远程连接服务器的软件连接到主机的话，那么其实命令行界面确实是可以看到中文的。所以此时你要在 LANG 设置中文编码。

> 无论如何，如果发生一些乱码的问题，那么设置系统里面保有的语系编码，例如：en_US 或 en_US.utf8 等的设置，那么系统默认支持多少种语系呢？当我们使用 locale 时，系统是列出目前 Linux 主机内保有的语系文件，这些语系文件都放置在/usr/lib/locale/ 这个目录中。

你当然可以让每个用户自己去调整自己喜好的语系，但是整体系统默认的语系定义在哪里呢？其实就是在/etc/sysconfig/i18n。这个文件在 CentOS 5.x 的内容有点像这样：

```
[root@www ~]# cat /etc/sysconfig/i18n
LANG="zh_CN.UTF-8"
```

因为鸟哥在第 4 章的安装时选择的是中文语系安装界面，所以这个文件默认就会使用中文编码。你也可以自行将它改成你想要的语系编码即可。

> 假设您有一个纯文本文件原本是在 Windows 下面创建的，那么这个文件默认应该是 gb2312 的编码格式。在您将这个文件上传到 Linux 主机后，在 X Window 下面打开时，怎么中文全部变成乱码了？别担心。您只要将打开该文件的软件编码由 utf8 改成 gb2312 就能够看到正确的中文了

11.2.5　变量的有效范围

变量也有使用的"范围"？我们在上面的 export 命令说明中，就提到了这个概念了。如果在跑程序的时候，有父进程与子进程的不同程序关系时，则"变量"可否被引用与 export 有关。被 export 后的变量，我们可以称它为"环境变量"。环境变量可以被子进程所引用，但是其他的自定义变量内容就不会存在于子进程中。

> 在某些不同的书籍中会谈到"全局变量"（global variable）与"局部变量"（local variable）。基本上您可以这样区别：
> 环境变量=全局变量
> 自定义变量=局部变量

为什么环境变量的数据可以被子进程所引用呢？这是因为内存配置的关系。理论上是这样的：

◆ 当启动一个 shell，操作系统会分配一记忆块给 shell 使用，此内存内的变量可让子进程取用；
◆ 若在父进程利用 export 功能，可以让自定义变量的内容写到上述的记忆块当中（环境变量）；
◆ 当加载另一个 shell 时（即启动子进程，而离开原本的父进程了），子 shell 可以将父 shell 的环境变量所在的记忆块导入自己的环境变量块当中。

通过这样的关系，我们就可以让某些变量在相关的进程之间存在，以帮助自己更方便地操作环境。不过要提醒的是，这个"环境变量"与"bash 的操作环境"意思不太一样，举例来说，PS1 并不是环境变量，但是这个 PS1 会影响到 bash 的接口（提示符）。

11.2.6　变量键盘读取、数组与声明：read，array，declare

我们上面提到的变量设置功能都是由命令行直接设置的，那么可不可以让用户能够经由键盘输入？什么意思呢？是否记得某些程序执行的过程当中，会等待用户输入"yes/no"之类的信息？在 bash 里面也有相对应的功能。此外我们还可以声明这个变量的属性，例如数组或者是数字等。下面就来介绍。

◆ read

● 要读取来自键盘输入的变量，就是用 read 这个命令。这个命令最常被用在 shell script 的编写当中，想要跟用户对谈？用这个命令就对了。关于 script 的写法，我们会在第 13 章介绍，下面先来瞧一瞧 read 的相关语法。

```
[root@www ~]# read [-pt] variable
参数：
-p ：后面可以接提示符。
-t ：后面可以接等待的"秒数。"这个比较有趣，不会一直等待用户。

范例一：让用户由键盘输入内容，将该内容变成名为 atest 的变量
[root@www ~]# read atest
This is a test          <==此时光标会等待你输入。请输入左侧文字看看
[root@www ~]# echo $atest
This is a test          <==你刚才输入的数据已经变成一个变量内容。

范例二：提示用户 30 秒内输入自己的大名，将该输入字符串作为名为 named 的变量内容
[root@www ~]# read -p "Please keyin your name: " -t 30 named
Please keyin your name: VBird Tsai    <==注意看，会有提示符。
[root@www ~]# echo $named
VBird Tsai      <==输入的数据又变成一个变量的内容了。
```

● read 之后不加任何参数，直接加上变量名称，那么下面就会主动出现一个空白行等待你的输入（如范例一）。如果加上−t 后面接秒数，例如上面的范例二，那么 30 秒之内没有任何操作时，该命令就会自动略过了，如果是加上−p，在输入的光标前就会有比较多可以用的提示符给我们参考。在命令的执行里面，这样比较美观。

◆ declare / typeset

● declare 或 typeset 是一样的功能，就是声明变量的类型。如果使用 declare 后面并没有接任何参数，那么 bash 就会主动将所有的变量名称与内容全部调出来，就好像使用 set 一样。我们来看看 declare 的语法：

```
[root@www ~]# declare [-aixr] variable
参数：
-a ：将后面名为 variable 的变量定义成为数组（array）类型
-i ：将后面名为 variable 的变量定义成为整数数字（integer）类型
-x ：用法与 export 一样，就是将后面的 variable 变成环境变量
-r ：将变量设置成为 readonly 类型，该变量不可被更改内容，也不能重设
```

范例一: 让变量 sum 进行 100+300+50 累加结果
```
[root@www ~]# sum=100+300+50
[root@www ~]# echo $sum
100+300+50      <==怎么没有帮我计算加总? 因为这是文字类型的变量属性。
[root@www ~]# declare -i sum=100+300+50
[root@www ~]# echo $sum
450             <==明白了吗?
```

由于在默认的情况下面, bash 对于变量有几个基本的定义:

◆　变量类型默认为 "字符串", 所以若不指定变量类型, 则 1+2 为一个 "字符串" 而不是 "计算式",
　　所以上述第一个执行的结果才会出现那个情况的;

◆　bash 环境中的数值运算, 默认最多仅能到达整数类型, 所以 1/3 结果是 0。

●　现在在你知道为什么需要进行变量声明了吧? 如果需要非字符串类型的变量, 那就得要进行变
　　量的声明才行。下面继续来熟悉其他的声明功能。

范例二: 将 sum 变成环境变量
```
[root@www ~]# declare -x sum
[root@www ~]# export | grep sum
declare -ix sum="450"  <==果然出现了。包括 i 与 x 的声明。
```

范例三: 让 sum 变成只读属性, 不可改动。
```
[root@www ~]# declare -r sum
[root@www ~]# sum=tesgting
-bash: sum: readonly variable  <==不能改这个变量了。
```

范例四: 让 sum 变成非环境变量的自定义变量。
```
[root@www ~]# declare +x sum  <== 将 - 变成 + 可以进行 "取消" 操作
[root@www ~]# declare -p sum  <== -p 可以单独列出变量的类型
declare -ir sum="450"  <== 看吧! 只剩下 i, r 的类型, 不具有 x 了。
```

declare 也是个很有用的功能, 尤其是当我们需要使用到下面的数组功能时, 它也可以帮我们声
明数组的属性。不过数组也是在 shell script 中比较常用的。比较有趣的是, 如果你不小心将变量设置
为 "只读", 通常得要注销再登录才能复原该变量的类型了。

◆　数组 (array) 变量类型

●　某些时候, 我们必须使用数组来声明一些变量, 这有什么好处啊? 在一般人的使用上, 果然
　　是看不出来有什么好处的。不过如果你曾经写过程序的话, 那才会比较了解数组的意义, 数
　　组对写数值程序的程序员来说, 可是不能错过学习的重点之一。那么要如何设置数组的变量
　　与内容呢? 在 bash 里头, 数组的设置方式是:

●　var[index] = content

●　意思是说, 我有一个数组名为 var, 而这个数组的内容为 var[1] = "small min", var[2] = "big
　　min", var[3]= "nice min", 等等, 那个 index 就是一些数字, 重点是用中刮号 ([ ]) 来设置
　　的。目前我们 bash 提供的是一维数组。老实说, 如果你不必写一些复杂的程序, 那么这个数
　　组的地方可以先略过, 等到有需要再来学习即可, 因为要制作出数组, 通常与循环或者其他
　　判断式交互使用才有比较高的存在意义。

范例: 设置上面提到的 var[1] ~ var[3] 的变量。
```
[root@www ~]# var[1]="small min"
[root@www ~]# var[2]="big min"
[root@www ~]# var[3]="nice min"
[root@www ~]# echo "${var[1]}, ${var[2]}, ${var[3]}"
small min, big min, nice min
```

数组的变量类型比较有趣的地方在于 "读取", 一般来说, 建议直接以${数组}的方式来读取, 会
比较正确无误。

11.2.7 与文件系统及程序的限制关系：ulimit

想象一个状况：我的 Linux 主机里面同时登录了十个人，这十个人不知怎么搞的，同时打开了 100 个文件，每个文件的大小约 10MB，请问一下，我的 Linux 主机的内存要有多大才够？10×100×10 = 10000MB = 10GB……天哪，这样，系统不挂掉才怪。为了要预防这个情况的发生，所以我们的 bash 是可以限制用户的某些系统资源的，包括可以打开的文件数量、可以使用的 CPU 时间、可以使用的内存总量等。如何设置？用 ulimit 吧。

```
[root@www ~]# ulimit [-SHacdfltu] [配额]
参数：
-H ： hard limit ，严格的设置，必定不能超过这个设置的数值。
-S ： soft limit ，警告的设置，可以超过这个设置值，但是若超过则有警告信息。
     在设置上，通常 soft 会比 hard 小，举例来说，soft 可设置为 80 而 hard
     设置为 100，那么你可以使用到 90 （因为没有超过 100），但介于 80~100 之间时，
     系统会有警告信息通知你。
-a ： 后面不接任何参数，可列出所有的限制额度。
-c ： 当某些进程发生错误时，系统可能会将该进程在内存中的信息写成文件（排错用），
     这种文件就被称为内核文件（core file）。此为限制每个内核文件的最大容量。
-f ： 此 shell 可以创建的最大文件容量（一般可能设置为 2GB）单位为 KB。
-d ： 进程可使用的最大断裂内存（segment）容量。
-l ： 可用于锁定（lock）的内存量。
-t ： 可使用的最大 CPU 时间（单位为秒）。
-u ： 单一用户可以使用的最大进程（process）数量。

范例一：列出你目前身份（假设为 root）的所有限制数据数值
[root@www ~]# ulimit -a
core file size          (blocks, -c) 0          <==只要是 0 就代表没限制
data seg size           (kbytes, -d) unlimited
scheduling priority            (-e) 0
file size               (blocks, -f) unlimited  <==可创建的单一文件的大小
pending signals                (-i) 11774
max locked memory       (kbytes, -l) 32
max memory size         (kbytes, -m) unlimited
open files                     (-n) 1024        <==同时可打开的文件数量
pipe size            (512 bytes, -p) 8
POSIX message queues    (bytes, -q) 819200
real-time priority             (-r) 0
stack size              (kbytes, -s) 10240
cpu time               (seconds, -t) unlimited
max user processes             (-u) 11774
virtual memory          (kbytes, -v) unlimited
file locks                     (-x) unlimited

范例二：限制用户仅能创建 10MB 以下的容量的文件
[root@www ~]# ulimit -f 10240
[root@www ~]# ulimit -a
file size              (blocks, -f) 10240 <==最大量为 10240KB，相当 10MB
[root@www ~]# dd if=/dev/zero of=123 bs=1M count=20
File size limit exceeded <==尝试创建 20MB 的文件，结果失败了。
```

还记得我们在第 8 章 Linux 磁盘文件系统里面提到过，单一文件系统能够支持的单一文件大小与 block 的大小有关。例如 block size 为 1024 byte 时，单一文件可达 16GB 的容量。但是，我们可以用 ulimit 来限制用户可以创建的文件大小。利用 ulimit –f 就可以来设置了。例如上面的范例二，要注意单位。单位是 KB。若改天你一直无法创建一个大容量的文件，记得查看 ulimit 的信息。

　　想要复原 ulimit 的设置最简单的方法就是注销再登录，否则就是得要重新以 ulimit
设置才行。不过要注意的是一般身份用户如果以 ulimit 设置了 -f 的文件大小，那么他只
能继续减小文件容量，不能增加文件容量。另外若想要管控用户的 ulimit 限值，可以参
考第 14 章的 pam 的介绍。

11.2.8　变量内容的删除、替代与替换

　　变量除了可以直接设置来修改原本的内容之外，有没有办法通过简单的操作来将变量的内容进行
微调呢？举例来说，进行变量内容的删除与替换等是可以的。我们可以通过几个简单的小步骤来进行
变量内容的微调。下面就来试试看。

◆　变量内容的删除与替换

　　●　变量的内容可以很简单地通过几个命令来进行删除。我们使用 PATH 这个变量的内容来做测试
好了。请你依序进行下面的几个例子来操作，比较容易感受得到鸟哥在这里想要表达的意义：

```
范例一：先让小写的 path 设置得与 PATH 内容相同
[root@www ~]# path=${PATH}
[root@www ~]# echo $path
/usr/kerberos/sbin:/usr/kerberos/bin:/usr/local/sbin:/usr/local/bin:/sbin:/bin:
/usr/sbin:/usr/bin:/root/bin  <==这两行其实是同一行。

范例二：假设我不喜欢 kerberos，所以要将前两个目录删除掉，如何显示？
[root@www ~]# echo ${path#/*kerberos/bin:}
/usr/local/sbin:/usr/local/bin:/sbin:/bin:/usr/sbin:/usr/bin:/root/bin
```

　　●　上面这个范例很有趣的。它的重点可以说明如下：

```
${variable#/*kerberos/bin:}
  上面的特殊字体部分是关键字。用在这种删除模式是必须存在的

${variable#/*kerberos/bin:}
  这就是原本的变量名称，以上面范例二来说，这里就填写 path 这个“变量名称”。

${variable#/*kerberos/bin:}
  这是重点，代表从变量内容的最前面开始向右删除，且仅删除最短的那个

${variable#/*kerberos/bin:}
  代表要被删除的部分，由于 # 代表由前面开始删除，所以这里便由开始的 / 写起。
  需要注意的是，我们还可以通过通配符 * 来替代 0 到无穷多个任意字符

以上面范例二的结果来看，path 这个变量被删除的内容如下所示：
/usr/kerberos/sbin:/usr/kerberos/bin:/usr/local/sbin:/usr/local/bin:/sbin:/bin:
/usr/sbin:/usr/bin:/root/bin  <==这两行其实是同一行。
```

　　●　很有趣吧？这样了解了#的功能了吗？接下来让我们来看看下面的范例三。

```
范例三：我想要删除前面所有的目录，仅保留最后一个目录
[root@www ~]# echo ${path#/*:}
/usr/kerberos/bin:/usr/local/sbin:/usr/local/bin:/sbin:/bin:/usr/sbin:/usr/bin:
/root/bin     <==这两行其实是同一行。
# 由于一个 # 仅删除掉最短的那个，因此它删除的情况可以用下面的删除线来看：
# /usr/kerberos/sbin:/usr/kerberos/bin:/usr/local/sbin:/usr/local/bin:/sbin:/bin:
# /usr/sbin:/usr/bin:/root/bin  <==这两行其实是同一行。

[root@www ~]# echo ${path##/*:}
```

```
/root/bin
#多加了一个 # 变成 ## 之后，它变成删除掉最长的那个数据，即是：
# /usr/kerberos/sbin:/usr/kerberos/bin:/usr/local/sbin:/usr/local/bin:/sbin:/bin:
# /usr/sbin:/usr/bin:/root/bin  <==这两行其实是同一行。
```

非常有趣！不是吗？因为在 PATH 这个变量的内容中，每个目录都是以冒号 “:” 隔开的，所以要从头删除掉目录就是介于斜线 (/) 到冒号 (:) 之间的数据。但是 PATH 中不只一个冒号 (:)，所以#与##就分别代表：

- #：符合替换文字的 “最短的” 那一个；
- ##：符合替换文字的 “最长的” 那一个。
  - 上面谈到的是从前面开始删除变量内容，那么如果想要从后面向前删除变量内容呢？这个时候就得使用百分比 (%) 符号了。来看看范例四怎么做的吧。

```
范例四：我想要删除最后面那个目录，即从 “:” 到 bin 为止的字符串
[root@www ~]# echo ${path%:*bin}
/usr/kerberos/sbin:/usr/kerberos/bin:/usr/local/sbin:/usr/local/bin:/sbin:/bin:
/usr/sbin:/usr/bin  <==注意，最后面一个目录不见了。
# 这个 % 符号代表由最后面开始向前删除，所以上面得到的结果其实是来自如下：
# /usr/kerberos/sbin:/usr/kerberos/bin:/usr/local/sbin:/usr/local/bin:/sbin:/bin:
# /usr/sbin:/usr/bin:/root/bin  <==这两行其实是同一行。

范例五：那如果我只想要保留第一个目录呢？
[root@www ~]# echo ${path%%:*bin}
/usr/kerberos/sbin
# 同样，%% 代表的则是最长的符合字符串，所以结果其实是来自如下：
# /usr/kerberos/sbin:/usr/kerberos/bin:/usr/local/sbin:/usr/local/bin:/sbin:/bin:
# /usr/sbin:/usr/bin:/root/bin  <==这两行其实是同一行啦。
```

  - 由于我是想要由变量内容的后面向前面删除，而我这个变量内容最后面的结尾是 “/root/bin”，所以你可以看到上面我删除的数据最终一定是 “bin”，即是 “:*bin” 那个*代表通配符。至于%与%%的意义其实与#及##类似。这样是否可以理解？

例题

假设你是 root，那你的 MAIL 变量应该是/var/spool/mail/root。假设你只想要保留最后面那个文件名 (root)，前面的目录名称都不要了，如何利用$MAIL 变量来完成？

答：题意其实是这样：~/var/spool/mail/root，即删除掉两条斜线间的所有数据 (最长符合的)。这个时候你这样做即可：

```
[root@www ~]# echo ${MAIL##/*/}
```

相反，如果你只想要去掉文件名，保留目录的名称，即是 “/var/spool/mail/root” (最短符合的)。但假设你并不知道结尾的字母，此时你可以利用通配符来处理，如下所示：

```
[root@www ~]# echo ${MAIL%/*}
```

了解了删除功能后，接下来谈谈替换吧！继续看看范例六。

```
范例六：将 path 的变量的 sbin 替代成大写 SBIN:
[root@www ~]# echo ${path/sbin/SBIN}
/usr/kerberos/SBIN:/usr/kerberos/bin:/usr/local/sbin:/usr/local/bin:/sbin:/bin:
/usr/sbin:/usr/bin:/root/bin
# 这个部分就容易理解得多了。关键字在于那两个斜线，两个斜线中间的是旧字符串
# 后面的是新字符串，所以结果就会出现如上述的特殊字体部分。

[root@www ~]# echo ${path//sbin/SBIN}
/usr/kerberos/SBIN:/usr/kerberos/bin:/usr/local/SBIN:/usr/local/bin:/SBIN:/bin:
```

/usr/**SBIN**:/usr/bin:/root/bin
如果是两条斜线，那么就变成所有符合的内容都会被替代。

我们将这部分作个总结说明一下，如表 11-1 所示。

表 11-1

变量设置方式	说　　明
$\{变量#关键字\}	若变量内容从头开始的数据符合"关键字"，则将符合的最短数据删除
$\{变量##关键字\}	若变量内容从头开始的数据符合"关键字"，则将符合的最长数据删除
$\{变量%关键字\}	若变量内容从尾向前的数据符合"关键字"，则将符合的最短数据删除
$\{变量%%关键字\}	若变量内容从尾向前的数据符合"关键字"，则将符合的最长数据删除
$\{变量/旧字符串/新字符串\}	若变量内容符合"旧字符串"，则第一个旧字符串会被新字符串替换
$\{变量//旧字符串/新字符串\}	若变量内容符合"旧字符串"，则全部的旧字符串会被新字符串替换

◆　变量的测试与内容替换
  ●　在某些时刻我们经常需要"判断"某个变量是某存在，若变量存在则使用既有的设置，若
     变量不存在则给予一个常用的设置。我们举下面的例子来说明好了，看看你能不能比较容
     易理解。

范例一：测试一下是否存在 username 这个变量，若不存在则给予 username 内容为 root
[root@www ~]# **echo $username**
　　　　　<==由于出现空白，所以 username 可能不存在，也可能是空字符串
[root@www ~]# **username=$\{username-root\}**
[root@www ~]# **echo $username**
root　　　<==因为 username 没有设置，所以主动给予名为 root 的内容。
[root@www ~]# **username="vbird tsai"** <==主动设置 username 的内容
[root@www ~]# **username=$\{username-root\}**
[root@www ~]# **echo $username**
vbird tsai <==因为 username 已经设置了，所以使用旧有的设置而不以 root 替替代

  ●　在上面的范例中，重点在于减号"-"后面接的关键字。基本上你可以这样理解：

new_var=${old_var-content}
　　新的变量，主要用来替换旧变量。新旧变量名称其实经常是一样的

new_var=$**{**old_var-content**}**
　　这是本范例中的关键字部分。必须要存在的。

new_var=${**old_var**-content}
　　旧的变量，被测试的选项。

new_var=${old_var-**content**}
　　变量的"内容"，在本范例中，这个部分是在给予未设置变量的内容

  ●　不过这还是有点问题。因为 username 可能已经被设置为空字符串了。要是这样的话，那你还
     可以使用下面的范例来将 username 的内容设为 root。

范例二：若 username 未设置或为空字符串，则将 username 内容设置为 root
[root@www ~]# **username=""**
[root@www ~]# **username=$\{username-root\}**
[root@www ~]# **echo $username**
　　　<==因为 username 被设置为空字符串了，所以当然还是保留为空字符串。
[root@www ~]# **username=$\{username:-root\}**
[root@www ~]# **echo $username**
root <==加上 ":" 后若变量内容为空或者是未设置，都能够以后面的内容替换。

  ●　在大括号内有没有冒号 ":" 的差别是很大的。加上冒号后，被测试的变量未被设置或者是已被

设置为空字符串时，都能够用后面的内容（本例中是使用 root 为内容）来替换与设置。这样可以了解了吗？除了这样的测试之外，还有其他的测试方法。鸟哥将它整理如表 11-2 所示。

下面的例子当中，那个 var 与 str 为变量，我们想要针对 str 是否有设置来决定 var 的值。一般来说，str:代表 str 没设置或为空的字符串时，至于 str 则仅表示没有该变量。

表 11-2

变量设置方式	str 没有设置	str 为空字符串	str 已设置非为空字符串
var=${str-expr}	var=expr	var=	var=$str
var=${str:-expr}	var=expr	var=expr	var=$str
var=${str+expr}	var=	var=expr	var=expr
var=${str:+expr}	var=	var=	var=expr
var=${str=expr}	str=expr var=expr	str 不变 var=	str 不变 var=$str
var=${str:=expr}	str=expr var=expr	str=expr var=expr	str 不变 var=$str
var=${str?expr}	expr 输出至 stderr	var=	var=str
var=${str:?expr}	expr 输出至 stderr	expr 输出至 stderr	var=str

- 根据上面这张表，我们来进行几个范例的练习吧！首先让我们来测试一下，如果旧变量（str）不存在时，我们要给予新变量一个内容，若旧变量存在，则新变量内容以旧变量来替换，结果如下：

```
测试: 先假设 str 不存在（用 unset），然后测试一下等号（-）的用法
[root@www ~]# unset str; var=${str-newvar}
[root@www ~]# echo var="$var", str="$str"
var=newvar, str=          <==因为 str 不存在，所以 var 为 newvar

测试: 若 str 已存在，测试一下 var 会变怎样
[root@www ~]# str="oldvar"; var=${str-newvar}
[root@www ~]# echo var="$var", str="$str"
var=oldvar, str=oldvar  <==因为 str 存在，所以 var 等于 str 的内容
```

- 关于减号（-）其实上面我们谈过了。这里的测试只是要让你更加了解，这个减号的测试并不会影响到旧变量的内容。如果你想要将旧变量内容也一起替换掉的话，那么就使用等号（=）。

```
测试: 先假设 str 不存在（用 unset），然后测试一下等号（=）的用法
[root@www ~]# unset str; var=${str=newvar}
[root@www ~]# echo var="$var", str="$str"
var=newvar, str=newvar <==因为 str 不存在，所以 var/str 均为 newvar

测试: 如果 str 已存在了，测试一下 var 会变怎样
[root@www ~]# str="oldvar"; var=${str=newvar}
[root@www ~]# echo var="$var", str="$str"
var=oldvar, str=oldvar <==因为 str 存在，所以 var 等于 str 的内容
```

那如果我只是想知道，如果旧变量不存在时，整个测试就告知我"有错误"，此时就能够使用问号"？"。下面这个测试练习一下先。

```
测试: 若 str 不存在时，则 var 的测试结果直接显示"无此变量"
[root@www ~]# unset str; var=${str?无此变量}
-bash: str: 无此变量   <==因为 str 不存在，所以输出错误信息
```

测试: 若 str 存在时，则 var 的内容会与 str 相同。

```
[root@www ~]# str="oldvar"; var=${str?novar}
[root@www ~]# echo var="$var", str="$str"
var=oldvar, str=oldvar  <==因为 str 存在，所以 var 等于 str 的内容
```

　　基本上这种变量的测试也能够通过 shell script 内的 if...then...来处理，不过既然 bash 有提供这么简单的方法来测试变量，那我们也可以多学一些。不过这种变量测试通常是在程序设计当中比较容易出现，如果这里看不懂就先略过，将来有用到判断变量值时再回来查看吧!

11.3　命令别名与历史命令

　　我们知道在早期的 DOS 年代，清除屏幕上的信息可以使用 cls 来清除，但是在 Linux 里面，我们则是使用 clear 来清除界面的。那么可否让 cls 等于 clear 呢? 可以啊! 用什么方法? link file 还是是什么的? 别急! 下面我们介绍不用 link file 的命令别名来完成。那么什么又是历史命令? 曾经做过的举动我们可以将它记录下来，那就是历史命令，下面分别来谈一谈这两个命令。

11.3.1　命令别名设置: alias，unalias

　　命令别名是一个很有趣的东西，特别是你的惯用命令特别长的时候。还有增设默认的选项在一些惯用的命令上面，可以预防一些不小心误删文件的情况发生的时候。举个例子来说，如果你要查询隐藏文件，并且需要长的列出与一页一页翻看，那么需要执行 "ls –all more" 这个命令，我是觉得很烦，要输入好几个字符。那可不可以使用 lm 来简化呢? 当然可以! 你可以在命令行下面执行:

```
[root@www ~]# alias lm='ls -l | more'
```

　　立刻多出了一个可以执行的命令。这个命令名称为 lm，其实它是执行 ls –all more。不过，要注意的是: alias 的定义规则与变量定义规则几乎相同，所以你只要在 alias 后面加上你的{"别名"='命令 参数...'}，以后你只要输入 lm 就相当于输入了 ls – all more 这一串命令，很方便。

　　另外命令别名的设置还可以替代既有的命令。举例来说，我们知道 root 可以删除 (rm) 任何数据。所以当你以 root 的身份在进行工作时，需要特别小心，但是总有失手的时候，那么 rm 提供了一个参数来让我们确认是否要删除该文件，那就是 –i 这个参数。所以你可以这样做:

```
[root@www ~]# alias rm='rm -i'
```

　　那么以后使用 rm 的时候，就不用太担心会有错误删除的情况了。这也是命令别名的优点。那么如何知道目前有哪些的命令别名呢? 就使用 alias 呀!

```
[root@www ~]# alias
alias cp='cp -i'
alias l.='ls -d .* --color=tty'
alias ll='ls -l --color=tty'
alias lm='ls -l | more'
alias ls='ls --color=tty'
alias mv='mv -i'
alias rm='rm -i'
alias which='alias | /usr/bin/which --tty-only --show-dot --show-tilde'
```

　　由上面的数据当中，你也会发现一件事情，我们在第 10 章的 vim 程序编辑器里面提到 vi 与 vim 是不太一样的，vim 可以多做一些额外的语法检验与颜色显示，默认的 root 是单纯使用 vi 而已。如果你想要使用 vi 就直接以 vim 来打开文件的话，使用 "alias vi='vim'" 这个设置即可。至于如果要取消命令别名的话，那么就使用 unalias。例如要将刚才的 lm 命令别名去掉，就使用:

```
[root@www ~]# unalias lm
```

那么命令别名与变量有什么不同呢？命令别名是新创一个新的命令，你可以直接执行该命令的，至于变量则需要使用类似 "echo" 命令才能够调用变量的内容。这两者当然不一样。很多初学者在这里老是搞不清楚。要注意。

例题

DOS 年代，列出目录与文件就是 dir，而清除屏幕就是 cls，那么如果我想要在 linux 里面也使用相同的命令呢？

答：很简单，通过 clear 与 ls 来进行命令别名的构建：

```
alias cls='clear'
alias dir='ls -l'
```

11.3.2 历史命令：history

前面我们提过 bash 有提供命令历史的服务。那么如何查询我们曾经执行过的命令呢？就使用 history。当然如果觉得 histsory 要输入的字符太多太麻烦，可以使用命令别名来设置呢。不要跟我说还不会设置。

```
[root@www ~]# alias h='history'
```

如此则输入 h 等于输入 history。好了我们来谈一谈 history 的用法吧！

```
[root@www ~]# history [n]
[root@www ~]# history [-c]
[root@www ~]# history [-raw] histfiles
参数：
n  ： 数字，是要列出最近的 n 条命令行的意思.
-c ： 将目前的 shell 中的所有 history 内容全部消除。
-a ： 将目前新增的 history 命令新增入 histfiles 中，若没有加 histfiles ,
      则默认写入 ~/.bash_history。
-r ： 将 histfiles 的内容读到目前这个 shell 的 history 记忆中。
-w ： 将目前的 history 记忆内容写入 histfiles 中。

范例一：列出目前内存内的所有 history 记忆
[root@www ~]# history
# 前面省略
 1017  man bash
 1018  ll
 1019  history
 1020  history
# 列出的信息当中，共分两列栏，第一列为该命令在这个 shell 当中的代码，
# 另一个则是命令本身的内容。至于会显示出几条命令记录，则与 HISTSIZE 有关。

范例二：列出目前最近的 3 条数据
[root@www ~]# history 3
 1019  history
 1020  history
 1021  history 3

范例三：立刻将目前的数据写入 histfile 当中
[root@www ~]# history -w
# 在默认的情况下，会将历史记录写入 ~/.bash_history 当中。
[root@www ~]# echo $HISTSIZE
1000
```

在正常的情况下，历史命令的读取与记录是这样的：

◆ 当我们以 bash 登录 Linux 主机之后，系统会主动由主文件夹的～/.bash_history 读取以前曾经下过的命令，那么～/.bash_history 会记录几条数据呢？这就与你 bash 的 HISTSIZE 这个变量设置值有关了。

◆ 假设我这次登录主机后，共执行过 100 次命令，等我注销时，系统就会将 101～1100 这总共 1000 笔历史命令更新到～/.bash_history 当中。也就是说，历史命令在我注销时，会将最近的 HISTSIZE 条记录到我的记录文件当中。

◆ 当然也可以用 history –w 强制立刻写入的。那为何用"更新"两个字呢？因为～/.bash_history 记录的条数永远都是 HISTSIZE 那么多，旧的信息会被主动去掉。仅保留最新的。

那么 history 这个历史命令只可以让我查询命令而已吗？当然不止。我们可以利用相关的功能来帮我们执行命令呢。举例来说：

```
[root@www ~]# !number
[root@www ~]# !command
[root@www ~]# !!
参数：
number  ：执行第几条命令的意思；
command ：由最近的命令向前搜寻命令串开头为 command 的那个命令，并执行；
!!      ：就是执行上一个命令（相当于按↑按键后，按[Enter]）

[root@www ~]# history
  66  man rm
  67  alias
  68  man history
  69  history
[root@www ~]# !66  <==执行第 66 笔命令
[root@www ~]# !!   <==执行上一个命令，本例中即 !66
[root@www ~]# !al  <==执行最近以 al 为开头的命令（上面列出的第 67 个）
```

经过上面的介绍，明白了吗？历史命令用法可多了！如果我想要执行上一个命令，除了使用上下键之外，我可以直接以"!!"来执行上个命令的内容，此外我也可以直接选择执行第 n 个命令 "!n" 来执行，也可以使用命令标头，例如"!vi"来执行最近命令开头是 vi 的命令行，相当方便而且好用。

基本上 history 的用途很大的。但是需要小心安全的问题，尤其是 root 的历史记录文件，这是 Cracker 的最爱。因为不小心 root 会将很多的重要数据在执行的过程中记录在～/.bash_history 当中，如果这个文件被解析的话，后果不堪设想。无论如何，使用 history 配合"!"曾经使用过的命令执行是很有效率的一个命令执行方法。

◆ 同一账号同时多次登录的 history 写入问题

　● 有些朋友在练习 linux 的时候喜欢同时开好几个 bash 接口，这些 bash 的身份都是 root。这样会有～/.bash_history 的写入问题吗？想一想，因为这些 bash 在同时以 root 的身份登录，因此所有的 bash 都有自己的 1000 笔记录在内存中。因为等到注销时才会更新记录文件，所以最后注销的那个 bash 才会是最后写入的数据。如此一来其他 bash 的命令操作就不会被记录下来了（其实有被记录，只是被后来的最后一个 bash 所覆盖更新了）。

　● 由于多重登录有这样的问题，所以很多朋友都习惯单一 bash 登录，再用作业控制（job control，第四篇会介绍）来切换不同工作。这样才能够将所以曾经执行过的命令记录下来，也才方便将来系统管理员进行命令的调试。

◆ 无法记录时间

　● 历史命令还有一个问题，那就是无法记录命令执行的时间。由于这 1000 条历史命令是依序记录的，但是并没有记录时间，所以在查询方面会有一些不方便。如果读者们感兴趣，其实可以通过～/.bash_logout 来进行 history 的记录，并加上 date 来增加时间参数，也是一个可以应用的方向。有兴趣的朋友可以先看看情境模拟题一吧！

11.4 **Bash Shell** 的操作环境

是否记得我们登录主机的时候屏幕上会有一些说明文字，告知 Linux 版本之类的信息，并且登录的时候我们还可以提供用户一些信息或者欢迎文字呢。此外我们习惯的环境变量、命令别名等是否可以登录就主动帮我设置好？这些都是需要注意的。另外这些设置值又可以分为系统整体设置值与各人喜好设置值，仅是一些文件放置的地点不同。这我们后面也会来介绍。

11.4.1 路径与命令查找顺序

我们在第6章与第7章都曾谈过相对路径与绝对路径的关系，在本章的前几小节也谈到了 alias 与 bash 的内置命令。现在我们知道系统里面其实有不少的 ls 命令，或者是包括内置的 echo 命令，那么来想一想，如果一个命令（例如 ls）被执行时，到底是哪一个 ls 被拿来运行？基本上，命令运行的顺序可以这样看：

1. 以相对/绝对路径执行命令，例如 "/bin/ls" 或 "./ls"；
2. 由 alias 找到该命令来执行；
3. 由 bash 内置的（builtin）命令来执行；
4. 通过$PATH 这个变量的顺序找到的第一个命令来执行。

举例来说，你可以执行/bin/ls 及单纯的 ls 看看，会发现使用 ls 有颜色但是/bin/ls 则没有颜色，因为/bin/ls 是直接取用该命令来执行，而 ls 会因为 "alias ls='ls --color=tty'" 这个命令别名而先使用。如果想要了解命令查找的顺序，其实通过 type -a ls 也可以查询得到。上述的顺序最好先了解。

例题

设置 echo 的命令别名成为 echo-n，然后再查看 echo 执行的顺序。

答：

```
[root@www ~]# alias echo='echo -n'
[root@www ~]# type -a echo
echo is aliased to `echo -n'
echo is a shell builtin
echo is /bin/echo
```

很清楚吧？先 alias 再 builtin，再由$PATH 找到/bin/echo。

11.4.2 bash 的登录与欢迎信息：/etc/issue,/etc/motd

bash 也有登录界面与欢迎信息？真的啊！还记得在终端机接口（tty1~tty6）登录的时候，会有几行提示的字符串吗？那就是登录界面。那个字符串写在哪里呢？在/etc/issue 里面。先来看看：

```
[root@www ~]# cat /etc/issue
CentOS release 5.3 (Final)
Kernel \r on an \m
```

鸟哥是以完全未更新过的 CentOS 5.3 作为范例，里面默认有 3 行，较有趣的地方在于\r 与\m。就如同$PS1 这变量一样，issue 这个文件的内容也是可以使用反斜杠作为变量调用。你可以 man issue 配合 man mingetty 得到下面的结果，如表 11-3 所示。

表 11-3

	issue 内的各代码意义
\d	本地端时间的日期
\l	显示第几个终端机接口
\m	显示硬件的等级（i386/i486/i586/i686...）
\n	显示主机的网络名称
\o	显示 domain name
\r	操作系统的版本（相当于 uname –r）
\t	显示本地端时间的时间
\s	操作系统的名称
\v	操作系统的版本

做一下下面这个练习，看看能不能取得你要的登录界面？

例题

如果你在 tty3 的进站界面看到如下显示，该如何设置才能得到如下界面？

```
CentOS release 5.3 (Final) (terminal: tty3)
Date: 2009-02-05 17:29:19
Kernel 2.6.18-128.el5 on an i686
Welcome!
```

注意，tty3 在不同的 tty 下有不同的显示，日期则是在按下[Enter]后就会所有不同。
答：很简单，参考上述的反斜杠功能去修改/etc/issue 成为如下模样即可：

```
CentOS release 5.3 (Final) (terminal: \l)
Date: \d \t
Kernel \r on an \m
Welcome!
```

曾有鸟哥的学生在这个/etc/issue 内修改数据，光是利用简单的英文字母作出属于他自己的登录界面，界面里面有他的中文名字呢。也有学生做成类似很大一个的"囧"在登录界面，都确实非常有趣。

你要注意的是，除了/etc/issue 之外还有个/etc/issue.net 呢！这是什么？这个是提供给 telnet 这个远程登录程序用的。当我们使用 telnet 连接到主机时，主机的登录界面就会显示/etc/issue.net 而不是/etc/issue。

如果你想要让用户登录后取得一些信息，例如你想要让大家都知道的信息，那么可以将信息加入/etc/motd 里面去。例如，当登录后，告诉登录者系统将会在某个固定时间进行维护工作，可以这样做：

```
[root@www ~]# vi /etc/motd
Hello everyone,
Our server will be maintained at 2009/02/28 0:00 ~ 24:00.
Please don't login server at that time. ^_^
```

那么当你的用户（包括所有的一般账号与 root）登录主机后，就会显示这样的信息出来：

```
Last login: Thu Feb 5 22:35:47 2009 from 127.0.0.1
Hello everyone,
Our server will be maintained at 2009/02/28 0:00 ~ 24:00.
Please don't login server at that time. ^_^
```

11.4.3　bash 的环境配置文件

你是否会觉得奇怪，怎么我们什么操作都没有进行，但是一进入 bash 就取得一堆有用的变量了？

这是因为系统有一些环境配置文件的存在，让 bash 在启动时直接读取这些配置文件，以规划好 bash 的操作环境。而这些配置文件又可以分为全体系统的配置文件以及用户个人偏好配置文件。要注意的是，我们前几个小节谈到的命令别名、自定义的变量在你注销 bash 后就会失效，所以你想要保留你的设置，就得要将这些设置写入配置文件才行。下面就让我们来聊聊！

◆ login 与 non-login shell

● 在开始介绍 bash 的配置文件前，我们一定要先知道的就是 login shell 与 non-login shell。重点在于有没有登录（login）。

■ login shell：取得 bash 时需要完整的登录流程的，就称为 login shell。举例来说，你要由 tty1～tty6 登录，需要输入用户的账号与密码，此时取得的 bash 就称为"login shell"。

■ non-login shell：取得 bash 接口的方法不需要重复登录的举动，举例来说，你以 X Window 登录 Linux 后，再以 X 的图形界面启动终端机，此时那个终端接口并没有需要再次输入账号与密码，那个 bash 的环境就称为 non-login shell 了。你在原本的 bash 环境下再次执行 bash 这个命令，同样也没有输入账号密码，那第二个 bash（子进程）也是 non-login shell。

● 为什么要介绍 login、non-login shell 呢？这是因为这两个取得 bash 的情况中，读取的配置文件数据并不一样所致。由于我们需要登录系统，所以先谈谈 login shell 会读取哪些配置文件？一般来说，login shell 其实只会读取这两个配置文件：

1. /etc/profile：这是系统整体的设置，你最好不要修改这个文件；

2. ~/.bash_profile 或 ~/.bash_login 或 ~/.profile：属于用户个人设置，你要改自己的数据，就写入这里。

● 那么就让我们来聊一聊这两个文件！这两个文件的内容可是非常繁杂的。

◆ /etc/profile（login shell 才会读）

● 你可以使用 vim 去阅读一下这个文件的内容。这个配置文件可以利用用户的标识符（UID）来决定很多重要的变量数据，这也是每个用户登录取得 bash 时一定会读取的配置文件。所以如果你想要帮所有用户设置整体环境，那就是在这里修改。不过没事还是不要随便改这个文件，这个文件设置的变量主要有：

■ PATH：会依据 UID 决定 PATH 变量要不要含有 sbin 的系统命令目录；

■ MAIL：依据账号设置好用户的 mailbox 到/var/spool/mail/账号名；

■ USER：根据用户的账号设置此变量内容；

■ HOSTNAME：依据主机的 hostname 命令决定此变量内容；

■ HISTSIZE：历史命令记录条数。CentOS 5.x 设置为 1000。

/etc/profile 可不止会做这些事而已，它还会去调用外部的设置数据。在 CentOS 5.x 默认的情况下，下面这些数据会依序被调用进来：

■ /etc/inputrc

其实这个文件并没有被执行。/etc/profile 会主动判断用户有没有自定义输入的按键功能，如果没有的话，/etc/profile 就会决定设置"INPUTRC=/etc/inputrc"这个变量。此文件内容为 bash 的热键、[Tab]有没有声音等的数据。因为鸟哥觉得 bash 默认的环境已经很棒了，所以不建议修改这个文件。

■ /etc/profile.d/*.sh

其实这是个目录内的众多文件。只要在/etc/profile.d/这个目录内且扩展名为.sh，另外用户能够具有 r 的权限，那么该文件就会被/etc/profile 调用。在 CentOS 5.x 中，这个目录下面的文件规定了 bash 操作接口的颜色、语系、ll 与 ls 命令的命令别名、vi 的命令别名、which 的命令别名等。如果你需要帮所有用户设置一些共享的命令别名时，可以在这个目录下面自行创建扩展名为.sh 的文件，并将所需要的数据写入即可。

■ /etc/sysconfig/i18n

● 这个文件是由/etc/profile.d/lang.sh 调用的。这也是我们决定 bash 默认使用何种语系的重要配置文件。文件里最重要的就是 LANG 这个变量的设置。我们在前面的 locale 中讨论过这个文件。

- 反正你只要记得，bash 的 login shell 情况下所读取的整体环境配置文件其实只有/etc/profile，但是/etc/profile 还会调用其他的配置文件，所以让我们的 bash 操作接口变得非常的友善。接下来让我们来看看，那么个人偏好的配置文件又是怎么回事？

◆ ~/.bash_profile（login shell 才会读）

- bash 在读完了整体环境设置的/etc/profile 并借此调用其他配置文件后，接下来则是会读取用户的个人配置文件。在 login shell 的 bash 环境中，所读取的个人偏好配置文件其实主要有三个，依序分别是：
  1. ~/.bash_profile
  2. ~/.bash_login
  3. ~/.profile
- 其实 bash 的 login shell 设置只会读取上面三个文件的其中一个，而读取的顺序则是依照上面的顺序。也就是说如果~/.bash_profile 存在，那么其他两个文件不论有没有存在，都不会被读取。如果~/.bash_profile 不存在才会去读取~/.bash_login，而前两者都不存在才会读取~/.profile 的意思。会有这么多的文件，其实是照顾其他 shell 转换过来的用户的习惯而已。先让我们来看一下 root 的/root/.bash_profile 的内容是怎样的。

```
[root@www ~]# cat ~/.bash_profile
# .bash_profile

# Get the aliases and functions
if [ -f ~/.bashrc ]; then   <==下面这三行判断并读取 ~/.bashrc
        . ~/.bashrc
fi

# User specific environment and startup programs
PATH=$PATH:$HOME/bin        <==下面这几行处理个人化设置
export PATH
unset USERNAME
```

- 这个文件内有设置 PATH 这个变量，而且还使用了 export 将 PATH 变成环境变量。由于 PATH 在/etc/profile 当中已经设置过，所以在这里就以累加的方式增加用户主文件夹下的~/bin/为额外的执行文件放置目录。这也就是说，你可以将自己创建的执行文件放置到你自己主文件夹下的~/bin/目录。那就可以直接执行该执行文件而不需要使用绝对/相对路径来执行该文件。
- 这个文件的内容比较有趣的地方在于 if...then 那一段。那一段程序代码我们会在第 13 章 shell script 谈到，假设你现在是看不懂的。该段的内容指的是判断主文件夹下的~/.bashrc 存在否，若存在则读入~/.bashrc 的设置。bash 配置文件的读入方式比较有趣，主要是通过一个命令 "source" 来读取的。也就是说~/.bash_profile 其实会再调用~/.bashrc 的设置内容。最后我们来看看整个 login shell 的读取流程，如图 11-5 所示。

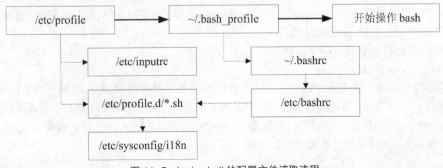

图 11-5 login shell 的配置文件读取流程

- 实线的方向是主线流程，虚线的方向则是被调用的配置文件。从上面我们也可以清楚地知道，在 CentOS 的 login shell 环境下，最终被读取的配置文件是"~/.bashrc"这个文件。所以你当然可以将自己的偏好设置写入该文件即可。下面我们还要讨论一下 source 与 ~/.bashrc。

- **source：读入环境配置文件的命令**
  - 由于/etc/profile 与 ~/.bash_profile 都是在取得 login shell 的时候才会读取的配置文件，所以如果你将自己的偏好设置写入上述的文件后，通常都是得注销再登录后该设置才会生效。那么能不能直接读取配置文件而不注销登录呢？可以的！那就得要利用 source 这个命令了。

```
[root@www ~]# source 配置文件名

范例：将主文件夹的 ~/.bashrc 的设置读入目前的 bash 环境中
[root@www ~]# source ~/.bashrc   <==下面这两个命令是一样的。
[root@www ~]# .  ~/.bashrc
```

  - 利用 source 或小数点（.）都可以将配置文件的内容读进目前的 shell 环境中。举例来说，我修改了~/.bashrc，那么不需要注销，立即以 source~/.bashrc 就可以将刚才最新设置的内容读进目前的环境中。还有包括~/bash_profile 以及/etc/profile 的设置中，很多时候也都是利用到这个 source（或小数点）的功能。
  - 有没有可能会使用到不同环境配置文件的时候？有啊！最常发生在一个人的工作环境分为多种情况的时候了。举个例子来说，在鸟哥的大型主机中，经常需要负责两到三个不同的案子，每个案子所需要处理的环境变量设定并不相同，那么鸟哥就将这两三个案子分别编写属于该案子的环境变量配置文件案，当需要该环境时，就直接用"source 变量文件"，如此一来环境变量的设置就变得更简便而灵活了。

- **~/.bashrc（non-login shell 会读）**
  - 谈完了 login shell 后，那么 non-login shell 这种非登录情况取得 bash 操作接口的环境配置文件又是什么？当你取得 non-login shell 时，该 bash 配置文件仅会读取~/.bashrc 而已。那么默认的~/.bashrc 内容是如何？

```
[root@www ~]# cat ~/.bashrc
# .bashrc

# User specific aliases and functions
alias rm='rm -i'              <==用户的个人设置
alias cp='cp -i'
alias mv='mv -i'

# Source global definitions
if [ -f /etc/bashrc ]; then   <==整体的环境设置
      . /etc/bashrc
fi
```

  - 特别注意一下，由于 root 的身份与一般用户不同，鸟哥是以 root 的身份取得上述的数据，如果是一般用户的~/.bashrc 会有些许不同。看一下你会发现在 root 的~/.bashrc 中其实已经规定了较为保险的命令别名了。此外咱们的 CentOS 5.x 还会主动调用/etc/bashrc 这个文件。为什么需要调用/etc/bashrc 呢？因为/etc/bashrc 帮我们的 bash 定义出下面的数据：
- 依据不同的 UID 规定 umask 的值；
- 依据不同的 UID 规定提示符（就是 PS1 变量）；
- 调用/etc/profile.d/*.sh 的设置。
  - 你要注意的是，这个/etc/bashrc 是 CentOS 特有的（其实是 Red Hat 系统特有的），其他不同的 distributions 可能会放置在不同的文件名就是了。由于这个~/.bashrc 会调用/etc/bashrc 及/etc/profile.d/*.sh，所以万一你没有~/.bashrc（可能自己不小心将它删除了），那么你会发现你的 bash 提示符可能会变成这个样子：

```
-bash-3.2$
```

- 不要太担心！这是正常的，因为你并没有调用/etc/bashrc 来规定 PS1 变量，而且这样的情况也不会影响你的 bash 使用。如果你想要将命令提示符调回来，那么可以复制/etc/skel/.bashrc 到你的主文件夹，再修改一下你所想要的内容，并使用 source 去调用~/.bashrc，那你的命令提示符就会回来了。

◆ **其他相关配置文件**

- 事实上还有一些配置文件可能会影响到你的 bash 操作的，下面就来谈一谈：

■ /etc/man.config

- 这个文件乍看之下好像跟 bash 没相关性，但是对于系统管理员来说，却也是很重要的一个文件。这文件的内容规定了使用 **man** 的时候 man page 的路径到哪里去寻找。所以说得简单一点，这个文件规定了执行 man 的时候该去哪里查看数据的路径设置。
- 那么什么时候要来修改这个文件呢？如果你是以 tarball 的方式来安装你的数据，那么你的 man page 可能会放置在/usr/local/softpackage/man 里头，那个 softpackage 是你的套件名称，这个时候你就得以手动的方式将该路径加到/etc/man.config 里头，否则使用 man 的时候就会找不到相关的说明文件。
- 事实上，这个文件内最重要的其实是 MANPATH 这个变量设置。我们查找 man page 时，会依据 MANPATH 的路径去分别查找。另外要注意的是，这个文件在各大不同版本的 Linux distributions 中，文件名都不太相同，例如 CentOS 用的是/etc/man.config，而 SuSE 用的则是/etc/manpath.config，可以利用[Tab]按键来进行文件名的补齐。

■ ~/.bash_history

- 还记得我们在历史命令提过这个文件吧？默认的情况下，我们的历史命令就记录在这里。而这个文件能够记录几条数据则与 HISTSIZE 这个变量有关。每次登录 bash 后，bash 会先读取这个文件，将所有的历史命令读入内存，因此当我们登录 bash 后就可以查看上次使用过哪些命令。至于更多的历史命令，请自行回去参考。

■ ~/.bash_logout

- 这个文件则记录了当我注销 bash 后系统再帮我做完什么操作后才离开。你可以去读取一下这个文件的内容，默认的情况下，注销时 bash 只是帮我们清掉屏幕的信息而已。不过你也可以将一些备份或者是其他你认为重要的工作写在这个文件中（例如清空暂存盘），那么当你离开 Linux 的时候，就可以解决一些烦人的事情。

11.4.4 终端机的环境设置：stty,set

我们在第 5 章首次登录 Linux 时就提过，可以在 tty1～tty6 这六个命令行界面的终端机（terminal）环境中登录，登录的时候我们可以取得一些字符设置的功能。举例来说，我们可以利用退格键来删除命令行上的字符，也可以使用[ctrl]+C 来强制终止一个命令的运行，当输入错误时，就会有声音跑出来警告。这是怎么办到的呢？很简单！因为登录终端机的时候，会自动取得一些终端机的输入环境的设置。

事实上，目前我们使用的 Linux distributions 都帮我们设置了最棒的用户环境，所以大家可以不用担心操作环境的问题。不过在某些 UNIX like 的机器中，还是可能需要动用一些手脚，才能够让我们的输入更加舒畅，举例来说，利用[Backspace]删除，要比利用[Del]按键来得顺手。但是某些 UNIX 偏偏是以[Del]来进行字符的删除。所以这个时候就可以动动手脚了。

那么如何查阅目前的一些按键内容呢？可以利用 stty（setting tty 终端机的意思）。stty 也可以帮助设置终端机的输入按键代表意义。

```
[root@www ~]# stty [-a]
参数：
-a ：将目前所有的 stty 参数列出来。
```

```
范例一: 列出所有的按键与按键内容
[root@www ~]# stty -a
speed 38400 baud; rows 24; columns 80; line = 0;
intr = ^C; quit = ^\; erase = ^?; kill = ^U; eof = ^D; eol = <undef>;
eol2 = <undef>; swtch = <undef>; start = ^Q; stop = ^S; susp = ^Z;
rprnt = ^R; werase = ^W; lnext = ^V; flush = ^O; min = 1; time = 0;
....（以下省略）....
```

我们可以利用 stty–a 来列出目前环境中所有的按键列表，在上面的列表当中，需要注意的是特殊字体那几个，此外如果出现^表示[Ctrl]那个按键的意思。举例来说，intr=^C 表示利用[ctrl]+c 来完成的。几个重要的代表意义是：

◆ eof：End of file 的意思，代表结束输入；
◆ erase：向后删除字符；
◆ intr：送出一个 interrupt（中断）的信号给目前正在运行的程序；
◆ kill：删除在目前命令行上的所有文字；
◆ quit：送出一个 quit 的信号给目前正在运行的进程；
◆ start：在某个进程停止后，重新启动它的输出；
◆ stop：停止目前屏幕的输出；
◆ susp：送出一个 terminal stop 的信号给正在运行的进程。

记不记得我们在第 5 章讲过几个 Linux 热键？没错！就是这个 stty 设置值内的 intr / eof，至于删除字符，就是 erase 那个设置值。如果你想要用[ctrl]+h 来进行字符的删除，那么可以执行：

```
[root@www ~]# stty erase ^h
```

那么从此之后，你的删除字符就得要使用[ctrl]+h，按下[Backspace]则会出现^?字样呢。如果想要回复利用[Backspace]，就执行 stty erase ^?即可。至于更多的 stty 说明，记得参考一下 man stty 的内容。

除了 stty 之外，其实我们的 bash 还有自己的一些终端机设置值呢。那就是利用 set 来设置的。我们之前提到一些变量时，可以利用 set 来显示，除此之外，其实 set 还可以帮我们设置整个命令输出/输入的环境。例如记录历史命令、显示错误内容等。

```
[root@www ~]# set [-uvCHhmBx]
参数:
-u : 默认不启用，若启用后，当使用未设置变量时，会显示错误信息；
-v : 默认不启用，若启用后，在讯息被输出前，会先显示信息的原始内容；
-x : 默认不启用，若启用后，在命令被执行前，会显示命令内容（前面有 ++ 符号）；
-h : 默认启用，与历史命令有关；
-H : 默认启用，与历史命令有关；
-m : 默认启用，与工作管理有关；
-B : 默认启用，与刮号 [] 的作用有关；
-C : 默认不启用，使用 > 等时，则若文件存在时，该文件不会被覆盖。

范例一: 显示目前所有的 set 设置值
[root@www ~]# echo $-
himBH
# 那个 $- 变量内容就是 set 的所有设置。bash 默认是 himBH 。

范例二: 若使用未定义变量时，则显示错误信息
[root@www ~]# set -u
[root@www ~]# echo $vbirding
-bash: vbirding: unbound variable
# 默认情况下，未设置/未声明 的变量都会是 "空的"，不过若设置 -u 参数，
# 那么当使用未设置的变量时，就会有问题。很多的 shell 都默认启用 -u 参数。
# 若要取消这个参数，输入 set +u 即可。

范例三: 执行前，显示该命令内容。
```

```
[root@www ~]# set -x
[root@www ~]# echo $HOME
+ echo /root
/root
++ echo -ne '\033]0;root@www:~'
# 看见否？要输出的命令都会先被打印到屏幕上。前面会多出 + 的符号。
```

另外，其实我们还有其他的按键设置功能，就是在前一小节提到的/etc/inputrc 这个文件里面设置。

```
[root@www ~]# cat /etc/inputrc
# do not bell on tab-completion
#set bell-style none

set meta-flag on
set input-meta on
set convert-meta off
set output-meta on
.....以下省略.....
```

还有例如/etc/DIR_COLORS*与/etc/termcap 等，也都是与终端机有关的环境配置文件。不过事实上，鸟哥并不建议你修改 tty 的环境，这是因为 bash 的环境已经设置得很亲和了，我们不需要额外的设置或者修改，否则反而会产生一些困扰。不过写在这里的数据，只是希望大家能够清楚地知道我们的终端机是如何进行设置的。最后我们将 bash 默认的组合键给它汇整如表 11-4 所示。

表 11-4

组 合 按 键	执 行 结 果
Ctrl+C	终止目前的命令
Ctrl+D	输入结束（EOF），例如邮件结束的时候
Ctrl+M	就是 Enter
Ctrl+S	暂停屏幕的输出
Ctrl+Q	恢复屏幕的输出
Ctrl+U	在提示符下，将整行命令删除
Ctrl+Z	暂停目前的命令

11.4.5　通配符与特殊符号

在 bash 的操作环境中还有一个非常有用的功能，那就是通配符（wildcard）。我们利用 bash 处理数据就更方便了。下面我们列出一些常用的通配符，如表 11-5 所示。

表 11-5

符　　号	意　　义
*	代表 0 个到无穷多个任意字符
?	代表一定有一个任意字符
[]	同样代表一定有一个在中括号内的字符（非任意字符）。例如[abcd]代表一定有一个字符，可能是 a, b, c, d 这四个任何一个
[-]	若有减号在中括号内时，代表在编码顺序内的所有字符。例如[0-9]代表 0 到 9 之间的所有数字，因为数字的语系编码是连续的
[^]	若中括号内的第一个字符为指数符号（^），那表示反向选择，例如[^abc]代表一定有一个字符，只要是非 a, b, c 的其他字符就接受的意思

接下来让我们利用通配符来操作。首先，利用通配符配合 ls 查找文件名：

```
root@www ~]# LANG=C                    <==由于与编码有关，先设置语系一下

范例一：找出 /etc/ 下面以 cron 为开头的文件名
[root@www ~]# ll -d /etc/cron*    <==加上 -d 仅仅是为了显示目录而已

范例二：找出 /etc/ 下面文件名刚好是五个字母的文件名
[root@www ~]# ll -d /etc/?????    <==由于 ? 一定有一个，所以五个 ? 就对了

范例三：找出 /etc/ 下面文件名含有数字的文件名
[root@www ~]# ll -d /etc/*[0-9]*  <==记得中括号左右两边均需 *

范例四：找出 /etc/ 下面文件名开头非为小写字母的文件名：
[root@www ~]# ll -d /etc/[^a-z]*  <==注意中括号左边没有 *

范例五：将范例四找到的文件复制到 /tmp 中
[root@www ~]# cp -a /etc/[^a-z]* /tmp
```

除了通配符之外，bash 环境中的特殊符号有哪些呢？下面我们先汇整一下，如表 11-6 所示。

表 11-6

符 号	内 容
#	批注符号，这个最常被使用在 script 当中，视为说明。其后的数据均不执行
\	转义符号，将"特殊字符或通配符"还原成一般字符
|	管道（pipe），分隔两个管道命令的界定（后两节介绍）
;	连续命令执行分隔符，连续性命令的界定（注意，与管道命令并不相同）
~	用户的主文件夹
$	使用变量前导符，即是变量之前需要加的变量替代值
&	作业控制（job control），将命令变成背景下工作
!	逻辑运算意义上的"非"（not）的意思
/	目录符号，路径分隔的符号
>, >>	数据流重定向，输出导向，分别是"替换"与"累加"
<, <<	数据流重定向，输入导向（这两个留待下节介绍）
' '	单引号，不具有变量置换的功能
" "	具有变量置换的功能
` `	两个"`"中间为可以先执行的命令，也可使用$()
( )	在中间为子 shell 的起始与结束
{ }	在中间为命令块的组合

以上为 bash 环境中常见的特殊符号。理论上，你的"文件名"尽量不要使用到上述的字符。

11.5 数据流重定向

数据流重定向（redirect）由字面上的意思来看，好像就是将数据传导到其他地方去的样子？数据流重定向就是将某个命令执行后应该要出现在屏幕上的数据传输到其他的地方，例如文件或者是设备（例如打印机之类的）。这玩意儿在 Linux 的文本模式下面可重要的，尤其是如果我们想要将某些数据保存下来时，就更有用了。

11.5.1　什么是数据流重定向

什么是数据流重定向啊？这得要由命令的执行结果谈起。一般来说，如果你要执行一个命令，通常它会是这样的，如图 11-6 所示。

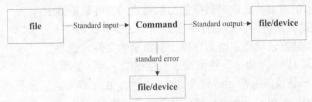

图 11-6　命令执行过程的数据传输情况

我们执行一个命令的时候，这个命令可能会由文件读入数据，经过处理之后，再将数据输出到屏幕上。在图 11-6 当中，standard output 与 standard error output 分别代表"标准输出"与"标准错误输出"，这两个命令默认都是输出到屏幕上面来。那么什么是标准输出与标准错误输出呢？

◆ standard output 与 standard error output

● 简单地说，标准输出指的是命令执行所回传的正确的信息，而标准错误输出可理解为命令执行失败后，所回传的错误信息。举个简单例子来说，我们的系统默认有/etc/crontab 但却无/etc/vbirdsay，此时若执行"cat/etc/crontab/etc/vbirdsay"这个命令时，cat 会进行：

■ 标准输出：读取/etc/crontab 后，将该文件内容显示到屏幕上；

■ 标准错误输出：因为无法找到/etc/vbirdsay，因此在屏幕上显示错误信息；

● 不管正确或错误的数据都是默认输出到屏幕上，所以屏幕当然是混乱的。那能不能通过某些机制将这两条数据分开呢？当然可以。那就是数据流重定向的功能。数据流重定向可以将 standard output（简称 stdout）与 standard error output（简称 stderr）分别传送到其他的文件或设备去，而分别传送所用的特殊字符则如下所示：

1. 标准输入（stdin）：代码为 0，使用<或<<；

2. 标准输出（stdout）：代码为 1，使用>或>>；

3. 标准错误输出（stderr）：代码为 2，使用 2>或 2>>。

● 为了理解 stdout 与 stderr，我们先来进行一个范例的练习：

```
范例一：查看你的系统根目录（/）下各目录的文件名、权限与属性，并记录下来
[root@www ~]# ll /  <==此时屏幕会显示出文件名信息

[root@www ~]# ll / > ~/rootfile <==屏幕并无任何信息
[root@www ~]# ll  ~/rootfile <==有个新文件被创建了
-rw-r--r-- 1 root root 1089 Feb 6 17:00 /root/rootfile
```

屏幕怎么会完全没有数据呢？这是因为原本"ll /"所显示的数据已经被重新导向到～/rootfile 文件中了。那个～/rootfile 的文件名可以随便你取。如果你执行"cat～/rootfile"那就可以看到原本应该在屏幕上面的数据。如果我再次执行 "ll/home>～/rootfile"后，那个～/rootfile 文件的内容变成什么？它将变成"仅有 ll/home 的数据"而已。原本的"ll/"数据就不见了吗？是的！因为该文件的创建方式是：

1. 该文件（本例中是～/rootfile）若不存在，系统会自动将它创建起来；

2. 当这个文件存在的时候，那么系统就会先将这个文件内容清空，然后再将数据写入；

3. 也就是若以>输出到一个已存在的文件中，那个文件就会被覆盖掉。

● 那如果我想要将数据累加而不想要将旧的数据删除，那该如何是好？利用两个大于的符号（>>）就好。以上面的范例来说，你应该要改成"ll/>>～/rootfile"即可。如此一来，当～/rootfile 不存在时系统会主动创建这个文件；若该文件已存在，则数据会在该文件的最下方累加进去。

- 上面谈到的是 standard output 的正确数据，那如果是 standard error output 的错误数据呢？那就通过 2>及 2>>。同样是覆盖（2>）与累加（2>>）的特性。我们在刚才谈到 stdout 代码是 1 而 stderr 代码是 2，所以这个 2>是很容易理解的，而如果仅存在>时，则代表默认的代码 1。也就是说：
  - **1>：以覆盖的方法将正确的数据输出到指定的文件或设备上；**
  - **1>>：以累加的方法将正确的数据输出到指定的文件或设备上；**
  - **2>：以覆盖的方法将错误的数据输出到指定的文件或设备上；**
  - **2>>：以累加的方法将错误的数据输出到指定的文件或设备上。**
- 要注意，"1>>" 以及 "2>>" 中间是没有空格的。有了些概念之后让我们继续聊一聊怎么应用吧！当你以一般身份执行 find 这个命令的时候，由于权限的问题可能会产生一些错误信息。例如执行 "find/–name testing" 时，可能会产生类似 "find: /root: Permission denied" 之类的信息。例如下面这个范例：

```
范例二：利用一般身份账号查找 /home 下面是否有名为 .bashrc 的文件存在
[root@www ~]# su - dmtsai      <==假设我的系统有名为 dmtsai 的账号
[dmtsai@www ~]$ find /home -name .bashrc  <==身份是 dmtsai 。
find: /home/lost+found: Permission denied  <== Starndard error
find: /home/alex: Permission denied        <== Starndard error
find: /home/arod: Permission denied        <== Starndard error
/home/dmtsai/.bashrc                        <== Starndard output
```

- 由于/home 下面还有我们之前创建的账号存在，那些账号的主文件夹你当然不能进入。所以就会有错误及正确数据了。那么假如我想要将数据输出到 list 这个文件中呢？执行 "find /home –name .bashrc > list" 会有什么结果？你会发现 list 里面存了刚才那个 "正确" 的输出数据，至于屏幕上还是会有错误的信息出现呢！伤脑筋。如果想要将正确的与错误的数据分别存入不同的文件中需要怎么做？

```
范例三：承范例二，将 stdout 与 stderr 分别存到不同的文件去
[dmtsai@www ~]$ find /home -name .bashrc > list_right 2> list_error
```

注意，此时屏幕上不会出现任何信息。因为刚才执行的结果中，有 Permission 的那几行错误信息都会跑到 list_error 这个文件中，至于正确的输出数据则会存到 list_right 这个文件中。这样可以了解了吗？如果有点混乱的话，去休息一下再来看看。

- **/dev/null 垃圾桶黑洞设备与特殊写法**
  - 想象一下，如果我知道错误信息会发生，所以要将错误信息忽略掉而不显示或存储？这个时候黑洞设备/dev/null 就很重要了。这个/dev/null 可以吃掉任何导向这个设备的信息。将上述的范例修订一下：

```
范例四：承范例三，将错误的数据丢弃，屏幕上显示正确的数据
[dmtsai@www ~]$ find /home -name .bashrc 2> /dev/null
/home/dmtsai/.bashrc  <==只有 stdout 会显示到屏幕上，stderr 被丢弃了
```

- 再想象一下，如果我要将正确与错误数据通通写入同一个文件去呢？这个时候就得要使用特殊的写法了。我们同样用下面的案例来说明：

```
范例五：将命令的数据全部写入名为 list 的文件中
[dmtsai@www ~]$ find /home -name .bashrc > list 2> list    <==错误
[dmtsai@www ~]$ find /home -name .bashrc > list 2>&1       <==正确
[dmtsai@www ~]$ find /home -name .bashrc &> list           <==正确
```

上面第一行错误的原因是，由于两条数据同时写入一个文件，又没有使用特殊的语法，此时两条数据可能会交叉写入该文件内，造成次序的错乱。所以虽然最终 list 文件还是会产生，但是里面的数据排列就会怪怪的，而不是原本屏幕上的输出排序。至于写入同一个文件的特殊语法如上所示，你可

以使用 2>&1 也可以使用&>）。一般来说，鸟哥比较习惯使用 2>&1 的语法。

- standard input：<与<<
  - 了解了 stderr 与 stdout 后，那么那个<又是什么呀？以最简单的说法来说，那就是**将原本需要由键盘输入的数据改由文件内容来替代**。我们先由下面的 cat 命令操作来了解一下什么叫做"键盘输入"吧。

```
范例六: 利用 cat 命令来创建一个文件的简单流程
[root@www ~]# cat > catfile
testing
cat file test
<==这里按下 [ctrl]+d 来离开

[root@www ~]# cat catfile
testing
cat file test
```

- 由于加入>在 cat 后，所以那个 catfile 会被主动创建，而内容就是刚才键盘上面输入的那两行数据了。唔！那我能不能用纯文本文件替代键盘的输入，也就是说，用某个文件的内容来替代键盘的敲击呢？可以的。如下所示：

```
范例七: 用 stdin 替代键盘的输入以创建新文件的简单流程
[root@www ~]# cat > catfile < ~/.bashrc
[root@www ~]# ll catfile ~/.bashrc
-rw-r--r-- 1 root root 194 Sep 26 13:36 /root/.bashrc
-rw-r--r-- 1 root root 194 Feb  6 18:29 catfile
# 注意看，这两个文件的大小一模一样，几乎像是使用 cp 复制的一般。
```

这东西非常有帮助，尤其是用在类似 mail 这种命令的使用上。理解<之后，再来则是怪可怕的<<这个连续两个小于的符号了。它代表的是结束输入的意思。举例来讲，我要用 cat 直接将输入的信息输出到 catfile 中，且当由键盘输入 eof 时，该次输入就结束，那我可以这样做：

```
[root@www ~]# cat > catfile << "eof"
> This is a test.
> OK now stop
> eof   <==输入这关键字，立刻就结束而不需要输入 [ctrl]+d

[root@www ~]# cat catfile
This is a test.
OK now stop   <==只有这两行，不会存在关键字那一行。
```

看到了吗？利用<<右侧的控制字符，我们可以终止一次输入，而不必输入[ctrl]+d 来结束。这对程序写作很有帮助。好了，那么为何要使用命令输出重定向呢？我们来说一说它用于哪些情况吧！

- 屏幕输出的信息很重要，而且我们需要将它存下来的时候；
- 后台执行中的程序，不希望它干扰屏幕正常的输出结果时；
- 一些系统的例行命令（例如写在/etc/crontab 中的文件）的执行结果，希望它可以存下来时；
- 一些执行命令的可能已知错误信息时，想以"2>/dev/null"将它丢掉时；
- 错误信息与正确信息需要分别输出时。
  - 当然还有很多功能，最简单的就是网友们经常问到的："为何我的 root 都会收到系统 crontab 寄来的错误信息呢？"这个是常见的错误，而如果我们已经知道这个错误信息是可以忽略的时候，"2>errorfile"这个功能就很重要了吧！了解了吗？

11.5.2 命令执行的判断依据：; ，&&,||

在某些情况下，很多命令我想要一次输入去执行，而不想要分次执行时，该如何是好？基本上你有两个选择，一个是通过第 13 章要介绍的 shell script 编写脚本去执行，一种则是通过下面的介绍来一次输入多重命令。

◆ cmd ; cmd（不考虑命令相关性的连续命令执行）

● 在某些时候，我们希望可以一次执行多个命令，例如在关机的时候我希望可以先执行两次 sync 同步写入磁盘后才 shutdown 计算机，那么可以这么做：

```
[root@www ~]# sync; sync; shutdown -h now
```

● 在命令与命令中间利用分号（;）来隔开，这样一来，分号前的命令执行完后就会立刻接着执行后面的命令了。这真是方便。再来换个角度来想，万一我想要在某个目录下面新建一个文件，也就是说，如果该目录存在的话，那我才新建这个文件，如果不存在，那就算了。也就是说这两个命令彼此之间是有相关性的，前一个命令是否成功的执行与后一个命令是否要执行有关，那就得动用到&&或||。

◆ $?（命令回传码）与&&或||

● 如同上面谈到的，两个命令之间有相依性，而这个相依性主要判断的地方就在于前一个命令执行的结果是否正确。还记得本章之前我们曾介绍过命令回传码，就是通过这个回传码。再复习一次：若前一个命令执行的结果为正确，在 Linux 下面会回传一个$?=0 的值。那么我们怎么通过这个回传码来判断后续的命令是否要执行呢？这就得要"&&"及"||"的帮忙了。注意，两个"&"之间是没有空格的。那个"|"则是[Shift]+[\]的按键，结果如表 11-7 所示。

表 11-7

命令执行情况	说　明
cmd1 && cmd2	若 cmd1 执行完毕且正确执行（$?=0），则开始执行 cmd2 若 cmd1 执行完毕且为错误（$?≠0），则 cmd2 不执行
cmd1 || cmd2	若 cmd1 执行完毕且正确执行（$?=0），则 cmd2 不执行 若 cmd1 执行完毕且为错误（$?≠0），则开始执行 cmd2

● 上述的 cmd1 及 cmd2 都是命令。好了，回到我们刚才假想的情况，就是想要先判断一个目录是否存在；若存在才在该目录下面创建一个文件。由于我们尚未介绍判断式（test）的使用，在这里我们使用 ls 以及回传来判断目录是否存在。让我们进行下面这个练习看看：

```
范例一：使用 ls 查阅目录 /tmp/abc 是否存在，若存在则用 touch 创建 /tmp/abc/hehe
[root@www ~]# ls /tmp/abc && touch /tmp/abc/hehe
ls: /tmp/abc: No such file or directory
# ls 很干脆地说明找不到该目录，但并没有 touch 的错误，表示 touch 并没有执行

[root@www ~]# mkdir /tmp/abc
[root@www ~]# ls /tmp/abc && touch /tmp/abc/hehe
[root@www ~]# ll /tmp/abc
-rw-r--r-- 1 root root 0 Feb  7 12:43 hehe
```

看到了吧？如果/tmp/abc 不存在时，touch 就不会被执行，若/tmp/abc 存在的话，那么 touch 就会开始执行。不过，我们还得手动自行新建目录，能不能自动判断，即如果没有该目录就自动创建呢？参考一下下面的例子先：

```
范例二：测试 /tmp/abc 是否存在，若不存在则予以创建，若存在就不做任何事情
[root@www ~]# rm -r /tmp/abc              <==先删除此目录以方便测试
[root@www ~]# ls /tmp/abc || mkdir /tmp/abc
ls: /tmp/abc: No such file or directory <==真的不存在。
[root@www ~]# ll /tmp/abc
total 0                                  <==结果出现了。有进行 mkdir
```

● 如果你一再重复"ls /tmp/abc || mkdir /tmp/abc"命令，界面也不会出现重复 mkdir 的错误。

这是因为/tmp/abc 已经存在，所以后续的 mkdir 就不会进行。这样理解没？让我们再次讨论一下，如果我想要创建/tmp/abc/hehe 这个文件，但我并不知道/tmp/abc 是否存在，那该如何是好？试看看：

范例三：我不清楚 /tmp/abc 是否存在，但就是要创建 /tmp/abc/hehe 文件
```
[root@www ~]# ls /tmp/abc || mkdir /tmp/abc && touch /tmp/abc/hehe
```

上面这个范例三总是会创建/tmp/abc/hehe 的。不论/tmp/abc 是否存在。那么范例三应该如何解释呢？由于 Linux 下面的命令都是由左往右执行的，所以范例三有几种结果我们来分析一下：

- 若/tmp/abc 不存在故回传$?≠0，则因为||遇到非 0 的$?，故开始 mkdir/tmp/abc，由于 mkdir/tmp/abc 会成功进行，所以回传$?=0，因为&&遇到$?=0 故会执行 touch/tmp/abc/hehe，最终 hehe 就被创建了。
- 若/tmp/abc 存在故回传$?=0，则因为||遇到 0 的$?不会进行，此时$?=0 继续向后传，故因为 &&遇到$?=0 就开始创建/tmp/abc/hehe 了。最终/tmp/abc/hehe 被创建起来。
- 整个流程如图 11-7 所示。

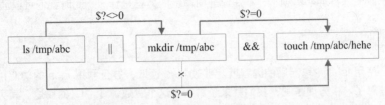

图 11-7　命令依序执行的关系示意图

- 上面这张图显示的两条数据中，上方的线段为不存在/tmp/abc 时所进行的命令行为，下方的线段则是存在/tmp/abc 所在的命令行为。如上所述，下方线段由于存在/tmp/abc 所以导致 $?=0，让中间的 mkdir 就不执行了，并将$?=0 继续往后传给后续的 touch 去利用。在任何时刻你都可以拿上面这张图作为示意。让我们来想想下面这个例题吧！

例题

以 ls 测试/tmp/vbirding 是否存在，若存在则显示"exist"，若不存在，则显示"not exist"。
答：这又牵涉到逻辑判断的问题，如果存在就显示某个数据，若不存在就显示其他数据，那我可以这样做：

```
ls /tmp/vbirding && echo "exist" || echo "not exist"
```

意思是说，当 ls/tmp/vbirding 执行后，若正确，就执行 echo"exist"，若有问题，就执行 echo "not exist"。那如果写成如下的状况会出现什么？

```
ls /tmp/vbirding || echo "not exist" && echo "exist"
```

这其实是有问题的，为什么呢？由图 11-6 的流程介绍我们知道命令是一个一个往后执行，因此在上面的例子当中，如果 /tmp/vbirding 不存在时，它会进行如下操作：

1. 若 ls /tmp/vbirding 不存在，因此回传一个非 0 的数值；
2. 接下来经过||的判断，发现前一个命令回传非 0 的数值，因此程序开始执行 echo "not exist"，而 echo "not exist" 程序肯定可以执行成功，因此会回传一个 0 值给后面的命令；
3. 经过&&的判断是 0，所以就开始执行 echo "exist"。

所以第二个例子里面竟然会同时出现 not exist 与 exist 呢。真神奇！

经过这个例题的练习，你应该会了解，由于命令是一个接着一个去执行的，因此，如果真要使用

判断，那么这个&&与||的顺序就不能搞错。一般来说，假设判断式有三个，也就是：

```
command1 && command2 || command3
```

而且顺序通常不会变，因为一般来说，command2 与 command3 会放置肯定可以执行成功的命令，因此依据上面例题的逻辑分析，你就会知道为何要如此放置，这很有用的，而且考试也很常考。

11.6 管道命令（pipe）

就如同前面所说的，bash 命令执行的时候有输出的数据会出现。那么如果这群数据必须要经过几道手续之后才能得到我们所想要的格式，应该如何来设置？这就牵涉到管道（pipe）命令的问题了，管道命令使用的是"|"这个界定符号。另外管道命令与"连续执行命令"是不一样的。这点下面我们会再说明。下面我们先举一个例子来说明一下简单的管道命令。

假设我们想要知道/etc/下面有多少文件，那么可以利用 ls/etc 来查阅，不过，因为/etc 下面的文件太多，导致一口气就将屏幕塞满了，不知道前面输出的内容是什么，此时我们可以通过 less 命令的协助，利用：

```
[root@www ~]# ls -al /etc | less
```

如此一来，使用 ls 命令输出后的内容就能够被 less 读取，并且利用 less 的功能，我们就能够前后翻动相关的信息了。很方便是吧？我们就来了解一下这个管道命令"|"的用途。其实这个管道命令"|"仅能处理经由前面一个命令传来的正确信息，也就是 standard output 的信息，对于 stdandard error 并没有直接处理的能力。那么整体的管道命令可以使用图 11-8 表示。

图 11-8　管道命令的处理示意图

在每个管道后面接的第一个数据必定是"命令"，而且这个命令必须要能够接收 standard input 的数据才行，这样的命令才可以是"管道命令"，例如 less,more,head, tail 等都是可以接收 standard input 的管道命令。至于例如 ls, cp, mv 等就不是管道命令了。因为 ls, cp, mv 并不会接收来自 stdin 的数据。也就是说，管道命令主要有两个比较需要注意的地方：

- 管道命令仅会处理 standard output，对于 standard error output 会予以忽略。
- 管道命令必须要能够接收来自前一个命令的数据成为 standard input 继续处理才行。

多说无益，让我们来玩一些管道命令吧！下面的介绍对系统管理非常有帮助。

11.6.1 选取命令：cut,grep

什么是选取命令啊？说穿了，就是将一段数据经过分析后，取出我们所想要的，或者是经由分析关键字，取得我们所想要的那一行。不过要注意的是，一般来说，选取信息通常是针对"行"来分析的，并不是整篇信息分析的，下面我们介绍两个很常用的信息选取命令：

- cut

cut 不就是"切"吗？没错！这个命令可以将一段信息的某一段"切"出来，处理的信息是以"行"为单位。下面我们就来谈一谈。

```
[root@www ~]# cut -d'分隔字符' -f fields <==用于分隔字符
[root@www ~]# cut -c 字符范围          <==用于排列整齐的信息
参数:
-d : 后面接分隔字符，与 -f 一起使用;
-f : 依据 -d 的分隔字符将一段信息切割成为数段，用 -f 取出第几段的意思;
-c : 以字符（characters）的单位取出固定字符区间。
```

范例一: 将 PATH 变量取出，我要找出第五个路径。

```
[root@www ~]# echo $PATH
/bin:/usr/bin:/sbin:/usr/sbin:/usr/local/bin:/usr/X11R6/bin:/usr/games:
# 1|   2  | 3  |  4   |     5      |    6     |   7
```

```
[root@www ~]# echo $PATH | cut -d ':' -f 5
# 如同上面的数字显示，我们是以 " : " 作为分隔，因此会出现 /usr/local/bin
# 那么如果想要列出第 3 与第 5 呢? , 就是这样:
[root@www ~]# echo $PATH | cut -d ':' -f 3,5
```

范例二: 将 export 输出的信息取得第 12 字符以后的所有字符串

```
[root@www ~]# export
declare -x HISTSIZE="1000"
declare -x INPUTRC="/etc/inputrc"
declare -x KDEDIR="/usr"
declare -x LANG="zh_TW.big5"
.....（其他省略）.....
# 注意看，每个数据都是排列整齐地输出。如果我们不想要 "declare -x " 时，就得这么做:
```

```
[root@www ~]# export | cut -c 12-
HISTSIZE="1000"
INPUTRC="/etc/inputrc"
KDEDIR="/usr"
LANG="zh_TW.big5"
.....（其他省略）.....
# 知道怎么回事了吧? 用 -c 可以处理比较具有格式的输出数据。
# 我们还可以指定某个范围的值，例如第 12-20 的字符，就是 cut -c 12-20 等。
```

范例三: 用 last 在显示的登录者的信息中仅留下用户大名

```
[root@www ~]# last
root   pts/1   192.168.201.101  Sat Feb  7 12:35   still logged in
root   pts/1   192.168.201.101  Fri Feb  6 12:13 - 18:46  (06:33)
root   pts/1   192.168.201.254  Thu Feb  5 22:37 - 23:53  (01:16)
# last 可以输出 "账号/终端机/来源/日期时间" 的数据，并且是排列整齐的
```

```
[root@www ~]# last | cut -d ' ' -f 1
# 由输出的结果我们可以发现第一个空白分隔的字段代表账号，所以使用如上命令:
# 但是因为 root   pts/1 之间空格有好几个，并非仅有一个，所以如果要找出
# pts/1 其实不能以 cut -d ' ' -f 1,2, 输出的结果将不会是我们想要的。
```

　　cut 主要的用途在于将同一行里面的数据进行分解，最常使用在分析一些数据或文字数据的时候。这是因为有时候我们会以某些字符当作切割的参数，然后来将数据加以切割，以取得我们所需要的数据。鸟哥也很常使用这个功能，尤其是在分析 log 文件的时候。不过 cut 在处理多空格相连的数据时，可能会比较吃力一点。

◆　grep

　　刚才的 cut 是在一行信息当中取出某部分我们想要的，而 grep 则是分析一行信息，若当中有我们所需要的信息，就将该行拿出来，简单的语法是这样的:

```
[root@www ~]# grep [-acinv] [--color=auto] '查找字符串' filename
参数:
-a : 将 binary 文件以 text 文件的方式查找数据;
-c : 计算找到 '查找字符串' 的次数;
```

```
-i ：忽略大小写的不同，所以大小写视为相同；
-n ：顺便输出行号；
-v ：反向选择，即显示出没有 '查找字符串' 内容的那一行；
--color=auto ：可以将找到的关键字部分加上颜色显示；

范例一：将 last 当中有出现 root 的那一行就取出来。
[root@www ~]# last | grep 'root'

范例二：与范例一相反，只要没有 root 的就取出。
[root@www ~]# last | grep -v 'root'

范例三：在 last 的输出信息中，只要有 root 就取出，并且仅取第一列
[root@www ~]# last | grep 'root' |cut -d ' ' -f1
# 在取出 root 之后，利用上个命令 cut 的处理，就能够仅取得第一列。

范例四：取出 /etc/man.config 内含 MANPATH 的那几行。
[root@www ~]# grep --color=auto 'MANPATH' /etc/man.config
....（前面省略）....
MANPATH_MAP    /usr/X11R6/bin        /usr/X11R6/man
MANPATH_MAP    /usr/bin/X11          /usr/X11R6/man
MANPATH_MAP    /usr/bin/mh           /usr/share/man
# 神奇的是，如果加上 --color=auto 的选项，找到的关键字部分会用特殊颜色显示喔！
```

grep 是个很棒的命令。它支持的语法实在是太多了，用在正则表达式里头，能够处理的数据实在是很多，不过我们这里先不谈正则表达式，下一章再来说明，你先了解一下，grep 可以解析一行文字，取得关键字，若该行有存在关键字，就会整行列出来。

11.6.2 排序命令：sort，wc，uniq

很多时候，我们都会去计算一次数据里头的相同类型的数据总数，举例来说，使用 last 可以查得这个月份有哪些用户登录了主机者。那么我可以针对每个用户查出他们的总登录次数吗？此时就得要排序与计算之类的命令来辅助了。下面我们介绍几个好用的排序与统计命令。

◆ sort
  ● sort 是很有趣的命令，它可以帮我们进行排序，而且可以依据不同的数据类型来排序。例如数字与文字的排序就不一样。此外排序的字符与语系的编码有关，因此如果你需要排序时，建议使用 LANG=C 来让语系统一，数据排序比较好一些。

```
[root@www ~]# sort [-fbMnrtuk] [file or stdin]
参数：
-f ：忽略大小写的差异，例如 A 与 a 视为编码相同；
-b ：忽略最前面的空格符部分；
-M ：以月份的名字来排序，例如 JAN, DEC 等的排序方法；
-n ：使用 "纯数字" 进行排序（默认是以文字类型来排序的）；
-r ：反向排序；
-u ：就是 uniq ，相同的数据中，仅出现一行代表；
-t ：分隔符，默认是用 [Tab] 键来分隔；
-k ：以那个区间（field）来进行排序的意思

范例一：个人账号都记录在 /etc/passwd 下，请将账号进行排序。
[root@www ~]# cat /etc/passwd | sort
adm:x:3:4:adm:/var/adm:/sbin/nologin
apache:x:48:48:Apache:/var/www:/sbin/nologin
bin:x:1:1:bin:/bin:/sbin/nologin
daemon:x:2:2:daemon:/sbin:/sbin/nologin
# 鸟哥省略了很多的输出，由上面的数据看起来，sort 是默认 "以第一个" 数据来排序，
# 而且默认是以 "文字" 类型来排序的，所以由 a 开始排到最后。

范例二：/etc/passwd 内容是以 ：来分隔的，我想以第三列来排序，该如何办？
```

```
[root@www ~]# cat /etc/passwd | sort -t ':' -k 3
root:x:0:0:root:/root:/bin/bash
uucp:x:10:14:uucp:/var/spool/uucp:/sbin/nologin
operator:x:11:0:operator:/root:/sbin/nologin
bin:x:1:1:bin:/bin:/sbin/nologin
games:x:12:100:games:/usr/games:/sbin/nologin
# 看到特殊字体的输出部分了吧？怎么会这样排列？呵呵。没错啦！
# 如果是以文字类型来排序的话，原本就会是这样，想要使用数字排序：
# cat /etc/passwd | sort -t ':' -k 3 -n
# 这样才行啊！用那个 -n 来告知 sort 以数字来排序。

范例三：利用 last 将输出的数据仅取账号，并加以排序
[root@www ~]# last | cut -d ' ' -f1 | sort
```

sort 同样是很常用的命令呢。因为我们经常需要比较一些信息。举个上面的第二个例子来说好了。今天假设你有很多的账号，而且你想要知道最大的用户 ID 目前到哪一号了。使用 sort 一下子就可以知道答案了。

◆ uniq

如果我排序完成了，想要将重复的数据仅列出一个显示，可以怎么做呢？

```
[root@www ~]# uniq [-ic]
参数：
-i ：忽略大小写字符的不同；
-c ：进行计数。

范例一：使用 last 将账号列出，仅取出账号列，进行排序后仅取出一位。
[root@www ~]# last | cut -d ' ' -f1 | sort | uniq

范例二：承上例，如果我还想要知道每个人的登录总次数呢？
[root@www ~]# last | cut -d ' ' -f1 | sort | uniq -c
      1
     12 reboot
     41 root
      1 wtmp
# 从上面的结果可以发现 reboot 有 12 次，root 登录则有 41 次。
# wtmp 与第一行的空白都是 last 的默认字符，那两个可以忽略。
```

这个命令用来将重复的行删除掉只显示一个，举个例子来说，你要知道这个月份登录你主机的用户有谁，而不在乎他的登录次数，那么就使用上面的范例，先将所有的数据行出，再将人名独立出来，经过排序，只显示一个。由于这个命令是在将重复的东西减少，所以当然需要配合排序过的文件来处理。

◆ wc

如果我想要知道/etc/man.config 这个文件里面有多少字？多少行？多少字符的话，可以怎么做呢？其实可以利用 wc 这个命令来完成。它可以帮我们计算输出的信息的整体数据。

```
[root@www ~]# wc [-lwm]
参数：
-l ：仅列出行；
-w ：仅列出多少字（英文单字）；
-m ：多少字符。

范例一：那个 /etc/man.config 里面到底有多少相关字、行、字符数？
[root@www ~]# cat /etc/man.config | wc
    141     722    4617
# 输出的三个数字中分别代表行、字数、字符数

范例二：我知道使用 last 可以输出登录者，但是 last 最后两行并非账号内容，
      那么请问，我该如何以一行命令串取得这个月份登录系统的总人次？
[root@www ~]# last | grep [a-zA-Z] | grep -v 'wtmp' | wc -l
```

```
# 由于 last 会输出空白行与 wtmp 字样在最下面两行，因此我利用
# grep 取出非空白行，以及去除 wtmp 那一行，再计算行数，就能够了解。
```

wc 也可以当作命令？这可不是上洗手间的 WC，这是相当有用的计算文件内容的一个工具组。举个例子来说，当你要知道目前你的账号文件中有多少个账号时，就使用这个方法：cat/etc/passwdlwc-l。因为/etc/passwd 里头一行代表一个用户呀！所以知道行数就晓得有多少的账号在里头了。而如果要计算一个文件里头有多少个字符时，就使用 wc-c 这个参数。

11.6.3 双向重定向：tee

我们由前一节知道>会将数据流整个传送给文件或设备，因此我们除非去读取该文件或设备，否则就无法继续利用这个数据流。那么万一我想要将这个数据流的处理过程中将某段信息存下来，应该怎么做？利用 tee 就可以，我们可以这样简单地看一下，如图 11-9 所示。

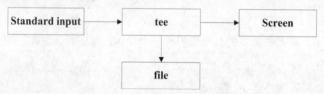

图 11-9 tee 的工作流程示意图

tee 会同时将数据流送与文件与屏幕（screen）；而输出到屏幕的，其实就是 stdout，可以让下个命令继续处理。

```
[root@www ~]# tee [-a] file
参数：
-a ： 以累加 （append） 的方式，将数据加入 file 当中。

[root@www ~]# last | tee last.list | cut -d " " -f1
# 这个范例可以让我们将 last 的输出存一份到 last.list 文件中。

[root@www ~]# ls -l /home | tee ~/homefile | more
# 这个范例则是将 ls 的数据存一份到 ～/homefile ，同时屏幕也有输出信息。

[root@www ~]# ls -l / | tee -a ~/homefile | more
# 要注意，tee 后接的文件会被覆盖，若加上 -a 这个参数则能将信息累加。
```

tee 可以让 standard output 转存一份到文件内并将同样的数据继续送到屏幕去处理。这样除了可以让我们同时分析一份数据并记录下来之外，还可以作为处理一份数据的中间暂存盘记录之用。tee 在很多认证考试中很容易考呢。

11.6.4 字符转换命令：tr，col，join，paste，expand

我们在 vim 程序编辑器当中提到过 DOS 断行字符与 UNIX 断行字符的不同，并且可以使用 dos2UNIX 与 UNIX2dos 来完成转换。好了，那么思考一下，是否还有其他常用的字符替代？举例来说，要将大写改成小写，或者是将数据中的[Tab]按键转成空格键？还有如何将两篇信息整合成一篇？下面我们就来介绍一下这些字符转换命令在管道当中的使用方法：

◆ tr

tr 可以用来删除一段信息当中的文字，或者是进行文字信息的替换。

```
[root@www ~]# tr [-ds] SET1 ...
参数：
-d ： 删除信息当中的 SET1 这个字符串；
```

-s ：替换掉重复的字符。

范例一：将 last 输出的信息中所有的小写字符变成大写字符：
```
[root@www ~]# last | tr '[a-z]' '[A-Z]'
# 事实上，没有加上单引号也是可以执行的，如 "last | tr [a-z] [A-Z] "
```

范例二：将 /etc/passwd 输出的信息中的冒号（:）删除
```
[root@www ~]# cat /etc/passwd | tr -d ':'
```

范例三：将 /etc/passwd 转存成 dos 断行到 /root/passwd 中，再将 ^M 符号删除
```
[root@www ~]# cp /etc/passwd /root/passwd && UNIX2dos /root/passwd
[root@www ~]# file /etc/passwd /root/passwd
/etc/passwd: ASCII text
/root/passwd: ASCII text, with CRLF line terminators <==就是 DOS 断行
[root@www ~]# cat /root/passwd | tr -d '\r' > /root/passwd.linux
# 那个 \r 指的是 DOS 的断行字符，关于更多的字符，请参考 man tr
[root@www ~]# ll /etc/passwd /root/passwd*
-rw-r--r-- 1 root root 1986 Feb  6 17:55 /etc/passwd
-rw-r--r-- 1 root root 2030 Feb  7 15:55 /root/passwd
-rw-r--r-- 1 root root 1986 Feb  7 15:57 /root/passwd.linux
# 处理过后，发现文件大小与原本的 /etc/passwd 就一致了。
```

其实这个命令也可以写在正则表达式里头，因为它也是由正则表达式的方式来替换数据的。以上面的例子来说，使用[]可以设置一串字，也经常用来替换文件中的怪异符号。例如上面第三个例子当中，可以去除 DOS 文件留下来的^M 这个断行的符号。这东西相当有用。相信 Linux、Windows 系统中的人们最麻烦的一件事就是这个事情啦！即是 DOS 下面会自动在每行行尾加入 ^M 这个断行符号。这个时候我们可以使用这个 tr 来将^M 去除。^M 可以使用\r 来代替。

◆ col

```
[root@www ~]# col [-xb]
参数：
-x ：将 tab 键转换成对等的空格键
-b ：在文字内有反斜杠（/）时，仅保留反斜杠最后接的那个字符

范例一：利用 cat -A 显示出所有特殊按键，最后以 col 将 [tab] 转成空白
[root@www ~]# cat -A /etc/man.config <==此时会看到很多 ^I 的符号，那就是 tab
[root@www ~]# cat /etc/man.config | col -x | cat -A | more
#如此一来，[tab] 按键会被替换成为空格键，输出就美观多了。

范例二：将 col 的 man page 转存成为 /root/col.man 的纯文本文件
[root@www ~]# man col > /root/col.man
[root@www ~]# vi /root/col.man
COL(1)              BSD General Commands Manual              COL(1)

N^HNA^HAM^HME^HE
    c^Hco^Hol^Hl - filter reverse line feeds from input

S^HSY^HYN^HNO^HOP^HPS^HSI^HIS^HS
    c^Hco^Hol^Hl [-^H-b^Hbf^Hfp^Hpx^Hx] [-^H-l^Hl _^Hn_^Hu_^Hm]
# 你没看错。由于 man page 内有些特殊按钮会用来作为类似特殊按键与颜色显示，
# 所以这个文件内就会出现如上所示的一堆怪异字符（有 ^ 的）

[root@www ~]# man col | col -b > /root/col.man
```

虽然 col 有它特殊的用途，不过很多时候，它可以用来进行简单处理，如将[tab]按键替换成为空格键。例如上面的例子当中，如果使用 cat-A 则[tab]会以^I 来表示，但经过 col-x 的处理，则会将[tab]替换成为对等的空格键。此外，col 经常被利用于将 man page 转存为纯文本文件以方便查阅的功能，如上述的范例二。

◆ join

● join 看字面上的意义（加入/参加）就可以知道，它是在处理两个文件之间的数据，而且，主

要是将两个文件当中有相同数据的那一行加在一起。我们利用下面的简单例子来说明：

```
[root@www ~]# join [-ti12] file1 file2
参数：
-t ：join 默认以空格符分隔数据，并且对比"第一个字段"的数据，
     如果两个文件相同，则将两条数据连成一行，且第一个字段放在第一个；
-i ：忽略大小写的差异；
-1 ：这个是数字的 1，代表第一个文件要用哪个字段来分析的意思；
-2 ：代表第二个文件要用哪个字段来分析的意思。

范例一：用 root 的身份，将 /etc/passwd 与 /etc/shadow 相关数据整合成一列
[root@www ~]# head -n 3 /etc/passwd /etc/shadow
==> /etc/passwd <==
root:x:0:0:root:/root:/bin/bash
bin:x:1:1:bin:/bin:/sbin/nologin
daemon:x:2:2:daemon:/sbin:/sbin/nologin

==> /etc/shadow <==
root:$1$/3AQpE5e$y9A/D0bh6rElAs:14120:0:99999:7:::
bin:*:14126:0:99999:7:::
daemon:*:14126:0:99999:7:::
# 由输出的数据可以发现这两个文件的最左边字段都是账号，且以 : 分隔

[root@www ~]# join -t ':' /etc/passwd /etc/shadow
root:x:0:0:root:/root:/bin/bash:$1$/3AQ▲E5e$y9A/D0bh6rElAs:14120:0:99999:7:::
bin:x:1:1:bin:/bin:/sbin/nologin:*:14126:0:99999:7:::
daemon:x:2:2:daemon:/sbin:/sbin/nologin:*:14126:0:99999:7:::
# 通过上面这个操作，我们可以将两个文件的第一字段相同者整合成一行。
# 第二个文件的相同字段并不会显示（因为已经在第一行了）。

范例二：我们知道 /etc/passwd 的第四个字段是 GID，那个 GID 记录在
       /etc/group 当中的第三个字段，请问如何将两个文件整合？
[root@www ~]# head -n 3 /etc/passwd /etc/group
==> /etc/passwd <==
root:x:0:0:root:/root:/bin/bash
bin:x:1:1:bin:/bin:/sbin/nologin
daemon:x:2:2:daemon:/sbin:/sbin/nologin

==> /etc/group <==
root:x:0:root
bin:x:1:root,bin,daemon
daemon:x:2:root,bin,daemon
# 从上面可以看到，确实有相同的部分。赶紧来整合一下！

[root@www ~]# join -t ':' -1 4 /etc/passwd -2 3 /etc/group
0:root:x:0:root:/root:/bin/bash:root:x:root
1:bin:x:1:bin:/bin:/sbin/nologin:bin:x:root,bin,daemon
2:daemon:x:2:daemon:/sbin:/sbin/nologin:daemon:x:root,bin,daemon
# 同样，相同的字段部分被移动到最前面了。所以第二个文件的内容就没再显示。
# 请读者们配合上述显示两个文件的实际内容来比对。
```

- 这个 join 在处理两个相关的数据文件时，就真的是很有帮助的。例如上面的案例当中，我的 /etc/passwd、/etc/shadow、/etc/group 都是有相关性的，其中/etc/passwd、/etc/shadow 以账号为相关性，至于/etc/passwd、/etc/group 则以所谓的 GID（账号的数字定义）来作为它的相关性。根据这个相关性，我们可以将有关系的数据放置在一起。这在处理数据可是相当有帮助的。但是上面的例子有点难，希望你可以静下心好好看一看原因。

- 此外，需要特别注意的是，在使用 join 之前，你所需要处理的文件应该要事先经过排序（sort）处理。否则有些对比的项目会被略过。特别注意了。

◆　paste

这个 paste 就要比 join 简单多了。相对于 join 必须要对比两个文件的数据相关性，paste 就直接将两行贴在一起，且中间以[tab]键隔开而已。简单的使用方法如下：

```
[root@www ~]# paste [-d] file1 file2
参数：
-d ：后面可以接分隔字符，默认是以 [tab] 来分隔的。
-  ：如果 file 部分写成 - ，表示来自 standard input 的数据的意思。

范例一：将 /etc/passwd 与 /etc/shadow 同一行粘贴在一起
[root@www ~]# paste /etc/passwd /etc/shadow
bin:x:1:1:bin:/bin:/sbin/nologin        bin:*:14126:0:99999:7:::
daemon:x:2:2:daemon:/sbin:/sbin/nologin daemon:*:14126:0:99999:7:::
adm:x:3:4:adm:/var/adm:/sbin/nologin     adm:*:14126:0:99999:7:::
# 注意，同一行中间是以 [tab] 按键隔开的。

范例二：先将 /etc/group 读出（用 cat），然后与范例一粘贴在一起，且仅取出前三行
[root@www ~]# cat /etc/group|paste /etc/passwd /etc/shadow -|head -n 3
# 这个例子的重点在那个 - 的使用。那经常代表 stdin 。
```

◆　expand

就是将[tab]按键转成空格键，可以这样做：

```
[root@www ~]# expand [-t] file
参数：
-t ：后面可以接数字。一般来说，一个[tab]按键可以用 8 个空格键替换。
    我们也可以自行定义一个 [tab] 按键代表多少个字符。

范例一：将 /etc/man.config 内行首为 MANPATH 的字样取出，仅取前三行。
[root@www ~]# grep '^MANPATH' /etc/man.config | head -n 3
MANPATH /usr/man
MANPATH /usr/share/man
MANPATH /usr/local/man
# 行首的代表标志为 ^ ，这个我们留待下节介绍，先有概念即可。

范例二：承上，如果我想要将所有的符号都列出来的话？（用 cat）
[root@www ~]# grep '^MANPATH' /etc/man.config | head -n 3 |cat -A
MANPATH^I/usr/man$
MANPATH^I/usr/share/man$
MANPATH^I/usr/local/man$
# 发现差别了吗？没错！[tab] 按键可以被 cat -A 显示成为 ^I

范例三：承上，我将 [tab] 按键设置成 6 个字符的话？
[root@www ~]# grep '^MANPATH' /etc/man.config | head -n 3 | \
> expand -t 6 - | cat -A
MANPATH     /usr/man$
MANPATH     /usr/share/man$
MANPATH     /usr/local/man$
123456123456123456.....
# 仔细看一下上面的数字说明，因为我是以 6 个字符来代表一个 [tab] 的长度，所以，
# MAN... 到 /usr 之间会隔 12 （两个 [tab]）个字符。如果 tab 改成 9 的话，
# 情况就又不同了。这里也不好理解，你可以多设置几个数字来查看就晓得。
```

expand 也是挺好玩的，会自动将[tab]转成空格键。所以以上面的例子来说，使用 cat –A 就会查不到^I 的字符。此外，因为[tab]最大的功能就是格式排列整齐，我们转成空格键后，这个空格键也会依据我们自己的定义来增加大小，所以并不是一个^I 会换成 8 个空白。这个地方要特别注意的。此外你也可以参考一下 unexpand 这个将空白转成[tab]的命令。

11.6.5　切割命令：split

如果你有文件太大，导致一些携带式设备无法复制的问题。找 split 就对了！它可以帮你将一个大文件依据文件大小或行数来切割成为小文件了，快速又有效啊！

```
[root@www ~]# split [-bl] file PREFIX
参数：
-b ：后面可接欲切割成的文件大小，可加单位，例如 b, k, m 等；
-l ：以行数来进行切割；
PREFIX ：代表前导符，可作为切割文件的前导文字。

范例一：我的 /etc/termcap 有七百多 KB，若想要分成 300KB 一个文件时怎么办？
[root@www ~]# cd /tmp; split -b 300k /etc/termcap termcap
[root@www tmp]# ll -k termcap*
-rw-r--r-- 1 root root 300 Feb  7 16:39 termcapaa
-rw-r--r-- 1 root root 300 Feb  7 16:39 termcapab
-rw-r--r-- 1 root root 189 Feb  7 16:39 termcapac
# 那个文件名可以随意取的。我们只要写上前导文字，小文件就会以
# xxxaa, xxxab, xxxac 等方式来新建小文件的。

范例二：如何将上面的三个小文件合成一个文件，文件名为 termcapback？
[root@www tmp]# cat termcap* >> termcapback
# 很简单吧？就用数据流重定向就好。简单。

范例三：将使用 ls -al / 输出的信息中，每 10 行记录成一个文件
[root@www tmp]# ls -al / | split -l 10 - lsroot
[root@www tmp]# wc -l lsroot*
  10 lsrootaa
  10 lsrootab
   6 lsrootac
  26 total
# 重点在那个 -。一般来说，如果需要 stdout/stdin，但偏偏又没有文件，
# 有的只是 - 时，那么那个 - 就会被当成 stdin 或 stdout ～
```

在 Windows 操作系统下，你要将文件切割需要如何操作？伤脑筋吧！在 Linux 下面就简单多了！你要将文件切割的话，那么就使用–b size 来将一个切割的文件限制其大小，如果是行数的话，那么就使用–l line 来切割。好用得很！如此一来你就可以轻易地将你的文件切割成软盘（floppy）的大小。

11.6.6　参数代换：xargs

xargs 是在做什么的呢？就以字面上的意义来看，x 是加减乘除的乘号，args 则是 arguments（参数）的意思，所以说，这个玩意儿就是在产生某个命令的参数的意思。xargs 可以读入 stdin 的数据，并且以空格符或断行字符进行分辨，将 stdin 的数据分隔成为 arguments。因为是以空格符作为分隔，所以，如果有一些文件名或者是其他意义的名词内含有空格符的时候，xargs 可能就会误判了。它的用法其实也还蛮简单的。就来看一看先！

```
[root@www ~]# xargs [-0epn] command
参数：
-0 ：如果输入的 stdin 含有特殊字符，例如 `, \, 空格键等字符时，这个参数
     可以将它还原成一般字符。这个参数可以用于特殊状态。
-e ：这个是 EOF（end of file）的意思。后面可以接一个字符串，当 xargs 分析到
     这个字符串时，就会停止继续工作。
-p ：在执行每个命令的参数时，都会询问用户的意思。
-n ：后面接次数，每次 command 命令执行时，要使用几个参数的意思。看范例三。
当 xargs 后面没有接任何的命令时，默认是以 echo 来进行输出。
```

范例一：将 /etc/passwd 内的第一列取出，仅取三行，使用 finger 这个命令将每个
　　　　账号内容显示出来。
```
[root@www ~]# cut -d':' -f1 /etc/passwd |head -n 3| xargs finger
Login: root                    Name: root
Directory: /root               Shell: /bin/bash
Never logged in.
No mail.
No Plan.
......下面省略.....
```
由 finger account 可以取得该账号的相关说明内容，例如上面的输出就是 finger root
后的结果。在这个例子当中，我们利用 cut 取出账号名称，用 head 取出三个账号，
最后则是由 xargs 将三个账号的名称变成 finger 后面需要的参数。

范例二：同上，但是每次执行 finger 时，都要询问用户是否操作。
```
[root@www ~]# cut -d':' -f1 /etc/passwd |head -n 3| xargs -p finger
finger root bin daemon ?...y
.....（下面省略）.....
```
#这个 -p 的参数可以让用户使用过程中被询问每个命令是否执行。

范例三：将所有的 /etc/passwd 内的账号都以 finger 查阅，但一次仅查阅五个账号
```
[root@www ~]# cut -d':' -f1 /etc/passwd | xargs -p -n 5 finger
finger root bin daemon adm lp ?...y
.....（中间省略）....
finger uucp operator games gopher ftp ?...y
.....（下面省略）.....
```
在这里鸟哥使用了 -p 这个参数来让你对于 -n 更有概念。一般来说，某些命令后面
可以接的参数是有限制的，不能无限制地累加，此时我们可以利用 -n
来帮助我们将参数分成数个部分，每个部分分别再以命令来执行。

范例四：同上，但是当分析到 lp 就结束这串命令。
```
[root@www ~]# cut -d':' -f1 /etc/passwd | xargs -p -e'lp' finger
finger root bin daemon adm ?...
```
仔细与上面的案例做比较。也同时注意，那个 -e'lp' 是连在一起的，中间没有空格键。
上个例子当中，第五个参数是 lp，那么我们执行 -e'lp' 后，则分析到 lp
这个字符串时，后面的其他 stdin 的内容就会被 xargs 舍弃掉了。

　　其实，在 man xargs 里面就有三四个小范例，你可以自行参考一下内容。此外，xargs 真的是很好用的。你真的需要好好参详。会使用 xargs 的原因是，**很多命令其实并不支持管道命令，因此我们可以通过 xargs 来提供该命令引用 standard input 之用**。举例来说，我们使用如下的范例来说明：

范例五：找出 /sbin 下面具有特殊权限的文件名，并使用 ls -l 列出详细属性。
```
[root@www ~]# find /sbin -perm +7000 | ls -l
```
结果竟然仅有列出 root 所在目录下的文件。这不是我们要的。
因为 ll（ls）并不是管道命令的原因。

```
[root@www ~]# find /sbin -perm +7000 | xargs ls -l
-rwsr-xr-x 1 root root 70420 May 25  2008 /sbin/mount.nfs
-rwsr-xr-x 1 root root 70424 May 25  2008 /sbin/mount.nfs4
-rwxr-sr-x 1 root root  5920 Jun 15  2008 /sbin/netreport
....（下面省略）....
```

11.6.7　关于减号 - 的用途

　　管道命令在 bash 的连续的处理程序中是相当重要的，在 log file 的分析当中也是相当重要的一环，所以请特别留意。另外在管道命令当中，经常会使用到前一个命令的 stdout 作为这次的 stdin，某些命令需要用到文件名（例如 tar）来进行处理时，该 stdin 与 stdout 可以利用减号"-"来替代，举例来说：

```
[root@www ~]# tar -cvf - /home | tar -xvf -
```

　　上面这个例子是说我将/home 里面的文件打包，但打包的数据不是记录到文件，而是传送到 stdout；经过管道后，将 tar-cvf-/home 传送给后面的 tar-xvf-。后面的这个-则是取用前一个命令的 stdout，因此我们就不需要使用文件了。这是很常见的例子。

11.7 重点回顾

◆ 由于内核在内存中是受保护的块，因此我们必须要通过 "Shell" 将我们输入的命令与 Kernel 通信，好让 Kernel 可以控制硬件来正确无误地工作。

◆ 学习 shell 的原因主要有：命令行界面的 shell 在各大 distribution 都一样；远程管理时命令行界面速度较快；shell 是管理 Linux 系统非常重要的一环，因为 Linux 内很多控制都是以 shell 编写的。

◆ 系统合法的 shell 均写在/etc/shells 文件中。

◆ 用户默认登录取得的 shell 记录于/etc/passwd 的最后一个字段。

◆ bash 的功能主要有命令编辑功能、命令与文件补全功能、命令别名设置功能、作业控制、前台、后台控制、程序化脚本、通配符。

◆ type 可以用来找到执行命令为何种类型，也可用于与 which 相同的功能。

◆ 变量就是以一组文字或符号等来替换一些设置或者是一串保留的数据。

◆ 变量主要有环境变量与自定义变量，或称为全局变量与局部变量。

◆ 使用 env 与 export 可查看环境变量，其中 export 可以将自定义变量转成环境变量。

◆ set 可以查看目前 bash 环境下的所有变量。

◆ $?也为变量，是前一个命令执行完毕后的回传码。在 Linux 回传码为 0 代表执行成功。

◆ locale 可用于查看语系数据。

◆ 可用 read 让用户由键盘输入变量的值。

◆ ulimit 可用以限制用户使用系统的资源情况。

◆ bash 的配置文件主要分为 loginshell 与 non-login shell。login shell 主要读取/etc/profile 与~/.bash_profile，non-login shell 则仅读取~/.bashrc。

◆ 通配符主要有*、?、[]等。

◆ 数据流重定向通过>、2>、<之类的符号将输出的信息转到其他文件或设备去。

◆ 连续命令的执行可通过; &&、||等符号来处理。

◆ 管道命令的重点是它仅会处理 standard output，对于 standard error output 会予以忽略。管道命令必须要能够接收来自前一个命令的数据成为 standard input 继续处理才行。

◆ 本章介绍的管道命令主要有 cut, grep, sort, wc, uniq, tee, tr, col, join, paste, expand, split, xargs 等。

11.8 本章习题

情境模拟题

由于~/.bash_history 仅能记录命令，我想要在每次注销时都记录时间，并将后续的命令 50 条记录下来，可以如何处理？

◆ 目标：了解 history，并通过数据流重定向的方式记录历史命令；

◆ 前提：需要了解本章的数据流重定向，以及了解 bash 的各个环境配置文件信息。

其实处理的方式非常简单，我们可以了解 date 可以输出时间，利用~/.myhistory 来记录所有历史记录，而目前最新的 50 条历史记录可以使用 history50 来显示，故可以修改~/.bash_logout 成为下面的模样：

```
[root@www ~]# vim ~/.bash_logout
date >> ~/.myhistory
history 50 > > ~/.myhistory
clear
```

简答题部分

◆ 在 Linux 上可以找到哪些 shell（举出三个）？那个文件记录可用的 shell 是什么？而 Linux 默认的 shell 是什么？

◆ 在 shell 环境下，有个提示符（prompt），它可以修改吗？要改什么？默认的提示符内容是什么？

◆ 如何显示 HOME 这个环境变量什么？

◆ 如何得知目前的所有变量与环境变量的设置值？

◆ 我是否可以设置一个变量名称为 3myhome？

◆ 在这样的练习中："A=B"且"B=C"，若我执行"unset$A"，则取消的变量是 A 还是 B？

◆ 如何取消变量与命令别名的内容？

◆ 如何设置一个变量名称为 name 内容为 It's my name？

◆ bash 环境配置文件主要分为哪两种类型的读取？分别读取哪些重要文件？

◆ CentOS 5.x 的 man page 的路径配置文件是什么？

◆ 试说明'、"、与`这些符号在变量定义中的用途。

◆ 转义符号\有什么用途？

◆ 连续命令中，;、&&、||有何不同？

◆ 如何将 last 的结果中独立出账号，并且打印出曾经登录过的账号？

◆ 请问 foo1 && foo2 | foo3 > foo4，这个命令串当中，foo1/foo2/foo3/foo4 是命令还是文件？整串命令的意义是什么？

◆ 如何列出在/bin 下面任何以 a 为开头的文件文件名的详细数据？

◆ 如何显示/bin 下面文件名为四个字符的文件？

◆ 如何显示/bin 下面文件名开头不是 a–d 的文件？

◆ 我想要让终端机接口的登录提示符修改成我自己喜好的模样，应该要改哪里？

◆ 承上题，如果我是想要让用户登录后才显示欢迎信息，又应该要改哪里？

11.9　参考数据与扩展阅读

◆ 注 1：Webmin 的官方网站：http://www.webmin.com/

◆ 注 2：关于 shell 的相关历史可以参考网络农夫兄所整理的优秀文章。不过由于网络农夫兄所搭建的网站暂时关闭，因此下面的链接为鸟哥到网络上找到的片段链接。若有任何侵权事宜，请来信告知，谢谢：
http://linux.vbird.org/linux_basic/0320bash/csh/

◆ 注 3：使用 man bash，再以 PS1 为关键字去查询，按下数次 n 往后查询后，可以得到 PS1 的变量说明。

◆ 注 4：i18n 是由一些 Linux distribution 贡献者共同发起的大型计划，目的在于让众多的 Linux distributions 能够有良好的 Unicode 语系的支援。详细的数据可以参考：
i18n 的官方网站：http://www.openi18n.org/
剑桥大学 Dr Markus Kuhn 的文献：http://www.cl.cam.ac.uk/~mgk25/unicode.html
Debian 社群所写的文件：http://www.debian.org/doc/manuals/intro–i18n/

◆ 卧龙小三的教学文件：http://linux.tnc.edu.tw/techdoc/shell/book1.html

◆ GNU 计划的 BASH 说明：
http://www.gnu.org/manual/bash-2.05a/html_mono/bashref.html
鸟哥的备份：http://linux.vbird.org/linux_basic/0320bash/0320bash_reference.php

◆ **man bash**

12

第 12 章　正则表达式与文件格式化处理

正则表达式（Regular Expression）是通过一些特殊字符的排列，用以查找、替换、删除一行或多行文字字符串，简单地说，正则表达式就是用在字符串的处理上面的一项"表示式"。正则表达式并不是一个工具程序，而是一种字符串处理的标准依据，如果你想要以正则表达式的方式处理字符串，就得要使用支持正则表达式的工具程序才行，这类的工具程序很多，例如 vi,sed,awk 等。

正则表达式对于系统管理员来说实在是很重要，因为系统会产生很多的信息，这些信息有的重要，有的仅是告知，此时管理员可以通过正则表达式的功能来将重要信息选取出来，并产生便于查阅的报表来简化管理流程。此外很多的软件也都支持正则表达式的分析，例如邮件服务器的过滤机制（过滤垃圾信件）就是很重要的一个例子。所以你最好要了解正则表达式的相关技能，在将来管理主机时，才能够更精简处理你的日常事务！

注：本章用户需要多加练习，因为目前很多的套件都是使用正则表达式来达成其过滤、分析的目的，为了未来主机管理的便利性，用户至少要能看得懂正则表达式的意义。

12.1　前言：什么是正则表达式

　　简要了解了 Linux 的基本命令（BASH）并且熟悉了 vim 之后，相信你对于敲击键盘的打字与命令执行不陌生了吧？接下来下面要开始介绍一个很重要的概念，那就是所谓的"正则表达式"（Regular Expression, RE）。

12.1.1　什么是正则表达式

　　任何一个有经验的系统管理员，都会告诉你：正则表达式真是挺重要的！为什么很重要呢？因为日常生活就使用得到。举个例子来说，在你日常使用 vim 做文字处理或编写程序时使用到的查找、替换等功能，这些举动要做得漂亮，就得要配合正则表达式来处理啰！

　　简单地说，正则表达式就是处理字符串的方法，它是以行为单位来进行字符串的处理行为，正则表达式通过一些特殊符号的辅助，可以让用户轻易达到查找、删除、替换某特定字符串的处理程序。

　　举例来说，我只想找到 VBird（前面两个大写字符）或 Vbird（仅有一个大写字符）这个字样，但是不要其他的字符串（例如 VBIRD, vbird 等不需要），该如何处理？如果在没有正则表达式的环境中（例如 MS Word），你或许就得要使用忽略大小写的办法，或者是分别以 VBird 及 Vbird 查找两遍。但是忽略大小写可能会找到 VBIRD/vbird/VbIrD 等不需要的字符串而造成困扰。

　　再举个系统常见的例子好了，假设你发现系统在开机的时候，经常会出现一个关于 mail 程序的错误，而开机过程的相关程序都是在/etc/init.d/下面，也就是说，在该目录下面的某个文件内具有 mail 这个关键字，你想要将该文件选出来进行查询修改的操作。此时你怎么找出来含有这个关键字的文件？你当然可以一个文件一个文件打开，然后去查找 mail 这个关键字，只是该目录下面的文件可能不止 100 个。如果了解正则表达式的相关技巧，那么只要一行命令就找出来啦：grep'mail'/etc/init.d/*，那个 grep 就是支持正则表达式的工具程序之一。如何？很简单吧！

　　谈到这里就得要进一步说明了，正则表达式基本上是一种"表示法"，只要工具程序支持这种表示法，那么该工具程序就可以用来作为正则表达式的字符串处理之用。例如 vi, grep, awk ,sed 等工具，因为它们有支持正则表达式，所以这些工具就可以使用正则表达式的特殊字符来进行字符串的处理。但例如 cp,ls 等命令并未支持正则表达式，所以就只能使用 bash 自身的通配符而已。

12.1.2　正则表达式对于系统管理员的用途

　　那么为何我需要学习正则表达式呢？对于一般用户来说，由于使用到正则表达式的机会可能不怎么多，因此感受不到它的魅力，不过对于身为系统管理员的你来说，正则表达式则是一个"不可不学的好东西"！怎么说呢？由于系统如果在繁忙的情况之下，每天产生的信息会多到你无法想象的地步，而我们也都知道，系统的"错误信息登录文件"（见第 19 章）的内容记载了系统产生的所有信息，当然，这包含你的系统是否被"入侵"的记录数据。

　　但是系统的数据量太大了，要身为系统管理员的你每天去看这么多的信息数据，从千百行的数据里面找出一行有问题的信息，光是用肉眼去看，想不疯掉都很难！在这个时候，我们就可以通过正则表达式的功能，将这些登录的信息进行处理，仅取出"有问题"的信息来进行分析，如此一来，你的系统管理工作将会更加方便。当然，正则表达式的优点还不止于此，等你有一定程度的了解之后，你会喜欢上它的喔！

12.1.3 正则表达式的广泛用途

正则表达式除了可以让系统管理员管理主机更方便之外，事实上，由于正则表达式强大的字符串处理能力，目前一堆软件都支持正则表达式。最常见的就是"邮件服务器"了。

如果你留意因特网上的消息，那么应该不能发现，目前造成网络大塞车的主原因之一就是"垃圾/广告邮件"了，而如果我们可以在服务器端就将这些问题邮件剔除的话，客户端就会减少很多不必要的带宽耗损了。那么如何过滤广告信件呢？由于广告信件几乎都有一定的标题或者内容，因此，只要每次有来信时，都先将来信的标题与内容进行特殊字符串的对比，发现有不良邮件就给以过滤。这个工作怎么完成啊？那就得使用正则表达式了。目前两大邮件服务器软件 sendmail 与 postfix 以及支持邮件服务器的相关分析软件都支持正则表达式的比对功能。

当然还不止于此啦，很多的服务器软件都支持正则表达式呢！当然，虽然各家软件都支持它，不过，这些"字符串"的对比还是需要系统管理员来加入对比规则的，所以身为系统管理员的你，为了自身的工作以及客户端的需求，正则表达式实在是很需要也很值得学习的一项工具。

12.1.4 正则表达式与 Shell 在 Linux 当中的角色定位

说实在地，我们在学数学的时候，一个很重要但是很难的东西是一定要"背"的，那就是九九乘法表，成功背下来之后，在将来在数学应用的路途上，真是一帆风顺啊！这个九九乘法表我们在小学的时候几乎背了一整年才背下来，并不是这么好背的。但它却是基础当中的基础！你现在一定受惠相当多。

而我们谈到的这个正则表达式与前一章的 BASH 就有点像是数学的九九乘法表一样，是 Linux 基础当中的基础，虽然也是最难的部分，不过，如果学成了之后，一定对你大有帮助。这就好像是金庸小说里面的学武难关——任督二脉，打通任督二脉之后，武功立刻成倍成长！所以不论是对于系统的认识与系统的管理部分，它都有很有用的辅助。请好好学习这个基础吧！

12.1.5 扩展的正则表达式

正则表达式还可组分喔？没错！正则表达式的字符串表示方式依照不同的严谨度而分为基础正则表达式与扩展正则表达式。扩展型正则表达式除了简单的一组字符串处理之外，还可以做组的字符串处理，例如进行查找 VBird 或 netman 或 lman 的查找，注意，是或（or）而不是和（and）的处理，此时就需要扩展正则表达式的帮助了。通过特殊的"("与"l"等字符的协助，就能够完成这样的目的。不过，我们在这里主要仅是介绍最基础的基础正则表达式而已。

> 有一点要向大家报告的，那就是正则表达式与通配符是完全不一样的东西！这很重要，因为通想符（wtilcard）代表的是 bash 操接口的一个功能，但正则表达式则是一种字符串处理的表示方式！这两者要分得很清楚才行，所以，学习本章，请将前一章 bash 的通配符意义先忘掉吧！
>
> 老实说，鸟哥以前刚接触正则表达式时，老想着要将这两者归纳在一起，结果就是错误认知一大堆，所以才会建议你学习本章先忘记通配符再来学习。

12.2 基础正则表达式

既然正则表达式是处理字符串的一种表示方式，那么对字符排序有影响的语系数据就会对正则表达式的结果有影响！此外，正则表达式也需要支持工具程序来辅助才行！所以，我们这里就先介绍一个最简单的字符串选取功能的工具程序，那就是 grep。前一章已经介绍过 grep 的相关参数，本章着重介绍高级的 grep 参数说明。介绍完 grep 的功能之后，就进入正则表达式的特殊字符的处理能力了。

12.2.1　语系对正则表达式的影响

为什么语系的数据会影响到正则表达式的输出结果呢？我们在第 0 章计算机概论的文字编码系统里面谈到，文件其实记录的仅有 0 与 1，我们看到的字符文字与数字都是通过编码表转换来的。由于不同语系的编码数据并不相同，所以就会造成数据选取结果的区别了。举例来说，在英文大小写的编码顺序中，zh_CN.big5 及 C 这两种语系的输出结果分别如下：

- LANG=C 时：0 1 2 3 4 ... A B C D ... Z a b c d ...z
- LANG=zh_CN 时：0 1 2 3 4 ... a A b B c C d D ... z Z

上面的顺序是编码的顺序，我们可以很清楚地发现这两种语系明显就是不一样！如果你想要选取大写字符而使用[A-Z]时，会发现 LANG=C 确实可以仅找到大写字符（因为是连续的），但是如果使用 LANG=zh_CN.gb2312 时，就会发现到，连同小写的 b-z 也会被选取出来，因为就编码的顺序来看，gb2312 语系可以选取到 "A b B c C ... z Z" 这一堆字符哩！所以，使用正则表达式时，需要特别留意当时环境的语系为何，否则可能会发现与别人不相同的选取结果。

由于一般我们在练习正则表达式时，使用的是兼容于 POSIX 的标准，因此就使用 "C" 这个语系[注1]！因此，下面的很多练习都是使用 "LANG=C" 这个语系数据来进行的。另外，为了要避免这样编码所造成的英文与数字的选取问题，因此有些特殊的符号我们得要了解一下。这些符号主要有下面这些，意义如表 12-1 所示。

表 12-1

特 殊 符 号	代 表 意 义
[:alnum:]	代表英文大小写字符及数字，即 0-9,A-Z,a-z
[:alpha:]	代表任何英文大小写字符，即 A-Z, a-z
[:blank:]	代表空格键与[Tab]按键
[:cntrl:]	代表键盘上面的控制按键，即包括 CR, LF, Tab, Del 等
[:digit:]	代表数字而已，即 0-9
[:graph:]	除了空格符（空格键与[Tab]按键）外的其他所有按键
[:lower:]	代表小写字符，即 a-z
[:print:]	代表任何可以被打印出来的字符
[:punct:]	代表标点符号（punctuation symbol），即" ' ? ! ; : # $
[:upper:]	代表大写字符，即 A-Z
[:space:]	任何会产生空白的字符，包括空格键[Tab] CR 等
[:xdigit:]	代表十六进制的数字类型，因此包括 0-9, A-F, a-f 的数字与字符

尤其上表中的[:alnum:]、[:alpha:]、[:upper:]、[:lower:]、[:digit:]这几个一定要知道代表什么意思，因为它要比 a-z 或 A-Z 的用途更确定。好了，下面就让我们开始来练习高级版的 grep 吧！

12.2.2　grep 的一些高级参数

我们在第 11 章 BASH 里面的 grep 谈论过一些基础用法，但其实 grep 还有不少的高级用法喔！下面我们仅列出较高级的 grep 参数给大家参考，基础的 grep 用法请参考前一章的说明。

```
[root@www ~]# grep [-A] [-B] [--color=auto] '搜寻字符串' filename
参数:
-A : 后面可加数字, 为 after 的意思, 除了列出该行外, 后续的 n 行也列出来;
-B : 后面可加数字, 为 befer 的意思, 除了列出该行外, 前面的 n 行也列出来;
--color=auto 可将正确的那个选取数据列出颜色。

范例一: 用 dmesg 列出内核信息, 再以 grep 找出内含 eth 的那行
[root@www ~]# dmesg | grep 'eth'
eth0: RealTek RTL8139 at 0xee846000, 00:90:cc:a6:34:84, IRQ 10
eth0:  Identified 8139 chip type 'RTL-8139C'
eth0: link up, 100Mbps, full-duplex, lpa 0xC5E1
eth0: no IPv6 routers present
# dmesg 可列出内核产生的信息。通过 grep 来选取网卡相关信息 (eth),
# 就可发现如上信息。不过没有行号与特殊颜色显示。请看下个范例。

范例二: 承上, 要将找到的关键字显色, 且加上行号来表示
[root@www ~]# dmesg | grep -n --color=auto 'eth'
247:eth0: RealTek RTL8139 at 0xee846000, 00:90:cc:a6:34:84, IRQ 10
248:eth0:  Identified 8139 chip type 'RTL-8139C'
294:eth0: link up, 100Mbps, full-duplex, lpa 0xC5E1
305:eth0: no IPv6 routers present
# 你会发现除了 eth 会有特殊颜色来表示之外, 最前面还有行号。

范例三: 承上, 在关键字所在行的前两行与后三行也一起找出来显示
[root@www ~]# dmesg | grep -n -A3 -B2 --color=auto 'eth'
245-PCI: setting IRQ 10 as level-triggered
246-ACPI: PCI Interrupt 0000:00:0e.0[A] -> Link [LNKB] ...
247:eth0: RealTek RTL8139 at 0xee846000, 00:90:cc:a6:34:84, IRQ 10
248:eth0:  Identified 8139 chip type 'RTL-8139C'
249-input: PC Speaker as /class/input/input2
250-ACPI: PCI Interrupt 0000:00:01.4[B] -> Link [LNKB] ...
251-hdb: ATAPI 48X DVD-ROM DVD-R-RAM CD-R/RW drive, 2048kB Cache, UDMA(66)
# 如上所示, 你会发现关键字 247 所在的前两行及 248 后三行也都被显示出来!
# 这样可以让你将关键字前后数据捕获出来进行分析。
```

grep 是一个很常见也很常用的命令, 它最重要的功能就是进行字符串数据的对比, 然后将符合用户需求的字符串打印出来。需要说明的是 grep 在数据中查找一个字符串时, 是以整行为单位来进行数据的选取的! 也就是说, 假如一个文件内有 10 行, 其中有两行具有你所查找的字符串, 则将那两行显示在屏幕上, 其他的就丢弃了。

在关键字的显示方面, grep 可以使用--color=auto 来将关键字部分使用颜色显示。这可是个很不错的功能啊! 但是如果每次使用 grep 都得要自行加上--color=auto 又显得很麻烦, 此时那个好用的 alias 就得来处理一下。你可以在~/.bashrc 内加上这行: alias grep='grep --color=auto', 再以"source~/.bashrc"来立即生效即可。这样每次执行 grep 它都会自动帮你加上颜色显示。

12.2.3　基础正则表达式练习

要了解正则表达式最简单的方法就是由实际练习去感受。所以在归纳正则表达式特殊符号前, 我们先以下面这个文件的内容来进行正则表达式的理解。先说明一下, 下面的练习大前提是:

◆　语系已经使用"export LANG=C"的设置值;
◆　grep 已经使用 alias 设置成为"grep --color=auto"。

至于本章的练习用文件请由下面的链接来下载。需要特别注意的是, 下面这个文件是鸟哥在 Windows 系统下编辑的, 并且已经特殊处理过, 因此, 它虽然是纯文本文件, 但是内含一些 Windows 系统下的软件常常自行加入的一些特殊字符, 例如断行字符(^M)就是一例。所以, 你可以直接将下面的文字以 vi 存储成 regular_express.txt 这个文件, 不过, 还是比较建议直接点下面的链接:

http://linux.vbird.org/linux_basic/0330regularex/regular_express.txt

如果你的 Linux 可以直接连上 Internet 的话，那么使用如下的命令来获取即可：

wget http://linux.vbird.org/linux_basic/0330regularex/regular_express.txt

至于这个文件的内容如下：

```
[root@www ~]# vi regular_express.txt
"Open Source" is a good mechanism to develop programs.
apple is my favorite food.
Football game is not use feet only.
this dress doesn't fit me.
However, this dress is about $ 3183 dollars.^M
GNU is free air not free beer.^M
Her hair is very beauty.^M
I can't finish the test.^M
Oh! The soup taste good.^M
motorcycle is cheap than car.
This window is clear.
the symbol '*' is represented as start.
Oh!    My god!
The gd software is a library for drafting programs.^M
You are the best is mean you are the no. 1.
The world <Happy> is the same with "glad".
I like dog.
google is the best tools for search keyword.
goooooogle yes!
go! go! Let's go.
# I am Vbird
```

这文件共有 22 行，最下面一行为空白行！现在开始我们一个案例一个案例来介绍。

◆　例题一：查找特定字符串

查找特定字符串很简单吧？假设我们要从刚才的文件当中取得 the 这个特定字符串，最简单的方式就是这样：

```
[root@www ~]# grep -n 'the' regular_express.txt
8:I can't finish the test.
12:the symbol '*' is represented as start.
15:You are the best is mean you are the no. 1.
16:The world <Happy> is the same with "glad".
18:google is the best tools for search keyword.
```

那如果想要反向选择呢？也就是说，当该行没有'the'这个字符串时才显示在屏幕上，那就直接使用：

```
[root@www ~]# grep -vn 'the' regular_express.txt
```

你会发现，屏幕上出现的行是除了 8,12,15,16,18 五行之外的其他行。接下来，如果你想要取得不论大小写的'the'这个字符串，则：

```
[root@www ~]# grep -in 'the' regular_express.txt
8:I can't finish the test.
9:Oh! The soup taste good.
12:the symbol '*' is represented as start.
14:The gd software is a library for drafting programs.
15:You are the best is mean you are the no. 1.
16:The world <Happy> is the same with "glad".
18:google is the best tools for search keyword.
```

除了多两行（9, 14 行）之外，第 16 行也多了一个 The 的关键字被选取到。

◆　例题二：利用中括号[]来查找集合字符

● 如果我想要查找 test 或 taste 这两个单词时，可以发现到，其实它们有共同的't?st'存在。这个时候，我可以这样来查找：

```
[root@www ~]# grep -n 't[ae]st' regular_express.txt
8:I can't finish the test.
9:Oh! The soup taste good.
```

了解了吧？其实[]里面不论有几个字符，它都只代表某"一个"字符，所以，上面的例子说明了，我需要的字符串是"tast"或"test"两个字符串而已！而如果想要查找到有 oo 的字符时，则使用：

```
[root@www ~]# grep -n 'oo' regular_express.txt
1:"Open Source" is a good mechanism to develop programs.
2:apple is my favorite food.t
3:Football game is not use feet only.
9:Oh! The soup taste good.
18:google is the best tools for search keyword.
19:goooooogle yes!
```

但是，如果我不想要 oo 前面有 g 的话呢？此时，可以利用在集合字符的反向选择[^]来完成：

```
[root@www ~]# grep -n '[^g]oo' regular_express.txt
2:apple is my favorite food.
3:Football game is not use feet only.
18:google is the best tools for search keyword.
19:goooooogle yes!
```

- 意思就是说，我需要的是 oo，但是 oo 前面不能是 g 就是了。仔细比较上面两个代码，你会发现，第 1,9 行不见了，因为 oo 前面出现了 g 所致。第 2,3 行没有疑问，因为 foo 与 Foo 均可被接受，但是第 18 行明明有 google 的 goo 啊！别忘记了，因为该行后面出现了 tool 的 too。所以该行也被列出来。也就是说，18 行里面虽然出现了我们所不要的项目（goo），但是由于有需要的项目（too），因此，是符合字符串查找的。
- 至于第 19 行，同样，因为 goooooogle 里面的 oo 前面可能是 o，例如：go（ooo）oogle，所以，这一行也是符合需求的！
- 再来，假设我 oo 前面不想要有小写字符，所以，我可以这样写[^abcd....z]oo，但是这样似乎不怎么方便，由于小写字符的 ASCII 上编码的顺序是连续的，因此，我们可以将之简化为下面这样：

```
[root@www ~]# grep -n '[^a-z]oo' regular_express.txt
3:Football game is not use feet only.
```

- 也就是说，当我们在一组集合字符中，如果该字符组是连续的，例如大写英文/小写英文/数字等，就可以使用[a-z],[A-Z],[0-9]等方式来书写，那么如果我们的要求字符串是数字与英文呢？就将它全部写在一起，变成[a-zA-Z0-9]。例如，我们要取得有数字的那一行，就这样：

```
[root@www ~]# grep -n '[0-9]' regular_express.txt
5:However, this dress is about $ 3183 dollars.
15:You are the best is mean you are the no. 1.
```

- 但由于考虑到语系对于编码顺序的影响，因此除了连续编码使用减号"-"之外，你也可以使用如下的方法来取得前面两个测试的结果：

```
[root@www ~]# grep -n '[^[:lower:]]oo' regular_express.txt
# 那个 [:lower:] 代表的就是 a-z 的意思！请参考前两小节的说明

[root@www ~]# grep -n '[[:digit:]]' regular_express.txt
```

这样对于[]以及[^]以及[]当中的-，还有关于前面提到的特殊关键字了解了吗？

◆　例题三：行首与行尾字符^$
- 我们在例题一当中，可以查询到一行字符串里面有 the 的，那如果我想要让 the 只在行首列出呢？这个时候就得要使用制表符了！我们可以这样做：

```
[root@www ~]# grep -n '^the' regular_express.txt
12:the symbol '*' is represented as start.
```

- 此时，就只剩下第 12 行，因为只有第 12 行的行首是 the 开头。此外，如果我想要开头是小写字符的那一行就列出呢？可以这样：

```
[root@www ~]# grep -n '^[a-z]' regular_express.txt
2:apple is my favorite food.
4:this dress doesn't fit me.
10:motorcycle is cheap than car.
12:the symbol '*' is represented as start.
18:google is the best tools for search keyword.
19:goooooogle yes!
20:go! go! Let's go.
```

你可以发现我们可以找到第一个字符都不是大写的！只不过 grep 列出的关键字部分不只有第一个字符，grep 是列出一整个字（word）的！同样，上面的命令也可以用如下的方式来替换：

```
[root@www ~]# grep -n '^[[:lower:]]' regular_express.txt
```

那如果我不想要开头是英文字母，则可以是这样：

```
[root@www ~]# grep -n '^[^a-zA-Z]' regular_express.txt
1:"Open Source" is a good mechanism to develop programs.
21:# I am VBird
# 命令也可以是：grep -n '^[^[:alpha:]]' regular_express.txt
```

注意到了吧？那个^符号在字符集合符号（中括号[]）之内与之外是不同的！在[]内代表"反向选择"，在[]之外则代表定位在行首的意义，要分清楚。反过来思考，那如果我想要找出行尾结束为小数点（.）的那一行，该如何处理？

```
[root@www ~]# grep -n '\.$' regular_express.txt
1:"Open Source" is a good mechanism to develop programs.
2:apple is my favorite food.
3:Football game is not use feet only.
4:this dress doesn't fit me.
10:motorcycle is cheap than car.
11:This window is clear.
12:the symbol '*' is represented as start.
15:You are the best is mean you are the no. 1.
16:The world <Happy> is the same with "glad".
17:I like dog.
18:google is the best tools for search keyword.
20:go! go! Let's go.
```

特别注意到，因为小数点具有其他意义（下面会介绍），所以必须要使用转义字符（\）来加以解除其特殊意义。不过，你或许会觉得奇怪，但是第 5~9 行最后面也是.。怎么无法打印出来？这里就牵涉到 Windows 平台的软件对于断行字符的判断问题了！我们使用 cat –A 将第五行拿出来看，你会发现：

```
[root@www ~]# cat -An regular_express.txt | head -n 10 | tail -n 6
     5  However, this dress is about $ 3183 dollars.^M$
     6  GNU is free air not free beer.^M$
     7  Her hair is very beauty.^M$
     8  I can't finish the test.^M$
     9  Oh! The soup taste good.^M$
    10  motorcycle is cheap than car.$
```

我们在第 10 章内谈到过断行字符在 Linux 与 Windows 上的区别，在上文中我们可以发现 5~9 行为 Windows 的断行字符（ ^M$），而正常的 Linux 应该仅有第 10 行显示的那样（ $）。所以，那个.自然就不是紧接在$之前了，也就找不到 5~9 行了！这样可以了解^与$的意义吗？好了，先不要看下面的解答，自己想一想，那么如果我想要找出哪一行是"空白行"，也就是说，该行并没有输入任何数据，该如何查找？

```
[root@www ~]# grep -n '^$' regular_express.txt
22:
```

因为只有行首跟行尾（ ^$），所以，这样就可以找出空白行。再来，假设你已经知道在一个程序脚本（ shell script ）或者是配置文件当中，空白行与开头为#的那一行是批注，因此如果你要将数据列出给别人参考时，可以将这些数据省略掉以节省保贵的纸张，那么你可以怎么做呢？我们以 /etc/syslog.conf 这个文件来作范例，你可以自行参考一下输出的结果：

```
[root@www ~]# cat -n /etc/syslog.conf
# 在 CentOS 中，结果可以发现有 33 行的输出，很多空白行与 # 开头

[root@www ~]# grep -v '^$' /etc/syslog.conf | grep -v '^#'
# 结果仅有 10 行，其中第一个 " -v '^$' " 代表不要空白行，
# 第二个 " -v '^#' " 代表不要开头是 # 的那行喔！
```

是否节省很多版面啊？

- 例题四：任意一个字符.与重复字符*
  - 在第 11 章 bash 当中，我们知道通配符*可以用来代表任意（ 0 或多个）字符，但是正则表达式并不是通配符，两者之间是不相同的。至于正则表达式当中的"."则代表绝对有一个任意字符的意思！这两个符号在正则表达式的意义如下：
    - .（小数点）：代表一定有一个任意字符的意思；
    - *（星号）：代表重复前一个 0 到无穷多次的意思，为组合形态。
  - 这样讲不好理解，我们直接做个练习吧！假设我需要找出 g??d 的字符串，即共有四个字符，开头是 g 而结束是 d，我可以这样做

```
[root@www ~]# grep -n 'g..d' regular_express.txt
1:"Open Source" is a good mechanism to develop programs.
9:Oh! The soup taste good.
16:The world <Happy> is the same with "glad".
```

  - 因为强调 g 与 d 之间一定要存在两个字符，因此，第 13 行的 god 与第 14 行的 gd 就不会被列出来了。再来，如果我想要列出有 oo, ooo, oooo 等的数据，也就是说，至少要有两个（含） o 以上，该如何是好？是 o*还是 oo*还是 ooo*呢？虽然你可以试看看结果，不过结果太占版面了，所以，我这里就直接说明。
  - 因为*代表的是重复 0 个或多个前面的 RE 字符的意义，因此，"o*"代表的是具有空字符或一个 o 以上的字符，特别注意，因为允许空字符（ 就是有没有字符都可以的意思 ），因此，"grep -n 'o*' regular_express.txt "将会把所有的数据都打印出来屏幕上！
  - 那如果是"oo*"呢？则第一个 o 肯定必须要存在，第二个 o 则是可有可无的多个 o，所以，凡是含有 o, oo, ooo, oooo 等，都可以被列出来。
  - 同理，当我们需要至少两个 o 以上的字符串时，就需要 ooo*，即：

```
[root@www ~]# grep -n 'ooo*' regular_express.txt
1:"Open Source" is a good mechanism to develop programs.
2:apple is my favorite food.
3:Football game is not use feet only.
9:Oh! The soup taste good.
18:google is the best tools for search keyword.
19:goooooogle yes!
```

- 这样理解*的意义了吗? 好了, 现在出个练习, 如果我想要字符串开头与结尾都是 g, 但是两个 g 之间仅能存在至少一个 o, 即是 gog, goog, gooog 等, 那该如何?

```
[root@www ~]# grep -n 'goo*g' regular_express.txt
18:google is the best tools for search keyword.
19:goooooogle yes!
```

如此了解了吗? 再来一题, 如果我想要找出 g 开头与 g 结尾的字符串, 当中的字符可有可无, 那该如何是好? 是 "g*g" 吗?

```
[root@www ~]# grep -n 'g*g' regular_express.txt
1:"Open Source" is a good mechanism to develop programs.
3:Football game is not use feet only.
9:Oh! The soup taste good.
13:Oh! My god!
14:The gd software is a library for drafting programs.
16:The world <Happy> is the same with "glad".
17:I like dog.
18:google is the best tools for search keyword.
19:goooooogle yes!
20:go! go! Let's go.
```

但测试的结果竟然出现这么多行? 太诡异了吧? 其实一点也不诡异, 因为 g*g 里面的 g*代表空字符或一个以上的 g 再加上后面的 g, 因此, 整个正则表达式的内容就是 g, gg, ggg, gggg, 因此, 只要该行当中拥有一个以上的 g 就符合所需了!

那该如何得到我们的 g....g 的需求呢? 我们可以利用任意一个字符 "." 啊! 即 "g.*g" 的做法, 因为*可以是 0 或多个重复前面的字符, 而.是任意字符, 所以 ".*" 就代表零个或多个任意字符的意思。

```
[root@www ~]# grep -n 'g.*g' regular_express.txt
1:"Open Source" is a good mechanism to develop programs.
14:The gd software is a library for drafting programs.
18:google is the best tools for search keyword.
19:goooooogle yes!
20:go! go! Let's go.
```

因为是代表 g 开头与 g 结尾, 中间任意字符均可接受, 所以, 第 1, 14, 20 行是可接受的。这个.*的 RE 表示任意字符是很常见的, 希望大家能够理解并且熟悉! 再出一题, 如果我想要找出 "任意数字" 的行列呢? 因为仅有数字, 所以就成为:

```
[root@www ~]# grep -n '[0-9][0-9]*' regular_express.txt
5:However, this dress is about $ 3183 dollars.
15:You are the best is mean you are the no. 1.
```

虽然使用 grep –n '[0-9]' regular_express.txt 也可以得到相同的结果, 但鸟哥希望大家能够理解上面命令当中 RE 表示法的意义才好!

- ◆ 例题五: 限定连续 RE 字符范围{}
  - 在上个例题当中, 我们可以利用.与 RE 字符及*来设置 0 个到无限多个重复字符, 那如果我想要限制一个范围区间内的重复字符数呢? 举例来说, 我想要找出 2~5 个 o 的连续字符串, 该如何做? 这时候就得要使用到限定范围的字符{}了。但因为{与}的符号在 shell 是有特殊意义的, 因此, 我们必须要使用转义字符\来让它失去特殊意义才行。至于{}的语法是这样的, 假设我要找到两个 o 的字符串, 可以是:

```
[root@www ~]# grep -n 'o\{2\}' regular_express.txt
1:"Open Source" is a good mechanism to develop programs.
2:apple is my favorite food.
3:Football game is not use feet only.
9:Oh! The soup taste good.
```

```
18:google is the best tools for search keyword.
19:goooooogle yes!
```

这样看似乎与 ooo*的字符没有什么区别啊？因为第 19 行有多个 o 也出现了！好，那么换个查找的字符串，假设我们要找出 g 后面接 2 到 5 个 o，然后再接一个 g 的字符串，它会是这样：

```
[root@www ~]# grep -n 'go\{2,5\}g' regular_express.txt
18:google is the best tools for search keyword.
```

第 19 行终于没有被选用了（因为 19 行有 6 个 o）。那么，如果我想要的是 2 个 o 以上的 goooo...g 呢？除了可以是 gooo*g，也可以是：

```
[root@www ~]# grep -n 'go\{2,\}g' regular_express.txt
18:google is the best tools for search keyword.
19:goooooogle yes!
```

就可以找出来啦！

12.2.4 基础正则表达式字符（characters）

经过了上面的几个简单的范例，我们可以将基础的正则表达式特殊字符归纳成表 12–2 所示。

表 12–2

RE 字符	意义与范例
^word	意义：待查找的字符串（word）在行首 范例：查找行首为#开始的那一行，并列出行号 grep-n'^#'regular_express.txt
word$	意义：待查找的字符串（word）在行尾 范例：将行尾为!的那一行打印出来，并列出行号 grep-n'!$' regular_express.txt
.	意义：代表一定有一个任意字符的字符 范例：查找的字符串可以是（eve）（eae）（eee）（ee），但不能仅有（ee）! 即 e 与 e 中间"一定"仅有一个字符，而空格符也是字符 grep-n 'e.e' regular_express.txt
\	意义：转义字符，将特殊符号的特殊意义去除 范例：查找含有单引号'的那一行 grep-n \' regular_express.txt
*	意义：重复零个到无穷多个的前一个字符 范例：找出含有（es）（ess）（esss）等的字符串，注意，因为*可以是 0 个，所以 es 也是符合待查找字符串。另外，因为*为重复"前一个 RE 字符"的符号，因此，在*之前必须要紧接着一个 RE 字符喔！例如任意字符则为".*" grep-n'ess*'regular_express.txt
[list]	意义：从字符集合的 RE 字符里面找出想要选取的字符 范例：查找含有（gl）或（gd）的那一行，需要特别留意的是，在[]当中代表一个待查找的字符，例如 "a[afl]y" 代表查找的字符串可以是 aay,afy,aly 即 [afl]代表 a 或 f 或 l 的意思 grep -n 'g[ld]' regular_express.txt
[n1–n2]	意义：从字符集合的 RE 字符里面找出想要选取的字符范围 范例：查找含有任意数字的那一行。需特别留意，在字符集合[]中的减号–是有特殊意义的，它代表两个字符之间的所有连续字符。但这个连续与否与 ASCII 编码有关，因此，你的编码需要设置正确(在 bash 当中，需要确定 LANG 与 LANGUAGE 的变量是否正确)! 例如所有大写字符则为[A–Z] grep-n '[0–9]' regular_express.txt

续表

RE 字符	意义与范例
[^list]	意义：从字符集合的 RE 字符里面找出不要的字符串或范围 范例：查找的字符串可以是（oog）（ood）但不能是（oot），那个^在[]内时代表的意义是"反向选择"的意思。例如，我不要大写字符，则为[^A-Z]。但是，需要特别注意的是，如果以grep-n[^A-Z] regular_express.txt 来查找，却发现该文件内的所有行都被列出，为什么？因为这个[^A-Z]是"非大写字符"的意思，因为每一行均有非大写字符，例如第一行的"Open Source"就有 p,e,n,o 等小写字符 grep-n 'oo[^t]' regular_express.txt
\{n,m\}	意义：连续 n 到 m 个的前一个 RE 字符，若为\{n\}则是连续 n 个的前一个 RE 字符，若为\{n,\}则是连续 n 个以上的前一个 RE 字符 范例：在 g 与 g 之间有 2 个到 3 个的 o 存在的字符串，即（goog）（gooog） grep –n 'go\{2,3\}g' regular_express.txt

再次强调：正则表达式的特殊字符与一般在命令行输入命令的"通配符"并不相同，例如，在通配符当中的*代表的是零到无限多个字符的意思，但是在正则表达式当中，*则是重复 0 到无穷多个的前一个 RE 字符的意思，使用的意义并不相同，不要搞混了！

举例来说，在不支持正则表达式的 ls 这个工具中，若我们使用"ls –l*"代表的是任意文件名的文件，而"ls –la*"代表的是以 a 为开头的任何文件名的文件，但在正则表达式中，我们要找到含有以 a 为开头的文件，则必须要这样（需搭配支持正则表达式的工具）：

ls | grep -n '^a.*'

例题

以 ls –l 配合 grep 找出/etc/下面文件类型为连接文件属性的文件名。

答：由于 ls –l 列出连接文件时标头会是"lrwxrwxrwx"，因此使用如下的命令即可找出结果：

ls –l /etc | grep '^l'

若仅想要列出几个文件，再以"|wc –l"来累加处理即可。

12.2.5 sed 工具

在了解了一些正则表达式的基础应用之后，有两个命令可以练习一下，那就是 sed 与下面会介绍的 awk 了！这两个工具可是相当有用的。举例来说，鸟哥写的 logfile.sh 分析登录文件的小程序（第 19 章会谈到），绝大部分分析关键字的使用、统计等，就是用这两个工具来帮我完成的。

我们先来谈一谈 sed 好了，sed 本身也是一个管道命令，可以分析 standard input 的，而且 sed 还可以将数据进行替换、删除、新增、选取特定行等的功能呢！我们先来了解一下 sed 的用法，再来聊它的用途好了！

```
[root@www ~]# sed [-nefr] [动作]
参数：
-n : 使用安静（silent）模式。在一般 sed 的用法中，所有来自 STDIN
     的数据一般都会被列出到屏幕上。但如果加上 -n 参数后，则只有经过
     sed 特殊处理的那一行（或者操作）才会被列出来。
-e : 直接在命令行模式上进行 sed 的动作编辑。
-f : 直接将 sed 的动作写在一个文件内，-f filename 则可以执行 filename 内的
     sed 动作。
-r : sed 的动作支持的是扩展型正则表达式的语法（默认是基础正则表达式语法）。
-i : 直接修改读取的文件内容，而不是由屏幕输出。
```

```
动作说明:     [n1[,n2]]function
n1, n2 : 不见得会存在，一般代表选择进行动作的行数，举例来说，如果我的动作
            是需要在 10 到 20 行之间进行的，则 " 10,20[动作行为] "

function 有下面这些参数:
a   : 新增，a 的后面可以接字符串，而这些字符串会在新的一行出现 (目前的下一行);
c   : 替换，c 的后面可以接字符串，这些字符串可以替换 n1,n2 之间的行!
d   : 删除，因为是删除，所以 d 后面通常不接任何参数;
i   : 插入，i 的后面可以接字符串，而这些字符会在新的一行出现 (目前的上一行);
p   : 打印，也就是将某个选择的数据打印出来。通常 p 会与参数 sed -n 一起运行。
s   : 替换，可以直接进行替换的工作。通常这个 s 的动作可以搭配
        正则表达式! 例如 1,20s/old/new/g 就是。
```

◆ 以行为单位的新增/删除功能

- sed 光是用看的是看不懂的。所以要来练习一下了。先来练习删除与新增的功能吧!

```
范例一: 将 /etc/passwd 的内容列出并且打印行号，同时，请将第 2~5 行删除!
[root@www ~]# nl /etc/passwd | sed '2,5d'
    1  root:x:0:0:root:/root:/bin/bash
    6  sync:x:5:0:sync:/sbin:/bin/sync
    7  shutdown:x:6:0:shutdown:/sbin:/sbin/shutdown
.....(后面省略).....
```

- 看到了吧? sed 的动作为'2,5d'，那个 d 就是删除。因为 2~5 行给它删除了，所以显示的数据就没有 2~5 行。另外，注意一下，原本应该是要执行 sed –e 才对，没有–e 也行。同时也要注意的是，sed 后面接的动作，请务必以"两个单引号括住。
- 如果题型变化一下，举例来说，如果只要删除第 2 行，可以使用 "nl /etc/passwd | sed '2d' " 来完成，至于若是要删除第 3 到最后一行，则是 "nl /etc/passwd | sed '3,$d'"的，那个 " $ " 代表最后一行!

```
范例二: 承上例，在第二行后 (即是加在第三行) 加上 "drink tea?" 字样!
[root@www ~]# nl /etc/passwd | sed '2a drink tea'
    1  root:x:0:0:root:/root:/bin/bash
    2  bin:x:1:1:bin:/bin:/sbin/nologin
drink tea
    3  daemon:x:2:2:daemon:/sbin:/sbin/nologin
.....(后面省略).....
```

在 a 后面加上的字符串就已将出现在第二行后面。那如果是要在第二行前呢? "nl /etc/passwd | sed '2i drink tea' " 就对了。就是将 "a" 变成 "i" 即可。增加一行很简单，那如果是要增加两行以上呢?

```
范例三: 在第二行后面加入两行字，例如 "Drink tea or ....." 与 "drink beer?"
[root@www ~]# nl /etc/passwd | sed '2a Drink tea or ......\
> drink beer ?'
    1  root:x:0:0:root:/root:/bin/bash
    2  bin:x:1:1:bin:/bin:/sbin/nologin
Drink tea or ......
drink beer ?
    3  daemon:x:2:2:daemon:/sbin:/sbin/nologin
.....(后面省略).....
```

这个范例的重点是我们可以新增不只一行，可以新增好几行，但是每一行之间都必须要以反斜杠 "\" 来进行新行的增加。所以，上面的例子中，我们可以发现在第一行的最后面就有\存在，那是一定要的。

◆ 以行为单位的替换与显示功能

- 刚才是介绍如何新增与删除，那么如果要整行替换呢? 看看下面的范例吧:

范例四：我想将第 2~5 行的内容替换成为 "No 2-5 number"
```
[root@www ~]# nl /etc/passwd | sed '2,5c No 2-5 number'
     1  root:x:0:0:root:/root:/bin/bash
No 2-5 number
     6  sync:x:5:0:sync:/sbin:/bin/sync
.....（后面省略）.....
```

- 通过这个方法我们就能够将数据整行替换了。非常容易吧！sed 还有更好用的工具。我们以前想要列出第 11~20 行，得要通过 "head –n 20 | tail –n 10" 之类的方法来处理，很麻烦。sed 则可以简单直接取出你想要的那几行！是通过行号来找的。先看看下面的范例：

范例五：仅列出 /etc/passwd 文件内的第 5-7 行
```
[root@www ~]# nl /etc/passwd | sed -n '5,7p'
     5  lp:x:4:7:lp:/var/spool/lpd:/sbin/nologin
     6  sync:x:5:0:sync:/sbin:/bin/sync
     7  shutdown:x:6:0:shutdown:/sbin:/sbin/shutdown
```

- 上述的命令中有个重要的参数 "–n"，按照说明文件，这个–n 代表的是 "安静模式"！那么为什么要使用安静模式呢？你可以自行执行 sed '5,7p' 就知道了（5~7 行会重复输出）。有没有加上–n 的参数时，输出的数据可是差很多的。你可以通过这个 sed 的以行为单位的显示功能，就能够将某一个文件内的某些行号找出来查阅。很不错的功能！不是吗？

◆ 部分数据的查找并替换的功能
- 除了整行的处理模式之外，sed 还可以用行为单位进行部分数据的查找并替换的功能。基本上 sed 的查找与替换的与 vi 相当类似，它有点像这样：

```
sed 's/要被替换的字符串/新的字符串/g'
```

上表中特殊字体的部分为关键字，请记下来！至于三个斜线分成两栏就是新旧字符串的替换。我们使用下面这个取得 IP 数据的范例，一段一段来处理给你瞧瞧，让你了解一下什么是所谓的查找并替换吧！

步骤一：先查看源信息，利用 /sbin/ifconfig 查询 IP
```
[root@www ~]# /sbin/ifconfig eth0
eth0      Link encap:Ethernet  HWaddr 00:90:CC:A6:34:84
          inet addr:192.168.1.100  Bcast:192.168.1.255  Mask:255.255.255.0
          inet6 addr: fe80::290:ccff:fea6:3484/64 Scope:Link
          UP BROADCAST RUNNING MULTICAST  MTU:1500  Metric:1
.....（以下省略）.....
# 因为我们还没有讲到 IP，这里你先有个概念即可啊。我们的重点在第二行，
# 也就是 192.168.1.100 那一行而已！先利用关键字找出那一行！
```

步骤二：利用关键字配合 grep 选取出关键的一行数据
```
[root@www ~]# /sbin/ifconfig eth0 | grep 'inet addr'
          inet addr:192.168.1.100  Bcast:192.168.1.255  Mask:255.255.255.0
# 当场仅剩下一行！接下来，我们要将开始到 addr: 通通删除，就是像下面这样：
# inet addr:192.168.1.100  Bcast:192.168.1.255  Mask:255.255.255.0
# 上面的删除关键在于 " ^.*inet addr: "，正则表达式出现。
```

步骤三：将 IP 前面的部分予以删除
```
[root@www ~]# /sbin/ifconfig eth0 | grep 'inet addr' | \
>  sed 's/^.*addr://g'
192.168.1.100  Bcast:192.168.1.255  Mask:255.255.255.0
# 仔细与上个步骤比较一下，前面的部分不见了！接下来则是删除后续的部分，即：
# 192.168.1.100  Bcast:192.168.1.255  Mask:255.255.255.0
# 此时所需的正则表达式为 " Bcast.*$ "
```

步骤四：将 IP 后面的部分予以删除
```
[root@www ~]# /sbin/ifconfig eth0 | grep 'inet addr' | \
```

```
>  sed 's/^.*addr://g' | sed 's/Bcast.*$//g'
192.168.1.100
```

通过这个范例的练习也建议你依据此步骤来研究你的命令。就是先查看，然后再一步一步试做，如果有做不对的地方，就先予以修改，改完之后测试，成功后再往下继续测试。鸟哥上面的介绍中，那一大串命令就做了四个步骤。

让我们再来继续研究 sed 与正则表达式的配合练习！假设我只要存在 MAN 字样的那几行数据，但是含有#在内的批注我不想要，而且空白行我也不要。此时该如何处理呢？可以通过这几个步骤来实践看看：

```
步骤一：先使用 grep 将关键字 MAN 所在行取出来
[root@www ~]# cat /etc/man.config | grep 'MAN'
# when MANPATH contains an empty substring)，to find out where the cat
# MANBIN                pathname
# MANPATH               manpath_element [corresponding_catdir]
# MANPATH_MAP           path_element    manpath_element
# MANBIN                /usr/local/bin/man
# Every automatically generated MANPATH includes these fields
MANPATH /usr/man
....（后面省略）....

步骤二：删除掉批注之后的数据！
[root@www ~]# cat /etc/man.config | grep 'MAN'| sed 's/#.*$//g'




MANPATH /usr/man
....（后面省略）....
# 从上面可以看出来，原本批注的数据都变成空白行。所以，接下来要删除掉空白行

[root@www ~]# cat /etc/man.config | grep 'MAN'| sed 's/#.*$//g' | \
> sed '/^$/d'
MANPATH /usr/man
MANPATH /usr/share/man
MANPATH /usr/local/man
....（后面省略）....
```

◆ **直接修改文件内容**（危险操作）

你以为 sed 只有这样的能耐吗？那可不！sed 甚至可以直接修改文件的内容呢！而不必使用管道命令或数据流重定向。不过，由于这个操作会直接修改文件，所以请你千万不要随便拿系统配置文件来测试。我们还是使用你下载的 regular_express.txt 文件来测试看看吧！

```
范例六：利用 sed 将 regular_express.txt 内每一行结尾为 "." 的换成 "!"
[root@www ~]# sed -i 's/\.$/\!/g' regular_express.txt
# 上头的 -i 参数可以让你的 sed 直接去修改后面接的文件内容而不是由屏幕输出。
# 这个范例是用在替换！请你自行 cat 该文件去查阅结果。

范例七：利用 sed 直接在 regular_express.txt 最后一行加入 "# This is a test"
[root@www ~]# sed -i '$a # This is a test' regular_express.txt
# 由于 $ 代表的是最后一行，而 a 的操作是新增，因此该文件最后新增。
```

sed 的 "-i" 参数可以直接修改文件内容，这功能非常有帮助。举例来说，如果你有一个 100 万行的文件，你要在第 100 行加某些文字，此时使用 vim 可能会疯掉！因为文件太大了！那怎么办？就利用 sed。通过 sed 直接修改/替换的功能，你甚至不需要使用 vim 去修改。

总之，这个 sed 不错。而且很多的 shell script 都会使用到这个命令的功能。sed 可以帮助系统管理员管理好日常的工作。所以要仔细学习呢！

12.3　扩展正则表达式

事实上，一般读者只要了解基础型的正则表达式大概就已经相当足够了，不过，某些时刻为了要简化整个命令操作，了解一下使用范围更广的扩展型正则表达式的表示式会更方便呢！举个简单的例子好了，在上节的例题三的最后一个例子中，我们要去除空白行与行首为#的行列，使用的是

grep –v '^$' regular_express.txt | grep –v '^#'

需要使用到管道命令来查找两次！那么如果使用扩展型的正则表达式，我们可以简化为：

egrep –v '^$|^#' regular_express.txt

扩展型正则表达式可以通过组功能"|"来进行一次查找！那个在单引号内的管道意义为"或 or"！是否变得更简单呢？此外，grep 默认仅支持基础正则表达式，如果要使用扩展型正则表达式，你可以使用 grep-E，不过更建议直接使用 egrep。直接区分命令比较好记忆。其实 egrep 与 grep-E 是类似命令别名的关系了。

熟悉了正则表达式之后，到这个扩展型的正则表达式，你应该也会想到，不就是多几个重要的特殊符号吗？所以，我们就直接来说明一下扩展型正则表达式有哪几个特殊符号。由于下面的范例还是有使用到 regular_express.txt，不巧的是刚才我们可能将该文件修改过了，所以，请重新下载该文件来练习。

表 12-3

RE 字符	意义与范例
+	意义：重复一个或一个以上的前一个 RE 字符 范例：查找（god）（good）（goood）等的字符串。那个 o+代表一个以上的 o，所以，下面的执行结果会将第 1, 9, 13 行列出来。 egrep –n 'go+d' regular_express.txt
?	意义：零个或一个的前一个 RE 字符 范例：查找（gd）（god）这两个字符串。那个 o?代表空的或 1 个 o，所以，上面的执行结果会将第 13, 14 行列出来。有没有发现到，这两个案例（'go+d' 与 'go?d'）的结果集合与'go*d'相同？想想看，这是为什么？ egrep –n 'go?d' regular_express.txt
|	意义：用或（or）的方式找出数个字符串 范例：查找 gd 或 good 这两个字符串，注意，是"或"！所以，第 1,9,14 这三行都可以被打印出来。那如果还想要找出 dog 呢？ egrep-n 'gd|good' regular_express.txt egrep-n 'gd|good|dog' regular_express.txt
( )	意义：找出"组"字符串 范例：查找（glad）或（good）这两个字符串，因为 g 与 d 是重复的，所以，我就可以将 la 与 oo 列于（ ）当中，并以l来分隔开来，就可以啦！ egrep –n 'g(la|oo)d' regular_express.txt
( )+	意义：多个重复组的判别 范例：将"AxyzxyzxyzxyzC"用 echo 显示，然后再使用如下的方法查找一下！ echo'AxyzxyzxyzxyzC' | egrep 'A(xyz)+C' 上面的例子意思是说，我要找开头是 A 结尾是 C，中间有一个以上的"xyz"字符串的意思

表 12-3 所示就是扩展型的正则表达式的特殊字符。另外，要特别强调的是，那个!在正则表达式当中并不是特殊字符，所以，如果你想要查出来文件中含有!与>的字行时，可以这样：

grep –n '[!>]' regular_express.txt

这样可以了解了吗？常常看到有陷阱的题目写："'[!a-z]'反向选择对否？"是错的。要'[^a-z]才是对的！至于更多关于正则表达式的高级文章，请参考文末的参考数据[注2]。

12.4 文件的格式化与相关处理

接下来让我们来将文件进行一些简单的编排吧！下面这些操作可以将你的信息进行排版的操作，不需要重新以 vim 去编辑，通过数据流重定向配合下面介绍的 printf 功能，以及 awk 命令，就可以让你的信息以你想要的模样来输出了！试看看吧！

12.4.1 格式化打印：printf

在很多时候，我们可能需要将自己的数据给它格式化输出的！举例来说，考试分数的输出，姓名与科目及分数之间总是可以稍微做个比较漂亮的版面吧？例如我想要输出下面的样式：

```
Name     Chinese   English   Math    Average
DmTsai     80        60       92      77.33
VBird      75        55       80      70.00
Ken        60        90       70      73.33
```

上表的数据主要分成五个字段，各个字段之间可使用［tab］或空格键进行分隔。请将上面的数据转存成为 printf.txt 文件名，等一下我们会利用这个文件来进行几个小练习的。因为每个字段的原始数据长度其实并非是如此固定的（Chinese 长度就是比 Name 要多），而我就是想要如此表示出这些数据，此时，就得需要打印格式化命令 printf 的帮忙了！printf 可以帮我们将数据输出的结果格式化，而且而支持一些特殊的字符。下面我们就来看看！

```
[root@www ~]# printf '打印格式' 实际内容
参数:
关于格式方面的几个特殊样式:
    \a   警告声音输出
    \b   退格键（backspace）
    \f   清除屏幕 （form feed）
    \n   输出新的一行
    \r   亦即 Enter 按键
    \t   水平的 [tab] 按键
    \v   垂直的 [tab] 按键
    \xNN  NN 为两位数的数字，可以转换数字成为字符。
关于 C 程序语言内，常见的变量格式
    %ns   那个 n 是数字，s 代表 string ，即多少个字符;
    %ni   那个 n 是数字，i 代表 integer ，即多少整数字数;
    %N.nf 那个 n 与 N 都是数字，f 代表 floating (浮点)，如果有小数字数，
          假设我要十个位数，但小数点有两位，即为 %10.2f 。
```

接下来我们来进行几个常见的练习。假设所有的数据都是一般文字（这也是最常见的状态），因此最常用来分隔数据的符号就是[Tab]。因为[Tab]按键可以将数据做个整齐的排列，那么如何利用 printf 呢？参考下面这个范例：

```
范例一: 将刚才上头数据的文件 (printf.txt) 内容仅列出姓名与成绩 (用 [tab] 分隔)
[root@www ~]# printf '%s\t %s\t %s\t %s\t %s\t \n' $(cat printf.txt)
Name      Chinese      English      Math    Average
DmTsai    80      60      92      77.33
VBird     75      55      80      70.00
Ken       60      90      70      73.33
```

由于 printf 并不是管道命令，因此我们得要通过类似上面的功能，将文件内容先提出来给 printf 作为后续的数据才行。如上所示，我们将每个数据都以[tab]作为分隔，但是由于 Chinese 长度太长，导致 English 中间多了一个[tab]来将数据排列整齐，结果就看到数据对齐结果的区别了！

另外，在 printf 后续的那一段格式中，%s 代表一个不固定长度的字符串，而字符串与字符串之间就以\t 这个[tab]分隔符来处理！你要记得的是，由于\t 与%s 中间还有空格，因此每个字符串间会有一个[tab]与一个空格键的分隔。

既然每个字段的长度不固定会造成上述的困扰，那我将每个字段固定就好。没错！这样想非常好！所以我们就将数据进行固定字段长度的设计吧！

```
范例二：将上述数据关于第二行以后，分别以字符串、整数、小数点来显示
[root@www ~]# printf '%10s %5i %5i %5i %8.2f \n' $ (cat printf.txt |\
> grep -v Name )
    DmTsai    80    60    92    77.33
     VBird    75    55    80    70.00
Ken    60    90    70    73.33
```

上面这一串格式想必你看得很辛苦，没关系！一个一个来解释。上面的格式共分为五个字段，%10s 代表的是一个长度为 10 个字符的字符串字段，%5i 代表的是长度为 5 个字符的数字字段，至于那个 %8.2f 则代表长度为 8 个字符的具有小数点的字段，其中小数点有两个字符宽度。我们可以使用下面的说明来介绍%8.2f 的意义：

字符宽度：12345678

%8.2f 意义：00000.00

如上所述，全部的宽度仅有 8 个字符，整数部分占有 5 个字符，小数点本身（．）占一位，小数点下的位数则有两位。这种格式经常使用于数值程序的设计中。自己试看看如果要将小数点位数变成 1 位又该如何处理？

printf 除了可以格式化处理之外，它还可以依据 ASCII 的数字与图形对应来显示数据[注3]。举例来说十六进制的 45 可以得到什么 ASCII 的显示图（其实是字符）？

```
范例三：列出十六进制数值 45 代表的字符
[root@www ~]# printf '\x45\n'
E
# 这东西也很好玩。它可以将数值转换成为字符，如果你会写 script 的话，
# 可以自行测试一下，20~80 之间的数值代表的字符是什么。
```

printf 的使用相当广泛，包括等一下后面会提到的 awk 以及在 C 程序语言当中使用的屏幕输出，都是利用 printf。鸟哥这里也只是列出一些可能会用到的格式而已，有兴趣的话，可以自行做一些测试与练习。

打印格式化这个 printf 命令，乍看之下好像也没有什么很重要的。不过，如果你需要自行编写一些软件，需要将一些数据在屏幕上头漂漂亮亮地输出的话，那么 printf 可也是一个很不错的工具。

12.4.2 awk：好用的数据处理工具

awk 也是一个非常棒的数据处理工具。相比于 sed 常常作用于一整行的处理，awk 则比较倾向于将一行分成数个"字段"来处理。因此，awk 相当适合处理小型的数据数据处理呢！awk 通常运行的模式是这样的：

```
[root@www ~]# awk '条件类型 1{动作 1} 条件类型 2{动作 2} ...' filename
```

awk 后面接两个单引号并加上大括号{}来设置想要对数据进行的处理动作。awk 可以处理后续接的文件，也可以读取来自前个命令的 standardoutput。但如前面说的，**awk 主要是处理每一行的字段内的数据**，而默认的字段的分隔符为空格键或[tab]键。举例来说，我们用 last 可以将登录者的数据取出来，结果如下所示：

```
[root@www ~]# last -n 5 <==仅取出前五行
root     pts/1    192.168.1.100   Tue Feb 10 11:21    still logged in
root     pts/1    192.168.1.100   Tue Feb 10 00:46 - 02:28  (01:41)
root     pts/1    192.168.1.100   Mon Feb  9 11:41 - 18:30  (06:48)
dmtsai   pts/1    192.168.1.100   Mon Feb  9 11:41 - 11:41  (00:00)
root     tty1                     Fri Sep  5 14:09 - 14:10  (00:01)
```

若我想要取出账号与登录者的 IP，且账号与 IP 之间以[tab]隔开，则会变成这样：

```
[root@www ~]# last -n 5 | awk '{print $1 "\t" $3}'
root    192.168.1.100
root    192.168.1.100
root    192.168.1.100
dmtsai  192.168.1.100
root    Fri
```

上面是 awk 最常使用的动作。通过 print 的功能将字段数据列出来！字段的分隔则以空格键或[tab]按键来隔开。因为不论哪一行我都要处理，因此，就不需要有条件类型的限制！我所想要的是第一列以及第三列，但是，第五行的内容很奇怪。这是因为数据格式的问题。所以使用 awk 的时候，请先确认一下你的数据，如果是连续性的数据，请不要有空格或[tab]在内，否则，就会像这个例子这样，会发生误判。

另外，由上面这个例子你也会知道，在每一行的每个字段都是有变量名称的，那就是$1, $2 等变量名称。以上面的例子来说，root 是$1，因为它是第一列嘛！至于 192.168.1.100 是第三列，所以它就是$3，后面以此类推。还有个变量，那就是$0，$0 代表一整行数据的意思。以上面的例子来说，第一行的$0 代表的就是"root...."那一行。由此可知，刚才上面五行当中，整个 awk 的处理流程是：

1. 读入第一行，并将第一行的数据填入$0, $1, $2 等变量当中；
2. 依据条件类型的限制，判断是否需要进行后面的动作；
3. 做完所有的动作与条件类型；
4. 若还有后续的"行"的数据，则重复上面 1~3 的步骤，直到所有的数据都读完为止。

经过这样的步骤，你会晓得，awk 是以行为一次处理的单位，而以字段为最小的处理单位。好了，那么 awk 怎么知道我到底这个数据有几行和几列呢？这就需要 awk 的内置变量的帮忙了，如表 12-4 所示。

表 12-4

变 量 名 称	代 表 意 义
NF	每一行（$0）拥有的字段总数
NR	目前 awk 所处理的是"第几行"数据
FS	目前的分隔字符，默认是空格键

我们继续以上面 last –n 5 的例子来做说明，如果我想要：

◆ 列出每一行的账号（就是$1）
◆ 列出目前处理的行数（就是 awk 内的 NR 变量）
◆ 并且说明，该行有多少字段（就是 awk 内的 NF 变量）

则可以这样：

> 要注意喔，awk 后续的所有动作是以单引号 "" 括住的，由于单引号与双引号都必须是成对的，所以，awk 的格式内容如查想要以 print 打印时，记得非变量的文字部分，包含一小节 printf 提到的格式中，都需要使用双引号来定义出来，因为单引号已是 awk 的命令固定用法了

```
[root@www ~]# last -n 5| awk '{print $1 "\t lines: " NR "\t columes: " NF}'
root       lines: 1        columes: 10
root       lines: 2        columes: 10
root       lines: 3        columes: 10
dmtsai     lines: 4        columes: 10
root       lines: 5        columes: 9
# 注意喔! 在 awk 内的 NR, NF 等变量要用大写，且不需要 $ 啦!
```

这样可以了解 NR 与 NF 的差别了吧？好了，下面来谈一谈所谓的条件类型了吧！

◆ **awk 的逻辑运算符**
既然有需要用到条件的类别，自然就需要一些逻辑运算。例如下面这些，如表 12-5 所示。

表 12-5

运 算 符	代 表 意 义
>	大于
<	小于
>=	大于或等于
<=	小于或等于
==	等于
!=	不等于

值得注意的是那个 "==" 的符号，因为：
◆ 逻辑运算上面也就是所谓的大于、小于、等于等判断式上面，习惯上是以 "==" 来表示；
◆ 如果是直接给予一个值，例如变量设置时，就直接使用=而已。

好了，我们实际来运用一下逻辑判断吧！举例来说，在/etc/passwd 当中是以冒号":"来作为字段的分隔，该文件中第一字段为账号，第三字段则是 UID。那假设我要查阅，第三列小于 10 以下的数据，并且仅列出账号与第三列，那么可以这样做：

```
[root@www ~]# cat /etc/passwd | \
> awk '{FS=":"} $3 < 10 {print $1 "\t " $3}'
root:x:0:0:root:/root:/bin/bash
bin      1
daemon   2
....（以下省略）....
```

有趣吧！不过，怎么第一行没有正确显示出来呢？这是因为我们读入第一行的时候，那些变量 $1,$2...默认还是以空格键为分隔的，所以虽然我们定义了 FS=":"了，但是却仅能在第二行后才开始生效。那么怎么办呢？我们可以预先设置 awk 的变量啊！利用 BEGIN 这个关键字，这样做：

```
[root@www ~]# cat /etc/passwd | \
> awk 'BEGIN {FS=":"} $3 < 10 {print $1 "\t " $3}'
root     0
bin      1
```

```
daemon    2
......（以下省略）......
```

很有趣吧！而除了 BEGIN 之外，我们还有 END 呢！另外，如果要用 awk 来进行"计算功能"呢？以下面的例子来看，假设我有一个薪资数据表文件名为 pay.txt，内容是这样的：

```
Name     1st     2nd     3th
VBird    23000   24000   25000
DMTsai   21000   20000   23000
Bird2    43000   42000   41000
```

如何帮我计算每个人的总额呢？而且我还想要格式化输出喔！我们可以这样考虑：

- 第一行只是说明，所以第一行不要进行加总（NR==1 时处理）；
- 第二行以后就会有加总的情况出现（NR>=2 以后处理）。

```
[root@www ~]# cat pay.txt | \
> awk 'NR==1{printf "%10s %10s %10s %10s %10s\n",$1,$2,$3,$4,"Total" }
NR>=2{total = $2 + $3 + $4
printf "%10s %10d %10d %10d %10.2f\n", $1, $2, $3, $4, total}'
      Name       1st       2nd       3th     Total
     VBird     23000     24000     25000  72000.00
    DMTsai     21000     20000     23000  64000.00
     Bird2     43000     42000     41000 126000.00
```

上面的例子有几个重要事项应该要先说明的：

- 所有 awk 的动作，即在{}内的动作，如果有需要多个命令辅助时，可利用分号";"间隔，或者直接以[Enter]按键来隔开每个命令，例如上面的范例中，鸟哥共按了三次[Enter]。
- 逻辑运算当中，如果是"等于"的情况，则务必使用两个等号"=="！
- 格式化输出时，在 printf 的格式设置当中，务必加上\n，才能进行分行！
- 与 bash、shell 的变量不同，在 awk 当中，变量可以直接使用，不需加上$符号。

利用 awk 这个工具，就可以帮我们处理很多日常工作了呢！真是好用得很。此外，awk 的输出格式当中，常常会以 printf 来辅助，所以，最好你对 printf 也稍微熟悉一下比较好。另外，awk 的动作内{}也是支持 if（条件）的。举例来说，上面的命令可以修改成为这样：

```
[root@www ~]# cat pay.txt | \
> awk '{if (NR==1) printf "%10s %10s %10s %10s %10s\n",$1,$2,$3,$4,"Total"}
NR>=2{total = $2 + $3 + $4
printf "%10s %10d %10d %10d %10.2f\n", $1, $2, $3, $4, total}'
```

你可以仔细比较一下上面两个输入有什么不同，从中去了解两种语法吧！我个人是比较倾向于使用第一种语法，因为会比较有统一性啊！

除此之外，awk 还可以帮我们进行循环计算喔！真是相当好用！不过，那属于比较高级的课程了，我们这里就不再多加介绍。如果你有兴趣的话，请务必参考扩展阅读中的相关链接[注4]。

12.4.3 文件比较工具

什么时候会用到文件的比较啊？通常是同一个软件的不同版本之间，比较配置文件与源文件的区别。很多时候所谓的文件比较，通常是用在 ASCII 纯文本文件的比较上。那么比较文件的命令有哪些？最常见的就是 diff。另外，除了 diff 比较之外，我们还可以通过 cmp 来比较非纯文本文件。同时，也能够通过 diff 创建的分析文件，以处理补丁（patch）功能的文件呢！就来练习先！

- diff
  - diff 就是用在比较两个文件之间的区别的，并且是以行为单位来比较的！一般是用在 ASCII 纯文本文件的比较上。由于是以行为比较的单位，因此 diff 通常是用在同一的文件（或软件）的新旧版本区别上！举例来说，假如我们要将/etc/passwd 处理成为一个新的版本，处理方式为：
将第四行删除，第六行则替换成为"no six line"，新的文件放置到/tmp/test 里面，那么应该
怎么做？

```
[root@www ~]# mkdir -p /tmp/test <==先新建测试用的目录
[root@www ~]# cd /tmp/test
[root@www test]# cp /etc/passwd passwd.old
[root@www test]# cat /etc/passwd | \
> sed -e '4d' -e '6c no six line' > passwd.new
# 注意一下，sed 后面如果要接超过两个以上的动作时，每个动作前面得加 -e 才行！
# 通过这个动作，在 /tmp/test 里面便有新旧的 passwd 文件存在了！
```

- 接下来讨论一下 diff 的用法。

```
[root@www ~]# diff [-bBi] from-file to-file
参数：
from-file ：一个文件名，作为欲比较文件的文件名；
to-file   ：一个文件名，作为目的比较文件的文件名。
注意，from-file 或 to-file 可以 - 替换，那个 - 代表 "Standard input" 之意。

-b ：忽略一行当中仅有多个空白的区别（例如 "about me" 与 "about      me" 视为相同）
-B ：忽略空白行的区别。
-i ：忽略大小写的不同。

范例一：比较 passwd.old 与 passwd.new
[root@www test]# diff passwd.old passwd.new
4d3    <==左边第四行被删除（d）掉了，基准是右边的第三行
< adm:x:3:4:adm:/var/adm:/sbin/nologin <==这边列出左边（<）文件被删除的那一行内容
6c5    <==左边文件的第六行被替换（c）成右边文件的第五行
< sync:x:5:0:sync:/sbin:/bin/sync <==左边（<）文件第六行内容
---
> no six line             <==右边（>）文件第五行内容
#用 diff 就把我们刚才的处理给比对完毕了！
```

用 diff 比较文件真的是很简单。不过，你不要用 diff 去比较两个完全不相干的文件，因为比不出
个结果来！另外，diff 也可以比较整个目录下的区别。举例来说，我们想要了解一下不同的开机执行
等级（runlevel）内容有什么不同，假设你已经知道执行等级 3 与 5 的启动脚本分别放置到/etc/rc3.d
及/etc/rc5.d，则我们可以将两个目录比较一下：

```
[root@www ~]# diff /etc/rc3.d/ /etc/rc5.d/
Only in /etc/rc3.d/: K99readahead_later
Only in /etc/rc5.d/: S96readahead_later
```

我们的 diff 很聪明吧？还可以比较不同目录下的相同文件名的内容，这样真的很方便。

◆ cmp

相对于 diff 的广泛用途，cmp 似乎就用得没有这么多了。cmp 主要也是在比较两个文件，它主要
利用"字节"单位去比较，因此，当然也可以比较二进制文件。（还是要再提醒，diff 主要是以"行"
为单位比较，cmp 则是以"字节"为单位去比较，这并不相同！）

```
[root@www ~]# cmp [-s] file1 file2
参数：
-s ：将所有的不同点的字节处都列出来。因为 cmp 默认仅会输出第一个发现的不同点。

范例一：用 cmp 比较一下 passwd.old 及 passwd.new
[root@www test]# cmp passwd.old passwd.new
passwd.old passwd.new differ: byte 106, line 4
```

看到了吗？第一个发现的不同点在第四行，而且字节数是在第 106 个字节处！这个 cmp 也可以
用来比较二进制文件。

◆ **patch**

patch 这个命令与 diff 可是有密不可分的关系啊！我们前面提到，diff 可以用来分辨两个版本之间的区别，举例来说，刚才我们所新建的 passwd.old 及 passwd.new 之间就是两个不同版本的文件。那么，如果要"升级"呢？就是将旧的文件升级成为新的文件时，应该要怎么做呢？其实也不难啦！就是先比较新旧版本的区别，并将区别文件制作成为补丁文件，再由补丁文件更新旧文件即可。举例来说，我们可以这样做测试：

```
范例一：以 /tmp/test 内的 passwd.old 与 passwd.new 制作补丁文件
[root@www test]# diff -Naur passwd.old passwd.new > passwd.patch
[root@www test]# cat passwd.patch
--- passwd.old  2009-02-10 14:29:09.000000000 +0800 <==新旧文件的信息
+++ passwd.new  2009-02-10 14:29:18.000000000 +0800
@@ -1,9 +1,8 @@  <==新旧文件要修改数据的界定范围，旧文件在 1~9 行，新文件在 1~8 行
 root:x:0:0:root:/root:/bin/bash
 bin:x:1:1:bin:/bin:/sbin/nologin
 daemon:x:2:2:daemon:/sbin:/sbin/nologin
-adm:x:3:4:adm:/var/adm:/sbin/nologin        <==左侧文件删除
 lp:x:4:7:lp:/var/spool/lpd:/sbin/nologin
-sync:x:5:0:sync:/sbin:/bin/sync             <==左侧文件删除
+no six line                                 <==右侧新文件加入
 shutdown:x:6:0:shutdown:/sbin:/sbin/shutdown
 halt:x:7:0:halt:/sbin:/sbin/halt
 mail:x:8:12:mail:/var/spool/mail:/sbin/nologin
```

一般来说，使用 diff 制作出来的比较文件通常使用扩展名为 .patch。至于内容就如同上面介绍的样子。基本上就是以行为单位，看看哪边有一样与不一样的，找到一样的地方，然后将不一样的地方替换掉！以上面内容为例，新文件看到–会删除，看到+会加入！好了，那么如何将旧的文件更新成为新的内容呢？就是将 passwd.old 改成与 passwd.new 相同！可以这样做：

```
[root@www ~]# patch -pN < patch_file      <==更新
[root@www ~]# patch -R -pN < patch_file  <==还原
参数：
-p ：后面的 N 表示取消几层目录的意思。
-R ：代表还原，将新的文件还原成原来旧的版本。

范例二：将刚才制作出来的 patch file 用来更新旧版数据
[root@www test]# patch -p0 < passwd.patch
patching file passwd.old
[root@www test]# ll passwd*
-rw-r--r-- 1 root root 1929 Feb 10 14:29 passwd.new
-rw-r--r-- 1 root root 1929 Feb 10 15:12 passwd.old <==文件一模一样！

范例三：恢复旧文件的内容
[root@www test]# patch -R -p0 < passwd.patch
[root@www test]# ll passwd*
-rw-r--r-- 1 root root 1929 Feb 10 14:29 passwd.new
-rw-r--r-- 1 root root 1986 Feb 10 15:18 passwd.old
# 文件就这样恢复成为旧版本
```

为什么这里会使用–p0 呢？因为我们在比较新旧版的数据时是在同一个目录下，因此不需要减去目录啦！如果是使用整体目录比较（diff 新旧目录）时，就得要依据新建 patch 文件所在目录来进行目录的删减。

更详细的 patch 用法我们会在后续的第五部分的原码编译（第 22 章）再跟大家介绍，这里仅是介绍给你，我们可以利用 diff 来比较两个文件，更可进一步利用这个功能来制作补丁文件（ patch file），让大家更容易进行比较与升级。

12.4.4　文件打印准备：pr

如果你曾经使用过一些图形界面的文字处理软件的话，那么很容易发现，当我们在打印的时候，可以同时选择与设置每一页打印时的标题，也可以设置页码呢！那么，如果我是在 Linux 下面打印纯文本文件呢？可不可以具有标题啊？可不可以加入页码啊？当然可以。使用 pr 就能够达到这个功能了。不过，pr 的参数实在太多了，鸟哥也说不完，一般来说，鸟哥都仅使用最简单的方式来处理而已。举例来说，如果想要打印/etc/man.config 呢？

```
[root@www ~]# pr /etc/man.config


2007-01-06 18:24                /etc/man.config                Page 1


#
# Generated automatically from man.conf.in by the
# configure script.
......以下省略......
```

上面特殊字体那一行呢，其实就是使用 pr 处理后所造成的标题。标题中会有"文件时间"、"文件名"及"页码"三大项目。更多的 pr 使用，请参考 pr 的说明。

12.5　重点回顾

- 正则表达式就是处理字符串的方法，它是以行为单位来进行字符串的处理行为。
- 正则表达式通过一些特殊符号的辅助，可以让用户轻易达到查找、删除、替换某特定字符串的处理程序。
- 只要工具程序支持正则表达式，那么该工具程序就可以用来作为正则表达式的字符串处理之用。
- 正则表达式与通配符是完全不一样的。通配符（wildcard）代表的是 bash 操作接口的一个功能，但正则表达式则是一种字符串处理的表示方式！
- 使用 grep 或其他工具进行正则表达式的字符串比较时，因为编码的问题会有不同的状态，因此，你最好将 LANG 等变量设置为 C 或者是 en 等英文语系！
- grep 与 egrep 在正则表达式里面是很常见的两个程序，其中，egrep 支持更严谨的正则表达式的语法。
- 由于编码系统的不同，不同的语系（LANG）会造成正则表达式选取数据的区别，因此可利用特殊符号如[:upper:]来替代编码范围较佳。
- 由于严谨度的不同，正则表达式之上还有更严谨的扩展正则表达式。
- 基础正则表达式的特殊字符有*, ?, [], [-], [^], ^,$等！
- 常见的正则表达式工具有 grep , sed, vim 等。
- printf 可以通过一些特殊符号来将数据进行格式化输出。
- awk 可以使用"字段"为依据，进行数据的重新整理与输出。
- 文件的比较中，可利用 diff 及 cmp 进行比较，其中 diff 主要用在纯文本文件方面的新旧版本比较。
- patch 命令可以将旧版数据更新到新版（主要由 diff 创建 patch 的补丁来源文件）。

12.6　本章习题

情境模拟题一

通过 grep 查找特殊字符串，并配合数据流重定向来处理大量的文件查找问题。

◆　目标：正确使用正则表达式；

◆　前提：需要了解数据流重定向，以及通过子命令$（command）来处理文件名的查找。

我们简单的以查找星号（*）来处理下面的任务：

1. 利用正则表达式找出系统中含有某些特殊关键字的文件，举例来说，找出在/etc 下面含有星号（*）的文件与内容：

解决的方法必须要搭配通配符，但是星号本身就是正则表达式的字符，因此需要如此进行：

```
[root@www ~]# grep '\*' /etc/*
```

你必须要注意的是，在单引号内的星号是正则表达式的字符，但我们要找的是星号，因此需要加上转义字符（\）。但是在/etc/*的那个*则是 bash 的通配符！代表的是文件的文件名。不过由上述的这个结果中，我们仅能找到/etc 下面第一层子目录的数据，无法找到此目录的数据，如果想要连同完整的/etc 目录数据，就得要这样做：

```
[root@www ~]# grep '\*' $（find /etc -type f）
```

2. 但如果文件数量太多呢？如同上述的案例，如果要找的是全系统（/）呢？你可以这样做：

```
[root@www ~]# grep '\*' $（find / -type f）
-bash: /bin/grep: Argument list too long
```

真要命！由于命令列的内容长度是有限制的，因此当查找的对象是整个系统时，上述的命令会发生错误。那该如何是好？此时我们可以通过管道命令以及 xargs 来处理。举例来说，让 grep 每次仅能处理 10 个文件名，此时你可以这样想：

（1）先用 find 去找出文件；

（2）用 xargs 将这些文件每次丢 10 个给 grep 来作为参数处理；

（3）grep 实际开始查找文件内容。

●　所以整个做法就会变成这样：

```
[root@www ~]# find / -type f | xargs -n 10 grep '\*'
```

●　从输出的结果来看，数据量实在非常庞大！那如果我只是想要知道文件名而已呢？你可以通过 grep 的功能来找到如下的参数！

```
[root@www ~]# find / -type f | xargs -n 10 grep -l '\*'
```

情境模拟题二

使用管道命令配合正则表达式新建新命令与新变量。我想要创建一个新的命令名为 myip，这个命令能够将我系统的 IP 找出来显示。而我想要有个新变量，变量名为 MYIP，这个变量可以记录我的 IP。

处理的方式很简单，我们可以这样试看看：

1. 首先，我们依据本章内的 ifconfig、sed 与 awk 来取得我们的 IP，命令为：

```
[root@www ~]# ifconfig eth0 | grep 'inet addr' | \
> sed 's/^.*inet addr://g'| cut -d ' ' -f1
```

2. 再来，我们可以将此命令利用 alias 指定为 myip，如下所示：

```
[root@www ~]# alias myip="ifconfig eth0 | grep 'inet addr' | \
>   sed 's/^.*inet addr://g'| cut -d ' ' -f1 "
```

3. 最终，我们可以通过变量设置来处理 MYIP。

```
[root@www ~]# MYIP=$ ( myip )
```

4. 如果每次登录都要生效，可以将 alias 与 MYIP 的设置那两行写入你的~/.bashrc 即可！

简答题部分

◆ 我想要知道，在/etc 下面，只要含有 XYZ 三个字符的任何一个字符的那一行就列出来，要怎样进行？

◆ 将/etc/termcap 内容取出后，去除开头为#的行、去除空白行、取出开头为英文字母的那几行以及最终统计总行数该如何进行？

12.7　参考数据与扩展阅读

◆ 注 1：关于正则表达式与 POSIX 及特殊语法的参考网址可以查询下面的来源：
维基百科的说明：http://en.wikipedia.org/wiki/Regular_expression
ZYTRAX 网站介绍：http://zytrax.com/tech/web/regex.htm

◆ 注 2：其他关于正则表达式的网站介绍：
洪朝贵老师的网页（繁体）：http://www.cyut.edu.tw/~ckhung/b/re/index.php
龙门少尉的窝（繁体）：http://main.rtfiber.com.tw/~changyj/
PCRE 官方网站：http://perldoc.perl.org/perlre.html

◆ 注 3：关于 ASCII 编码对照表可参考维基百科的介绍：
维基百科（ASCII）条目：http://zh.wikipedia.org/zh-cn/Ascii

◆ 注 4：关于 awk 的高级文献，包括有下面几个链接：
http://phi.sinica.edu.tw/aspac/ reports/94/94011/
鸟哥备份：http://linux.vbird.org/linux_basic/0330regularex/awk.pdf
这份文件写得非常棒！欢迎大家多多参考！
Study Area：http://www.study-area.org/linux/system/linux_shell.htm

13

第 13 章　学习 shell script

　　如果你想要管理好属于你的主机，那么，别说鸟哥不告诉你，可以自动管理系统的好工具——shell script！这家伙真的是得要好好学习学习的！基本上，shell script 有点像是早期的批处理文件，即是将一些命令汇整起来一次执行，但是 shell script 拥有更强大的功能，那就是它可以进行类似程序（program）的编写，并且不需要经过编译（compile）就能够执行，真的很方便。加上我们可通过 shell script 来简化我们日常的工作管理，而且，整个 Linux 环境中，一些服务（services）的启动都是通过 shell script 进行的，如果你对于 script 不了解，发生问题时，可真是会求助无门喔！所以，好好学一学它吧！

13.1　什么是 shell script

什么是 shell script（程序化脚本）呢？就字面上的意义，我们将它分为两部分。在"shell"部分，我们在第 11 章的 BASH 当中已经提过了，那是一个命令行界面下面让我们与系统沟通的一个工具接口。那么"script"是什么？字面上的意义，script 是"脚本"的意思。整句话是说，shell script 是针对 shell 所写的"脚本"！

其实，shell script 是利用 shell 的功能所写的一个"程序"（program），这个程序是使用纯文本文件，将一些 shell 的语法与命令（含外部命令）写在里面，搭配正则表达式、管道命令与数据流重定向等功能，以达到我们所想要的处理目的。

所以，简单地说，shell script 就像是早期 DOS 年代的批处理文件（.bat），最简单的功能就是将许多命令写在一起，让用户很轻易就能够一下子处理复杂的操作（执行一个文件"shell script"，就能够一次执行多个命令）。而且 shell script 更提供数组、循环、条件与逻辑判断等重要功能，让用户也可以直接以 shell 来编写程序，而不必使用类似 C 程序语言等传统程序编写的语法。

这么说你可以了解了吗？shell script 可以简单被看成是批处理文件，也可以被说成是一个程序语言，且这个程序语言由于都是利用 shell 与相关工具命令，所以不需要编译即可执行，且拥有不错的排错（debug）工具，所以，它可以帮助系统管理员快速管理好主机。

13.1.1　为什么学习 shell script

这是个好问题："我又为什么一定要学 shell script？我又不是程序员，没有写程序的概念，那我为什么还要学 shell script 呢？不要学可不可以啊？"如果 Linux 对你而言，你只是想要"会用"而已，那么不需要学 shell script 也还无所谓，这部分先跳过去，等到有空的时候，再来好好看看。但是如果你是真的想要并清楚 Linux 的来龙去脉，那么 shell script 就不可不知，为什么呢？因为：

◆ **自动化管理的重要依据**

- 不用鸟哥说你也知道，管理一台主机真不是件简单的事情，每天要进行的任务就有：查询登录文件、追踪流量、监控用户使用主机状态、主机各项硬设备状态、主机软件更新查询等，更不要说得应付其他用户的突然要求了。而这些工作的进行可以分为自行手动处理和写个简单的程序来帮你每日自动处理分析这两种方式，你觉得哪种方式比较好？当然是让系统自动工作比较好，对吧！这就得需要良好的 shell script 来帮忙了。

◆ **追踪与管理系统的重要工作**

- 虽然我们还没有提到服务启动的方法，不过，这里可以先提一下，我们 Linux 系统的服务（services）启动的接口是在/etc/init.d/这个目录下，目录下的所有文件都是 script 另外，包括启动（booting）过程也都是利用 shell script 来帮忙查找系统的相关设置数据，然后再代入各个服务的设置参数。举例来说，如果我们想要重新启动系统注册表文件，可以使用"/etc/init.d/syslogd restart"，那个 syslogd 文件就是 script。

- 另外，鸟哥曾经在某一代的 Fedora 上面发现，启动 MySQL 这个数据库服务时，确实是可以启动的，但是屏幕上却老是出现"failure"！后来才发现，原来是启动 MySQL 那个 script 会主动以"空的密码"去尝试登录 MySQL，但为了安全性，鸟哥修改过 MySQL 的密码，当然就登录失败。后来改了改 script，就略去这个问题啦！如此说来，script 确实是需要学习的。

◆ **简单入侵检测功能**

- 当我们的系统有异常时，大多会将这些异常记录在系统记录器，也就是我们常提到的"系统注册表文件"，那么我们可以在固定的几分钟内主动去分析系统注册表文件，若察觉有问题，就立刻通报管理员，或者是立刻加强防火墙的设置规则，如此一来，你的主机可就能够达到"自我保护"的聪明学习功能。举例来说，我们可以通过 shell script 去分析当该数据包尝试几次还是连接失败之后就应该拒绝该 IP 之类的举动，例如鸟哥写过一个关于抵御攻击软件的 shell script，就是用这个想法去实现的。

◆ 连续命令单一化

● 其实，对于新手而言，script 最简单的功能就是整合一些在命令行执行的连续命令，将它写入 script 当中，而由直接执行 script 来启动一连串的命令输入！例如：防火墙连续规则（iptables）、启动加载程序的项目（就是在/etc/rc.d/rc.local 里头的数据）等都是相似的功能。其实，如果不考虑程序的部分，那么 script 也可以想成仅是帮我们把一大串的命令集合在一个文件里面，而直接执行该文件就可以执行那一串又臭又长的命令段！就是这么简单。

◆ 简易的数据处理

● 由前一章正则表达式的 awk 程序说明中，你可以发现，awk 可以用来处理简单的数据数据呢！例如薪资的处理等。shell script 的功能更强大，例如鸟哥曾经用 shell script 直接处理数据的比较、文字数据的处理等，编写方便，速度又快（因为在 Linux 中性能较佳），真的是很不错。

◆ 跨平台支持与学习历程较短

● 几乎所有的 UNIX Like 上面都可以跑 shell script，连 Windows 系列也有相关的 script 仿真器可以用，此外，shell script 的语法是相当亲和的，看都看得懂的文字（虽然是英文），而不是机器码，很容易学习。这些都是你可以加以考虑的学习点啊！

上面这些都是你考虑学习 shell script 的特点。此外，shell script 还可以简单的以 vim 来直接编写，实在是很方便的好东西。所以，还是建议你学习一下。

不过，虽然 shell script 号称是程序，但实际上，shell script 处理数据的速度上是不太够的。因为 shell script 用的是外部的命令与 bash shell 的一些默认工具，所以，它常常会去调用外部的函数库，因此，命令周期上面当然比不上传统的程序语言。所以，shell script 用在系统管理上面是很好的一项工具，但是用在处理大量数值运算上，就不够好了，因为 shell script 的速度较慢，且使用的 CPU 资源较多，造成主机资源的分配不良。我们通常利用 shell script 来处理服务器的检测，倒是没有进行大量运算的需求。所以不必担心！

13.1.2 第一个 script 的编写与执行

如同前面讲到的，shell script 其实就是纯文本文件，我们可以编辑这个文件，然后让这个文件来帮我们一次执行多个命令，或者是利用一些运算与逻辑判断来帮我们达成某些功能。所以，要编辑这个文件的内容时，当然就需要具备有 bash 命令执行的相关认识。执行命令需要注意的事项在第 5 章的开始执行命令小节内已经提过，有疑问请自行回去翻阅。在 shell script 的编写中还需要用到下面的注意事项：

1. 命令的执行是从上而下、从左而右地分析与执行；
2. 命令的执行就如同第 5 章内提到的：命令、参数间的多个空白都会被忽略掉；
3. 空白行也将被忽略掉，并且[tab]按键所得的空白同样视为空格键；
4. 如果读取到一个 Enter 符号（CR），就尝试开始执行该行（或该串）命令；
5. 至于如果一行的内容太多，则可以使用"\[Enter]"来扩展至下一行；
6. "#"可作为批注。任何加在#后面的数据将全部被视为批注文字而被忽略。

如此一来，我们在 script 内所编写的程序就会被一行一行执行。现在我们假设你写的这个程序文件名是/home/dmtsai/shell.sh 好了，那如何执行这个文件？很简单，可以有下面几个方法：

◆ 直接命令执行：shell.sh 文件必须要具备可读与可执行（rx）的权限，然后：

■ 绝对路径：使用/home/dmtsai/shell.sh 来执行命令；

- 　　■　相对路径：假设工作目录在/home/dmtsai/，则使用./shell.sh 来执行；
- 　　■　变量"PATH"功能：将 shell.sh 放在 PATH 指定的目录内，例如：~/bin/。
- ◆　以 bash 进程来执行：通过"bash shell.sh"或"sh shell.sh"来执行

　　反正重点就是要让那个 shell.sh 内的命令可以被执行的意思。那我为何需要使用"./shell.sh"来执行命令？回去第 11 章内的命令查找顺序查看一下，你就会知道原因了！同时，由于 CentOS 默认用户目录下的~/bin 目录会被设置到$PATH 内，所以你也可以将 shell.sh 创建在/home/dmtsai/bin/下面（~/bin 目录需要自行设置）。此时，若 shell.sh 在~/bin 内且具有 rx 的权限，那就直接输入 shell.sh 即可执行该脚本程序！

　　那为何"sh shell.sh"也可以执行呢？这是因为/bin/sh 其实就是/bin/bash（连接文件），使用 shshell.sh 即告诉系统，我想想要直接以 bash 的功能来执行 shell.sh 这个文件内的相关命令的意思，所以此时你的 shell.sh 只要有 r 的权限即可被执行。而我们也可以利用 sh 的参数，如–n 及–x 来检查与追踪 shell.sh 的语法是否正确。

- ◆　编写第一个 script
  - ●　在武侠世界中，不论是那个门派，要学武功要从扫地做起，那么要学程序呢？肯定是由"显示 Hello World！"开始的！那么鸟哥就先写一个 script 给大家瞧一瞧：

```
[root@www ~]# mkdir scripts; cd scripts
[root@www scripts]# vi sh01.sh
#!/bin/bash
# Program:
#       This program shows "Hello World!" in your screen.
# History:
# 2005/08/23 VBird     First release
PATH=/bin:/sbin:/usr/bin:/usr/sbin:/usr/local/bin:/usr/local/sbin:~/bin
export PATH
echo -e "Hello World! \a \n"
exit 0
```

　　在本章当中，请将所有编写的 script 放置到你主文件夹的~/scripts 这个目录内，将来比较好管理。上面的写法当中，鸟哥主要将整个程序的编写分成数段，大致是这样：

1. 第一行#!/bin/bash 声明这个 script 使用的 shell 名称
   - ●　因为我们使用的是 bash，所以必须要以"#!/bin/bash"来声明这个文件内的语法使用 bash 的语法。那么当这个程序被执行时，它就能够加载 bash 的相关环境配置文件（一般来说就是 non-login shell 的~/.bashrc），并且执行 bash 来使我们下面的命令能够执行。这很重要的（在很多情况中，如果没有设置好这一行，那么该程序很可能会无法执行，因为系统可能无法判断该程序需要使用什么 shell 来执行）。

2. 程序内容的说明
   - ●　整个 script 当中，除了第一行的"#!"是用来声明 shell 的之外，其他的#都是"批注"用途。所以上面的程序当中，第二行以下就是用来说明整个程序的基本数据。一般来说，建议你一定要养成说明该 script 的内容与功能、版本信息、作者与联络方式、建立日期、历史记录等习惯。这将有助于将来程序的改写与调试呢！

3. 主要环境变量的声明
   - ●　建议务必要将一些重要的环境变量设置好，鸟哥个人认为，PATH 与 LANG（如果有使用到输出相关的信息时）是当中最重要的！如此一来，则可让我们这个程序在进行时可以直接执行一些外部命令，而不必写绝对路径。

4. 主要程序部分
   - ●　就将主要的程序写好即可！在这个例子当中，就是 echo 那一行。

5. 告知执行结果
   - ●　是否记得我们在第 11 章里面要讨论一个命令的执行成功与否,可以使用$?这个变量来查看。

那么我们也可以利用 exit 这个命令来让程序中断，并且回传一个数值给系统。在我们这个例子当中，鸟哥使用 exit 0，这代表离开 script 并且回传一个 0 给系统，所以我执行完这个 script 后，若接着执行 echo $?则可得到 0 的值。更聪明的读者应该也知道了，利用这个 exit n (n 是数字) 的功能，我们还可以自定义错误信息，让这个程序变得更加聪明呢！

接下来通过刚才上面介绍的执行方法来执行看看结果。

```
[root@www scripts]# sh sh01.sh
Hello World !
```

你会看到屏幕是这样，而且应该还会听到"咚"的一声，为什么呢？还记得前一章提到的 printf 吧？用 echo 接着那些特殊的按键也可以发生同样的事情。不过，echo 必须要加上 -e 的参数才行。在你写完这个小 script 之后，你就可以大声的说："我也会写程序了！"很简单有趣吧？

另外，你也可以利用"chmod a+x sh01.sh; ./sh01.sh"来执行这个 script。

13.1.3 编写 shell script 的良好习惯

一个良好习惯的养成是很重要的。大家在刚开始编写程序的时候，最容易忽略这部分，认为程序写出来就好了，其他的不重要。其实，如果程序的说明能够更清楚，那么对你自己是有很大的帮助的。

举例来说，鸟哥自己为了自己的需求，曾经编写了不少的 script 来帮我进行主机 IP 的检测、日志文件分析与管理啊、自动上传下载重要配置文件等，不过，早期就是因为太懒了，管理的主机又太多了，常常同一个程序在不同的主机上面进行更改，到最后，到底哪一个才是最新的都记不起来，而且，重点是我到底是改了哪里？为什么做那样的修改？都忘得一干二净了。

所以，后来鸟哥在写程序的时候，通常会比较仔细地将程序的设计过程记录下来，而且还会记录一些历史记录，如此一来，好多了。至少很容易知道我修改了哪些数据，以及程序修改的理念与逻辑概念等，在维护上面是轻松很多的。

另外，在一些环境的设置上面，毕竟每个人的环境都不相同，为了取得较佳的执行环境，我都会自行先定义好一些一定会被用到的环境变量，例如 PATH 设置。这样比较好。所以说，建议你一定要养成良好的 script 编写习惯，在每个 script 的文件头处记录好：

- script 的功能；
- script 的版本信息；
- script 的作者与联络方式；
- script 的版权声明方式；
- script 的 History（历史记录）；
- script 内较特殊的命令，使用"绝对路径"的方式来执行；
- script 执行时需要的环境变量预先声明与设置。

除了记录这些信息之外，在较为特殊的程序代码部分，个人建议务必要加上批注说明，可以帮助你非常多。此外，程序代码的编写最好使用嵌套方式，最好能以[tab]按键的空格缩排，这样你的程序代码会显得非常漂亮与有条理！在查阅与调试上较为轻松愉快。另外，使用编写 script 的工具最好使用 vim 而不是 vi，因为 vim 会有额外的语法检验机制，能够在第一阶段编写时就发现语法方面的问题。

13.2 简单的 shell script 练习

在第一个 shell script 编写完毕之后，相信你应该具有基本的编写能力了。接下来，在开始更深入的程序概念之前，我们先来玩一些简单的小范例好了。下面的范例中，实现结果的方式相当多，建议你先自行编写看看，写完之后再与鸟哥写的内容比较，这样才能加深概念。

13.2.1 简单范例

下面的范例在很多的脚本程序中都会用到，而下面的范例又都很简单，值得参考。

◆ 交互式脚本：变量内容由用户决定

● 很多时候我们需要用户输入一些内容，好让程序可以顺利运行。简单来说，大家应该都有安装过软件的经验，安装的时候，它不是会问你要安装到那个目录去吗？那个让用户输入数据的操作就是让用户输入变量内容。

● 你应该还记得在第 11 章 bash 的时候，我们有学到一个 read 命令吧？现在，请你以 read 命令的用途，编写一个 script，它可以让用户输入 first name 与 last name，最后并且在屏幕上显示 "Your full name is:" 的内容：

```
[root@www scripts]# vi sh02.sh
#!/bin/bash
# Program:
#    User inputs his first name and last name.  Program shows his full name.
# History:
# 2005/08/23 VBird     First release
PATH=/bin:/sbin:/usr/bin:/usr/sbin:/usr/local/bin:/usr/local/sbin:~/bin
export PATH

read -p "Please input your first name: " firstname  # 提示用户输入
read -p "Please input your last name:  " lastname    # 提示用户输入
echo -e "\nYour full name is: $firstname $lastname"  # 结果由屏幕输出
```

将上面这个 sh02.sh 执行一下，你就能够发现用户自己输入的变量可以让程序所使用，并且将它显示到屏幕上。接下来，如果想要制作一个每次执行都会依据不同的日期而变化结果的脚本呢？

◆ 随日期变化：利用日期进行文件的创建

● 想象一个状况，假设我的服务器内有数据库，数据库每天的数据都不太一样，因此当我备份时，希望将每天的数据都备份成不同的文件名，这样才能够让旧的数据也能够保存下来不被覆盖。要不同的文件名呢！这真困扰啊？难道要我每天去修改 script？

● 不需要啊！考虑每天的"日期"并不相同，所以我可以将文件名取成类似 backup.2009-02-14.data，不就可以每天一个不同的文件名了吗？确实如此。那个 2009-02-14 怎么来的？那就是重点了。接下来出个相关的例子：假设我想要创建三个空的文件（通过 touch），文件名最开头由用户输入决定，假设用户输入 filename 好了，那今天的日期是 2009/02/14，我想要以前天、昨天、今天的日期来创建这些文件，即 filename_20090212,filename_20090213,filename_20090214，该如何是好？

```
[root@www scripts]# vi sh03.sh
#!/bin/bash
# Program:
#    Program creates three files, which named by user's input
#    and date command.
# History:
# 2005/08/23 VBird     First release
PATH=/bin:/sbin:/usr/bin:/usr/sbin:/usr/local/bin:/usr/local/sbin:~/bin
export PATH

# 1. 让用户输入文件名，并取得 fileuser 这个变量；
echo -e "I will use 'touch' command to create 3 files."  # 纯粹显示信息
read -p "Please input your filename: " fileuser          # 提示用户输入

# 2. 为了避免用户随意按 [Enter]，利用变量功能分析文件名是否有设置
filename=${fileuser:-"filename"}               # 开始判断有否配置文件名
```

```
# 3. 开始利用 date 命令来取得所需要的文件名了
date1=$ (date --date='2 days ago' +%Y%m%d)     # 前两天的日期
date2=$ (date --date='1 days ago' +%Y%m%d)     # 前一天的日期
date3=$ (date +%Y%m%d)                          # 今天的日期
file1=${filename}${date1}                       # 下面三行在配置文件名
file2=${filename}${date2}
file3=${filename}${date3}

# 4. 创建文件名。
touch "$file1"
touch "$file2"
touch "$file3"
```

上面的范例鸟哥使用了很多在第 11 章介绍过的概念：包括命令 "$（command）" 的取得信息、变量的设置功能、变量的累加以及利用 touch 命令辅助！如果你开始执行这个 sh03.sh 之后，你可以进行两次执行：一次直接按[Enter]来查看文件名是什么，一次可以输入一些字符，这样可以判断你的脚本是否设计正确。

◆ **数值运算：简单的加减乘除**

位应该还记得，我们可以使用 declare 来定义变量的类型吧？当变量定义成为整数后才能够进行加减运算。此外，我们也可以利用 "$((计算式))" 来进行数值运算的。可惜的是，bash shell 里头默认仅支持到整数的数据而已。那我们来看看，如果我们要用户输入两个变量，然后将两个变量的内容相乘，最后输出相乘的结果，那可以怎么做？

```
[root@www scripts]# vi sh04.sh
#!/bin/bash
# Program:
#       User inputs 2 integer numbers; program will cross these two numbers.
# History:
# 2005/08/23  VBird     First release
PATH=/bin:/sbin:/usr/bin:/usr/sbin:/usr/local/bin:/usr/local/sbin:~/bin
export PATH
echo -e "You SHOULD input 2 numbers, I will cross them! \n"
read -p "first number: " firstnu
read -p "second number: " secnu
total=$ (($firstnu*$secnu))
echo -e "\nThe result of $firstnu x $secnu is ==> $total"
```

在数值的运算上，我们可以使用 "declare –i total=$firstnu*$secnu"，也可以使用上面的方式来进行！基本上，鸟哥比较建议使用这样的方式来进行运算：

◆ **var=$ ((运算内容))**

不但容易记忆，而且也比较方便，因为两个小括号内可以加上空格符。将来你可以使用这种方式来计算的。至于数值运算上的处理，则有 +, −, *, /, % 等。那个%是取余数了。举例来说，13 对 3 取余数，结果是 13=4×3+1，所以余数是 1。如下：

```
[root@www scripts]# echo $ (( 13 % 3 ))
1
```

13.2.2 script 的执行方式区别（source,shscript,./script）

不同的 script 执行方式会造成不一样的结果。尤其对 bash 的环境影响很大。脚本的执行方式除了前面小节谈到的方式之外，还可以利用 source 或小数点（.）来执行。那么这种执行方式有何不同呢？当然是不同的啦！让我们来介绍。

◆ 利用直接执行的方式来执行 script

- 当使用前一小节提到的直接命令执行（不论是绝对路径/相对路径还是$PATH 内），或者是利用 bash（或 sh）来执行脚本时，该 script 都会使用一个新的 bash 环境来执行脚本内的命令。也就是说，使用这种执行方式时，其实 script 是在子进程的 bash 内执行的。我们在第 11 章 BASH 内谈到 export 的功能时，曾经就父进程/子进程谈过一些概念性的问题，重点在于：当子进程完成后，子进程内的各项变量或操作将会结束而不会传回到父进程中。这是什么意思呢？

- 我们举刚才提到过的 sh02.sh 这个脚本来说明好了，这个脚本可以让用户自行设置两个变量，分别是 firstname 与 lastname，想一想，如果你直接执行该命令时，该命令帮你设置的 firstname 会不会生效？看一下下面的执行结果：

```
[root@www scripts]# echo $firstname $lastname
   <==确认了，这两个变量并不存在。
[root@www scripts]# sh sh02.sh
Please input your first name: VBird <==这个名字是鸟哥自己输入的
Please input your last name:  Tsai

Your full name is: VBird Tsai      <==看吧！在 script 运行中，这两个变量有生效
[root@www scripts]# echo $firstname $lastname
   <==事实上，这两个变量在父进程的 bash 中还是不存在的！
```

上面的结果你应该会觉得很奇怪，怎么我已经利用 sh02.sh 设置好的变量竟然在 bash 环境下面无效！怎么回事呢？如果将程序相关性绘制成图的话，我们以图 13-1 来说明。当你使用直接执行的方法来处理时，系统会给予一支新的 bash 让我们来执行 sh02.sh 里面的命令，因此你的 firstname,lastname 等变量其实是在下图中的子进程 bash 内执行的。当 sh02.sh 执行完毕后，子进程 bash 内的所有数据便被删除，因此上面的练习中，在父进程下面 echo $firstname 时，就看不到任何东西了！这样可以理解吗？

◆ 利用 source 来执行脚本：在父进程中执行

如果你使用 source 来执行命令那就不一样了！同样的脚本我们来执行看看：

```
[root@www scripts]# source sh02.sh
Please input your first name: VBird
Please input your last name:  Tsai

Your full name is: VBird Tsai
[root@www scripts]# echo $firstname $lastname
VBird Tsai <==有数据产生喔！
```

竟然生效了！因为 source 对 script 的执行方式可以使用下面的图 13-2 来说明！sh02.sh 会在父进程中执行的，因此各项操作都会在原本的 bash 内生效！这也是为啥你不注销系统而要让某些写入 ~/.bashrc 的设置生效时，需要使用 "source ~/.bashrc" 而不能使用 "bash~/.bashrc"。

图 13-1　sh02.sh 在子进程中运行　　　　图 13-2　sh02.sh 在父进程中运行

13.3　善用判断式

在第 11 章中，我们提到过$?这个变量所代表的意义，此外，也通过&&及‖来作为前一个命令执行

回传值对于后一个命令是否要进行的依据。在第 11 章的讨论中，如果想要判断一个目录是否存在，当时我们使用的是 ls 这个命令搭配数据流重定向，最后配合$?来决定后续的命令进行与否。但是否有更简单的方式可以来进行"条件判断"呢？有的，那就是"test"这个命令。

13.3.1　利用 test 命令的测试功能

当我要检测系统上面某些文件或者是相关的属性时，利用 test 这个命令来工作真是好用得不得了，举例来说，我要检查/dmtsai 是否存在时，使用：

```
[root@www ~]# test -e /dmtsai
```

执行结果并不会显示任何信息，但最后我们可以通过$?或&&及||来显示整个结果呢！例如我们将上面的例子改写成这样：

```
[root@www ~]# test -e /dmtsai && echo "exist" || echo "Not exist"
Not exist  <==结果显示不存在。
```

最终的结果可以告知我们是"exist"还是"Not exist"呢？那我知道-e 是测试一个"东西"在不在，如果还想要测试一下该文件名是什么时，还有哪些标志可以来判断的呢？有下面这些，如表 13-1 所示。

表 13-1

测试的标志	代 表 意 义
关于某个文件名的"文件类型"判断，如 test -e filename 表示存在否	
-e	该文件名是否存在（常用）
-f	该文件名是否存在且为文件（file）（常用）
-d	该文件名是否存在且为目录（directory）（常用）
-b	该文件名是否存在且为一个 block device 设备
-c	该文件名是否存在且为一个 character device 设备
-S	该文件名是否存在且为一个 Socket 文件
-p	该文件名是否存在且为一个 FIFO（pipe）文件
-L	该文件名是否存在且为一个连接文件
关于文件的权限检测，如 test -r filename 表示可读否（但 root 权限常有例外）	
-r	检测该文件名是否存在且具有"可读"的权限
-w	检测该文件名是否存在且具有"可写"的权限
-x	检测该文件名是否存在且具有"可执行"的权限
-u	检测该文件名是否存在且具有"SUID"的属性
-g	检测该文件名是否存在且具有"SGID"的属性
-k	检测该文件名是否存在且具有"Sticky bit"的属性
-s	检测该文件名是否存在且为"非空白文件"
两个文件之间的比较，如：test file1 -nt file2	
-nt	（newer than）判断 file1 是否比 file2 新
-ot	（older than）判断 file1 是否比 file2 旧
-ef	判断 file1 与 file2 是否为同一文件，可用在判断 hard link 的判定上。主要意义在于判定两个文件是否均指向同一个 inode

续表

测试的标志	代 表 意 义
关于两个整数之间的判定，例如 test n1 -eq n2	
–eq	两数值相等（equal）
–ne	两数值不等（not equal）
–gt	n1 大于 n2（greater than）
–lt	n1 小于 n2（less than）
–ge	n1 大于等于 n2（greater than or equal）
–le	n1 小于等于 n2（less than or equal）
判定字符串的数据	
Test –z string	判定字符串是否为 0，若 string 为空字符串，则为 true
Test –n string	判定字符串是否非为 0，若 string 为空字符串，则为 false 注：–n 也可省略
test str1 = str2	判定 str1 是否等于 str2，若相等，则回传 true
test str1!=str2	判定 str1 是否不等于 str2，若相等，则回传 false
多重条件判定，例如：test -r filename -a -x filename	
–a	两个条件同时成立！例如 test –r file –a –x file，则 file 同时具有 r 与 x 权限时，才回传 true
–o	任何一个条件成立！例如 test –r file –o –x file，则 file 具有 r 或 x 权限时，就可回传 true
!	反向状态，如 test ! –x file，当 file 不具有 x 时，回传 true

现在我们就利用 test 来帮我们写几个简单的例子。首先，判断一下，让用户输入一个文件名，我们判断：

1. 这个文件是否存在，若不存在则给予一个 "Filename does not exist" 的信息，并中断程序；

2. 若这个文件存在，则判断它是个文件或目录，结果输出 "Filename is regular file" 或 "Filename is directory"；

3. 判断一下，执行者的身份对这个文件或目录所拥有的权限，并输出权限数据。

你可以先自行创作看看，然后再跟下面的结果比较。注意利用 test 与&&还有‖等标志。

```
[root@www scripts]# vi sh05.sh
#!/bin/bash
# Program:
#    User input a filename, program will check the flowing:
#    1.) exist? 2.) file/directory? 3.) file permissions
# History:
# 2005/08/25  VBird    First release
PATH=/bin:/sbin:/usr/bin:/usr/sbin:/usr/local/bin:/usr/local/sbin:~/bin
export PATH

# 1. 让用户输入文件名，并且判断用户是否真的有输入字符串
echo -e "Please input a filename, I will check the filename's type and \
permission. \n\n"
read -p "Input a filename : " filename
test -z $filename && echo "You MUST input a filename." && exit 0
# 2. 判断文件是否存在，若不存在则显示信息并结束脚本
test ! -e $filename && echo "The filename '$filename' DO NOT exist" && exit 0
# 3. 开始判断文件类型与属性
test -f $filename && filetype="regulare file"
test -d $filename && filetype="directory"
```

```
test -r $filename && perm="readable"
test -w $filename && perm="$perm writable"
test -x $filename && perm="$perm executable"
# 4. 开始输出信息!
echo "The filename: $filename is a $filetype"
echo "And the permissions are : $perm"
```

如果你执行这个脚本后，它会依据你输入的文件名来进行检查，先看是否存在，再看是文件或目录类型，最后判断权限。但是你必须要注意的是，由于 root 在很多权限的限制上面都是无效的，所以使用 root 执行这个脚本时，常常会发现与 ls -l 观察到的结果并不相同。所以，建议使用一般用户来执行这个脚本试看看。不过你必须要使用 root 的身份先将这个脚本转移给用户就是了，不然一般用户无法进入 /root 目录的。很有趣的例子吧！你可以自行再以其他的案例来编写一下可用的功能！

13.3.2 利用判断符号[]

除了我们很喜欢使用的 test 之外，其实，我们还可以利用判断符号 "[]"（就是中括号啦）来进行数据的判断呢！举例来说，如果我想要知道 $HOME 这个变量是否为空的，可以这样做：

```
[root@www ~]# [ -z "$HOME" ] ; echo $?
```

使用中括号必须要特别注意，因为中括号用在很多地方，包括通配符与正则表达式等，所以如果要在 bash 的语法当中使用中括号作为 shell 的判断式时，必须要注意中括号的两端需要有空格符来分隔。假设我空格键使用 "□" 符号来表示，那么，在这些地方你都需要有空格键：

```
[□"$HOME"□==□"$MAIL"□]
 ↑     ↑  ↑      ↑
```

您会发现鸟哥在上面的判断式当中使用了两个等号 " == "。其实在 bash 当中使用一个等号与两个等号的结果是一样的。不过在一般惯用程序的写法中，一个等号代表 "变量的设置"，两个等号则是代表 "逻辑判断（是否之意）"。由于我们在中括号内重点在于 "判断" 而非 "设置变量"，因此鸟哥建议您还是使用两个等号较佳！

上面的例子在于说明，两个字符串 $HOME 与 $MAIL 是否相同的意思，相当于 test$HOME=$MAIL 的意思。而如果没有空白分隔，例如[$HOME==$MAIL]时，我们的 bash 就会显示错误信息了。所以说，你最好要注意：

- 在中括号[]内的每个组件都需要有空格键来分隔；
- 在中括号内的变量，最好都以双引号括号起来；
- 在中括号内的常量，最好都以单或双引号括号起来。

为什么要这么麻烦啊？直接举例来说，假如我设置了 name="VBird Tsai"，然后这样判定：

```
[root@www ~]# name="VBird Tsai"
[root@www ~]# [ $name == "VBird" ]
bash: [: too many arguments
```

怎么会发生错误啊？bash 还跟我说错误是由于 "太多参数（arguments）" 所致！为什么呢？因为 $name 如果没有使用双引号刮起来，那么上面的判定式会变成：

```
[ VBird Tsai == "VBird" ]
```

上面肯定不对嘛！因为一个判断式仅能有两个数据的比较，上面 VBird 与 Tsai 还有"VBird"就有三个数据。这不是我们要的。我们要的应该是下面这个样子：

["VBird Tsai" == "VBird"]

这可是差很多的。另外，中括号的使用方法与 test 几乎一模一样。只是中括号比较常用在条件判断式 if...then...fi 的情况中就是了。好，那我们也使用中括号的判断来做一个小案例好了，案例设置如下：

1. 当执行一个程序的时候，这个程序会让用户选择 Y 或 N；
2. 如果用户输入 Y 或 y 时，就显示 "OK, continue "；
3. 如果用户输入 n 或 N 时，就显示 "Oh, interrupt!"；
4. 如果不是 Y/y/N/n 之内的其他字符，就显示 "I don't know what your choice is"。

利用中括号、&&与||来继续吧！

```
[root@www scripts]# vi sh06.sh
#!/bin/bash
# Program:
#    This program shows the user's choice
# History:
# 2005/08/25   VBird    First release
PATH=/bin:/sbin:/usr/bin:/usr/sbin:/usr/local/bin:/usr/local/sbin:~/bin
export PATH

read -p "Please input (Y/N): " yn
[ "$yn" == "Y" -o "$yn" == "y" ] && echo "OK, continue" && exit 0
[ "$yn" == "N" -o "$yn" == "n" ] && echo "Oh, interrupt!" && exit 0
echo "I don't know what your choice is" && exit 0
```

由于输入正确（Yes）的方法有大小写之分，不论输入大写 Y 或小写 y 都是可以的，此时判断式内就得要有两个判断才行！由于是任何一个成立即可（大小或小写的 y），所以这里使用–o（或）连接两个判断。很有趣吧！利用这个字符串判别的方法，我们就可以很轻松地将用户想要进行的工作分类呢！接下来，我们再来谈一些其他有的没有的命令吧！

13.3.3　shell script 的默认变量（$0, $1...）

我们知道命令可以带有参数，例如 ls –la 可以查看包含隐藏文件的所有属性与权限。那么 shell script 能不能在脚本文件名后面带有参数呢？很有趣。举例来说，如果你想要重新启动系统注册表文件的功能，可以这样做：

```
[root@www ~]# file /etc/init.d/syslog
/etc/init.d/syslog: Bourne-Again shell script text executable
# 使用 file 来查询后，系统告知这个文件是个 bash 的可执行 script 。
[root@www ~]# /etc/init.d/syslog restart
```

restart 是重新启动的意思，上面的命令可以重新启动/etc/init.d/syslog 这个程序。那么如果你在/etc/init.d/syslog 后面加上 stop 呢？没错！就可以直接关闭该服务了！如果你要依据程序的执行给予一些变量去进行不同的任务时，本章一开始是使用 read 的功能。但 read 功能的问题是你得要手动由键盘输入一些判断式。如果通过命令后面接参数，那么一个命令就能够处理完毕而不需要手动再次输入一些变量行为！这样执行命令会比较简单方便。

script 是怎么实现这个功能的呢？其实 script 针对参数已经有设置好一些变量名称了！对应如下：

```
/path/to/scriptname opt1 opt2 opt3 opt4
      $0          $1   $2   $3   $4
```

这样够清楚了吧？执行的脚本文件名为$0 这个变量，第一个接的参数就是$1。所以，只要我们在 script 里面善用$1 的话，就可以很简单地立即执行某些命令功能了！除了这些数字的变量之外，我们还有一些较为特殊的变量可以在 script 内使用来调用这些参数。

◆ $#：代表后接的参数 "个数"；

◆ $@：代表"$1"、"$2"、"$3"、"$4"之意，每个变量是独立的（用双引号括起来）；

◆ $*：代表""$1c$2c$3c$4" "，其中 c 为分隔字符，默认为空格键，所以本例中代表""$1 $2 $3 $4""之意。

那个$@与$*基本上还是有所不同。不过，一般使用情况下可以直接记忆$@即可！好了，来做个练习吧！假设我要执行一个可以携带参数的 script，执行该脚本后屏幕会显示如下的数据：

◆ 程序的文件名；

◆ 共有几个参数；

◆ 若参数的个数小于 2 则告知用户参数数量太少；

◆ 全部的参数内容；

◆ 第一个参数；

◆ 　第二个参数。

```
[root@www scripts]# vi sh07.sh
#!/bin/bash
# Program:
#    Program shows the script name, parameters...
# History:
# 2009/02/17 VBird    First release
PATH=/bin:/sbin:/usr/bin:/usr/sbin:/usr/local/bin:/usr/local/sbin:~/bin
export PATH

echo "The script name is        ==> $0"
echo "Total parameter number is ==> $#"
[ "$#" -lt 2 ] && echo "The number of parameter is less than 2.  Stop here." \
    && exit 0
echo "Your whole parameter is   ==> '$@'"
echo "The 1st parameter         ==> $1"
echo "The 2nd parameter         ==> $2"
```

执行结果如下：

```
[root@www scripts]# sh sh07.sh theone haha quot
The script name is        ==> sh07.sh            <==文件名
Total parameter number is ==> 3                  <==果然有三个参数
Your whole parameter is   ==> 'theone haha quot' <==参数的内容全部
The 1st parameter         ==> theone             <==第一个参数
The 2nd parameter         ==> haha               <==第二个参数
```

◆ shift：造成参数变量号码偏移

● 　除此之外，脚本后面所接的变量是否能够进行偏移（shift）呢？什么是偏移啊？我们直接以下面的范例来说明好了，用范例说明比较好解释！我们将 sh07.sh 的内容稍作变化一下，用来显示每次偏移后参数的变化情况：

```
[root@www scripts]# vi sh08.sh
#!/bin/bash
# Program:
#    Program shows the effect of shift function.
# History:
# 2009/02/17 VBird    First release
PATH=/bin:/sbin:/usr/bin:/usr/sbin:/usr/local/bin:/usr/local/sbin:~/bin
export PATH

echo "Total parameter number is ==> $#"
echo "Your whole parameter is   ==> '$@'"
shift   # 进行第一次 "一个变量的 shift"
```

```
echo "Total parameter number is ==> $#"
echo "Your whole parameter is  ==> '$@'"
shift 3 # 进行第二次 "三个变量的 shift"
echo "Total parameter number is ==> $#"
echo "Your whole parameter is  ==> '$@'"
```

- 执行成果如下：

```
[root@www scripts]# sh sh08.sh one two three four five six <==给予六个参数
Total parameter number is ==> 6   <==最原始的参数变量情况
Your whole parameter is  ==> 'one two three four five six'
Total parameter number is ==> 5   <==第一次偏移，看下面发现第一个 one 不见了
Your whole parameter is  ==> 'two three four five six'
Total parameter number is ==> 2   <==第二次偏移掉三个，"two three four" 不见了
Your whole parameter is  ==> 'five six'
```

- 光看结果你就可以知道啦，那个 shift 会移动变量，而且 shift 后面可以接数字，代表拿掉最前面的几个参数的意思。上面的执行结果中，第一次进行 shift 后它的显示情况是 "one two three four five six"，所以就剩下五个啦！第二次直接拿掉三个，就变成 " two three four five six"。这样这个案例可以了解了吗？理解了 shift 的功能了吗？
- 上面这 8 个例子都很简单吧？几乎都是利用 bash 的相关功能而已。下面我们就要使用条件判断式来分别进行一些功能的设置了，好好瞧一瞧先。

13.4　条件判断式

只要讲到 "程序" 的话，那么条件判断式，即是 if...then 这种判别式肯定一定要学习的！因为很多时候，我们都必须要依据某些数据来判断程序该如何进行。举例来说，我们在上面的 sh06.sh 范例中不是有练习当用户输入 Y/N 时，必须要执行不同的信息输出吗？简单的方式可以利用&&与||，但如果我还想要执行一堆命令呢？那真的得要 if… then 来帮忙。下面我们就来聊一聊！

13.4.1　利用 if…then

这个 if...then 是最常见的条件判断式了。简单地说，就是当符合某个条件判断的时候，就进行某项工作就是了。这个 if...then 的判断还有多层次的情况！我们分别介绍如下：

- 单层、简单条件判断式
  如果你只有一个判断式要进行，那么我们可以简单地这样看：

```
if [ 条件判断式 ]; then
    当条件判断式成立时，可以进行的命令工作内容;
fi   <==将 if 反过来写，就成为 fi . 结束 if 之意!
```

至于条件判断式的判断方法，与前一小节的介绍相同！较特别的是，如果我有多个条件要判别时，除了 sh06.sh 那个案例所写的，也就是将多个条件写入一个中括号内的情况之外，我还可以有多个中括号来隔开。而括号与括号之间，则以&&或||来隔开，它们的意义是：

- **&&代表 AND；**
- **||代表 or。**
  - 所以，在使用中括号的判断式中，&&及||就与命令执行的状态不同了。举例来说，sh06.sh 里面的判断式可以这样修改：

["$yn"=="Y"-o"$yn"=="y"]
上式可替换为

385

["$yn"=="Y"]||["$yn"=="y"]

- 之所以这样改，很多人是习惯问题。很多人则是喜欢一个中括号仅有一个判别式的原因。好了，现在我们来将 sh06.sh 这个脚本修改成为 if...then 的样式来看看：

```
[root@www scripts]# cp sh06.sh sh06-2.sh   <==用修改的比较快!
[root@www scripts]# vi sh06-2.sh
#!/bin/bash
# Program:
#       This program shows the user's choice
# History:
# 2005/08/25    VBird   First release
PATH=/bin:/sbin:/usr/bin:/usr/sbin:/usr/local/bin:/usr/local/sbin:~/bin
export PATH

read -p "Please input (Y/N): " yn

if [ "$yn" == "Y" ] || [ "$yn" == "y" ]; then
     echo "OK, continue"
     exit 0
fi
if [ "$yn" == "N" ] || [ "$yn" == "n" ]; then
     echo "Oh, interrupt!"
     exit 0
fi
echo "I don't know what your choice is" && exit 0
```

- 不过，由这个例子看起来，似乎也没有什么了不起吧？ sh06.sh 还比较简单呢。但是如果以逻辑概念来看，其实上面的范例中，我们使用了两个条件判断。明明仅有一个$yn 的变量，为何需要进行两次比较呢？此时，多重条件判断就能够来测试啰!

◆ 多重、复杂条件判断式
- 在同一个数据的判断中，如果该数据需要进行多种不同的判断时，应该怎么做？举例来说，上面的 sh06.sh 脚本中，我们只要进行一次$yn 的判断就好（仅进行一次 if），不想要做多次 if 的判断。此时你就得知道下面的语法了：

```
# 一个条件判断
if [ 条件判断式 ]; then
    当条件判断式成立时，可以进行的命令工作内容;
else
    当条件判断式不成立时，可以进行的命令工作内容;
fi
```

- 如果考虑更复杂的情况，则可以使用这个语法：

```
# 多个条件判断 (if...elif...else) 分多种不同情况执行
if [ 条件判断式一 ]; then
    当条件判断式一成立时，可以进行的命令工作内容;
elif [ 条件判断式二 ]; then
    当条件判断式二成立时，可以进行的命令工作内容;
else
    当条件判断式一与二均不成立时，可以进行的命令工作内容;
fi
```

- 你得要注意的是，elif 也是个判断式，因此出现 elif 后面都要接 then 来处理。但是 else 已经是最后的没有成立的结果了，所以 else 后面并没有 then。我们来将 sh06-2.sh 改写成这样：

```
[root@www scripts]# cp sh06-2.sh sh06-3.sh
[root@www scripts]# vi sh06-3.sh
#!/bin/bash
# Program:
#       This program shows the user's choice
```

```
# History:
# 2005/08/25   VBird   First release
PATH=/bin:/sbin:/usr/bin:/usr/sbin:/usr/local/bin:/usr/local/sbin:~/bin
export PATH

read -p "Please input (Y/N): " yn

if [ "$yn" == "Y" ] || [ "$yn" == "y" ]; then
    echo "OK, continue"
elif [ "$yn" == "N" ] || [ "$yn" == "n" ]; then
    echo "Oh, interrupt!"
else
    echo "I don't know what your choice is"
fi
```

- 是否程序变得很简单，而且依序判断，可以避免掉重复判断的状况，这样真的很容易设计程序的啦。好了，让我们再来进行另外一个案例的设计。一般来说，如果你不希望用户由键盘输入额外的数据时，可以使用上一节提到的参数功能（$1）！让用户在执行命令时就将参数代进去。现在我们想让用户输入"hello"这个关键字时，利用参数的方法可以这样依序设计：

1. 判断$1 是否为 hello，如果是的话，就显示"Hello, how are you ?"；
2. 如果没有加任何参数，就提示用户必须要使用的参数；
3. 而如果加入的参数不是 hello，就提醒用户仅能使用 hello 为参数。

- 整个程序的编写可以是这样的：

```
[root@www scripts]# vi sh09.sh
#!/bin/bash
# Program:
#    Check $1 is equal to "hello"
# History:
# 2005/08/28  VBird     First release
PATH=/bin:/sbin:/usr/bin:/usr/sbin:/usr/local/bin:/usr/local/sbin:~/bin
export PATH

if [ "$1" == "hello" ]; then
    echo "Hello, how are you ?"
elif [ "$1" == "" ]; then
    echo "You MUST input parameters, ex> {$0 someword}"
else
    echo "The only parameter is 'hello', ex> {$0 hello}"
fi
```

- 然后你可以执行这支程序，分别在$1 的位置输入 hello,没有输入与随意输入，就可以看到不同的输出。是否还觉得挺简单的啊？事实上，学到这里，也真的很厉害了！好了，下面我们继续来玩一些比较大一点的计划。
- 我们在第 11 章已经学会了 grep 这个好用的玩意儿，那么多学一个叫做 netstat 的命令，这个命令可以查询到目前主机打开的网络服务端口（service ports），相关的功能我们会在服务器架设篇继续介绍，这里你只要知道，我可以利用"netstat –tuln"来取得目前主机有启动的服务，而且取得的信息有点像这样：

```
[root@www ~]# netstat -tuln
Active Internet connections (only servers)
Proto Recv-Q Send-Q Local Address      Foreign Address    State
tcp     0      0 0.0.0.0:111        0.0.0.0:*         LISTEN
tcp     0      0 127.0.0.1:631      0.0.0.0:*         LISTEN
tcp     0      0 127.0.0.1:25       0.0.0.0:*         LISTEN
tcp     0      0 :::22              :::*              LISTEN
```

```
udp        0      0 0.0.0.0:111          0.0.0.0:*
udp        0      0 0.0.0.0:631          0.0.0.0:*
#封包格式             本地IP:埠口          远程IP:埠口          是否监听
```

- 上面的重点是 Local Address（本地主机的 IP 与端口对应）那个字段，它代表的是本机所启动的网络服务。IP 的部分说明的是该服务位于那个接口上，若为 127.0.0.1 则是仅针对本机开放，若是 0.0.0.0 或:::则代表对整个 Internet 开放（更多信息请参考服务器架设篇的介绍）。每个端口（port）都有其特定的网络服务，几个常见的 port 与相关网络服务的关系是：
  - 80:WWW
  - 22: ssh
  - 21: ftp
  - 25: mail
  - 111: RPC（远程过程调用）
  - 631: CUPS（打印服务功能）
- 假设我的主机有兴趣要检测的是比较常见的 port21,22,25 及 80 时，那我如何通过 netstat 去检测我的主机是否有开启这四个主要的网络服务端端口呢？由于每个服务的关键字都是接在冒号":"后面，所以可以通过选取类似":80"来检测的！那我就可以简单地这样去写这个程序：

```
[root@www scripts]# vi sh10.sh
#!/bin/bash
# Program:
#      Using netstat and grep to detect WWW,SSH,FTP and Mail services.
# History:
# 2005/08/28    VBird      First release
PATH=/bin:/sbin:/usr/bin:/usr/sbin:/usr/local/bin:/usr/local/sbin:~/bin
export PATH

# 1. 先做一些告知的操作而已~
echo "Now, I will detect your Linux server's services!"
echo -e "The www, ftp, ssh, and mail will be detect! \n"

# 2. 开始进行一些测试的工作，并且也输出一些信息。
testing=$(netstat -tuln | grep ":80 ")    # 检测 port 80 在否
if [ "$testing" != "" ]; then
        echo "WWW is running in your system."
fi
testing=$(netstat -tuln | grep ":22 ")    # 检测 port 22 在否
if [ "$testing" != "" ]; then
        echo "SSH is running in your system."
fi
testing=$(netstat -tuln | grep ":21 ")    # 检测 port 21 在否
if [ "$testing" != "" ]; then
        echo "FTP is running in your system."
fi
testing=$(netstat -tuln | grep ":25 ")    # 检测 port 25 在否
if [ "$testing" != "" ]; then
        echo "Mail is running in your system."
Fi
```

- 实际执行这个程序你就可以看到你的主机有没有启动这些服务。是否很有趣呢？条件判断式还可以搞得更复杂。举例来说，在中国当兵是公民应尽的义务，不过，在当兵的时候总是很想要退伍的。那你能不能写个脚本程序，让用户输入他的退伍日期，让你去帮他计算还有几天才退伍。

- 由于日期是要用相减的方式来处置，所以我们可以通过使用 date 显示日期与时间，将它转为由 1970-01-01 累积而来的秒数，通过秒数相减来取得剩余的秒数后，再换算为日数即可。整个脚本的制作流程有点像这样：

1. 先让用户输入他们的退伍日期；
2. 再由现在日期对比退伍日期；
3. 由两个日期的比较来显示"还需要几天"才能够退伍的字样。

- 似乎挺难的样子？其实也不会啦，利用"date--date="YYYYMMDD"+%s"转成秒数后，接下来的操作就容易得多了。如果你已经写完了程序，对照下面的写法看看：

```
[root@www scripts]# vi sh11.sh
#!/bin/bash
# Program:
#    You input your demobilization date, I calculate how many days
#    before you demobilize.
# History:
# 2005/08/29 VBird    First release
PATH=/bin:/sbin:/usr/bin:/usr/sbin:/usr/local/bin:/usr/local/sbin:~/bin
export PATH

# 1. 告知用户程序的用途，并且告知应该如何输入日期格式
echo "This program will try to calculate :"
echo "How many days before your demobilization date..."
read -p "Please input your demobilization date (YYYYMMDD ex>20090401): " date2

# 2. 利用正则表达式测试一下这个输入的内容是否正确
date_d=$(echo $date2 |grep '[0-9]\{8\}')    # 看看是否有八个数字
if [ "$date_d" == "" ]; then
    echo "You input the wrong date format...."
    exit 1
fi

# 3. 开始计算日期
declare -i date_dem=`date --date="$date2" +%s`      # 退伍日期秒数
declare -i date_now=`date +%s`                      # 现在日期秒数
declare -i date_total_s=$(($date_dem-$date_now))    # 剩余秒数统计
declare -i date_d=$(($date_total_s/60/60/24))       # 转为日数
if [ "$date_total_s" -lt "0" ]; then                # 判断是否已退伍
    echo "You had been demobilization before: " $((-1*$date_d)) " ago"
else
    declare -i date_h=$(($(($date_total_s-$date_d*60*60*24))/60/60))
    echo "You will demobilize after $date_d days and $date_h hours."
Fi
```

- 这个程序可以帮你计算退伍日期。如果是已经退伍的朋友，还可以知道已经退伍多久了。脚本中的 date_d 变量声明那个/60/60/24 是来自于一天的总秒数（24 小时×60 分×60 秒）。全部的操作都没有超出我们所学的范围吧？还能够避免用户输入错误的数字，所以多了一个正则表达式的判断式呢。这个例子比较难，有兴趣想要一探究竟的朋友，可以做一下课后练习题中关于计算生日的那一题。

13.4.2　利用 case...esac 判断

上个小节提到的 if...then...fi"对于变量的判断是以比较的方式来分辨的，如果符合状态就进行某些行为，并且通过较多层次（就是 elif）的方式来进行多个变量的程序代码编写，譬如 sh09.sh 那个小程序，就是用这样的方式来编写的。那么万一我有多个既定的变量内容，例如 sh09.sh 当中，我所需要的变量就是"hello"及空字符串两个，那么我只要针对这两个变量来设置状况就好了，对吧？那么可以使用什么方式来设计呢？就用 case...in...esac，它的语法如下：

```
case $变量名称 in          <==关键字为 case ，还有变量前有$
  "第一个变量内容")          <==每个变量内容建议用双引号括起来，关键字则为小括号 )
      程序段
      ;;                <==每个类型结尾使用两个连续的分号来处理!
  "第二个变量内容")
      程序段
      ;;
  *)                    <==最后一个变量内容都会用 * 来代表所有其他值
      不包含第一个变量内容与第二个变量内容的其他程序执行段
      exit 1
      ;;
esac                    <==最终的 case 结尾! "反过来写" 思考一下!
```

　　要注意的是，这个语法以 case (实际案例之意) 为开头，结尾自然就是将 case 的英文反过来写，就成为 esac。不会很难背啦! 另外，每一个变量内容的程序段最后都需要两个分号 (;;) 来代表该程序段落的结束，这挺重要的。至于为何需要有*这个变量内容在最后呢? 这是因为，如果用户不是输入第一个或第二个变量内容时，我们可以告知用户相关的信息。废话少说，我们拿 sh09.sh 的案例来修改一下，它应该会变成这样:

```
[root@www scripts]# vi sh09-2.sh
#!/bin/bash
# Program:
#    Show "Hello" from $1.... by using case .... esac
# History:
# 2005/08/29   VBird     First release
PATH=/bin:/sbin:/usr/bin:/usr/sbin:/usr/local/bin:/usr/local/sbin:~/bin
export PATH

case $1 in
  "hello")
    echo "Hello, how are you ?"
    ;;
  "")
    echo "You MUST input parameters, ex> {$0 someword}"
    ;;
  *)    # 其实就相当于通配符，0~无穷多个任意字符之意!
    echo "Usage $0 {hello}"
    ;;
esac
```

　　在上面这个 sh09-2.sh 的案例当中，如果你输入 "sh sh09-2.sh test" 来执行，那么屏幕上就会出现 "Usage sh09-2.sh {hello}" 的字样，告知执行者仅能够使用 hello。这样的方式对于需要某些固定字符串来执行的变量内容就显得更加方便呢! 这种方式你真的要熟悉喔! 这是因为系统的很多服务的启动 script 都是使用这种写法的，举例来说，我们 Linux 的服务启动放置目录是在/etc/init.d/当中，我已经知道里头有个 syslog 的服务，我想要重新启动这个服务，可以这样做:

　　/etc/init.d/syslog restart

　　重点是那个 restart。如果你使用 "less /etc/init.d/syslog" 去查阅一下，就会看到它使用的是 case 语法，并且会规定某些既定的变量内容，你可以直接执行/etc/init.d/syslog，该 script 就会告知你有哪些后续接的变量可以使用。方便吧?

　　一般来说，使用 "case $变量 in" 这个语法中，当中的那个 "$变量" 大致有两种取得的方式:

◆　**直接执行式**: 例如上面提到的，利用 "script.sh variable" 的方式来直接给予$1 这个变量的内容，这也是在/etc/init.d 目录下大多数程序的设计方式。

◆　**交互式**: 通过 read 这个命令来让用户输入变量的内容。

　　这么说或许你的感受性还不高，好，我们直接写个程序来练习: 让用户能够输入 one, two, three ，并且将用户的变量显示到屏幕上，如果不是 one, two, three 时，就告知用户仅有这三种选择。

```
[root@www scripts]# vi sh12.sh
#!/bin/bash
# Program:
#    This script only accepts the flowing parameter: one, two or three.
# History:
# 2005/08/29 VBird    First release
PATH=/bin:/sbin:/usr/bin:/usr/sbin:/usr/local/bin:/usr/local/sbin:~/bin
export PATH

echo "This program will print your selection !"
# read -p "Input your choice: " choice    # 暂时取消，可以替换！
# case $choice in                         # 暂时取消，可以替换！
case $1 in                                # 现在使用，可以用上面两行替换！
  "one" )
     echo "Your choice is ONE"
     ;;
  "two" )
     echo "Your choice is TWO"
     ;;
  "three" )
     echo "Your choice is THREE"
     ;;
  * )
     echo "Usage $0 {one|two|three}"
     ;;
esac
```

此时，你可以使用 "sh sh12.sh two" 的方式来执行命令，就可以收到相对应的响应了。上面使用的是直接执行的方式，而如果使用的是交互式时，那么将上面第 10,11 行的 "#" 拿掉，并将 12 行加上批注（#），就可以让用户输入参数。这样是否很有趣啊?

13.4.3　利用 function 功能

什么是函数（function）功能啊? 简单地说，其实，函数可以在 shell script 当中做出一个类似自定义执行命令的东西，最大的功能是，可以简化我们很多的程序代码。举例来说，上面的 sh12.sh 当中，每个输入结果 one, two, three 其实输出的内容都一样，那么我就可以使用 function 来简化了！function 的语法是这样的:

```
function fname ( ) {
      程序段
}
```

那个 fname 就是我们的自定义的执行命令名称，而程序段就是我们要它执行的内容了。要注意的是，因为 shell script 的执行方式是由上而下、由左而右，因此在 shell script 当中的 function 的设置一定要在程序的最前面，这样才能够在执行时被找到可用的程序段。好，我们将 sh12.sh 改写一下，自定义一个名为 printit 的函数来使用:

```
[root@www scripts]# vi sh12-2.sh
#!/bin/bash
# Program:
#    Use function to repeat information.
# History:
# 2005/08/29 VBird    First release
PATH=/bin:/sbin:/usr/bin:/usr/sbin:/usr/local/bin:/usr/local/sbin:~/bin
export PATH

function printit(){
        echo -n "Your choice is "          # 加上 -n 可以不断行继续在同一行显示
```

```
}
echo "This program will print your selection !"
case $1 in
  "one")
        printit; echo $1 | tr 'a-z' 'A-Z'   # 将参数做大小写转换!
        ;;
  "two")
        printit; echo $1 | tr 'a-z' 'A-Z'
        ;;
  "three")
        printit; echo $1 | tr 'a-z' 'A-Z'
        ;;
  *)
        echo "Usage $0 {one|two|three}"
        ;;
esac
```

　　以上面的例子来说，鸟哥做了一个函数名称为 printit，所以，当我在后续的程序段里面，只要执行 printit 的话，就表示我的 shell script 要去执行 "function printit..." 里面的那几个程序段落。当然，上面这个例子举得太简单了，所以你不会觉得 function 有什么好厉害的，不过，如果某些程序代码一再地在 script 当中重复时，这个 function 可就重要得多啰！它不但可以简化程序代码，而且可以做成类似 "模块" 的玩意儿，真的很不错啦！

　　建议读者可以使用类似 vim 的编辑器到 /etc/init.d/ 目录下去查阅一下您所看到的文件，并且自行追踪一下每个文件的执行情况，相信会更有心得！

　　另外，function 也是拥有内置变量的。它的内置变量与 shell script 很类似，函数名称代表$0，而后续接的变量也是以$1, $2...来替代的。这里很容易搞错，因为 "function fname ( ) {程序段 }" 内的$0、$1 等与 shell script 的$0 是不同的。以上面 sh12-2.sh 来说，假如我执行 "sh sh12-2.sh one " 这表示在 shell script 内的$1 为 "one"这个字符串。但是在 printit ( ) 内的$1 则与这个 one 无关。我们将上面的例子再次改写一下，让你更清楚！

```
[root@www scripts]# vi sh12-3.sh
#!/bin/bash
# Program:
#     Use function to repeat information.
# History:
# 2005/08/29  VBird    First release
PATH=/bin:/sbin:/usr/bin:/usr/sbin:/usr/local/bin:/usr/local/sbin:~/bin
export PATH

function printit () {
    echo "Your choice is $1"   # 这个 $1 必须要参考下面命令的执行
}

echo "This program will print your selection !"
case $1 in
  "one")
        printit 1  # 请注意，printit 命令后面还有接参数!
        ;;
  "two")
        printit 2
        ;;
  "three")
        printit 3
```

```
             ;;
     *)
             echo "Usage $0 {one|two|three}"
             ;;
esac
```

在上面的例子当中，如果你输入"sh sh12-3.sh one"就会出现"Your choice is 1"的字样。为什么是 1 呢？因为在程序段落当中，我们是写了"printit 1"那个 1 就会成为 function 当中的$1。这样是否理解呢？function 本身其实比较困难一点，如果你还想要进行其他的编写的话得多加学习。不过，我们仅是想要更加了解 shell script 而已，所以，这里看看即可，了解原理就好啰！

13.5　循环（loop）

除了 if...then...fi 这种条件判断式之外，循环可能是程序当中最重要的一环了。循环可以不断地执行某个程序段落，直到用户设置的条件达成为止。所以，重点是那个"条件的完成"是什么。除了这种依据判断式达成与否的不定循环之外，还有另外一种已经固定要跑多少次的循环，可称为固定循环的状态。下面我们就来谈一谈。

13.5.1　while do done, until do done（不定循环）

一般来说，不定循环最常见的就是下面这两种状态了：

```
while [ condition ]  <==中括号内的状态就是判断式
do           <==do 是循环的开始！
    程序段落
done         <==done 是循环的结束
```

while 的中文是"当……时"，所以，这种方式说的是当 condition 条件成立时，就进行循环，直到 condition 的条件不成立才停止的意思。还有另外一种不定循环的方式：

```
until [ condition ]
do
        程序段落
done
```

这种方式恰恰与 while 相反，它说的是当 condition 条件成立时，就终止循环，否则就持续进行循环的程序段。是否刚好相反啊。我们以 while 来做个简单的练习好了。假设我要让用户输入 yes 或者是 YES 才结束程序的执行，否则就一直进行告知用户输入字符串。

```
[root@www scripts]# vi sh13.sh
#!/bin/bash
# Program:
#    Repeat question until user input correct answer.
# History:
# 2005/08/29  VBird    First release
PATH=/bin:/sbin:/usr/bin:/usr/sbin:/usr/local/bin:/usr/local/sbin:~/bin
export PATH

while [ "$yn" != "yes" -a "$yn" != "YES" ]
do
        read -p "Please input yes/YES to stop this program: " yn
done
echo "OK! you input the correct answer."
```

上面这个例题说明的是当$yn 这个变量不是"yes"且$yn 也不是"YES"时，才进行循环内的程序，而如果$yn 是"yes"或"YES"时，就会离开循环。那如果使用 until 呢？它的条件会变成这样：

```
[root@www scripts]# vi sh13-2.sh
#!/bin/bash
# Program:
#     Repeat question until user input correct answer.
# History:
# 2005/08/29 VBird    First release
PATH=/bin:/sbin:/usr/bin:/usr/sbin:/usr/local/bin:/usr/local/sbin:~/bin
export PATH

until [ "$yn" == "yes" -o "$yn" == "YES" ]
do
        read -p "Please input yes/YES to stop this program: " yn
done
echo "OK! you input the correct answer."
```

仔细对比一下这两个结果有什么不同。再来，如果我想要计算 1+2+3+...+100 这个数据呢？利用循环是这样的：

```
[root@www scripts]# vi sh14.sh
#!/bin/bash
# Program:
#     Use loop to calculate "1+2+3+...+100" result.
# History:
# 2005/08/29 VBird    First release
PATH=/bin:/sbin:/usr/bin:/usr/sbin:/usr/local/bin:/usr/local/sbin:~/bin
export PATH

s=0  # 这是累加的数值变量
i=0  # 这是累计的数值，亦即是 1, 2, 3....
while [ "$i" != "100" ]
do
        i=$ ( ($i+1) )   # 每次 i 都会增加 1
        s=$ ( ($s+$i) )   # 每次都会累加一次！
done
echo "The result of '1+2+3+...+100' is ==> $s"
```

当你执行了"sh sh14.sh"之后，就可以得到 5050 这个数据才对。那么让你自行做一下，如果想要让用户自行输入一个数字，让程序由 1+2+...直到你输入的数字为止，该如何编写呢？应该很简单吧？答案可以参考一下习题练习。

13.5.2 for...do...done（固定循环）

相对于 while, until 的循环方式是必须要"符合某个条件"的状态，for 这种语法则是"已经知道要进行几次循环"的状态！它的语法是：

```
for var in con1 con2 con3 ...
do
        程序段
done
```

以上面的例子来说，这个$var 的变量内容在循环工作时：

1. 第一次循环时，$var 的内容为 con1；
2. 第二次循环时，$var 的内容为 con2；
3. 第三次循环时，$var 的内容为 con3；

......

我们可以做个简单的练习。假设我有三种动物，分别是 dog, cat, elephant 三种，我想每一行都输出这样："There are dogs..."之类的字样，则可以：

```
[root@www scripts]# vi sh15.sh
#!/bin/bash
# Program:
#    Using for...loop to print 3 animals
# History:
# 2005/08/29 VBird    First release
PATH=/bin:/sbin:/usr/bin:/usr/sbin:/usr/local/bin:/usr/local/sbin:~/bin
export PATH

for animal in dog cat elephant
do
        echo "There are ${animal}s..."
done
```

等你执行之后就能够发现这个程序运行的情况啦！让我们想象另外一种状况，由于系统上面的各种账号都是写在/etc/passwd 内的第一个字段，你能不能通过管道命令的 cut 找出单纯的账号名称后，以 id 及 finger 分别检查用户的标识符与特殊参数呢？由于不同的 Linux 系统上面的账号都不一样！此时实际去获取/etc/passwd 并使用循环处理就是一个可行的方案了。程序可以如下：

```
[root@www scripts]# vi sh16.sh
#!/bin/bash
# Program
#    Use id, finger command to check system account's information.
# History
# 2009/02/18   VBird   first release
PATH=/bin:/sbin:/usr/bin:/usr/sbin:/usr/local/bin:/usr/local/sbin:~/bin
export PATH
users=$ (cut -d ':' -f1 /etc/passwd)  # 获取账号名称
for username in $users                 # 开始循环进行
do
       id $username
       finger $username
done
```

执行上面的脚本后，你的系统账号就会被获取出来检查。这个操作还可以用在每个账号的删除、更改上面呢！换个角度来看，如果我现在需要一连串的数字来进行循环呢？举例来说，我想要利用 ping 这个可以判断网络状态的命令。来进行网络状态的实际检测时，我想要检测的域是本机所在的 192.168.1.1~192.168.1.100，由于有 100 台主机，总不会要我在 for 后面输入 1 到 100 吧？此时你可以这样做。

```
[root@www scripts]# vi sh17.sh
#!/bin/bash
# Program
#    Use ping command to check the network's PC state.
# History
# 2009/02/18   VBird   first release
PATH=/bin:/sbin:/usr/bin:/usr/sbin:/usr/local/bin:/usr/local/sbin:~/bin
export PATH
network="192.168.1"                    # 先定义一个域的前面部分
for sitenu in $ (seq 1 100)            # seq 为 sequence（连续）的缩写之意
do
        # 下面的语句取得 ping 的回传值是正确的还是失败的
        ping -c 1 -w 1 ${network}.${sitenu} &> /dev/null && result=0 || result=1
        # 开始显示结果是正确的启动（UP）还是错误的没有连通（DOWN）
        if [ "$result" == 0 ]; then
             echo "Server ${network}.${sitenu} is UP."
        else
```

```
                    echo "Server ${network}.${sitenu} is DOWN."
        fi
done
```

上面这一串命令执行之后就可以显示出 192.168.1.1~192.168.1.100 共 100 部主机目前是否能与你的机器连通！如果你的域与鸟哥所在的位置不同，则直接修改上面那个 network 的变量内容即可！其实这个范例的重点在$（seq..）那个位置！那个 seq 是连续（sequence）的缩写之意！代表后面接的两个数值是一直连续的！如此一来，就能够轻松地将连续数字写入程序中。

最后，让我们来玩判断式加上循环的功能！我想要让用户输入某个目录文件名，然后找出某目录内的文件名的权限，该如何是好？可以这样做。

```
[root@www scripts]# vi sh18.sh
#!/bin/bash
# Program:
#     User input dir name, I find the permission of files.
# History:
# 2005/08/29  VBird    First release
PATH=/bin:/sbin:/usr/bin:/usr/sbin:/usr/local/bin:/usr/local/sbin:~/bin
export PATH

# 1. 先看看这个目录是否存在啊?
read -p "Please input a directory: " dir
if [ "$dir" == "" -o ! -d "$dir" ]; then
        echo "The $dir is NOT exist in your system."
        exit 1
fi

# 2. 开始测试文件。
filelist=$(ls $dir)          # 列出所有在该目录下的文件名
for filename in $filelist
do
        perm=""
        test -r "$dir/$filename" && perm="$perm readable"
        test -w "$dir/$filename" && perm="$perm writable"
        test -x "$dir/$filename" && perm="$perm executable"
        echo "The file $dir/$filename's permission is $perm "
done
```

很有趣的例子吧？利用这种方式，你可以很轻易地处理一些文件的特性。接下来，让我们来练习另一种 for 循环的功能吧！主要用在数值方面的处理。

13.5.3 for…do…done 的数值处理

除了上述的方法之外，for 循环还有另外一种写法！语法如下：

```
for (( 初始值; 限制值; 执行步长 ))
do
        程序段
done
```

这种语法适合于数值方式的运算当中，在 for 后面的括号内的三串内容意义为：

◆ 初始值：某个变量在循环当中的初始值，直接以类似 i=1 设置好；
◆ 限制值：当变量的值在这个限制值的范围内，就继续进行循环，例如 i<=100；
◆ 执行步长：每做一次循环时变量的变化量。例如 i=i+1。

值得注意的是，在 "执行步长" 的设置上，如果每次增加 1，则可以使用类似 "i++" 的方式，即 i 每次循环都会增加一的意思。好！我们以这种方式来进行 1 累加到用户输入的循环。

```
[root@www scripts]# vi sh19.sh
#!/bin/bash
# Program:
#     Try do calculate 1+2+...+${your_input}
# History:
# 2005/08/29  VBird     First release
PATH=/bin:/sbin:/usr/bin:/usr/sbin:/usr/local/bin:/usr/local/sbin:~/bin
export PATH

read -p "Please input a number, I will count for 1+2+...+your_input: " nu

s=0
for ( ( i=1; i<=$nu; i=i+1 ) )
do
        s=$ ( ($s+$i) )
done
echo "The result of '1+2+3+...+$nu' is ==> $s"
```

一样也是很简单吧？利用这个 for 则可以直接限制循环要进行几次呢！

13.6 **shell script** 的追踪与调试

script 在执行之前，最怕的就是出现语法错误的问题了！那么我们如何调试呢？有没有办法不需要通过直接执行该 script 就可以来判断是否有问题呢？当然是有的！我们就直接以 bash 的相关参数来进行判断吧！

```
[root@www ~]# sh [-nvx] scripts.sh
参数:
-n : 不要执行 script, 仅查询语法的问题;
-v : 在执行 script 前, 先将 script 的内容输出到屏幕上;
-x : 将使用到的 script 内容显示到屏幕上, 这是很有用的参数!

范例一: 测试 sh16.sh 有无语法的问题。
[root@www ~]# sh -n sh16.sh
# 若语法没有问题, 则不会显示任何信息!

范例二: 将 sh15.sh 的执行过程全部列出来。
[root@www ~]# sh -x sh15.sh
+ PATH=/bin:/sbin:/usr/bin:/usr/sbin:/usr/local/bin:/usr/local/sbin:/root/bin
+ export PATH
+ for animal in dog cat elephant
+ echo 'There are dogs.... '
There are dogs....
+ for animal in dog cat elephant
+ echo 'There are cats.... '
There are cats....
+ for animal in dog cat elephant
+ echo 'There are elephants.... '
There are elephants....
```

请注意，上面范例二中执行的结果并不会有颜色的显示！鸟哥为了方便说明所以在+号之后的数据都加上颜色了！在输出的信息中，在加号后面的数据其实都是命令串，由 sh -x 的方式来将命令执行过程也显示出来，如此用户可以判断程序代码执行到哪一段时会出现相关的信息！这个功能非常棒！通过显示完整的命令串，你就能够依据输出的错误信息来修改你的脚本了！

熟悉 sh 的用法，将可以使你在管理 Linux 的过程中得心应手。至于在 shell script 的学习方法上面，需要多看、多模仿并加以修改成自己的样式！这是最快的学习手段了！网络上有相当多的朋友在开发一些相当有用的 script，若是你可以将对方的 script 拿来，并且改成适合自己主机的样子。那么学习的效果会是最快的呢！

另外，我们 Linux 系统本来就有很多的服务启动脚本，如果你想要知道每个 script 所代表的功能是什么？可以直接以 vim 进入该 script 去查阅一下，通常立刻就知道该 script 的目的了。举例来说，我们之前一直提到的/etc/init.d/syslog，这个 script 是干嘛用的？利用 vi 去查阅最前面的几行字，它出现如下信息：

```
# description: Syslog is the facility by which many daemons use to log \
# messages to various system log files. It is a good idea to always \
# run syslog.
### BEGIN INIT INFO
# Provides: $syslog
### END INIT INFO
```

简单地说，这个脚本在启动一个名为 syslog 的常驻程序（daemon），这个常驻程序可以帮助很多系统服务记载它们的登录文件（log file），我们的 Linux 建议你一直启动 syslog 是个好主意。

另外，本章所有的范例都可以在 http://linux.vbird.org/linux_basic/0340bashshell-scripts/scripts- v3.tar.bz2 里头找到。

13.7　重点回顾

◆ shell script 是利用 shell 的功能所写的一个"程序"（program），这个程序是使用纯文本文件，将一些 shell 的语法与命令（含外部命令）写在里面，搭配正则表达式、管道命令与数据流重定向等功能，以达到我们所想要的处理目的。

◆ shell script 用在系统管理上面是很好的一项工具，但是用在处理大量数值运算上就不够好了，因为 shell script 的速度较慢，且使用的 CPU 资源较多，造成主机资源的分配不良。

◆ 在 shell script 的文件中，命令是从上而下、从左而右地分析与执行。

◆ shell script 的执行至少需要有 r 的权限，若需要直接命令执行，则需要拥有 r 与 x 的权限。

◆ 在良好的程序编写习惯中，第一行要声明 shell（#!/bin/bash），第二行以后则声明程序用途、版本、作者等。

◆ 对谈式脚本可用 read 命令达成。

◆ 要创建每次执行脚本都有不同结果的数据，可使用 date 命令利用日期达成。

◆ script 的执行若以 source 来执行时，代表在父进程的 bash 内执行之意！

◆ 若需要进行判断式，可使用 test 或中括号（[]）来处理。

◆ 在 script 内，$0, $1, $2..., $@是有特殊意义的！

◆ 条件判断式可使用 if...then 来判断，若是固定变量内容的情况下，可使用 case $var in...esac 来处理。

◆ 循环主要分为不定循环（while,until）以及固定循环（for），配合 do、done 来达成所需任务！

◆ 我们可使用 sh -x script.sh 来进行程序的调试。

13.8　本章习题

下面皆为实践题，请自行编写出程序。

◆ 请新建一个 script，当你执行该 script 的时候，该 script 可以显示你目前的身份（用 whoami）和你目前所在的目录（用 pwd）。

- 请自行写一个程序，该程序可以用来计算你还有几天可以过生日。
- 让用户输入一个数字，程序可以由 1+2+3...一直累加到用户输入的数字为止。
- 编写一支程序，它的作用是先查看一下/root/test/logical 这个名称是否存在，若不存在，则创建一个文件，使用 touch 来创建，创建完成后离开；如果存在的话，判断该名称是否为文件，若为文件则将之删除后新建一个目录，文件名为 logical，之后离开；如果存在的话，而且该名称为目录，则删除此目录！
- 我们知道/etc/passwd 里面以 : 来分隔，第一列为账号名称。请写一个程序，可以将/etc/passwd 的第一列取出，而且每一列都以一行字符串 "The 1 account is "root" " 来显示，那个 1 表示行数。

13.9　参考数据与扩展阅读

卧龙小三大师的文件：http://linux.tnc.edu.cn/techdoc/shell/book1.html

14

第 14 章　Linux 账号管理与 ACL 权限设置

要登录 Linux 系统一定要有账号与密码才行，否则怎么登录？你说是吧？不过，不同的用户应该要拥有不同的权限才行。我们还可以通过 user/group 的特殊权限设置，来规定不同的用户组开发项目。在 Linux 的环境下，我们可以通过很多方式来限制用户能够使用的系统资源，包括第 11 章 bash 提到的 ulimit 限制，还有特殊权限限制，如 umask 等。通过这些举动，我们可以规定不同用户的使用资源。另外，还记得系统管理员的账号吗？对！就是 root。请问一下，除了 root 之外，是否可以有其他的系统管理员账号？为什么大家都要尽量避免使用数字类型的账号？如何修改用户相关的信息呢？这些我们都需要了解。

14.1　Linux 的账号与用户组

　　管理员的工作中，相当重要的一环就是"管理账号"。因为整个系统都是你在管理的，并且所有一般用户的账号申请都必须要通过你的协助才行！所以你就必须要了解一下如何管理好一个服务器主机的账号。在管理 Linux 主机的账号时，我们必须先来了解一下 Linux 到底是如何辨别每一个用户的！

14.1.1　用户标识符：UID 与 GID

　　虽然我们登录 Linux 主机的时候，输入的是我们的账号，但是其实 Linux 主机并不会直接认识你的"账号名称"的，它仅认识 ID（ID 就是一组号码）。由于计算机仅认识 0 与 1，所以主机对于数字比较有概念的；至于账号只是为了让人们容易记忆而已。而你的 ID 与账号的对应关系就在/etc/passwd 当中。

> 如果您曾经在网络上下载过 tarball 类型的文件，那么应该不难发现，在解压缩之后的文件中，文件所有者字段竟然显示"不明的数字"，因为 Linux 说实在话，它真的只认识代表您身份的号码而已！

　　那么到底有几种 ID 呢？还记得我们在第 6 章内有提到过，每一个文件都具有"所有者与所属用户组"的属性吗？没错啦！每个登录的用户至少都会取得两个 ID，一个是用户 ID（UserID，简称 UID），一个是用户组 ID（Group ID，简称 GID）。

　　那么文件如何判别它的所有者与用户组呢？其实就是利用 UID 与 GID。每一个文件都会有所谓的所有者 ID 与用户组 ID，当我们有要显示文件属性的需求时，系统会依据/etc/passwd 与/etc/group 的内容，找到 UID/GID 对应的账号与组名再显示出来。我们可以做个小实验，你可以用 root 的身份 vi/etc/passwd，然后将你的一般身份的用户的 ID 随便改一个号码，然后再到你的一般身份的目录下看看原先该账号拥有的文件，你会发现该文件的所有者变成数字了。这样可以理解了吗？来看看下面的例子：

```
# 1. 先查看一下，系统里面有没有一个名为 dmtsai 的用户
[root@www ~]# grep 'dmtsai' /etc/passwd
dmtsai:x:503:504::/home/dmtsai:/bin/bash   <==是有这个账号。
[root@www ~]# ll -d /home/dmtsai
drwx------ 4 dmtsai dmtsai 4096 Feb  6 18:25 /home/dmtsai
# 瞧一瞧！用户的字段正是 dmtsai 本身。

# 2. 修改一下，将刚才我们的 dmtsai 的 503 UID 改为 2000 看看:
[root@www ~]# vi /etc/passwd
...（前面省略）...
dmtsai:x:2000:504::/home/dmtsai:/bin/bash <==修改一下特殊字体部分，由 503 改过来
[root@www ~]# ll -d /home/dmtsai
drwx------ 4 503 dmtsai 4096 Feb  6 18:25 /home/dmtsai
#怎么变成 503 了？因为文件只会记录数字而已。
# 因为我们乱改，所以导致 503 找不到对应的账号，因此显示数字！

# 3. 记得将刚才的 2000 改回来！
[root@www ~]# vi /etc/passwd
....（前面省略）....
dmtsai:x:503:504::/home/dmtsai:/bin/bash <==赶紧改回来!
```

　　你一定要了解的是，上面的例子仅是在说明 UID 与账号的对应性，在一台正常运行的 Linux 主机

环境下，上面的操作不可随便进行，这是因为系统上已经有很多的数据被创建了，随意修改系统上某些账号的 UID 很可能会导致某些程序无法进行，这将导致系统无法顺利运行的结果，因为权限的问题。所以，了解了之后，请赶快回到/etc/passwd 里面将数字改回来。

举例来说，如果上面的测试最后一个步骤没有将 2000 改回原本的 UID，那么当 dmtsai 下次登录时将没有办法进入自己的主文件夹。因为它的 UID 已经改为 2000，但是它的主文件夹（/home/dmtsai）却记录的是 503，由于权限是 700，因此它将无法进入原本的主文件夹！是否非常严重啊？

14.1.2　用户账号

Linux 系统上面的用户如果需要登录主机以取得 shell 的环境来工作时，它需要如何进行呢？首先，它必须要在计算机前面利用 tty1～tty7 的终端机提供的 login 接口，并输入账号与密码后才能够登录。如果是通过网络的话，那至少用户就得要学习 ssh 这个功能了（服务器篇再来谈）。那么你输入账号密码后，系统帮你处理了什么呢？

1. 先找寻/etc/passwd 里面是否有你输入的账号，如果没有则跳出，如果有的话则将该账号对应的 UID 与 GID（在/etc/group 中）读出来，另外，该账号的主文件夹与 shell 设置也一并读出。
2. 再来则是核对密码表啦！这时 Linux 会进入/etc/shadow 里面找出对应的账号与 UID，然后核对一下你刚才输入的密码与里面的密码是否相符。
3. 如果一切都 OK 的话，就进入 shell 控管的阶段了。

大致上的情况就像这样，所以当你要登录你的 Linux 主机的时候，那个/etc/passwd 与/etc/shadow 就必须要让系统读取（这也是很多攻击者会将特殊账号写到/etc/passwd 里面去的缘故），所以呢，如果你要备份 Linux 的系统的账号的话，那么这两个文件就一定需要备份才行。

由上面的流程我们也知道，跟用户账号有关的有两个非常重要的文件，一个是管理用户 UID/GID 重要参数的/etc/passwd，一个则是专门管理密码相关数据的/etc/shadow。那这两个文件的内容就非常值得进行研究。下面我们会简单介绍这两个文件，详细的说明可以参考 man 5 passwd 及 man 5 shadow[注1]。

◆ /etc/passwd 文件结构
- 这个文件的构造是这样的：每一行都代表一个账号，有几行就代表有几个账号在你的系统中！不过需要特别留意的是，里面很多账号本来就是系统正常运行所必须要的，我们可以简称它为系统账号，例如 bin,daemon,adm,nobody 等，这些账号请不要随意删掉。这个文件的内容有点像这样：

鸟哥在接触 Linux 之前曾经碰过 Solaris 系统（1999 年），当时鸟哥啥也不清楚！由于"听说"Linux 上面的账号越复杂会导致系统越危险。所以鸟哥就将/etc/passwd 上面的账号全部删除到只剩下 root 与鸟哥自己用的一般账号。结果您猜发生什么事？那就是调用 Sun 的工程师来维护系统，糗到不行！

```
[root@www ~]# head -n 4 /etc/passwd
root:x:0:0:root:/root:/bin/bash   <==等一下作为下面说明用
bin:x:1:1:bin:/bin:/sbin/nologin
daemon:x:2:2:daemon:/sbin:/sbin/nologin
adm:x:3:4:adm:/var/adm:/sbin/nologin
```

我们先来看一下每个 Linux 系统都会有的第一行，就是 root 这个系统管理员那一行好了，你可以明显看出来，每一行使用 ":" 分隔开，共有七个字段，分别是：

1. 账号名称

就是账号。用来对应 UID 的。例如 root 的 UID 对应就是 0（第三字段）

2. 密码

早期 UNIX 系统的密码就是放在这字段上！但是因为这个文件的特性是所有的程序都能够读取，这样一来很容易造成密码数据被窃取，因此后来就将这个字段的密码数据改放到/etc/shadow 中了，所以这里你会看到一个 "x"。

3. UID

这个就是用户标识符。通常 Linux 对于 UID 有几个限制，需要说给你了解一下，如表 14-1 所示。

表 14-1

Id 范围	该 ID 用户特性
0（系统管理员）	当 UID 是 0 时，代表这个账号是 "系统管理员"！所以当你要让其他的账号名称也具有 root 的权限时，将该账号的 UID 改为 0 即可。这也就是说，一个系统上面的系统管理员不见得只有 root。不过，很不建议有多个账号的 UID 是 0
1～499（系统账号）	保留给系统使用的 ID，其实除了 0 之外，其他的 UID 权限与特性并没有不一样。默认 500 以下的数字让给系统作为保留账号只是一个习惯。 由于系统上面启动的服务希望使用较小的权限去运行，因此不希望使用 root 的身份去执行这些服务，所以我们就要提供这些运行中程序的所有者账号才行。这些系统账号通常是不可登录的，所以才会有我们在第 11 章提到的/sbin/nologin 这个特殊的 shell 存在。 根据系统账号的由来，通常系统账号又被分为两种： 1～99：由 distributions 自行创建的系统账号； 100～499：若用户有系统账号需求时，可以使用的账号 UID
500～65535（可登录账号）	给一般用户用的。事实上，目前的 Linux 内核（2.6.x 版）已经可以支持到 4294967295（$2^{32}-1$）这么大的 UID 号码

上面这样说明可以了解了吗？是的，UID 为 0 的时候，就是 root。所以请特别留意一下你的/etc/passwd 文件！

4. GID

这个与/etc/group 有关！其实/etc/group 与/etc/passwd 差不多，只是它是用来规定组名与 GID 的对应而已！

5. 用户信息说明列

这个字段基本上并没有什么重要用途，只是用来解释这个账号的意义而已。不过，如果你提供使用 finger 的功能时，这个字段可以提供很多的信息。本章后面的 chfn 命令会来解释这里的说明。

6. 主文件夹

这是用户的主文件夹，以上面为例，root 的主文件夹在/root 中，所以当 root 登录之后，就会立刻跑到/root 目录里面。如果你有个账号的使用空间特别大，你想要将该账号的主文件夹移动到其他的硬盘去该怎么做？可以在这个字段进行修改。默认的用户主文件夹在/home/yourIDname 中。

7. Shell

我们在第 11 章 BASH 提到很多次，当用户登录系统后就会取得一个 Shell 来与系统的内核通信以进行用户的操作任务。那为何默认 shell 会使用 bash 呢？就是在这个字段指定的。这里比较需要注意的是，有一个 shell 可以用来替代成让账号无法取得 shell 环境的登录操作。那就是/sbin/nologin。这也可以用来制作纯 pop 邮件账号者的数据呢！

◆ /etc/shadow 文件结构

● 我们知道很多程序的运行都与权限有关，而权限与 UID/GID 有关！因此各程序当然需要读取

/etc/passwd 来了解不同账号的权限。因此/etc/passwd 的权限需设置为-rw-r--r--这样的情况，虽然早期的密码也有加密过，但却放置到/etc/passwd 的第二个字段上！这样一来很容易被有心人士所窃取，加密过的密码也能够通过暴力破解法去 try and error（试误）找出来！

- 因为这样的关系，所以后来发展出将密码移动到/etc/shadow 这个文件分隔开来的技术，而且还加入很多的密码限制参数在/etc/shadow 里面呢！在这里，我们先来了解一下这个文件的构造吧！鸟哥的/etc/shadow 文件有点像这样：

```
[root@www ~]# head -n 4 /etc/shadow
root:$1$/30QpE5e$y9N/D0bh6rAACBEz.hqo00:14126:0:99999:7:::  <==下面说明用
bin:*:14126:0:99999:7:::
daemon:*:14126:0:99999:7:::
adm:*:14126:0:99999:7:::
```

- 基本上，shadow 同样以 "：" 作为分隔符，如果数一数，会发现共有 9 个字段啊，这 9 个字段的用途是这样的。

1. 账号名称

由于密码也需要与账号对应。因此，这个文件的第一列就是账号，必须要与/etc/passwd 相同才行！

2. 密码

这个字段内的数据才是真正的密码，而且是经过编码的密码（加密）。你只会看到有一些特殊符号的字母就是了！需要特别留意的是，虽然这些加密过的密码很难被解出来，但是"很难"不等于"不可能"，所以，这个文件的默认权限是"-rw-------"或者是"-r--------"，即只有 root 才可以读写就是了！你得随时注意，不要不小心改动了这个文件的权限呢！

另外，由于各种密码编码的技术不一样，因此不同的编码系统会造成这个字段的长度不相同。举例来说，旧式的 DES 编码系统产生的密码长度就与目前惯用的 MD5 不同[注2]！MD5 的密码长度明显比较长些。由于固定的编码系统产生的密码长度必须一致，因此当你让这个字段的长度改变后，该密码就会失效（算不出来）。很多软件通过这个功能，在此字段前加上!或*改变密码字段长度，就会让密码"暂时失效"了。

3. 最近更动密码的日期

这个字段记录了改动密码的日期，不过，在我的例子中怎么会是 14126 呢？这个是因为计算 Linux 日期的时间是以 1970 年 1 月 1 日作为 1 而累加的日期，1971 年 1 月 1 日则为 366 啦！得注意一下这个数据。上述的 14126 指的就是 2008-09-04 那一天啦！而想要了解该日期可以使用本章后面 chage 命令的帮忙！至于想要知道某个日期的累积日数，可使用如下的程序计算：

```
[root@www ~]# echo $(($(date --date="2008/09/04" +%s)/86400+1))
14126
```

上述命令中，2008/09/04 为你想要计算的日期，86400 为每一天的秒数，%s 为 1970/01/01 以来的累积总秒数。由于 bash 仅支持整数，因此最终需要加上 1 补齐 1970/01/01 当天。

4. 密码不可被更动的天数（与第 3 个字段相比）

第 4 个字段记录了这个账号的密码在最近一次被更改后需要经过几天才可以再被更改！如果是 0 的话，表示密码随时可以改动的意思。这的限制是为了怕密码被某些人一改再改而设计的！如果设置为 20 天的话，那么当你设置了密码之后，20 天之内都无法改变这个密码。

5. 密码需要重新更改的天数（与第 3 个字段相比）

经常更改密码是个好习惯。为了强制要求用户更改密码，这个字段可以指定在最近一次更改密码后在多少天数内需要再次的更改密码才行。你必须要在这个天数内重新设置你的密码，否则这个账号的密码将会变为过期特性。而如果像上面的 99999（计算为 273 年）的话，那就表示密码的更改没有强制性之意。

6. 密码需要更改期限前的警告天数（与第 5 个字段相比）

当账号的密码有效期限快要到的时候（第 5 个字段），系统会依据这个字段的设置发出"警告"

给这个账号，提醒他再过 n 天你的密码就要过期了，请尽快重新设置你的密码!"，如上面的例子，则是密码到期之前的 7 天之内，系统会警告该用户。

7. 密码过期后的账号宽限时间（密码失效日）(与第 5 个字段相比)

密码有效日期为"更新日期"（第 3 个字段）+"重新更改日期"（第 5 个字段），过了该期限后用户依旧没有更新密码，那该密码就算过期了。虽然密码过期但是该账号还是可以用来进行其他工作的，包括登录系统取得 bash。不过如果密码过期了，那当你登录系统时，系统会强制要求你必须要重新设置密码才能登录继续使用，这就是密码过期特性。

那这个字段的功能是什么呢？是在密码过期几天后，如果用户还是没有登录更改密码，那么这个账号的密码将会"失效"，即该账号再也无法使用该密码登录了。要注意密码过期与密码失效并不相同。

8. 账号失效日期

这个日期跟第三个字段一样，都是使用 1970 年以来的总日数设置。这个字段表示：这个账号在此字段规定的日期之后，将无法再使用。就是所谓的"账号失效"，此时不论你的密码是否有过期，这个"账号"都不能再被使用。这个字段会被使用通常应该是在"收费服务"的系统中，你可以规定一个日期让该账号不能再使用啦!

9. 保留

最后一个字段是保留的，看以后有没有新功能加入。

- 举个例子来说好了，假如我的 dmtsai 这个用户的密码如下所示：

dmtsai:1vyUuj.eX$omt6lKJvMcIZHx4H7RI1V.:14299:5:60:7:5:14419:

- 这表示什么呢？先要注意的是 14299 是 2009/02/24。所以 dmtsai 这个用户的密码相关意义是：
- 由于密码几乎仅能单向运算（由明码计算成为密码，无法由密码反推回明码），因此由上面的数据我们无法得知 dmstai 的实际密码明文；
- 此账号最近一次改动密码的日期是 2009/02/24（14299）;
- 能够再次修改密码的时间是 5 天以后，也就是 2009/03/01 以前 dmtsai 不能修改自己的密码；如果用户还是尝试要更动自己的密码，系统就会出现这样的信息：

```
You must wait longer to change your password
passwd: Authentication token manipulation error
```

- 界面中告诉我们：你必须要等待更久的时间才能够更改密码。
- 由于密码过期日期定义为 60 天后，即累积日数为：14299+60=14359，经过计算得到此日数代表日期为 2009/04/25。这表示用户必须要在 2009/03/01 到 2009/04/25 之间的 60 天限制内去修改自己的密码，若 2009/04/25 之后还是没有更改密码时，该密码就宣告为过期了!
- 警告日期设为 7 天，即是密码过期日前的 7 天，在本例中则代表 2009/04/19～2009/04/25 这 7 天。如果用户一直没有更改密码，那么在这 7 天中，只要 dmtsai 登录系统就会发现如下的信息：

```
Warning: your password will expire in 5 days
```

- 如果该账号一直到 2009/04/25 都没有更改密码，那么密码就过期了。但是由于有 5 天的宽限天数，因此 dmtsai 在 2009/04/30 前都还可以使用旧密码登录主机，不过登录时会出现强制更改密码的情况，界面有点像下面这样：

```
You are required to change your password immediately (password aged)
WARNING: Your password has expired.
You must change your password now and login again!
Changing password for user dmtsai.
Changing password for dmtsai
(current) UNIX password:
```

- 你必须要输入一次旧密码以及两次新密码后，才能够开始使用系统的各项资源。如果你是在 2009/04/30 以后尝试以 dmtsai 登录的话，那么就会出现如下的错误信息且无法登录，因为此时你的密码就失效了！

```
Your account has expired; please contact your system administrator
```

- 如果用户在 2009/04/25 以前更改过密码，那么第 3 个字段的那个 14299 的天数就会跟着改变，因此，所有的限制日期也会跟着相对变动。
- 无论用户如何操作，到了 14419（大约是 2009/07/24 左右）该账号就失效了。
- 通过这样的说明，你应该会比较容易理解了吧？由于 shadow 有这样的重要性，因此可不能随意修改。但在某些情况下面你得要使用各种方法来处理这个文件的！举例来说，经常听到人家说"我的密码忘记了"，或者是"我的密码不知道得被谁改过，跟原先的不一样了"，这个时候怎么办？
- **一般用户的密码忘记了**：这个最容易解决，请系统管理员帮忙，他会重新设置好你的密码而不需要知道你的旧密码！利用 root 的身份使用 passwd 命令来处理即可。
- **root 密码忘记了**：这就麻烦了！因为你无法使用 root 的身份登录了。但我们知道 root 的密码在/etc/shadow 当中，因此你可以使用各种可行的方法开机进入 Linux 再去修改。例如重新启动进入用户维护模式（第 20 章后），系统会主动给予 root 权限的 bash 接口，此时再以 passwd 修改密码即可；或以 Live CD 开机后挂载根目录去修改/etc/shadow，将里面的 root 的密码字段清空，再重新启动后 root 将不用密码即可登录！登录后再赶快以 passwd 命令去设置 root 密码即可。

> 曾经听过一则笑话，某位老师主要是在教授 Linux 操作系统，但是他是新来的，因此对于该系的计算机环境不熟。由于当初安装该计算机教室 Linux 操作系统的人员已经离职且找不到联络方式了，也就是说 root 密码已经没有人清楚了。此时该老师就对学生说："在 Linux 里面 root 密码不见了，我们只能重新安装"，感觉有点无力，又是个被 Windows 制约的人才！

14.1.3　有效与初始用户组：groups, newgrp

认识了账号相关的两个文件/etc/passwd 与/etc/shadow 之后，你或许还是会觉得奇怪，那么用户组的配置文件在哪里？还有，在/etc/passwd 的第四列不是所谓的 GID 吗？那又是什么？此时就需要了解/etc/group 与/etc/gshadow。

- **/etc/group 文件结构**
  - 这个文件就是记录 GID 与组名的对应。鸟哥测试机的/etc/group 内容有点像这样：

```
[root@www ~]# head -n 4 /etc/group
root:x:0:root
bin:x:1:root,bin,daemon
daemon:x:2:root,bin,daemon
sys:x:3:root,bin,adm
```

- 这个文件每一行代表一个用户组，也是以冒号":"作为字段的分隔符，共分为四列，每一字段的意义是：
1. **用户组名称**
就是用户组名称啦！

2. 用户组密码

通常不需要设置，这个设置通常是给"用户组管理员"使用的，目前很少有这个机会设置用户组管理员。同样，密码已经移动到/etc/gshadow 去，因此这个字段只会存在一个"x"而已。

3. GID

就是用户组的 ID。我们/etc/passwd 第四个字段使用的 GID 对应的用户组名就是由这里对应出来的！

4. 此用户组支持的账号名称

我们知道一个账号可以加入多个用户组，那某个账号想要加入此用户组时，将该账号填入这个字段即可。举例来说，如果我想要让 dmtsai 也加入 root 这个用户组，那么在第一行的最后面加上",dmtsai"，注意不要有空格，使其成为"root:x:0:root,dmtsai"就可以。

- 谈完了/etc/passwd、/etc/shadow、/etc/group 之后，我们可以使用一个简单的图示来了解一下 UID/GID 与密码之间的关系，如图 14-1 所示。其实重点是/etc/威者 passwd，其他相关的数据都是根据这个文件的字段去找寻出来的。图中 root 的 UID 是 0，而 GID 也是 0，寻找/etc/group 可以知道 GID 为 0 时的组名就是 root。至于密码的寻找中，会找到/etc/shadow 与/etc/passwd 内同账号名称的那一行，就是密码相关数据。

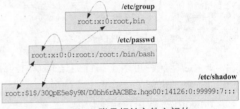

图 14-1　账号相关文件之间的
UID/GID 与密码相关性示意图

- 至于在/etc/group 比较重要的特色在于第四列，因为每个用户都可以拥有多个支持的用户组，这就好比在学校念书的时候，我们可以加入多个社团一样。不过这里你或许会觉得奇怪的，那就是假如我同时加入多个用户组，那么我在作业的时候，到底是以那个用户组为准？下面我们就来谈一谈这个"有效用户组"的概念。

- ◆ 有效用户组（effective group）与初始用户组（initial group）
  - 还记得每个用户在他的/etc/passwd 里面的第四列有所谓的 GID 吧？那个 GID 就是所谓的"初始用户组"（initial group）。也就是说，当用户登录系统，立刻就拥有这个用户组的相关权限的意思。举例来说，我们上面提到 dmtsai 这个用户的/etc/passwd 与/etc/group 还有/etc/gshadow 相关的内容如下：

```
[root@www ~]# usermod -G users dmtsai    <==先设置好用户组
[root@www ~]# grep dmtsai /etc/passwd /etc/group /etc/gshadow
/etc/passwd:dmtsai:x:503:504::/home/dmtsai:/bin/bash
/etc/group:users:x:100:dmtsai    <==次要用户组的设置
/etc/group:dmtsai:x:504:    <==因为是初始用户组，所以第四个字段不需要填入账号
/etc/gshadow:users:::dmtsai    <==次要用户组的设置
/etc/gshadow:dmtsai:!::
```

- 仔细看到上面内容，在/etc/passwd 里面，dmtsai 这个用户所属的用户组为 GID=504，寻找一下/etc/group 得到 504 是那个名为 dmtsai 的用户组。这就是 initial group。因为是初始用户组，用户一登录就会主动取得，不需要在/etc/group 的第四个字段写入该账号的！

- 但是非 initial group 的其他用户组可就不同了。举上面这个例子来说，我将 dmtsai 加入 users 这个用户组当中，由于 users 这个用户组并非是 dmtsai 的初始用户组，因此，我必须要在/etc/group 这个文件中找到 users 那一行，并且将 dmtsai 这个账号加入第四列，这样 dmtsai 才能够加入 users 这个用户组。

- 那么在这个例子当中，因为我的 dmtsai 账号同时支持 dmtsai 与 users 这两个用户组，因此，在读取/写入/执行文件时，针对用户组部分，只要是 users 与 dmtsai 这两个用户组拥有的功能，dmtsai 这个用户都能够拥有。不过，这是针对已经存在的文件而言，如果今天我要新建一个新的文件或者是新的目录，请问一下，**新文件的组是 dmtsai 还是 users**？这就得要检查一下当时的有效用户组了（effective group）。

◆ groups:有效与支持用户组的查看

● 如果我以 dmtsai 这个用户的身份登录后，该如何知道我所有支持的用户组呢? 很简单啊，直接输入 groups 就可以了! 注意，是 groups，有加 s 呢! 结果像这样:

```
[dmtsai@www ~]$ groups
dmtsai users
```

● 在这个输出的信息中，可知道 dmtsai 这个用户同时属于 dmtsai 及 users 这个两个组，而且，第一个输出的用户组即为有效用户组（effective group）了。也就是说，我的有效用户组为 dmtsai。此时，如果我以 touch 去创建一个新文件，例如 "touch test"，那么这个文件的所有者为 dmtsai，而且用户组也是 dmtsai 的。

```
[dmtsai@www ~]$ touch test
[dmtsai@www ~]$ ll
-rw-rw-r-- 1 dmtsai dmtsai 0 Feb 24 17:26 test
```

● 这样是否可以了解什么是有效用户组了? 通常有效用户组的作用是新建文件。那么有效用户组是否能够变换?

◆ newgrp:有效用户组的切换

● 那么如何更改有效用户组呢? 就使用 newgrp。不过使用 newgrp 是有限制的，那就是你想要切换的用户组必须是你已经有支持的用户组。举例来说，dmtsai 可以在 dmtsai/users 这两个用户组间切换有效用户组，但是 dmtsai 无法切换有效用户组成为 sshd。使用的方式如下:

```
[dmtsai@www ~]$ newgrp users
[dmtsai@www ~]$ groups
users dmtsai
[dmtsai@www ~]$ touch test2
[dmtsai@www ~]$ ll
-rw-rw-r-- 1 dmtsai dmtsai 0 Feb 24 17:26 test
-rw-r--r-- 1 dmtsai users  0 Feb 24 17:33 test2
```

● 此时，dmtsai 的有效用户组就成为 users 了。我们额外来讨论一下 newgrp 这个命令，这个命令可以更改目前用户的有效用户组，而且是另外以一个 shell 来提供这个功能的，所以，以上面的例子来说，dmtsai 这个用户目前是以另一个 shell 登录的，而且新的 shell 给予 dmtsai 有效 GID 为 users 就是了。如果以图示来看就是如图 14-2 所示。

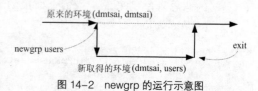

图 14-2　newgrp 的运行示意图

● 虽然用户的环境设置（例如环境变量等其他数据）不会有影响，但是用户的 "用户组权限" 将会重新被计算。但是需要注意，由于是新取得一个 shell，因此如果你想要回到原本的环境中，请输入 exit 回到原本的 shell。

● 既然如此，也就是说，只要我的用户有支持的用户组就是能够切换成为有效用户组。好了，那么如何让一个账号加入不同的用户组就是问题的所在。你要加入一个用户组有两个方式，一个是通过系统管理员（root）利用 usermod 帮你加入，如果 root 太忙了而且你的系统有设置用户组管理员，那么你可以通过用户组管理员以 gpasswd 帮你加入他所管理的用户组中! 详细的做法留待下一小节再来介绍。

◆ /etc/gshadow

● 刚才讲了很多关于 "有效用户组" 的概念，另外，也提到 newgrp 这个命令的用法，但是，如果/etc/gshadow 这个设置没有弄懂的话，那么 newgrp 是无法操作的。鸟哥测试机的/etc/gshadow 的内容有点像这样:

```
[root@www ~]# head -n 4 /etc/gshadow
root:::root
```

```
bin:::root,bin,daemon
daemon:::root,bin,daemon
sys:::root,bin,adm
```

- 这个文件内同样还是使用冒号 ":" 来作为字段的分隔字符，而且你会发现，这个文件几乎与 /etc/group 一模一样。是这样没错！不过，要注意的大概就是第二个字段。第二个字段是密码列，如果密码列上面是 "!" 时，表示该用户组不具有用户组管理员。至于第四个字段也就是支持的账号名称。这四个字段的意义为：
1. 用户组名；
2. 密码列，同样，开头为!表示无合法密码，所以无用户组管理员；
3. 用户组管理员的账号（相关信息在 gpasswd 中介绍）；
4. 该用户组的所属账号（与/etc/group 内容相同）。
- 以系统管理员的角度来说，这个 gshadow 最大的功能就是创建组管理员啦！那么什么是用户组管理员呢？由于系统上面的账号可能会很多，但是我们 root 可能平时太忙碌，所以当有用户想要加入某些用户组时，root 或许会没有空管理。此时如果能够创建用户组管理员的话，那么该用户组管理员就能够将那个账号加入自己管理的用户组中！可以免去 root 的忙碌。不过，由于目前有类似 sudo 之类的工具，所以这个组管理员的功能已经很少使用了。我们会在后续的 gpasswd 中介绍这个用法。

14.2　账号管理

既然要管理账号，当然是由新增与删除用户开始的。下面我们就分别来谈一谈如何新增、删除与更改用户的相关信息。

14.2.1　新增与删除用户：useradd,相关配置文件,passwd,usermod,userdel

要如何在 Linux 的系统中新增一个用户啊？我们登录系统时会输入账号与密码，所以创建一个可用的账号同样也需要这两个数据。那账号可以使用 useradd 来新建用户，密码的给予则使用 passwd 这个命令！这两个命令执行方法如下：

- useradd

```
[root@www ~]# useradd [-u UID] [-g 初始用户组] [-G 次要用户组] [-mM]\
> [-c 说明栏] [-d 主文件夹绝对路径] [-s shell] 用户账号名
参数:
-u : 后面接的是 UID ，是一组数字。直接指定一个特定的 UID 给这个账号;
-g : 后面接的那个用户组名就是我们上面提到的 initial group ;
     该用户组的 GID 会被放置到 /etc/passwd 的第四个字段内。
-G : 后面接的组名则是这个账号还可以加入的用户组。
     这个参数会修改 /etc/group 内的相关数据。
-M : 强制! 不要创建用户主文件夹 (系统账号默认值)!
-m : 强制! 要创建用户主文件夹 (一般账号默认值)!
-c : 这个就是 /etc/passwd 的第五列的说明内容。可以随便我们设置的。
-d : 指定某个目录成为主文件夹，而不要使用默认值。务必使用绝对路径!
-r : 创建一个系统的账号，这个账号的 UID 会有限制 (参考 /etc/login.defs)。
-s : 后面接一个 shell ，若没有指定则默认是 /bin/bash 。
-e : 后面接一个日期，格式为 "YYYY-MM-DD"，此选项可写入 shadow 第八字段，
     即账号失效日的设置选项。
-f : 后面接 shadow 的第七字段选项，指定密码是否会失效。0 为立刻失效,
     -1 为永远不失效 (密码只会过期而强制于登录时重新设置而已)。

范例一: 完全参考默认值新建一个用户，名称为 vbird1
[root@www ~]# useradd vbird1
[root@www ~]# ll -d /home/vbird1
drwx------ 4 vbird1 vbird1 4096 Feb 25 09:38 /home/vbird1
```

```
# 默认会创建用户主文件夹，且权限为 700 ！这是重点！

[root@www ~]# grep vbird1 /etc/passwd /etc/shadow /etc/group
/etc/passwd:vbird1:x:504:505::/home/vbird1:/bin/bash
/etc/shadow:vbird1:!!!:14300:0:99999:7:::
/etc/group:vbird1:x:505:    <==默认会创建一个与账号一模一样的用户组名
```

- 其实系统已经帮我们规定好非常多的默认值了，所以我们可以简单地使用"useradd 账号"来创建用户即可。CentOS 这些默认值主要会帮我们处理几个项目：
  - 在/etc/passwd 里面创建一行与账号相关的数据，包括创建 UID/GID/主文件夹等；
  - 在/etc/shadow 里面将此账号的密码相关参数填入，但是尚未有密码；
  - 在/etc/group 里面加入一个与账号名称一模一样的组名；
  - 在/home 下面创建一个与账号同名的目录作为用户主文件夹，且权限为 700
- 由于在/etc/shadow 内仅会有密码参数而不会有加密过的密码数据，因此我们在创建用户账号时，还需要使用"passwd 账号"来给予密码才算是完成了用户创建的流程。如果由于特殊需求而需要改变用户相关参数时，就得要通过上面的参数来进行创建了，参考下面的案例：

```
范例二：假设我已知道我的系统当中有个用户组名为 users ，且 UID 700 并不存在，
      请用 users 为初始用户组，以及 uid 为 700 创建一个名为 vbird2 的账号
[root@www ~]# useradd -u 700 -g users vbird2
[root@www ~]# ll -d /home/vbird2
drwx------ 4 vbird2 users 4096 Feb 25 09:59 /home/vbird2

[root@www ~]# grep vbird2 /etc/passwd /etc/shadow /etc/group
/etc/passwd:vbird2:x:700:100::/home/vbird2:/bin/bash
/etc/shadow:vbird2:!!!:14300:0:99999:7:::
# 看一下，UID 与 initial group 确实改变成我们需要的了！
```

- 在这个范例中，我们创建的是指定一个已经存在的用户组作为用户的初始用户组，因为用户组已经存在，所以在/etc/group 里面就不会主动创建与账号同名的用户组了！此外，我们也指定了特殊的 UID 来作为用户的专属 UID。了解了一般账号后，我们来瞧瞧那什么是系统账号（system account）吧！

```
范例三：创建一个系统账号，名称为 vbird3
[root@www ~]# useradd -r vbird3
[root@www ~]# ll -d /home/vbird3
ls: /home/vbird3: No such file or directory <==不会主动创建主文件夹

[root@www ~]# grep vbird3 /etc/passwd /etc/shadow /etc/group
/etc/passwd:vbird3:x:100:103::/home/vbird3:/bin/bash
/etc/shadow:vbird3:!!!:14300::::::
/etc/group:vbird3:x:103:
```

- 我们在谈到 UID 的时候曾经说过一般账号应该是 500 号以后，那用户自己创建的系统账号则一般是由 100 号以后起算的。所以在这里我们加上-r 这个参数以后，系统就会主动将账号与账号同名用户组的 UID/GID 都指定小于 500 以下，在本案例中则是使用 100（UID）与 103（GID）。此外，由于系统账号主要是用来进行运行系统所需服务的权限设置，所以系统账号默认都不会主动创建主文件夹的！
- 由这几个范例我们也会知道，使用 useradd 创建用户账号时，其实会更改不少地方，至少我们就知道下面几个文件：
  - 用户账号与密码参数方面的文件：/etc/passwd,/etc/shadow
  - 用户组相关方面的文件：/etc/group,/etc/gshadow
  - 用户的主文件夹：/home/账号名称
- 那请教一下，你有没有想过，为何"useradd vbird1"会主动在/home/vbird1 中创建起用户的主文件夹？主文件夹内有什么数据且来自哪里？为何默认使用的是/bin/bash 这个 shell？为

何密码字段已经都规定好了（0:99999:7 那一串）？这就得要说明一下 useradd 所使用的参考
文件了。

◆ useradd 参考文件
- 其实 useradd 的默认值可以使用下面的方法调用出来：

```
[root@www ~]# useradd -D
GROUP=100        <==默认的用户组
HOME=/home       <==默认的主文件夹所在目录
INACTIVE=-1      <==密码失效日，在 shadow 内的第 7 列
EXPIRE=          <==账号失效日，在 shadow 内的第 8 列
SHELL=/bin/bash  <==默认的 shell
SKEL=/etc/skel   <==用户主文件夹的内容数据参考目录
CREATE_MAIL_SPOOL=yes   <==是否主动帮用户创建邮件信箱（mailbox）
```

- 这个数据其实是由/etc/default/useradd 调用出来的！你可以自行用 vim 去查看该文件的内容。
  搭配上面刚才谈过的范例一的运行结果，上面这些设置项目所造成的行为分别是：
  - GROUP=100：新建账号的初始用户组使用 GID 为 100 者。
- 系统上面 GID 为 100 者即是 users 这个用户组，此设置项目指的就是让新设用户账号的初始
  用户组为 users 这一个的意思。但是我们知道 CentOS 上面并不是这样的，在 CentOS 上面默
  认的用户组为与账号名相同的用户组。举例来说，vbird1 的初始用户组为 vbird1。怎么会这
  样啊？这是因为针对用户组的角度有两种不同的机制所致，这两种机制分别是：
  - 私有用户组机制：系统会创建一个与账号一样的用户组给用户作为初始用户组。这种用户组
    的设置机制会比较有保密性，这是因为用户都有自己的用户组，而且主文件夹权限将会设置
    为 700（仅有自己可进入自己的主文件夹）之故。使用这种机制将不会参考 GROUP=100 这
    个设置值。代表性的 distributions 有 RHEL,Fedora,CentOS 等。
  - 公共用户组机制：就是以 GROUP=100 这个设置值作为新建账号的初始用户组，因此每个账
    号都属于 users 这个用户组，且默认主文件夹通常的权限会是 "drwxr-xr-x...
    sernameusers..."，由于每个账号都属于 users 用户组，因此大家都可以互相分享主文件夹内
    的数据之故。代表性的 distributions 如 SuSE 等。
  - 由于我们的 CentOS 使用私有用户组机制，因此这个设置项目是不会生效的！
  - HOME=/home：用户主文件夹的基准目录（basedir）
- 用户的主文件夹通常是与账号同名的目录，这个目录将会放在此设置值的目录后面。所以
  vbird1 的主文件夹就会在/home/vbird1/中了！很容易理解吧！
  - INACTIVE=-1：密码过期后是否会失效的设置值
- 我们在 shadow 文件结构当中谈过，第七个字段的设置值将会影响到密码过期后在多久时间
  内还可使用旧密码登录。这个选项就是指定该日期。如果是 0 代表密码过期立刻失效，如果
  是−1 则是代表密码永远不会失效，如果是数字，如 30，则代表过期 30 天后才失效。
  - EXPIRE=：账号失效的日期
- 就是 shadow 内的第八字段，你可以直接设置账号在那个日期后就直接失效，而不理会密码
  的问题。通常不会设置此选项，但如果是付费的会员制系统，或许这个字段可以设置。
  - SHELL=/bin/bash：默认使用的 shell 程序文件名
- 系统默认的 shell 就写在这里。假如你的系统为 mail server，你希望每个账号都只能使用 Email
  的收发信件功能，而不许用户登录系统取得 shell，那么可以将这里设置为/sbin/nologin，如
  此一来，新建的用户默认就无法登录！也免去后续使用 usermod 进行修改的手续！
  - SKEL=/etc/skel：用户主文件夹参考基准目录
- 这个就是指定用户主文件夹的参考基准目录。举我们的范例一为例，vbird1 主文件夹
  /home/vbird1 内的各项数据都是由/etc/skel 所复制过去的，所以，将来如果我想要新增用户
  时，该用户的环境变量~/.bashrc 就设置妥当的话，你可以到/etc/skel/.bashrc 去编辑一下，

也可以新建/etc/skel/www 这个目录，那么将来新增用户后，在他的主文件夹下就会有 www 那个目录了。

- CREATE_MAIL_SPOOL=yes：创建用户的 mailbox
- 你可以使用 "ll /var/spool/mail/vbird1" 看一下，会发现有这个文件的存在。这就是用户的邮件信箱！
- 除了这些基本的账号设置值之外，UID/GID 还有密码参数又是在哪里参考的呢？那就得要看一下/etc/login.defs。这个文件的内容有点像下面这样：

```
MAIL_DIR          /var/spool/mail    <==用户默认邮件信箱放置目录

PASS_MAX_DAYS    99999 <==/etc/shadow 内的第 5 列，多久需更改密码天数
PASS_MIN_DAYS    0     <==/etc/shadow 内的第 4 列，多久不可重新设置密码天数
PASS_MIN_LEN     5     <==密码最短的字符长度，已被 pam 模块替代，失去效用！
PASS_WARN_AGE    7     <==/etc/shadow 内的第 6 列，过期前会警告的天数

UID_MIN          500   <==用户最小的 UID，意即小于 500 的 UID 为系统保留
UID_MAX          60000 <==用户能够用的最大 UID
GID_MIN          500   <==用户自定义用户组的最小 GID，小于 500 为系统保留
GID_MAX          60000 <==用户自定义用户组的最大 GID

CREATE_HOME      yes   <==在不加 -M 及 -m 时，是否主动创建用户主文件夹
UMASK            077   <==用户主文件夹创建的 umask，因此权限会是 700
USERGROUPS_ENAB  yes   <==使用 userdel 删除时，是否会删除初始用户组
MD5_CRYPT_ENAB   yes   <==密码是否经过 MD5 的加密机制处理
```

- 这个文件规范的数据则是如下所示：
- mailbox 所在目录
- 用户的默认 mailbox 文件放置的目录在/var/spool/mail，所以 vbird1 的 mailbox 就是在/var/spool/mail/vbird1 中。
- shadow 密码第 4, 5, 6 字段内容
- 通过 PASS_MAX_DAYS 等设置值来指定的。所以你知道为何默认的/etc/shadow 内每一行都会有 "0:99999:7" 的存在了吗？不过要注意的是，由于目前我们登录时改用 PAM 模块来进行密码检验，所以那个 PASS_MIN_LEN 是失效的！
- UID/GID 指定数值
- 虽然 Linux 内核支持的账号可高达 2^{32} 这么多个，不过一台主机要分配这么多账号在管理上也是很麻烦的。所以在这里就针对 UID/GID 的范围进行限定就是了。上面的 UID_MIN 指的就是可登录系统的一般账号的最小 UID，至于 UID_MAX 则是最大 UID 之意。
- 要注意的是，系统给予一个账号 UID 时，它是先参考 UID_MIN 设置值取得最小数值；由/etc/passwd 查找最大的 UID 数值，将二者相比，找出最大的那个再加一就是新账号的 UID 了。我们上面已经创建了 UID 为 700 的 vbird2，如果再使用 "useradd vbird4" 时，你猜 vbird4 的 UID 会是多少？答案是：701。所以中间的 505～699 的号码就空下来。
- 而如果我是想要创建系统用的账号，所以使用 useradd –r sysaccount 这个–r 的参数时，就会找 "比 500 小的最大的那个 UID+1"。
- 用户主文件夹设置值
- 为何我们系统默认会帮用户创建主文件夹？就是这个 "CREATE_HOME=yes" 的设置值。这个设置值会让你在使用 useradd 时主动加入 "–m" 这个产生主文件夹的参数！如果不想要创建用户主文件夹，就只能强制加上 "–M" 的参数在 useradd 命令执行时。至于创建主文件夹的权限设置呢？就通过 umask 这个设置值。因为是 077 的默认设置，因此用户主文件夹默认权限才会是 "drwx------"。
- 用户删除与密码设置值

- "USERGROUPS_ENAB yes" 这个设置值的功能是：如果使用 userdel 去删除一个账号时，且该账号所属的初始用户组已经没有人隶属于该用户组了，那么就删除掉该用户组，举例来说，我们刚才有创建 vbird4 这个账号，它会主动创建 vbird4 这个用户组。若 vbird4 这个用户组并没有其他账号将它加入支持的情况下，若使用 userdel vbird4 时，该用户组也会被删除的意思。至于 "MD5_CRYPT_ENAB yes" 则表示使用 MD5 来加密码明文，而不使用旧式的 DES。

  现在你知道啦，使用 useradd 这个程序在创建 Linux 上的账号时至少会参考：
  - /etc/default/useradd
  - /etc/login.defs
  - /etc/skel/*
- 这些文件，不过，最重要的其实是创建/etc/passwd、/etc/shadow、/etc/group、/etc/gshadow，还有用户主文件夹。所以，如果你了解整个系统运行的状态，也是可以手动直接修改这几个文件。账号创建了，接下来处理一下用户的密码吧！

- **passwd**
  - 刚才我们讲到了，使用 useradd 创建了账号之后，在默认的情况下，该账号是暂时被封锁的，也就是说，该账号是无法登录的，你可以去瞧一瞧/etc/shadow 内的第二个字段就知道了。那该如何是好？怕什么？直接设置新密码就好了嘛。对吧？设置密码就使用 passwd 。

```
[root@www ~]# passwd [--stdin]  <==所有人均可使用来改自己的密码
[root@www ~]# passwd [-l] [-u] [--stdin] [-S] \
> [-n 日数] [-x 日数] [-w 日数] [-i 日期] 账号 <==root 功能
参数:
--stdin : 可以通过来自前一个管道的数据，作为密码输入，对 shell script 有帮助!
-l : 是 Lock 的意思，会将 /etc/shadow 第二列最前面加上 ! 使密码失效。
-u : 与 -l 相对，是 Unlock 的意思!
-S : 列出密码相关参数，即 shadow 文件内的大部分信息。
-n : 后面接天数，shadow 的第 4 字段，多久不可修改密码天数。
-x : 后面接天数，shadow 的第 5 字段，多久内必须要改动密码。
-w : 后面接天数，shadow 的第 6 字段，密码过期前的警告天数。
-i : 后面接 "日期"，shadow 的第 7 字段，密码失效日期。

范例一: 请 root 给予 vbird2 密码
[root@www ~]# passwd vbird2
Changing password for user vbird2.
New UNIX password: <==这里直接输入新的密码，屏幕不会有任何反应
BAD PASSWORD: it is WAY too short <==密码太简单或过短的错误!
Retype new UNIX password: <==再输入一次同样的密码
passwd: all authentication tokens updated successfully. <==竟然还是成功修改了!
```

  - root 果然是最伟大的人物。当我们要给予用户密码时，通过 root 来设置即可。root 可以设置各式各样的密码，系统几乎一定会接受。如同上面的范例一，明明鸟哥输入的密码太短了，但是系统依旧可接受 vbird2 这样的密码设置。这个是 root 帮忙设置的结果，那如果是用户自己要改密码呢？包括 root 也是这样修改的。

```
范例二: 用 vbird2 登录后，修改 vbird2 自己的密码
[vbird2@www ~]$ passwd  <==后面没有加账号，就是改自己的密码!
Changing password for user vbird2.
Changing password for vbird2
(current) UNIX password: <==这里输入 "原有的旧密码"
New UNIX password: <==这里输入新密码
BAD PASSWORD: it is based on a dictionary word <==密码检验不通过，请再想个新密码
New UNIX password: <==这里再想个来输入吧
Retype new UNIX password: <==通过密码验证! 所以重复这个密码的输入
passwd: all authentication tokens updated successfully. <==有无成功看关键字
```

  - passwd 的使用真的要很注意，尤其是 root 用户啊！鸟哥在课堂上每次讲到这里，说是要帮

自己的一般账号新建密码时，有一小部分的学生就是会忘记加上账号，结果就变成改变 root 自己的密码，最后 root 密码就这样不见了！唉～要帮一般账号新建密码需要使用 "passwd 账号" 的格式，使用 "passwd" 表示修改自己的密码。

- 与 root 不同的是，一般账号在更改密码时需要先输入自己的旧密码（即 current 那一行），然后再输入新密码（New 那一行）。要注意的是，密码的规定是非常严格的，尤其新的 distributions 大多使用 PAM 模块来进行密码的检验，包括太短、密码与账号相同、密码为常见字符串等，都会被 PAM 模块检查出来而拒绝修改密码，此时会再重复出现 "New" 这个关键字。那时请再想个新密码！若出现 "Retype" 才是你的密码被接受了！重复输入新密码并且看到 "successfully" 这个关键字时才是修改密码成功。

与一般用户不同的是，root 并不需要知道旧密码就能够帮用户或 root 自己新建新密码。但如此一来有困扰，就是如果您的朋友老是告诉您 "我的密码真难记，帮我设置简单一点的！" 时，千万不要妥协啊！这是为了系统安全。

- 为何用户要设定？自己的密码会这么麻烦啊？这是因为密码的安全性啦！如果密码设置太简单，一些有心人士就能够很简单地猜到你的密码，如此一来人家就可能使用你的一般账号登录你的主机或使用其他主机资源，对主机的维护会造成困扰的！所以新的 distributions 是使用较严格的 PAM 模块来管理密码，这个管理的机制写在/etc/pam.d/passwd 当中。而该文件与密码有关的测试模块就是使用 pam_cracklib.so，这个模块会检验密码相关的信息，并且替代/etc/login.defs 内的 PASS_MIN_LEN 的设置啦！关于 PAM 我们在本章后面继续介绍，这里先谈一下，理论上，你的密码最好符合如下要求：

- 密码不能与账号相同；
- 密码尽量不要选用字典里面会出现的字符串；
- 密码需要超过 8 个字符；
- 密码不要使用个人信息，如身份证、手机号码、其他电话号码等；
- 密码不要使用简单的关系式，如 1+1=2，Iamvbird 等；
- 密码尽量使用大小写字符、数字、特殊字符（$,_,-等）的组合。

- 为了方便系统管理，新版的 passwd 还加入了很多创意参数。鸟哥个人认为最好用的大概就是这个 "--stdin" 了！举例来说，你想要帮 vbird2 更改密码成为 abc543CC，可以这样执行命令呢！

```
范例三：使用 standard input 新建用户的密码
[root@www ~]# echo "abc543CC" | passwd --stdin vbird2
Changing password for user vbird2.
passwd: all authentication tokens updated successfully.
```

- 这个动作会直接更新用户的密码而不用再次手动输入！好处是方便处理，缺点是这个密码会保留在命令中，将来若系统被攻破，人家可以在/root/.bash_history 中找到这个密码呢！所以这个操作通常仅用在 shell script 的大量新建用户账号当中！要注意的是，这个参数并不存在所有 distributions 版本中，请使用 man passwd 确认你的 distribution 是否有支持此参数。

- 如果你想要让 vbird2 的密码具有相当的规则，举例来说你要让 vbird2 每 60 天需要更改密码，密码过期后 10 天未使用就宣告密码失效，那该如何处理？

```
范例四：管理 vbird2 的密码，使其具有 60 天更改、10 天密码失效的设置
[root@www ~]# passwd -S vbird2
vbird2 PS 2009-02-26 0 99999 7 -1 (Password set, MD5 crypt.)
# 上面说明密码新建时间（2009-02-26）、最小天数（0）、更改天数（99999）、警告天数（7）
# 与密码不会失效（-1）。
```

```
[root@www ~]# passwd -x 60 -i 10 vbird2
[root@www ~]# passwd -S vbird2
vbird2 PS 2009-02-26 0 60 7 10 (Password set, MD5 crypt.)
```

- 那如果我想要让某个账号暂时无法使用密码登录主机呢？举例来说，vbird2 这家伙最近老是在主机上乱来，所以我想要暂时让他无法登录的话，最简单的方法就是让他的密码变成不合法（改变 shadow 的第 2 字段长度），处理的方法就更简单了。

范例五：让 vbird2 的账号失效，查看完毕后再让他失效
```
[root@www ~]# passwd -l vbird2
[root@www ~]# passwd -S vbird2
vbird2 LK 2009-02-26 0 60 7 10 (Password locked.)
#状态变成" LK, Lock "，就无法登录了。
[root@www ~]# grep vbird2 /etc/shadow
vbird2:!!$1$50MnwNFq$oChX.0TPanCq7ecE4HYEi.:14301:0:60:7:10::
# 其实只是在这里加上 !! 而已!

[root@www ~]# passwd -u vbird2
[root@www ~]# grep vbird2 /etc/shadow
vbird2:$1$50MnwNFq$oChX.0TPanCq7ecE4HYEi.:14301:0:60:7:10::
# 密码字段恢复正常!
```

- 是否很有趣啊？你可以自行管理一下你的账号的密码相关参数。接下来让我们用更简单的方法来查阅密码参数。

◆ chage

- 除了使用 passwd –S 之外，有没有更详细的密码参数显示功能呢？有的！那就是 chage 了！它的用法如下：

```
[root@www ~]# chage [-ldEImMW] 账号名
参数：
-l : 列出该账号的详细密码参数。
-d : 后面接日期，修改 shadow 的第三字段（最近一次更改密码的日期），格式 YYYY-MM-DD。
-E : 后面接日期，修改 shadow 的第八字段（账号失效日），格式 YYYY-MM-DD。
-I : 后面接天数，修改 shadow 的第七字段（密码失效日期）。
-m : 后面接天数，修改 shadow 的第四字段（密码最短保留天数）。
-M : 后面接天数，修改 shadow 的第五字段（密码多久需要进行更改）。
-W : 后面接天数，修改 shadow 的第六字段（密码过期前警告日期）。


范例一：列出 vbird2 的详细密码参数
[root@www ~]# chage -l vbird2
Last password change                             : Feb 26, 2009
Password expires                                 : Apr 27, 2009
Password inactive                                : May 07, 2009
Account expires                                  : never
Minimum number of days between password change   : 0
Maximum number of days between password change   : 60
Number of days of warning before password expires : 7
```

- 我们在 passwd 的介绍中谈到了处理 vbird2 这个账号的密码属性流程，使用 passwd –S 却无法看到很清楚的说明。如果使用 chage 那可就明白多了！如上所示，我们可以清楚地知道 vbird2 的详细参数。如果想要修改其他的设置值，就自己参考上面的参数，或者自行 man chage 一下吧！

- chage 有一个功能很不错喔！如果你想要让用户在第一次登录时强制他们一定要更改密码后才能够使用系统资源，可以利用如下的方法来处理的！

范例二：新建一个名为 agetest 的账号，该账号第一次登录后使用默认密码，
　　　 但必须要更改过密码后使用新密码才能够登录系统使用 bash 环境
```
[root@www ~]# useradd agetest
```

```
[root@www ~]# echo "agetest" | passwd --stdin agetest
[root@www ~]# chage -d 0 agetest
# 此时此账号的密码新建时间会被改为 1970/1/1，所以会有问题！

范例三：尝试以 agetest 登录的情况
You are required to change your password immediately (root enforced)
WARNING: Your password has expired.
You must change your password now and login again!
Changing password for user agetest.
Changing password for agetest
(current) UNIX password: <==这个账号被强制要求必须要改密码！
```

- 非常有趣吧？你会发现 agetest 这个账号在第一次登录时可以使用与账号同名的密码登录，但登录时就会被要求立刻更改密码，更改密码完成后就会被踢出系统。再次登录时就能够使用新密码登录了！这个功能对学校老师非常有帮助！因为我们不想要知道学生的密码，那么在初次上课时就使用与学号相同的账号/密码给学生，让他们登录时自行设置他们的密码，如此一来就能够避免其他同学随意使用别人的账号，也能够保证学生知道如何更改自己的密码。

- usermod
  - 所谓"人有失手，马有乱蹄"，你说是吧？所以，当然有的时候会"不小心"在使用 useradd 的时候加入了错误的设置数据。或者是在使用 useradd 后，发现某些地方还可以进行详细修改。此时，当然我们可以直接到/etc/passwd 或/etc/shadow 去修改相对应字段的数据，不过，Linux 也有提供相关的命令让大家来进行账号相关数据的微调，那就是 usermod。

```
[root@www ~]# usermod [-cdegGlsuLU] username
参数：
-c ：后面接账号的说明，即 /etc/passwd 第五列的说明，可以加入一些账号的说明。
-d ：后面接账号的主文件夹，即修改 /etc/passwd 的第六列。
-e ：后面接日期，格式是 YYYY-MM-DD，也就是在 /etc/shadow 内的第八个字段数据。
-f ：后面接天数，为 shadow 的第七字段。
-g ：后面接初始用户组，修改 /etc/passwd 的第四个字段，即是 GID 的字段！
-G ：后面接次要用户组，修改这个用户能够支持的用户组，修改的是 /etc/group 。
-a ：与 -G 合用可增加次要用户组的支持而非设置。
-l ：后面接账号名称，即是修改账号名称，/etc/passwd 的第一列！
-s ：后面接 Shell 的实际文件，例如 /bin/bash 或 /bin/csh 等。
-u ：后面接 UID 数字，即 /etc/passwd 第三列的数据。
-L ：暂时将用户的密码冻结，让他无法登录。其实仅改 /etc/shadow 的密码。
-U ：将 /etc/shadow 密码列的 ! 去掉。
```

- 如果你仔细对比，会发现 usermod 的参数与 useradd 非常类似！这是因为 usermod 也是用来微调 useradd 增加的用户参数。不过 usermod 还是有新增的参数，那就是-L 与-U，不过这两个参数其实与 passwd 的-l、-u 是相同的，而且也不见得会存在于所有的 distribution 当中！接下来，让我们谈谈一些更改参数的实例吧！

```
范例一：修改用户 vbird2 的说明列，加上 "VBird's test" 的说明。
[root@www ~]# usermod -c "VBird's test" vbird2
[root@www ~]# grep vbird2 /etc/passwd
vbird2:x:700:100:VBird's test:/home/vbird2:/bin/bash

范例二：用户 vbird2 密码在 2009/12/31 失效。
[root@www ~]# usermod -e "2009-12-31" vbird2
[root@www ~]# grep vbird2 /etc/shadow
vbird2:$1$50MnwNFq$oChX.0TPanCq7ecE4HYEi.:14301:0:60:7:10:14609:

范例三：我们新建 vbird3 这个系统账号时并没有给予主文件夹，请新建他的主文件夹
[root@www ~]# ll -d ~vbird3
ls: /home/vbird3: No such file or directory <==确认一下，确实没有主文件夹的存在！
[root@www ~]# cp -a /etc/skel /home/vbird3
[root@www ~]# chown -R vbird3:vbird3 /home/vbird3
```

```
[root@www ~]# chmod 700 /home/vbird3
[root@www ~]# ll -a ~vbird3
drwx------  4 vbird3 vbird3 4096 Sep  4 18:15 .   <==用户主文件夹权限
drwxr-xr-x 11 root   root   4096 Feb 26 11:45 ..
-rw-r--r--  1 vbird3 vbird3   33 May 25  2008 .bash_logout
-rw-r--r--  1 vbird3 vbird3  176 May 25  2008 .bash_profile
-rw-r--r--  1 vbird3 vbird3  124 May 25  2008 .bashrc
drwxr-xr-x  3 vbird3 vbird3 4096 Sep  4 18:11 .kde
drwxr-xr-x  4 vbird3 vbird3 4096 Sep  4 18:15 .mozilla
# 使用 chown -R 是为了连同主文件夹下面的用户/组属性都一起更改
# 使用 chmod 没有 -R ，是因为我们仅要修改目录的权限而非内部文件的权限!
```

- ◆ userdel
  - ● 这个功能就太简单了，目的在于删除用户的相关数据，而用户的数据有：
    - ■ 用户账号/密码相关参数：/etc/passwd, /etc/shadow
    - ■ 用户组相关参数：/etc/group, /etc/gshadow
    - ■ 用户个人文件数据：/home/username, /var/spool/mail/username..
  - ● 整个命令的语法非常简单：

```
[root@www ~]# userdel [-r] username
参数:
-r ：连同用户的主文件夹也一起删除

范例一：删除 vbird2 ，连同主文件夹一起删除
[root@www ~]# userdel -r vbird2
```

  - ● 这个命令执行的时候要小心了! 通常我们要删除一个账号的时候，你可以手动将/etc/passwd
    与/etc/shadow 里面的该账号取消即可! 一般而言，如果该账号只是暂时不启用的话，那么将
    /etc/shadow 里面账号失效日期（第八字段）设置为 0 就可以让该账号无法使用，但是所有跟
    该账号相关的数据都会留下来! 使用 userdel 的时机通常是你真的确定不要让该用户在主机上
    面使用任何数据了!
  - ● 另外，其实用户如果在系统上面操作过一阵子了，那么该用户其实在系统内可能会含有其他
    文件的。举例来说，他的邮件信箱（mailbox）或者是例行性工作排程（crontab,第 16 章）
    之类的文件。所以，如果想要完整地将某个账号删除，最好可以在执行 userdel-r username
    之前，先以"find / -user username"查出整个系统内属于 username 的文件，然后再进行
    删除。

14.2.2　用户功能

不论是 useradd、usermod 还是 userdel，那都是系统管理员所能够使用的命令，如果我是一般
身份用户，那么我是否除了密码之外，就无法更改其他的数据呢? 当然不是啦! 这里我们介绍几个一
般身份用户常用的账号数据更改与查询命令。

- ◆ finger
  - ● finger 的中文字面意义是"手指"或者是"指纹"。这个 finger 可以查阅很多用户相关的信息。
    大部分都是/etc/passwd 这个文件里面的信息。我们就先来检查检查用户信息吧!

```
[root@www ~]# finger [-s] username
参数:
-s ：仅列出用户的账号、全名、终端机代号与登录时间等;
-m ：列出与后面接的账号相同者，而不是利用部分对比（包括全名部分）。

范例一：查看 vbird1 的用户相关账号属性
[root@www ~]# finger vbird1
Login: vbird1                           Name: （null）
```

```
Directory: /home/vbird1                    Shell: /bin/bash
Never logged in.
No mail.
No Plan.
```

- 由于 finger 类似指纹的功能，它会将用户的相关属性列出来！如上所示，其实它列出来的几乎都是/etc/passwd 文件里面的东西。列出的信息说明如下：
  - Login：为用户账号，即/etc/passwd 内的第一字段；
  - Name：为全名，即/etc/passwd 内的第五字段（或称为批注）；
  - Directory：就是主文件夹了；
  - Shell：就是使用的 Shell 文件所在；
  - Never logged in.：finger 还会调查用户登录主机的情况；
  - No mail.：调查 /var/spool/mail 当中的信箱数据；
  - No Plan.：调查 ～vbird1/.plan 文件，并将该文件取出来说明！
- 不过是否能够查阅到 Mail 与 Plan 则与权限有关了！因为 Mail / Plan 都是与用户自己的权限设置有关，root 当然可以查阅到用户的这些信息，但是 vbird1 就不见得能够查到 vbird3 的信息，因为/var/spool/mail/vbird3 与/home/vbird3/的权限分别是 660、700，那 vbird1 当然就无法查阅得到！这样解释可以理解吧？此外，我们可以新建自己想要执行的预定计划，当然，最多是给自己看的！可以这样做：

```
范例二：利用 vbird1 新建自己的计划文档
[vbird1@www ~]$ echo "I will study Linux during this year." > ~/.plan
[vbird1@www ~]$ finger vbird1
Login: vbird1                     Name: （null）
Directory: /home/vbird1           Shell: /bin/bash
Never logged in.
No mail.
Plan:
I will study Linux during this year.

范例三：找出目前在系统上面登录的用户与登录时间
[vbird1@www ~]$ finger
Login       Name       Tty ·  Idle  Login Time   Office    Office Phone
root        root       tty1          Feb 26 09:53
vbird1                 tty2          Feb 26 15:21
```

- 在范例三当中，我们发现输出的信息还会有 Office、Office Phone 等信息，那这些信息要如何记录呢？下面我们会介绍 chfn 这个命令。来看看如何修改用户的 finger 数据吧！

◆ chfn

chfn 有点像是 change finger 的意思！这命令的使用方法如下：

```
[root@www ~]# chfn [-foph] [账号名]
参数:
-f ：后面接完整的大名；
-o ：你办公室的房间号码；
-p ：办公室的电话号码；
-h ：家里的电话号码！

范例一：vbird1 自己更改一下自己的相关信息！
[vbird1@www ~]$ chfn
Changing finger information for vbird1.
Password:                   <==确认身份，所以输入自己的密码
Name []: VBird Tsai test    <==输入你想要呈现的全名
Office []: Dic in Ksu. Tainan   <==办公室号码
Office Phone []: 06-2727175#356  <==办公室电话
Home Phone []: 06-1234567        <==家里电话号码
```

```
Finger information changed.
[vbird1@www ~]$ grep vbird1 /etc/passwd
vbird1:x:504:505:VBird Tsai test,Dic in Ksu. Tainan,06-2727175#356,06-1234567:
/home/vbird1:/bin/bash
# 其实就是改到第五个字段，该字段里面用多个 " , " 分隔就是了！

[vbird1@www ~]$ finger vbird1
Login: vbird1                        Name: VBird Tsai test
Directory: /home/vbird1             Shell: /bin/bash
Office: Dic in Ksu. Tainan          Office Phone: 06-2727175#356
Home Phone: 06-1234567
On since Thu Feb 26 15:21 (CST) on tty2
No mail.
Plan:
I will study Linux during this year.
# 就是上面特殊字体呈现的那些地方是由 chfn 所修改出来的！
```

- 这个命令说实在的，除非是你的主机有很多的用户，否则倒真是用不着这个程序！这就有点像是 bbs 里面修改你 "个人属性"。不过还是可以自己玩一玩！尤其是用来提醒自己相关数据。
- chsh
  - 这就是 change shell 的简写！使用方法就更简单了！

```
[vbird1@www ~]$ chsh [-ls]
参数:
-l : 列出目前系统上面可用的 shell ，其实就是 /etc/shells 的内容！
-s : 设置修改自己的 shell。

范例一: 用 vbird1 的身份列出系统上所有合法的 shell，并且指定 csh 为自己的 shell
[vbird1@www ~]$ chsh -l
/bin/sh
/bin/bash
/sbin/nologin  <==所谓: 合法不可登录的 shell 就是这玩意！
/bin/tcsh
/bin/csh       <==这就是 C shell 。
/bin/ksh
# 其实上面的信息就是我们在 bash 中谈到的 /etc/shells

[vbird1@www ~]$ chsh -s /bin/csh; grep vbird1 /etc/passwd
Changing shell for vbird1.
Password: <==确认身份，请输入 vbird1 的密码
Shell changed.
vbird1:x:504:505:VBird Tsai test,Dic in Ksu. Tainan,06-2727175#356,06-1234567:
/home/vbird1:/bin/csh

[vbird1@www ~]$ chsh -s /bin/bash
# 测试完毕后，立刻改回来！

[vbird1@www ~]$ ll $(which chsh)
-rws--x--x 1 root root 19128 May 25  2008 /usr/bin/chsh
```

- 不论是 chfn 与 chsh，都是能够让一般用户修改/etc/passwd 这个系统文件的。所以你猜猜这两个文件的权限是什么，一定是 SUID 的功能。看到这里，想到前面！这就是 Linux 的学习方法。
- id
  - id 这个命令则可以查询某人或自己的相关 UID/GID 等的信息，它的参数也不少，不过，都不需要记，反正使用 id 就全部都列出。

```
[root@www ~]# id [username]
```

```
范例一: 查阅 root 自己的相关 ID 信息!
[root@www ~]# id
uid=0（root）gid=0（root）groups=0（root）,1（bin）,2（daemon）,3（sys）,4（adm）, 6（disk）,10
（wheel）context=root:system_r:unconfined_t:SystemLow-SystemHigh
# 上面信息其实是同一行的数据! 包括会显示 UID/GID 以及支持的所有用户组!
# 至于后面那个 context=... 则是 SELinux 的内容, 先不要理会它!

范例二: 查阅一下 vbird1
[root@www ~]# id vbird1
uid=504（vbird1）gid=505（vbird1）groups=505（vbird1）context=root:system_r:
unconfined_t:SystemLow-SystemHigh

[root@www ~]# id vbird100
id: vbird100: No such user  <== id 这个命令也可以用来判断系统上面有无某账号!
```

14.2.3　新增与删除用户组

了解了账号的新增、删除、改动与查询后，再来我们可以聊一聊用户组的相关内容了。基本上，用户组的内容都与这两个文件有关：/etc/group, /etc/gshadow。用户组的内容其实很简单，都是上面两个文件的新增、修改与删除而已，不过，如果再加上有效用户组的概念，那么 newgrp 与 gpasswd 则不可不知。

◆　groupadd

```
[root@www ~]# groupadd [-g gid] [-r] 用户组名
参数:
-g : 后面接某个特定的 GID , 用来直接给予某个 GID 。
-r : 新建系统用户组。与 /etc/login.defs 内的 GID_MIN 有关。

范例一: 新建一个用户组, 名称为 group1
[root@www ~]# groupadd group1
[root@www ~]# grep group1 /etc/group /etc/gshadow
/etc/group:group1:x:702:
/etc/gshadow:group1:!::
# 用户组的 GID 也是会由 500 以上最大 GID+1 来决定!
```

- 曾经有些人谈到，为了让用户的 UID/GID 成对，他们建议新建的与用户私有组无关的其他用户组时，使用小于 500 以下的 GID 为宜。也就是说，如果要新建用户组的话，最好能够使用"groupadd –r 用户组名"的方式来新建。

◆　groupmod
- 跟 usermod 类似，这个命令仅是在进行 group 相关参数的修改而已。

```
[root@www ~]# groupmod [-g gid] [-n group_name] 用户组名
参数:
-g : 修改既有的 GID 数字;
-n : 修改既有的组名。

范例一: 将刚才上个命令新建的 group1 名称改为 mygroup , GID 为 201
[root@www ~]# groupmod -g 201 -n mygroup group1
[root@www ~]# grep mygroup /etc/group /etc/gshadow
/etc/group:mygroup:x:201:
/etc/gshadow:mygroup:!::
```

不过，还是那句老话，不要随意改动 GID，容易造成系统资源的错乱。

◆　groupdel
- groupdel 自然就是在删除用户组。用法很简单:

```
[root@www ~]# groupdel [groupname]
```

范例一：将刚才的 mygroup 删除！
```
[root@www ~]# groupdel mygroup
```

范例二：若要删除 vbird1 这个用户组的话？
```
[root@www ~]# groupdel vbird1
groupdel: cannot remove user's primary group.
```

- 为什么 mygroup 可以删除，但是 vbird1 就不能删除呢？原因很简单，有某个账号（/etc/passwd）的初始用户组使用该用户组！如果查阅一下，你会发现在/etc/passwd 内的 vbird1 第四列的 GID 就是/etc/group 内的 vbird1 那个组的 GID，所以，当然无法删除，否则 vbird1 这个用户登录系统后，就会找不到 GID，那可是会造成很大的困扰的！那么如果硬要删除 vbird1 这个用户组呢？你必须要确认/etc/passwd 内的账号没有任何人使用该用户组作为初如用户组才行。所以，你可以：
  - 修改 vbird1 的 GID，或者是：
  - 删除 vbird1 这个用户。
- gpasswd：用户组管理员功能
  - 如果系统管理员太忙碌了，导致某些账号想要加入某个项目时找不到人帮忙，这个时候可以新建"用户组管理员"。什么是用户组管理员呢？就是让某个用户组具有一个管理员，这个用户组管理员可以管理哪些账号可以加入/移出该用户组！那要如何新建一个用户组管理员呢？就得要通过 gpasswd。

```
# 关于系统管理员（root）做的动作：
[root@www ~]# gpasswd groupname
[root@www ~]# gpasswd [-A user1,...] [-M user3,...] groupname
[root@www ~]# gpasswd [-rR] groupname
参数：
    若没有任何参数时，表示给予 groupname 一个密码（/etc/gshadow）。
-A ：将 groupname 的主控权交由后面的用户管理（该用户组的管理员）。
-M ：将某些账号加入这个用户组当中！
-r ：将 groupname 的密码删除。
-R ：让 groupname 的密码栏失效。

# 关于用户组管理员（Group administrator）做的操作：
[someone@www ~]$ gpasswd [-ad] user groupname
参数：
-a ：将某位用户加入到 groupname 这个用户组当中！
-d ：将某位用户删除出 groupname 这个用户组当中。

范例一：新建一个新用户组，名称为 testgroup 且用户组交由 vbird1 管理：
[root@www ~]# groupadd testgroup      <==先新建用户组
[root@www ~]# gpasswd testgroup       <==给这个用户组一个密码吧！
Changing the password for group testgroup
New Password:
Re-enter new password:
# 输入两次密码就对了！
[root@www ~]# gpasswd -A vbird1 testgroup   <==加入用户组管理员为 vbird1
[root@www ~]# grep testgroup /etc/group /etc/gshadow
/etc/group:testgroup:x:702:
/etc/gshadow:testgroup:$1$I5ukIY1.$o5fmW.cOsc8.K.FHAFLWg0:vbird1:
# 很有趣吧！此时 vbird1 则拥有 testgroup 的主控权，身份有点像版主。

范例二：以 vbird1 登录系统，并且让他加入 vbird1, vbird3 成为 testgroup 成员
[vbird1@www ~]$ id
uid=504（vbird1） gid=505（vbird1） groups=505（vbird1） ....
# 看得出来，vbird1 尚未加入 testgroup 用户组。

[vbird1@www ~]$ gpasswd -a vbird1 testgroup
[vbird1@www ~]$ gpasswd -a vbird3 testgroup
```

```
[vbird1@www ~]$ grep testgroup /etc/group
testgroup:x:702:vbird1,vbird3
```

- 很有趣的一个小实验吧？我们可以让 testgroup 成为一个可以公开的用户组，然后新建用户组管理员，用户组管理员可以有多个。在这个案例中，我将 vbird1 设置为 testgroup 的用户组管理员，所以 vbird1 就可以自行增加用户组成员。然后，该用户组成员就能够使用 newgrp 了。

14.2.4 账号管理实例

账号管理不是随意建几个账号就算了，有时候我们需要考虑到一台主机上面可能有多个账号在协同工作。举例来说，在大学任教时，我们学校的学生是需要分组的，这些同一组的同学间必须要能够互相修改对方的数据文件，但是同时这些同学又需要保留自己的私密数据，因此直接公开主文件夹是不适宜的，那该如何是好？为此，我们下面提供几个例子来让大家思考。

任务一：单纯完成上面交代的任务，假设我们需要的账号数据如表 14-2 所示，你该如何实现？

表 14-2

账 号 名 称	账 号 全 名	支援次要用户组	是否可登录主机	密 码
myuser1	1st user	mygroup1	可以	password
myuser2	2nd user	mygroup1	可以	password
myuser3	3rd user	无额外支持	不可以	password

- 处理的方法如下所示：

```
# 先处理账号相关属性的数据：
[root@www ~]# groupadd mygroup1
[root@www ~]# useradd -G mygroup1 -c "1st user" myuser1
[root@www ~]# useradd -G mygroup1 -c "2nd user" myuser2
[root@www ~]# useradd -c "3rd user" -s /sbin/nologin myuser3

# 再处理账号的密码相关属性的数据：
[root@www ~]# echo "password" | passwd --stdin myuser1
[root@www ~]# echo "password" | passwd --stdin myuser2
[root@www ~]# echo "password" | passwd --stdin myuser3
```

要注意的地方是，myuser1 与 myuser2 都有支援次要用户组，但该用户组不见得会存在，因此需要先手动新建它！然后 myuser3 是"不可登录系统"的账号，因此需要使用/sbin/nologin 这个 shell 来给予，这样该账号就无法登录。这样是否理解啊？接下来再来讨论比较难一些的环境，如果是特定环境该如何制作？

任务二：我的用户 pro1, pro2, pro3 是同一个项目计划的开发人员，我想要让这三个用户在同一个目录下面工作，但这三个用户还是拥有自己的主文件夹与基本的私有用户组。假设我要让这个项目计划在/srv/projecta 目录下开发，可以如何进行？

```
# 1. 假设这三个账号都尚未新建，可先建一个名为 projecta 的用户组，
#    再让这三个用户加入其次要用户组的支持即可：
[root@www ~]# groupadd projecta
[root@www ~]# useradd -G projecta -c "projecta user" pro1
[root@www ~]# useradd -G projecta -c "projecta user" pro2
[root@www ~]# useradd -G projecta -c "projecta user" pro3
[root@www ~]# echo "password" | passwd --stdin pro1
[root@www ~]# echo "password" | passwd --stdin pro2
[root@www ~]# echo "password" | passwd --stdin pro3

# 2. 开始新建此项目的开发目录：
[root@www ~]# mkdir /srv/projecta
```

```
[root@www ~]# chgrp projecta /srv/projecta
[root@www ~]# chmod 2770 /srv/projecta
[root@www ~]# ll -d /srv/projecta
drwxrws--- 2 root projecta 4096 Feb 27 11:29 /srv/projecta
```

由于此项目计划只能够给 pro1, pro2, pro3 三个人使用，所以/srv/projecta 的权限设置一定要正确才行！所以该目录组一定是 projecta，但是权限怎么会是 2770 呢？还记得第 7 章谈到的 SGID 吧？为了让三个用户能够互相修改对方的文件，这个 SGID 是必须要存在的。如果连这里都能够理解，那你对账号管理已经有一定程度的概念。

但接下来有个困扰的问题发生了，假如任务一的 myuser1 是 projecta 这个项目的助理，他需要这个项目的内容，但是他不可以修改项目目录内的任何数据！那该如何是好？你或许可以这样做：

- 将 myuser1 加入 projecta 这个用户组的支持，但是这样会让 myuser1 具有完整的/srv/projecta 的权限，myuser1 是可以删除该目录下的任何数据的。这样是有问题的。
- 将/srv/projecta 的权限改为 2775，让 myuser1 可以进入查阅数据。但此时会发生所有其他人均可进入该目录查阅的困扰！这也不是我们要的环境。

真要命，传统的 Linux 权限无法针对某个个人设置专属的权限吗？其实是可以的，接下来我们就来谈谈这个功能。

14.3　主机的具体权限规划：ACL 的使用

从第 6 章开始，我们就一直强调 Linux 的权限概念是非常重要的！但是传统的权限仅有三种身份（ owner, group, others ）搭配三种权限（ r,w,x ）而已，并没有办法单纯针对某一个用户或某一个组来设置特定的权限需求，例如前一小节最后的那个任务！此时就得要使用 ACL 这个机制。这玩意挺有趣的，下面我们就来谈一谈。

14.3.1　什么是 ACL

ACL 是 Access Control List 的缩写，主要的目的是提供传统的 owner、group、others 的 read、write、execute 权限之外的具体权限设置。ACL 可以针对单一用户、单一文件或目录来进行 r、w、x 的权限设置，对于需要特殊权限的使用状况非常有帮助。

那 ACL 主要可以针对哪些方面来控制权限呢？它主要可以针对几个项目：

- 用户（ user ）：可以针对用户来设置权限；
- 用户组（ group ）：针对用户组来设置其权限；
- 默认属性（ mask ）：还可以在该目录下在新建新文件/目录时设置新数据的默认权限。

好了，再来看看如何让你的文件系统可以支持 ACL。

14.3.2　如何启动 ACL

由于 ACL 是传统的 UNIX-like 操作系统权限的额外支持项目，因此要使用 ACL 必须要有文件系统的支持才行。目前绝大部分的文件系统都有支持 ACL 的功能，包括 ReiserFS,EXT2/EXT3,JFS,XFS 等。在我们的 CentOS 5.x 当中，默认使用 Ext3 是启动 ACL 支持的！至于查看你的文件系统是否支持 ACL 可以这样看：

```
[root@www ~]# mount  <==直接查看挂载参数的功能
/dev/hda2 on / type ext3 (rw)
/dev/hda3 on /home type ext3 （rw）
# 其他选项鸟哥都将它省略了。假设我们只要看这两个设备，但没有看到 acl 。
```

```
[root@www ~]# dumpe2fs -h /dev/hda2  <==由 superblock 内容去查询
....(前面省略)...
Default mount options:    user_xattr acl
....(后面省略)...
```

由 mount 单纯去查阅不见得可以看到实际的选项，由于目前新的 distributions 经常会主动加入某些默认功能，如上所示，其实 CentOS 5.x 在默认的情况下（Default mount options:）就帮你加入 acl 的支持了。那如果你的系统默认不会帮你加上 acl 的支持呢？那你可以这样操作：

```
[root@www ~]# mount -o remount,acl /
[root@www ~]# mount
/dev/hda2 on / type ext3 (rw,acl)
# 这样就加入了！但是如果想要每次开机都生效，那就这样做：

[root@www ~]# vi /etc/fstab
LABEL=/1  /  ext3  defaults,acl  1 1
```

如果你不确定或者是不会使用 dumpe2fs 查看你的文件系统，那么建议直接将上述的/etc/fstab 里面的内容修改一下即可！

14.3.3 ACL 的设置技巧：getfacl,setfacl

好了，让你的文件系统启动 ACL 支持后，接下来该如何设置与查看 ACL 呢？很简单，利用这两个命令就可以了：

◆　getfacl：取得某个文件/目录的 ACL 设置项目；
◆　setfacl：设置某个目录/文件的 ACL 规定。
　　先让我们来瞧一瞧 setfacl 如何使用吧！

　　● setfacl 命令用法

```
[root@www ~]# setfacl [-bkRd] [{-m|-x} acl 参数] 目标文件名
参数:
-m : 设置后续的 acl 参数给文件使用，不可与 -x 合用；
-x : 删除后续的 acl 参数，不可与 -m 合用；
-b : 删除所有的 ACL 设置参数；
-k : 删除默认的 ACL 参数，关于所谓的"默认"参数于后续范例中介绍；
-R : 递归设置 acl，亦即包括子目录都会被设置起来；
-d : 设置默认 acl 参数！只对目录有效，在该目录新建的数据会引用此默认值。
```

　　● 上面谈到的是 acl 的选项功能，那么如何设置 ACL 的特殊权限呢？特殊权限的设置方法有很多，我们先来谈谈最常见的，就是针对单一用户的设置方式：

```
# 1. 针对特定用户的方式:
# 设置规定: " u:[用户账号列表]:[rwx] "，例如针对 vbird1 的权限规定 rx :
[root@www ~]# touch acl_test1
[root@www ~]# ll acl_test1
-rw-r--r-- 1 root root 0 Feb 27 13:28 acl_test1
[root@www ~]# setfacl -m u:vbird1:rx acl_test1
[root@www ~]# ll acl_test1
-rw-r-xr--+ 1 root root 0 Feb 27 13:28 acl_test1
# 权限部分多了个 + , 且与原本的权限 (644) 看起来区别很大！但要如何查阅呢？

[root@www ~]# setfacl -m u::rwx acl_test1
[root@www ~]# ll acl_test1
-rwxr-xr--+ 1 root root 0 Feb 27 13:28 acl_test1
# 无用户列表，代表设置该文件所有者，所以上面显示 root 的权限成为 rwx 了!
```

- 上述操作为最简单的 ACL 设置，利用 "u:用户:权限" 的方式来设置。设置前请加上–m 这个参数。如果一个文件设置了 ACL 参数后，它的权限部分就会多出一个+号了！但是此时你看到的权限与实际权限可能就会有点误差。那要如何查看呢？可以通过 getfacl 来查看。

- ◆ getfacl 命令用法

```
[root@www ~]# getfacl filename
参数：
getfacl 的参数几乎与 setfacl 相同。所以鸟哥这里就免去了参数的说明。

# 请列出刚才我们设置的 acl_test1 的权限内容：
[root@www ~]# getfacl acl_test1
# file: acl_test1     <==说明文件名而已。
# owner: root         <==说明此文件的所有者，即 ll 看到的第三用户字段
# group: root         <==此文件的所属用户组，亦即 ll 看到的第四用户组字段
user::rwx             <==用户列表栏是空的，代表文件所有者的权限
user:vbird1:r-x       <==针对 vbird1 的权限设置为 rx，与所有者并不同！
group::r--            <==针对文件用户组的权限设置仅有 r
mask::r-x             <==此文件默认的有效权限 （mask）
other::r--            <==其他人拥有的权限。
```

- 上面的数据非常容易查阅吧？显示的数据前面加上#的，代表这个文件的默认属性，包括文件名、文件所有者与文件所属用户组。下面出现的 user、group、mask、other 则是属于不同用户、用户组与有效权限（mask）的设置值。以上面的结果来看，我们刚才设置的 vbird1 对于这个文件具有 r 与 x 的权限。这样看得懂吗？如果看得懂的话，接下来让我们再测试其他类型的 setfacl 设置。

```
# 2. 针对特定用户组的方式：
# 设置规范： " g:[用户组列表]:[rwx] "，例如针对 mygroup1 的权限规范 rx：
[root@www ~]# setfacl -m g:mygroup1:rx acl_test1
[root@www ~]# getfacl acl_test1
# file: acl_test1
# owner: root
# group: root
user::rwx
user:vbird1:r-x
group::r--
group:mygroup1:r-x   <==这里就是新增的部分，多了这个用户组的权限设置。
mask::r-x
other::r-
```

- 基本上，用户组与用户的设置并没有什么太大的区别。如上所示，非常容易了解意义。不过，你应该会觉得奇怪的是，那个 mask 是什么东西啊？其实它有点像是 "有效权限" 的意思。它的意思是用户或组所设置的权限必须要存在于 mask 的权限设置范围内才会生效，此即有效权限（effective permission），我们举个例子来看，如下所示：

```
# 3. 针对有效权限 mask 的设置方式：
# 设置规定： " m:[rwx] "，例如针对刚才的文件规定为仅有 r：
[root@www ~]# setfacl -m m:r acl_test1
[root@www ~]# getfacl acl_test1
# file: acl_test1
# owner: root
# group: root
user::rwx
user:vbird1:r-x        #effective:r-- <==vbird1+mask 均存在的仅有 r 而已！
group::r--
group:mygroup1:r-x     #effective:r--
mask::r--
other::r—
```

- vbird1 与 mask 的集合发现仅有 r 存在，因此 vbird1 仅具有 r 的权限而已，并不存在 x 权限，这就是 mask 的功能。我们可以通过使用 mask 来规定最大允许的权限，就能够避免不小心开放某些权限给其他用户或用户组了。不过，通常鸟哥都是将 mask 设置为 rwx，然后再分别依据不同的用户/用户组去规定它们的权限就是了。

例题

将 14.2.4 小节任务二中/srv/projecta 这个目录，让 myuser1 可以进入查阅，但 myuser1 不具有修改的权限。

答：由于 myuser1 是独立的用户与用户组，而/srv 是附属于/之下的，因此/srv 已经具有 acl 的功能。通过如下的设置即可搞定：

```
# 1. 先测试看看使用 myuser1 能否进入该目录
[myuser1@www ~]$ cd /srv/projecta
-bash: cd: /srv/projecta: Permission denied  <==确实不可进入!

# 2. 开始用 root 的身份来设置一下该目录的权限吧!
[root@www ~]# setfacl -m u:myuser1:rx /srv/projecta
[root@www ~]# getfacl /srv/projecta
# file: srv/projecta
# owner: root
# group: projecta
user::rwx
user:myuser1:r-x  <==还是要看看有没有设置成功。
group::rwx
mask::rwx
other::---

# 3. 还是得要使用 myuser1 去测试看看结果!
[myuser1@www ~]$ cd /srv/projecta
[myuser1@www projecta]$ ll -a
drwxrws---+ 2 root projecta 4096 Feb 27 11:29 .  <==确实可以查询文件名
drwxr-xr-x  4 root root     4096 Feb 27 11:29 ..

[myuser1@www projecta]$ touch testing
touch: cannot touch `testing': Permission denied <==确实不可以写入!
```

请注意，上述的 1、3 步骤使用 myuser1 的身份，步骤 2 才是使用 root 设置。

- 上面的设置我们就完成了之前任务二的后续需求。接下来让我们来测试一下，如果我用 root 或者是 pro1 的身份去/srv/projecta 增加文件或目录时，该文件或目录是否能够具有 ACL 的设置？意思就是说，ACL 的权限设置是否能够被子目录所"继承"？先试看看：

```
[root@www ~]# cd /srv/projecta
[root@www ~]# touch abc1
[root@www ~]# mkdir abc2
[root@www ~]# ll -d abc*
-rw-r--r-- 1 root projecta    0 Feb 27 14:37 abc1
drwxr-sr-x 2 root projecta 4096 Feb 27 14:37 abc2
```

- 你可以明显发现，权限后面都没有 + ，代表这个 acl 属性并没有继承。如果你想要让 acl 在目录下面的数据都有继承的功能，如下所示。

```
# 4. 针对默认权限的设置方式:
# 设置规范: " d:[ug]:用户列表:[rwx] "

# 让 myuser1 在 /srv/projecta 下面一直具有 rx 的默认权限!
[root@www ~]# setfacl -m d:u:myuser1:rx /srv/projecta
```

```
[root@www ~]# getfacl /srv/projecta
# file: srv/projecta
# owner: root
# group: projecta
user::rwx
user:myuser1:r-x
group::rwx
mask::rwx
other::---
default:user::rwx
default:user:myuser1:r-x
default:group::rwx
default:mask::rwx
default:other::---

[root@www ~]# cd /srv/projecta
[root@www projecta]# touch zzz1
[root@www projecta]# mkdir zzz2
[root@www projecta]# ll -d zzz*
-rw-rw----+ 1 root projecta    0 Feb 27 14:57 zzz1
drwxrws---+ 2 root projecta 4096 Feb 27 14:57 zzz2
#确实有继承。然后我们使用 getfacl 再次确认。

[root@www projecta]# getfacl zzz2
# file: zzz2
# owner: root
# group: projecta
user::rwx
user:myuser1:r-x
group::rwx
mask::rwx
other::---
default:user::rwx
default:user:myuser1:r-x
default:group::rwx
default:mask::rwx
default:other::---
```

- 通过这个"针对目录来设置的默认 ACL 权限设置值"的选项，我们可以让这些属性继承到子目录下面，非常方便。那如果想要让 ACL 的属性全部消失又要如何处理？通过"setfacl – b 文件名"即可。

14.4　用户身份切换

什么？在 Linux 系统当中还要做身份的变换？这是为什么？可能有下面几个原因。

◆ **使用一般账号：系统平日操作的好习惯**

- 事实上，为了安全的缘故，一些学者都会建议你，尽量以一般身份用户来操作 Linux 的日常作业，等到需要设置系统环境时，才变换身份成为 root 来进行系统管理，相对比较安全，避免做错一些严重的命令，例如恐怖的"rm–rf/"（千万做不得）!

◆ **用较低权限启动系统服务**

- 相对于系统安全，有的时候，我们必须要以某些系统账号来进行程序的执行。举例来说，Linux 主机上面的一套软件，名称为 apache，我们可以额外新建一个名为 apache 的用户来启动 apache 软件，如此一来，如果这个程序被攻破，至少系统还不至于损坏了。

◆ **软件本身的限制**

- 在远古时代的 telnet 程序中，该程序默认是不许使用 root 的身份登录的，telnet 会判断登录者的 UID，若 UID 为 0 的话，那就直接拒绝登录了。所以，你只能使用一般用户来登录 Linux 服务器。

此外，ssh^(注3)也可以设置拒绝 root 登录。那如果你有系统设置需求该如何是好啊？就切换身份。

由于上述考虑，所以我们都是使用一般账号登录系统的，等有需要进行系统维护或软件更新时才转为 root 的身份来操作。那如何让一般用户转变身份成为 root 呢？主要有两种方式：

◆ 以 "su –" 直接将身份变成 root 即可，但是这个命令却需要 **root 的密码**，也就是说，如果你要以 su 变成 root 的话，你的一般用户就必须要有 root 的密码才行；

◆ 以 "sudo 命令" 执行 root 的命令串，由于 sudo 需要事先设置妥当，且 sudo 需要输入用户自己的密码，因此多人共管同一台主机时，sudo 要比 su 来得好。至少 root 密码不会流出去！

下面我们就来说一说 su 跟 sudo 的用法。

14.4.1　su

su 是最简单的身份切换命令了，它可以进行任何身份的切换。方法如下：

```
[root@www ~]# su [-lm] [-c 命令] [username]
参数：
-    ：单纯使用 - 如 " su - "，代表使用 login-shell 的变量文件读取方式来登录系统；
     若用户名称没有加上去，则代表切换为 root 的身份。
-l   ：与 - 类似，但后面需要加欲切换的用户账号，也是 login-shell 的方式。
-m   ：-m 与 -p 是一样的，表示使用目前的环境设置，而不读取新用户的配置文件。
-c   ：仅进行一次命令，所以 -c 后面可以加上命令。
```

上面的解释当中有出现之前第 11 章谈过的 login-shell 配置文件读取方式，如果你忘记那是什么东西，请先回去第 11 章瞧瞧再回来吧！这个 su 的用法当中，有没有加上那个减号 "–" 差很多喔！因为涉及 login-shell 与 non-login shell 的变量读取方法。这里让我们以一个小例子来说明。

```
范例一：假设你原本是 vbird1 的身份，想要使用 non-login shell 的方式变成 root
[vbird1@www ~]$ su       <==注意提示符，是 vbird1 的身份。
Password:                <==这里输入 root 的密码。
[root@www vbird1]# id     <==提示符的目录是 vbird1 。
uid=0（root）gid=0（root）groups=0（root）,1（bin）,...  <==确实是 root 的身份!
[root@www vbird1]# env | grep 'vbird1'
USER=vbird1
PATH=/usr/local/bin:/bin:/usr/bin:/home/vbird1/bin  <==这个影响最大!
MAIL=/var/spool/mail/vbird1                          <==收到的 mailbox 是 vbird1
PWD=/home/vbird1                                     <==并非 root 的主文件夹
LOGNAME=vbird1
# 虽然你的 UID 已经是具有 root 的身份，但是看到上面的输出信息吗？
# 还是有一堆变量为原本 vbird1 的身份，所以很多数据还是无法直接利用。
[root@www vbird1]# exit   <==这样可以离开 su 的环境!
```

单纯使用 "su" 切换成为 root 的身份，**读取的变量设置方式为 non-login shell 的方式**，这种方式下很多原本的变量不会被改变，尤其是我们之前谈过很多次的 PATH 这个变量，由于没有改变成为 root 的环境（一堆 /sbin、/usr/sbin 等目录都没有被包含进来），因此很多 root 惯用的命令就只能使用绝对路径来执行了。其他的还有 MAIL 这个变量，你输入 mail 时，收到的邮件竟然还是 vbird1 的，而不是 root 本身的邮件。是否觉得很奇怪，所以切换身份时，请务必使用如下的范例二：

```
范例二：使用 login shell 的方式切换为 root 的身份并查看变量
[vbird1@www ~]$ su -
Password:   <==这里输入 root 密码。
[root@www ~]# env | grep root
USER=root
MAIL=/var/spool/mail/root
PATH=/usr/local/sbin:/usr/local/bin:/sbin:/bin:/usr/sbin:/usr/bin:/root/bin
PWD=/root
HOME=/root
LOGNAME=root
# 了解区别了吧？下次切换成为 root 时，记得最好使用 su - 。
[root@www ~]# exit   <==这样可以离开 su 的环境!
```

　　上述的做法是让用户的身份变成 root 并开始操作系统，如果想要离开 root 的身份则得要利用 exit 离开才行。那我如果只是想要执行一个只有 root 才能进行的命令，且执行完毕就恢复原本的身份呢？那就可以加上 –c 这个参数。请参考下面范例三！

```
范例三: vbird1 想要执行 " head -n 3 /etc/shadow " 一次, 且已知 root 密码
[vbird1@www ~]$ head -n 3 /etc/shadow
head: cannot open `/etc/shadow' for reading: Permission denied
[vbird1@www ~]$ su - -c "head -n 3 /etc/shadow"
Password: <==这里输入 root 密码。
root:$1$/30QpEWEBEZXRD0bh6rAABCEQD.BAH0:14126:0:99999:7:::
bin:*:14126:0:99999:7:::
daemon:*:14126:0:99999:7:::
[vbird1@www ~]$ <==注意看, 身份还是 vbird1 。继续使用旧的身份进行系统操作!
```

　　由于/etc/shadow 权限的关系，该文件仅有 root 可以查阅。为了查阅该文件，所以我们必须要使用 root 的身份工作。但我只想要进行一次该命令而已，此时就使用类似上面的语法。如果我是 root 或者是其他人，想要更改成为某些特殊账号，可以使用如下的方法来切换。

```
范例四: 原本是 vbird1 这个用户, 想要变换身份成为 dmtsai 时
[vbird1@www ~]$ su -l dmtsai
Password: <==这里输入 dmtsai 密码。
[dmtsai@www ~]$ su -
Password: <==这里输入 root 密码。
[root@www ~]# id sshd
uid=74 (sshd) gid=74 (sshd) groups=74 (sshd) ... <==确实存在此人
[root@www ~]# su -l sshd
This account is currently not available.    <==竟然说此人无法切换
[root@www ~]# finger sshd
Login: sshd                       Name: Privilege-separated SSH
Directory: /var/empty/sshd        Shell: /sbin/nologin
[root@www ~]# exit  <==离开第二次的 su
[dmtsai@www ~]$ exit <==离开第一次的 su
[vbird1@www ~]$ exit <==这才是最初的环境!
```

　　su 就这样简单地介绍完毕，总结一下它的用法是这样的：
◆　若要完整地切换到新用户的环境，必须要使用 "su –username" 或 "su – l username"，才会连同 PATH/USER/MAIL 等变量都转成新用户的环境；
◆　如果仅想要执行一次 root 的命令，可以利用 "su – –c"命令串""的方式来处理；
◆　使用 root 切换成为任何用户时，并不需要输入新用户的密码。

　　虽然使用 su 很方便，不过缺点是，当我的主机是多人管理的环境时，如果大家都要使用 su 来切换成为 root 的身份，那么不就每个人都得要知道 root 的密码，这样密码太多人知道可能会流出去，很不妥当呢！怎办？通过 sudo 来处理即可！

14.4.2　sudo

　　相对于 su 需要了解新切换的用户密码（经常是需要 root 的密码），sudo 的执行则仅需要自己的密码即可！甚至可以设置不需要密码即可执行 sudo 呢！由于 sudo 可以让你以其他用户的身份执行命令（通常是使用 root 的身份来执行命令），因此并非所有人都能够执行 sudo，而是仅有/etc/sudoers 内的用户才能够执行 sudo 这个命令。说得这么神奇，下面就来瞧瞧 sudo 如何使用。

◆　sudo 的命令用法
●　由于一开始系统默认仅有 root 可以执行 sudo，因此下面的范例我们先以 root 的身份来执行，等到谈到 visudo 时，再以一般用户来讨论其他 sudo 的用法。sudo 的语法如下：

```
[root@www ~]# sudo [-b] [-u 新用户账号]
参数:
```

```
-b : 将后续的命令让系统自行执行，而不与目前的 shell 产生影响。
-u : 后面可以接欲切换的用户，若无此项则代表切换身份为 root 。

范例一：你想要以 sshd 的身份在 /tmp 下面新建一个名为 mysshd 的文件
[root@www ~]# sudo -u sshd touch /tmp/mysshd
[root@www ~]# ll /tmp/mysshd
-rw-r--r-- 1 sshd sshd 0 Feb 28 17:42 /tmp/mysshd
# 特别留意，这个文件的权限是由 sshd 所新建的。

范例二：你想要以 vbird1 的身份新建 ~vbird/www 并于其中新建 index.html 文件
[root@www ~]# sudo -u vbird1 sh -c "mkdir ~vbird1/www; cd ~vbird1/www; \
> echo 'This is index.html file' > index.html"
[root@www ~]# ll -a ~vbird1/www
drwxr-xr-x 2 vbird1 vbird1 4096 Feb 28 17:51 .
drwx------ 5 vbird1 vbird1 4096 Feb 28 17:51 ..
-rw-r--r-- 1 vbird1 vbird1   24 Feb 28 17:51 index.html
# 要注意，新建者的身份是 vbird1，且我们使用 sh -c "一串命令" 来执行。
```

- sudo 可以让你切换身份来进行某项任务，例如上面的两个范例。范例一中，我们的 root 使用 sshd 的权限去进行某项任务。要注意，因为我们无法使用 "su -sshd" 去切换系统账号（因为系统账号的 shell 是 /sbin/nologin），这个时候 sudo 真是太好用了。立刻以 sshd 的权限在 /tmp 下面新建文件，查阅一下文件权限你就了解意义啦！至于范例二则更使用多重命令串（通过分号;来延续命令进行），使用 sh -c 的方法来执行一连串的命令，如此确实很方便！
- 但是 sudo 默认仅有 root 能使用啊！为什么呢？因为 sudo 的执行是这样的流程：
1. 当用户执行 sudo 时，系统于 /etc/sudoers 文件中查找该用户是否有执行 sudo 的权限；
2. 若用户具有可执行 sudo 的权限后，便让用户输入用户自己的密码来确认；
3. 若密码输入成功，便开始进行 sudo 后续接的命令（但 root 执行 sudo 时不需要输入密码）；
4. 若欲切换的身份与执行者身份相同，那也不需要输入密码。
- 所以说，sudo 执行的重点是，能否使用 sudo 必须要看 /etc/sudoers 的设置值，而可使用 sudo 的是通过输入用户自己的密码来执行后续的命令串。由于能否使用与 /etc/sudoers 有关，所以我们当然要去编辑 sudoers 文件。不过，因为该文件的内容是有一定的规定的，因此直接使用 vi 去编辑是不好的。此时，我们得要通过 visudo 去修改这个文件。

◆ visudo 与 /etc/sudoers
- 从上面的说明我们可以知道，除了 root 之外的其他账号，若想要使用 sudo 执行属于 root 的权限命令，则 root 需要先使用 visudo 去修改 /etc/sudoers，让该账号能够使用全部或部分的 root 命令功能。为什么要使用 visudo 呢？这是因为 /etc/sudoers 是有语法的，如果设置错误那会造成无法使用 sudo 命令的不良后果，因此才会使用 visudo 去修改，并在结束离开修改界面时，系统会去检验 /etc/sudoers 的语法。
- 一般来说，visudo 的设置方式有几种简单的方法，下面我们以几个简单的例子来分别说明：
I. 单一用户可进行 root 所有命令与 sudoers 文件语法
- 假如我们要让 vbird1 这个账号可以使用 root 的任何命令，那么可以简单地这样进行修改即可：

```
[root@www ~]# visudo
...（前面省略）...
root    ALL=(ALL)      ALL  <==找到这一行，大约在 76 行左右
vbird1  ALL=(ALL)      ALL  <==这一行是你要新增的！
...（前面省略）...
```

- 有趣吧？其实 visudo 只是利用 vi 将 /etc/sudoers 文件调出来进行修改而已，所以这个文件就是 /etc/sudoerds。这个文件的设置其实很简单，如上面所示，如果你找到 76 行（有 root 设置的那行）左右，看到的数据就是：

```
用户账号  登录者的来源主机名=（可切换的身份）  可执行的命令
root               ALL=(ALL)          ALL  <==这是默认值
```

- 上面这一行的四个参数意义是：

1. 用户账号：系统的哪个账号可以使用 sudo 这个命令，默认为 root 这个账号。

2. 登录者的来源主机名：这个账号由哪台主机连接到本 Linux 主机，意思是这个账号可能是由哪一台网络主机连接过来的，这个设置值可以指定客户端计算机（信任用户的意思）。默认值 root 可来自任何一台网络主机。

3. 可切换的身份：这个账号可以切换成什么身份来执行后续的命令，默认 root 可以切换成任何人。

4. 可执行的命令：这个命令请务必使用绝对路径编写。默认 root 可以切换任何身份且进行任何命令。

- 那个 ALL 是特殊的关键字，代表任何身份、主机或命令的意思。所以，我想让 vbird1 可以进行任何身份的任何命令，就如同上面特殊字体写的那样，其实就是复制上述默认值那一行，再将 root 改成 vbird1 即可。此时 vbird1 不论来自哪台主机登录，他可以变换身份成为任何人，且可以进行系统上面的任何命令。修改完请保存后离开 vi，并以 vbird1 登录系统后，进行如下的测试看看：

```
[vbird1@www ~]$ tail -n 1 /etc/shadow  <==注意! 身份是 vbird1
tail: cannot open `/etc/shadow' for reading: Permission denied
# 因为不是 root 嘛! 所以当然不能查询 /etc/shadow

[vbird1@www ~]$ sudo tail -n 1 /etc/shadow  <==通过 sudo

We trust you have received the usual lecture from the local System
Administrator. It usually boils down to these three things:

    #1) Respect the privacy of others.  <==这里仅是一些说明与警示选项
    #2) Think before you type.
    #3) With great power comes great responsibility.

Password: <==注意啊! 这里输入的是 " vbird1 自己的密码 "
pro3:$1$GfinyJgZ$9J8IdrBXXMwZIauANg7tW0:14302:0:99999:7:::
# 看! vbird1 竟然可以查询 shadow !
```

- 注意到了吧? vbird1 输入自己的密码就能够执行 root 的命令。所以，系统管理员当然要了解 vbird1 这个用户的"操守"才行! 否则随便设置一个用户，他恶搞系统怎办? 另外，一个一个设置太麻烦了，能不能使用用户组的方式来设置呢? 参考下面的方式。

II. 利用用户组以及免密码的功能处理 visudo

- 我们在本章前面曾经新建过 pro1,pro2,pro3，这三个用户能否通过用户组的功能让这三个人可以管理系统? 可以，而且很简单! 同样我们使用实际案例来说明：

```
[root@www ~]# visudo  <==同样，请使用 root 先设置
....(前面省略)....
%wheel    ALL=(ALL)    ALL  <==大约在 84 行左右，请将这行的 # 去掉!
# 在最左边加上 % , 代表后面接的是一个 "用户组" 之意! 改完请保存后离开

[root@www ~]# usermod -a -G wheel pro1  <==将 pro1 加入 wheel 的支持
```

- 上面的设置值会造成任何加入 wheel 这个用户组的用户就能够使用 sudo 切换任何身份来操作任何命令。你当然可以将 wheel 换成你自己想要的用户组名。接下来，请分别切换身份成为 pro1 及 pro2 试看看 sudo 的运行。

```
[pro1@www ~]$ sudo tail -n 1 /etc/shadow  <==注意身份是 pro1
....(前面省略)....
Password: <==输入 pro1 密码。
pro3:$1$GfinyJgZ$9J8IdrBXXMwZIauANg7tW0:14302:0:99999:7:::

[pro2@www ~]$ sudo tail -n 1 /etc/shadow  <==注意身份是 pro2
Password:
pro2 is not in the sudoers file. This incident will be reported.
# 仔细看错误信息它是说这个 pro2 不在 /etc/sudoers 的设置中!
```

- 这样理解用户组了吧？如果你想要让 pro3 也支持这个 sudo 的话，不需要重新使用 visudo，只要利用 usermod 去修改 pro3 的用户组支持，让 wheel 也支持 pro3 的话，那他就能够进行 sudo。简单吧！不过，既然我们都信任这些 sudo 的用户了，能否提供不需要密码即可使用 sudo 呢？就通过如下的方式：

```
[root@www ~]# visudo <==同样，请使用 root 先设置
....（前面省略）....
%wheel      ALL=(ALL)    NOPASSWD: ALL <==大约在 87 行左右，请将 # 去掉！
# 在最左边加上 %，代表后面接的是一个"用户组"之意！改完请保存后离开
```

- 重点是那个 NOPASSWD。该关键字是免除密码输入的意思。
- III. 有限制的命令操作
- 上面两点都会让用户能够利用 root 的身份进行任何事情，这样总是不太好。如果我想要让用户仅能够进行部分系统任务，例如，系统上面的 myuser1 仅能够帮 root 修改其他用户的密码时，即当用户仅能使用 passwd 这个命令帮忙 root 修改其他用户的密码时，你该如何编写呢？可以这样做：

```
[root@www ~]# visudo <==注意是 root 身份
myuser1  ALL=(root)  /usr/bin/passwd <==最后命令务必用绝对路径
```

- 上面的设置值指的是 myuser1 可以切换成为 root 使用 passwd 这个命令。其中要注意的是：命令字段必须要填写绝对路径才行，否则 visudo 会出现语法错误的状况发生。此外，上面的设置是有问题的，我们使用下面的命令操作来让你更好地理解：

```
[myuser1@www ~]$ sudo passwd myuser3 <==注意，身份是 myuser1
Password: <==输入 myuser1 的密码
Changing password for user myuser3. <==改的是 myuser3 的密码。这样是正确的
New UNIX password:
Retype new UNIX password:
passwd: all authentication tokens updated successfully.

[myuser1@www ~]$ sudo passwd
Changing password for user root. <==见鬼！怎么会去改 root 的密码？
```

- 我们竟然让 root 的密码被 myuser3 给改变了！下次 root 回来竟无法登录系统，欲哭无泪。怎办？所以我们必须要限制用户的命令参数。修改的方法为将上述的那行修改先：

```
[root@www ~]# visudo <==注意是 root 身份
myuser1  ALL=(root)  !/usr/bin/passwd, /usr/bin/passwd [A-Za-z]*, \
               !/usr/bin/passwd root
```

- 由于屏幕一行写不完，我将这行写成两行，所以上面第一行最后加上反斜杠。加上惊叹号"!"代表"不可执行"的意思。因此上面这一行会变成可以执行"passwd 任意字符"，但是"passwd"与"passwd root"这两个命令例外。如此一来 myuser1 就无法改变 root 的密码了。这样这位用户可以具有 root 的能力帮助你修改其他用户的密码，而且也不能随意改变 root 的密码。
- IV. 通过别名设置 visudo
- 如上述第三点，如果我有 15 个用户需要加入刚才的管理员行列，那么我是否要将上述那长长的设置写入 15 行啊？而且如果想要修改命令或者是新增命令时，那我每行都需要重新设置，很麻烦。有没有更简单的方式？是有的！通过别名即可！我们 visudo 的别名可以是命令别名、账户别名、主机别名等。不过这里我们仅介绍帐户别名，其他的设置值有兴趣的话，可以自行玩玩！
- 假设我的 pro1, pro2, pro3 与 myuser1, myuser2 要加入上述的密码管理员的 sudo 列表中，那我可以新建一个账户别名称为 ADMPW 的名称，然后将这个名称处理一下即可。处理的方式如下：

```
[root@www ~]# visudo <==注意是 root 身份
User_Alias ADMPW = pro1, pro2, pro3, myuser1, myuser2
Cmnd_Alias ADMPWCOM = !/usr/bin/passwd, /usr/bin/passwd [A-Za-z]*, \
```

```
            !/usr/bin/passwd root
ADMPW  ALL=(root)  ADMPWCOM
```

- 我通过 User_Alias 新建一个新账号，这个账号名称一定要使用大写字符来处理，包括 Cmnd_Alias（命令别名）、Host_Alias（来源主机名别名）都需要使用大写字符。这个 ADMPW 代表后面接的那些实际账号。而该账号能够进行的命令就如同 ADMPWCOM 后面所指定的。上表最后一行则写入这两个别名（账号与命令别名），将来要修改时，我只要修改 User_Alias 以及 Cmnd_Alias 这两行即可！设置方面会比较简单而且有弹性。

- V. sudo 的时间间隔问题

- 或许你已经发现了，那就是，如果我使用同一个账号在短时间内重复操作 sudo 来运行命令的话，在第二次执行 sudo 时，并不需要输入自己的密码，sudo 还是会正确运行。为什么呢？第一次执行 sudo 需要输入密码，是担心由于用户暂时离开，但有人跑来使用你的账号之故，所以需要你输入一次密码重新确认一次身份。

- 两次执行 sudo 的间隔在五分钟内，那么再次执行 sudo 时就不需要再次输入密码了，这是因为系统相信你在五分钟内不会离开你的作业，所以执行 sudo 的是同一个人。真是很人性化的设计啊！不过如果两次 sudo 操作的间隔超过 5 分钟，那就得要重新输入一次你的密码了[注4]。

- 另外要注意的是，因为使用一般账号时，理论上不会使用到/sbin, /usr/sbin 等目录内的命令，所以$PATH 变量不会含有这些目录，因此很多管理命令需要使用绝对路径来执行比较妥当。

- VI. sudo 搭配 su 的使用方式

- 很多时候我们需要大量执行很多 root 的工作，所以一直使用 sudo 觉得很烦。那有没有办法使用 sudo 搭配 su，一口气将身份转为 root，而且还用用户自己的密码来变成 root 呢？是有的，而且方法很简单。我们新建一个 ADMINS 账户别名，然后这样做：

```
[root@www ~]# visudo
User_Alias  ADMINS = pro1, pro2, pro3, myuser1
ADMINS ALL=(root)  /bin/su -
```

- 接下来，上述的 pro1, pro2, pro3, myuser1 这四个人，只要输入"sudo su-"并且输入自己的密码后，立刻变成 root 的身份，不但 root 密码不会外泄，用户的管理也变得非常方便。这也是多人共管一部主机时经常使用的技巧呢！这样管理确实方便，不过还是要强调一下大前提，那就是这些你加入的用户全部都是你能够信任的用户。

14.5 用户的特殊 shell 与 PAM 模块

我们前面一直谈到的大多是一般身份用户与系统管理员（root）的相关操作，而且大多是讨论关于可登录系统的账号来说。那么换个角度想，如果我今天想要新建的是一个仅能使用 mail server 相关邮件服务的账号，而该账号并不能登录 Linux 主机呢？如果不能给予该账号一个密码，那么该账号就无法使用系统的各项资源，当然也包括 mail 的资源，而如果给予一个密码，那么该账号就可能可以登录 Linux 主机。所以，下面让我们来谈一谈这些有趣的话题。

另外，在本章之前谈到过/etc/login.defs 文件中，关于密码长度应该默认是 5 个字符串长度，但是我们上面也谈到，该设置值已经被 PAM 模块所替代了，那么 PAM 是什么？为什么它可以影响我们用户的登录呢？这里也要来谈谈。

14.5.1 特殊的 shell, /sbin/nologin

在本章一开头的 passwd 文件结构里面我们就谈过系统账号，系统账号的 shell 就是使用

/sbin/nologin，重点在于系统账号是不需要登录的！所以我们就给他这个无法登录的合法 shell。使用了这个 shell 的用户即使有了密码，你想要登录时他也无法登录，因为会出现如下的信息：

```
This account is currently not available.
```

我们所谓的"无法登录"指的仅是这个用户无法使用 bash 或其他 shell 来登录系统而已，并不是说这个账号就无法使用其他的系统资源。举例来说，各个系统账号中，打印作业由 lp 这个账号在管理，WWW 服务由 apache 这个账号在管理，他们都可以进行系统程序的工作，但是就是无法登录主机而已。

换个角度来想，如果我的 Linux 主机提供的是邮件服务，所以说，在这台 Linux 主机上面的账号，其实大部分都是用来接收主机的信件而已，并不需要登录主机。这个时候，我们就可以考虑让单纯使用 mail 的账号以/sbin/nologin 作为他们的 shell，这样，最起码当我的主机被尝试想要登录系统以取得 shell 环境时，可以拒绝该账号。

另外，如果我想要让某个具有/sbin/nologin 的用户知道，他们不能登录主机时，其实我可以新建"/etc/nologin.txt"这个文件，并且在这个文件内说明不能登录的原因，那么下次当这个用户想要登录系统时，屏幕上出现的就会是/etc/nologin.txt 这个文件的内容，而不是默认的内容了！

例题

当用户尝试利用纯 mail 账号（例如 myuser3）时，利用/etc/nologin.txt 告知用户不要利用该账号登录系统。

答：直接以 vi 编辑该文件，内容可以是这样：

```
[root@www ~]# vi /etc/nologin.txt
This account is system account or mail account.
Please DO NOT use this account to login my Linux server.
```

想要测试时，可以使用 myuser3（此账号的 shell 是/sbin/nologin）来测试。

```
[root@www ~]# su - myuser3
This account is system account or mail account.
Please DO NOT use this account to login my Linux server.
[root@www ~]#
```

结果会发现与原本的默认信息不一样了。

14.5.2 PAM 模块简介

在过去，我们想要对一个用户进行认证（authentication），得要求用户输入账号密码，然后通过自行编写的程序来判断该账号密码是否正确。也因为如此，我们经常得使用不同的机制来判断账号密码，所以弄得一台主机上面拥有多个各别的认证系统，也造成账号密码可能不同步的验证问题，为了解决这个问题因此有了 PAM（Pluggable Authentication Modules,嵌入式模块）的机制！

PAM 可以说是一套应用程序编程接口（Application Programming Interface, API），它提供了一连串的验证机制，只要用户将验证阶段的需求告知 PAM 后，PAM 就能够回报用户验证的结果（成功或失败）。由于 PAM 仅是一套验证的机制，又可以提供给其他程序所调用，因此不论你使用什么程序，都可以使用 PAM 来进行验证，如此一来，就能够让账号密码或者是其他方式的验证具有一致的结果。也让程序员方便处理验证的问题了[注5]。

如图 14-3 所示，PAM 是一个独立的 API 存在，只要任

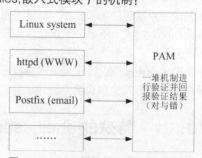

图 14-3 PAM 模块与其他程序的相关性

何程序有需求时，可以向 PAM 发出验证要求的通知，PAM 经过一连串的验证后，将验证的结果回报给该程序，然后该程序就能够利用验证的结果来进行可登录或显示其他无法使用的信息。这也就是说，你可以在写程序的时候将 PAM 模块的功能加入，就能够利用 PAM 的验证功能。因此目前很多程序都会利用 PAM。所以我们才要来学习它。

　　PAM 用来进行验证的数据称为模块（Modules），每个 PAM 模块的功能都不太相同。举例来说，还记得我们在本章使用 passwd 命令时，如果随便输入字典上面找的到的字符串，passwd 就会回报错误信息了！这是为什么呢？这就是 PAM 的 pam_cracklib.so 模块的功能！它能够判断该密码是否在字典里面，并回报给密码修改程序，此时就能够了解你的密码强度了。

　　所以，当你有任何需要判断是否在字典当中的密码字符串时，就可以使用 pam_cracklib.so 这个模块来验证，并根据验证的回报结果来编写你的程序呢。这样说，可以理解 PAM 的功能了吧？没错！PAM 的模块也是很重要的一环！

14.5.3　PAM 模块设置语法

　　PAM 通过一个与程序相同文件名的配置文件来进行一连串的认证分析需求。我们同样以 passwd 这个命令调用 PAM。当你执行 passwd 后，这个程序调用 PAM 的流程是：

1. 用户开始执行/usr/bin/passwd 这支程序，并输入密码；
2. passwd 调用 PAM 模块进行验证；
3. PAM 模块会到/etc/pam.d/中找寻与程序（passwd）同名的配置文件；
4. 依据/etc/pam.d/passwd 内的设置，引用相关的 PAM 模块逐步进行验证分析；
5. 将验证结果（成功、失败以及其他信息）回传给 passwd 这个程序；
6. passwd 这支程序会根据 PAM 回传的结果决定下一个操作（重新输入新密码或者通过验证！）

　　从上面的说明我们会知道重点其实是/etc/pam.d/里面的配置文件，以及配置文件所调用的 PAM 模块进行的验证工作！既然一直谈到 passwd 这个密码修改命令，那我们就来看看/etc/pam.d/passwd 这个配置文件的内容是怎样的吧！

```
[root@www ~]# cat /etc/pam.d/passwd
#%PAM-1.0  <==PAM 版本的说明而已！
auth       include      system-auth <==每一行都是一个验证的过程
account    include      system-auth
password   include      system-auth
验证类型    控制标准      PAM 模块与该模块的参数
```

　　在这个配置文件当中，除了第一行声明 PAM 版本之外，其他任何"#"开头的都是批注，而每一行都是一个独立的验证流程，每一行可以区分为三个字段，分别是验证类别（type）、控制标准（flag）、PAM 的模块与该模块的参数。下面我们先来谈谈验证类别与控制标准这两项数据吧！

　　您会发现在上面出现的是"include（包括）"这个关键字，它代表的是调用后面的文件来作为这个类别的验证，所以，上述的每一行都要重复调用/etc/pam.d/system-auth 那个文件来进行验证！

◆　第一个字段：验证类型（Type）
●　验证类型主要分为四种，分别说明如下：
■　auth
●　是 authentication（认证）的缩写，所以这种类型主要用来检验用户的身份验证，这种类型通常是需要密码来检验的，所以后续接的模块是用来检验用户的身份。

- **account**
- account（账号）则大部分是在进行 authorization（授权），这种类型则主要在检验用户是否具有正确的权限，举例来说，当你使用一个过期的密码来登录时，当然就无法正确登录了。
- **session**
- session 是会议期间的意思，所以 session 管理的就是用户在这次登录（或使用这个命令）期间 PAM 所给予的环境设置。在这个类型通常用于记录用户登录与注销时的信息。例如，如果你经常使用 su 或者是 sudo 命令的话，那么应该可以在/var/log/secure 里面发现很多关于 pam 的说明，而且记载的数据是 "session open, session close" 的信息！
- **password**
- password 就是密码。所以这种类别主要用于提供验证的修订工作，举例来说，就是修改/更改密码。
- 这四个验证的类型通常是有顺序的，不过也有例外就是了。会有顺序的原因是，我们总是得要先验证身份（auth）后，系统才能够通过用户的身份给予适当的授权与权限设置（account），而且登录与注销期间的环境才需要设置，也才需要记录登录与注销的信息（session）。如果在运行期间需要更改密码时，才给予 password 的类型。这样说起来，自然是需要有点顺序吧！

◆ **第二个字段：验证的控制标志（control flag）**

- 那么 "验证的控制标志"（control flag）又是什么？简单地说，它就是 "验证通过的标准"。这个字段在管控该验证的放行方式，主要也分为四种控制方式：
- **required**
- 此验证若成功则带有 success（成功）的标志，若失败则带有 failure 的标志，但不论成功或失败都会继续后续的验证流程。由于后续的验证流程可以继续进行，因此相当有利于数据的登录日志（log），这也是 PAM 最常使用 required 的原因。
- **requisite**
- 若验证失败则立刻回报原程序 failure 的标志，并终止后续的验证流程。若验证成功则带有 success 的标志并继续后续的验证流程。这个项目与 required 最大的区别就在于失败的时候还要不要继续验证下去。由于 requisite 是失败就终止，因此失败时所产生的 PAM 信息就无法通过后续的模块来记录了。
- **sufficient**
- 若验证成功则立刻回传 success 给原程序，并终止后续的验证流程；若验证失败则带有 failure 标志并继续后续的验证流程。这与 requisits 刚好相反！
- **optional**
- 这个模块控件目的大多是在显示信息而已，并不是用在验证方面的。
- 如果将这些控制标志以图示的方式配合成功与否的条件绘图，如图 14-4 所示。
- 程序运行过程中遇到验证时才会去调用 PAM，而 PAM 验证又分很多类型与控制，不同的控制标志所回报 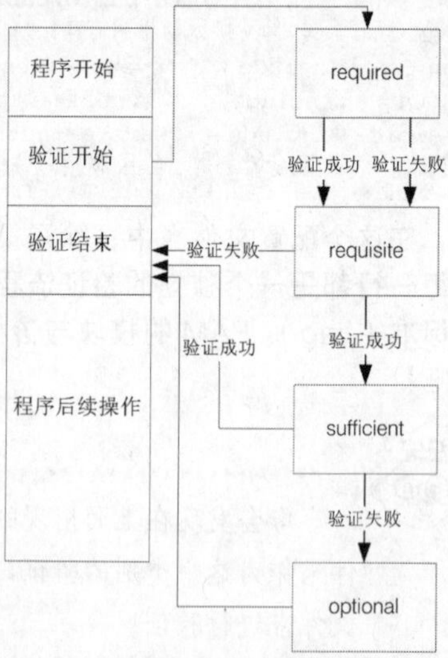

图 14-4　PAM 控制标志所造成的回报流程

的信息并不相同。如图 14-4 所示，requisite（失败）就回报了并不会继续，而 sufficient 则是成功就回报了也不会继续。至于验证结束后所回报的信息通常是 "succes 或 failure" 而已，后续的流程还需要该程序的判断来继续执行才行。

14.5.4　常用模块简介

谈完了配置文件的语法后，现在让我们来查阅一下 CentOS 5.x 提供的 PAM 默认文件的内容是什么吧！由于我们经常需要通过各种方式登录（login）系统，因此就来看看登录所需要的 PAM 流程为何：

```
[root@www ~]# cat /etc/pam.d/login
#%PAM-1.0
auth [user_unknown=ignore success=ok ignore=ignore default=bad] pam_securetty.so
auth       include      system-auth
account    required     pam_nologin.so
account    include      system-auth
password   include      system-auth
# pam_selinux.so close should be the first session rule
session    required     pam_selinux.so close
session    include      system-auth
session    required     pam_loginuid.so
session    optional     pam_console.so
# pam_selinux.so open should only be followed by sessions...
session    required     pam_selinux.so open
session    optional     pam_keyinit.so force revoke
# 我们可以看到，其实 login 也调用多次的 system-auth，所以下面列出该配置文件

[root@www ~]# cat /etc/pam.d/system-auth
#%PAM-1.0
# This file is auto-generated.
# User changes will be destroyed the next time authconfig is run.
auth       required     pam_env.so
auth       sufficient   pam_unix.so nullok try_first_pass
auth       requisite    pam_succeed_if.so uid >= 500 quiet
auth       required     pam_deny.so

account    required     pam_unix.so
account    sufficient   pam_succeed_if.so uid < 500 quiet
account    required     pam_permit.so

password   requisite    pam_cracklib.so try_first_pass retry=3
password   sufficient   pam_unix.so md5 shadow nullok try_first_pass use_authtok
password   required     pam_deny.so

session    optional     pam_keyinit.so revoke
session    required     pam_limits.so
session    [success=1 default=ignore] pam_succeed_if.so service in crond quiet \
                use_uid
session    required     pam_unix.so
```

上面使用了非常多的 PAM 模块，每个模块的功能都不太相同，详细的模块情报可以在你的系统中找到：

- /etc/pam.d/*：每个程序个别的 PAM 配置文件；
- /lib/security/*：PAM 模块文件的实际放置目录；
- /etc/security/*：其他 PAM 环境的配置文件；
- /usr/share/doc/pam-*/：详细的 PAM 说明文件。

例如鸟哥使用未更新过的 CentOS 5.2，pam_nologin 说明文档在：/usr/share/doc/pam 0.99.6.2/txts/README.pam_nologin。你可以自行查阅该模块的功能。鸟哥这里仅简单介绍几个较常使用的模块，详细的信息还得要你努力查阅参考书呢！

- pam_securetty.so
  - 限制系统管理员（root）只能够从安全的（secure）终端机登录。那什么是终端机？例如 tty1,

ty2 等就是传统的终端机设备名称。那么安全的终端机设置呢？就写在/etc/securetty 这个文件中。你可以查阅一下该文件，就知道为什么 root 可以从 tty1～tty7 登录，但却无法通过 telnet 登录 Linux 主机了！

- ◆ pam_nologin.so
  - 这个模块可以限制一般用户是否能够登录主机之用。当/etc/nologin 这个文件存在时，则所有**一般用户均无法再登录系统了**！若/etc/nologin 存在，则一般用户在登录时，在他们的终端机上会将该文件的内容显示出来。所以，正常的情况下，这个文件应该是不能存在于系统中的。但这个模块对 root 以及已经登录系统中的一般账号并没有影响。

- ◆ pam_selinux.so
  - SELinux 是个针对程序来进行详细管理权限的功能，SELinux 我们会在第 17 章的时候再来详细谈论。由于 SELinux 会影响到用户执行程序的权限，因此我们利用 PAM 模块，将 SELinux 暂时关闭，等到验证通过后再予以启动！

- ◆ pam_console.so
  - 当系统出现某些问题，或者是某些时刻你需要使用特殊的终端接口（例如 RS232 之类的终端连接设备）登录主机时，这个模块可以帮助处理一些文件权限的问题，让用户可以通过特殊终端接口（console）顺利登录系统。

- ◆ pam_loginuid.so
  - 我们知道系统账号与一般账号的 UID 是不同的。一般账号 UID 均大于 500 才合理。因此，为了验证用户的 UID 真的是我们所需要的数值，可以使用这个模块来进行规范！

- ◆ pam_env.so
  - 用来设置环境变量的一个模块，如果你有需要额外的环境变量设置，可以参考/etc/security/pam_env.conf 这个文件的详细说明。

- ◆ pam_UNIX.so
  - 这是个很复杂且重要的模块，这个模块可以用于验证阶段的认证功能，可以用于授权阶段的账号许可证管理，可以用于会议阶段的日志文件记录等，甚至也可以用于密码更新阶段的检验。非常丰富的功能！这个模块在早期使用得相当频繁。

- ◆ pam_cracklib.so
  - 可以用来检验密码的强度！包括密码是否在字典中，密码输入几次都失败就断掉此次连接等功能，都是这模块提供的。

- ◆ pam_limits.so
  - 还记得我们在第 11 章谈到的 ulimit 吗？其实那就是这个模块提供的能力！还有更多详细的设置可以参考/etc/security/limits.conf 内的说明。

了解了这些模块的大致功能后，言归正传，讨论一下 login 的 PAM 验证机制流程。

1. 验证阶段（auth）：首先，会先经过 pam_securetty.so 判断，如果用户是 root 时，则会参考/etc/securetty 的设置；接下来经过 pam_env.so 设置额外的环境变量；再通过 pam_UNIX.so 检验密码，若通过则回报 login 程序；若不通过则继续往下以 pam_succeed_if.so 判断 UID 是否大于 500，若小于 500 则回报失败，否则再往下以 pam_deny.so 拒绝连接。

2. 授权阶段（account）：先以 pam_nologin.so 判断/etc/nologin 是否存在，若存在则不许一般用户登录；接下来以 pam_UNIX 进行账号管理，再以 pam_succeed_if.so 判断 UID 是否小于 500，若小于 500 则不记录登录信息。最后以 pam_permit.so 允许该账号登录。

3. 密码阶段（password）：先以 pam_cracklib.so 设置密码仅能尝试错误 3 次；接下来以 pam_UNIX.so 通过 md5,shadow 等功能进行密码检验，若通过则回报 login 程序，若不通过则以 pam_deny.so 拒绝登录。

4. 会议阶段（session）：先以 pam_selinux.so 暂时关闭 SELinux；使用 pam_limits.so 设置好用户能够操作的系统资源；登录成功后开始记录相关信息在登录文件中；以 pam_loginuid.so 设置不同

的 UID 权限；打开 pam_selinux.so 的功能。

　　总之，就是依据验证类型（type）来看，然后先由 login 的设置值去查阅，如果出现 "includesystem-auth" 就转到 system-auth 文件中的相同类型，去取得额外的验证流程就是了。然后再到下一个验证类型，最终将所有的验证跑完，就结束这次的 PAM 验证了。

　　经过这样的验证流程，现在你知道为什么/etc/nologin 会有问题，也会知道为何你使用一些远程联机机制时，老是无法使用 root 登录的问题了吧？没错！这都是 PAM 模块提供的功能。

例题

　　为什么 root 无法以 telnet 直接登录系统，但是却能够使用 ssh 直接登录？

　　答：一般来说，telnet 会引用 login 的 PAM 模块，而 login 的验证阶段会有/etc/securetty 的限制。由于远程连接属于 pts/n（n 为数字）的动态终端机接口设备名称，并没有写入到/etc/securetty，因此 root 无法以 telnet 登录远程主机。至于 ssh 使用的是/etc/pam.d/sshd 这个模块，你可以查阅一下该模块，由于该模块的验证阶段并没有加入 pam_securetty，因此就没有/etc/securetty 的限制！故可以从远程直接联机到服务器端。

　　另外，关于 telnet 与 ssh 的详细说明，请参考鸟哥的 Linux 私房菜之服务器篇。

14.5.5　其他相关文件

　　除了前一小节谈到的/etc/securetty 会影响到 root 可登录的安全终端机，/etc/nologin 会影响到一般用户是否能够登录的功能之外，我们也知道 PAM 相关的配置文件在/etc/pam.d 中，说明文件在 /usr/share/doc/pam-（版本）中，模块实际在/lib/security/中。那么还有没有相关的 PAM 文件呢？是有的，主要都在/etc/security 这个目录内！我们下面介绍几个可能会用到的配置文件。

◆ limits.conf
　　● 我们在第 11 章谈到的 ulimit 功能中，除了修改用户的～/.bashrc 配置文件之外，其实系统管理员可以统一通过 PAM 来管理的！那就是/etc/security/limits.conf 这个文件的设置了。这个文件的设置很简单，你可以自行参考一下该文件内容。我们这里仅作简单的介绍：

```
范例一：vbird1 这个用户只能新建 100MB 的文件，且大于 90MB 会警告
[root@www ~]# vi /etc/security/limits.conf
vbird1          soft fsize          90000
vbird1          hard fsize          100000
#账号   限制依据 限制项目   限制值
# 第一字段为账号，或者是用户组！若为用户组则前面需要加上 @ ，例如 @projecta
# 第二字段为限制的依据，是严格（hard）或者警告（soft）
# 第三字段为相关限制，此例中限制文件容量
# 第四字段为限制的值，在此例中单位为 KB
# 若以 vbird1 登录后，进行如下的操作则会有相关的限制出现！

[vbird1@www ~]$ ulimit -a
....（前面省略）....
file size              (blocks, -f) 90000
....（后面省略）....

[vbird1@www ~]$ dd if=/dev/zero of=test bs=1M count=110
File size limit exceeded
[vbird1@www ~]$ ll -k test
-rw-rw-r-- 1 vbird1 vbird1 90000 Mar  4 11:30 test
# 果然有限制到了

范例二：限制 pro1 这个用户组，每次仅能有一个用户登录系统 （maxlogins）
[root@www ~]# vi /etc/security/limits.conf
```

```
@pro1   hard   maxlogins   1
# 如果要使用用户组功能的话，这个功能似乎对初始用户组才有效。
# 而如果你尝试多个 pro1 的登录时，第二个以后就无法登录了。
# 而且在 /var/log/secure 文件中还会出现如下的信息：
# pam_limits(login:session): Too many logins (max 1) for pro1
```

- 这个文件挺有趣的，而且是设置完成就生效了，你不用重新启动任何服务的！但是 PAM 有个特殊的地方，由于它是在程序调用时才予以设置的，因此你修改完成的数据对于已登录系统中的用户是没有效果的，要等他再次登录时才会生效。另外，上述的设置请在测试完成后立刻批注掉，否则下次这两个用户登录就会发生问题。

- ◆ /var/log/secure, /var/log/messages
  - 如果发生任何无法登录或者是产生一些你无法预期的错误时，由于 PAM 模块都会将数据记载在/var/log/secure 当中，所以发生了问题请务必到该文件内去查询一下问题！举例来说，我们在 limits.conf 的介绍中的范例二，就有谈到多重登录的错误可以到/var/log/secure 内查看了！这样你也就知道为何第二个 pro1 无法登录啦！

14.6 Linux 主机上的用户信息传递

谈了这么多的账号问题，总是该要谈一谈，那么如何针对系统上面的用户进行查询吧？想象几个状态，如果你在 Linux 上面操作时，刚好有其他的用户也登录主机，你想要跟他对谈，该如何是好？你想要知道某个账号的相关信息，该如何查阅？下面我们就来介绍。

14.6.1 查询用户：w, who, last, lastlog

如何查询一个用户的相关数据呢？这还不简单！我们之前就提过了 id,finger 等命令了，都可以让你了解到一个用户的相关信息。那么想要知道用户到底什么时候登录呢？最简单可以使用 last 检查。这个玩意儿我们也在第 11 章 bash 中提到了，你可以自行前往参考啊！简单得很。

> 早期的 Red Hat 系统的版本中，last 仅会列出当月的登录者信息，不过在我们的 CentOS 5.x 版以后，last 可以列出从系统新建之后到目前为止的所有登录者信息！这是因为日志文件轮替的设置不同所致。详细的说明可以参考后续的第 19 章日志文件简介。

那如果你想要知道目前已登录在系统上面的用户呢？可以通过 w 或 who 来查询。如下范例所示：

```
[root@www ~]# w
 13:13:56 up 13:00,  1 user,  load average: 0.08, 0.02, 0.01
USER     TTY      FROM             LOGIN@   IDLE   JCPU   PCPU WHAT
root     pts/1    192.168.1.100    11:04    0.00s  0.36s  0.00s -bash
vbird1   pts/2    192.168.1.100    13:15    0.00s  0.06s  0.02s w
# 第一行显示目前的时间、开机 （up） 多久，几个用户在系统上的平均负载等；
# 第二行只是各个项目的说明；
# 第三行以后，每行代表一个用户。如上所示，root 登录并取得终端机名 pts/1 之意。

[root@www ~]# who
root     pts/1    2009-03-04 11:04 (192.168.1.100)
vbird1   pts/2    2009-03-04 13:15 (192.168.1.100)
```

另外，如果你想要知道每个账号的最近登录的时间，则可以使用 lastlog 这个命令。lastlog 会去读取/var/log/lastlog 文件，结果将数据输出，如下所示：

```
[root@www ~]# lastlog
Username    Port  From          Latest
root        pts/1 192.168.1.100 Wed Mar  4 11:04:22 +0800 2009
bin                             **Never logged in**
....（中间省略）....
vbird1      pts/2 192.168.1.100 Wed Mar  4 13:15:56 +0800 2009
....（以下省略）....
```

这样就能够知道每个账号的最近登录的时间。

14.6.2 用户对谈：write, mesg, wall

那么我是否可以跟系统上面的用户谈天说地呢？当然可以。利用 write 这个命令即可。write 可以直接将信息传给接收者。举例来说，我们的 Linux 目前有 vbird1 与 root 两个人在在线，我的 root 要跟 vbird1 讲话，可以这样做：

```
[root@www ~]# write 用户账号 [用户所在终端接口]

[root@www ~]# who
root    pts/1  2009-03-04 11:04 (192.168.1.100)
vbird1  pts/2  2009-03-04 13:15 (192.168.1.100)  <==有看到 vbird1 在在线

[root@www ~]# write vbird1 pts/2
Hello, there:
Please don't do anything wrong...  <==这两行是 root 写的信息！
# 结束时，请按下 [crtl]-d 来结束输入。此时在 vbird1 的界面中会出现：

Message from root@www.vbird.tsai on pts/1 at 13:23 ...
Hello, there:
Please don't do anything wrong...
EOF
```

奇怪，立刻会有信息响应给 vbird1！不过，当时 vbird1 正在查资料，这些信息会立刻打断 vbird1 原本的工作。所以，如果 vbird1 这个人不想要接收任何信息，直接执行这个动作：

```
[vbird1@www ~]$ mesg n
[vbird1@www ~]$ mesg
is n
```

不过，这个 mesg 的功能对 root 传送来的信息没有抵挡的能力。所以如果是 root 传送信息，vbird1 还是得要收下。但是如果 root 的 mesg 是 n 的，那么 vbird1 写给 root 的信息会变这样：

```
[vbird1@www ~]$ write root
write: root has messages disabled
```

如果想要解开的话，再次执行"mesg y"就好啦！想要知道目前的 mesg 状态，直接执行"mesg"即可！相对于 write 是仅针对一个用户来传信息，我们还可以对所有系统上面的用户传送信息（广播）。如何执行？用 wall 即可。它的语法也是很简单。

```
[root@www ~]# wall "I will shutdown my linux server..."
```

然后你就会发现所有的人都会收到这个信息呢！

14.6.3 用户邮件信箱：mail

使用 wall、write 毕竟要等到用户在线才能够进行，有没有其他方式来联络啊？不是说每个 Linux 主机上面的用户都具有一个 mailbox 吗？我们可否寄信给用户？当然可以，我们可以寄、收 mailbox

内的信件呢！一般来说，mailbox 都会放置在/var/spool/mail 里面，一个账号一个 mailbox（文件）。举例来说，我的 vbird1 就具有/var/spool/mail/vbird1 这个 mailbox。

那么我该如何寄出信件呢？就直接使用 mail 这个命令即可！这个命令的用法很简单的，直接执行"mail username@localhost -s"邮件标题""即可！一般来说，如果是寄给本机上的用户，基本上，连"@localhost"都不用写。举例来说，我以 root 寄信给 vbird1，信件标题是 "nice to meet you"，则：

```
[root@www ~]# mail vbird1 -s "nice to meet you"
Hello, D.M. Tsai
Nice to meet you in the network.
You are so nice. byebye!
.     <==这里很重要，结束时，最后一行输入小数点 . 即可！
Cc:   <==这是所谓的 "副本"，不需要寄给其他人，所以直接 [Enter]
[root@www ~]#  <==出现提示符，表示输入完毕了！
```

如此一来，你就已经寄出一封信给 vbird1 这位用户，而且，该信件标题为：nice to meet you，信件内容就如同上面提到的。不过，你或许会觉得 mail 这个程序不好用。因为在信件编写的过程中，如果写错字而按下 [Enter] 进入次行，前一行的数据很难删除。那怎么办？没关系，我们使用数据流重定向。利用那个小于的符号（<）就可以达到替代键盘输入的要求了。也就是说，你可以先用 vi 将信件内容编好，然后再以 mail vbird1 –s "nice to meet you" < filename 来将文件内容传输即可。

例题

请将你的主文件夹下的环境变量文件（～/.bashrc）寄给自己！
答：mail–s"bashrc file content" vbird < ～/.bashrc

刚才上面提到的是关于"寄信"的问题，那么如果是要收信呢？同样使用 mail。假设我以 vbird1 的身份登录主机，然后输入 mail 后，会得到什么？

```
[vbird1@www ~]$ mail
Mail version 8.1 6/6/93.  Type ? for help.
"/var/spool/mail/vbird1": 1 message 1 new
>N 1 root@www.vbird.tsai  Wed Mar 4 13:36 18/663   "nice to meet you"
&  <==这里可以输入很多的命令，如果要查阅，输入 ？即可！
```

在 mail 当中的提示符是&符号，别搞错了，输入 mail 之后，我可以看到我有一封信件，这封信件的前面那个>代表目前处理的信件，而在大于符号的左边那个 N 代表该封信件尚未读过，如果我想要知道这个 mail 内部的命令有哪些，可以在&之后输入 "？"，就可以看到如下的界面：

```
& ?
    Mail  Commands
t <message list>                type messages
n                          goto and type next message
e <message list>                edit messages
f <message list>                give head lines of messages
d <message list>                delete messages
s <message list> file           append messages to file
u <message list>                undelete messages
R <message list>                reply to message senders
r <message list>                reply to message senders and all recipients
pre <message list>              make messages go back to /usr/spool/mail
m <user list>                   mail to specific users
q                          quit, saving unresolved messages in mbox
x                          quit, do not remove system mailbox
h                          print out active message headers
!                          shell escape
cd [directory]                  chdir to directory or home if none given
```

<message list>指的是每封邮件的左边那个数字。而几个比较常见的命令如表 14–3 所示。

表 14-3

命　　令	意　　义
h	列出信件标头；如果要查阅 40 封信件左右的信件标题，可以输入"h 40"
d	删除后续接的信件号码，删除单封是"d10"，删除 20～40 封则为"d20-40"。不过，这个操作要生效的话，必须要配合 q 这个命令才行（参考下面说明）
s	将信件保存成文件。例如我要将第 5 封信件的内容存成 ~/mail.file 则执行"s 5 ~/mail.file"
x	或者输入 exit 都可以。这个是不作任何操作离开 mail 程序的意思。不论你刚才删除了什么信件或者读过什么，使用 exit 都会直接离开 mail，所以刚才进行的删除与阅读工作都会无效。如果你只是查看一下邮件而已的话，一般来说，建议使用这个离开。除非你真的要删除某些信件
q	相对于 exit 是不操作离开，q 则会进行两项操作：将刚才删除的信件移出 mailbox 之外；或者将刚才有阅读过的信件存入 ~/mbox，且移出 mailbox 之外。鸟哥通常不很喜欢使用 q 离开，因为很容易忘记读过什么，导致将信件移出 mailbox

　　由于读过的信件若使用"q"来离开 mail 时，会将该信件移动到~/mbox 中，所以你可以想象 /var/spool/mail/vbird1 为 vbird1 的"信箱"，而/home/vbird1/mbox 则为"收信箱"的意思。那如何读取/home/vbird1/mbox 呢？就使用"mail-f/home/vbird1/mbox"即可。

14.7　手动新增用户

　　一般来说，我们不很建议大家使用手动的方式来新增用户，为什么呢？因为用户的新建涉及 GID/UID 等权限的关系，而且，与文件/目录的权限也有关系，使用 useradd 可以帮我们自动设置好 UID/GID 主文件夹以及主文件夹相关的权限设置，但是，手动增加的时候，有可能会忘东忘西，结果导致一些困扰的发生。

　　不过，要了解整个系统，最好还是手动来修改比较好，至少我们的账号问题可以完全依照自己的意思去修，而不必迁就于系统的默认值。但是，还是要告诫一下朋友们，要手动设置账号时，你必须要真的很了解自己在做什么，尤其是与权限有关的设置方面。下面就让我们来玩一玩！

14.7.1　一些检查工具

　　既然要手动修改账号的相关配置文件，那么一些检查用户组、账号相关的命令就不可不知道啊！尤其是那个密码转换的 pwconv 及 pwuconv 可重要得很呢！下面我们稍微介绍一下这些命令吧！

- pwck
  - pwck 这个命令检查/etc/passwd 这个账号配置文件内的信息，与实际的主文件夹是否存在等信息，还可以比较/etc/passwd /etc/shadow 的信息是否一致，另外，如果/etc/passwd 内的数据字段错误时，会提示用户修改。一般来说，我只是利用这个玩意儿来检查我的输入是否正确就是了。

```
[root@www ~]# pwck
user adm: directory /var/adm does not exist
user uucp: directory /var/spool/uucp does not exist
user gopher: directory /var/gopher does not exist
```

- 上面仅是告知我，这些账号并没有主文件夹，由于那些账号绝大部分都是系统账号，确实也不需要主文件夹的，所以，那是"正常的错误"！不理它。相应地，用户组检查可以使用 grpck 这个命令。
- pwconv
  - 这个命令主要的目的是将/etc/passwd 内的账号与密码移动到/etc/shadow 当中！早期的 UNIX

系统当中并没有/etc/shadow，所以，用户的登录密码早期是在/etc/passwd 的第二列，后来为了系统安全，才将密码数据移动到/etc/shadow 内的。使用 pwconv 后，可以：

- 比较/etc/passwd 及/etc/shadow，若/etc/passwd 内存在的账号并没有对应的/etc/shadow 密码时，则 pwconv 会去/etc/login.defs 取用相关的密码数据，并新建该账号的/etc/shadow 数据；
- 若/etc/passwd 内存在加密后的密码数据时，则 pwconv 会将该密码列移动到/etc/shadow 内，并将原本的/etc/passwd 内相对应的密码列变成 x!
- 一般来说，如果你正常使用 useradd 增加用户时，使用 pwconv 并不会有任何的操作，因为/etc/passwd 与/etc/shadow 并不会有上述两点问题。不过，如果手动设置账号，这个 pwconv 就很重要了。

◆ pwunconv

- 相对于 pwconv，pwunconv 则是将/etc/shadow 内的密码列数据写回/etc/passwd 中，并且删除/etc/shadow 文件。这个命令说实在的，最好不要使用，因为它会将你的/etc/shadow 删除。如果你忘记备份，又不会使用 pwconv 的话，后果很严重呢！

◆ chpasswd

- chpasswd 是个挺有趣的命令，它可以读入未加密前的密码，并且经过加密后，将加密后的密码写入/etc/shadow 当中。这个命令很常被使用在批量新建账号的情况中。它可以由 Standard input 读入数据，每条数据的格式是 "username:password"。举例来说，我的系统当中有个用户账号为 dmtsai，我想要更新他的密码（update），假如他的密码是 abcdefg 的话，那么我可以这样做：

```
[root@www ~]# echo "dmtsai:abcdefg" | chpasswd -m
```

- 神奇吧！这样就可以更新了呢！在默认的情况中，chpasswd 使用的是 DES 加密方法来加密，我们可以使用 chpasswd -m 来使用 CentOS 5.x 默认的 MD5 加密方法。这个命令虽然已经很好用了，不过 CentOS 5.x 其实已经提供了 "passwd --stdin" 的参数，老实说，这个 chpasswd 可以不必使用了。但考虑其他版本不见得会提供--stdin 给 passwd 这个命令，所以你还是得要了解一下这个命令的用法。

14.7.2　特殊账号（如纯数字账号）的手工新建

在我们了解了 UID/GID 与账号的关系之后，基本上，你应该了解了，为啥我们不建议使用纯数字的账号了。因为很多时候，系统会搞不清楚那组数字是 "账号" 还是 "UID"，这不是很好，也因此，在早期某些版本下面，是没有办法使用数字来新建账号的。例如在 RedHat 9 的环境中，使用 "useradd 1234" 会显示 "useradd: invalid user name'1234' "。

在较新的 distribution 当中，纯数字的账号已经可以被 useradd 新建了。不过鸟哥还是非常不建议使用纯数字账号。例如在 setfacl 的设置值中，若使用 "setfacl-mu:501:rwx filename"，那个 501 代表的是 UID 还是账号？因为 setfacl 的设置是支持使用 UID 或账号的，纯数字账号很容易造成系统的误解！

不过，有的时候，长官的命令难为啊！有时还是得要新建这方面的账号的，那该如何是好？当然可以手动来新建这样的账号。不过，为了系统安全起见，鸟哥还是不建议使用纯数字的账号。因此，下面的范例当中，我们使用手动的方式来新建一个名为 normaluser 的账号，而且这个账号属于 normalgroup 这个用户组。那么整个步骤该如何是好呢？由前面的说明来看，你应该了解了账号与用户组是与/etc/group、/etc/shadow、/etc/passwd、/etc/gshadow 有关，因此，整个操作是这样的：

1. 先新建所需要的用户组（vi/etc/group）；
2. 将/etc/group 与/etc/gshadow 同步（grpconv）；
3. 新建账号的各个属性（vi /etc/passwd）；
4. 将/etc/passwd 与/etc/shadow 同步（pwconv）；
5. 新建该账号的密码（passwd accountname）；
6. 新建用户主文件夹（cp –a/etc/skel /home/accountname）；
7. 更改用户主文件夹的属性（chown-R accountname.group/home/accountname）。

够简单的了吧！让我们来练习下。

```
1. 新建用户组 normalgroup，假设 520 这个 GID 没有被使用，并且同步 gshadow
[root@www ~]# vi /etc/group
# 在最后一行加入下面这一行!
normalgroup:x:520:
[root@www ~]# grpconv
[root@www ~]# grep 'normalgroup' /etc/group /etc/gshadow
/etc/group:normalgroup:x:520:
/etc/gshadow:normalgroup:x::
# 最后确定 /etc/group、/etc/gshadow 都存在这个用户组才行

2. 新建 normaluser 这个账号，假设 UID 700 没被使用。
[root@www ~]# vi /etc/passwd
# 在最后一行加入下面这一行!
normaluser:x:700:520::/home/normaluser:/bin/bash

3. 同步密码，并且新建该用户的密码
[root@www ~]# pwconv
[root@www ~]# grep 'normaluser' /etc/passwd /etc/shadow
/etc/passwd:normaluser:x:700:520::/home/normaluser:/bin/bash
/etc/shadow:normaluser:x:14307:0:99999:7:::
# 确定 /etc/passwd、/etc/shadow 都含有 normaluser 的信息了! 但是密码还不对~
[root@www ~]# passwd normaluser
Changing password for user normaluser.
New UNIX password:
Retype new UNIX password:
passwd: all authentication tokens updated successfully.

4. 新建用户主文件夹，并且修改权限!
[root@www ~]# cp -a /etc/skel /home/normaluser
[root@www ~]# chown -R normaluser:normalgroup /home/normaluser
[root@www ~]# chmod 700 /home/normaluser
```

别怀疑！这样就搞定了一个账号的设置了。从此以后，你可以新建任何名称的账号。不过，还是不建议你设置一些奇怪的账号名称。

14.7.3 批量新建账号模板（适用于 passwd --stdin 参数）

由于 CentOS 5.x 的 passwd 已经提供了--stdin 的功能，因此如果我们可以提供账号密码的话，那么就能够很简单地新建起我们的账号密码了。下面鸟哥制作一个简单的 script 来执行新增用户的功能。

```
[root@www ~]# vi account1.sh
#!/bin/bash
# 这个程序用来新建账号，功能有:
# 1. 检查 account1.txt 是否存在，并将该文件内的账号取出;
# 2. 新建上述文件的账号;
# 3. 将上述账号的密码修改成为强制第一次进入需要修改密码的格式。
# 2009/03/04    VBird
export PATH=/bin:/sbin:/usr/bin:/usr/sbin
```

```
# 检查 account1.txt 是否存在
if [ ! -f account1.txt ]; then
        echo "所需要的账号文件不存在,请新建 account1.txt ,每行一个账号名称"
        exit 1
fi

usernames=$(cat account1.txt)

for username in $usernames
do
        useradd $username                           <==新增账号
        echo $username | passwd --stdin $username <==与账号相同的密码
        chage -d 0 $username                        <==强制登录修改密码
done
```

接下来只要新建 account1.txt 这个文件即可。鸟哥新建这个文件里面共有 10 行,你可以自行新建该文件。内容每一行一个账号。注意,最终的结果会是每个账号具有与账号相同的密码,且初次登录后,必须要重新设置密码后才能够再次登录使用系统资源!

```
[root@www ~]# vi account1.txt
std01
std02
std03
std04
std05
std06
std07
std08
std09
std10

[root@www ~]# sh account1.sh
Changing password for user std01.
passwd: all authentication tokens updated successfully.
....(后面省略)....
```

这个简单的脚本你可以按如下的链接下载:

◆ http://linux.vbird.org/linux_basic/0410accountmanager/account1.sh

另外,鸟哥的 script 是在 zh_CN.big5 的语系下新建的,如果你需要转成 utf8 的编码格式,请下载上述文件后,利用第 10 章谈到的 iconv 来处理语系的问题!

14.7.4 批量新建账号的范例(适用于连续数字,如学号)

前一小节的内容已经可以满足很多朋友的账号构建方法了,不过,某些时候上述的 script 还是很麻烦,因为需要手动编辑 account1.txt。如果是类似学校这种学号非常类似的账号时,有没有更快的方案? 此外,如果需要每个班级同属于一个用户组,不同班级的用户组不同,又该如何构建? 这是比较麻烦的。

目前很多网站都有提供大量新建账号的工具,例如卧龙小三大师提供的好用的 cmpwd 程序:

◆ http://news.ols3.net/techdoc/old/howtouse_cmpwd101.htm

但是小三大师的程序仅供学术单位使用,一般个人是无权使用的(参考上述链接的授权)。不过,其实我们也可以利用简单的 script 来帮我们实现。例如下面这个程序,它的执行结果与小三大师提供的程序差不多。但是因为我是直接以 useradd 来新增的,所以,即使不了解 UID,也是可以适用的,整个程序的特色是:

◆ 默认不允许使用纯数字方式新建账号;

◆　可加入年级来区分账号；

◆　可设置账号的起始号码与账号数量；

◆　有两种密码新建方式，可以与账号相同或程序自行以随机数新建密码文件。

　　执行方法也简单，请自行参考，不再多说。使用时请注意，不要在单位使用的主机上面进行测试，因为这个程序会大量新建账号。

```bash
#!/bin/bash
#
# 这个程序主要帮你新建大量的账号之用，更多的使用方法请参考:
# http://linux.vbird.org/linux_basic/0410accountmanager.php#manual_amount
#
# 本程序为鸟哥自行开发，在 CentOS 5.x 上使用没有问题，
# 但不保证绝不会发生错误! 使用时，请自行负担风险~
#
# History:
# 2005/09/05    VBird   刚才才写完，使用看看先~
# 2009/03/04    VBird   加入一些语系的修改与说明，修改密码产生方式（用 openssl）
export LANG=zh_TW.big5
export PATH=/sbin:/usr/sbin:/bin:/usr/bin
accountfile="user.passwd"

# 1. 进行账号相关的输入先!
echo ""
echo "例如我们学校学生的学号为: 4960c001 到 4960c060 ，那么: "
echo "账号开头代码为           : 4"
echo "账号层级或年级为         : 960c"
echo "号码数字位数为（001~060）: 3"
echo "账号开始号码为           : 1"
echo "账号数量为               : 60"
echo ""
read -p "账号开头代码（Input title name, ex> std）======> " username_start
read -p "账号层级或年级（Input degree, ex> 1 or enter）=> " username_degree
read -p "号码部分的数字位数（Input \# of digital）======> " nu_nu
read -p "起始号码（Input start number, ex> 520）=========> " nu_start
read -p "账号数量（Input amount of users, ex> 100）=====> " nu_amount
read -p "密码标准 1）与账号相同 2）随机数自定义 ==============> " pwm
if [ "$username_start" == "" ]; then
        echo "没有输入开头的代码，不给你执行! " ; exit 1
fi
# 判断数字系统
testing0=$( echo $nu_nu     | grep '[^0-9]' )
testing1=$( echo $nu_amount | grep '[^0-9]' )
testing2=$( echo $nu_start  | grep '[^0-9]' )
if [ "$testing0" != "" -o "$testing1" != "" -o "$testing2" != "" ]; then
        echo "输入的号码不对，有非数字的内容! " ; exit 1
fi
if [ "$pwm" != "1" ]; then
        pwm="2"
fi

# 2. 开始输出账号与密码文件!
[ -f "$accountfile" ] && mv $accountfile "$accountfile"$( date +%Y%m%d)
nu_end=$( ( $nu_start+$nu_amount-1) )
for ( ( i=$nu_start; i<=$nu_end; i++ ) )
do
        nu_len=${#i}
        if [ $nu_nu -lt $nu_len ]; then
                echo "数值的位数（$i->$nu_len）已经比你设置的位数（$nu_nu）还大! "
                echo "程序无法继续"
                exit 1
        fi
```

```
        nu_diff=$( ( $nu_nu - $nu_len ) )
        if [ "$nu_diff" != "0" ]; then
                nu_nn=0000000000
                nu_nn=${nu_nn:1:$nu_diff}
        fi
        account=${username_start}${username_degree}${nu_nn}${i}
        if [ "$pwm" == "1" ]; then
                password="$account"
        else
                password=$( openssl rand -base64 6)
        fi
        echo "$account":"$password" | tee -a "$accountfile"
done

# 3. 开始新建账号与密码!
cat "$accountfile" | cut -d':' -f1 | xargs -n 1 useradd -m
chpasswd < "$accountfile"
pwconv
echo "OK! 新建完成! "
```

如果有需要新建同一班级具有同一组的话，可以先使用 groupadd 新建组后，将该组加入
"cat"$accountfile" | cut –d':' –f1 | xargs–n 1 useradd –m –g groupname " 那行！这个脚本可以在
下面的链接下载：

◆　http://linux.vbird.org/linux_basic/0410accountmanager/account2.sh
　　　如果仅是测试而已，想要将刚才新建的用户整个删除，则可以使用如下的脚本来进行删除！

```
[root@www ~]# vi delaccount2.sh
#!/bin/bash
usernames=$( cat user.passwd | cut -d ':' -f 1)
for username in $usernames
do
        echo "userdel -r $username"
        userdel -r $username
done
[root@www ~]# sh delaccount2.sh
```

　　　总之，账号管理是很重要的。希望上面的说明能够对大家有点帮助。

14.8　重点回顾

◆　Linux 操作系统上面，关于账号与用户组，其实记录的是 UID/GID 的数字而已。
◆　用户账号/用户组与 UID/GID 的对应，参考/etc/passwd 及/etc/group 两个文件。
◆　/etc/passwd 文件结构以冒号隔开，共分为七个字段，分别是账号名称、密码、UID、GID、全名、
主文件夹、shell。
◆　UID 只有 0 与非 0 两种，非 0 则为一般账号。一般账号又分为系统账号（1～499）及可登录者账
号（大于 500）。
◆　账号的密码已经移动到/etc/shadow 文件中，该文件权限为仅有 root 可以改动。该文件分为九个
字段，内容为账号名称、加密密码、密码更动日期、密码最小可变动日期、密码最大需变动日期、
密码过期前警告天数、密码失效天数、账号失效日、保留未使用。
◆　用户可以支持多个用户组，其中在新建文件时会影响新文件用户组者，为有效用户组。而写入
/etc/passwd 的第四个字段者，称为初始用户组。
◆　与用户新建、更改参数、删除有关的命令为 useradd,usermod, userdel 等,密码新建则为 passwd。
◆　与用户组新建、修改、删除有关的命令为 groupadd, groupmod, groupdel 等。

- ◆ 用户组的查看与有效用户组的切换分别为 groups 及 newgrp 命令。
- ◆ useradd 命令作用参考的文件有/etc/default/useradd,/etc/login.defs, /etc/skel/等。
- ◆ 查看用户详细的密码参数，可以使用 "chage-l 账号" 来处理。
- ◆ 用户自行修改参数的命令有 chsh,chfn 等，查看命令则有 d,finger 等。
- ◆ ACL 可进行单一个人或组的权限管理，但 ACL 的启动需要有文件系统的支持。
- ◆ ACL 的设置可使用 setfacl，查阅则使用 getfacl。
- ◆ 身份切换可使用 su，也可使用 sudo，但使用 sudo 者，必须先以 visudo 设置可使用的命令。
- ◆ PAM 模块可进行某些程序的验证程序，与 PAM 模块有关的配置文件位于/etc/pam.d/*及 /etc/security/*中。
- ◆ 系统上面账号登录情况的查询，可使用 w, who, last, lastlog 等。
- ◆ 在线与用户交谈可使用 write、wall，脱机状态下可使用 mail 传送邮件！

14.9　本章习题

情境模拟题

想将本服务器的账号分开管理，分为单纯邮件使用与可登录系统账号两种。其中若为纯邮件账号时，将该账号加入 mail 为初始用户组，且此账号不可使用 bash 等 shell 登录系统；若为可登录账号时，将该账号加入 youcan 这个次要用户组。

- ◆ 目标：了解/sbin/nologin 的用途；
- ◆ 前提：可自行查看用户是否已经新建等问题；
- ◆ 需求：需已了解 useradd、groupadd 等命令的用法。

解决方案如下：

1. 预先查看一下两个用户组是否存在。

```
[root@www ~]# grep mail /etc/group
[root@www ~]# grep youcan /etc/group
[root@www ~]# groupadd youcan
```

可发现 youcan 尚未被新建，因此如上所示，我们主动去新建这个用户组。

2. 开始新建三个邮件账号，此账号名称为 pop1, pop2, pop3，且密码与账号相同。可使用如下的程序来处理：

```
[root@www ~]# vim popuser.sh
#!/bin/bash
for username in pop1 pop2 pop3
do
      useradd -g mail -s /sbin/nologin -M $username
      echo $username | passwd --stdin $username
done
[root@www ~]# sh popuser.sh
```

3. 开始新建一般账号，只是这些一般账号必须要能够登录，并且需要使用次要用户组的支持！所以：

```
[root@www ~]# vim loginuser.sh
#!/bin/bash
for username in youlog1 youlog2 youlog3
do
      useradd -G youcan -s -m $username
      echo $username | passwd --stdin $username
done
[root@www ~]# sh loginuser.sh
```

4. 这样就将账号分开管理了！非常简单吧！

简答题部分

◆ root 的 UID 与 GID 是多少？而基于这个理由，我要让 test 这个账号具有 root 的权限，应该怎么做？

◆ 假设我是一个系统管理员，我有一个用户最近不乖顺，所以我想暂时将他的账号停掉，让他近期无法进行任何操作，等到将来他乖顺一点之后，我再将他的账号启用，请问我可以怎么做比较好？

◆ 我在使用 useradd 的时候，新增的账号里面的 UID、GID 还有其他相关的密码控制，都是在哪几个文件里面设置的？

◆ 我希望我在设置每个账号的时候（使用 useradd），默认情况中，他们的主文件夹就含有一个名称为 www 的子目录，我应该怎么做比较好？

◆ 简单说明系统账号与一般用户账号的区别。

◆ 简单说明，为何 CentOS5.x 新建用户时，它会主动帮用户新建一个用户组，而不是使用 /etc/default/useradd 的设置？

◆ 新建一个用户名称 alex,他所属用户组为 alexgroup,预计使用 csh,他的全名为"Alex Tsai"，且他还得要加入 users 用户组当中。

◆ 由于种种因素，导致你的用户主文件夹以后都需要被放置到/account 这个目录下。请问，我该如何做才可以当使用 useradd 时默认的主文件夹就指向/account？

◆ 我想要让 dmtsai 这个用户加入 vbird1, vbird2, vbird3 这三个用户组，且不影响 dmtsai 原本已经支持的次要用户组时，该如何操作？

14.10 参考数据与扩展阅读

◆ 注1：最完整与详细的密码文件说明，可参考各 distribution 内部的 man page。本文中以 CentOS 5.x 的 "man 5 passwd" 及 "man 5 shadow" 的内容说明；

◆ 注2：MD5 与 DES 均为加密的机制，详细的解释可参考维基百科的说明：
MD5：http://zh.wikipedia.org/wiki/MD5
DES：http://en.wikipedia.org/wiki/Data_Encryption_Standard
在早期的 Linux 版本中，主要使用 DES 加密算法，近期则使用 MD5 作为默认算法。

◆ 注3：telnet 与 ssh 都是可以由远程用户主机连接到 Linux 服务器的一种机制。详细数据可查询鸟站文章 "远程连接服务器"：http://linux.vbird.org/linux_server/0310telnetssh.php

◆ 注4：详细的说明请参考 man sudo，然后以 5 作为关键字查询看看即可了解。

◆ 注5：详细的 PAM 说明可以参考如下链接：
维基百科：http://en.wikipedia.org/wiki/Pluggable_Authentication_Modules
Linux-PAM 网页：http://www.kernel.org/pub/linux/libs/pam/

15

第 15 章　磁盘配额（Quota）与高级
文件系统管理

如果你的 Linux 服务器有多个用户经常访问数据时，为了维护所有用户对硬盘空间的公平使用，磁盘配额（Quota）就是一项非常有用的工具。另外，如果你的用户经常抱怨磁盘空间不够用，那么更高级的文件系统就得要学习了。本章我们会介绍磁盘阵列（RAID）及逻辑卷文件系统（LVM），这些工具都可以帮助你管理与维护用户可用的磁盘空间。

15.1 磁盘配额（**Quota**）的应用与实践

Quota 就字面上的意思来看，就是有多少"限额"的意思。如果是用在零用钱上面，就是类似"有多少零用钱一个月"的意思。如果是在计算机主机的磁盘使用量上呢？以 Linux 来说，就是有多少容量限制的意思。我们可以使用 quota 来让磁盘的容量使用较为公平，下面我们会介绍什么是 quota，然后以一个完整的范例来介绍 quota。

15.1.1 什么是 Quota

在 Linux 系统中，由于是多用户、多任务的环境，所以会有多用户共同使用一个硬盘空间的情况发生，如果其中有少数几个用户大量占掉了硬盘空间的话，那肯定影响其他用户的使用权限。因此管理员应该适当限制硬盘的空间给用户，以妥善分配系统资源。

举例来说，我们用户的默认主文件夹都是在/home 下面，如果/home 是个独立的分区，假设这个分区有 10G 好了，而/home 下面共有 30 个账号，也就是说，每个用户平均应该会有 333MB 的空间才对。偏偏有个用户在他的主文件夹下面塞了好多电影，占掉了 8GB 的空间，想想看，是否造成其他正常用户的不便呢？如果想要让磁盘的容量公平分配，这个时候就得要靠 quota 的帮忙。

- ◆ Quota 的一般用途
  - quota 比较常使用的几个情况是：
    - 针对 WWW server，例如：每个人的网页空间的容量限制！
    - 针对 mail server，例如：每个人的邮件空间限制。
    - 针对 file server，例如：每个人最大的可用网络硬盘空间（教学环境中最常见。）
  - 上面讲的是针对网络服务的设计，如果是针对 Linux 系统主机上面的设置，用途有下面这些：
    - 限制某一用户组所能使用的最大磁盘配额（使用用户组限制）
  - 你可以将你的主机上的用户分门别类，有点像是目前很流行的收费与免费会员制的情况，你比较喜好的那一群的使用配额就可以分配高一些。
    - 限制某一用户的最大磁盘配额（使用用户限制）
  - 在限制了用户组之后，你也可以再继续针对个人来进行限制，使得同一用户组之下还可以有更公平的分配。
    - 以 Link 的方式来使邮件可以作为限制的配额（更改/var/spool/mail 这个路径）
  - 如果是分为收费与免费会员的"邮件主机系统"，是否需要重新再规划一个硬盘呢？也不需要。直接使用 Link 的方式指向/home（或者其他已经做好的 quota 磁盘）就可以。这通常是用于原本磁盘分区的规划不好但是却又不想要更改原有主机架构时。
  - 大概有这些实际的用途。
- ◆ **Quota 的使用限制**
  - 虽然 quota 很好用，但是使用上还是有些限制要先了解的：
    - **仅能针对整个文件系统**
  - quota 实际在运行的时候，是针对**整个文件系统**进行限制的，例如：如果你的/dev/sda5 是挂载在/home 下面，那么在/home 下面的所有目录都会受到限制。
    - **内核必须支持 quota**
  - Linux 内核必须有支持 quota 这个功能才行：如果你是使用 CentOS 5.x 的默认内核，那恭喜你了，你的系统已经默认有支持 quota 这个功能。如果你是自行编译内核的，那么请特别留意你是否已经"真的"打开了 quota 这个功能？否则下面的工夫将全部都白做了。

- Quota 的日志文件
- 目前新版的 Linuxdistributions 使用的是 Kernel 2.6.xx 的内核版本，这个内核版本支持新的 quota 模块，使用的默认文件（aquota.user,aquota.group）将不同于旧版本的 quota.user,quota.group（多了一个 a），而由旧版本的 quota 可以通过 convertquota 这个程序来转换呢！
- 只对一般身份用户有效
- 这就有趣了，并不是所有在 Linux 上面的账号都可以设置 quota 呢，例如 root 就不能设置 quota，因为整个系统所有的数据几乎都是它的。
- 所以，你不能针对某个目录来进行 Quota 的设计，但你可以针对某个文件系统来设置。如果不明白目录与挂载点还有文件系统的关系，请回到第 8 章去看看再回来！

- ◆ Quota 的规范设置选项
- quota 针对整个**文件系统**的限制项目主要分为下面几个部分：
- 容量限制或文件数量限制（block 或 inode）
- 我们在第 8 章谈到文件系统中，说到文件系统主要规划为存放属性的 inode 与实际文件数据的 block 块，Quota 既然是管理文件系统，所以当然也可以管理 inode 或 block。这两个管理的功能为：
  - 限制 inode 用量：管理用户可以新建的"文件数量"；
  - 限制 block 用量：管理用户磁盘容量的限制，较常见的为这种方式。
- soft/hard
- 既然是规范，当然就有限制值。不管是 inode/block，限制值都有两个，分别是 soft 与 hard。通常 hard 限制值要比 soft 还要高。举例来说，若限制项目为 block，可以限制 hard 为 500MB 而 soft 为 400MB。这两个限值的意义为：
  - hard：表示用户的用量绝对不会超过这个限制值，以上面的设置为例，用户所能使用的磁盘容量绝对不会超过 500MB，若超过这个值则系统会锁住该用户的磁盘使用权；
  - soft：表示用户在低于 soft 限值时（此例中为 400MB），可以正常使用磁盘，但若超过 soft 且低于 hard 的限值（介于 400～500MB 之间时），每次用户登录系统时，系统会主动发出磁盘即将爆满的警告信息，且会给予一个宽限时间（gracetime）。不过，若用户在宽限时间倒数期间就将容量再次降低于 soft 限值之下，则宽限时间会停止。
- 会倒计时的宽限时间 （grace time）
- 刚才上面就谈到宽限时间了，这个宽限时间只有在用户的磁盘用量介于 soft 到 hard 之间时，才会出现且会倒数的一个时间。由于达到 hard 限值时，用户的磁盘使用权可能会被锁住。为了担心用户没有注意到这个磁盘配额的问题，因此设计了 soft。当你的磁盘用量即将到达 hard 且超过 soft 时，系统会给予警告，但也会给一段时间让用户自行管理磁盘。一般默认的宽限时间为 7 天，如果 7 天内你都不进行任何磁盘管理，那么 **soft 限制值会即刻替代 hard 限值来作为 quota 的限制**。
- 以上面设置的例子来说，假设你的容量高达 450MB 了，那 7 天的宽限时间就会开始倒数，若 7 天内你都不进行任何删除文件的操作来为你的磁盘瘦身，那么 7 天后你的磁盘最大用量将变成 400MB（那个 soft 的限制值），此时你的磁盘使用权就会被锁住而无法新增文件了。
- 整个 soft,hard,grace time 的相关性我们可以用图 15-1 来说明。
- 图中的直方图为用户的磁盘容量，soft/hard 分别是限制值。只要小于 400MB 就一切 OK，若高于 soft 就出现 gracetime 并倒数且等待用户自行处理，若到达 hard 的限制值，那我们就搬张小板凳等着看好戏了。这样图示有清楚一点了吗？

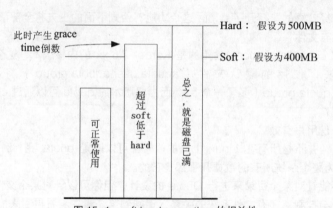

图 15-1 soft,hard,grace time 的相关性

15.1.2 一个 Quota 范例

坐而言不如起而行，所以这里我们使用一个范例来设计一下如何处理 Quota 的设置流程。

◆ 目的与账号：现在我想要让我的专题设为五个为一组，这五个人的账号分别是 myquota1,myquota2,myquota3,myquota4,myquota5，这五个用户的密码都是 password，且这五个用户所属的初始用户组都是 myquotagrp。其他的账号属性则使用默认值。

◆ 账号的磁盘容量限制值：我想让这五个用户都能够取得 300MB 的磁盘使用量（hard），文件数量则不予限制。此外，只要容量使用率超过 250MB，就予以警告（soft）。

◆ 用户组的限额：由于我的系统里面还有其他用户存在，因此我仅承认 myquotagrp 这个用户组最多仅能使用 1GB 的容量。这也就是说，如果 myquota1,myquota2,myquota3 都用了 280MB 的容量了，那么其他两人最多只能使用（1000MB-280MBx3=160MB）的磁盘容量。这就是用户与用户组同时设置时会产生的后果。

◆ 宽限时间的限制：最后，我希望每个用户在超过 soft 限制值之后，都还能够有 14 天的宽限时间。

好了，那你怎么规范账号以及相关的 Quota 设置呢？首先，在这个小节我们先来将账号相关的属性与参数搞定再说吧！

```
# 制作账号环境时，由于有五个账号，因此鸟哥使用 script 来新建环境！
[root@www ~]# viaddaccount.sh
#!/bin/bash
#使用 script 来新建实验 quota 所需的环境
groupadd myquotagrp
for username in myquota1 myquota2 myquota3 myquota4 myquota5
do
        useradd -g myquotagrp $username
        echo "password" | passwd --stdin $username
done

[root@www ~]# sh addaccount.sh
```

接下来，就让我们来实践 Quota 的练习。

15.1.3 实践 Quota 流程 1：文件系统支持

前面我们就谈到，要使用 Quota 必须要内核与文件系统支持才行。假设你已经使用了默认支持 Quota 的内核，那么接下来就是要启动文件系统的支持。不过，由于 Quota 仅针对整个文件系统来进行规划，所以我们得先查一下/home 是否是个独立的文件系统。

```
[root@www ~]# df -h /home
Filesystem      Size  Used Avail Use% Mounted on
/dev/hda3       4.8G  740M  3.8G  17% /home  <==鸟哥主机的 /home 确实是独立的!

[root@www ~]# mount | grep home
/dev/hda3 on /home type ext3 （rw）
```

从上面的数据来看，鸟哥这部主机的/home 确实是独立的文件系统，因此可以直接限制/dev/hda3 。如果你的系统的/home 并非独立的文件系统，那么可能就得要针对根目录(/)来规范了！不过，不太建议在根目录设置 Quota。此外，由于 VFAT 文件系统并不支持 Linux Quota 功能，所以我们得要使用 mount 查询一下/home 的文件系统，看起来是 Linux 传统的 ext2/ext3，这种文件系统肯定有支持 Quota。没问题！

如果只是想要在这次开机中实验 Quota，那么可以使用如下的方式来手动加入 quota 的支持：

```
[root@www ~]# mount -o remount,usrquota,grpquota /home
[root@www ~]# mount | grep home
/dev/hda3 on /home type ext3 （rw,usrquota,grpquota）
# 重点就在于 usrquota 和 grpquota ，注意写法!
```

事实上，当你重新挂载时，系统会同步更新/etc/mtab 这个文件，所以你必须要确定 /etc/mtab 已经加入 usrquota、grpquota 的支持到你所想要设置的文件系统中。另外也要特别强调，用户与用户组的 quota 文件系统支持参数分别是 usrquota 和 grpquota，千万不要写错了，这点非常多初次接触 Quota 的朋友经常搞错。

不过手动挂载的数据在下次重新挂载就会消失，因此最好写入配置文件中。在鸟哥这台主机的案例中，我可以直接修改/etc/fstab 成为下面这个样子：

```
[root@www ~]# vi /etc/fstab
LABEL=/home  /home ext3  defaults,usrquota,grpquota 1 2
# 其他选项鸟哥并没有列出来，重点在于第四字段，于 default 后面加上两个参数。

[root@www ~]# umount /home
[root@www ~]# mount -a
[root@www ~]# mount | grep home
/dev/hda3 on /home type ext3（rw,usrquota,grpquota）
```

还是要再次强调，修改完/etc/fstab 后，务必要测试一下。若有发生错误得要赶紧处理。因为这个文件如果修改错误，是会造成无法开机完全的情况。切记切记！最好使用 vim 来修改，因为会有语法的检验，就不会让你写错字了。启动文件系统的支持后，接下来让我们新建起 quota 的日志文件吧！

15.1.4　实践 Quota 流程 2：新建 Quota 配置文件

其实 Quota 是通过分析整个文件系统中每个用户（用户组）拥有的文件总数与总容量，再将这些数据记录在该文件系统的最顶层目录，然后在该配置文件中再使用每个账号（或用户组）的限制值去规定磁盘使用量的。所以，构建这个 Quota 配置文件就显得非常重要。扫描有支持 Quota 参数(usrquota,grpquota)的文件系统，就使用 quotacheck 这个命令。这个命令的语法如下：

◆　quotacheck：扫描文件系统并新建 Quota 的配置文件

```
[root@www ~]# quotacheck [-avugfM] [/mount_point]
参数:
-a : 扫描所有在 /etc/mtab 内，含有 quota 支持的文件系统，加上此参数后，
     /mount_point 可不必写，因为扫描所有的文件系统了。
-u : 针对用户扫描文件与目录的使用情况，会新建 aquota.user。
-g : 针对用户组扫描文件与目录的使用情况，会新建 aquota.group。
-v : 显示扫描过程的信息。
```

```
-f  : 强制扫描文件系统，并写入新的 quota 配置文件（危险）。
-M  : 强制以读写的方式扫描文件系统，只有在特殊情况下才会使用。
```

- quotacheck 的参数你只要记得"–avug"一起执行即可。那个–f 与–M 是在文件系统可能已经启动 quota 了，但是你还想要重新扫描文件系统时，系统会要求你加入那两个参数（担心有其他人已经使用 quota 中）。平时没必要不要加上那两个选项。好了，那就让我们来处理我们的任务吧！

```
# 针对整个系统含有 usrquota、grpquota 参数的文件系统进行 quotacheck 扫描
[root@www ~]# quotacheck -avug
quotacheck: Scanning /dev/hda3 [/home] quotacheck: Cannot stat old user quota
file: No such file or directory <==有找到文件系统，但尚未制作配置文件。
quotacheck: Cannot stat old group quota file: No such file or directory
quotacheck: Cannot stat old user quota file: No such file or directory
quotacheck: Cannot stat old group quota file: No such file or directory
done  <==上面三个错误只是说明配置文件尚未创建而已，可以忽略不理！
quotacheck: Checked 130 directories and 107 files <==实际查询结果
quotacheck: Old file not found.
quotacheck: Old file not found.
# 若执行这个命令却出现如下的错误信息，表示你没有任何文件系统有启动 quota 支持！
# quotacheck: Can't find filesystem to check or filesystem not mounted with
# quota option.

[root@www ~]# ll -d /home/a*
-rw------- 1 root root 8192 Mar  6 11:58 /home/aquota.group
-rw------- 1 root root 9216 Mar  6 11:58 /home/aquota.user
# 在鸟哥的案例中，/home 独立的文件系统，因此查询结果会将两个配置文件放在
#/home 下面。这两个文件就是 Quota 最重要的信息了！
```

- 这个命令只要进行到这里就够了，不要反复进行，因为等一下我们会启动 quota 功能，若启动后你还要进行 quotacheck，系统会担心破坏原有的配置文件，所以会产生一些错误信息警告。如果你确定没有任何人在使用 quota 时，可以强制重新进行 quotacheck 的操作。强制执行的情况可以使用如下的参数功能：

```
# 如果因为特殊需求需要强制扫描已挂载的文件系统时
[root@www ~]# quotacheck -avug -mf
quotacheck: Scanning /dev/hda3 [/home] done
quotacheck: Checked 130 directories and 109 files
# 数据要简洁很多，因为有配置文件存在。所以警告信息不会出现！
```

- 这样配置文件就创建起来了！你不用手动去编辑那两个文件，因为那两个文件是 quota 自己的数据文件，并不是纯文本文件，且该文件会一直变动，这是因为当你对/home 这个文件系统进行操作时，你操作的结果会影响磁盘，所以当然会同步记载到那两个文件中。因此要新建 aquota.user,aquota.group，记得使用的是 quotacheck 命令。不是手动编辑。

15.1.5 实践 Quota 流程 3：Quota 启动、关闭与限制值设置

制作好 Quota 配置文件之后，接下来就是要启动 quota 了。启动的方式很简单。使用 quotaon，至于关闭就用 quotaoff 即可。

◆ quotaon：启动 quota 的服务

```
[root@www~]#quotaon[-avug]
[root@www~]#quotaon[-vug][/mount_point]
参数：
-u  : 针对用户启动 quota（aquota.user）。
-g  : 针对用户组启动 quota（aquota.group）。
-v  : 显示启动过程的相关信息。
```

```
-a ：根据 /etc/mtab 内的文件系统设置启动有关的 quota，若不加 -a 的话，
    则后面就需要加上特定的那个文件系统。

# 由于我们要启动 user/group 的 quota，所以使用下面的语法即可
[root@www ~]# quotaon -auvg
/dev/hda3 [/home]: group quotas turned on
/dev/hda3 [/home]: user quotas turned on

# 特殊用法，假如你的启动 /var 的 quota 支持，那么仅启动 user quota 时
[root@www ~]# quotaon -uv /var
```

- 这个 "quotaon –auvg" 的命令几乎只在第一次启动 quota 时才需要进行，因为下次等你重新
  启动系统时，系统的/etc/rc.d/rc.sysinit 这个初始化脚本就会自动的执行这个命令了。因此你
  只要在这次实例中进行一次即可，将来都不需要自行启动 quota，因为 CentOS 5.x 系统会自
  动帮你搞定它！

- ◆ quotaoff：关闭 quota 的服务

```
[root@www ~]# quotaoff [-a]
[root@www ~]# quotaoff [-ug] [/mount_point]
参数：
-a ：全部的文件系统的 quota 都关闭（根据 /etc/mtab）
-u ：仅针对后面接的那个 /mount_point 关闭 user quota
-g ：仅针对后面接的那个 /mount_point 关闭 group quota
```

- 这个命令就是关闭了 quota 的支持。我们这里需要练习 quota，所以这里请不要关闭它。接下
  来让我们开始来设置用户与用户组的 quota 限额。

- ◆ edquota：编辑账号/用户组的限值与宽限时间
  - edquota 是 editquota 的缩写，所以就是用来编辑用户或者是用户组限额的命令。我们先来看
    看 edquota 的语法，看完后再来实际操作一下。

```
[root@www ~]# edquota [-u username] [-g groupname]
[root@www ~]# edquota -t    <==修改宽限时间
[root@www ~]# edquota -p 范本账号 -u 新账号
参数：
-u ：后面接账号名称。可以进入 quota 的编辑界面（vi）去设置 username 的限制值。
-g ：后面接组名。可以进入 quota 的编辑界面（vi）去设置 groupname 的限制值。
-t ：可以修改宽限时间。
-p ：复制范本。那个 "模板账号" 为已经存在并且已设置好 quota 的用户，
    意义为将 "范本账号" 这个人的 quota 限制值复制给新账号！
```

- 好了，先让我们来看看当进入 myquota1 的限额设置时会出现什么界面：

```
范例一：设置dmtsai这个用户的quota限制值
[root@www~]#edquota-umyquota1
Disk quotas for user myquota1 (uid 710):
 Filesystem    blocks   soft    hard   inodes   soft   hard
 /dev/hda3        80      0       0      10       0      0
```

- 上面第一行说明针对哪个账号（myquota1）进行 quota 的限额设置，第二行则是标题行，里
  面共分为七个字段，七个字段分别的意义为：
  1. 文件系统（filesystem）：说明该限制值是针对哪个文件系统（或 partition）；
  2. 磁盘容量（blocks）：这个数值是 quota 自己算出来的，单位为 KB，请不要修改它；
  3. soft：磁盘容量（block）的 soft 限制值，单位为 KB；
  4. hard：block 的 hard 限制值，单位 KB；
  5. 文件数量（inodes）：这是 quota 自己算出来的，单位为个数，请不要改动它；
  6. soft：inode 的 soft 限制值；

7. hard：inode 的 hard 限制值。

- 当 soft/hard 为 0 时，表示没有限制的意思。好，依据我们的范例说明，我们需要设置的是 blocks 的 soft/hard，至于 inode 则不要去更动它！因此上述的界面我们将它改成如下的模样：

在 edquota 的界面中，每一行只要保持七个字段就可以了，并不需要排列整齐的！

```
Disk quotas for user myquota1 (uid 710):
 Filesystem    blocks     soft     hard  inodes   soft  hard
 /dev/hda3        80   250000   300000      10      0     0
鸟哥使用 1000 去近似 1024 的倍数，比较好算。然后就可以保存后离开。
```

- 设置完成之后，我们还有其他 5 个用户要设置，由于设置值都一样，此时可以使用 quota 复制。

```
# 将 myquota1 的限制值复制给其他四个账号
[root@www ~]# edquota -p myquota1 -u myquota2
[root@www ~]# edquota -p myquota1 -u myquota3
[root@www ~]# edquota -p myquota1 -u myquota4
[root@www ~]# edquota -p myquota1 -u myquota5
```

- 这样就方便多了。然后，赶紧更改一下用户组的 quota 限额吧！

```
[root@www ~]# edquota -g myquotagrp
Disk quotas for group myquotagrp (gid 713):
 Filesystem    blocks     soft     hard  inodes   soft  hard
 /dev/hda3       400   900000  1000000      50      0     0
# 记得，单位为 KB 。
```

- 最后，将宽限时间改成 14 天吧！

```
# 宽限时间原本为 7 天，将它改成 14 天吧！
[root@www ~]# edquota -t
Grace period before enforcing soft limits for users:
Time units may be: days, hours, minutes, or seconds
 Filesystem         Block grace period      Inode grace period
 /dev/hda3              14days                  7days
# 原本是 7days，我们将它给改为 14days 。
```

- 通过这个简单的小步骤，我们已经将用户/用户组/宽限时间都设置妥当！接下来就是查看到底设置有没有生效。

15.1.6 实践 Quota 流程 4：Quota 限制值的报表

quota 的报表主要有两种模式，一种是针对每个个人或用户组的 quota 命令，一个是针对整个文件系统的 repquota 命令。我们先从较简单的 quota 来介绍。你也可以顺道看看你的设置对不对。

◆ quota：单一用户的 quota 报表

```
[root@www ~]# quota [-uvs] [username]
[root@www ~]# quota [-gvs] [groupname]
参数：
-u ：后面可以接 username ，表示显示出该用户的 quota 限制值。若不接 username
    ，表示显示出执行者的 quota 限制值。
-g ：后面可接 groupname ，表示显示出该用户组的 quota 限制值。
-v ：显示每个用户在文件系统中的 quota 值。
```

```
-s ：使用 1024 为倍数来指定单位，会显示如 M 之类的单位。

# 直接使用 quota 去显示出 myquota1 与 myquota2 的限额
[root@www ~]# quota -uvs myquota1 myquota2
Disk quotas for user myquota1 (uid 710):
   Filesystem  blocks   quota   limit   grace   files   quota   limit   grace
   /dev/hda3       80    245M    293M             10       0       0
Disk quotas for user myquota2 (uid 711):
   Filesystem  blocks   quota   limit   grace   files   quota   limit   grace
   /dev/hda3       80    245M    293M             10       0       0
# 这个命令显示出来的数据跟 edquota 几乎一模一样的。只是多了个 grace 选项。
# 你会发现 grace 下面没有任何数据，这是因为我们的使用量（80）尚未超过 soft

# 显示出 myquotagrp 的用户组限额
[root@www ~]# quota -gvs myquotagrp
Disk quotas for group myquotagrp (gid 713):
   Filesystem  blocks   quota   limit   grace   files   quota   limit   grace
   /dev/hda3      400    879M    977M             50       0       0
```

- 由于使用常见的 K,M,G 等单位比较好算，因此上面我们使用了"–s"的参数，就能够以 M 为单位显示了。不过由于我们使用 edquota 设置限额时，使用的是近似值（1000）而不是实际的 1024 倍数，所以看起来会有点不太一样。由于 quota 仅能针对某些用户显示报表，如果要针对整个文件系统列出报表时，那 repquota 就派上用场啦！

◆ **repquota：针对文件系统的限额做报表**

```
[root@www ~]# repquota -a [-vugs]
参数:
-a : 直接到 /etc/mtab 查询具有 quota 标志的文件系统，并报告 quota 的结果。
-v : 输出的数据将含有文件系统相关的详细信息。
-u : 显示出用户的 quota 限值（这是默认值）。
-g : 显示出个别用户组的 quota 限值。
-s : 使用 M, G 为单位显示结果

# 查询本案例中所有用户的 quota 限制情况:
[root@www ~]# repquota -auvs
*** Report for user quotas on device /dev/hda3    <==针对 /dev/hda3
Block grace time: 14days; Inode grace time: 7days <==block 宽限时间为 14 天
                        Block limits            File limits
User            used    soft   hard  grace  used  soft  hard  grace
----------------------------------------------------------------------
root      --    651M       0      0            5     0     0
myquota1  --      80    245M   293M           10     0     0
myquota2  --      80    245M   293M           10     0     0
myquota3  --      80    245M   293M           10     0     0
myquota4  --      80    245M   293M           10     0     0
myquota5  --      80    245M   293M           10     0     0

Statistics: <==这是所谓的系统相关信息，用 -v 才会显示
Total blocks: 9
Data blocks: 2
Entries: 22
Used average: 11.000000
```

- 根据这些信息，你就可以知道目前的限制情况。怎样，Quota 很简单吧？你可以赶紧针对你的系统设置一下磁盘使用的规则，让你的用户不会抱怨磁盘怎么老是被耗光！

15.1.7　实践 Quota 流程 5：测试与管理

Quota 到底有没有效果？测试看看不就知道了？让我们使用 myquota1 去测试看看，如果创建一

个大文件时，整个系统会便怎样呢？

```
# 测试一：利用 myquota1 的身份，创建一个 270MB 的大文件，并查看 quota 结果!
[myquota1@www ~]# dd if=/dev/zero of=bigfile bs=1M count=270
hda3: warning, user block quota exceeded.
270+0 records in
270+0 records out
283115520 bytes（283 MB）copied, 3.20282 seconds, 88.4 MB/s
# 注意看，我是使用 myquota1 的账号去进行 dd 命令。
# 然后你可以发现出现一个 warning 的信息。接下来看看报表。

[root@www ~]# repquota -auv
*** Report for user quotas on device /dev/hda3
Block grace time: 14days; Inode grace time: 7days
                    Block limits              File limits
User        used    soft    hard grace   used  soft hard grace
----------------------------------------------------------------------
myquota1 +- 276840 250000 300000 13days     11    0    0
# 这个命令则是利用 root 去查看的!
# 你可以发现 myquota1 的 grace 出现! 并且开始倒数了。

# 测试二：再创建另外一个大文件，让总容量超过 300MB !
[myquota1@www ~]# dd if=/dev/zero of=bigfile2 bs=1M count=300
hda3: write failed, user block limit reached.
dd: writing `bigfile2': Disk quota exceeded <==看，错误信息不一样了!
23+0 records in  <==没办法写入了，所以只记录 23 条
22+0 records out
23683072 bytes（24 MB）copied, 0.260081 seconds, 91.1 MB/s

[myquota1@www ~]# du -sk
300000  . <==果然是到极限了。
```

此时 myquota1 可以开始处理它的文件系统了。如果不处理的话，最后宽限时间会归零，然后出现如下的界面：

```
[root@www ~]# repquota -au
*** Report for user quotas on device /dev/hda3
Block grace time: 00:01; Inode grace time: 7days
                    Block limits              File limits
User        used    soft    hard grace   used  soft hard grace
----------------------------------------------------------------------
myquota1 +- 300000 250000 300000  none      11    0    0
# 倒数整个归零，所以 grace 的部分就会变成 none . 不继续倒数
```

其实倒数归零也不会有什么特殊的意外。别担心! 只是如果你的磁盘使用量介于 soft 与 hard 之间时，当倒数归零那么 soft 的值会变成严格限制，此时你就没有多余的空间可以使用了。如何解决？就登录到系统去删除文件即可。问题是，用户通常分不清楚到底系统出了什么问题，所以我们可能需要寄送一些警告信（email）给用户比较妥当。那么如何处理呢？通过 warnquota 来处置即可。

◆ warnquota：对超过限额者发出警告信

  ● warnquota 字面上的意义就是 quota 的警告（warn）。那么这东西有什么用呢？它可以依据 /etc/warnquota.conf 的设置，然后找出目前系统上面 quota 用量超过 soft（就是有 gracetime 出现的那些家伙）的账号，通过 Email 的功能将警告信件发送到用户的电子邮件信箱。warnquota 并不会自动执行，所以我们需要手动去执行它。单纯执行 "warnquota" 之后，它会发送两封信出去，一封给 myquota1，一封给 root!

```
[root@www ~]# warnquota
# 完全不会出现任何信息! 没有信息就是 "好信息"。

[root@www ~]# mail
```

```
 N329 root@www.vbird.tsai   Fri Mar  6 16:10 27/1007  "NOTE: ....
 & 329   <==因为新信件在第 329 封的原因
 From root@www.vbird.tsai  Fri Mar  6 16:10:18 2009
 Date: Fri, 6 Mar 2009 16:10:17 +0800
 From: root <root@www.vbird.tsai>
 Reply-To: root@myhost.com
 Subject: NOTE: You are exceeding your allocated disk space limits
 To: myquota1@www.vbird.tsai
 Cc: root@www.vbird.tsai   <==注意这三行，分别是标题、收件人与副本 （CC）。

 Your disk usage has exceeded the agreed limits on this server <==问题说明
 Please delete any unnecessary files on following filesystems:

 /dev/hda3  <==下面这几行为发生磁盘 "爆满" 的信息。
                   Block limits              File limits
 Filesystem       used   soft   hard grace   used  soft  hard grace
 /dev/hda3    +- 300000 250000 300000 13days    12     0     0

 root@localhost  <==这个是警告信息发送者的 "签名数据"。

 & exit <==离开 mail 程序!
```

- 执行 warnquota 可能也不会产生任何信息以及信件，因为只有当用户的 quota 有超过 soft 时，warnquota 才会发送警告信。那么以上内容中，包括标题、信息内容说明、签名文件等数据放在哪里呢？刚才不是讲过吗？/etc/warnquota 啦！因为上述的数据是英文，不好理解吗？没关系，你可以自己转成中文。所以你可以这样处理：

```
[root@www ~]# vi /etc/warnquota.conf
# 先找到下面这几行的设置值：
SUBJECT   = NOTE: You are exceeding your allocated disk space limits <==第10行
CC_TO     = "root@localhost"                              <==第11行
MESSAGE   = Your disk usage has exceeded the agreed limits\    <==第21行
 on this server|Please delete any unnecessary files on following filesystems:|
SIGNATURE = root@localhost                                <==第25行

# 可以将它改成如下的模样啊！
SUBJECT   = 注意：你在本系统上拥有的文件容量已经超过最大容许限额
CC_TO     = "root@localhost"  <==除非你要寄给其他人，否则这个项目可以不改
MESSAGE   = 你的磁盘容量已经超过本机的容许限额, |\
  请在如下的文件系统中，删除不必要的文件: |
SIGNATURE = 你的系统管理员 （root@localhost)
# 在 MESSAGE 内的 | 代表断行的意思，反斜杠则代表连接下一行；
```

- 如果你重复执行 warnquota，那么 myquota1 就会收到类似如下的信件内容：

```
Subject: 注意: 你在本系统上拥有的文件容量已经超过最大容许限额
To: myquota1@www.vbird.tsai
Cc: root@www.vbird.tsai

你的磁盘容量已经超过本机的容许限额,
  请在如下的文件系统中，删除不必要的文件:

/dev/hda3

Filesystem       used   soft   hard grace   used  soft  hard grace
/dev/hda3    +- 300000 250000 300000 none     11     0     0

你的系统管理员 （root@localhost)
```

- 不过这个方法并不适用在/var/spool/mail 也爆满的 quota 控管中，因为如果用户在这个文件系统的容量已经达到限额了，那么新的信件当然就收不下来啦！此时就只能等待用户自己发现

并跑来这里删除数据，或者是请求 root 帮忙处理。知道了这玩意儿这么好用，那么我们怎么让系统自动执行 warnquota 呢？你可以这样做：

```
[root@www ~]# vi /etc/cron.daily/warnquota
/usr/sbin/warnquota
# 你没有看错，只要这一行，且将执行文件以绝对路径的方式写入即可。

[root@www ~]# chmod 755 /etc/cron.daily/warnquota
```

- 那么将来每天早上 4:02am 时，这个文件就会主动被执行，那么系统就能够主动通知磁盘配额达到极限的用户。至于为何要写入上述的文件呢？留待下一章工作排程时我们再来加强介绍。
- ◆ setquota：直接于命令中设置 quota 限额
  - 如果你想要使用 script 的方法来新建大量的账号，并且所有的账号都在新建时就给予 quota，那该如何是好？其实有两个方法可以考虑：
    - 先新建一个原始 quota 账号，再以 "edquota−pold−unew" 写入 script 中；
    - 直接以 setquota 新建用户的 quota 设置值。
  - 不同于 edquota 是调用 vi 来进行设置，setquota 直接由命令输入所必须要的各项限制值。它的语法有点像这样：

```
[root@www ~]# setquota [-u|-g] 名称 block(soft) block(hard) \
> inode(soft) inode(hard) 文件系统

# 查看原始的 myquota5 限值，并给予 soft/hard 分别为 100000/200000
[root@www ~]# quota -uv myquota5
Disk quotas for user myquota5 (uid 714):
  Filesystem blocks  quota  limit  grace files  quota  limit  grace
   /dev/hda3      80 250000 300000          10      0      0

[root@www ~]# setquota -u myquota5 100000 200000 0 0 /home

[root@www ~]# quota -uv myquota5
Disk quotas for user myquota5 (uid 714):
  Filesystem blocks  quota  limit  grace files  quota  limit  grace
   /dev/hda3      80 100000 200000          10      0      0
# 看吧！真的有改变过来，这就是 quota 的简单脚本设置语法。
```

15.1.8 不改动既有系统的 Quota 实例

想一想，如果你的主机原先没有想到要设置成为邮件主机，所以并没有规划将邮件信箱所在的 /var/spool/mail/目录独立成为一个分区，然后目前你的主机已经没有办法新增或分出任何新的分区了。那我们知道 quota 是针对整个文件系统进行设计的，因此，你是否就无法针对 mail 的使用量给予 quota 的限制呢？

此外，如果你想要让用户的邮件信箱与主文件夹的总体磁盘使用量为固定，那又该如何是好？由于/home 及/var/spool/mail 根本不可能是同一个文件系统（除非是都不分区，使用根目录，才有可能整合在一起），所以，该如何进行这样的 quota 限制呢？

其实没有那么难，既然 quota 是针对整个文件系统来进行限制，假设你又已经有/home 这个独立的分区了，那么你只要：

1. 将/var/spool/mail 这个目录完整地移动到/home 下面；
2. 利用 ln −s/home/mail/var/spool/mail 来新建连接数据；
3. 将/home 进行 quota 限额设置。

只要这样的一个小步骤，你家主机的邮件就有一定的限额啰！当然，你也可以依据不同的用户与用户组来设置 quota 然后同样以上面的方式来进行 link 的操作，就有不同的限额针对不同的用户提出，很方便吧！

> 朋友们需要注意的是，由于目前新的 distributions 大多有使用 SELinux 的机制，因此你要进行如同上面的目录转移时，在许多情况下可能会有使用上的限制。或许你得要先暂时关闭 SELinux 才能测试，也或许你得要自行修改 SELinux 的规则才行。

15.2 软件磁盘阵列（Software RAID）

在过去鸟哥还年轻的时代，我们能使用的硬盘容量都不大，几十 GB 的容量就是大硬盘了。但是某些情况下，我们需要很大容量的存储空间，例如鸟哥在跑的空气质量模式所输出的数据文件一个案例通常需要好几 GB，连续跑个几个案例，磁盘容量就不够用了。此时我该如何是好？其实可以通过一种存储机制，称为磁盘阵列（RAID）的就是了。这种机制的功能是什么？它有哪些等级？什么是硬件、软件磁盘阵列？Linux 支持什么样的软件磁盘阵列？下面就让我们来介绍。

15.2.1 什么是 RAID

磁盘阵列的英文全名是 RedundantArrays of Inexpensive Disks（RAID），即容错廉价磁盘阵列。RAID 可以通过一些技术（软件或硬件）将多个较小的磁盘整合成为一个较大的磁盘设备；而这个较大的磁盘功能可不止是存储而已，它还具有数据保护的功能。整个 RAID 由于选择的等级（level）不同，而使得整合后的磁盘具有不同的功能，基本常见的等级有这几种[注1]。

◆ RAID-0（等量模式,stripe）：性能最佳
   ● 这种模式如果使用相同型号与容量的磁盘来组成时，效果较佳。这种模式的 RAID 会将磁盘先切出等量的区块（举例来说，4KB），然后当一个文件要写入 RAID 时，该文件会依据块的大小切割好，之后再依序放到各个磁盘里面去。
     由于每个磁盘会交错存放数据，因此当你的数据要写入 RAID 时，数据会被等量放置在各个磁盘上面。举例来说，你有两块磁盘组成 RAID-0,当你有 100MB 的数据要写入时，每个磁盘会各被分配到 50MB 的存储量。RAID-0 的示意图如图 15-2 所示。
   ● 上图的意思是，在组成 RAID-0 时，每块磁盘（Disk A 与 Disk B）都会先被分隔成为小区块（chunk）。当有数据要写入 RAID 时，数据会先被分成符合小区块的大小，然后再

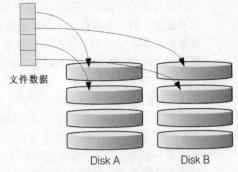

图 15-2 RAID-0 的磁盘写入示意图

依序一个一个放置到不同的磁盘去。由于数据已经先被分并且依序放置到不同的磁盘上面，因此每块磁盘所负责的数据量都降低了。照这样的情况来看，**越多块磁盘组成的 RAID-0 性能会越好**，因为每块负责的数据量就更低了，这表示我的数据可以分散让多块磁盘来存储，当然性能会变得更好。此外，磁盘总容量也变大了！因为每块磁盘的容量最终会加总成为 RAID-0 的总容量。
   ● 使用此等级你必须要自行负担数据损毁的风险，由上图我们知道文件是被切割成为适合每块

磁盘分区区块的大小，然后再依序放置到各个磁盘中。想一想，如果某一块磁盘损毁了，那么文件数据将缺一块，此时这个文件就损毁了。由于每个文件都是这样存放的，因此 RAID-0 只要有任何一块磁盘损毁，在 RAID 上面的所有数据都会丢失而无法读取。

- 另外，如果使用不同容量的磁盘来组成 RAID-0 时，由于数据是一直等量依序放置到不同磁盘中，当小容量磁盘的区块被用完了，那么所有的数据都将被写入到最大的那块磁盘去。举例来说，我用 200GB 与 500GB 组成 RAID-0，那么最初的 400GB 数据可同时写入两块磁盘（各消耗 200GB 的容量），后来再加入的数据就只能写入 500GB 的那块磁盘中了。此时的性能就变差了，因为只剩下一块可以存放数据。

◆ RAID-1（映像模式,mirror）：完整备份
- 这种模式也是需要相同的磁盘容量的，最好是一模一样的磁盘。如果是不同容量的磁盘组成 RAID-1 时，那么总容量将以最小的那一块磁盘为主！这种模式主要是让同一份数据完整保存在两块磁盘上面。举例来说，如果我有一个 100MB 的文件，且我仅有两块磁盘组成 RAID-1 时，那么这两块磁盘将会同步写入 100MB 到它们的存储空间去。因此，**整体 RAID 的容量几乎少了 50%**。由于两块硬盘内容一模一样，好像镜子映照出来一样，所以我们也称它为 mirror（镜像）模式。

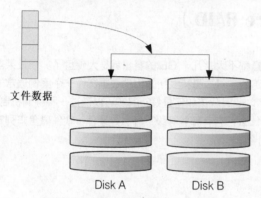

文件数据

Disk A   Disk B

图 15-3　RAID-1 的磁盘写入示意图

- 如图 15-3 所示，一份数据传送到 RAID-1 之后会被分为两股，并分别写入到各个磁盘里面去。由于同一份数据会被分别写入到其他不同磁盘，因此如果要写入 100MB 时，数据传送到 I/O 总线后会被复制多份到各个磁盘，结果就是数据量感觉变大了。因此在大量写入 RAID-1 的情况下，写入的性能可能会变得非常差（因为我们只有一个南桥芯片）。好在如果你使用的是硬件 RAID（磁盘阵列卡）时，磁盘阵列卡会主动复制一份而不使用系统的 I/O 总线，性能方面则还可以。如果使用软件磁盘阵列，可能性能就不好了。

- 由于两块磁盘内的数据一模一样，所以任何一块硬盘损毁时，你的数据还是可以完整保留下来。所以我们可以说，**RAID-1 最大的优点大概就在于数据的备份**。不过由于磁盘容量有一半用在备份，因此总容量会是全部磁盘容量的一半而已。虽然 RAID-1 的写入性能不佳，不过读取的性能则还可以。这是因为数据有两份在不同的磁盘上面，如果多个进程在读取同一条数据时，RAID 会自行取得最佳的读取平衡。

◆ RAID 0 + 1，RAID 1 + 0
- RAID-0 的性能佳但是数据不安全，RAID－1 的数据安全但是性能不佳，那么能不能将这两者整合起来设置 RAID 呢？可以啊！那就是 RAID 0 + 1 或 RAID 1 + 0。所谓的 RAID 0 + 1 就是先让两块磁盘组成 RAID 0，并且这样的设置共有两组；然后将这两组 RAID 0 再组成一组 RAID 1。这就是 RAID 0 + 1。反过来说，RAID 1 + 0 就是先组成 RAID-1 再组成 RAID-0 的意思。

- 如图 15-4 所示，Disk A + Disk B 组成第一组 RAID 0，Disk C + Disk D 组成第二组 RAID 0，然后这两组再整合成为一组 RAID 1。如果我有 100MB 的数据要写入，则由于 RAID 1 的关系，两组 RAID 0 都会写入 100MB，但由于 RAID 0 的关系，因此每块磁盘仅会写入 50MB 而已。如此一来不论哪一组 RAID 0 的磁盘损毁，只要另外一组 RAID 0 还存在，那么就能够通过 RAID 1 的机制来回复数据。

- 由于具有 RAID 0 的优点，所以性能得以提升，由于具有 RAID 1 的优点，所以数据得以备份。但是也由于 RAID 1 的缺点，所以总容量会少一半用来作为备份。

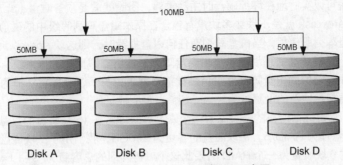

图 15-4　RAID-0 + 1 的磁盘写入示意图

◆ RAID 5：性能与数据备份的均衡考虑

● RAID-5 至少需要三块以上的磁盘才能够组成这种类型的磁盘阵列。这种磁盘阵列的数据写入有点类似 RAID-0，不过每个循环的写入过程中，在每块磁盘还加入一个同位检查数据（Parity），这个数据会记录其他磁盘的备份数据，用于当有磁盘损毁时的救援。RAID-5 读写的情况如图 15-5 所示。

● 图中，每个循环写入时，都会有部分的同位检查码（parity）被记录起来，并且记录的同位检查码每次都记录在不同的磁盘，因此，任何一个磁盘损毁时都能够通过其他磁盘的检查码来重建原本磁盘内的数据。不过需要注意的是，由于有同位检查码，因此 RAID 5 的总容量会是整体磁盘数量减一块。以上图为例，原本的 3 块磁盘只会剩下（3-1）=2 块磁盘的容量，而且当损毁的磁盘数量大于等于两块时，这整组 RAID 5 的数据就损毁了。因为 RAID 5 默认仅能支持一块磁盘的损毁情况。

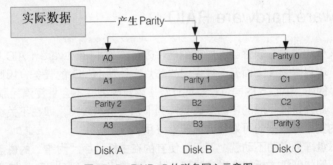

图 15-5　RAID-5 的磁盘写入示意图

● 在读写性能的比较上，读取的性能还不赖。与 RAID-0 有得比，不过写的性能就不见得能够增加很多。这是因为要写入 RAID 5 的数据还得要经过计算同位检查码（parity）的关系。由于加上这个计算的操作，所以写入的性能与系统的硬件关系较大。尤其当使用软件磁盘阵列时，同位检查码是通过 CPU 去计算而非专门的磁盘阵列卡，因此性能方面还需要评估。

● 另外，由于 RAID 5 仅能支持一块磁盘的损毁，因此近来还有发展出另外一种等级，就是 RAID 6，这个 RAID 6 则使用两块磁盘的容量作为 parity 的存储，因此整体的磁盘容量就会少两块，但是允许出错的磁盘数量就可以达到两块了！也就是在 RAID 6 的情况下，同时两块磁盘损毁时，数据还是可以救回来。

◆ Spare Disk：预备磁盘的功能

● 当磁盘阵列的磁盘损毁时，就得要将坏掉的磁盘拔除，然后换一块新的磁盘。换成新磁盘并且顺利启动磁盘阵列后，磁盘阵列就会开始主动重建（rebuild）原本坏掉的那块磁盘数据到新的磁盘上，然后你磁盘阵列上面的数据就复原了。这就是磁盘阵列的优点。不过，我们还是得要动手拔插硬盘，此时通常得要关机才能这么做。

- 为了让系统可以实时地在坏掉硬盘时主动重建，因此就需要预备磁盘（spare disk）的辅助。所谓的 spare disk 就是一块或多块没有包含在原本磁盘阵列等级中的磁盘，这块磁盘平时并不会被磁盘阵列所使用，当磁盘阵列有任何磁盘损毁时，则这块 spare disk 会被主动拉进磁盘阵列中，并将坏掉的那块硬盘移出磁盘阵列，然后立即重建数据系统。如此你的系统则可以永保安康。若你的磁盘阵列有支持热拔插那就更完美了，直接将坏掉的那块磁盘拔除换一块新的，再将那块新的设置成为 spare disk，就完成了！

- 举例来说，鸟哥之前所在的研究室有一个磁盘阵列可允许 16 块磁盘的数量，不过我们只安装了 10 块磁盘作为 RAID 5。每块磁盘的容量为 250GB，我们用了一块磁盘作为 spare disk，并将其他的 9 块设置为一个 RAID 5，因此这个磁盘阵列的总容量为(9–1)× 250GB=2000GB。运行了一两年后真的有一块磁盘坏掉了，我们后来看灯号才发现！不过对系统没有影响。因为 spare disk 主动加入支持，将坏掉的那块拔掉换块新的，并重新设置成为 spare 后，系统内的数据还是完整无缺的。

◆ 磁盘阵列的优点

- 说得口沫横飞，重点在哪里呢？其实你的系统如果需要磁盘阵列的话，其实重点在于：
- 数据安全与可靠性：指的并非信息安全，而是当硬件（指磁盘）损毁时，数据是否还能够安全救援或使用之意；
- 读写性能：例如 RAID 0 可以加强读写性能，让你的系统 I/O 部分得以改善；
- 容量：可以让多块磁盘组合起来，故单一文件系统可以有相当大的容量。
- 尤其数据的可靠性与完整性更是使用 RAID 的考虑重点。毕竟硬件坏掉换掉就好了，软件数据损毁那可不是闹着玩的。所以企业界为何需要大量的 RAID 来作为文件系统的硬件基准，现在你有点了解了吧？

15.2.2　software,hardware RAID

为何磁盘阵列又分为硬件与软件呢？所谓的硬件磁盘阵列（hardware RAID）是通过磁盘阵列卡来完成数组的目的。磁盘阵列卡上面有一块专门的芯片在处理 RAID 的任务，因此在性能方面会比较好。在很多任务时（例如 RAID 5 的同位检查码计算）磁盘阵列并不会重复消耗原本系统的 I/O 总线，理论上性能会较佳。此外目前一般的中高级磁盘阵列卡都支持热拔插，即在不关机的情况下抽换损坏的磁盘，对于系统的复原与数据的可靠性方面非常好用。

不过一块好的磁盘阵列卡动不动就上万元，便宜的在主板上面"附赠"的磁盘阵列功能可能又不支持某些高级功能，例如低级主板若有磁盘阵列芯片，通常仅支持到 RAID 0 与 RAID1，鸟哥喜欢的 RAID 5 并没有支持。此外，操作系统也必须要具有磁盘阵列卡的驱动程序，才能够正确识别磁盘阵列所产生的磁盘驱动器。

由于磁盘阵列有很多优秀的功能，然而硬件磁盘阵列卡偏偏又贵得很，因此就有发展出利用软件来仿真磁盘阵列的功能，这就是所谓的软件磁盘阵列（software RAID）。软件磁盘阵列主要是通过软件来仿真数组的任务，因此会损耗较多的系统资源，比如说 CPU 的运算与 I/O 总线的资源等。不过目前我们的个人计算机实在已经非常快速了，因此以前的速度限制现在已经不存在！所以我们可以来玩一玩软件磁盘阵列。

我们的 CentOS 提供的软件磁盘阵列为 mdadm 这套软件，这套软件会以分区或磁盘为单位，也就是说，你不需要两块以上的磁盘，只要有两个以上的分区就能够设计你的磁盘阵列了。此外，mdadm 支持刚才我们前面提到的 RAID0/RAID1/RAID5/spare disk 等，而且提供的管理机制还可以达到类似热拔插的功能，可以在线（文件系统正常使用）进行分区的抽换，使用上也非常方便呢！

另外你必须要知道的是，硬件磁盘阵列在 Linux 下面看起来就是一块实际的大磁盘，因此硬件磁盘阵列的设备文件名为/dev/sd[a–p]，因为使用到 SCSI 的模块之故。至于软件磁盘阵列则是系统仿真的，因此使用的设备文件名是系统的设备文件，文件名为/dev/md0,/dev/md1，两者的设备文件名并不相同。不要搞混了喔！因为很多朋友经常觉得奇怪：怎么它的 RAID 文件名跟我们这里测试的软件 RAID 文件名不同？所以这里特别强调说明。

15.2.3　软件磁盘阵列的设置

软件磁盘阵列的设置很简单呢！因为你只要使用一个命令即可，那就是 mdadm 这个命令。这个命令在新建 RAID 的语法时有点像这样：

```
[root@www ~]# mdadm --detail /dev/md0
[root@www ~]# mdadm --create --auto=yes /dev/md[0-9] --raid-devices=N \
> --level=[015] --spare-devices=N /dev/sdx /dev/hdx...
参数：
--create : 为新建 RAID 的参数。
--auto=yes : 决定新建后面接的软件磁盘阵列设备，即 /dev/md0，/dev/md1 等。
--raid-devices=N : 使用几个磁盘作为磁盘阵列的设备。
--spare-devices=N : 使用几个磁盘作为备用（spare）设备。
--level=[015] : 设置这组磁盘阵列的等级。支持很多，不过建议只要用 0,1,5 即可。
--detail: 后面所接的那个磁盘阵列设备的详细信息。
```

上面的语法中，最后面会接许多的设备文件名，这些设备文件名可以是整块磁盘，例如/dev/sdb，也可以是分区，例如/dev/sdb1 之类。不过，这些设备文件名的总数必须要等于--raid-devices 与 --spare-devices 的个数总和才行。鸟哥利用我的测试机来构建一个 RAID5 的软件磁盘阵列。首先，将系统里面过去练习过而目前用不到的分区全部删除掉：

```
[root@www ~]# fdisk -l
Disk /dev/hda: 41.1 GB, 41174138880 bytes
255 heads, 63 sectors/track, 5005 cylinders
Units = cylinders of 16065 * 512 = 8225280 bytes

   Device Boot      Start         End      Blocks   Id  System
/dev/hda1   *           1          13      104391   83  Linux
/dev/hda2              14        1288    10241437+  83  Linux
/dev/hda3            1289        1925     5116702+  83  Linux
/dev/hda4            1926        5005    24740100    5  Extended
/dev/hda5            1926        2052     1020096   82  Linux swap / Solaris
/dev/hda6            2053        2302     2008093+  83  Linux
/dev/hda7            2303        2334      257008+  82  Linux swap / Solaris
/dev/hda8            2335        2353      152586   83  Linux
/dev/hda9            2354        2366      104391   83  Linux

[root@www ~]# df
Filesystem           1K-blocks      Used Available Use% Mounted on
/dev/hda2              9920624   3858800   5549756  42% /
/dev/hda1              101086      21408     74459  23% /boot
tmpfs                  371332          0    371332   0% /dev/shm
/dev/hda3             4956316   1056996   3643488  23% /home
# 从上面可以发现，我的 /dev/hda6～/dev/hda9 没有用到。将它删除看看！

[root@www ~]# fdisk /dev/hda
Command (m for help): d
Partition number (1-9): 9

Command (m for help): d
Partition number (1-8): 8

Command (m for help): d
Partition number (1-7): 7

Command (m for help): d
```

```
Partition number (1-6): 6

Command (m for help): p

Disk /dev/hda: 41.1 GB, 41174138880 bytes
255 heads, 63 sectors/track, 5005 cylinders
Units = cylinders of 16065 * 512 = 8225280 bytes

   Device Boot      Start         End      Blocks   Id  System
/dev/hda1   *           1          13      104391   83  Linux
/dev/hda2              14        1288    10241437+  83  Linux
/dev/hda3            1289        1925     5116702+  83  Linux
/dev/hda4            1926        5005    24740100    5  Extended
/dev/hda5            1926        2052     1020096   82  Linux swap / Solaris

Command (m for help): w

[root@www ~]# partprobe
# 这个操作很重要。还记得吧? 将内核的 partition table 更新!
```

下面是鸟哥希望做成的 RAID 5 环境：

- 利用 4 个分区组成 RAID5；
- 每个分区约为 1GB 大小，需确定每个分区一样大较佳；
- 利用 1 个分区设置为 sparedisk；
- 这个 spare disk 的大小与其他 RAID 所需分区一样大！
- 将此 RAID5 设备挂载到/mnt/raid 目录下。

最终我需要 5 个 1GB 的分区。由于鸟哥的系统仅有一块磁盘，这块磁盘剩余容量约 20GB 是够用的，分区代号仅使用到 5 号，所以要制作成 RAID5 应该是不成问题。接下来就是连续的构建流程。

- 构建所需的磁盘设备
  - 如前所述，我需要 5 个 1GB 的分区，请利用 fdisk 来构建吧！

```
[root@www ~]# fdisk /dev/hda
Command (m for help): n
First cylinder (2053-5005, default 2053): <==直接按下 [enter]
Using default value 2053
Last cylinder or +size or +sizeM or +sizeK (2053-5005, default 5005): +1000M
# 上述的动作请做五次!

Command (m for help): p

Disk /dev/hda: 41.1 GB, 41174138880 bytes
255 heads, 63 sectors/track, 5005 cylinders
Units = cylinders of 16065 * 512 = 8225280 bytes

   Device Boot      Start         End      Blocks   Id  System
/dev/hda1   *           1          13      104391   83  Linux
/dev/hda2              14        1288    10241437+  83  Linux
/dev/hda3            1289        1925     5116702+  83  Linux
/dev/hda4            1926        5005    24740100    5  Extended
/dev/hda5            1926        2052     1020096   82  Linux swap / Solaris
/dev/hda6            2053        2175      987966   83  Linux
/dev/hda7            2176        2298      987966   83  Linux
/dev/hda8            2299        2421      987966   83  Linux
/dev/hda9            2422        2544      987966   83  Linux
/dev/hda10           2545        2667      987966   83  Linux
# 上面的 6~10 号, 就是我们需要的分区。

Command (m for help): w
```

```
[root@www ~]# partprobe
```

◆ 以 mdadm 创建 RAID
● 接下来就简单啦！通过 mdadm 来创建磁盘阵列先！

```
[root@www ~]# mdadm --create --auto=yes /dev/md0 --level=5 \
> --raid-devices=4 --spare-devices=1 /dev/hda{6,7,8,9,10}
# 详细的参数说明请回去前面看看。这里我通过 {} 将重复的项目简化！
```

```
[root@www ~]# mdadm --detail /dev/md0
/dev/md0:                                        <==RAID 设备文件名
        Version : 00.90.03
  Creation Time : Tue Mar 10 17:47:51 2009       <==RAID 被创建的时间
     Raid Level : raid5                          <==RAID 等级为 RAID 5
     Array Size : 2963520 (2.83 GiB 3.03 GB)     <==此 RAID 的可用磁盘容量
  Used Dev Size : 987840 (964.85 MiB 1011.55 MB) <==每个设备的可用容量
   Raid Devices : 4                              <==用作 RAID 的设备数量
  Total Devices : 5                              <==全部的设备数量
Preferred Minor : 0
    Persistence : Superblock is persistent

    Update Time : Tue Mar 10 17:52:23 2009
          State : clean
 Active Devices : 4                              <==启动的（active）设备数量
Working Devices : 5                              <==可动作的设备数量
 Failed Devices : 0                              <==出现错误的设备数量
  Spare Devices : 1                              <==预备磁盘的数量

         Layout : left-symmetric
     Chunk Size : 64K

           UUID : 7c60c049:57d60814:bd9a77f1:57e49c5b <==此设备（RAID）标识符
         Events : 0.2

    Number   Major   Minor   RaidDevice State
       0       3       6        0      active sync   /dev/hda6
       1       3       7        1      active sync   /dev/hda7
       2       3       8        2      active sync   /dev/hda8
       3       3       9        3      active sync   /dev/hda9

       4       3      10        -      spare   /dev/hda10
# 最后五行就是这五个设备目前的情况，包括四个 active sync 一个 spare！
# 至于 RaidDevice 指的则是此 RAID 内的磁盘顺序
```

● 由于磁盘阵列的构建需要一些时间，所以最好等待数分钟后再使用 "mdadm --detail /dev/md0" 去查阅你的磁盘阵列详细信息,否则有可能看到某些磁盘正在"spare rebuilding"之类的构建字样。通过上面的命令，你就能够新建一个 RAID5 且含有一块 spare disk 的磁盘阵列。非常简单吧！除了命令之外，你也可以查阅如下的文件来看看系统软件磁盘阵列的情况：

```
[root@www ~]# cat /proc/mdstat
Personalities : [raid6] [raid5] [raid4]
md0 : active raid5 hda9[3] hda10[4](S) hda8[2] hda7[1] hda6[0]   <==第一行
      2963520 blocks level 5, 64k chunk, algorithm 2 [4/4] [UUUU] <==第二行

unused devices: <none>
```

● 上述的数据比较重要的在特别指出的第一行与第二行[注2]：
■ 第一行：指出 md0 为 raid 5，且使用了 hda9,hda8,hda7,hda6 四块磁盘设备。每个设备后

面的中括号[]内的数字为此磁盘在 RAID 中的顺序（RaidDevice）；至于 hda10 后面的[S]则代表 hda10 为 spare 之意。

- 第二行：此磁盘阵列拥有 2963520 个 block（每个 block 单位为 1KB），所以总容量约为 3GB，使用 RAID 5 等级，写入磁盘的小区块（chunk）大小为 64KB，使用 algorithm 2 磁盘阵列算法。[m/n]代表此数组需要 m 个设备，且 n 个设备正常运行。因此本 md0 需要 4 个设备且这 4 个设备均正常运行。后面的[UUUU]代表的是四个所需的设备（就是[m/n]里面的 m）的启动情况，U 代表正常运作，若为_则代表不正常。
- 这两种方法都可以知道目前的磁盘阵列状态。

◆ 格式化与挂载使用 RAID

- 接下来就是开始使用格式化工具。这部分就更简单了。

```
[root@www ~]# mkfs -t ext3 /dev/md0
# 有趣吧！是 /dev/md0 作为设备被格式化呢！

[root@www ~]# mkdir /mnt/raid
[root@www ~]# mount /dev/md0 /mnt/raid
[root@www ~]# df
Filesystem     1K-blocks     Used Available Use% Mounted on
/dev/hda2       9920624  3858820   5549736  42% /
/dev/hda1        101086    21408     74459  23% /boot
tmpfs            371332        0    371332   0% /dev/shm
/dev/hda3       4956316  1056996   3643488  23% /home
/dev/md0        2916920    69952   2698792   3% /mnt/raid
# 看吧！多了一个 /dev/md0 的设备，而且真的可以让你使用呢！
```

15.2.4 仿真 RAID 错误的救援模式

俗话说：天有不测风云、人有旦夕祸福！谁也不知道你的磁盘阵列内的设备啥时会出差错，因此，了解一下软件磁盘阵列的救援还是必需的。下面我们就来玩一玩救援的机制吧！首先来了解一下 mdadm 这方面的语法：

```
[root@www ~]# mdadm --manage /dev/md[0-9] [--add 设备] [--remove 设备] \
> [--fail 设备]
参数:
--add : 会将后面的设备加入到这个 md 中！
--remove : 会将后面的设备从这个 md 中删除。
--fail : 会将后面的设备设置成为出错的状态。
```

◆ 设置磁盘为错误 （fault）

- 首先，我们来处理一下，该如何让一个磁盘变成错误，然后让 sparedisk 自动开始重建系统呢？

```
# 1. 先复制一些东西到 /mnt/raid 去，假设这个 RAID 已经在使用了
[root@www ~]# cp -a /etc /var/log /mnt/raid
[root@www ~]# df /mnt/raid ; du -sm /mnt/raid/*
Filesystem     1K-blocks      Used Available Use% Mounted on
/dev/md0        2916920    188464   2580280   7% /mnt/raid
118    /mnt/raid/etc <==看吧！确实有数据在里面。
8      /mnt/raid/log
1      /mnt/raid/lost+found

# 2. 假设 /dev/hda8 这个设备出错了！实际模拟的方式:
[root@www ~]# mdadm --manage /dev/md0 --fail /dev/hda8
mdadm: set /dev/hda8 faulty in /dev/md0

[root@www ~]# mdadm --detail /dev/md0
```

```
....（前面省略）....
        State : clean, degraded, recovering
 Active Devices : 3
Working Devices : 4
 Failed Devices : 1  <==出错的磁盘有一个！
 Spare Devices : 1
....（中间省略）....
    Number   Major   Minor   RaidDevice State
      0        3        6        0      active sync   /dev/hda6
      1        3        7        1      active sync   /dev/hda7
      4        3       10        2      spare rebuilding   /dev/hda10
      3        3        9        3      active sync   /dev/hda9

      5        3        8        -      faulty spare   /dev/hda8
#这个操作要快速操作才会看到！ /dev/hda10 启动了而 /dev/hda8 死掉了

[root@www ~]# cat /proc/mdstat
Personalities : [raid6] [raid5] [raid4]
md0 : active raid5 hda9[3] hda10[4] hda8[5] (F) hda7[1] hda6[0]
      2963520 blocks level 5, 64k chunk, algorithm 2 [4/3] [UU_U]
      [>.......]  recovery =  0.8% (9088/987840) finish=14.3min speed=1136K/sec
```

- 上面的界面你得要快速连续输入那些 mdadm 的命令才看得到。因为你的 RAID 5 正在重建系统。若你等待一段时间再输入后面的查看命令，则会看到如下的界面了：

```
# 3. 已经通过 spare disk 重建完毕的 RAID 5 情况
[root@www ~]# mdadm --detail /dev/md0
....（前面省略）....
    Number   Major   Minor   RaidDevice State
      0        3        6        0      active sync   /dev/hda6
      1        3        7        1      active sync   /dev/hda7
      2        3       10        2      active sync   /dev/hda10
      3        3        9        3      active sync   /dev/hda9

      4        3        8        -      faulty spare   /dev/hda8

[root@www ~]# cat /proc/mdstat
Personalities : [raid6] [raid5] [raid4]
md0 : active raid5 hda9[3] hda10[2] hda8[4] (F) hda7[1] hda6[0]
      2963520 blocks level 5, 64k chunk, algorithm 2 [4/4] [UUUU]
```

- 看吧！又恢复正常了！我们的/mnt/raid 文件系统是完整的，并不需要卸除。
- ◆ 将出错的磁盘删除并加入新磁盘
  - 首先，我们再新建一个新的分区，这个分区要与其他分区一样大才好！然后再利用 mdadm 删除错误的并加入新的！

```
# 4. 新建新的分区
[root@www ~]# fdisk /dev/hda
Command (m for help): n
First cylinder (2668-5005, default 2668): <==这里按 [enter]
Using default value 2668
Last cylinder or +size or +sizeM or +sizeK (2668-5005, default 5005): +1000M

Command (m for help): w

[root@www ~]# partprobe
# 此时系统会多一个 /dev/hda11 的分区。

# 5. 加入新的拔除有问题的磁盘
[root@www ~]# mdadm --manage /dev/md0 --add /dev/hda11 --remove /dev/hda8
mdadm: added /dev/hda11
```

```
mdadm: hot removed /dev/hda8

[root@www ~]# mdadm --detail /dev/md0
....（前面省略）....
      0       3       6        0      active sync   /dev/hda6
      1       3       7        1      active sync   /dev/hda7
      2       3      10        2      active sync   /dev/hda10
      3       3       9        3      active sync   /dev/hda9

      4       3      11        -      spare   /dev/hda11
```

- 你的磁盘阵列内的数据不但一直存在，而且你可以一直顺利运行/mnt/raid 内的数据，即使/dev/hda8 损毁了！然后通过管理的功能就能够加入新磁盘且拔除坏掉的磁盘。注意，这一切都是在上线（on-line）的情况下进行。

15.2.5　开机自动启动 RAID 并自动挂载

新的 distribution 大多会自己查询/dev/md[0-9]，然后在开机的时候给予设置好所需要的功能。不过鸟哥还是建议你修改一下配置文件。software RAID 也是有配置文件的，这个配置文件在/etc/mdadm.conf 中。这个配置文件内容很简单，你只要知道/dev/md0 的 UUID 就能够设置这个文件了。这里鸟哥仅介绍它最简单的语法：

```
[root@www ~]# mdadm --detail /dev/md0 | grep -i uuid
       UUID : 7c60c049:57d60814:bd9a77f1:57e49c5b
# 后面那一串数据就是这个设备向系统注册的 UUID 标识符!

# 开始设置 mdadm.conf
[root@www ~]# vi /etc/mdadm.conf
ARRAY /dev/md0 UUID=7c60c049:57d60814:bd9a77f1:57e49c5b
#      RAID 设备       标识符内容

# 开始设置开机自动挂载并测试
[root@www ~]# vi /etc/fstab
/dev/md0    /mnt/raid    ext3    defaults     1 2

[root@www ~]# umount /dev/md0; mount -a
[root@www ~]# df /mnt/raid
Filesystem         1K-blocks     Used Available Use% Mounted on
/dev/md0             2916920   188464   2580280   7% /mnt/raid
# 你得确定可以顺利挂载，并且没有发生任何错误!
```

如果到这里都没有出现任何问题，接下来就请 reboot 你的系统并等待看看能否顺利启动。

15.2.6　关闭软件 RAID（重要!）

除非你将来就是要使用这块 softwareRAID（/dev/md0），否则你势必要跟鸟哥一样，将这个/dev/md0 关闭！因为它毕竟是我们在这个测试机上面的练习设备。为什么要关掉它呢？因为这个/dev/md0 其实还是使用到我们系统的磁盘分区，在鸟哥的例子里面就是/dev/hda{6,7,8,9,10,11}，如果你只是将/dev/md0 卸载，然后忘记将 RAID 关闭，结果就是将来你在重新分区/dev/hdaX 时可能会出现一些莫名的错误状况，所以才需要关闭 softwareRAID 的步骤。那如何关闭呢？也很简单。（请注意，确认你的/dev/md0 确实不要用且要关闭了才进行下面的操作。）

```
# 1. 先卸载且删除配置文件内与这个 /dev/md0 有关的设置:
[root@www ~]# umount /dev/md0
[root@www ~]# vi /etc/fstab
/dev/md0    /mnt/raid    ext3    defaults     1 2
```

```
# 将这一行删除掉，或者是批注掉也可以。

# 2. 直接关闭 /dev/md0 的方法。
[root@www ~]# mdadm --stop /dev/md0
mdadm: stopped /dev/md0 <==这样就关闭了！

[root@www ~]# cat /proc/mdstat
Personalities : [raid6] [raid5] [raid4]
unused devices: <none> <==看，确实不存在任何数组设备！

[root@www ~]# vi /etc/mdadm.conf
ARRAY /dev/md0 UUID=7c60c049:57d60814:bd9a77f1:57e49e5b
# 一样，删除它或是批注它！
```

> 在这个练习中，鸟哥使用同一块磁盘进行软件 RAID 的实验。不过朋友们要注意的是，如果真的要实作软件磁盘阵列，最好是由多块不同的磁盘来组成较佳！因为这样才能够使用到不同磁盘的读写，性能才会好。 而数据分配在不同的磁盘，当某块磁盘损毁时数据才能够通过其他磁盘挽救回来，这点得特别留意呢！

15.3　逻辑卷管理器 （**Logical Volume Manager**）

想象一个情况，你在当初规划主机的时候将/home 只给他 50GB，等到用户众多之后导致这个文件系统不够大，此时你能怎么做？ 多数的朋友都是这样：再加一块新硬盘，然后重新分区、格式化，将/home 的数据完整复制过来，然后将原本的分区卸除重新挂载新的分区。若是第二次分区分配的空间太多，导致很多磁盘空间被浪费了，你想要将这个分区缩小时，又该如何做？ 将上述的流程再做一遍！尤其花费时间，有没有更简单的方法呢？ 有的，那就是我们这个小节要介绍的 LVM。

LVM 的重点在于可以弹性调整文件系统的容量！而并非在于性能与数据保全上面。需要文件的读写性能或者是数据的可靠性，请参考前面的 RAID 小节。LVM 可以整合多个物理分区在一起，让这些分区看起来就像是一个磁盘一样，而且，还可以在将来将其他的物理分区或将其从这个 LVM 管理的磁盘当中删除。如此一来，整个磁盘空间的使用上，实在是相当具有弹性。既然 LVM 这么好用，那就让我们来瞧瞧这玩意吧！

15.3.1　什么是 LVM：PV,PE,VG,LV 的意义

LVM 的全名是 Logical Volume Manager，中文可以翻译作逻辑卷管理器。之所以称为"卷"可能是因为可以将文件系统像卷一样伸长或缩短之故吧！ LVM 的作法是将几个物理的分区（或磁盘）通过软件组合成为一块看起来是独立的大磁盘(VG)，然后将这块大磁盘再经过分成为可使用分区(LV)，最终就能够挂载使用了。但是为什么这样的系统可以进行文件系统的扩充或缩小呢？ 其实与一个称为 PE 的选项有关，下面我们就得要针对这几个选项来好好聊聊。

◆ PhysicalVolume,PV,物理卷

● 我们实际的分区需要调整系统标识符（ system ID ）成为 8e （ LVM 的标识符 ），然后再经过 pvcreate 的命令将它转成 LVM 最底层的物理卷（ PV ），之后才能够将这些 PV 加以利用，调整 system ID 的方是就是通过 fdisk。

◆ Volume Group,VG,卷用户组

● 所谓的 LVM 大磁盘就是将许多 PV 整合成这个 VG，所以 VG 就是 LVM 组合起来的大磁盘。那么这

个大磁盘最大可以达到多少容量呢? 这与下面要说明的 PE 有关,因为每个 VG 最多仅能包含 65534 个 PE 而已。如果使用 LVM 默认的参数,则一个 VG 最大可达 256GB 的容量(参考下面的 PE 说明)。

◆ Physical Extend,PE,物理扩展块
  ● LVM 默认使用 4MB 的 PE 块,而 LVM 的 VG 最多仅能含有 65534 个 PE,因此默认的 LVMVG 会有 4M*65534/(1024M/G)=256G。这个 PE 很有趣。它是整个 LVM 最小的存储块,也就是说,其实我们的文件数据都是由写入 PE 来处理的。简单地说,**这个 PE 就有点像文件系统里面的 block 大小**。这样说应该就比较好理解了吧? 所以调整 PE 会影响到 VG 的最大容量。

◆ Logical Volume,LV,逻辑卷
  ● 最终的 VG 还会被切成 LV,这个 LV 就是最后可以被格式化使用的类似分区。那么 LV 是否可以随意指定大小呢? 当然不可以。既然 PE 是整个 LVM 的最小存储单位,那么 LV 的大小就与在此 LV 内的 PE 总数有关。为了方便用户利用 LVM 来管理其系统,因此 LV 的设备文件名通常指定为 "/dev/vgname/lvname" 的样式!
  ● 此外,我们刚才有谈到 LVM 可弹性更改文件系统的容量,那是如何办到的? 其实它就是通过交换 PE 来进行数据转换,将原本 LV 内的 PE 移转到其他设备中以降低 LV 容量,或将其他设备的 PE 加到此 LV 中以加大容量。VG、LV 与 PE 的关系如图 15-6 所示。

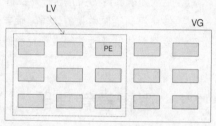

图 15-6 PE 与 VG 的相关性图示

  ● 如上图所示, VG 内的 PE 会分给虚线部分的 LV,如果将来这个 VG 要扩充的话,加上其他的 PV 即可。而最重要的 LV 如果要扩充的话,也是通过加入 VG 内没有使用到的 PE 来扩充的!

◆ 实现流程
  ● 通过 PV,VG,LV 的规划之后,再利用 mkfs 就可以将你的 LV 格式化成为可以利用的文件系统了,而且这个文件系统的容量在将来还能够进行扩充或减少,里面的数据还不会被影响。实在是很有 "福气" 啦! 那实现方面要如何进行呢? 很简单,整个流程由基础到最终的结果可以这样,如图 15-7 所示。

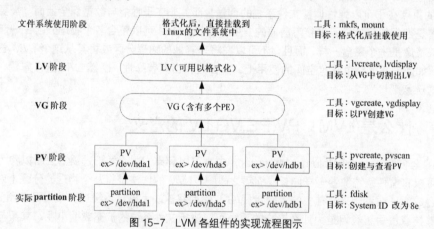

图 15-7 LVM 各组件的实现流程图示

  ● 如此一来,我们就可以利用 LV 来进行系统的挂载了。不过,你应该要觉得奇怪的是,**那么我的数据写入这个 LV 时,到底它是怎么写入硬盘当中的?** 其实,依据写入机制的不同,而有两种方式:
    ■ 线性模式 (linear):假如我将/dev/hda1,/dev/hdb1 这两个分区加入到 VG 当中,并且整个 VG 只有一个 LV 时,那么所谓的线性模式就是当/dev/hda1 的容量用完之后, /dev/hdb1 的硬盘才会被使用到,这也是我们所建议的模式。
    ■ 交错模式 (triped):那什么是交错模式? 很简单,就是我将一条数据拆成两部分, 分别写入

/dev/hda1 与/dev/hdb1 的意思，感觉上有点像 RAID 0。如此一来，一份数据用两块硬盘来写入，理论上，读写的性能会比较好。

- 基本上，LVM 最主要的用处是在实现一个可以弹性调整容量的文件系统上，而不是在新建一个性能为主的磁盘上，所以，我们应该利用的是 LVM 可以弹性管理整个分区大小的用途上，而不是着眼在性能上的。因此，LVM 默认的读写模式是线性模式。如果你使用 triped 模式，要注意，当任何一个分区"归天"时，所有的数据都会"损坏"。所以，不是很适合使用这种模式。如果要强调性能与备份，那么就直接使用 RAID 即可，不需要用到 LVM。

15.3.2　LVM 实作流程

LVM 必须要有内核支持且需要安装 lvm2 这个软件，好在的是，CentOS 与其他较新的 distributions 已经默认将 LVM 的支持与软件都安装妥当了，所以你不需要担心这方面的问题。

鸟哥使用的测试机又要出动了，刚才我们才练习过 RAID，必须要将一堆目前没有用到的分区先删除，然后再重建新的分区，并且由于鸟哥仅有一个 40GB 的磁盘，所以下面的练习都仅针对同一块磁盘来做的。我的要求有点像这样：

- 先分出 4 个分区，每个分区的容量均为 1.5GB 左右，且 systemID 需要为 8e；
- 全部的分区整合成为一个 VG，VG 名称设置为 vbirdvg；且 PE 的大小为 16MB；
- 全部的 VG 容量都丢给 LV，LV 的名称设置为 vbirdlv；
- 最终这个 LV 格式化为 ext3 的文件系统，且挂载在/mnt/lvm 中。

鸟哥就不仔细介绍物理分区了，请你自行参考第 8 章的 fdisk 来达成下面的范例。（注意：修改系统标识符请使用 t 这个 fdisk 内的命令来处理即可。）

```
[root@www ~]# fdisk /dev/hda   <==其他流程请自行参考第 8 章处理
[root@www ~]# partprobe        <==别忘记这个操作了，很重要！
[root@www ~]# fdisk -l
Disk /dev/hda: 41.1 GB, 41174138880 bytes
255 heads, 63 sectors/track, 5005 cylinders
Units = cylinders of 16065 * 512 = 8225280 bytes

  Device Boot      Start         End      Blocks   Id  System
/dev/hda1   *         1          13      104391   83  Linux
/dev/hda2            14        1288    10241437+  83  Linux
/dev/hda3          1289        1925     5116702+  83  Linux
/dev/hda4          1926        5005    24740100    5  Extended
/dev/hda5          1926        2052     1020096   82  Linux swap / Solaris
/dev/hda6          2053        2235     1469916   8e  Linux LVM
/dev/hda7          2236        2418     1469916   8e  Linux LVM
/dev/hda8          2419        2601     1469916   8e  Linux LVM
/dev/hda9          2602        2784     1469916   8e  Linux LVM
```

上面的 /dev/hda{6,7,8,9} 这四个分区就是我们的物理分区。也就是下面会实际用到的信息。注意看，那个 8e 的出现会导致 system 变成"Linux LVM"。其实没有设置成为 8e 也没关系，不过某些 LVM 的检测命令可能会检测不到该分区。接下来，就一个一个处理各流程吧！

- PV 阶段
  - 要新建 PV 其实很简单，只要直接使用 pvcreate 即可。我们来谈一谈与 PV 有关的命令。
    - pvcreate：将物理分区新建成为 PV；
    - pvscan：查询目前系统里面任何具有 PV 的磁盘；
    - pvdisplay：显示出目前系统上面的 PV 状态；
    - pvremove：将 PV 属性删除，让该分区不具有 PV 属性。
  - 那就直接来瞧一瞧吧！

```
# 1. 检查有无 PV 在系统上，然后将 /dev/hda6~/dev/hda9 新建成为 PV 格式
[root@www ~]# pvscan
  No matching physical volumes found <==找不到任何的 PV 存在。

[root@www ~]# pvcreate /dev/hda{6,7,8,9}
  Physical volume "/dev/hda6" successfully created
  Physical volume "/dev/hda7" successfully created
  Physical volume "/dev/hda8" successfully created
  Physical volume "/dev/hda9" successfully created
# 这个命令可以一口气新建四个分区成为 PV 。注意大括号的用途

[root@www ~]# pvscan
  PV /dev/hda6          lvm2 [1.40 GB]
  PV /dev/hda7          lvm2 [1.40 GB]
  PV /dev/hda8          lvm2 [1.40 GB]
  PV /dev/hda9          lvm2 [1.40 GB]
  Total: 4 [5.61 GB] / in use: 0 [0   ] / in no VG: 4 [5.61 GB]
# 这就分别显示每个 PV 的信息与系统所有 PV 的信息。尤其最后一行，显示的是:
# 整体 PV 的量 / 已经被使用到 VG 的 PV 量 / 剩余的 PV 量

# 2. 更详细列出系统上面每个 PV 的信息:
[root@www ~]# pvdisplay
  "/dev/hda6" is a new physical volume of "1.40 GB"
  --- NEW Physical volume ---
  PV Name               /dev/hda6  <==实际的分区设备名称
  VG Name                          <==因为尚未分配出去，所以空白!
  PV Size               1.40 GB    <==就是容量说明
  Allocatable           NO         <==是否已被分配，结果是 NO
  PE Size（KByte）      0           <==在此 PV 内的 PE 大小
  Total PE              0          <==共分出几个 PE
  Free PE               0          <==没被 LV 用掉的 PE
  Allocated PE          0          <==尚可分配出去的 PE 数量
  PV UUID               Z13Jk5-RCls-UJ8B-HzDa-Gesn-atku-rf2biN
....（下面省略）....
# 由于 PE 是在新建 VG 时才给予的参数，因此在这里看到的 PV 里面的 PE 都会是 0
# 而且也没有多余的 PE 可供分配（allocatable）。
```

- 讲是很难，做却很简单。这样就将 PV 新建了两个。

◆ VG 阶段

- 新建 VG 及 VG 相关的命令也不少，我们来看看:
  - vgcreate：就是主要新建 VG 的命令，它的参数比较多，等一下介绍。
  - vgscan：查找系统上面是否有 VG 存在;
  - vgdisplay：显示目前系统上面的 VG 状态;
  - vgextend：在 VG 内增加额外的 PV;
  - vgreduce：在 VG 内删除 PV;
  - vgchange：设置 VG 是否启动（active）;
  - vgremove：删除一个 VG。
- 与 PV 不同的是，VG 的名称是自定义的! 我们知道 PV 的名称其实就是分区的设备文件名，但是这个 VG 名称则可以随便你自己取。在下面的例子当中，我将 VG 名称取名为 vbirdvg。新建这个 VG 的流程是这样的:

```
[root@www~]# vgcreate [-s N[mgt]] VG名称 PV名称
参数:
-s : 后面接 PE 的大小（size），单位可以是 m, g, t（大小写均可）

# 1. 将 /dev/hda6-8 新建成为一个 VG，且指定 PE 为 16MB。
[root@www ~]# vgcreate -s 16M vbirdvg /dev/hda{6,7,8}
```

```
 Volume group "vbirdvg" successfully created

[root@www ~]# vgscan
  Reading all physical volumes.  This may take a while...
  Found volume group "vbirdvg" using metadata type lvm2
# 确实存在这个 vbirdvg 的 VG 啦!

[root@www ~]# pvscan
  PV /dev/hda6   VG vbirdvg   lvm2 [1.39 GB / 1.39 GB free]
  PV /dev/hda7   VG vbirdvg   lvm2 [1.39 GB / 1.39 GB free]
  PV /dev/hda8   VG vbirdvg   lvm2 [1.39 GB / 1.39 GB free]
  PV /dev/hda9                lvm2 [1.40 GB]
  Total: 4 [5.57 GB] / in use: 3 [4.17 GB] / in no VG: 1 [1.40 GB]
#发现没? 有三个 PV 被用掉, 剩下一个 /dev/hda9 的 PV 没被用掉!

[root@www ~]# vgdisplay
  --- Volume group ---
  VG Name               vbirdvg
  System ID
  Format                lvm2
  Metadata Areas        3
  Metadata Sequence No  1
  VG Access             read/write
  VG Status             resizable
  MAX LV                0
  Cur LV                0
  Open LV               0
  Max PV                0
  Cur PV                3
  Act PV                3
  VG Size               4.17 GB    <==整体的 VG 容量有这么大
  PE Size               16.00 MB   <==内部每个 PE 的大小
  Total PE              267        <==总共的 PE 数量共有这么多!
  Alloc PE / Size       0 / 0
  Free  PE / Size       267 / 4.17 GB
  VG UUID               4VU5Jr-gwOq-jkga-sUPx-vWPu-PmYm-dZH9EO
# 最后那三行指的就是 PE 能够使用的情况! 由于尚未切出 LV, 因此所有的 PE
# 均可自由使用。
```

- 这样就新建一个 VG 了，假设我们要增加这个 VG 的容量，因为我们还有/dev/hda9。此时你可以这样做：

```
# 2. 将剩余的 PV (/dev/hda9) 丢给 vbirdvg 吧!
[root@www ~]# vgextend vbirdvg /dev/hda9
  Volume group "vbirdvg" successfully extended

[root@www ~]# vgdisplay
....(前面省略)....
  VG Size               5.56 GB
  PE Size               16.00 MB
  Total PE              356
  Alloc PE / Size       0 / 0
  Free  PE / Size       356 / 5.56 GB
  VG UUID               4VU5Jr-gwOq-jkga-sUPx-vWPu-PmYm-dZH9EO
# 基本上, 不难吧? 这样就可以抽换整个 VG 的大小。
```

- 我们多了一个设备。接下来为这个 vbirdvg 进行分区。通过 LV 功能来处理！

◆ LV 阶段
- 创造出 VG 这个大磁盘之后，再来就是要新建分区。这个分区就是所谓的 LV。假设我要将刚才那个 vbirdvg 磁盘分成为 vbirdlv，整个 VG 的容量都被分配到 vbirdlv 里面去。先来看看能使用的命令后，就直接工作了先！

- lvcreate：新建 LV；
- lvscan：查询系统上面的 LV；
- lvdisplay：显示系统上面的 LV 状态；
- lvextend：在 LV 里面增加容量；
- lvreduce：在 LV 里面减少容量；
- lvremove：删除一个 LV；
- lvresize：对 LV 进行容量大小的调整。

```
[root@www ~]# lvcreate [-L N[mgt]] [-n LV名称] VG名称
[root@www ~]# lvcreate [-l N] [-n LV名称] VG名称
参数：
-L ：后面接容量，容量的单位可以是 M,G,T 等，要注意的是，最小单位为 PE，
     因此这个数量必须要是 PE 的倍数，若不相符，系统会自行计算最近的容量。
-l ：后面可以接 PE 的"个数"，而不是数量。若要这么做，得要自行计算 PE 数。
-n ：后面接的就是 LV 的名称。
更多的说明应该可以自行查阅 man lvcreate 吧！


# 1. 将整个 vbirdvg 全部分配给 vbirdlv，要注意，PE 共有 356 个。
[root@www ~]# lvcreate -l 356 -n vbirdlv vbirdvg
  Logical volume "vbirdlv" created
# 由于本案例中每个 PE 为 16MB ，因此上述的命令也可以使用如下的方式来新建：
# lvcreate -L 5.56G -n vbirdlv vbirdvg


[root@www ~]# ll /dev/vbirdvg/vbirdlv
lrwxrwxrwx 1 root root 27 Mar 11 16:49 /dev/vbirdvg/vbirdlv ->
/dev/mapper/vbirdvg-vbirdlv


[root@www ~]# lvdisplay
  --- Logical volume ---
  LV Name                /dev/vbirdvg/vbirdlv  <==这个才是 LV 的全名！
  VG Name                vbirdvg
  LV UUID                8vFOPG-Jrw0-Runh-ug24-t2j7-i3nA-rPEyq0
  LV Write Access         read/write
  LV Status              available
  # open                 0
  LV Size                5.56 GB              <==这个 LV 的容量这么大！
  Current LE             356
  Segments               4
  Allocation             inherit
  Read ahead sectors      auto
  - currently set to      256
  Block device           253:0
```

- 如此一来，整个分区也准备好了。接下来，就是针对这个 LV 来处理。要特别注意的是，VG 的名称为 vbirdvg，但是 LV 的名称必须使用全名！即是/dev/vbirdvg/vbirdlv 才对。后续的处理都是这样的！这点初次接触 LVM 的朋友很容易搞错！

◆ **文件系统阶段**
  - 这个部分鸟哥我就不再多加解释了，直接来操作吧！

```
# 1. 格式化、挂载与查看我们的 LV 吧！
[root@www ~]# mkfs -t ext3 /dev/vbirdvg/vbirdlv <==注意 LV 全名！
[root@www ~]# mkdir /mnt/lvm
[root@www ~]# mount /dev/vbirdvg/vbirdlv /mnt/lvm
[root@www ~]# df
Filesystem         1K-blocks     Used Available Use% Mounted on
/dev/hda2           9920624  3858984   5549572  42% /
/dev/hda3           4956316  1056996   3643488  23% /home
```

```
/dev/hda1            101086      21408    74459  23% /boot
tmpfs               371332          0   371332   0% /dev/shm
/dev/mapper/vbirdvg-vbirdlv
                    5741020     142592  5306796   3% /mnt/lvm
[root@www ~]# cp -a /etc /var/log /mnt/lvm
```

- 其实 LV 的名称构建成为/dev/vbirdvg/vbirdlv 是为了让用户直观地找到我们所需要的数据，实际上 LVM 使用的设备是放置到/dev/mapper/目录下的！所以你才会看到上面的特殊字体部分。通过这样的功能，我们现在已经构建好一个 LV 了。你可以自由应用/mnt/lvm 内的所有资源！

15.3.3　放大 LV 容量

我们不是说 LVM 最大的特色就是弹性调整磁盘容量吗？好！那我们就来处理一下，如果要放大 LV 的容量时，该如何进行完整的步骤呢？其实一点都不难。你只要这样做即可：

1. 用 fdisk 设置新的具有 8e systemID 的分区；
2. 利用 pvcreate 构建 PV；
3. 利用 vgextend 将 PV 加入我们的 vbirdvg；
4. 利用 lvresize 将新加入的 PV 内的 PE 加入 vbirdlv 中；
5. 通过 resize2fs 将文件系统的容量确实增加！

其中最后一个步骤最重要，我们在第 8 章当中知道，整个文件系统在最初格式化的时候就新建了 inode/block/superblock 等信息，要改变这些信息是很难的。不过因为文件系统格式化的时候新建的是多个 block group，因此我们可以通过在文件系统当中增加 block group 的方式来增减文件系统的量，而增减 block group 就是利用 resize2fs。所以最后一步是针对文件系统来处理的，前面几步则是针对 LVM 的实际容量大小！

```
# 1. 处理出一个 3GB 的新的分区，在鸟哥的系统中应该是 /dev/hda10
[root@www ~]# fdisk /dev/hda <==其他的操作请自行处理
[root@www ~]# partprobe
[root@www ~]# fdisk -l
  Device Boot    Start       End      Blocks   Id  System
....（中间省略）....
/dev/hda10        2785      3150   2939863+   8e  Linux LVM
# 这个就是我们要的新的分区。

# 2. 新建新的 PV:
[root@www ~]# pvcreate /dev/hda10
  Physical volume "/dev/hda10" successfully created
[root@www ~]# pvscan
  PV /dev/hda6    VG vbirdvg   lvm2 [1.39 GB / 0    free]
  PV /dev/hda7    VG vbirdvg   lvm2 [1.39 GB / 0    free]
  PV /dev/hda8    VG vbirdvg   lvm2 [1.39 GB / 0    free]
  PV /dev/hda9    VG vbirdvg   lvm2 [1.39 GB / 0    free]
  PV /dev/hda10                lvm2 [2.80 GB]
  Total: 5 [8.37 GB] / in use: 4 [5.56 GB] / in no VG: 1 [2.80 GB]
# 可以看到 /dev/hda10 是新加入并且尚未被使用的。

# 3. 加大 VG，利用 vgextend 功能！
[root@www ~]# vgextend vbirdvg /dev/hda10
  Volume group "vbirdvg" successfully extended
[root@www ~]# vgdisplay
  --- Volume group ---
  VG Name               vbirdvg
  System ID
  Format                lvm2
  Metadata Areas        5
```

```
  Metadata Sequence No  4
  VG Access             read/write
  VG Status             resizable
  MAX LV                0
  Cur LV                1
  Open LV               1
  Max PV                0
  Cur PV                5
  Act PV                5
  VG Size               8.36 GB
  PE Size               16.00 MB
  Total PE              535
  Alloc PE / Size       356 / 5.56 GB
  Free  PE / Size       179 / 2.80 GB
  VG UUID               4VU5Jr-gwOq-jkga-sUPx-vWPu-PmYm-dZH9EO
# 不但整体 VG 变大了! 而且剩余的 PE 共有 179 个，容量则为 2.80G

# 4. 放大 LV 吧! 利用 lvresize 的功能来增加!
[root@www ~]# lvresize -l +179 /dev/vbirdvg/vbirdlv
  Extending logical volume vbirdlv to 8.36 GB
  Logical volume vbirdlv successfully resized
# 这样就增加了 LV 了。lvresize 的语法很简单，基本上同样通过 -l 或 -L 来增加!
# 若要增加则使用 + ，若要减少则使用 - ! 详细的参数请参考 man lvresize 。

[root@www ~]# lvdisplay
  --- Logical volume ---
  LV Name               /dev/vbirdvg/vbirdlv
  VG Name               vbirdvg
  LV UUID               8vFOPG-Jrw0-Runh-ug24-t2j7-i3nA-rPEyq0
  LV Write Access        read/write
  LV Status             available
  # open                1
  LV Size               8.36 GB
  Current LE            535
  Segments              5
  Allocation            inherit
  Read ahead sectors    auto
  - currently set to    256
  Block device          253:0

[root@www ~]# df /mnt/lvm
Filesystem            1K-blocks      Used Available Use% Mounted on
/dev/mapper/vbirdvg-vbirdlv
                      5741020    261212   5188176   5% /mnt/lvm
```

　　看到了吧? 最终的结果中 LV 真的有放大到 8.36GB，但是文件系统却没有相对增加。而且，我们的 LVM 可以在线直接处理，并不需要特别给它 umount。真是人性化，但是还是得要处理一下文件系统的容量。开始查看一下文件系统，然后使用 resize2fs 来处理一下吧!

```
# 5.1 先看一下原本的文件系统内的 superblock 记录情况吧!
[root@www ~]# dumpe2fs /dev/vbirdvg/vbirdlv
dumpe2fs 1.39 (29-May-2006)
....（中间省略）....
Block count:          1458176      <==这个文件系统的 block 总数
....（中间省略）....
Blocks per group:        32768      <==多少个 block 设置成为一个 block group
Group 0: (Blocks 0-32767)           <==括号内为 block 的号码
....（中间省略）....
Group 44: (Blocks 1441792-1458175)  <==这是本系统中最后一个 group
....（后面省略）....
```

```
# 5.2 resize2fs 的语法
[root@www ~]# resize2fs [-f] [device] [size]
参数：
-f      : 强制进行 resize 的操作。
[device]: 设备的文件名。
[size]  : 可以加也可以不加。如果加上 size 的话，那么就必须要给予一个单位，
          譬如 M, G 等。如果没有 size 的话，那么默认使用整个分区
          的容量来处理！

# 5.3 完整地将 LV 的容量扩充到整个文件系统。
[root@www ~]# resize2fs /dev/vbirdvg/vbirdlv
resize2fs 1.39 (29-May-2006)
Filesystem at /dev/vbirdvg/vbirdlv is mounted on /mnt/lvm; on-line resizing
Performing an on-line resize of /dev/vbirdvg/vbirdlv to 2191360 (4k) blocks.
The filesystem on /dev/vbirdvg/vbirdlv is now 2191360 blocks long.
# 可怕吧！这一版的 lvm 竟然还可以在线进行 resize 的功能。


[root@www ~]# df /mnt/lvm
Filesystem          1K-blocks      Used Available Use% Mounted on
/dev/mapper/vbirdvg-vbirdlv
                      8628956    262632   7931368   4% /mnt/lvm
[root@www ~]# ll /mnt/lvm
drwxr-xr-x 105 root root 12288 Mar 11 16:59 etc
drwxr-xr-x  17 root root  4096 Mar 11 14:17 log
drwx------   2 root root 16384 Mar 11 16:59 lost+found
# 刚才复制进去的数据可还是存在的，并没有消失不见！
```

　　真的放大了吧！而且如果你已经有填数据在 LVM 扇区当中的话，这个数据是不会死掉的。还是继续存在原本的扇区当中啦！整个操作竟然这么简单就完成了，原本的数据还是一直存在而不会消失。你说 LVM 好不好用啊？

　　此外，如果你再以 dumpe2fs 来检查/dev/vbirdvg/vbirdlv 时，就会发现后续的 group 增加了。如果还是搞不清楚什么是 blockgroup 时，请回到第 8 章看一下该章内图 8-3 的介绍。

15.3.4　缩小 LV 容量

　　上一小节我们谈到的是放大容量，现在来谈到的是缩小容量。假设我们想将/dev/hda6 抽离出来。那该如何处理啊？就让上一小节的流程倒转过来即可，我们就直接来玩吧！

```
# 1. 先找出 /dev/hda6 的容量大小，并尝试计算文件系统需缩小到多少
[root@www ~]# pvdisplay
  --- Physical volume ---
  PV Name               /dev/hda6
  VG Name               vbirdvg
  PV Size               1.40 GB / not usable 11.46 MB
  Allocatable           yes (but full)
  PE Size (KByte)       16384
  Total PE              89
  Free PE               0
  Allocated PE          89
  PV UUID               Z13Jk5-RCls-UJ8B-HzDa-Gesn-atku-rf2biN
# 从这里可以看出 /dev/hda6 有多大，而且含有 89 个 PE 的量。
# 那如果要使用 resize2fs 时，则总量减去 1.40GB 就对了！

[root@www ~]# pvscan
  PV /dev/hda6   VG vbirdvg   lvm2 [1.39 GB / 0     free]
  PV /dev/hda7   VG vbirdvg   lvm2 [1.39 GB / 0     free]
  PV /dev/hda8   VG vbirdvg   lvm2 [1.39 GB / 0     free]
  PV /dev/hda9   VG vbirdvg   lvm2 [1.39 GB / 0     free]
```

```
 PV /dev/hda10   VG vbirdvg   lvm2 [2.80 GB / 0    free]
 Total: 5 [8.36 GB] / in use: 5 [8.36 GB] / in no VG: 0 [0   ]
# 从上面可以发现如果扣除 /dev/hda6 则剩余容量有: 1.39×3+2.8=6.97

# 2. 直接降低文件系统的容量。
[root@www ~]# resize2fs /dev/vbirdvg/vbirdlv 6900M
resize2fs 1.39 (29-May-2006)
Filesystem at /dev/vbirdvg/vbirdlv is mounted on /mnt/lvm; on-line resizing
On-line shrinking from 2191360 to 1766400 not supported.
# 容量好像不能够写小数点位数，因此 6.9GB 是错误的，鸟哥就使用 6900MB 了。
# 此外，放大可以在线直接进行，缩小文件系统似乎无法支持。所以要这样做:

[root@www ~]# umount /mnt/lvm
[root@www ~]# resize2fs /dev/vbirdvg/vbirdlv 6900M
resize2fs 1.39 (29-May-2006)
Please run 'e2fsck -f /dev/vbirdvg/vbirdlv' first.
# 它要我们先进行磁盘检查，那就直接进行吧!

[root@www ~]# e2fsck -f /dev/vbirdvg/vbirdlv
e2fsck 1.39 (29-May-2006)
Pass 1: Checking inodes, blocks, and sizes
Pass 2: Checking directory structure
Pass 3: Checking directory connectivity
Pass 4: Checking reference counts
Pass 5: Checking group summary information
/dev/vbirdvg/vbirdlv: 2438/1087008 files (0.1% non-contiguous),

[root@www ~]# resize2fs /dev/vbirdvg/vbirdlv 6900M
resize2fs 1.39 (29-May-2006)
Resizing the filesystem on /dev/vbirdvg/vbirdlv to 1766400 (4k) blocks.
The filesystem on /dev/vbirdvg/vbirdlv is now 1766400 blocks long.
# 再来 resize2fs 一次就能够成功了，如上所示。

[root@www ~]# mount /dev/vbirdvg/vbirdlv /mnt/lvm
[root@www ~]# df /mnt/lvm
Filesystem          1K-blocks    Used Available Use% Mounted on
/dev/mapper/vbirdvg-vbirdlv
                     6955584   262632   6410328   4% /mnt/lvm
```

　　然后就是将 LV 的容量降低。要注意的是，我们想要抽离的是/dev/hda6，这个 PV 有 89 个 PE(上面的 pvdisplay 查询到的结果)。所以要这样进行:

```
# 3. 降低 LV 的容量，同时我们知道 /dev/hda6 有 89 个 PE
[root@www ~]# lvresize -l -89 /dev/vbirdvg/vbirdlv
 WARNING: Reducing active and open logical volume to 6.97 GB
 THIS MAY DESTROY YOUR DATA (filesystem etc.)
Do you really want to reduce vbirdlv? [y/n]: y
 Reducing logical volume vbirdlv to 6.97 GB
 Logical volume vbirdlv successfully resized
# 会有警告信息。但是我们的实际数据量还是比 6.97GB 小，所以就按 y 吧!

[root@www ~]# lvdisplay
 --- Logical volume ---
 LV Name               /dev/vbirdvg/vbirdlv
 VG Name               vbirdvg
 LV UUID               8vFOPG-Jrw0-Runh-ug24-t2j7-i3nA-rPEyq0
 LV Write Access       read/write
 LV Status             available
 # open                1
 LV Size               6.97 GB
 Current LE            446
 Segments              5
 Allocation            inherit
 Read ahead sectors    auto
```

```
 - currently set to     256
 Block device           253:0
```

很简单，这样就将 LV 缩小了。接下来就要将/dev/hda6 移出 vbirdvg 这个 VG 之外。我们得要先确定/dev/hda6 里面的 PE 完全不被使用后才能够将/dev/hda6 抽离。所以得要这样进行：

```
# 4.1 先确认 /dev/hda6 是否将 PE 都删除了！
[root@www ~]# pvdisplay
 --- Physical volume ---
 PV Name               /dev/hda6
 VG Name               vbirdvg
 PV Size               1.40 GB / not usable 11.46 MB
 Allocatable           yes (but full)
 PE Size（KByte）      16384
 Total PE              89
 Free PE               0
 Allocated PE          89
 PV UUID               Z13Jk5-RCls-UJ8B-HzDa-Gesn-atku-rf2biN
....（中间省略）....

 --- Physical volume ---
 PV Name               /dev/hda10
 VG Name               vbirdvg
 PV Size               2.80 GB / not usable 6.96 MB
 Allocatable           yes
 PE Size（KByte）      16384
 Total PE              179
 Free PE               89
 Allocated PE          90
 PV UUID               7MfcG7-y9or-0Jmb-H7RO-5Pa5-D3qB-G426Vq
# 搞了老半天，没有被使用的 PE 竟然在 /dev/hda10 。此时得要转移 PE 。

[root@www ~]# pvmove /dev/hda6 /dev/hda10
# pvmove 来源 PV 目标 PV ，可以将 /dev/hda6 内的 PE 全部移动到 /dev/hda10
# 尚未被使用的 PE 去（Free PE）。

# 4.2 将 /dev/hda6 移出 vbirdvg 中！
[root@www ~]# vgreduce vbirdvg /dev/hda6
 Removed "/dev/hda6" from volume group "vbirdvg"

[root@www ~]# pvscan
 PV /dev/hda7   VG vbirdvg   lvm2 [1.39 GB / 0    free]
 PV /dev/hda8   VG vbirdvg   lvm2 [1.39 GB / 0    free]
 PV /dev/hda9   VG vbirdvg   lvm2 [1.39 GB / 0    free]
 PV /dev/hda10  VG vbirdvg   lvm2 [2.80 GB / 0    free]
 PV /dev/hda6                lvm2 [1.40 GB]
 Total: 5 [8.37 GB] / in use: 4 [6.97 GB] / in no VG: 1 [1.40 GB]

[root@www ~]# pvremove /dev/hda6
 Labels on physical volume "/dev/hda6" successfully wiped
```

很有趣吧！这样你的文件系统以及实际的 LV 与 VG 全部变小了，而且那个/dev/hda6 还真的可以拿出来，可以进行其他的用途，非常简单吧！

15.3.5 LVM 的系统快照

现在你知道 LVM 的好处了，将来如果你有想要增加某个 LVM 的容量时，就可以通过这个放大、缩小的功能来处理。那么 LVM 除了这些功能之外，还有什么能力呢？其实它还有一个重要的功能，那就是系统快照（snapshot）。什么是系统快照啊？快照就是将当时的系统信息记录下来，就好像照相记录一般。将来若有任何数据改动了，则原始数据会被移到快照区，没有被改动的区域则由快照区与文件系统共享。讲解好像很难懂，我们用图 15-8 说明一下好了。

图 15-8　LVM 系统快照区域的备份示意图（虚线为文件系统，长虚线为快照区）

　　左图为最初建立系统快照区的状况，LVM 会预留一个区域（左图的左端三个 PE 区块）作为数据存放处。此时快照区内并没有任何数据，而快照区与系统区共享所有的 PE 数据，因此你会看到快照区的内容与文件系统是一模一样的。等到系统运行一阵子后，假设 A 区域的数据被改动了（上面右图所示），则改动前系统会将该区域的数据移动到快照区，所以在右图的快照被占用了一块 PE 成为 A，而其他 B 到 I 的区块则还是与文件系统共享！

　　照这样的情况来看，LVM 的系统快照是非常棒的备份工具，因为它只有备份有被改动的数据，文件系统内没有被更改的数据依旧保持在原本的区块内，但是 LVM 快照功能会知道那些数据放置在哪里，因此"快照"当时的文件系统就得以"备份"下来，且快照所占用的容量又非常小。所以你说，这不是很棒的工具又是什么？

　　那么快照区要如何创建与使用呢？首先，由于快照区与原本的 LV 共享很多 PE 区块，因此快照区与被快照的 LV 必须要在同一个 VG 上面。但是我们刚才将/dev/hda6 删除 vbirdvg 了，目前 vbirdvg 剩下的容量为 0。因此，在这个小节里面我们得要再加入/dev/hda6 到我们的 VG 后，才能继续新建快照区。如下面的练习来说明。

◆　快照区的新建

● 下面的操作主要增加需要的 VG 容量，然后再通过 lvcreate –s 的功能新建快照区。

```
# 1. 先查看 VG 还剩下多少剩余容量
[root@www ~]# vgdisplay
  --- Volume group ---
  VG Name               vbirdvg
....（其他省略）....
  VG Size               6.97 GB
  PE Size               16.00 MB
  Total PE              446
  Alloc PE / Size       446 / 6.97 GB
  Free  PE / Size       0 / 0   <==没有多余的 PE 可用！

# 2. 将刚才删除的 /dev/hda6 加入这个 VG 。
[root@www ~]# pvcreate /dev/hda6
  Physical volume "/dev/hda6" successfully created
[root@www ~]# vgextend vbirdvg /dev/hda6
  Volume group "vbirdvg" successfully extended
[root@www ~]# vgdisplay
  --- Volume group ---
  VG Name               vbirdvg
....（其他省略）....
  VG Size               8.36 GB
  PE Size               16.00 MB
  Total PE              535
  Alloc PE / Size       446 / 6.97 GB
  Free  PE / Size       89 / 1.39 GB   <==多出了 89 个 PE 可用啰！

# 3. 利用 lvcreate 新建系统快照区，我们取名为 vbirdss, 且给予 60 个 PE
[root@www ~]# lvcreate -l 60 -s -n vbirdss /dev/vbirdvg/vbirdlv
  Logical volume "vbirdss" created
```

```
# 上述的命令中最重要的是那个 -s 的参数。代表是 snapshot 快照功能之意！
# -n 后面接快照区的设备名称，/dev/.... 则是要被快照的 LV 完整文件名。
# -l 后面则是接使用多少个 PE 来作为这个快照区使用。

[root@www ~]# lvdisplay
 --- Logical volume ---
 LV Name                /dev/vbirdvg/vbirdss
 VG Name                vbirdvg
 LV UUID                K2tJ5E-e9mI-89Gw-hKFd-4tRU-tRKF-oeB03a
 LV Write Access        read/write
 LV snapshot status     active destination for /dev/vbirdvg/vbirdlv
 LV Status              available
 # open                 0
 LV Size                6.97 GB     <==被快照的原 LV 磁盘容量
 Current LE             446
 COW-table size         960.00 MB   <==快照区的实际容量
 COW-table LE           60          <==快照区占用的 PE 数量
 Allocated to snapshot  0.00%
 Snapshot chunk size    4.00 KB
 Segments               1
 Allocation             inherit
 Read ahead sectors     auto
 - currently set to     256
 Block device           253:1
```

- 你看看，这个/dev/vbirdvg/vbirdss 快照区就被新建起来了，而且它的 VG 量竟然与原本的 /dev/vbirdvg/vbirdlv 相同。也就是说，如果你真的挂载这个设备时，看到的数据会跟原本的 vbirdlv 相同。我们就来测试看看：

```
[root@www ~]# mkdir /mnt/snapshot
[root@www ~]# mount /dev/vbirdvg/vbirdss /mnt/snapshot
[root@www ~]# df
Filesystem           1K-blocks    Used Available Use% Mounted on
/dev/hda2             9920624  3859032   5549524  42% /
/dev/hda3             4956316  1056996   3643488  23% /home
/dev/hda1              101086    21408     74459  23% /boot
tmpfs                 371332        0    371332   0% /dev/shm
/dev/mapper/vbirdvg-vbirdlv
                      6955584   262632   6410328   4% /mnt/lvm
/dev/mapper/vbirdvg-vbirdss
                      6955584   262632   6410328   4% /mnt/snapshot
# 有没有看到！竟然是一模一样。我们根本没有动过
# /dev/vbirdvg/vbirdss 对吧？不过这里面会主动记录原 vbirdlv 的内容！

[root@www ~]# umount /mnt/snapshot
# 最后将它卸载。我们准备来玩玩有趣的东西！
```

- ◆ 利用快照区复原系统
  - 首先，我们来看一下如何利用快照区复原系统吧！不过你要注意的是，你要复原的数据量不能够高于快照区所能负载的实际容量。由于原始数据会被移到快照区，如果你的快照区不够大，若原始数据被改动的实际数据量比快照区大，那么快照区当然容纳不了，这时候快照功能会失效。所以上面的案例中鸟哥才给予 60 个 PE（共 900MB）作为快照区存放数据用。
  - 我们的/mnt/lvm 已经有/mnt/lvm/etc,/mnt/lvm/log 等目录了，接下来我们将这个文件系统的内容作个更改，然后再以快照区数据还原看看：

```
# 1. 先将原本的/dev/vbirdvg/vbirdlv 内容作些更改，增减一些目录吧！
[root@www ~]# df /mnt/lvm
Filesystem           1K-blocks    Used Available Use% Mounted on
/dev/mapper/vbirdvg-vbirdlv
                      6955584   262632   6410328   4% /mnt/lvm
```

```
[root@www ~]# ll /mnt/lvm
drwxr-xr-x 105 root root 12288 Mar 11 16:59 etc
drwxr-xr-x  17 root root  4096 Mar 11 14:17 log
drwx------   2 root root 16384 Mar 11 16:59 lost+found

[root@www ~]# rm -r /mnt/lvm/log
[root@www ~]# cp -a /boot /lib /sbin /mnt/lvm
[root@www ~]# ll /mnt/lvm
drwxr-xr-x   4 root root  4096 Dec 15 16:28 boot
drwxr-xr-x 105 root root 12288 Mar 11 16:59 etc
drwxr-xr-x  14 root root  4096 Sep  5 2008 lib
drwx------   2 root root 16384 Mar 11 16:59 lost+found
drwxr-xr-x   2 root root 12288 Sep  5 2008 sbin
# 看起来数据已经不一样了！

[root@www ~]# lvdisplay /dev/vbirdvg/vbirdss
  --- Logical volume ---
  LV Name                /dev/vbirdvg/vbirdss
  VG Name                vbirdvg
....（中间省略）....
  Allocated to snapshot 12.22%
....（下面省略）....
# 从这里也看得出来，快照区已经被使用了 12.22%，因为原始的文件系统有改动过。

# 2. 利用快照区将原本的文件系统备份
[root@www ~]# mount /dev/vbirdvg/vbirdss /mnt/snapshot
[root@www ~]# df
Filesystem          1K-blocks     Used Available Use% Mounted on
/dev/mapper/vbirdvg-vbirdlv
                      6955584   370472   6302488   6% /mnt/lvm
/dev/mapper/vbirdvg-vbirdss
                      6955584   262632   6410328   4% /mnt/snapshot
# 看吧！两者确实不一样了！开始将快照区内容复制出来吧！

[root@www ~]# mkdir -p /backups    <==确认真的有这个目录！
[root@www ~]# cd /mnt/snapshot
[root@www snapshot]# tar -jcv -f /backups/lvm.tar.bz2 *
# 此时你就会有一个备份资料，也即是 /backups/lvm.tar.bz2 了！
```

- 为什么要备份呢？为什么不可以直接格式化/dev/vbirdvg/vbirdlv，然后将/dev/vbirdvg/vbirdss 直接复制给 vbirdlv 呢？要知道 vbirdss 其实是 vbirdlv 的快照，因此如果你格式化整个 vbirdlv 时，原本的文件系统所有数据都会被移到 vbirdss。那如果 vbirdss 的容量不够大（通常也真的不够大），那么部分数据将无法复制到 vbirdss 内，数据当然无法全部还原。所以才要在上面表格中制作出一个备份文件。
- 而快照还有另外一个功能，就是你可以比较/mnt/lvm 与/mnt/snapshot 的内容，就能够发现到最近你到底改了什么。接下来让我们准备还原 vbirdlv 的内容吧！

```
# 3. 将 vbirdss 卸除并删除 （因为里面的内容已经备份起来了）
[root@www ~]# umount /mnt/snapshot
[root@www ~]# lvremove /dev/vbirdvg/vbirdss
Do you really want to remove active logical volume "vbirdss"? [y/n]: y
  Logical volume "vbirdss" successfully removed

[root@www ~]# umount /mnt/lvm
[root@www ~]# mkfs -t ext3 /dev/vbirdvg/vbirdlv
[root@www ~]# mount /dev/vbirdvg/vbirdlv /mnt/lvm
[root@www ~]# tar -jxv -f /backups/lvm.tar.bz2 -C /mnt/lvm
[root@www ~]# ll /mnt/lvm
drwxr-xr-x 105 root root 12288 Mar 11 16:59 etc
drwxr-xr-x  17 root root  4096 Mar 11 14:17 log
drwx------   2 root root 16384 Mar 11 16:59 lost+found
# 是否与最初的内容相同啊？这就是通过快照来还原的一个简单的方法。
```

◆ 利用快照区进行各项练习与测试的任务，再以原系统还原快照

- 换个角度来想想，我们将原本的 vbirdlv 当作备份数据，然后将 vbirdss 当作实际运行中的数据，任何测试的操作都在 vbirdss 这个快照区当中测试，那么当测试完毕要将测试的数据删除时，只要将快照区删去即可。而要复制一个 vbirdlv 的系统，再制作另外一个快照区即可。这样是否非常方便啊？这对于教学环境中每年都要帮学生制作一个练习环境主机的测试非常有帮助呢！

以前鸟哥老是觉得使用 LVM 的快照来进行备份不太合理，因为还要制作一个备份文件。后来仔细研究并参考徐秉义老师的教材后，才发现 LVM 的快照实在是一个很棒的工具。尤其是在虚拟机当中构建多份给同学使用的测试环境，你只要有一个基础的环境并维护好，其他的环境使用快照来提供即可。就算同学将系统搞烂了，你只要将快照区删除，再重建一个快照区，这样环境就恢复了。实在是太棒了！

```
# 1. 新建一个大一些的快照区，让我们将 /dev/hda6 的 PE 全部给快照区！
[root@www ~]# lvcreate -s -l 89 -n vbirdss /dev/vbirdvg/vbirdlv
 Logical volume "vbirdss" created

[root@www ~]# lvdisplay /dev/vbirdvg/vbirdss
 --- Logical volume ---
 LV Name                /dev/vbirdvg/vbirdss
 VG Name                vbirdvg
 LV UUID                as0ocQ-KjRS-Bu7y-fYoD-1CHC-0V3Y-JYsjj1
 LV Write Access        read/write
 LV snapshot status     active destination for /dev/vbirdvg/vbirdlv
 LV Status              available
 # open                 0
 LV Size                6.97 GB
 Current LE             446
 COW-table size         1.39 GB
 COW-table LE           89
 Allocated to snapshot  0.00%
 Snapshot chunk size    4.00 KB
 Segments               1
 Allocation             inherit
 Read ahead sectors     auto
 - currently set to     256
 Block device           253:1
# 如何？这个快照区不小吧！

# 2. 隐藏 vbirdlv 挂载 vbirdss
[root@www ~]# umount /mnt/lvm
[root@www ~]# mount /dev/vbirdvg/vbirdss /mnt/snapshot
[root@www ~]# df /mnt/snapshot
Filesystem         1K-blocks     Used Available Use% Mounted on
/dev/mapper/vbirdvg-vbirdss
                    7192504   265804  6561340    4% /mnt/snapshot

# 3. 开始恶搞！
[root@www ~]# rm -r /mnt/snapshot/etc /mnt/snapshot/log
[root@www ~]# cp -a /boot /lib /sbin /mnt/snapshot/
[root@www ~]# ll /mnt/snapshot
drwxr-xr-x  4 root root  4096 Dec 15 16:28 boot
drwxr-xr-x 14 root root  4096 Sep  5 2008 lib
drwx------  2 root root 16384 Mar 11 16:59 lost+found
drwxr-xr-x  2 root root 12288 Sep  5 2008 sbin  <==与原本数据有差异了

[root@www ~]# mount /dev/vbirdvg/vbirdlv /mnt/lvm
[root@www ~]# ll /mnt/lvm
drwxr-xr-x 105 root root 12288 Mar 11 16:59 etc
drwxr-xr-x  17 root root  4096 Mar 11 14:17 log
```

```
drwx------   2 root root 16384 Mar 11 16:59 lost+found
# 不论你在快照区恶搞什么，原本的 vbirdlv 里面的数据安好如初。
# 假设你将 vbirdss 搞烂了，里面的数据不再需要。那该如何是好？

# 4. 还原原本快照区的数据，回到与原文件系统相同的信息
[root@www ~]# umount /mnt/snapshot
[root@www ~]# lvremove /dev/vbirdvg/vbirdss
Do you really want to remove active logical volume "vbirdss"? [y/n]: y
 Logical volume "vbirdss" successfully removed

[root@www ~]# lvcreate -s -l 89 -n vbirdss /dev/vbirdvg/vbirdlv
[root@www ~]# mount /dev/vbirdvg/vbirdss /mnt/snapshot
[root@www ~]# ll /mnt/snapshot
drwxr-xr-x 105 root root 12288 Mar 11 16:59 etc
drwxr-xr-x 17 root root  4096 Mar 11 14:17 log
drwx------   2 root root 16384 Mar 11 16:59 lost+found
# 数据这样就复原了！
```

- 老实说，上面的测试有点无厘头，因为快照区损毁了就删除再建一个就好啦！何必还要测试呢？不过，为了让你了解到快照区也能够这样使用，上面的测试还是需要存在的。将来如果你有接触到虚拟机，再回到这里来温习一下肯定会有收获的！

15.3.6 LVM 相关命令汇整与 LVM 的关闭

好了，我们将上述用过的一些命令汇整一下，如表 15-1 所示，提供给你参考。

表 15-1

任　务	PV 阶段	VG 阶段	LV 阶段
查找（scan）	pvscan	vgscan	lvscan
新建（create）	pvcreate	vgcreate	lvcreate
显示（display）	pvdisplay	vgdisplay	lvdisplay
增加（extend）		vgextend	lvextend（lvresize）
减少（reduce）		vgreduce	lvreduce（lvresize）
删除（remove）	pvremove	vgremove	lvremove
改变容量（resize）			lvresize
改变属性（attribute）	pvchange	vgchange	lvchange

至于文件系统阶段（文件系统的格式化处理）部分，还需要以 resize2fs 来修改文件系统实际的大小才行。至于虽然 LVM 可以弹性管理你的磁盘容量，但是要注意，如果你想要使用 LVM 管理你的硬盘时，那么在安装的时候就得要做好 LVM 的规划了，否则将来还是需要先以传统的磁盘增加方式来增加后，移动数据后，才能够进行 LVM 的使用。

会玩 LVM 还不行，你必须要会删除系统内的 LVM。因为你的物理分区已经被使用到 LVM 去，如果你还没有将 LVM 关闭就直接将那些分区删除或转为其他用途的话，系统是会发生很大的问题。所以，你必须要知道如何将 LVM 的设备关闭并删除才行，会不会很难呢？其实不会啦！依据以下的流程来处理即可：

1. 先卸载系统上面的 LVM 文件系统（包括快照与所有 LV）；
2. 使用 lvremove 删除 LV；
3. 使用 vgchange -an VGname 让 VGname 这个 VG 不具有 Active 的标志；
4. 使用 vgremove 删除 VG；
5. 使用 pvremove 删除 PV；
6. 最后，使用 fdisk 将 ID 修改回来。

那就实际将我们之前新建的所有 LVM 数据给删除吧！

```
[root@www ~]# umount /mnt/lvm
[root@www ~]# umount /mnt/snapshot
[root@www ~]# lvremove /dev/vbirdvg/vbirdss  <==先处理快照
Do you really want to remove active logical volume "vbirdss"? [y/n]: y
  Logical volume "vbirdss" successfully removed
[root@www ~]# lvremove /dev/vbirdvg/vbirdlv  <==再处理原系统
Do you really want to remove active logical volume "vbirdlv"? [y/n]: y
  Logical volume "vbirdlv" successfully removed

[root@www ~]# vgchange -a n vbirdvg
  0 logical volume(s) in volume group "vbirdvg" now active

[root@www ~]# vgremove vbirdvg
  Volume group "vbirdvg" successfully removed

[root@www ~]# pvremove /dev/hda{6,7,8,9,10}
  Labels on physical volume "/dev/hda6" successfully wiped
  Labels on physical volume "/dev/hda7" successfully wiped
  Labels on physical volume "/dev/hda8" successfully wiped
  Labels on physical volume "/dev/hda9" successfully wiped
  Labels on physical volume "/dev/hda10" successfully wiped
```

最后再用 fdisk 将磁盘的 ID 改为 82 就好。整个过程就这样。

15.4　重点回顾

- ◆ Quota 可公平分配系统上面的磁盘空间给用户；分配的资源可以是磁盘容量（block）或可新建文件数量（inode）。
- ◆ Quota 的限制可以有 soft、hard、gracetime 等重要选项。
- ◆ Quota 仅能针对整个文件系统进行限制，不是针对目录。
- ◆ Quota 的使用必须要内核与文件系统均支持。文件系统的参数必须含有 usrquota,grpquota。
- ◆ Quota 实践的命令有 quotacheck,quotaon,edquota,repquota 等。
- ◆ 磁盘阵列（RAID）有硬件与软件之分，Linux 操作系统可支持软件磁盘阵列，通过 mdadm 套件来实现。
- ◆ 磁盘阵列构建的考虑依据为"容量"、"性能"、"数据可靠性"等。
- ◆ 磁盘阵列所建置的等级常见有的 RAID-0,RAID-1,RAID-0 + 1,RAID-5 及 RAID-6。
- ◆ 硬件磁盘阵列的设备文件名与 SCSI 相同，至于 software RAID 则为/dev/md[0-9]。
- ◆ 软件磁盘阵列的状态可通过/proc/mdstat 文件来了解。
- ◆ LVM 强调的是弹性的变化文件系统的容量。
- ◆ 与 LVM 有关的组件有 PV/VG/PE/LV 等，可以被格式化为 LV。
- ◆ LVM 拥有快照功能，快照可以记录 LV 的数据内容，并与原有的 LV 共享未更动的数据，备份与还原就变的很简单。
- ◆ Ext3 通过 resize2fs 命令可以弹性调整文件系统的大小。

15.5　本章习题

情境模拟题一

由于 LVM 可以弹性调整文件系统的大小，但是缺点是可能没有加速与硬件备份（与快照不同）的功能。而磁盘阵列则具有性能与备份的功能，但是无法提供类似 LVM 的优点。在此情境中，我们想利用在 RAID 上面构建 LVM 的功能，以达到两者兼顾的能力。

- ◆ 目标：测试在 RAID 磁盘上面架构 LVM 系统；
- ◆ 需求：需要具有磁盘管理的能力，包括 RAID 与 LVM；
- ◆ 前提：将本章与之前章节练习所制作的分区全部删除，剩下默认的分区即可。

那要如何处理呢？如下的流程一个步骤一个步骤实施看看吧！

1. 还原系统时，你必须要：
   - ■ 利用 umount 先卸载之前挂载的文件系统；
   - ■ 修改/etc/fstab 里面的数据，让开机不会自动挂载；
   - ■ 利用 fdisk 将该分区删除。
   - ● 最终你的系统应该会只剩下如下的模样：

```
[root@www ~]# fdisk -l
   Device Boot      Start         End      Blocks   Id  System
/dev/hda1   *           1          13      104391   83  Linux
/dev/hda2              14        1288    10241437+  83  Linux
/dev/hda3            1289        1925     5116702+  83  Linux
/dev/hda4            1926        9382    59898352+   5  Extended
/dev/hda5            1926        2052     1020096   82  Linux swap / Solaris
```

2. 新建 RAID，假设我们利用五个 1GB 的分区创建 RAID-5，且具有一个 spare disk，那么你应该要如何进行？首先，请自行使用 fdisk 创建好如下的分区状态：

```
[root@www ~]# fdisk -l
....（前面省略）....
/dev/hda6            2053        2175      987966   83  Linux
/dev/hda7            2176        2298      987966   83  Linux
/dev/hda8            2299        2421      987966   83  Linux
/dev/hda9            2422        2544      987966   83  Linux
/dev/hda10           2545        2667      987966   83  Linux
```

- ● 接下来开始新建 RAID 吧！新建的方法可以如下简单处理即可：

```
[root@www ~]# mdadm --create --auto=yes /dev/md0 --level=5 \
> --raid-devices=4 --spare-devices=1 /dev/hda{6,7,8,9,10}
```

- ● 若无出现任何错误信息，此时你已经具有 /dev/md0 这个磁盘阵列设备了。接下来让我们处理 LVM。

3. 开始处理 LVM，现在我们假设所有的参数都使用默认值，包括 PE，然后 VG 名为 raidvg，LV 名为 raidlv，下面为基本的流程：

```
[root@www ~]# pvcreate /dev/md0                        <==新建 PV
[root@www ~]# vgcreate raidvg /dev/md0                 <==新建 VG
[root@www ~]# lvcreate -L 2.82G -n raidlv raidvg       <==新建 LM
[root@www ~]# lvdisplay
 --- Logical volume ---
 LV Name                /dev/raidvg/raidlv
 VG Name                raidvg
 LV UUID                zQsKqW-8Bt2-kpJF-8rCI-Cql1-XQYT-jw1mfH
 LV Write Access        read/write
 LV Status              available
 # open                 0
 LV Size                2.82 GB
 Current LE             722
 Segments               1
 Allocation             inherit
 Read ahead sectors     auto
```

```
- currently set to    256
Block device          253:0
```

这样就搞定了 LVM 了，而且这个 LVM 是架构在/dev/md0 上面的。然后就是文件系统的新建与挂载了！

4. 尝试新建成为 Ext3 文件系统，且挂载到/mnt/raidlvm 目录下：

```
[root@www ~]# mkfs -t ext3 /dev/raidvg/raidlv
[root@www ~]# mkdir /mnt/raidlvm
[root@www ~]# mount /dev/raidvg/raidlv /mnt/raidlvm
```

5. 上述就是 LVM 架构在 RAID 上面的技巧，之后的操作都能够使用本章的其他管理方式来管理，包括 RAID 热拔插机制、LVM 放大缩小机制等。测试完毕之后请务必要关闭本题所新建的各项信息。

```
[root@www ~]# umount /mnt/raidlvm           <==卸载文件系统
[root@www ~]# lvremove /dev/raidvg/raidlv    <==删除 LV
[root@www ~]# vgchange -a n raidvg           <==让 VG 不活动
[root@www ~]# vgremove raidvg                <==删除 VG
[root@www ~]# pvremove /dev/md0              <==删除 PV
[root@www ~]# mdadm --stop /dev/md0          <==关闭 /dev/md0 RAID
[root@www ~]# fdisk /dev/hda                 <==还原原本的分区
```

简答题部分

◆ 在前一章的第一个大量新增账号范例中，如果我想要让每个用户均具有 soft、hard 各为 40MB、50MB 的容量时，应该如何修改这个 script？

◆ 如果我想要让 RAID 具有保护数据的功能，防止因为硬件损毁而导致数据的丢失，那我应该要选择的 RAID 等级可能有哪些（请以本章谈到的等级来思考即可）？

◆ 在默认的 LVM 设置中，请问 LVM 能否具有"备份"的功能？

◆ LVM 内的 LV 据说仅能达到 256GB 的容量，请问如何克服此容量问题？

◆ 如果你的计算机主机有提供 RAID 0 的功能，你将你的三块硬盘全部在 BIOS 阶段使用 RAID 芯片整合成为一块大磁盘，则此磁盘在 Linux 系统当中的文件名为何？

15.6　参考数据与扩展阅读

◆ 注 1：若想对 RAID 有更深入的认识，可以参考下面的链接与书目：
http://www.tldp.org/HOWTO/Software-RAID-HOWTO.html
杨振和的《操作系统导论》的第 11 章

◆ 注 2：详细的 mdstat 说明也可以参考如下网页：
http://linux-raid.osdl.org/index.php/Mdstat

◆ 注 3：徐秉义老师在网管人杂志（http://www.babyface.idv.tw/NetAdmin/）的投稿文章：
磁盘管理：SoftRAID 与 LVM 综合实做应用（上）
http://www.babyface.idv.tw/NetAdmin/16200705SoftRAIDLVM01/
磁盘管理：SoftRAID 与 LVM 综合实做应用（下）
http://www.babyface.idv.tw/NetAdmin/18200707SoftRAIDLVM02/

16

第 16 章　例行性工作（crontab）

学习了基础篇也一阵子了，你会发现到为什么系统经常会主动进行一些任务？这些任务到底是谁在设置工作的？如果你想要让自己设计的备份程序可以自动在系统下面执行，而不需要手动来启动它，又该如何处置？这些例行的工作可能又分为"单一"工作与"循环"工作，在系统内又是哪些服务在负责？如果你想要在家人的生日前一天就发出一封信件提醒自己不要忘记，可以办得到吗？学习完本章后，这些问题就可以迎刃而解了。

16.1　什么是例行性工作

　　每个人或多或少都有一些约会或者是工作，有的工作是例行性的，例如每年一次的加薪、每月一次的工作报告、每天需要的打卡等；有的工作则是临时发生的，例如刚好总公司有高官来访，需要你准备演讲器材等。用在生活上面，例如每年家人的生日、每天的起床时间等，还有突发性的计算机大降价（真希望天天都有）等。

　　像上面这些例行性工作，通常你得要记录在日历上面才能避免忘记。不过，由于我们经常在计算机前面的缘故，如果计算机系统能够主动通知我们的话，那么不就轻松多了！这个时候 Linux 的例行性工作调度就可以派上场了，在不考虑硬件与我们服务器的连接状态下，我们的 Linux 可以帮你提醒很多任务，例如：每一天早上 8:00 要服务器连接上音响，并启动音乐来唤你起床；而中午 12:00 希望 Linux 可以发一封信到你的邮件信箱，提醒你可以去吃午餐了；另外，在每年你家人生日的前一天，先发封信提醒你，以免忘记这么重要的一天。

　　那么 Linux 的例行性工作是如何进行调度的呢？所谓的调度就是将这些工作安排执行的流程。咱们的 Linux 调度就是通过 crontab 与 at 来实现的。这两个有什么异同？就让我们来瞧瞧先！

16.1.1　Linux 工作调度的种类：at,cron

　　从上面的说明当中，我们可以很清楚地发现两种工作调度的方式：

◆　一种是例行性的，就是每隔一定的周期要来办的事项；

◆　一种是突发性的，就是这次做完以后就没有的那一种（如计算机大降价。）

　　那么在 Linux 下面如何实现这两个功能呢？那就得使用 at 与 crontab 这两个命令了。

◆　at：at 是个可以处理仅执行一次就结束调度的命令，不过要执行 at 时，必须要有 atd 这个服务（第 18 章）的支持才行。在某些新版的 distributions 中，atd 可能默认并没有启动，那么 at 这个命令就会失效，不过我们的 CentOS 默认是启动的。

◆　crontab：crontab 这个命令所设置的工作将会循环一直进行下去。可循环的时间为分钟、小时、每周、每月或每年等。crontab 除了可以使用命令执行外，也可编辑/etc/crontab 来支持。至于让 crontab 可以生效的服务则是 crond 这个服务。

　　下面我们先来谈一谈 Linux 的系统到底在做什么事情，怎么有这么多的工作调度在进行呢？然后再回来谈一谈 at 与 crontab 这两个好命令。

16.1.2　Linux 上常见的例行性工作

　　如果你曾经使用过 Linux 一阵子了，那么你大概会发现到 Linux 会主动帮我们进行一些工作呢！例如自动进行在线更新（on-line update）、自动进行 updatedb（第 7 章谈到的 locate 命令）更新文件名数据库、自动进行日志文件分析（所以 root 经常会收到标题为 logwatch 的信件）等。这是由于系统要正常运行的话，某些在后台的工作必须要定时进行的缘故。基本上 Linux 系统常见的例行性任务有：

◆　**进行日志文件的轮替（log rotate）**

●　Linux 会主动将系统所发生的各种信息都记录下来，这就是日志文件（第 19 章）。由于系统会一直记录日志信息，所以日志文件将会越来越大。我们知道大型文件不但占容量，还会造成读写性能的困扰，因此适时将日志文件数据挪一挪，让旧的数据与新的数据分别存放，则比较可以有效地记录日志信息。这就是 log rotate 的任务！这也是系统必要的例行任务。

- 日志文件分析 logwatch 的任务
  - 如果系统发生了软件问题、硬件错误等，绝大部分的错误信息都会被记录到日志文件中，因此系统管理员的重要任务之一就是分析日志文件。但你不可能手动通过 vim 等软件去检视日志文件，因为数据太复杂了！我们的 CentOS 提供了一个程序"logwatch"来主动分析日志信息，所以你会发现，你的 root 老是会收到标题为 logwatch 的信件，那是正常的。你最好也能够看看该信件的内容。
- 新建 locate 的数据库
  - 在第 7 章我们谈到 locate 命令时，我们知道该命令是通过已经存在的文件名数据库来进行系统中文件名的查询。我们的文件名数据库是放置到/var/lib/mlocate/中。问题是，这个数据库怎么会自动更新啊？这就是系统的例行性工作所产生的效果。系统会主动进行 updatedb。
- whatis 数据库的建立
  - 与 locate 数据库类似的，whatis 也是个数据库，这个 whatis 是与 man page 有关的一个查询命令，不过要使用 whatis 命令时，必须要拥有 whatis 数据库，而这个数据库也是通过系统的例行性工作调度来自动执行的。
- RPM 软件日志文件的新建
  - RPM（第 23 章）是一种软件管理的机制。由于系统可能会经常更改软件，包括软件的新安装、非经常性更新等，都会造成软件文件名的区别。为了方便未来跟踪，系统也帮我们将文件名做个排序的记录呢！有时候系统也会通过调度来帮助 RPM 数据库的重新生成。
- 删除临时文件
  - 某些软件在运行中会产生一些临时文件，但是当这个软件关闭时，这些临时文件可能并不会主动被删除。有些临时文件则有时间性，如果超过一段时间后，这个临时文件就没有用了，此时删除这些临时文件就是一件重要的工作，否则磁盘空间会被耗光。系统通过例行性工作调度执行名为 tmpwatch 的命令来删除这些临时文件呢！
- 与网络服务有关的分析行为
  - 如果你有安装类似 WWW 服务器软件（一个名为 apache 的软件），那么你的 Linux 系统通常就会主动分析该软件的日志文件，同时某些认证的网络信息是否过期的问题，我们的 Linux 系统也会很亲和地帮你进行自动检查！

其实你的系统会进行的例行性工作与你安装的软件多少有关，如果你安装过多的软件，某些服务功能的软件都会附上分析工具，那么你的系统就会多出一些例行性工作。像鸟哥的主机还多加了很多自己编写的分析工具，以及其他第三方软件的分析软件，鸟哥的 Linux 工作量可是非常大的。因为有这么多的工作需要进行，所以我们当然得要了解例行性工作的处理方式。

16.2　仅执行一次的工作调度

首先，我们先来谈谈单一工作调度的运作，那就是 at 这个命令的运行！

16.2.1　atd 的启动与 at 运行的方式

要使用单一工作调度时，我们的 Linux 系统上面必须要有负责这个调度的服务，那就是 atd 这个玩意儿。不过并非所有的 Linux distributions 都默认会把它打开的，所以，某些时刻我们必须要手动将它启用才行。启用的方法很简单，就是这样：

```
[root@www ~]# /etc/init.d/atd restart
正在停止 atd:                                    [  确定  ]
```

```
正在激活 atd:                                [  确定  ]

# 再设置一下开机时就启动这个服务，免得每次重新启动都得再来一次！
[root@www ~]# chkconfig atd on
```

重点是那个"正在启动（或 starting）"选项就 OK 啦！那表示启动是正常的。这部分我们在第 18 章会谈及。如果你真的有兴趣，那么可以自行到/etc/init.d/atd 这个 shell script 内去瞧一瞧先，至于那个 chkconfig，你也可以使用 man 先查阅一下，我们第 18 章再介绍。

- **at 的运行方式**
  - 既然是工作调度，那么应该会有产生工作的方式，并且将这些工作排进日程表中。那么生成工作的方式是怎么进行的？事实上，我们使用 at 这个命令来生成所要运行的工作，并将这个工作以文本文件的方式写入/var/spool/at/目录内，该工作便能等待 atd 这个服务的取用与执行了，就这么简单。
  - 不过，并不是所有的人都可以进行 at 工作调度。为什么？因为安全的理由，很多主机被进行所谓的"绑架"后，最常发现的就是他们的系统当中多了很多的黑客程序（cracker program），这些程序非常可能运用工作调度来执行或搜集系统信息，并定时回报给黑客团体。所以，除非是你认可的账号，否则先不要让他们使用 at 吧！那怎么使用 at 的管理呢？
  - 我们可以利用/etc/at.allow 与/etc/at.deny 这两个文件来进行 at 的使用限制呢！加上这两个文件后，at 的工作情况其实是这样的：
    1. 先寻找/etc/at.allow 这个文件，写在这个文件中的用户才能使用 at，没有在这个文件中的用户则不能使用 at（即使没有写在 at.deny 当中）；
    2. 如果/etc/at.allow 不存在，就寻找/etc/at.deny 这个文件，若写在这个 at.deny 的用户则不能使用 at，而没有在这个 at.deny 文件中的用户就可以使用 at 了；
    3. 如果两个文件都不存在，那么只有 root 可以使用 at 这个命令。
  - 通过这个说明，我们知道/etc/at.allow 是管理较为严格的方式，而/etc/at.deny 则较为松散（因为账号没有在该文件中，就能够执行 at 了）。在一般的 distributions 当中，由于假设系统上的所有用户都是可信任的，因此系统通常会保留一个空的/etc/at.deny 文件，意思是允许所有人使用 at 命令的意思（你可以自行检查一下该文件）。不过，万一你不希望有某些用户使用 at 的话，将那个用户的账号写入/etc/at.deny 即可！一个账号写一行。

16.2.2 实际运行单一工作调度

单一工作调度的进行就使用 at 这个命令。这个命令的运行非常简单！将 at 加上一个时间即可！基本的语法如下：

```
[root@www ~]# at [-mldv] TIME
[root@www ~]# at -c 工作号码
参数：
-m ：当 at 的工作完成后，即使没有输出信息，以 email 通知用户该工作已完成。
-l ：at -l 相当于 atq，列出目前系统上面的所有该用户的 at 调度；
-d ：at -d 相当于 atrm，可以取消一个在 at 调度中的工作；
-v ：可以使用较明显的时间格式列出 at 调度中的任务列表；
-c ：可以列出后面接的该项工作的实际命令内容。

TIME: 时间格式，这里可以定义什么时候要进行 at 这项工作的时间，格式有：
  HH:MM              ex> 04:00
    在今日的 HH:MM 时刻进行，若已超过该时刻，则明天的 HH:MM 进行此工作。
  HH:MM YYYY-MM-DD   ex> 04:00 2009-03-17
    强制规定在某年某月的某一天的特殊时刻进行该工作！
  HH:MM[am|pm] [Month] [Date]   ex> 04pm March 17
    也是一样，强制在某年某月某日的某时刻进行！
  HH:MM[am|pm] + number [minutes|hours|days|weeks]
    ex> now + 5 minutes   ex> 04pm + 3 days
就是说，在某个时间点"再加几个时间后"才进行。
```

老实说，这个 at 命令的执行最重要的地方在于"时间"的指定了。鸟哥喜欢使用"now+…"的方式来定义现在过多少时间再进行工作，但有时也需要定义特定的时间点来进行！下面的范例先看看。

```
范例一：再过五分钟后，将 /root/.bashrc 寄给 root 自己
[root@www ~]# at now + 5 minutes  <==记得单位要加 s 。
at> /bin/mail root -s "testing at job" < /root/.bashrc
at> <EOT>  <==这里输入 [ctrl] + d 就会出现 <EOF> 的字样! 代表结束!
job 4 at 2009-03-14 15:38
# 上面这行信息在说明，第 4 个 at 工作将在 2009/03/14 的 15:38 进行!
# 而执行 at 会进入所谓的 at shell 环境，让你执行多重命令。

范例二：将上述的第 4 项工作内容列出来查阅
[root@www ~]# at -c 4
#!/bin/sh               <==就是通过 bash shell 。
# atrun uid=0 gid=0
# mail     root 0
umask 22
....（中间省略许多的环境变量项目）....
cd /root || {          <==可以看出，会到执行 at 时的工作目录去执行命令
        echo 'Execution directory inaccessible' >&2
        exit 1
}

/bin/mail root -s "testing at job" < /root/.bashrc
# 你可以看到命令执行的目录（/root），还有多个环境变量与实际的命令内容。

范例三：由于机房预计于 2009/03/18 停电，我想要在 2009/03/17 23:00 关机
[root@www ~]# at 23:00 2009-03-17
at> /bin/sync
at> /bin/sync
at> /sbin/shutdown -h now
at> <EOT>
job 5 at 2009-03-17 23:00
# 你瞧瞧!  at 还可以在一个工作内输入多个命令!
```

事实上，当我们使用 at 时会进入一个 at shell 的环境来让用户执行工作命令，此时，建议你最好使用绝对路径来执行你的命令，比较不会有问题。由于命令的执行与 PATH 变量有关，同时与当时的工作目录也有关联（如果有牵涉到文件的话），因此使用绝对路径来执行命令会是比较一劳永逸的方法。为什么呢？举例来说，你在/tmp 中执行"at now"然后输入"mail root –s "test" < .bashrc"，问一下，那个.bashrc 的文件会是在哪里？答案是"/tmp/.bashrc"！因为 at 在运行时，会跑到当时执行 at 命令的那个工作目录的缘故。

有些朋友会希望我要在某某时刻在我的终端机显示出 Hello 的字样，然后就在 at 里面执行"echo "Hello""这样的信息，等到时间到了，却发现没有任何信息在屏幕上显示，这是什么原因啊？这是因为 at 的执行与终端机环境无关，而所有 standard output/standard error output 都会传送到执行者的 mailbox 去啦！所以在终端机当然看不到任何信息。那怎么办？没关系，可以通过终端机的设备来处理。假如你在 tty1 登录，则可以使用"echo "Hello" > /dev/tty1"来替代。

要注意的是，如果在 at shell 内的命令并没有任何的信息输出，那么 at 默认不会发 Email 给执行者的。如果你想要让 at 无论如何都发一封 Email 告知你是否执行了命令，那么可以使用"at -m 时间格式"来执行命令，at 就会传送一个信息给执行者，而不论该命令执行有无信息输出了！

at 有另外一个很棒的优点，那就是"后台执行"的功能了！什么是后台执行啊？很难了解吗？其实与 bash 的 nohup（第 17 章）类似。鸟哥提我自己的几个例子来给你听听，你就明白了！

◆　**脱机继续工作的任务**：鸟哥初次接触 UNIX 为的是要跑空气质量模式，那是一种大型的程序，这个程序在当时的硬件下面跑，一个案例要跑 3 天。由于鸟哥也要进行其他研究工作，因此经常使用 Windows 98 来连接到 UNIX 工作站跑那个 3 天的案例。结果你也该知道，Windows 98 连开 3 天而不死机的几率是很低的。而死机时，所有在 Windows 上的连接都会中断。包括鸟哥在跑的那个程序也中断了，明明三个钟头就跑完的程序，由于死机害我又得跑 3 天。

◆　另一个常用的时刻则是例如上面的范例三，由于某个突发情况导致你必须要进行某项工作时，这个 at 就很好用啦！

由于在 at 工作调度的使用上，系统会将该项 at 工作独立出你的 bash 环境中，直接交给系统的 atd 程序来接管，因此，当你执行了 at 的工作之后就可以立刻脱机了，剩下的工作就完全交给 Linux 管理即可！所以，如果有长时间的网络工作时，使用 at 可以让你免除网络断线后的困扰。

◆　**at 工作的管理**
　　●　那么万一我执行了 at 之后，才发现命令输入错误，该如何是好？就将它删除。利用 atq 与 atrm 吧！

```
[root@www ~]# atq
[root@www ~]# atrm [jobnumber]

范例一：查询目前主机上面有多少的 at 工作调度
[root@www ~]# atq
5    2009-03-17 23:00 a root
# 上面说的是在 2009/03/17 的 23:00 有一项工作，该项工作命令执行者为
# root，而且，该项工作的工作号码（jobnumber）为 5 号喔！

范例二：将上述的第 5 个工作删除！
[root@www ~]# atrm 5
[root@www ~]# atq
# 没有任何信息，表示该工作被删除了！
```

　　●　如此一来，你可以利用 atq 来查询，利用 atrm 来删除错误的命令，利用 at 来直接执行单一工作调度。很简单吧！不过，有个问题需要处理。如果你是在一个非常忙碌的系统下运行 at，能不能指定你的工作在系统较闲的时候才进行呢？可以的，那就使用 batch 命令吧！

◆　**batch：系统有空时才进行后台任务**
　　●　其实 batch 是利用 at 来进行命令的执行。只是加入一些控制参数而已。这个 batch 神奇的地方在于：它会在 CPU 工作负载小于 0.8 的时候，才进行你所执行的工作任务。那什么是负载 0.8 呢？这个负载的意思是：CPU 在单一时间点所负责的工作数量，不是 CPU 的使用率。举例来说，如果我有一个程序它需要一直使用 CPU 的运算功能，那么此时 CPU 的使用率可能到达 100%，但是 CPU 的工作负载则是趋近于"1"，因为 CPU 仅负责一个工作嘛！如果同时执行这样的程序两个呢？CPU 的使用率还是 100%，但是工作负载则变成 2 了。明白不？
　　●　所以也就是说，当 CPU 的工作负载越大，代表 CPU 必须要在不同的工作之间进行频繁的工作切换。这样的 CPU 运行情况我们在第 0 章有谈过，忘记的话请回去瞧瞧！因为一直切换工作，所以会导致系统忙碌。系统如果很忙碌，还要额外进行 at，不太合理！所以才有 batch 命令的产生！
　　●　那么 batch 如何执行命令呢？很简单，与 at 相同。例如下面的范例：

```
范例一：同样是机房停电，在 2009/3/17 23:00 关机，但若当时系统负载太高，则暂缓执行
[root@www ~]# batch 23:00 2009-3-17
at> sync
at> sync
at> shutdown -h now
at> <EOT>
```

```
job 6 at 2009-03-17 23:00

[root@www ~]# atq
6       2009-03-17 23:00 b root
[root@www ~]# atrm 6
```

- 你会发现其实 batch 也是使用 atq/atrm 来管理的！这样了解吗？

16.3　循环执行的例行性工作调度

相对于 at 是仅执行一次的工作，循环执行的例行性工作调度则是由 cron（crond）这个系统服务来控制的。刚才谈过 Linux 系统上面原本就有非常多的例行性工作，因此这个系统服务是默认启动的。另外，由于用户自己也可以进行例行性工作调度，所以，Linux 也提供用户控制例行性工作调度的命令（crontab）。下面我们分别来聊一聊！

16.3.1　用户的设置

用户想要新建循环型工作调度时，使用的是 crontab 这个命令。不过，为了安全性的问题，与 at 类似，我们可以限制使用 crontab 的用户账号。使用的限制数据有：

- ◆ /etc/cron.allow
  - ● 将可以使用 crontab 的账号写入其中，若不在这个文件内的用户则不可使用 crontab。
- ◆ /etc/cron.deny
  - ● 将不可以使用 crontab 的账号写入其中，若未记录到这个文件当中的用户，就可以使用 crontab。

与 at 很像吧？同样，以优先级来说，/etc/cron.allow 比/etc/cron.deny 要优先，而判断上面，这两个文件只选择一个来限制而已，因此，建议你只要保留一个即可，免得影响自己在设置上面的判断。一般来说，系统默认是保留/etc/cron.deny，你可以将不想执行 crontab 的那个用户写入/etc/cron.deny 当中，一个账号一行！

当用户使用 crontab 这个命令来新建工作调度之后，该项工作就会被记录到/var/spool/cron/里面去了，而且是以账号来作为判别的。举例来说，dmtsai 使用 crontab 后，他的工作会被记录到/var/spool/cron/dmtsai 里面去。但请注意，**不要使用 vi 直接编辑该文件，因为可能由于输入语法错误，会导致无法执行 cron。**另外，cron 执行的每一项工作都会被记录到/var/log/cron 这个日志文件中，所以，如果你的 Linux 不知道有否被植入木马时，也可以查询一下/var/log/cron 这个日志文件。

好了，那么我们就来聊一聊 crontab 的语法吧！

```
[root@www ~]# crontab [-u username] [-l|-e|-r]
参数:
-u : 只有 root 才能进行这个任务, 也即帮其他用户新建/删除 crontab 工作调度;
-e : 编辑 crontab 的工作内容;
-l : 查阅 crontab 的工作内容;
-r : 删除所有的 crontab 的工作内容, 若仅要删除一项, 请用 -e 去编辑。

范例一: 用 dmtsai 的身份在每天的 12:00 发信给自己
[dmtsai@www ~]$ crontab -e
# 此时会进入 vi 的编辑界面让你编辑工作。注意到, 每项工作都是一行。
0   12 * * * mail dmtsai -s "at 12:00" < /home/dmtsai/.bashrc
#分 时 日 月 周 |<===============命令串=========================>|
```

默认情况下，任何用户只要不被列入/etc/cron.deny 当中，那么他就可以直接执行“crontab −e”去编辑自己的例行性命令了。整个过程就如同上面提到的，会进入 vi 的编辑界面，然后以一个工作一行来编辑，编辑完毕之后输入“:wq”保存后离开 vi 就可以了。而每项工作（每行）的格式都是具有六个字段，这六个字段的意义如表 16−1 所示。

表 16–1

代 表 意 义	分　　钟	小　　时	日　　期	月　　份	周	命　　令
数字范围	0～59	0～23	1～31	1～12	0～7	就命令啊

比较有趣的是那个"周"。周的数字为 0 或 7 时，都代表"星期天"的意思。另外，还有一些辅助的字符，大概有下面这些，如表 16–2 所示。

表 16–2

特 殊 字 符	代 表 意 义
*（星号）	代表任何时刻都接受的意思。举例来说，范例一内那个日、月、周都是 *，就代表着不论何月、何日的礼拜几的 12:00 都执行后续命令的意思
,（逗号）	代表分隔时段的意思。举例来说，如果要执行的工作是 3:00 与 6:00 时，就会是： 　　0 3,6 * * * command 时间参数还是有五列，不过第二列是 3,6，代表 3 与 6 都适用
–（减号）	代表一段时间范围内，举例来说，8 点到 12 点之间的每小时的 20 分都进行一项工作： 　　20 8-12 * * * command 仔细看到第二列变成 8-12。代表 8,9,10,11,12 都适用的意思
/n（斜线）	那个 n 代表数字，即是每隔 n 单位间隔的意思，例如每五分钟进行一次，则： 　　*/5 * * * * command 很简单吧！用 * 与 /5 来搭配，也可以写成 0–59/5，意思相同

我们就来搭配几个例子练习看看吧！下面的案例请实际用 dmtsai 这个身份执行看看。后续的操作才能够搭配起来！

例题

假若你的女朋友生日是 5 月 2 日，你想要在 5 月 1 日的 23:59 发一封信给她，这封信的内容已经写在/home/dmtsai/lover.txt 内了，该如何进行？

答：直接执行 crontab –e 之后，编辑成为：

59 23 1 5 * mail kiki < /home/dmtsai/lover.txt

那样的话，每年她都会收到你的这封信。（当然，信的内容就要每年变一变啦！）

例题

假如每五分钟需要执行/home/dmtsai/test.sh 一次，又该如何？

答：同样使用 crontab –e 进入编辑：

　　*/5 * * * * /home/dmtsai/test.sh

那个 crontab 每个用户都只有一个文件存在，就是在/var/spool/cron 里面。还有建议你：**执行命令时，最好使用绝对路径**，这样比较不会找不到执行文件。

例题

假如你每星期六都与朋友有约，那么想要每个星期五下午 4:30 告诉你朋友星期六的约会不要忘记，则：

答：还是使用 crontab–e。

　　30 16 * * 5 mail friend@his.server.name < /home/dmtsai/friend.txt

真的是很简单吧！那么，该如何查询用户目前的 crontab 内容呢？我们可以这样来看看：

```
[dmtsai@www ~]$ crontab -l
59 23 1 5 * mail kiki < /home/dmtsai/lover.txt
*/5 * * * * /home/dmtsai/test.sh
30 16 * * 5 mail friend@his.server.name < /home/dmtsai/friend.txt

# 注意, 若仅想要删除一项工作而已的话, 必须要用 crontab -e 去编辑
# 如果想要全部的工作都删除, 才使用 crontab -r 。
[dmtsai@www ~]$ crontab -r
[dmtsai@www ~]$ crontab -l
no crontab for dmtsai
```

看到了吗? crontab 整个内容都不见了! 所以请注意: 如果只是要删除某个 crontab 的工作项目,那么请使用 crontab -e 来重新编辑即可! 如果使用–r 的参数, 是会将所有的 crontab 数据内容都删掉的, 千万注意了!

16.3.2　系统的配置文件: /etc/crontab

这个 crontab–e 是针对用户的 cron 来设计的, 如果是系统的例行性任务时, 该怎么办呢? 是否还是需要以 crontab –e 来管理你的例行性工作调度呢? 当然不需要, 你只要编辑/etc/crontab 这个文件就可以。有一点需要特别注意, 那就是 crontab –e 这个 crontab 其实是/usr/bin/crontab 这个执行文件, 但是/etc/crontab 可是一个 "纯文本文件"。你可以 root 的身份编辑一下这个文件。

基本上, cron 这个服务的最低检测限制是 "分钟", 所以 cron 会每分钟去读取一次/etc/crontab 与/var/spool/cron 里面的数据内容, 因此, 只要你编辑完/etc/crontab 这个文件, 并且将它保存之后,那么 cron 的设置就自动会来执行了!

> 在 Linux 下面的 crontab 会自动帮我们每分钟重新读取一次/etc/crontab 的例行工作事项, 但是出于某些原因或者是其他的 Unix 系统中, 由于 crontab 是读到内存当中的, 所以在你修改完/etc/crontab 之后, 可能并不会马上执行, 这个时候请重新启动 crond 这个服务吧 ("/etc/init.d/crondrestart")!

废话少说, 我们就来看一下这个/etc/crontab 的内容吧!

```
[root@www ~]# cat /etc/crontab
SHELL=/bin/bash                     <==使用哪种 shell 接口
PATH=/sbin:/bin:/usr/sbin:/usr/bin  <==执行文件查找路径
MAILTO=root                         <==若有额外 STDOUT, 以 email 将数据送给谁
HOME=/                              <==默认此 shell 的主文件夹所在

# run-parts
01 * * * *   root   run-parts /etc/cron.hourly  <==每小时
02 4 * * *   root   run-parts /etc/cron.daily   <==每天
22 4 * * 0   root   run-parts /etc/cron.weekly  <==每周日
42 4 1 * *   root   run-parts /etc/cron.monthly <==每个月 1 号
 分 时 日 月 周  执行者身份  命令串
```

看到这个文件的内容你大概就了解了吧! 这个文件与刚才我们执行 crontab –e 的内容几乎完全一模一样! 只是有几个地方不太相同:

◆ MAILTO=root

- 这个选项是说, 当/etc/crontab 这个文件中的例行性工作的命令发生错误时, 或者是该工作的执行结果有 STDOUT/STDERR 时, 会将错误信息或者是屏幕显示的信息传给谁, 默认当然是由系统直接寄发一封 mail 给 root。不过, 由于 root 并无法在客户端中以 POP3 之类的软件收

信，因此，鸟哥通常都将这个 Email 改成自己的账号，好让我随时了解系统的状况！例如：
MAILTO=dmtsai@my.host.name。

◆　PATH=....

- 还记得我们在第 11 章的 BASH 当中一直提到的执行文件路径问题吧。这里就是输入执行文件的查找路径，使用默认的路径设置就已经很足够了。

◆　01 * * * * root run-parts /etc/cron.hourly

- 这个/etc/crontab 里面默认定义出四项工作任务，分别是每小时、每天、每周及每个月分别进行一次的工作！但是在五个字段后面接的并不是命令，而是一个新的字段，那就是**执行后面那串命令的身份**！这与用户的 crontab –e 不相同。由于用户自己的 crontab 并不需要指定身份，但/etc/crontab 里面当然要指定身份。以上面的内容来说，系统默认的例行性工作是以 root 的身份来进行的。

- 那么后面那串命令是什么呢？你可以使用“which run-parts”搜寻看看，其实那是一个 bash script。如果你直接进入/usr/bin/run-parts 去看看，会发现这个命令会将后面接的"目录"内的所有文件找出来执行！这也就是说如果你想让系统每小时主动帮你执行某个命令，将该命令写成 script，并将该文件放置到/etc/cron.hourly/目录下即可。

- 现在你知道系统是如何进行它默认的一堆例行性工作调度了吗？如果你执行“ll /etc/cron.daily”就可以看到一堆文件，那些文件就是系统提供的 script，而这堆 script 将会在每天的凌晨 4:02 开始运行！这也是为啥如果你是夜猫族，就会发现奇怪的是，Linux 系统为何早上 4:02 开始会很忙碌地发出一些硬盘转动的声音。因为它必须要进行 makewhatis, updatedb, rpm rebuild 等任务。

由于 CentOS 提供的 run-parts 这个 script 的辅助，因此/etc/crontab 这个文件里面支持两种执行命令的方式，一种是直接执行命令，一种则是以目录来规划，例如：

◆　**命令类型**

```
01 * * * * dmtsai mail -s "testing" kiki < /home/dmtsai/test.txt
```

- 以 dmtsai 这个用户的身份，在每小时执行一次 mail 命令。

◆　**目录规划**

```
*/5 * * * * root run-parts /root/runcron
```

- 新建一个/root/runcron 的目录，将要每隔五分钟执行的“可执行文件”都写到该目录下，就可以让系统每五分钟执行一次该目录下的所有可执行文件。

你现在大概了解了这一个命令了吧？假设你现在有一个目录，让系统可以每 2 分钟去执行这个目录下的所有可以执行的文件，你可以写下如下的这一行在/etc/crontab 中：

```
*/2 * * * * root run-parts /etc/cron.min
```

当然，/etc/cron.min 这个目录是需要存在的。那如果我需要执行的是一个“程序”而已，不需要用到一个目录呢？该如何是好？例如在检测网络流量时，我们希望每五分钟检测分析一次，可以这样写：

```
*/5 * * * * root /bin/mrtg /etc/mrtg/mrtg.cfg
```

如何？新建例行性命令很简单。如果你是系统管理员而且你的工作又是系统维护方面的例行任务时，直接修改/etc/crontab 这个文件即可。又便利，又方便管理呢！

16.3.3　一些注意事项

有的时候，我们以系统的 cron 来进行例行性工作时，要注意一些使用方面的特性。举例来说，如果我们有四个工作都是五分钟要进行一次的，那么是否这四个操作全部都在同一个时间点进行？如果同时进行，该四个操作又很耗系统资源，如此一来，每五分钟不是会让系统忙得要死？此时好好地分配一些运行时间就 OK 啦！所以，注意一下：

◆ **资源分配不均的问题**
  ● 当大量使用 crontab 的时候，总是会有问题发生的，最严重的问题就是系统资源分配不均的问题，以鸟哥的系统为例，我有检测主机流量的信息，包括：
    ■ 流量；
    ■ 区域内其他 PC 的流量检测；
    ■ CPU 使用率；
    ■ RAM 使用率；
    ■ 在线人数实时检测。
  ● 如果每个流程都在同一个时间启动的话，那么在某个时段时，我的系统会变的相当繁忙，所以，这个时候就必须要分别设置。我可以这样做：

```
[root@www ~]# vi /etc/crontab
1,6,11,16,21,26,31,36,41,46,51,56 * * * * root  CMD1
2,7,12,17,22,27,32,37,42,47,52,57 * * * * root  CMD2
3,8,13,18,23,28,33,38,43,48,53,58 * * * * root  CMD3
4,9,14,19,24,29,34,39,44,49,54,59 * * * * root  CMD4
```

  ● 看到了没？那个“,”分隔的时候，请注意，不要有空格符（连续的意思）！如此一来，则可以将每五分钟工作的流程分别在不同的时刻来工作，则可以让系统的执行较为顺畅。
◆ **取消不要的输出选项**
  ● 另外一个困扰发生在当有执行结果或者是执行的选项中有输出的数据时，该数据将会 mail 给 MAILTO 设置的账号，那么当有一个调度一直出错（例如 DNS 的检测系统当中，若 DNS 上层主机挂掉，那么你就会一直收到错误信息）。怎么办？还记得第 11 章谈到的数据流重定向吧？直接以“命令重定向”将输出的结果输出到/dev/null 这个垃圾桶当中就好了。
◆ **安全的检验**
  ● 很多时候被植入木马都是以例行命令的方式植入的，所以可以由检查/var/log/cron 的内容来查看是否有非你设置的 cron 被执行了？这个时候就需要小心一点。
◆ **周与日、月不可同时并存**
  ● 另一个需要注意的地方在于：你可以分别以周或者是日、月为单位作为循环，但你不可使用“几月几号且为星期几”的模式工作。这个意思是说，你不可以这样编写一个工作调度：

```
30 12 11 9 5 root echo "just test"   <==这是错误的写法
```

  ● 本来你以为 9 月 11 日且为星期五才会进行这项工作，无奈的是，系统可能会判定每个星期五做一次，或每年的 9 月 11 日分别进行，如此一来与你当初的规划就不一样了。所以，得要注意这个地方。上述的写法是不对的。

16.4 可唤醒停机期间的工作任务

如果你的 Linux 主机是作为 24 小时全天、全年无休的服务器之用，那么你只要有 atd 与 crond 这两个服务来管理你的例行性工作调度即可。如果你的服务器并非 24 小时无间断开机，那么你该如何进行例行性工作？举例来说，如果你每天晚上都要关机，等到白天才启动你的 Linux 主机时，由于 CentOS 默认的工作调度都在每天凌晨 4:02 进行，如此一来不就一堆系统例行工作都没有人在做了。那可怎么办？此时就得要 anacron 这工具了！

16.4.1 什么是 anacron

anacron 并不是用来替代 crontab 的，anacron 存在的目的就在于我们上头提到的，在处理非 24 小时一直启动的 Linux 系统的 crontab 的执行。所以 anacron 并不能指定何时执行某项任务，而是以天为单位或者是在开机后立刻进行 anacron 的操作，它会去检测停机期间应该进行但是并没有进行的 crontab 任务，并将该任务执行一遍，然后 anacron 就会自动停止了。

由于 anacron 会以一天、七天、一个月为期去检测系统未进行的 crontab 任务，因此对于某些特殊的使用环境非常有帮助。举例来说，如果你的 Linux 主机是放在公司给同事使用的，因为周末假日大家都不在公司所以也没有必要开启，因此你的 Linux 是周末都会关机两天的。但是 crontab 大多在每天的凌晨以及周日的早上进行各项任务，偏偏你又关机了，此时系统很多 crontab 的任务就无法进行。anacron 刚好可以解决这个问题！

那么 anacron 又是怎么知道我们的系统什么时候关机的呢？这就得要使用 anacron 读取的时间记录文件（timestamps）了！anacron 会去分析现在的时间与时间记录文件所记载的上次执行 anacron 的时间，两者比较后若发现有区别，那就是在某些时刻没有进行 crontab。此时 anacron 就会开始执行未进行的 crontab 任务了。所以 anacron 其实也是通过 crontab 来运行的！因此 anacron 运行的时间通常有两个，一个是系统开机期间运行，一个是写入 crontab 的调度中。这样才能够在特定时间分析系统未进行的 crontab 工作。

16.4.2 anacron 与/etc/anacrontab

anacron 其实是一个程序并非一个服务。这个程序在 CentOS 当中已经进入 crontab 的调度。不相信吗？你可以这样跟踪看看：

```
[root@www ~]# ll /etc/cron*/*ana*
-rwxr-xr-x 1 root root 379 Mar 28 2007 /etc/cron.daily/0anacron
-rwxr-xr-x 1 root root 381 Mar 28 2007 /etc/cron.monthly/0anacron
-rwxr-xr-x 1 root root 380 Mar 28 2007 /etc/cron.weekly/0anacron
# 刚好是每天、每周、每月有调度的工作目录！查看一下每天的任务

[root@www ~]# cat /etc/cron.daily/0anacron
if [ ! -e /var/run/anacron.pid ]; then
   anacron -u cron.daily
fi
# 所以其实也仅是执行 anacron -u 的命令，因此我们得来谈谈这个程序！
```

基本上，anacron 的语法如下：

```
[root@www ~]# anacron [-sfn] [job]..
[root@www ~]# anacron -u [job]..
参数:
-s : 开始连续执行各项工作 (job)，会依据时间记录文件的数据判断是否进行;
-f : 强制进行，而不去判断时间记录文件的时间戳;
-n : 立刻进行未进行的任务，而不延迟 (delay) 等待时间;
-u : 仅更新时间记录文件的时间戳，不进行任何工作。
job: 由/etc/anacrontab 定义的各项工作名称。
```

所以我们发现其实/etc/cron.daily/0anacron 仅进行时间戳的更新，而没有进行任何 anacron 的操作。在我们的 CentOS 中，anacron 的进行其实是在开机完成后才进行的一项工作任务，你也可以将 anacron 排入 crontab 的调度中。但是为了担心 anacron 误判时间参数，因此/etc/cron.daily/里面的 anacron 才会在文件名之前加个 0（0anacron），让 anacron 最先进行，就是为了让时间戳先更新，以避免 anacron 误判 crontab 尚未进行任何工作的意思。

接下来我们看一下/etc/anacrontab 的内容好了：

```
[root@www ~]# cat /etc/anacrontab
SHELL=/bin/sh
PATH=/sbin:/bin:/usr/sbin:/usr/bin
MAILTO=root

1       65      cron.daily     run-parts /etc/cron.daily
7       70      cron.weekly    run-parts /etc/cron.weekly
30      75      cron.monthly   run-parts /etc/cron.monthly
天数    延迟时间 工作名称定义    实际要进行的命令串
# 天数单位为天；延迟时间单位为分钟；工作名称定义可自定义；
# 命令串则通常与 crontab 的设置相同！

[root@www ~]# more /var/spool/anacron/*
::::::::::::::
/var/spool/anacron/cron.daily
::::::::::::::
20090315
::::::::::::::
/var/spool/anacron/cron.monthly
::::::::::::::
20090301
::::::::::::::
/var/spool/anacron/cron.weekly
::::::::::::::
20090315
# 上面则是三个工作名称的时间记录文件以及记录的时间戳
```

由于/etc/cron.daily 内的任务比较多，因此我们使用每天进行的任务来解释一下 anacron 的运行情况好了。anacron 若执行"anacron –scron.daily"时，它会这样运行的：

1. 由/etc/anacrontab 分析到 cron.daily 这项工作名称的天数为 1 天；
2. 由/var/spool/anacron/cron.daily 取出最近一次执行 anacron 的时间戳；
3. 由上个步骤与目前的时间比较，若差异天数为 1 天以上（含 1 天），就准备进行命令；
4. 若准备进行命令，根据/etc/anacrontab 的设置将延迟 65 分钟；
5. 延迟时间过后，开始执行后续命令，即"run-parts /etc/cron.daily"这串命令；
6. 执行完毕后，anacron 程序结束。

所以说，时间戳是非常重要的。anacron 是通过该记录与目前的时间差异，了解到是否应该要进行某项任务的工作。举例来说，如果我的主机在 2009/03/15（星期天）18:00 关机，然后在 2009/03/16（星期一）8:00 开机，由于我的 crontab 是在早上 04:00 左右进行各项任务，由于该时刻系统是关机的，因此时间戳依旧为 20090315（旧的时间），但是目前时间已经是 20090316（新的时间），因此 run-parts/etc/cron.daily 就会在开机过 65 分钟后开始运行了。

所以，anacron 并不需要额外的设置，使用默认值即可！只是我们的 CentOS 只有在开机时才会执行 anacron 就是了。如果要确定 anacron 是否开机时会主动执行，你可以执行下列命令：

```
[root@www ~]# chkconfig --list anacron
anacron       0:off  1:off  2:on   3:on   4:on   5:on   6:off
# 详细的 chkconfig 说明我们会在后续章节提到，注意看 3, 5
# 的选项，都是 on 。那就是有启动啦！开机时才会执行的意思。
```

现在你知道为什么隔了一阵子才将 CentOS 开机，开机过后约 1 小时左右系统会有一小段时间的忙碌，而且硬盘会跑个不停！那就是因为 anacron 正在执行过去 crontab 未进行的各项工作调度。这样对 anacron 有没有概念了呢？

16.5　重点回顾

◆　系统可以通过 at 这个命令来调度单一工作的任务！"at TIME"为命令执行的方法，当 at 进入调度后，系统执行该调度工作时，会到执行时的目录进行任务。

◆　at 的执行必须要有 atd 服务的支持，且/etc/at.deny 为控制是否能够执行的用户账号。

◆　通过 atq,atrm 可以查询与删除 at 的工作调度。

◆　batch 与 at 相同，不过 batch 可在 CPU 工作负载小于 0.8 时才进行后续的工作调度。

◆　系统的循环例行性工作调度使用 cron 这个服务，同时利用 crontab –e 及/etc/crontab 进行调度的安排。

◆　crontab –e 设置项目分为六列，分、时、日、月、周、命令为其设置依据。

◆　/etc/crontab 设置分为七列，分、时、日、月、周、执行者、命令为其设置依据。

◆　anacron 配合/etc/anacrontab 的设置，可以唤醒停机期间系统未进行的 crontab 任务。

16.6　本章习题

简答题部分

◆　今天假设我有一个命令程序，名称为 ping.sh。我想要让系统每三分钟执行这个文件一次，但是偏偏这个文件会有很多的信息显示出来，所以我的 root 账号每天都会收到差不多四百多封的信件，光是收信就差不多快要疯掉了。那么请问应该怎么设置比较好呢？

◆　你预计要在 2010 年的 2 月 14 日寄出一封 Email 给 kiki，只有该年才寄出！该如何执行命令？

◆　执行 crontab –e 之后，如果输入这一行，代表什么意思？
* 15 * * 1–5/usr/local/bin/tea_time.sh

◆　我用 vi 编辑/etc/crontab 这个文件，我编辑的那一行是这样的：
25 00 * * 0 /usr/local/bin/backup.sh
这一行代表的意义是什么？

◆　请问，你的系统每天、每周、每个月各有进行什么工作?

◆　每个星期六凌晨三点去系统查找一下含有 SUID/SGID 的任何文件，并将结果输出到/tmp/uidgid.files 中。

17

第 17 章　程序管理与 SELinux 初探

　　一个程序被加载到内存当中运行，那么在内存内的那个数据就被称为进程（process）。进程是操作系统上非常重要的概念，所有系统上面跑的数据都会以进程的类型存在。那么系统的进程有哪些状态？不同的状态会如何影响系统的运行？进程之间是否可以互相控管等这些都是我们所必须要知道的项目。另外与进程有关的还有 SELinux 这个加强文件访问安全性的东东，也必须有个了解。

17.1　什么是进程（**process**）

　　由前面一连几个章节的数据看来，我们一直强调在 Linux 下面所有的命令与你能够进行的操作都与权限有关，而系统如何判定你的权限呢？当然就是第 14 章账号管理当中提到的 UID/GID 的相关概念，以及文件的属性相关性。再进一步来解释，你现在大概知道，在 Linux 系统当中：**触发任何一个事件时，系统都会将它定义成为一个进程，并且给予这个进程一个 ID，称为 PID，同时依据触发这个进程的用户与相关属性关系，给予这个 PID 一组有效的权限设置。从此以后，这个 PID 能够在系统上面进行的操作，就与这个 PID 的权限有关了！**

　　看这个定义似乎没有什么很奇怪的地方，不过，你必须了解什么叫做“触发事件”才行。我们在什么情况下会触发一个事件？而同一个事件可否被触发多次？先来介绍。

17.1.1　进程与程序（process & program）

　　我们如何产生一个进程呢？其实很简单，就是“执行一个程序或命令”就可以触发一个事件而取得一个 PID。我们说过，系统应该是仅认识二进制文件的，那么当我们要让系统工作的时候，当然就是需要启动一个二进制文件，那个二进制文件就是程序（program）。

　　那我们知道，每个进程都有三组人的权限，每组人都具有 r/w/x 的权限，所以：不同的用户身份执行这个程序时，系统给予的权限也都不相同！举例来说，我们可以利用 touch 来创建一个空的文件，当 root 执行这个 touch 命令时，他取得的是 UID/GID = 0/0 的权限，而当 dmtsai（UID/GID = 501/501）执行这个 touch 时，他的权限就跟 root 不同。我们将这个概念绘制成图 17–1 所示。

　　如图 17–1 所示，程序一般是放置在磁盘中，然后通过用户的执行来触发。触发后会加载到内存中成为一个个体，那就是进程。为了操作系统可管理这个进程，因此进程有给予执行者的权限/属性等参数，并包括进程所需要的脚本与数据或文件数据等，最后再给予一个 PID。系统就是通过这个 PID 来判断该 process 是否具有权限进行工作的，它是很重要的。

　　举个常见的例子，我们要操作系统的时候，通常是利用连接进程或者直接在主机前面登录，然后取得我们的 shell，那么，我们的 shell 是 bash 对吧，这个 bash 在/bin/bash 对吧，那么同时间的每个人登录都是执行/bin/bash。不过，每个人取得的权限就是不同，也就是说，我们可以这样看：

　　也就是说，当我们登录并执行 bash 时，系统已经给我们一个 PID 了，这个 PID 就是根据登录者的 UID/GID（/etc/passwd）来的。以上面的图 17–2 配合图 17–1 来做说明的话，我们知道/bin/bash 是一个程序（program），当 dmtsai 登录后，它取得一个 PID 号码为 2234 的进程，这个进程的 User/Group 都是 dmtsai，而当这个进程进行其他工作时，例如上面提到的 touch 这个命令时，那么**由这个进程衍生出来的其他进程在一般状态下，也会沿用这个进程的相关权限。**

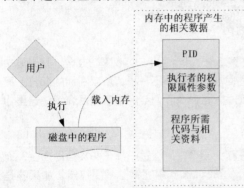

图 17–1　程序被加载成为进程以及相关数据的示意图

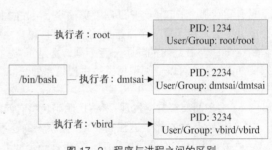

图 17–2　程序与进程之间的区别

让我们将程序与进程作个总结：

- ■ 程序（program）：通常为二进制程序放置在存储媒介中（如硬盘、光盘、软盘、磁带等），以物理文件的形式存在；
- ■ 进程（process）：程序被触发后，执行者的权限与属性、程序的程序代码与所需数据等都会被加载到内存中，操作系统并给予这个内存内的单元一个标识符（PID），可以说，进程就是一个正在运行中的程序。

- ◆ 子进程与父进程
- ● 在上面的说明里面，我们有提到所谓的"衍生出来的进程"，那是什么？这样说好了，当我们登录系统后，会取得一个 bash 的 shell，然后，我们用这个 bash 提供的接口去执行另一个命令，例如/usr/bin/passwd 或者是 touch 等，那些另外执行的命令也会被触发成为 PID，那个后来执行命令才产生的 PID 就是"子进程"，而在我们原本的 bash 环境下，就称为"父进程"了！借用我们在第 11 章 Bash 谈到的 export 所用的图 17-3 好了。

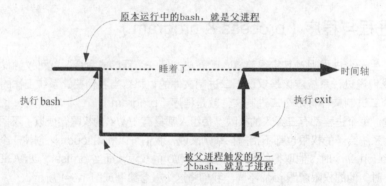

图 17-3 进程相关系之示意图

- ● 所以你必须要知道，进程彼此之间是有相关性的。以上面的图示来看，连续执行两个 bash 后，第二个 bash 的父进程就是前一个 bash。因为每个进程都有一个 PID，那某个进程的父进程该如何判断？就通过 Parent PID（PPID）来判断即可。此外，由第 11 章的 export 内容我们也探讨过环境变量的继承问题，子进程可以取得父进程的环境变量。让我们来进行下面的练习，以了解什么是子进程/父进程。

例题

请在目前的 bash 环境下，再触发一次 bash，并以"ps -l"这个命令查看进程相关的输出信息。
答：直接执行 bash，会进入到子进程的环境中，然后输入 ps -l 后，出现：

```
F S   UID   PID  PPID  C PRI  NI ADDR SZ WCHAN  TTY          TIME CMD
4 S     0  8074  8072  2  76   0 -  1287 wait   pts/1    00:00:00 bash
0 S     0  8102  8074  4  76   0 -  1287 wait   pts/1    00:00:00 bash
4 R     0  8118  8102  0  78   0 -  1101 -      pts/1    00:00:00 ps
```

有看到那个 PID 与 PPID 吗？第一个 bash 的 PID 与第二个 bash 的 PPID 都是 8 074，因为第二个 bash 是来自于第一个所产生的。另外，每台主机的进程启动状态都不一样，所以在你的系统上面看到的 PID 与我这里的显示一定不同，那是正常的！详细的 ps 命令我们会在本章稍后介绍，这里你只要知道 ps -l 可以查阅到相关的进程信息即可。

- ● 很多朋友经常会发现："咦！明明我将有问题的进程关闭了，怎么过一阵子它又自动产生？而且新产生的那个进程的 PID 与原先的还不一样，这是怎么回事呢？"不要怀疑，如果不是 crontab 工作调度的影响，肯定有一个父进程存在，所以你杀掉子进程后，父进程就会主动再生一个。那怎么办？正所谓"擒贼先擒王"，找出那个父进程，然后将它删除就对啦！

◆ **fork and exec：过程调用的流程**

- 其实子进程与父进程之间的关系还挺复杂的，最大的复杂点在于进程互相之间的调用，在 Linux 的过程调用中通常称为 fork-and-exec 的流程[注1]！进程都会通过父进程以复制（fork）的方式产生一个一模一样的子进程，然后被复制出来的子进程再以 exec 的方式来执行实际要进行的进程，最终就成为一个子进程的存在。整个流程有点像下面这张图 17-4 所示。

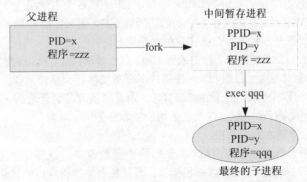

图 17-4　程序使用 fork and exec 调用的情况示意图

- 系统先以 fork 的方式复制一个与父进程相同的暂存进程，这个进程与父进程唯一的区别就是 PID 不同！但是这个暂存进程还会多一个 PPID 的参数，PPID 如前所述，就是父进程的进程标识符。然后暂存进程开始以 exec 的方式加载实际要执行的程序，以上述图示来讲，新的进程名称为 qqq，最终子进程的程序代码就会变成 qqq 了。

◆ **系统或网络服务：常驻在内存的进程**

- 如果就我们之前学到的一些命令数据来看，其实我们执行的命令都很简单，包括用 ls 显示文件、用 touch 新建文件、rm/mkdir/cp/mv 等命令管理文件、chmod/chown/passwd 等的命令来管理权限等，不过，这些命令都是执行完就结束了。也就是说，该项命令被触发后所产生的 PID 很快就会终止。那有没有一直在执行的进程啊？当然有啊！而且多的是呢！

- 举个简单的例子来说好了，我们知道系统每分钟都会去扫描/etc/crontab 以及相关的配置文件，来进行工作调度。那么那个工作调度是谁负责的？当然不是鸟哥。是 crond 这个进程所管理的，它启动后在后台当中一直持续不断运行，套句以前 DOS 年代经常说的一句话，那就是常驻在内存当中的进程。

- 常驻在内存当中的进程通常都是负责一些系统所提供的功能以服务用户各项任务，因此**这些常驻进程就会被我们称为服务（daemon）**。系统的服务非常多，不过大致分成系统本身所需要的服务，例如刚才提到的 crond 及 atd，还有 syslog 等。还有一些则是负责网络联机的服务，例如 Apache,named,postfix,vsftpd 等。这些网络服务比较有趣的地方，在于这些程序被执行后，它会启动一个可以负责网络监听的端口（port），以提供外部客户端（client）的连接请求。

17.1.2　Linux 的多用户、多任务环境

我们现在知道了，其实在 Linux 下面执行一个命令时，系统会将相关的权限、属性、程序代码与数据等均加载到内存，并给予这个单元一个进程标识符（PID），最终该命令可以进行的任务则与这个 PID 的权限有关。根据这个说明，我们就可以简单了解，为什么 Linux 这么多用户，但是却每个人都可以拥有自己的环境了。下面我们来谈谈 Linux 多用户、多任务环境的特色：

◆ **多用户环境**

- Linux 最棒的地方就在于它的多用户、多任务环境了。那么什么是"多用户、多任务"？在 Linux

系统上面具有多种不同的账号，每种账号都有都有其特殊的权限，只有一个人具有至高无上的权利，那就是 root（系统管理员）。除了 root 之外，其他人都必须要受一些限制的。而每个人进入 Linux 的环境设置都可以随着每个人的喜好来设置（还记得我们在第 11 章 BASH 提过的 ～/.bashrc 吧？）。现在知道为什么了吧？因为每个人登录后取得的 shell 的 PID 不同。

◆ 多任务行为

● 我们在第 0 章谈到 CPU 的速度，目前的 CPU 速度可高达几个 GHz。这代表 CPU 每秒钟可以运作 10^9 这么多次命令。我们的 Linux 可以让 CPU 在各个工作间进行切换，也就是说，其实每个工作都仅占去 CPU 的几个命令次数，所以 CPU 每秒就能够在各个进程之间进行切换。谁叫 CPU 可以在一秒钟进行这么多次的命令运行。

● CPU 切换进程的工作与这些工作进入到 CPU 运行的调度（CPU 调度，非 crontab 调度）会影响到系统的整体性能。目前 Linux 使用的多任务切换行为是非常棒的一个机制，几乎可以将 PC 的性能整个压榨出来！由于性能非常好，因此当多人同时登录系统时，其实会感受到整台主机好像就为了你存在一般。这就是多用户、多任务的环境啦[注2]！

◆ 多重登录环境的七个基本终端窗口

● 在 Linux 当中，默认提供了 6 个命令行界面登录窗口，以及一个图形界面，你可以使用 [Alt]+[F1]～[F7] 来切换不同的终端机接口，而且每个终端机接口的登录者还可以是不同的人！很炫吧！这个东西可就很有用啦！尤其是在某个进程死掉的时候！

● 其实，这也是多任务环境下所产生的一个情况。我们的 Linux 默认会启动 6 个终端机登录环境的进程，所以我们就会有 6 个终端机接口。你也可以减少啊！就是减少启动的终端机进程就好了。详细的资料可以先查阅 /etc/inittab 这个文件，将来我们在开机管理流程（第 20 章）会再仔细介绍的！

◆ 特殊的进程管理行为

● 以前的鸟哥笨笨的，总是以为使用 Windows 98 就可以啦！后来，因为工作的关系，需要使用 Unix 系统，想说我只要在工作机前面就好，才不要跑来跑去地到 Unix 工作站前面去呢！所以就使用 Windows 联到我的 Unix 工作站工作。我一个程序跑下来要 2～3 天，偏偏经常到了第 2.5 天的时候，Windows 98 就死机了！当初真的是怕死了，

● 后来因为换了新计算机，用了 Windows 2000，这东西真不错（指对单用户而言），在死机的时候，它可以仅将错误的进程踢掉，而不干扰其他的进程进行，从此以后，就不用担心会死机了。不过，2000 毕竟还不够好，因为有的时候还是会死机。

● 那么 Linux 会有这样的问题吗？老实说，Linux 几乎可以说绝对不会死机的。因为它可以在任何时候，将某个被困住的进程杀掉，然后再重新执行该进程而不用重新启动。那么如果我在 Linux 下以命令行界面登录，在屏幕当中显示错误信息后就挂了，动都不能动，该如何是好？这个时候那默认的 7 个窗口就帮上忙啦！你可以随意再按 [Alt]+[F1]～[F7] 来切换到其他的终端机接口，然后以 ps -aux 找出刚才的错误进程，然后杀一下，回到刚才的终端机接口。又恢复正常了！

● 为什么可以这样做呢？我们刚才不是提过吗？每个进程之间可能是独立的，也可能有相依性，只要到独立的进程当中，删除有问题的那个进程，它就可以被系统删除掉啦！

◆ bash 环境下的工作管理（job control）

● 我们在上一个小节有提到所谓的"父进程、子进程"的关系，那我们登录 bash 之后，就是取得一个名为 bash 的 PID 了，而在这个环境下面所执行的其他命令，就几乎都是所谓的子进程。那么，在这个单一的 bash 接口下，我可不可以进行多个工作啊？当然可以啦！可以"同时"进行。举例来说，我可以这样做：

```
[root@www ~]# cp file1 file2 &
```

● 在这一串命令中，重点在那个&的功能，它表示将 file1 这个文件复制为 file2，且放置于后台中执行，也就是说执行这一个命令之后，在这一个终端仍然可以做其他的工作。而当这一个命令（cp file1 file2）执行完毕之后，系统将会在你的终端显示完成的消息，很方便。

◆ 多用户、多任务的系统资源分配问题考虑

● 多用户、多任务确实有很多的好处，但其实也有管理上的困扰，因为用户越来越多，将导致你管理上的困扰。另外，由于用户多，当用户达到一定的人数后，通常你的机器便需要升级了，因为 CPU 的运算与 RAM 的大小可能就会不够使用！

● 举例来说，鸟哥之前的网站管理得不太好，因为使用了一个很复杂的人数统计程序，这个程序会一直去访问 MySQL 数据库的数据，偏偏因为流量大，造成 MySQL 很忙碌。在这样的情况下，当鸟哥要登录去写网页数据，或者要去使用讨论区的资源时，慢得很！实在是太慢了。后来终于将这个程序停止不用了，以自己写的一个小程序来替代，这才让 CPU 的负载（loading）整个降下来，用起来顺畅多了。

17.2　工作管理（job control）

这个工作管理（job control）是用在 bash 环境下的，也就是说：当我们登录系统取得 bash shell 之后，在单一终端机下同时进行多个工作的行为管理。举例来说，我们在登录 bash 后，想要一边复制文件一边进行数据查找，一边进行编译，还可以一边进行 vi 程序编写。当然我们可以重复登录那 6 个命令行界面的终端机环境中，不过，能不能在一个 bash 内实现？当然可以，就是使用 job control。

17.2.1　什么是工作管理

从上面的说明当中，你应该要了解的是：在进行工作管理的行为中，其实每个工作都是目前 bash 的子进程，即彼此之间是有相关性的。我们无法以 job control 的方式由 tty1 的环境去管理 tty2 的 bash。这个概念请你先建立起来，待后续的范例介绍之后，你就会清楚了。

或许你会觉得很奇怪，既然我可以在 6 个终端接口登录，那何必使用 job control 呢？不要忘记了呢，我们可以在/etc/security/limits.conf（第 14 章）里面设置用户同时可以登录的连接数，在这样的情况下，某些用户可能仅能以一个连接来工作呢！所以，你就得要了解一下这种工作管理的模式了！此外，这个章节内容也会牵涉到很多的数据流重定向，所以，如果忘记的话，务必回到第 11 章 BASH Shell 看一看。

由于假设我们只有一个终端，因此在可以出现提示符让你操作的环境就称为前台（foreground），至于其他工作就可以让你放入后台（background）去暂停或运行。要注意的是，放入后台的工作想要运行时，它必须不能够与用户互动。举例来说，vim 绝对不可能在后台里面执行（running）。因为你没有输入数据它就不会跑。而且放入后台的工作是不可以使用[ctrl]+c 来终止的！

总之，要进行 bash 的 job control 必须要注意到的限制是：

◆ 这些工作所触发的进程必须来自于你 shell 的子进程（只管理自己的 bash）；

◆ 前台：你可以控制与执行命令的这个环境称为前台（foreground）的工作；

◆ 后台：可以自行运行的工作，你无法使用[ctrl]+c 终止它，可使用 bg/fg 调用该工作；

◆ 后台中"执行"的进程不能等待 terminal/shell 的输入（input）。

接下来让我们实际来管理这些工作吧！

17.2.2　job control 的管理

如前所述，bash 只能够管理自己的工作而不能管理其他 bash 的工作，所以即使你是 root 也不能够将别人的 bash 下面的 job 给他拿过来执行。此外，又分前台与后台，然后在后台里面的工作状态又可以分为"暂停"（stop）与"运行中"（running）。那实际进行 job 控制的命令有哪些？下面就来谈谈。

◆ **直接将命令丢到后台中"执行"的 &**

● 如同前面提到的，我们在只有一个 bash 的环境下，如果想要同时进行多个工作，那么可以将

某些工作直接丢到后台环境当中，让我们可以继续操作前台的工作。那么如何将工作丢到后台中？最简单的方法就是利用 "&"。举个简单的例子，我们要将/etc/整个备份成为/tmp/etc.tar.gz 且不想要等待，那么可以这样做：

```
[root@www ~]# tar -zpcf /tmp/etc.tar.gz /etc &
[1] 8400  <== [job number] PID
[root@www ~]# tar: Removing leading `/' from member names
# 在中括号内的号码为工作号码（job number），该号码与 bash 的控制有关。
# 后续的 8400 则是这个工作在系统中的 PID。至于后续出现的数据是 tar 执行的数据流，
# 由于我们没有加上数据流重定向，所以会影响界面，不过不会影响前台的操作。
```

- 仔细瞧一瞧，我在输入一个命令后，在该命令的最后面加上一个 "&" 代表将该命令丢到后台中，此时 bash 会给予这个命令一个 "工作号码"（job number），就是那个[1]。至于后面那个 8400 则是该命令所触发的 "PID" 了！而且，有趣的是，我们可以继续操作 bash。很不赖吧！不过，那么丢到后台中的工作什么时候完成？完成的时候会显示什么？如果你输入几个命令后，突然出现这个数据：

```
[1]+  Done                    tar -zpcf /tmp/etc.tar.gz /etc
```

- 就代表[1]这个工作已经完成（Done），该工作的命令则是接在后面那一串命令行。这样了解了吧！另外，这个&代表 "将工作丢到后台中去执行"。注意到那个 "执行" 的字。这样的情况最大的好处是**不怕被[ctrl]+c 中断的**。此外，将工作丢到后台当中要特别注意数据的流向，包括上面的信息就有出现错误信息，导致我的前台被影响。虽然只要按下[enter]就会出现提示符，但如果我将刚才那个命令改成：

```
[root@www ~]# tar -zpcvf /tmp/etc.tar.gz /etc &
```

- 情况会怎样？在后台当中执行的命令，如果有 stdout 及 stderr 时，它的数据依旧是输出到屏幕上面的，所以，我们会无法看到提示符，当然也就无法完好地掌握前台工作。同时由于是后台工作的 tar，此时你怎么按下[ctrl]+c 也无法停止屏幕被搞得花花绿绿的！所以，最佳的状况就是利用数据流重定向，将输出数据传送至某个文件中。举例来说，我可以这样做：

```
[root@www ~]# tar -zpcvf /tmp/etc.tar.gz /etc > /tmp/log.txt 2>&1 &
[1] 8429
[root@www ~]#
```

- 如此一来，输出的信息都传送到/tmp/log.txt 当中，当然就不会影响到我们前台的工作了。这样说，你应该可以更清楚数据流重定向的重要性了吧？

> 工作号码（job number） 只与您这个 bash 环境有关，但是它既然是个命令触发的，所以当然一定是一个进程，因此您会查看到有 job number 也搭配一个 PID！

- **将目前的工作丢到后台中 "暂停"：[ctrl]-z**
  - 想个情况：如果我正在使用 vi，却发现我有个文件不知道放在哪里，需要到 bash 环境下进行查找，此时是否要结束 vi 呢？当然不需要。只要暂时将 vi 给他丢到后台当中等待即可。例如以下的案例：

```
[root@www ~]# vi ~/.bashrc
# 在 vi 的一般模式下，按下 [ctrl]-z 这两个按键
[1]+  Stopped                 vim ~/.bashrc
[root@www ~]#   <==顺利取得了前台的操控权！
[root@www ~]# find / -print
....（输出省略）....
# 此时屏幕会非常忙碌！因为屏幕上会显示所有的文件名。请按下 [ctrl]-z 暂停
[2]+  Stopped                 find / -print
```

- 在 vi 的一般模式下，按下[ctrl]及 z 这两个按键，屏幕上会出现[1]，表示这是第一个工作，而那个**+**代表最近一个被丢进后台的工作，且目前在后台下默认会被取用的那个工作（与 fg 这个命令有关）。而那个 Stopped 则代表目前这个工作的状态。在默认的情况下，使用[ctrl]-z 丢到后台当中的工作都是"暂停"的状态。

◆ 查看目前的后台工作状态：jobs

```
[root@www ~]# jobs [-lrs]
参数：
-l : 除了列出 job number 与命令串之外，同时列出 PID 的号码；
-r : 仅列出正在后台 run 的工作；
-s : 仅列出正在后台当中暂停（stop）的工作。

范例一：查看目前的 bash 当中，所有的工作，与对应的 PID
[root@www ~]# jobs -l
[1]- 10314 Stopped                    vim ~/bashrc
[2]+ 10833 Stopped                    find /-print
```

- 如果想要知道目前有多少的工作在后台当中，就用 jobs 这个命令吧！一般来说，直接执行 jobs 即可。不过，如果你还想要知道该 job number 的 PID 号码，可以加上–l 这个参数。在输出的信息当中，例如上文，仔细看到那个+–号。那个+代表默认的取用工作。所以说，如果目前我有两个工作在后台当中，两个工作都是暂停的，而如果我仅输入 fg 时，那么那个[2]所代表的工作会被拿到前台当中来处理"。
- 其实+代表最近被放到后台的工作号码，-代表最近最后第二个被放置到后台中的工作号码。而超过最后第三个以后的工作，就不会有+/–符号存在了！

◆ 将后台工作拿到前台来处理：fg
- 刚才提到的都是将工作丢到后台当中去执行的，那么有没有可以将后台工作拿到前台来处理的？有啊！就是那个 fg（foreground）。举例来说，我们想要将上头范例当中的工作拿出来处理时：

```
[root@www ~]# fg %jobnumber
参数：
%jobnumber : jobnumber 为工作号码（数字）。注意，那个 % 是可有可无的！

范例一：先以 jobs 查看工作，再将工作取出：
[root@www ~]# jobs
[1]- 10314 Stopped                    vim ~/.bashrc
[2]+ 10833 Stopped                    find / -print
[root@www ~]# fg        <==默认取出那个 + 的工作，即 [2]。立即按下[ctrl]-z
[root@www ~]# fg %1     <==直接规定取出的那个工作号码！再按下[ctrl]-z
[root@www ~]# jobs
[1]+ Stopped                          vim ~/.bashrca
[2]- Stopped                          find / -print
```

- 经过 fg 命令就能够将后台工作拿到前台来处理。不过比较有趣的是最后一个显示的结果，我们会发现+出现在第一个工作后！怎么会这样啊？这是因为你刚才利用 fg %1 将第一号工作放到前台后又放回后台，此时最后一个被放入后台的将变成 vi 那个命令操作，所以当然[1]后面就会出现+了。另外，如果输入"fg-"则代表将–号的那个工作号码拿出来，上面就是[2]-那个工作号码。

◆ 让工作在后台下的状态变成运行中：bg
- 我们刚才提到，那个[ctrl]-z 可以将目前的工作丢到后台下面去"暂停"，那么如何让一个工作在后台下面"Run"呢？我们可以在下面这个案例当中来测试。注意，下面的测试要进行得快一点！

```
范例一：一执行 find / -perm +7000 > /tmp/text.txt 后，立刻丢到后台去暂停！
[root@www ~]# find / -perm +7000 > /tmp/text.txt
# 此时，请立刻按下 [ctrl]-z 暂停！
[3]+ Stopped                    find / -perm +7000 > /tmp/text.txt
```

范例二：让该工作在后台下进行，并且查看它！！

```
[root@www ~]# jobs ; bg %3 ; jobs
[1]-  Stopped                vim ~/.bashrc
[2]   Stopped                find / -print
[3]+  Stopped                find / -perm +7000 > /tmp/text.txt
[3]+ find / -perm +7000 > /tmp/text.txt &  <==用 bg%3 的情况!
[1]+  Stopped                vim ~/.bashrc
[2]   Stopped                find / -print
[3]-  Running                find / -perm +7000 > /tmp/text.txt &
```

- 看到哪里有区别吗？没错！就是那个状态栏，已经由 Stopping 变成了 Running。看到区别没？命令行最后方多了一个&的符号。代表该工作被启动在后台当中了啦！
- ◆ 管理后台当中的工作：kill
  - 刚才我们可以让一个已经在后台当中的工作继续工作，也可以让该工作以 fg 拿到前台来，那么，如果想要将该工作直接删除呢？或者是将该工作重新启动呢？这个时候就得需要给予该工作一个信号（signal），让它知道该怎么做才好啊！此时，kill 这个命令就派上用场啦！

```
[root@www ~]# kill -signal %jobnumber
[root@www ~]# kill -l
参数：
-l : 这个是 L 的小写，列出目前 kill 能够使用的信号（signal）有哪些
signal : 代表给予后面接的那个工作什么样的指示。用 man 7 signal 可知：
 -1 : 重新读取一次参数的配置文件（类似 reload）；
 -2 : 代表与由键盘输入 [ctrl]-c 同样的操作；
 -9 : 立刻强制删除一个工作；
 -15: 以正常的程序方式终止一项工作。与 -9 是不一样的。

范例一：找出目前的 bash 环境下的后台工作，并将该工作“强制删除”。
[root@www ~]# jobs
[1]+  Stopped                vim ~/.bashrc
[2]   Stopped                find / -print
[root@www ~]# kill -9 %2; jobs
[1]+  Stopped                vim ~/.bashrc
[2]   Killed                 find / -print
# 再过几秒你再执行 jobs 一次，就会发现 2 号工作不见了！因为被删除了！

范例：找出目前的 bash 环境下的后台工作，并将该工作“正常终止”掉。
[root@www ~]# jobs
[1]+  Stopped                vim ~/.bashrc
[root@www ~]# kill -SIGTERM %1
# -SIGTERM 与 -15 是一样的！你可以使用 kill -l 来查阅！
```

- 特别留意一下，-9 通常是在强制删除一个不正常的工作时所使用的，-15 则是以正常步骤结束一项工作（15 也是默认值），两者之间并不相同哟！举上面的例子来说，我用 vi 的时候，不是会产生一个.filename.swp 的文件吗？那么，当使用–15 时，vi 会尝试以正常的步骤来结束掉该 vi 的工作，所以.filename.swp 会主动被删除。但若是使用–9 时，由于该 vi 工作会被强制删除掉，因此，filename.swp 就会继续存在文件系统当中。这样你应该可以稍微分辨一下了吧？
- 其实，kill 命令的妙用是很无穷的。它搭配 signal 所详列的信息（用 man 7 signal 去查阅相关资料）可以让你有效地管理工作与进程（Process），此外，那个 killall 也是同样的用法。至于常用的 signal 你至少需要了解 1,9,15 这三个 signal 的意义才好。此外，signal 除了以数值来表示之外，也可以使用信号名称。举例来说，上面的范例二就是一个例子。至于 signalnumber 与名称的对应，使用 kill –l 就知道啦（L 的小写）！
- 另外，kill 后面接的数字默认会是 PID，如果想要管理 bash 的工作控制，就得要加上%数字了，这点也得特别留意才行。

17.2.3　脱机管理问题

要注意的是，我们在工作管理当中提到的"后台"指的是在终端机模式下可以避免[crtl]-c 中断的一个情境，并不是放到系统的后台去。所以，工作管理的后台依旧与终端机有关。在这样的情况下，如果你是以远程连接方式连接到你的 Linux 主机，并且将工作以&的方式放到后台去，请问，在工作尚未结束的情况下你脱机了，该工作还会继续进行吗？答案是"否"，不会继续进行，而是会被中断掉。

那怎么办？如果我的工作需要进行一大段时间，我又不能放置在后台下面，那该如何处理呢？首先，你可以参考前一章的 at 来处理即可！因为 at 是将工作放置到系统后台，而与终端机无关。如果不想要使用 at 的话，那你也可以尝试使用 nohup 这个命令来处理。这个 nohup 可以让你在脱机或注销系统后，还能够让工作继续进行。它的语法有点像这样：

```
[root@www ~]# nohup [命令与参数]    <==在终端机前台中工作
[root@www ~]# nohup [命令与参数] &  <==在终端机后台中工作
```

好简单的命令吧？上述命令需要注意的是，nohup 并不支持 bash 内置的命令，因此你的命令必须要是外部命令才行。我们来尝试玩一下下面的任务吧！

```
# 1. 先编辑一个会"睡着 500 秒"的程序：
[root@www ~]# vim sleep500.sh
#!/bin/bash
/bin/sleep 500s
/bin/echo "I have slept 500 seconds."

# 2. 丢到后台中去执行，并且立刻注销系统：
[root@www ~]# chmod a+x sleep500.sh
[root@www ~]# nohup ./sleep500.sh &
[1] 5074
[root@www ~]# nohup: appending output to `nohup.out' <==会告知这个信息！
```

[root@www ~]#**exit**

如果你再次登录的话，再使用 ps -l 去查看你的进程，会发现 sleep500.sh 还在执行中，并不会被中断掉，这样了解意思了吗？由于我们的进程最后会输出一个信息，但是 nohup 与终端机其实无关了，因此这个信息的输出就会被定向"~/nohup.out"，所以你才会看到上述命令中，当你输入 nohup 后，会出现那个提示信息。

如果你想要让在后台的工作在你注销后还能够继续执行，那么使用 nohup 搭配&是不错的运行情境，可以参考看看！

17.3　进程管理

本章一开始就提到所谓的"进程"的概念，包括进程的触发、子进程与父进程的相关性等，此外，还有那个"进程的相依性"以及所谓的"僵尸进程"等需要说明的呢！为什么进程管理这么重要呢？这是因为：

- 首先，本章一开始就谈到的，我们在操作系统时的各项工作其实都是经过某个 PID 来达成的（包括你的 bash 环境），因此，能不能进行某项工作就与该进程的权限有关了。
- 再来，如果你的 Linux 系统是个很忙碌的系统，那么当整个系统资源快要被使用光时，你是否能够找出最耗系统的那个进程，然后删除该进程，让系统恢复正常呢？
- 此外，如果由于某个程序写得不好，导致产生一个有问题的进程在内存当中，你又该如何找出它，然后将它删除呢？
- 如果同时有五六项工作在你的系统当中运行，但其中有一项工作才是最重要的，该如何让那一项重要的工作被最优先执行呢？

所以，一个称职的系统管理员，必须要熟悉进程的管理流程才行，否则当系统发生问题时，还真是很难解决问题呢！下面我们会先介绍如何查看程序与程序的状态，然后再加以过程控制。

17.3.1 进程的查看

既然进程这么重要，那么我们如何查阅系统上面正在运行当中的进程呢？很简单啊！利用静态的 ps 或者是动态的 top，还能以 pstree 来查阅程序树之间的关系。

◆ ps：将某个时间点的进程运行情况选取下来

```
[root@www ~]# ps aux  <==查看系统所有的进程数据
[root@www ~]# ps -lA  <==也是能够查看所有系统的数据
[root@www ~]# ps axjf  <==连同部分进程树状态
参数：
-A  : 所有的进程均显示出来，与 -e 具有同样的作用；
-a  : 不与 terminal 有关的所有进程；
-u  : 有效用户（effective user）相关的进程；
x   : 通常与 a 这个参数一起使用，可列出较完整信息。
输出格式规划：
l   : 较长、较详细地将该 PID 的的信息列出；
j   : 工作的格式（jobs format）；
-f  : 做一个更为完整的输出。
```

- 鸟哥个人认为 ps 这个命令的 man page 不是很好查阅，因为很多不同的 Unix 都使用这个 ps 来查阅进程状态，为了要符合不同版本的需求，所以这个 man page 写得非常庞大。因此，通常鸟哥都会建议你，直接背两个比较不同的参数，一个是只能查阅自己 bash 程序的 "ps -l" 一个则是可以查看所有系统运行的程序 "ps aux! 注意，你没看错，是 "ps aux"，没有那个减号（–）! 先来看看关于自己 bash 进程状态的查看。

◆ 仅查看自己的 bash 相关进程：ps-l

```
范例一：将目前属于你这次登录的 PID 与相关信息列出来（只与自己的 bash 有关）
[root@www ~]# ps -l
F S  UID   PID  PPID  C PRI  NI ADDR SZ WCHAN  TTY        TIME CMD
4 S    0 13639 13637  0  75   0 - 1287 wait   pts/1  00:00:00 bash
4 R    0 13700 13639  0  77   0 - 1101 -      pts/1  00:00:00 ps
```

- 系统整体的进程运行是非常多的，但如果使用 ps –l 则仅列出与你的操作环境（bash）有关的进程而已，即最上层的父进程会是你自己的 bash 而没有扩展到 init 这个进程去，那么 ps –l 显示出来的数据有哪些呢？我们就来查看一下：
  - F：代表这个进程标志（process flags），说明这个进程的权限，常见号码有：
    - 若为 4 表示此进程的权限为 root；
    - 若为 1 则表示此子进程仅可进行复制（fork）而无法实际执行（exec）。
  - S：代表这个进程的状态（STAT），主要的状态有：
    - R（Running）：该进程正在运行中；
    - S（Sleep）：该进程目前正在睡眠状态（idle），但可以被唤醒（signal）；
    - D：不可被唤醒的睡眠状态，通常这个进程可能在等待 I/O 的情况（ex>打印）；
    - T：停止状态（stop），可能是在工作控制（后台暂停）或除错（traced）状态；
    - Z（Zombie）："僵尸"状态，进程已经终止但却无法被删除至内存外。
  - UID/PID/PPID：代表此进程被该 UID 所拥有/进程的 PID 号码/此进程的父进程 PID 号码。
  - C：代表 CPU 使用率，单位为百分比。
  - PRI/NI：Priority/Nice 的缩写，代表此进程被 CPU 所执行的优先级，数值越小代表该进程越快被 CPU 执行。详细的 PRI 与 NI 将在下一小节说明。
  - ADDR/SZ/WCHAN：都与内存有关，ADDR 是 kernel function，指出该进程在内存的哪个

部分，如果是个 running 的进程，一般就会显示"–"。SZ 代表此进程用掉多少内存/WCHAN 表示目前进程是否运行中，同样，若为–表示正在运行中。

- TTY：登录者的终端机位置，若为远程登录则使用动态终端接口（pts/n）。
- TIME：使用掉的 CPU 时间，注意，是此进程实际花费 CPU 运行的时间，而不是系统时间。
- CMD：就是 command 的缩写，造成此程序的触发进程的命令为何。

- 所以你看到的 ps –l 输出信息中，它说明的是 bash 的程序属于 UID 为 0 的用户，状态为睡眠（sleep），之所以为睡眠因为它触发了 ps（状态为 run）之故。此进程的 PID 为 13639，优先执行顺序为 75，执行 bash 所取得的终端接口为 pts/1，运行状态为等待（wait）。这样已经够清楚了吧？你自己尝试解析一下 ps 那一行代表的意义为何？
- 接下来让我们使用 ps 来查看一下系统内所有的进程状态吧！

◆ **查看系统所有进程：psaux**

```
范例二：列出目前所有的正在内存当中的进程：
[root@www ~]# ps aux
USER       PID %CPU %MEM    VSZ   RSS TTY      STAT START   TIME COMMAND
root         1  0.0  0.0   2064   616 ?        Ss   Mar11   0:01 init [5]
root         2  0.0  0.0      0     0 ?        S<   Mar11   0:00 [migration/0]
root         3  0.0  0.0      0     0 ?        SN   Mar11   0:00 [ksoftirqd/0]
...（中间省略）...
root     13639  0.0  0.2   5148  1508 pts/1    Ss   11:44   0:00 -bash
root     14232  0.0  0.1   4452   876 pts/1    R+   15:52   0:00 ps aux
root     18593  0.0  0.0   2240   476 ?        Ss   Mar14   0:00 /usr/sbin/atd
```

- 你会发现 ps –l 与 ps aux 显示的项目并不相同！在 ps aux 显示的项目中，各字段的意义为：
- USER：该进程属于那个用户账号的；
- PID：该进程的进程标识符；
- %CPU：该进程使用掉的 CPU 资源百分比；
- %MEM：该进程所占用的物理内存百分比；
- VSZ：该进程使用掉的虚拟内存量（KB）；
- RSS：该进程占用的固定的内存量（KB）；
- TTY：该进程是在那个终端机上面运行，若与终端机无关则显示？另外，tty1~tty6 是本机上面的登录者程序，若为 pts/0 等的，则表示为由网络连接进主机的进程；
- STAT：该进程目前的状态，状态显示与 ps –l 的 S 标识相同（R/S/T/Z）；
- START：该进程被触发启动的时间；
- TIME：该进程实际使用 CPU 运行的时间；
- COMMAND：该进程的实际命令。

- 一般来说，ps aux 会依照 PID 的顺序来排序显示，我们还是以 13639 那个 PID 那行来说明！该行的意义为 root 执行的 bashPID 为 13639，占用了 0.2%的内存容量百分比，状态为休眠（S），该程序启动的时间为 11:44，且取得的终端机环境为 pts/1。它与 ps aux 看到的其实是同一个进程。这样可以理解吗？让我们继续使用 ps 来查看一下其他的信息吧！

```
范例三：以范例一的显示内容，显示出所有的进程：
[root@www ~]# ps -lA
F S   UID   PID  PPID  C PRI  NI ADDR SZ WCHAN  TTY          TIME CMD
4 S     0     1     0  0  76   0 -   435 -      ?        00:00:01 init
1 S     0     2     1  0  94  19 -     0 ksofti ?        00:00:00 ksoftirqd/0
1 S     0     3     1  0  70  -5 -     0 worker ?        00:00:00 events/0
...（以下省略）...
# 你会发现每个字段与 ps -l 的输出情况相同，但显示的进程则包括系统所有的进程。

范例四：列出类似进程树的程序显示：
[root@www ~]# ps axjf
 PPID   PID  PGID   SID TTY      TPGID STAT     UID   TIME COMMAND
```

```
    0    1    1    1 ?            -1 Ss       0   0:01 init [5]
...（中间省略）...
    1 4586 4586 4586 ?           -1 Ss       0   0:00 /usr/sbin/sshd
 4586 13637 13637 13637 ?        -1 Ss       0   0:00 \_ sshd: root@pts/1
13637 13639 13639 13639 pts/1  14266 Ss      0   0:00    \_ -bash
13639 14266 14266 13639 pts/1  14266 R+      0   0:00       \_ ps axjf
...（后面省略）...
```

- 看出来了吧？其实鸟哥在进行一些测试时，都是以一些联机的主机来测试的，所以，你会发现其实进程之间是有相关性的。不过，其实还可以使用 pstree 来达成这个进程树。以上面的例子来看，鸟哥是通过 sshd 提供的网络服务取得一个进程，该进程提供 bash 给我使用，而我通过 bash 再去执行 ps axjf！这样可以看得懂了吗？其他各字段的意义请 man ps（虽然真的很难找出来！）。

```
范例五：找出与 cron 与 syslog 这两个服务有关的 PID 号码
[root@www ~]# ps aux | egrep '(cron|syslog)'
root   4286  0.0  0.0  1720   572 ?     Ss  Mar11  0:00 syslogd -m 0
root   4661  0.0  0.1  5500  1192 ?     Ss  Mar11  0:00 crond
root  14286  0.0  0.0  4116   592 pts/1 R+  16:15  0:00 egrep (cron|syslog)
# 所以号码是 4286 及 4661 这两个，就是这样找的啦！
```

- 除此之外，我们必须要知道的是“僵尸”（zombie）进程是什么？通常，造成僵尸进程的成因是因为该进程应该已经执行完毕，或者是因故应该要终止了，但是该进程的父进程却无法完整将该进程结束掉，而造成那个进程一直存在内存当中。如果你发现在某个进程的 CMD 后面还接上<defunct>时，就代表该进程是僵尸进程，例如：

```
apache 8683  0.0  0.9 83384 9992 ?  Z  14:33  0:00 /usr/sbin/httpd <defunct>
```

- 当系统不稳定的时候就容易造成所谓的僵尸进程，可能是因为程序写得不好啦，或者是用户的操作习惯不良等所造成。如果你发现系统中很多僵尸进程时，记得啊！要找出该进程的父进程，然后好好做个跟踪，好好进行主机的环境优化。看看有什么地方需要改善的，不要只是直接将它杀掉而已呢！不然的话，万一它一直产生，那可就麻烦了！

- 事实上，通常僵尸进程都已经无法控管，而直接是交给 init 这个程序来负责了，偏偏 init 是系统第一个执行的程序，它是所有进程的父进程！我们无法杀掉该进程（杀掉它，系统就死掉了），所以，如果产生僵尸进程，而系统过一阵子还没有办法通过内核非经常性的特殊处理来将该进程删除时，那你只好通过 reboot 的方式来将该进程抹去了！

◆ top：动态查看进程的变化

- 相对于 ps 是选取一个时间点的进程状态，top 则可以持续检测进程运行的状态。使用方式如下：

```
[root@www ~]# top [-d 数字] | top [-bnp]
参数：
-d ：后面可以接秒数，就是整个进程界面更新的秒数。默认是 5 秒。
-b ：以批次的方式执行 top，还有更多的参数可以使用。
     通常会搭配数据流重定向来将批处理的结果输出成为文件。
-n ：与 -b 搭配，意义是，需要进行几次 top 的输出结果。
-p ：指定某些个 PID 来进行查看监测而已。
在 top 执行过程当中可以使用的按键命令：
     ? ：显示在 top 当中可以输入的按键命令；
     P ：以 CPU 的使用资源排序显示；
     M ：以内存的使用资源排序显示；
     N ：以 PID 来排序；
     T ：由该进程使用的 CPU 时间累积 （TIME+）排序；
     k ：给予某个 PID 一个信号   （signal）；
     r ：给予某个 PID 重新制定一个 nice 值；
     q ：离开 top 软件的按键。
```

- 其实 top 的功能非常多，可以用的按键也非常多。可以参考 man top 的内部说明文件。鸟哥这里仅是列出一些鸟哥自己常用的参数而已。接下来让我们实际查看一下如何使用 top 与 top 的界面。

```
范例一：每两秒钟更新一次 top ，查看整体信息:
[root@www ~]# top -d 2
top - 17:03:09 up 7 days, 16:16,  1 user,  load average: 0.00, 0.00, 0.00
Tasks:  80 total,   1 running,  79 sleeping,   0 stopped,   0 zombie
Cpu(s):  0.5%us,  0.5%sy,  0.0%ni, 99.0%id,  0.0%wa,  0.0%hi,  0.0%si,  0.0%st
Mem:    742664k total,   681672k used,    60992k free,   125336k buffers
Swap:  1020088k total,       28k used,  1020060k free,   311156k cached
  <==如果加入 k 或 r 时，就会有相关的字样出现在这里喔！
  PID USER      PR  NI  VIRT  RES  SHR S %CPU %MEM    TIME+  COMMAND
14398 root      15   0  2188 1012  816 R  0.5  0.1   0:00.05 top
    1 root      15   0  2064  616  528 S  0.0  0.1   0:01.38 init
    2 root      RT  -5     0    0    0 S  0.0  0.0   0:00.00 migration/0
    3 root      34  19     0    0    0 S  0.0  0.0   0:00.00 ksoftirqd/0
```

- top 也是个挺不错的程序查看工具！但不同于 ps 是静态的结果输出，top 这个程序可以持续
  监测整个系统的进程工作状态。在默认的情况下，每次更新进程资源的时间为 5 秒，不过，
  可以使用–d 来进行修改。top 主要分为两个界面，上面的界面为整个系统的资源使用状态，
  基本上总共有六行，显示的内容依序是：

  - 第一行（top...）：这一行显示的信息分别为：
  - 目前的时间，即是 17:03:09 那个选项；
  - 开机到目前为止所经过的时间，即是 up7days,16:16 那个选项；
  - 已经登录系统的用户人数，亦即是 1user 选项；
  - 系统在 1,5,15 分钟的平均工作负载。我们在第 16 章谈到的 batch 工作方式为负载小于 0.8 就
    是这个负载。代表的是 1,5,15 分钟，系统平均要负责运行几个进程（工作）的意思。越小代
    表系统越闲置，若高于 1 得要注意你的系统压力是否太过繁复了！
  - 第二行（Tasks...）：显示的是目前进程的总量与个别进程在什么状态（running,sleeping,
    stopped,zombie）。比较需要注意的是最后的 zombie 那个数值，如果不是 0，好好看看到底是哪个
    process 变成僵尸了吧！
  - 第三行（Cpus...）：显示的是 CPU 的整体负载，每个选项可使用?查阅。需要特别注意的是
    %wa，那个选项代表的是 I/Owait，通常你的系统会变慢都是 I/O 产生的问题比较大！因此这
    里得要注意这个选项耗用 CPU 的资源。另外，如果是多内核的设备，可以按下数字键 "1"
    来切换成不同 CPU 的负载率。
  - 第四行与第五行：表示目前的物理内存与虚拟内存（Mem/Swap）的使用情况。再次重申，要
    注意的是 swap 的使用量要尽量少！如果 swap 被大量使用，表示系统的物理内存实在不足！
  - 第六行：这个是当在 top 进程当中输入命令时显示状态的地方。

- 至于 top 下半部分的界面，则是每个进程使用的资源情况。比较需要注意的是：
  - PID：每个进程的 ID；
  - USER：该进程所属的用户；
  - PR：Priority 的简写，进程的优先执行顺序，越小越早被执行；
  - NI：Nice 的简写，与 Priority 有关，也是越小越早被执行；
  - %CPU：CPU 的使用率；
  - %MEM：内存的使用率；
  - TIME+：CPU 使用时间的累加。

- top 默认使用 CPU 使用率（%CPU）作为排序的重点，如果你想要使用内存使用率排序，则
  可以按下 "M"，若要恢复则按下 "P" 即可。如果你想要离开 top 则按下 "q" 吧！如果你想要
  将 top 的结果输出成为文件时，可以这样做：

```
范例二：将 top 的信息进行 2 次，然后将结果输出到 /tmp/top.txt
[root@www ~]# top -b -n 2 > /tmp/top.txt
# 这样一来，嘿嘿！就可以将 top 的信息存到 /tmp/top.txt 文件中了。
```

- 这玩意儿很有趣！可以帮助你将某个时段 top 查看到的结果存成文件，可以用在你想要在系统后台下面执行。由于是后台下面执行，与终端机的屏幕大小无关，因此可以得到全部的进程界面。那如果你想要查看的进程 CPU 与内存使用率都很低，结果老是无法在第一行显示时，该怎办？我们可以仅查看单一进程。如下所示：

```
范例三：我们自己的 bash PID 可由 $$ 变量取得，请使用 top 持续查看该 PID
[root@www ~]# echo $$
13639    <==就是这个数字！它是我们 bash 的 PID
[root@www ~]# top -d 2 -p 13639
top - 17:31:56 up 7 days, 16:45,  1 user,  load average: 0.00, 0.00, 0.00
Tasks:   1 total,   0 running,   1 sleeping,   0 stopped,   0 zombie
Cpu(s):  0.0%us,  0.0%sy,  0.0%ni,100.0%id,  0.0%wa,  0.0%hi,  0.0%si,  0.0%st
Mem:    742664k total,    682540k used,    60124k free,    126548k buffers
Swap:  1020088k total,       28k used,  1020060k free,    311276k cached

  PID USER      PR  NI  VIRT  RES  SHR S %CPU %MEM    TIME+  COMMAND
13639 root      15   0  5148 1508 1220 S  0.0  0.2   0:00.18 bash
```

- 看到没？就只会有一个进程给你看，很容易查看吧！好，那么如果我想要在 top 下面进行一些操作呢？例如，修改 NI 这个数值呢？可以这样做：

```
范例四：承上题，上面的 NI 值是 0，想要改成 10 的话呢？
# 在范例三的 top 界面当中直接按下 r 之后，会出现如下的图样！
top - 17:34:24 up 7 days, 16:47,  1 user,  load average: 0.00, 0.00, 0.00
Tasks:   1 total,   0 running,   1 sleeping,   0 stopped,   0 zombie
Cpu(s):  0.0%us,  0.0%sy,  0.0%ni, 99.5%id,  0.0%wa,  0.0%hi,  0.5%si,  0.0%st
Mem:    742664k total,    682540k used,    60124k free,    126636k buffers
Swap:  1020088k total,       28k used,  1020060k free,    311276k cached
PID to renice: 13639    <==按下 r 然后输入这个 PID 号码
  PID USER      PR  NI  VIRT  RES  SHR S %CPU %MEM    TIME+  COMMAND
13639 root      15   0  5148 1508 1220 S  0.0  0.2   0:00.18 bash
```

- 在你完成上面的操作后，在状态栏会出现如下的信息：

```
Renice PID 13639 to value: 10    <==这是 nice 值
  PID USER      PR  NI  VIRT  RES  SHR S %CPU %MEM    TIME+  COMMAND
```

- 接下来你就会看到如下的显示界面！

```
top - 17:38:58 up 7 days, 16:52,  1 user,  load average: 0.00, 0.00, 0.00
Tasks:   1 total,   0 running,   1 sleeping,   0 stopped,   0 zombie
Cpu(s):  0.0%us,  0.0%sy,  0.0%ni,100.0%id,  0.0%wa,  0.0%hi,  0.0%si,  0.0%st
Mem:    742664k total,    682540k used,    60124k free,    126648k buffers
Swap:  1020088k total,       28k used,  1020060k free,    311276k cached

  PID USER      PR  NI  VIRT  RES  SHR S %CPU %MEM    TIME+  COMMAND
13639 root      26  10  5148 1508 1220 S  0.0  0.2   0:00.18 bash
```

- 看到不同处了吧？底线的地方就是修改了之后所产生的效果。一般来说，如果鸟哥想要找出最损耗 CPU 资源的那个进程时，大多使用的就是 top 这个程序，然后强制以 CPU 使用资源来排序（在 top 当中按下 P 即可），就可以很快知道。

◆ pstree

```
[root@www ~]# pstree [-A|U] [-up]
参数：
-A ：各进程树之间的连接以 ASCII 字符来连接；
-U ：各进程树之间的连接以 utf8 码的字符来连接，在某些终端接口下可能会有错误；
-p ：同时列出每个进程的 PID；
```

-u ：同时列出每个进程的所属账号名称。

范例一：列出目前系统上面所有的进程树的相关性：
```
[root@www ~]# pstree -A
init-+-acpid
     |-atd
     |-auditd-+-audispd---{audispd}    <==这行与下面一行为 auditd 分出来的子进程
     |        `-{auditd}
     |-automount---4*[{automount}]     <==默认情况下，相似的进程会以数字显示
...（中间省略）...
     |-sshd---sshd---bash---pstree     <==就是我们命令执行的那个相依性！
...（下面省略）...
# 注意一下，为了节省版面，所以鸟哥已经删去很多进程了！
```

范例二：承上题，同时显示出 PID 与 users
```
[root@www ~]# pstree -Aup
init(1)-+-acpid(4555)
        |-atd(18593)
        |-auditd(4256)-+-audispd(4258)---{audispd}(4261)
        |                `-{auditd}(4257)
        |-automount(4536)-+-{automount}(4537)   <==进程相似但 PID 不同！
        |                 |-{automount}(4538)
        |                 |-{automount}(4541)
        |                 `-{automount}(4544)
...（中间省略）...
        |-sshd(4586)---sshd(16903)---bash(16905)---pstree(16967)
...（中间省略）...
        |-xfs(4692,xfs)    <==因为此进程所有者并非执行 pstree 者，所以列出账号
...（下面省略）...
# 在括号（）内的即是 PID 以及该进程的 owner 。不过，由于我是使用
# root 的身份执行此命令，所以属于 root 的进程就不会显示出来啦！
```

- 如果要找进程之间的相关性，这个 pstree 真是好用。直接输入 pstree 可以查到进程相关性，如上所示，还会使用线段将相关性进程连接起来。一般连接符号可以使用 ASCII 码即可，但有时因为语系问题会主动以 Unicode 的符号来链接，但因为可能终端机无法支持该编码，或许会造成乱码问题。因此可以加上–A 参数来克服此类线段乱码问题。
- 由 pstree 的输出我们也可以很清楚地知道，所有的进程都是依附在 init 这个进程下面的。仔细看一下，这个进程的 PID 是 1 号喔！因为它是由 Linux 内核所主动调用的第一个进程！所以 PID 就是 1 号了。这也是我们刚才提到僵尸进程时有提到，为什么发生僵尸进程需要重新启动，因为 init 要重新启动，而重新启动 init 就是 reboot。
- 如果还想要知道 PID 与所属用户，加上–u 及–p 两个参数即可。我们前面不是一直提到，如果子进程挂点或者是老是杀不掉子进程时，该如何找到父进程吗？用这个 pstree 就对了！

17.3.2　进程的管理

　　进程之间是可以互相控制的！举例来说，你可以关闭、重新启动服务器软件，服务器软件本身是个程序，你既然可以让它关闭或启动，当然就是可以控制该程序啦！那么程序是如何互相管理的呢？其实是通过给予该进程一个信号（signal）去告知该进程你想要让它做什么！因此这个信号就很重要啦！

　　我们也在本章之前的 bash 工作管理当中提到过，要给予某个已经存在后台中的工作某些操作时，是直接给予一个信号给该工作号码即可。那么到底有多少 signal 呢？你可以使用 kill –l（小写的 L）或者是 man7 signal 都可以查询到！主要的信号代号与名称对应及内容如表 17–1 所示。

表 17-1

代 号	名 称	内 容
1	SIGHUP	启动被终止的进程，可让该 PID 重新读取自己的配置文件，类似重新启动
2	SIGINT	相当于用键盘输入[ctrl]-c 来中断一个进程的进行
9	SIGKILL	代表强制中断一个进程的进行，如果该进程进行到一半，那么尚未完成的部分可能会有"半产品"产生，类似 vim 会有.filename.swp 保留下来
15	SIGTERM	以正常的结束进程来终止该进程。由于是正常的终止，所以后续的操作会将它完成。不过，如果该进程已经发生问题，就是无法使用正常的方法终止时，输入这个 signal 也是没有用的
17	SIGSTOP	相当于用键盘输入[ctrl]-z 来暂停一个进程的进行

上面仅是常见的 signal 而已，更多的信号信息请自行 man7 signal 吧！一般来说，你只要记得"1,9,15"这三个号码的意义即可。那么我们如何传送一个信号给某个进程呢？就通过 kill 或 killall。下面分别来看看：

◆ kill -signal PID

● kill 可以帮我们将这个 signal 传送给某个工作（%jobnumber）或者是某个 PID（直接输入数字）。要再次强调的是：kill 后面直接加数字与加上%number 的情况是不同的！这个很重要。因为工作控制中有 1 号工作，但是 PID 1 号则是专指"init"这个进程。你怎么可以将 init 关闭呢？关闭 init，你的系统就死掉了啊！所以记得那个%是专门用在工作控制的。我们就活用一下 kill 与刚才上面提到的 ps 来做个简单的练习吧！

例题

以 ps 找出 syslog 这个进程的 PID 后，再使用 kill 传送信息，使得 syslog 可以重新读取配置文件。
答：由于需要重新读取配置文件，因此 signal 是 1 号。至于找出 syslog 的 PID 可以是这样做：

```
ps aux | grep 'syslog' | grep -v 'grep'| awk '{print $2}'
```

接下来则是实际使用 kill −1PID，因此，整串命令会是这样：

```
kill -SIGHUP $ (ps aux|grep 'syslog'|grep -v 'grep'|awk '{print $2}')
```

如果要确认有没有重新启动 syslog，可以参考日志文件的内容，使用如下命令查阅：

```
tail -5 /var/log/messages
```

如果你有看到类似"Mar19 15:08:20 www syslogd 1.4.1: restart"之类的字样，就是表示 syslogd 在 3/19 有重新启动（restart）过了！

● 了解了这个用法以后，如果将来你想要将某个莫名其妙的登录者的连接删除的话，就可以通过使用 pstree −p 找到相关进程，然后再以 kill −9 将该进程删除，该连接就会被踢掉了！这样很简单吧！

◆ killall -signal 命令名称

● 由于 kill 后面必须要加上 PID（或者是 job number），所以，通常 kill 都会配合 ps,pstree 等命令，因为我们必须要找到相对应的那个进程的 ID。但是，如此一来，很麻烦，有没有可以利用"执行命令的名称"来给予信号的？举例来说，能不能直接将 syslog 这个进程给予一个 SIGHUP 的信号呢？可以的！用 kill all 吧！

```
[root@www ~]# killall [-iIe] [command name]
参数:
-i : interactive 的意思, 交互式的, 若需要删除时, 会出现提示符给用户;
```

```
-e ：exact 的意思，表示后面接的 command name 要一致，但整个完整的命令
     不能超过 15 个字符。
-I ：命令名称（可能含参数）忽略大小写。

范例一：给予 syslogd 这个命令启动的 PID 一个 SIGHUP 的信号
[root@www ~]# killall -1 syslogd
# 如果用 ps aux 仔细看一下，syslogd 才是完整的命令名称。但若包含整个参数，
# 则 syslogd -m 0 才是完整的呢！

范例二：强制终止所有以 httpd 启动的进程
[root@www ~]# killall -9 httpd

范例三：依次询问每个 bash 进程是否需要被终止运行！
[root@www ~]# killall -i -9 bash
Kill bash (16905) ？（y/N）n <==这个不杀！
Kill bash (17351) ？（y/N）y <==这个杀掉！
# 具有互动的功能！可以询问你是否要删除 bash 这个进程。要注意，若没有 -i 的参数，
# 所有的 bash 都会被这个 root 给杀掉！包括 root 自己的 bash 。
```

- 总之，要删除某个进程，我们可以使用 PID 或者是启动该进程的命令名称，而如果要删除某个服务呢？最简单的方法就是利用 killall，因为它可以将系统当中所有以某个命令名称启动的进程全部删除。举例来说，上面的范例二当中，系统内所有以 httpd 启动的进程，就会全部被删除。

17.3.3　关于进程的执行顺序

我们知道 Linux 是多用户、多任务的环境，由 top 的输出结果我们也发现，系统同时间有非常多的进程在运行中，只是绝大部分的进程都在休眠（sleeping）状态而已。想一想，如果所有的进程同时被唤醒，那么 CPU 应该要先处理哪个进程呢？也就是说，哪个进程被执行的优先序比较高？这就得要考虑到程序的优先执行序（Priority）与 CPU 调度。

> CPU 调度与前一章的例行性工作调度并不一样。 CPU 调度指的是每个程序被 CPU 运行的演算规则，而例行性工作调度则是将某个程序安排在某个时间再交由系统执行。 CPU 调度与操作系统较具有相关性！

◆ Priority 与 Nice 值
  - 我们知道 CPU 一秒钟可以运行多达数 G 的微命令次数，通过内核的 CPU 调度可以让各进程被 CPU 所切换运行，因此每个进程在一秒钟内或多或少都会被 CPU 执行部分的脚本。如果进程都是集中在一个队列中等待 CPU 的运行，而不具有优先级之分，也就是像我们去游乐场玩热门游戏需要排队一样，每个人都是照顺序来，你玩过一遍后还想再玩（没有执行完毕），请到后面继续排队等待。情况有点像下面这样：

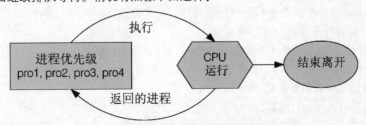

图 17-5　并没有优先级的进程队列示意图

  - 图 17-5 中假设 pro1,pro2 是紧急的进程，pro3,pro4 是一般的进程，在这样的环境中，由于不具有优先级，pro1,pro2 还是得要继续等待而没有优先权呢！如果 pro3,pro4 的工作"又臭

又长"，那么紧急的 pro1,pro2 就得要等待老半天才能够完成。所以，我们想要将进程分优先级啦！如果优先序较高则运行次数可以较多次，而不需要与较慢优先的进程抢位置！我们可以将进程的优先级与 CPU 调度进行如图 17-6 所示的解释。

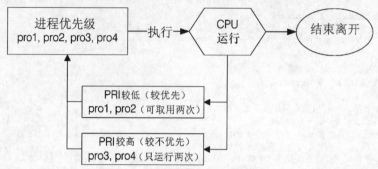

图 17-6　具有优先级的进程队列示意图

- 如上图所示，具高优先级的 pro1,pro2 可以被取用两次，而较不重要的 pro3,pro4 则运行次数较少。如此一来 pro1,pro2 就可以较快被完成。要注意，上图仅是示意图，并非较优先者一定会被运行两次。为了要达到上述的功能，我们 Linux 给予进程一个所谓的"优先执行序"（priority,PRI），这个 PRI 值越低代表越优先的意思。不过这个 PRI 值是由内核动态调整的，用户无法直接调整 PRI 值的。先来瞧瞧 PRI 曾在哪里出现！

```
[root@www ~]# ps -l
F S   UID   PID  PPID  C PRI  NI ADDR SZ WCHAN  TTY          TIME CMD
4 S     0 18625 18623  2  75   0 - 1514 wait    pts/1    00:00:00 bash
4 R     0 18653 18625  0  77   0 - 1102 -       pts/1    00:00:00 ps
```

- 由于 PRI 是内核动态调整的，我们用户也无权去干涉 PRI。那如果你想要调整进程的优先执行序时，就得要通过 Nice 值了！Nice 值就是上面的 NI。一般来说，PRI 与 NI 的相关性如下：

```
PRI (new) = PRI (old) + nice
```

- 不过你要特别留意到，如果原本的 PRI 是 50，并不是我们给予一个 nice=5，就会让 PRI 变成 55。因为 PRI 是系统"动态"决定的，所以，虽然 nice 值是可以影响 PRI，不过，最终的 PRI 仍是要经过系统分析后才会决定的。另外，nice 值是有正负的，而既然 PRI 越小越早被执行，所以，当 nice 值为负值时，那么该程序就会降低 PRI 值，即会变得较优先被处理。此外，你必须要留意到：
  - nice 值可调整的范围为 -20～19；
  - root 可随意调整自己或他人进程的 Nice 值，且范围为 -20～19；
  - 一般用户仅可调整自己进程的 Nice 值，且范围仅为 0～19（避免一般用户抢占系统资源）；
  - 一般用户仅可将 nice 值越调越高，例如本来 nice 为 5，则将来仅能调整到大于 5；
- 这也就是说，要调整某个进程的优先执行序，就是调整该进程的 nice 值。那么如何给予某个进程 nice 值呢？有两种方式，分别是：
  - 一开始执行程序就立即给予一个特定的 nice 值：用 nice 命令；
  - 调整某个已经存在的 PID 的 nice 值：用 renice 命令。
- ◆ nice：新执行的命令即给予新的 nice 值

```
[root@www ~]# nice [-n 数字] command
参数：
-n ：后面接一个数值，数值的范围为 -20 ～ 19。

范例一：用 root 给一个 nice 值为 -5，用于执行 vi，并查看该进程！
[root@www ~]# nice -n -5 vi &
```

```
[1] 18676
[root@www ~]# ps -l
F S  UID  PID PPID C PRI NI ADDR SZ WCHAN TTY          TIME CMD
4 S   0 18625 18623 0  75  0 - 1514 wait  pts/1    00:00:00 bash
4 T   0 18676 18625 0  72 -5 - 1242 finish pts/1   00:00:00 vi
4 R   0 18678 18625 0  77  0 - 1101 -      pts/1    00:00:00 ps
# 原本的 bash PRI 为 75 ，所以 vi 默认应为 75。不过由于给予 nice 为 -5，
# 因此 vi 的 PRI 降低了！但并非降低到 70，因为内核还会动态调整！

[root@www ~]# kill -9 %1 <==测试完毕将 vi 关闭
```

- 就如同前面说的，nice 是用来调整进程的执行优先级！这里只是一个执行的范例罢了！通常什么时候要将 nice 值调大呢？举例来说，系统的后台工作中，某些比较不重要的进程在运行，例如备份工作，由于备份工作相当耗系统资源，这个时候就可以将备份的命令的 nice 值调大一些，可以使系统的资源分配得更为公平！

◆ renice：已存在进程的 nice 重新调整

```
[root@www~]#renice[number]PID
参数：
PID: 某个进程的 ID 啊！

范例一：找出自己的 bashPID，并将该 PID 的 nice 调整到 10
[root@www~]#ps-l
F S  UID  PID PPID C PRI NI ADDR SZ WCHAN TTY          TIME CMD
4 S   0 18625 18623 0  75  0 - 1514 wait  pts/1    00:00:00 bash
4 R   0 18712 18625 0  77  0 - 1102 -     pts/1    00:00:00 ps

[root@www ~]# renice 10 18625
18625: old priority 0, new priority 10

[root@www ~]# ps -l
F S  UID  PID PPID C PRI NI ADDR SZ WCHAN TTY          TIME CMD
4 S   0 18625 18623 0  85 10 - 1514 wait  pts/1    00:00:00 bash
4 R   0 18715 18625 0  87 10 - 1102 -     pts/1    00:00:00 ps
```

- 如果要调整的是已经存在的某个进程的话，那么就得要使用 renice 了。使用的方法很简单，renice 后面接上数值及 PID 即可。因为后面接的是 PID，所以你务必要以 ps 或者其他进程查看的命令去找出 PID 才行啊！
- 由上面这个范例当中我们也看得出来，虽然修改的是 bash 那个进程，但是该进程所触发的 ps 命令当中的 nice 也会继承而为 10。整个 nice 值是可以在父进程→子进程之间传递呢！另外，除了 renice 之外，其实那个 top 同样也是可以调整 nice 值的！

17.3.4　系统资源的查看

除了系统的进程之外，我们还必须就系统的一些资源进行检查。举例来说，我们使用 top 可以看到很多系统的资源对吧？么，还有没有其他的工具可以查阅的？当然有啊！下面这些工具命令可以玩一玩！

◆ free：查看内存使用情况

```
[root@www ~]# free [-b|-k|-m|-g] [-t]
参数：
-b : 直接输入 free 时，显示的单位是 KB 我们可以使用 b(bytes)，m(MB,
     k(KB, , 及 g(GB, 来显示单位。
-t : 在输出的最终结果中显示物理内存与 swap 的总量。

范例一：显示目前系统的内存容量
[root@www ~]# free -m
```

```
              total        used        free      shared     buffers      cached
Mem:            725         666          59           0         132         287
-/+ buffers/cache:          245         479
Swap:           996           0         996
```

- 仔细看看，我的系统当中有 725MB 左右的物理内存，我的 swap 有 1GB 左右，那我使用 free −m 以 MB 来显示时，就会出现上面的信息。Mem 那一行显示的是物理内存的量，Swap 则是虚拟内存的量，otal 是总量，used 是已被使用的量，free 则是剩余可用的量。后面的 shared/buffers/cached 则是在已被使用的量当中用来作为缓冲及快取的量。
- 仔细看范例一的输出，我们的 Linux 测试用主机是很平凡的，根本没有什么工作，但是，我的物理内存是几乎被用光光的情况呢！不过，至少有 132MB 用在缓冲记忆（buffers）工作,287MB 则用在缓存（cached）工作，也就是说，系统是很有效率地所有的内存用光，目的是为了让系统的访问性能加速。
- 很多朋友都会问到这个问题："我的系统明明很轻松，为何内存会被用光？"被用光是正常的！而需要注意的反而是 swap 的量。一般来说，swap 最好不要被使用，尤其 swap 最好不要被使用超过 20%以上，如果你发现 swap 的用量超过 20%，那么，最好还是买物理内存吧！因为，Swap 的性能跟物理内存实在差很多，而系统会使用到 swap，绝对是因为物理内存不足了才会这样做的。

> Linux 系统为了要加速系统性能，所以会将最常使用到的或者是最近使用到的文件数据缓存下来，这样将来系统要使用该文件时，就直接由内存中取出，而不需要重新读取硬盘，速度上面当然就加快了。因此，物理内存被用光是正常的。

◆ uname：查看统与内核相关信息

```
[root@www ~]# uname [-asrmpi]
参数:
-a  : 所有系统相关的信息，包括下面的数据都会被列出来;
-s  : 系统内核名称;
-r  : 内核的版本;
-m  : 本系统的硬件名称，例如 i686 或 x86_64 等;
-p  : CPU 的类型，与 -m 类似，只是显示的是 CPU 的类型;
-i  : 硬件的平台 (ix86)。

范例一：输出系统的基本信息
[root@www ~]# uname -a
Linux www.vbird.tsai 2.6.18-92.el5 #1 SMP Tue Jun 10 18:49:47 EDT 2008 i686
i686 i386 GNU/Linux
```

- 这个命令我们前面使用过很多次了。uname 可以列出目前系统的内核版本、主要硬件平台以及 CPU 类型等的信息。以上面范例一的状态来说，我的 Linux 主机使用的内核名称为 Linux，而主机名为 www.vbird.tsai，内核的版本为 2.6.18-92.el5，该内核版本创建的日期为 2 008/6/10，适用的硬件平台为 i386 以上等级的硬件平台。

◆ uptime：查看系统启动时间与工作负载
- 这个命令很单纯呢！就是显示出目前系统已经开机多久的时间，以及 1,5,15 分钟的平均负载就是了。还记得 top 吧？没错，这个 uptime 可以显示出 top 界面的最上面一行！

```
[root@www ~]#uptime
15:39:13 up 8 days, 14:52,  1 user,  load average: 0.00, 0.00, 0.00
# top 这个命令已经谈过相关信息，不再聊!
```

◆ netstat：跟踪网络
- 这个 netstat 也是挺好玩的，其实这个命令比较常被用在网络的监控方面，不过，在进程管理方面也是需要了解的。这个命令的执行如下所示。本上，netstat 的输出分为两大部分，分别是网络与系统自己的进程相关性部分。

```
[root@www ~]# netstat -[atunlp]
参数：
-a : 将目前系统上所有的连接、监听、Socket 数据都列出来；
-t : 列出 tcp 网络数据包的数据；
-u : 列出 udp 网络数据包的数据；
-n : 不列出进程的服务名称，以端口号（port number）来显示；
-l : 列出目前正在网络监听（listen）的服务；
-p : 列出该网络服务的进程 PID。

范例一：列出目前系统已经新建的网络连接与 unix socket 状态
[root@www ~]# netstat
Active Internet connections（w/o servers）<==与网络比较相关的部分
Proto Recv-Q Send-Q Local Address      Foreign Address      State
tcp      0    132 192.168.201.110:ssh 192.168.:vrtl-vmf-sa ESTABLISHED
Active UNIX domain sockets（w/o servers）<==与本机的进程自己的相关性（非网络）
Proto RefCnt Flags       Type       State        I-Node Path
unix 20     [ ]          DGRAM                    9153   /dev/log
unix 3      [ ]          STREAM     CONNECTED     13317  /tmp/.X11-unix/X0
unix 3      [ ]          STREAM     CONNECTED     13233  /tmp/.X11-unix/X0
unix 3      [ ]          STREAM     CONNECTED     13208  /tmp/.font-unix/fs7100
....（中间省略）....
```

- 在上面的结果当中，显示了两个部分，分别是网络的连接以及 linux 上面的 socket 程序相关性部分。我们先来看看因特网连接情况的部分：
  - Proto：网络的数据包协议，主要分为 TCP 与 UDP 数据包，相关数据请参考服务器篇；
  - Recv-Q：非由用户进程连接到此 socket 的复制的总字节数；
  - Send-Q：非由远程主机传送过来的 acknowledged 总字节数；
  - LocalAddress：本地的 IP 端口情况；
  - ForeignAddress：远程主机的 IP 端口情况；
  - State：连接状态，主要有建立（ESTABLISED）及监听（LISTEN）。
- 我们看上面仅有一条连接的数据，它的意义是通过 TCP 数据包的连接，将远程的 192.168.:vrtl.. 连接到本地的 192.168.201.110:ssh，这条连接状态是建立（ESTABLISHED）的状态！至于更多的网络环境说明，就得到鸟哥的另一本书（服务器篇）查阅。
- 除了网络上的连接之外，其实 Linux 系统上面的进程是可以接收不同进程所发送来的信息，那就是 Linux 上面的（socket file）。我们在第 6 章的文件种类有稍微提到 socket 文件，但当时未谈到进程的概念，所以没有深入谈论。socket file 可以沟通两个进程之间的信息，因此进程可以取得对方传送过来的数据。由于有 socket file，因此类似 X Window 这种需要通过网络连接的软件，目前新版的 distributions 就以 socket 来进行窗口界面的联机通信了。上面的 socket file 的输出字段有：
  - Proto：一般就是 unix；
  - RefCnt：连接到此 socket 的进程数量；
  - Flags：连接的标识；
  - Type：socket 访问的类型。主要有确认连接的 STREAM 与不需确认的 DGRAM 两种；
  - State：若为 CONNECTED 表示多个进程之间已经连接建立；
  - Path：连接到此 socket 的相关程序的路径，或者是相关数据输出的路径。
- 以上面的输出为例，最后那三行在/tmp/.xx 下面的数据，就是 X Window 窗口界面的相关程序啦！而 PATH 指向的就是这些进程要交换数据的 socket 文件。那么 netstat 可以帮我们进行什么任务呢？我们先来看看，利用 netstat 去看看我们的哪些进程有启动哪些网络的 "后门"。

```
范例二：找出目前系统上已在监听的网络连接及其 PID
[root@www ~]# netstat -tlnp
Active Internet connections (only servers)
Proto Recv-Q Send-Q Local Address        Foreign Address    State   PID/Program name
tcp      0      0 127.0.0.1:2208       0.0.0.0:*          LISTEN  4566/hpiod
tcp      0      0 0.0.0.0:111          0.0.0.0:*          LISTEN  4328/portmap
tcp      0      0 127.0.0.1:631        0.0.0.0:*          LISTEN  4597/cupsd
tcp      0      0 0.0.0.0:728          0.0.0.0:*          LISTEN  4362/rpc.statd
tcp      0      0 127.0.0.1:25         0.0.0.0:*          LISTEN  4629/sendmail:
tcp      0      0 127.0.0.1:2207       0.0.0.0:*          LISTEN  4571/python
tcp      0      0 :::22                :::*               LISTEN  4586/sshd
# 除了可以列出监听网络的端口与状态之外，最后一个字段还能够显示此服务的
# PID 号码以及进程的命令名称。例如最后一行的 4586 就是该 PID

范例三：将上述的本地 127.0.0.1:631 那个网络服务关闭
[root@www ~]# kill -9 4597
[root@www ~]# killall -9 cupsd
```

- 很多朋友经常有疑问，那就是，我的主机目前到底开了几个端口（port）！其实，不论主机提供什么样的服务，一定必须要有相对应的进程在主机上面执行才行啊！举例来说，我们鸟园的 Linux 主机提供的就是 WWW 服务，那么我的主机当然有一个进程在提供 WWW 的服务。那就是 Apache 这个软件所提供的啦。所以，当我执行了这个程序之后，我的系统自然就可以提供 WWW 的服务了。那如何关闭啊？就关掉该程序所触发的那个进程就好了！例如上面的范例三所提供的例子啊！

- dmesg：分析内核产生的信息
  - 系统在开机的时候，内核会去检测系统的硬件，你的某些硬件到底有没有被识别出来，那就与这个时候的检测有关。但是这些检测的过程要不是没有显示在屏幕上，就是很飞快地在屏幕上一闪而逝！能不能把内核检测的信息找出来瞧瞧？可以的，那就使用 dmesg。
  - 所有内核检测的信息，不管是开机时候还是系统运行过程中，反正只要是内核产生的信息都会被记录到内存中的某个保护区段。dmesg 这个命令就能够将该区段的信息读出来的！因为信息实在太多了，所以执行时可以加入这个管道命令 "|more" 来使界面暂停！

```
范例一：输出所有的内核开机时的信息
[root@www ~]# dmesg | more

范例二：查找开机的时候硬盘的相关信息
[root@www ~]# dmesg | grep -i hd
   ide0: BM-DMA at 0xd800-0xd807, BIOS settings: hda:DMA, hdb:DMA
   ide1: BM-DMA at 0xd808-0xd80f, BIOS settings: hdc:pio, hdd:pio
hda: IC35L040AVER07-0, ATA DISK drive
hdb: ASUS DRW-2014S1, ATAPI CD/DVD-ROM drive
hda: max request size: 128KiB
....（下面省略）....
```

- 由范例二就知道我这台主机的硬盘的格式是什么了吧？还可以查看能不能找到网卡。网卡的代号是 eth，所以，直接输入 dmesg | grep –i eth 试看看呢！

- vmstat：检测系统资源变化
  - 如果你想要动态了解一下系统资源的运行，那么这个 vmstat 确实可以玩一玩！vmstat 可以检测 CPU/内存/磁盘输入输出状态等，如果你想要了解一部繁忙的系统到底是哪个环节最累人，可以使用 vmstat 分析看看。下面是常见的参数说明：

```
[root@www ~]# vmstat [-a] [延迟 [总计检测次数]]   <==CPU/内存等信息
[root@www ~]# vmstat [-fs]                        <==内存相关
```

```
[root@www ~]# vmstat [-S 单位]                <==设置显示数据的单位
[root@www ~]# vmstat [-d]                      <==与磁盘有关
[root@www ~]# vmstat [-p 分区]                 <==与磁盘有关
参数:
-a : 使用 inactive/active (活跃与否) 替代 buffer/cache 的内存输出信息;
-f : 开机到目前为止系统复制 (fork) 的进程数;
-s : 将一些事件 (开机至目前为止) 导致的内存变化情况列表说明;
-S : 后面可以接单位, 让显示的数据有单位。例如 K/M 取代 bytes 的容量;
-d : 列出磁盘的读写总量统计表
-p : 后面列出分区, 可显示该分区的读写总量统计表

范例一: 统计目前主机 CPU 状态, 每秒一次, 共计三次!
[root@www ~]# vmstat 1 3
procs -----------memory---------- ---swap-- -----io---- --system-- -----cpu------
 r  b   swpd   free   buff  cache   si   so    bi    bo   in   cs us sy id wa st
 0  0     28  61540 137000 291960    0    0     4     5   38   55   0  0 100  0  0
 0  0     28  61540 137000 291960    0    0     0  1004   50   0  0 100  0  0
 0  0     28  61540 137000 291964    0    0     0  1022   65   0  0 100  0  0
```

- 利用 vmstat 甚至可以进行跟踪! 你可以使用类似 "vmstat5" 代表每五秒钟更新一次, 且一直更新! 直到你按下[ctrl]-c 为止。如果你想要实时知道系统资源的运行状态, 这个命令就不能不知道, 那么上面的各项字段的意义是什么? 基本说明如下:
  - 内存字段 (procs) 的选项分别为:
  - r: 等待运行中的进程数量; b: 不可被唤醒的进程数量。这两个选项越多, 代表系统越忙碌 (因为系统太忙, 所以很多进程就无法被执行或一直在等待而无法被唤醒)。
  - 内存字段 (memory) 选项分别为:
  - swpd: 虚拟内存被使用的容量; free: 未被使用的内存容量; buff: 用于缓冲存储器; cache: 用于高速缓存。这部分则与 free 是相同的。
  - 内存交换空间 (swap) 的选项分别为:
  - si: 由磁盘中将程序取出的量; so: 由于内存不足而将没用到的程序写入到磁盘的 swap 的容量。如果 si/so 的数值太大, 表示内存内的数据经常得在磁盘与内存之间传来传去, 系统性能会很差!
  - 磁盘读写 (io) 的选项分别为:
  - bi: 由磁盘写入的块数量; bo: 写入到磁盘去的块数量。如果这部分的值越高, 代表系统的 I/O 非常忙碌!
  - 系统 (system) 的项目分别为:
  - in: 每秒被中断的进程次数; cs: 每秒钟进行的事件切换次数; 这两个数值越大, 代表系统与接口设备的通信非常频繁。这些接口设备当然包括磁盘、网卡、时钟等。
  - CPU 的选项分别为:
  - us: 非内核层的 CPU 使用状态; sy: 内核层所使用的 CPU 状态; id: 闲置的状态; wa: 等待 I/O 所耗费的 CPU 状态; st: 被虚拟机 (virtual machine) 所盗用的 CPU 使用状态 (2.6.11 内核以后才支持)。
  - 由于鸟哥的机器是测试机, 所以并没有什么 I/O 或者是 CPU 忙碌的情况。如果改天你的服务器非常忙碌时, 记得使用 vmstat 去看看, 到底是哪个部分的资源被使用得最为频繁。一般来说, 如果 I/O 部分很忙碌的话, 你的系统会变得非常慢! 让我们再来看看, 那么磁盘的部分该如何查看。

```
范例二: 系统上面所有的磁盘的读写状态
[root@www ~]# vmstat -d
disk- ------------reads------------ ------------writes----------- -----IO------
      total merged sectors     ms  total merged sectors      ms   cur    sec
ram0      0      0       0      0      0      0       0       0      0      0
....(中间省略)....
hda  144188 182874 6667154 7916979 151341 510244 8027088 15244705     0    848
hdb       0      0       0      0      0      0       0       0      0      0
```

- 详细的各字段就请诸位读者查阅一下 man vmstat，反正与读写有关。

17.4 特殊文件与程序

我们在第 7 章曾经谈到特殊权限的 SUID/SGID/SBIT，虽然第 7 章已经将这三种特殊权限做了详细的解释，不过，我们依旧要来探讨的是，那么到底这些权限对于你的"程序"是如何影响的？此外，程序可能会使用到系统资源，举例来说，磁盘就是其中一项资源。哪天你在 umount 磁盘时，系统老是出现"device is busy"的字样，到底是怎么回事啊？我们下面就来谈一谈这些和程序有关系的细节部分。

17.4.1 具有 SUID/SGID 权限的命令执行状态

SUID 的权限其实与程序的相关性非常大！为什么呢？先来看看 SUID 的程序是如何被一般用户执行，且具有什么特色呢？

- ◆ SUID 权限仅对二进制程序（binary program）有效；
- ◆ 执行者对于该程序需要具有 x 的可执行权限；
- ◆ 本权限仅在执行该程序的过程中有效（run-time）；
- ◆ 执行者将具有该程序所有者（owner）的权限。

所以说，整个 SUID 的权限会生效是由于具有该权限的程序被触发，而我们知道一个程序被触发会变成进程，所以，执行者可以具有程序所有者的权限就是在该程序变成进程的那个时候。第 7 章我们还没谈到进程的概念，所以你或许那时候会觉得很奇怪，为什么执行了 passwd 后你就具有 root 的权限呢？不都是一般用户执行的吗？这是因为你在触发 passwd 后，会取得一个新的进程与 PID，该 PID 产生时通过 SUID 来给予该 PID 特殊的权限设置。我们使用 dmtsai 登录系统且执行 passwd 后，通过工作控制来理解一下！

```
[dmtsai@www ~]$ passwd
Changing password for user dmtsai.
Changing password for dmtsai
(current) UNIX password: <==这里按下 [ctrl]-z 并且按下 [enter]
[1]+  Stopped                 passwd

[dmtsai@www ~]$ pstree -u
init-+-acpid
....（中间省略）....
    |-sshd---sshd---sshd(dmtsai)---bash-+-more
    |                              |-passwd(root)
    |                              `-pstree
....（下面省略）....
```

从上面的结果我们可以发现，底线的部分是属于 dmtsai 这个一般账号的权限，特殊字体的则是 root 的权限，但你看到了，passwd 确实是由 bash 衍生出来的。不过就是权限不一样！通过这样的解析，你也会比较清楚为何不同程序所产生的权限不同了吧！这是由于 SUID 程序运行过程中产生的进程的关系。

那么既然 SUID/SGID 的权限是比较可怕的，你该如何查询整个系统的 SUID/SGID 的文件呢？应该是还不会忘记吧？使用 find 即可啊！

```
find / -perm +6000
```

17.4.2 /proc/* 代表的意义

其实，我们之前提到的所谓的进程都是在内存当中嘛！而内存当中的数据又都是写入到/proc/*这个目录下的，所以，我们当然可以直接查看/proc 这个目录当中的文件。如果你查看过/proc 这个目录的话，应该会发现它有点像这样：

```
[root@www ~]# ll /proc
dr-xr-xr-x 5 root      root              0 Mar 11 08:46 1
dr-xr-xr-x 5 root      root              0 Mar 11 00:46 10
dr-xr-xr-x 5 root      root              0 Mar 11 00:46 11
....（中间省略）....
-r--r--r-- 1 root      root              0 Mar 20 12:11 uptime
-r--r--r-- 1 root      root              0 Mar 20 12:11 version
-r--r--r-- 1 root      root              0 Mar 20 12:11 vmstat
-r--r--r-- 1 root      root              0 Mar 20 12:11 zoneinfo
```

基本上，目前主机上面的各个进程的 PID 都是以目录的类型存在于/proc 当中。举例来说，我们开机所执行的第一个进程 init 它的 PID 是 1，这个 PID 的所有相关信息都写入在/proc/1/*当中！若我们直接查看 PID 为 1 的数据好了，它有点像这样：

```
[root@www ~]# ll /proc/1
dr-xr-xr-x 2 root root 0 Mar 12 11:04 attr
-r-------- 1 root root 0 Mar 17 14:32 auxv
-r--r--r-- 1 root root 0 Mar 17 14:32 cmdline  <==就是命令串
-rw-r--r-- 1 root root 0 Mar 17 14:32 coredump_filter
-r--r--r-- 1 root root 0 Mar 17 14:32 cpuset
lrwxrwxrwx 1 root root 0 Mar 17 14:32 cwd -> /
-r-------- 1 root root 0 Mar 17 14:32 environ  <==一些环境变量
lrwxrwxrwx 1 root root 0 Mar 17 14:32 exe -> /sbin/init  <==实际执行的命令
....（以下省略）....
```

里面的数据还挺多的，不过，比较有趣的其实是两个文件，分别是：

- cmdline：这个进程被启动的命令串；
- environ：这个进程的环境变量内容。

很有趣吧？如果你查阅一下 cmdline 的话，就会发现：

```
[root@www ~]# cat /proc/1/cmdline
init [5]
```

就是这个命令、参数启动 init 的。这还是跟某个特定的 PID 有关的内容，如果是针对整个 Linux 系统相关的参数呢？那就是在/proc 目录下面的文件。相关的文件与对应的内容如表 17-2 所示[注3]。

表 17-2

文 件 名	文 件 内 容
/proc/cmdline	加载 kernel 时所执行的相关参数！查阅此文件，可了解系统是如何启动的
/proc/cpuinfo	本机的 CPU 的相关信息，包含频率、类型与运算功能等
/proc/devices	这个文件记录了系统各个主要设备的主要设备代号，与 mknod 有关
/proc/filesystems	目前系统已经加载的文件系统
/proc/interrupts	目前系统上面的 IRQ 分配状态

续表

文 件 名	文 件 内 容
/proc/ioports	目前系统上面各个设备所配置的 I/O 地址
/proc/kcore	这个就是内存的大小。好大对吧？但是不要读它啦
/proc/loadavg	还记得 top 以及 uptime 吧？没错！上头的三个平均数值就是记录在此
/proc/meminfo	使用 free 列出的内存信息，在这里也能够查阅到
/proc/modules	目前我们的 Linux 已经加载的模块列表，也可以想成是驱动程序
/proc/mounts	系统已经挂载的数据，就是用 mount 这个命令调出来的数据
/proc/swaps	到底系统加载的内存在哪里？使用的分区记录在此
/proc/partitions	使用 fdisk -l 会出现目前所有的分区吧？在这个文件当中也有记录
/proc/pci	在 PCI 总线上面每个设备的详细情况！可用 lspci 来查阅
/proc/uptime	就是用 uptime 的时候会出现的信息
/proc/version	内核的版本，就是用 uname -a 显示的内容
/proc/bus/*	一些总线的设备，还有 USB 的设备也记录在此

其实，上面这些文件鸟哥在此建议你可以使用 cat 去查阅看看，不必深入了解，不过，查看过文件内容后，毕竟会比较有感觉。如果将来你想要自行编写某些工具软件，那么这个目录下面的相关文件可能会对你有点帮助的。

17.4.3　查询已打开文件或已执行程序打开的文件

其实还有一些与程序相关的命令可以值得参考与应用的，我们来谈一谈：

◆ fuser：通过文件（或文件系统）找出正在使用该文件的程序

- 有的时候我想要知道我的进程到底在这次启动过程中打开了多少文件，可以利用 fuser 来查看。举例来说，你如果卸除时发现系统通知"device is busy"，那表示这个文件系统正在忙碌中，表示有某个进程有利用到该文件系统。那么你就可以利用 fuser 来跟踪。fuser 语法有点像这样：

```
[root@www ~]# fuser [-umv] [-k [i] [-signal]] file/dir
参数:
-u : 除了进程的 PID 之外，同时列出该进程的所有者;
-m : 后面接的那个文件名会主动上提到该文件系统的所顶层，对 umount 不成功很有效!
-v : 可以列出每个文件与程序还有命令的完整相关性!
-k : 找出使用该文件/目录的 PID，并试图以 SIGKILL 这个信号给予该 PID;
-i : 必须与 -k 配合，在删除 PID 之前会先询问用户意愿!
-signal: 例如 -1 -15 等，若不加的话，默认是 SIGKILL (-9) 。

范例一: 找出目前所在目录的使用 PID/所属账号/权限
[root@www ~]# fuser -uv .
                USER     PID ACCESS COMMAND
.:              root   20639 ..c.. (root)bash
```

- 看到输出的结果没？它说"."下面有个 PID 为 20639 的程序,该程序属于 root 且命令为 bash。比较有趣的是那个 ACCESS 的选项，那个选项代表的意义为：
  - c：此进程在当前的目录下（非子目录）;
  - e：可被触发为执行状态;
  - f：是一个被打开的文件;
  - r：代表顶层目录（root directory）;
  - F：该文件被打开了，不过在等待回应中;

- ■ m：可能为分享的动态函数库。
- 那如果你想要查看某个文件系统下面有多少进程正在占用该文件系统时，那个–m 的参数就很有帮助了！鸟哥的测试主机仅有分出/、/boot、/home，所以无法进行测试。不过好在还有个 /proc 的虚拟文件系统，让我们来了解一下这个/proc 的文件系统有多少进程正在利用它。

```
范例二：找到所有使用到 /proc 这个文件系统的进程。
[root@www ~]# fuser -uv /proc
# 不会显示任何数据，因为没有任何进程会去使用 /proc 这个目录。
# 会被用到的是 /proc 下面的文件。所以你应该要这样做：

[root@www ~]# fuser -mvu /proc
                USER      PID ACCESS COMMAND
/proc:          root      4289 f.... (root) klogd
                root      4555 f.... (root) acpid
                haldaemon 4758 f.... (haldaemon) hald
                root      4977 F.... (root) Xorg
# 有这几个进程在进行 /proc 文件系统的访问。这样清楚了吗？
```

- 既然可以针对整个文件系统，那么能不能仅针对单一文件啊？当然可以。看一下下面的案例先：

```
范例三：找到 /var 下面属于 FIFO 类型的文件，并且找出访问该文件的进程
[root@www ~]# find /var -type p
/var/gdm/.gdmfifo      <==我们针对这玩意即可！
/var/run/autofs.fifo-misc
/var/run/autofs.fifo-net

[root@www ~]# fuser -uv /var/gdm/.gdmfifo
                   USER       PID ACCESS COMMAND
/var/gdm/.gdmfifo: root       4892 F.... (root) gdm-binary

范例四：同范例三，但试图删除该 PID 且“不要”删除。
[root@www ~]# fuser -ki /var/gdm/.gdmfifo
/var/gdm/.gdmfifo:   4892
Kill process 4892 ? (y/N) n
```

- 如何？很有趣的一个命令吧！通过这个 fuser 我们可以找出使用该文件、目录的程序，以便查看。它的重点与 ps,pstree 不同。fuser 可以让我们了解到某个文件（或文件系统）目前正在被哪些进程所利用。

◆ **lsof：列出被进程所打开的文件名**
- 相对于 fuser 是由文件或者设备去找出使用该文件或设备的进程，反过来说，如何查出某个进程打开或者使用的文件与设备呢？那就是使用 lsof。

```
[root@www ~]# lsof [-aUu] [+d]
参数：
-a ：多项数据需要“同时成立”才显示出结果时！
-U ：仅列出 Unix like 系统的 socket 文件类型；
-u ：后面接 username，列出该用户相关进程所打开的文件；
+d ：后面接目录，即找出某个目录下面已经被打开的文件！

范例一：列出目前系统上面所有已经被打开的文件与设备：
[root@www ~]# lsof
COMMAND PID USER  FD  TYPE DEVICE  SIZE    NODE NAME
init    1   root  cwd DIR  3,2     4096    2 /
init    1   root  rtd DIR  3,2     4096    2 /
init    1   root  txt REG  3,2     38620   1426405 /sbin/init
....（下面省略）....
# 注意到了吗？是的，在默认的情况下，lsof 会将目前系统上面已经打开的
# 文件全部列出来。所以，界面多得吓人啊！你可以注意到，第一个文件 init 执行的
# 地方就在根目录，而根目录所在的 inode 也有显示出来。
```

范例二: 仅列出关于 root 的所有进程打开的 socket 文件

```
[root@www ~]# lsof -u root -a -U
COMMAND     PID USER    FD    TYPE     DEVICE SIZE   NODE NAME
udevd      400 root     3u   unix 0xedd4cd40       1445 socket
auditd    4256 root     7u   unix 0xedd4c380       9081 socket
audispd   4258 root     0u   unix 0xedd4c1e0       9080 socket
# 注意到那个 -a 吧! 如果你分别输入 lsof -u root 及 lsof -U, 会有什么信息?
# 使用 lsof -u root -U 及 lsof -u root -a -U, 呵呵! 都不同啦!
# -a 的用途就是解决同时需要两个选项都成立。
```

范例三: 请列出目前系统上面所有的被启动的周边设备

```
[root@www ~]# lsof +d /dev
COMMAND     PID    USER    FD  TYPE    DEVICE SIZE NODE NAME
init          1    root   10u  FIFO     0,16      1147 /dev/initctl
udevd       400    root    0u  CHR       1,3      1420 /dev/null
udevd       400    root    1u  CHR       1,3      1420 /dev/null
udevd       400    root    2u  CHR       1,3      1420 /dev/null
#因为设备都在 /dev 里面, 所以查找目录即可。
```

范例四: 显示出属于 root 的 bash 这个进程所打开的文件

```
[root@www ~]# lsof -u root | grep bash
bash  20639 root cwd   DIR   3,2    4096    648321 /root
bash  20639 root rtd   DIR   3,2    4096         2 /
bash  20639 root txt   REG   3,2  735004   1199424 /bin/bash
bash  20639 root mem   REG   3,2   46680     64873 /lib/libnss_files-2.5.so
....（下面省略）....
```

- 这个命令可以找出你想要知道的某个进程是否有打开哪些信息, 例如上头提到的范例四的执行结果呢!

◆ pidof : 找出某个正在执行的进程的 PID

```
[root@www ~]# pidof [-sx] program_name
参数:
-s : 仅列出一个 PID 而不列出所有的 PID
-x : 同时列出该 program name 可能的 PPID 那个进程的 PID

范例一: 列出目前系统上面 init 以及 syslogd 这两个进程的 PID
[root@www ~]# pidof init syslogd
1 4286
# 理论上, 应该会有两个 PID 才对。上面的显示也是出现了两个 PID。
# 分别是 init 及 syslogd 这两个进程的 PID。
```

- 很简单的用法吧? 通过这个 pidof 命令, 并且配合 ps aux 与正则表达式, 就可以很轻易地找到你所想要的程序内容了。

17.5 SELinux 初探

在进入了 CentOS 5.x 之后, SELinux 已经是个非常完备的内核模块了! CentOS 5.x 提供了很多管理 SELinux 的命令与机制, 因此在整体架构上面比以前的版本要单纯且容易操作管理。所以, 在这一版以后, 我们建议大家千万不要关掉 SELinux。让我们来仔细玩玩吧!

17.5.1 什么是 SELinux

什么是 SELinux 呢? 其实它是"Security Enhanced Linux"的缩写, 字面上的意义就是安全强化的 Linux 之意。那么所谓的 "安全强化" 是强化哪个部分? 是网络监管还是权限管理? 下面就让我们来谈谈吧!

◆ 当初设计的目标：避免资源的误用

- SELinux 是由美国国家安全局（NSA）开发的，当初开发的目的是因为很多企业界发现，通常系统出现问题的原因大部分都在于"内部员工的资源误用"所导致的，实际由外部发动的攻击反而没有这么严重。那么什么是"员工资源误用"呢？举例来说，如果有个不是很懂系统的系统管理员为了自己设置的方便,将网页所在目录/var/www/html/的权限设置为 drwxrwxrwx 时，你觉得会有什么事情发生？

- 现在我们知道所有的系统资源都是通过程序来进行访问的，那么/var/www/html/如果设置为 777，代表所有程序均可对该目录访问，万一你真的有启动 WWW 服务器软件，那么该软件所触发的进程将可以写入该目录，而该进程却是对整个 Internet 提供服务的。只要有心人接触到这个进程，而且该进程刚好又有提供用户进行写入的功能，那么外部的人很可能就会对你的系统写入些莫名其妙的东西。那可真是不得了！

- 为了控制这方面的权限与进程的问题，所以美国国家安全局就着手处理操作系统这方面的控管。由于 Linux 是自由软件，程序代码都是公开的，因此他们便使用 Linux 来作为研究的目标，最后更将研究的结果整合到 Linux 内核里面去，那就是 SELinux。所以说，SELinux 是整合到内核的一个模块。更多的 SELinux 相关说明可以参考：

  - http://www.nsa.gov/research/selinux/

- 这也就是说：其实 SELinux 是在进行程序、文件等权限设置依据的一个内核模块。由于启动网络服务的也是程序，因此刚好也是能够控制网络服务能否访问系统资源的一道关卡！所以，在讲到 SELinux 对系统的访问控制之前，我们得先来回顾一下之前谈到的系统文件权限与用户之间的关系，先谈完这个你才会知道为何需要 SELinux。

◆ 传统的文件权限与账号关系：自主访问控制,DAC

- 我们在第 14 章的内容中，知道系统的账号主要分为系统管理员（root）与一般用户，而这两种身份能否使用系统上面的文件资源则与 rwx 的权限设置有关。不过你要注意的是，各种权限设置对 root 是无效的。因此，当某个进程想要对文件进行访问时，系统就会根据该进程的所有者/用户组，并比较文件的权限，若通过权限检查，就可以访问该文件了。

- 这种访问文件系统的方式被称为"自主访问控制"（Discretionary Access Control, DAC），基本上，就是依据进程的所有者与文件资源的 rwx 权限来决定有无访问的能力。不过这种 DAC 的访问控制有几个困扰，那就是：

  - root 具有最高的权限：如果不小心某个程序被有心人士取得，且该进程属于 root 的权限，那么这个程序就可以在系统上进行任何资源的访问。

  - 用户可以取得进程来更改文件资源的访问权限：如果你不小心将某个目录的权限设置为 777，由于对任何人的权限会变成 rwx，因此该目录就会被任何人所任意访问！

- 这些问题是非常严重的！尤其是当你的系统是被某些漫不经心的系统管理员所掌控时，他们甚至觉得目录权限调为 777 也没有什么了不起的危险……

◆ 以策略规则制定特定程序读取特定文件：委托访问控制,MAC

- 现在我们知道 DAC 的困扰就是当用户取得程序后，他可以通过这个进程与自己默认的权限来处理他自己的文件资源。万一这个用户对 Linux 系统不熟，那就很可能会有资源误用的问题产生。为了避免 DAC 容易发生的问题，因此 SELinux 导入了强制访问控制（Mandatory AccessControl,MAC）的方法！

- 强制访问控制（MAC）它可以针对特定的进程与特定的文件资源来进行权限的控制！也就是说，即使你是 root，那么在使用不同的进程时，你所能取得的权限并不一定是 root，而得要看当时该进程的设置而定。如此一来，我们针对控制的"主体"变成了"进程"而不是用户。此外，这个主体进程也不能任意使用系统文件资源，因为每个文件资源也有针对该主体进程设置可取用的权限！如此一来，控制项目就细多了！但整个系统进程那么多，文件那么多，一项一项控制可就没完没了，所以 SELinux 也提供一些默认的策略（Policy），并在该策略内提供多个规则（rule），让你可以选择是否启用该控制规则。

- 在强制访问控制的设置下，我们的进程能够活动的空间就变小了！举例来说，WWW 服务器软件的实现程序为 httpd 这个进程，而默认情况下，httpd 仅能在/var/www/这个目录下面访问文件，如果 httpd 这个进程想要到其他目录去访问数据时，除了规则设置要开放外，目标目录也得要设置成 httpd 可读取的模式（type）才行，限制非常多！所以，即使不小心 httpd 被 cracker 取得了控制权，他也无权浏览/etc/shadow 等重要的配置文件。

17.5.2　SELinux 的运行模式

再次重复说明一下，SELinux 是通过 MAC 的方式来控管进程，它控制的主体是进程，而目标则是该进程能否读取的"文件资源"。所以先来说明一下它的相关性[注4]。

- 主体（Subject）
  - SELinux 主要想要管理的就是进程，因此你可以将"主体"跟本章谈到的进程画上等号。
- 目标（Object）
  - 主体进程能否访问的"目标资源"一般就是文件系统。因此这个目标项目可以与文件系统画上等号。
- 策略（Policy）
  - 由于进程与文件数量庞大，因此 SELinux 会依据某些服务来制订基本的访问安全性策略。这些策略内还会有详细的规则（rule）来指定不同的服务开放某些资源的访问与否。在目前的 CentOS 5.x 里面仅有提供两个主要的策略，分别是：
  - targeted：针对网络服务限制较多，针对本机限制较少，是默认的策略；
  - strict：完整的 SELinux 限制，限制方面较为严格。
  - 建议使用默认的 targeted 策略即可。
- 安全上下文（security context）
  - 我们刚才谈到了主体、目标与策略，但是主体能不能访问目标除了策略指定之外，主体与目标的安全上下文必须一致才能够顺利访问。这个安全上下文有点类似文件系统的 rwx 啦！安全上下文的内容与设置是非常重要的！如果设置错误，你的某些服务（主体进程）就无法访问文件系统（目标资源），当然就会一直出现"权限不符"的错误信息了！

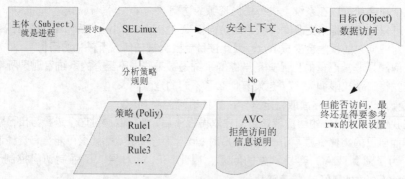

图 17-7　SELinux 运行的各组件之相关性

图 17-7 的重点在"主体"如何取得"目标"的资源访问权限！由上图我们可以发现，主体程序必须要通过 SELinux 策略内的规则放行后，就可以与目标资源进行安全上下文的比较，若比较失败则无法访问目标，若比较成功则可以开始访问目标。问题是，最终能否访问目标还是与文件系统的 rwx 权限设置有关。如此一来，加入了 SELinux 之后，出现权限不符的情况时，你就得要一步一步地分析可能的问题了！

- CentOS 5.x 已经帮我们制订好非常多的规则了，这部分你只要知道如何开启/关闭某项规则的放行与否即可。那个安全上下文比较麻烦。因为你可能需要自行配置文件的安全上下文呢！为何需要自行设置啊？举例来说，你不也经常进行文件的 rwx 的重新设置吗？这个**安全上下文你就将它想成 SELinux 内必备的 rwx 就是了**！这样比较好理解。

- 安全上下文存在于主体进程中与目标文件资源中。进程在内存内，所以安全上下文可以存入是没问题。那文件的安全上下文是记录在哪里呢？事实上，**安全上下文是放置到文件的 inode 内的**，因此主体进程想要读取目标文件资源时，同样需要读取 inode，这 inode 内就可以比较安全上下文以及 rwx 等权限值是否正确，而给予适当的读取权限依据。

- 那么安全上下文到底是什么样的存在呢？我们先来看看/root 下面的文件的安全上下文好了。查看安全上下文可使用"ls –Z"去查看。（注意：你必须已经启动了 SELinux 才行。若尚未启动，这部分请稍微看过一遍即可。下面会介绍如何启动 SELinux。）

```
[root@www ~]# ls -Z
drwxr-xr-x  root root root:object_r:user_home_t  Desktop
-rw-r--r--  root root root:object_r:user_home_t  install.log
-rw-r--r--  root root root:object_r:user_home_t  install.log.syslog
# 上述特殊字体的部分就是安全上下文的内容！
```

- 如上所示，安全上下文主要用冒号分为三个字段：

```
Identify:role:type
身份识别:角色:类型
```

- 这三个字段的意义仔细说明一下吧！

- **身份标识（Identify）**
  - 相当于账号方面的身份标识！主要的身份标识则有下面三种常见的类型：
    - root：表示 root 的账号身份，如同上面显示的是 root 主文件夹下的数据；
    - system_u：表示系统程序方面的标识，通常就是进程；
    - user_u：代表的是一般用户账号相关的身份。
  - 你会发现身份标识中，除了 root 之外，其他的标识后面都会加上"_u"的字样呢！这个身份标识重点在于让我们了解该数据为何种身份所有。而系统上面大部分的数据都会是 system_u 或 root。至于如果是在/home 下面的数据，那么大部分应该就会是 user_u。

- **角色（Role）**
  - 通过角色字段，我们可以知道这个数据是属于程序、文件资源还是代表用户。一般的角色有：
    - object_r：代表的是文件或目录等文件资源，这应该是最常见的；
    - system_r：代表的是进程，不过，一般用户也会被指定成为 system_r。
  - 你也会发现角色的字段最后面使用"_r"来结尾，因为是 role 的意思。

- **类型（Type，最重要）**
  - 在默认的 targeted 策略中，Identify 与 Role 字段基本上是不重要的。重要的在于这个类型（type）字段！基本上，一个主体进程能不能读取到这个文件资源与类型字段有关。而类型字段在文件与进程的定义不太相同，分别是：
    - type：在文件资源（Object）上面称为类型（Type）；
    - domain：在主体程序（Subject）中则称为域（domain）了！
  - domain 需要与 type 搭配，则该程序才能够顺利读取文件资源。

- **进程与文件 SELinux type 字段的相关性**
  - 那么这三个字段如何利用呢？首先我们来瞧瞧主体进程在这三个字段的意义为何！通过身份标识与角色字段的定义，我们可以约略知道某个进程所代表的意义。基本上，这些对应数据在 targeted 策略下的对应如表 17–3 所示。

表 17-3

身 份 识 别	角　　色	在 targeted 下的意义
Root	system_r	代表供 root 账号登录时所取得的权限
system_u	system_r	由于为系统账号，因此是非交互式的系统运行程序
user_u	system_r	一般可登录用户的进程

- 但就如上所述，其实最重要的字段是类型字段，主体与目标之间是否具有可以读写的权限与进程的 domain 及文件的 type 有关！这两者的关系我们可以使用达成 WWW 服务器功能的 httpd 这的进程与/var/www/html 这个网页放置的目录来说明。首先，看看这两个安全上下文内容先！

```
[root@www ~]# ll -Zd /usr/sbin/httpd /var/www/html
-rwxr-xr-x  root root system_u:object_r:httpd_exec_t   /usr/sbin/httpd
drwxr-xr-x  root root system_u:object_r:httpd_sys_content_t /var/www/html
# 两者的角色字段都是 object_r，代表都是文件。而 httpd 属于 httpd_exec_t 类型，
# /var/www/html 则属于 httpd_sys_content_t 这个类型！
```

- httpd 属于 httpd_exec_t 这个可以执行的类型，而/var/www/html 则属于 httpd_sys_content_t 这个可以让 httpd 域（domain）读取的类型。文字看起来不太容易了解吧！我们使用图 17-8 来说明这两者的关系！

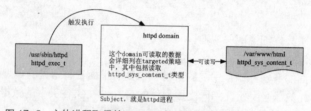

图 17-8　主体进程取得的 domain 与目标文件资源的 type 相互关系

- 图 17-8 所示的意义我们可以这样看的：
1. 首先，我们触发一个可执行的目标文件，那就是具有 httpd_exec_t 这个类型的/usr/sbin/httpd 文件；
2. 该文件的类型会让这个文件所造成的主体进程（Subject）具有 httpd 这个域（domain），我们的策略针对这个域已经制定了许多规则，其中包括这个域可以读取的目标资源类型；
3. 由于 httpd domain 被设置为可以读取 httpd_sys_content_t 这个类型的目标文件（Object），因此你的网页放置到/var/www/html/目录下，就能够被 httpd 那个进程所读取了；
4. 但最终能不能读到正确的数据，还得要看 rwx 是否符合 Linux 权限的规范！
- 上述的流程告诉我们几个重点，第一个是策略内需要制订详细的 domain/type 相关性；第二个是若文件的 type 设置错误，那么即使权限设置为 rwx 全开的 777，该主体进程也无法读取目标文件资源。不过如此一来，也就可以避免用户将他的主文件夹设置为 777 时所造成的权限困扰。

17.5.3　SELinux 的启动、关闭与查看

并非所有的 Linux distributions 都支持 SELinux 的，所以你必须要先查看一下你的系统版本为何！鸟哥这里介绍的 CentOS 5.x 本身就有支持 SELinux。所以你不需要自行编译 SELinux 到你的 Linux 内核中！目前 SELinux 支持三种模式，分别如下：
- enforcing：强制模式，代表 SELinux 正在运行中，且已经正确开始限制 domain/type 了。
- permissive：宽容模式：代表 SELinux 正在运行中，不过仅会有警告信息并不会实际限制 domain/type 的访问。这种模式可以运来作为 SELinux 的调试之用。

◆　disabled：关闭，SELinux 并没有实际运行。

那你怎么知道目前的 SELinux 模式呢？就通过 getenforce。

```
[root@www ~]# getenforce
Enforcing  <==就显示出目前的模式为 Enforcing 。
```

另外，我们又如何知道 SELinux 的策略（Policy）为何呢？这时可以使用 sestatus 来查看：

```
[root@www ~]# sestatus [-vb]
参数：
-v ：检查列于 /etc/sestatus.conf 内的文件与程序的安全上下文内容;
-b ：将目前策略的规则布尔值列出，即某些规则 （rule） 是否要启动 （0/1） 之意;

范例一：列出目前的 SELinux 使用的策略 （Policy）
[root@www ~]# sestatus
SELinux status:             enabled    <==是否启动 SELinux
SELinuxfs mount:               /selinux <==SELinux 的相关文件数据挂载点
Current mode:               enforcing <==目前的模式
Mode from config file:         enforcing <==配置文件指定的模式
Policy version:             21
Policy from config file:       targeted  <==目前的策略为何
```

如上所示，目前是启动的，而且是 Enforcing 模式，而由配置文件查询得知为 Enforcing 模式。此外，目前的默认策略为 targeted 这一个。你应该要有疑问的是，SELinux 的配置文件是哪个文件啊？其实就是/etc/selinux/config 这个文件。我们来看看内容：

```
[root@www ~]# vi /etc/selinux/config
SELINUX=enforcing      <==调整 enforcing|disabled|permissive
SELINUXTYPE=targeted <==目前仅有 targeted 与 strict
```

◆　SELinux 的启动与关闭
- 上面是默认的策略与启动的模式。你要注意的是，如果改变了策略则需要重新启动；如果由 enforcing 或 permissive 改成 disabled，或由 disabled 改成其他两个，那也必须要重新启动。这是因为 SELinux 是整合到内核里面去的，你只可以在 SELinux 运行下切换成为强制（enforcing）或许可（permissive）模式，不能够直接关闭 SELinux 的！同时，由 SELinux 关闭（disable）的状态到打开的状态也需要重新启动。所以，如果刚才你发现 getenforce 出现 disabled 时，请到上述文件修改成为 enforcing。
- 所以，如果你要启动 SELinux 的话，请将上述的 SELINUX=enforcing 设置妥当，并且指定 SELINUXTYPE=targeted 这一个设置，并且到/boot/grub/menu.lst 这个文件去，看看内核有无关闭 SELinux 了。

```
[root@www ~]# vi /boot/grub/menu.lst
default=0
timeout=5
splashimage=（hd0,0）/grub/splash.xpm.gz
hiddenmenu
title CentOS （2.6.18-92.el5）
    root （hd0,0）
    kernel /vmlinuz-2.6.18-92.el5 ro root=LABEL=/1 rhgb quiet selinux=0
    initrd /initrd-2.6.18-92.el5.img
# 如果要启动 SELinux ，则不可以出现 selinux=0 的字样在 kernel 后面!
```

- 请注意到上面特殊字体的那一行，确认 kernel 后面不可以接 "selinux=0" 这个选项。因为 selinux=0 指定给内核时，则内核会自动忽略/etc/selinux/config 的设置值，而直接略过 SELinux 的加载，所以你的 SELinux 模式就会变成 disabled。因为我们要启动，所以这里得要确认不存在 selinux = 0 才行。切记切记！如果一切设置妥当，接下来就是重新启动。
- 不过你要注意的是，如果从 disable 转到启动 SELinux 的模式时，由于系统必须要针对文件写入安全上下文的信息，因此开机过程会花费不少时间在等待重新写入 SELinux 安全上下文（有时也称为 SELinux Label），而且在写完之后还得要再次重新启动一次喔！你必须要等待很长一段时间。等到下次开机成功后，再使用 getenforce 或 sestatus 来查看有否成功的启动到 Enforcing 的模式。

● 如果你已经处在 Enforcing 的模式，但是可能由于一些设置的问题导致 SELinux 让某些服务无法正常的运行，此时你可以将 Enforcing 的模式改为许可（per missive）的模式，让 SELinux 只会警告无法顺利连接的信息，而不是直接抵挡主体进程的读取权限。让 SELinux 模式在 enforcing 与 permissive 之间切换的方法为：

```
[root@www ~]# setenforce [0|1]
参数：
0 ：转成 permissive 宽容模式；
1 ：转成 Enforcing 强制模式。

范例一：将 SELinux 在 Enforcing 与 permissive 之间切换与查看
[root@www ~]# setenforce 0
[root@www ~]# getenforce
Permissive
[root@www ~]# setenforce 1
[root@www ~]# getenforce
Enforcing
```

● 不过请注意，setenforce 无法在 Disabled 的模式下面进行模式的切换。

17.5.4　SELinux 网络服务运行范例

由于 CentOS 5.x 默认使用 targeted 这个策略，而这个策略主要是在管理网络服务，本机端的程序则比较不受 SELinux 的管制。既然上面我们曾经举过 /usr/sbin/httpd 这个程序来当作范例，那么我们就使用 WWW 服务器来说明一下 SELinux 的运行方式吧。

◆ 网络服务的启动与查看
   ● 首先，让我们启动 httpd 这个服务。要记得的是，一般服务启动的脚本会在 /etc/init.d/ 下面，所以我们可以这样启动与查看：

```
# 1. 先启动这个网络服务。
[root@www ~]# /etc/init.d/httpd start
正在激活 httpd：      [ 确定 ]

# 2. 查看有无此进程，并且查看此进程的 SELinux 安全上下文数据
[root@www ~]# pstree | grep httpd
    |-httpd---8*[httpd]    <==httpd 会生成很多子进程来负责网络服务。

[root@www ~]# ps aux -Z |grep http
root:system_r:httpd_t root  24089 0.2 1.2 22896 9256 ? Ss 16:06 0:00 /usr/sbin/httpd
root:system_r:httpd_t apache 24092 0.0 0.6 22896 4752 ? S  16:06 0:00 /usr/sbin/httpd
root:system_r:httpd_t apache 24093 0.0 0.6 22896 4752 ? S  16:06 0:00 /usr/sbin/httpd
....（后面省略）....
```

   ● ps -Z 这个 "-Z" 的参数可以让我们查阅进程的安全上下文。其他相关的进程说明请自行查阅本章上面各节的内容。我们可以发现这整个进程的 domain 是 httpd_t。再来我们来处理一下首页的数据先！由于首页是放置到 /var/www/html，且文件名应该要是 "index.html"，因此我们可以这样简单地制作首页：

```
[root@www ~]# echo "This is my first web page." > /var/www/html/index.html
```

   ● 接下来，如果你在浏览器上面输入 "http://127.0.0.1"，应该会看到如图 17-9 所示的界面才对！

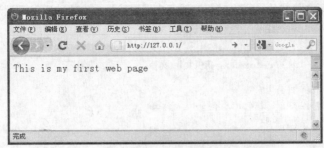

图 17-9　httpd 顺利运行时能够看到的首页界面

- 此时你的浏览器会通过 httpd 这个进程拥有的 httpd_t 这个 domain 去读取 /var/www/html/index.html 这个文件的！先来看看这个文件的权限与 SELinux 的安全上下文数据！

```
[root@www ~]# ll -Z /var/www/html/index.html
-rw-r--r-- root root root:object_r:httpd_sys_content_t /var/www/html/index.html
```

- 权限是 apache 可以读取的 r 标志，而 SELinux 则是 httpd_sys_content_t 的类型（type），也是 httpd_t 能读取的。那么为何 httpd_t 可以读取呢？因为 targeted 策略里面有设置。关于策略设置的查询我们可以在后续跟大家做介绍，这里先了解一下即可。

◆ 错误的 SELinux 安全上下文
  - 让我们来了解一下什么是错误的安全上下文设置好了！现在，我们将重要的网页数据在 root 的主文件夹下面制作！设置如下：

```
# 1. 先在 root 的主文件夹构建所需的首页:
[root@www ~]# echo "My 2nd web page..." > index.html

# 2. 将首页 index.html 转搬移到 /var/www/html 目录去:
[root@www ~]# rm /var/www/html/index.html
[root@www ~]# mv index.html /var/www/html
# 这个测试的重点在 mv 这个命令的处理上！务必使用 mv.
```

- 等到上述的操作都做完后，如果在浏览器中输入 http://127.0.0.1/index.html，你应该会想到界面会出现我们想要的 "My 2nd web page..." 才对，但是结果却变成：

图 17-10　错误的安全上下文所造成的困扰

- 记得要在地址栏指定 index.html，否则会变成欢迎首页的界面。而屏幕上出现的错误信息是没有权限（You don't have permission...）。看看这个 /var/www/html/index.html 的权限吧！

```
[root@www ~]# ll -Z /var/www/html/index.html
-rw-r--r-- root root root:object_r:user_home_t /var/www/html/index.html
```

- 你会发现，权限是对的（apache 用户依旧可以读取），但是安全上下文内容却是用户主文件夹。这个用户主文件夹默认可不能给 httpd_t 这个 domain 读取的，所以就产生错误，那该如何处置呢？

◆ 重设 SELinux 安全上下文

- 既然安全上下文是错的，那么就将它改回来即可嘛！怎么修改呢？可以通过两个命令。首先我们使用 chcon 来处理：

```
[root@www ~]# chcon [-R] [-t type] [-u user] [-r role] 文件
[root@www ~]# chcon [-R] --reference=范例文件 文件
参数:
-R  : 连同该目录下的子目录也同时修改;
-t  : 后面接安全上下文的类型字段! 例如 httpd_sys_content_t ;
-u  : 后面接身份识别，例如 system_u;
-r  : 后面接角色，例如 system_r;
--reference=范例文件: 拿某个文件当范例来修改后续接的文件的类型!

范例一: 将刚才的 index.html 类型改为 httpd_sys_content_t 的类型
[root@www ~]# chcon -t httpd_sys_content_t /var/www/html/index.html
[root@www ~]# ll -Z /var/www/html/index.html
-rw-r--r-- root root root:object_r:httpd_sys_content_t /var/www/html/index.html
# 瞧! 这样就改回来啦!

范例二: 以 /etc/passwd 为依据，将 index.html 修改成该类型
[root@www ~]# ll -Z /etc/passwd
-rw-r--r-- root root system_u:object_r:etc_t          /etc/passwd

[root@www ~]# chcon --reference=/etc/passwd /var/www/html/index.html
[root@www ~]# ll -Z /var/www/html/index.html
-rw-r--r-- root root root:object_r:etc_t /var/www/html/index.html
# 看看! 是否与上面的 /etc/passwd 相同了? 不过，这又是错误的安全上下文!
# 先不要急着修改! 我们来进行下面的另外一个命令处置看看!
```

- chcon 是通过直接指定的方式来处理安全上下文的类型数据。那我们知道其实系统默认的目录都有特殊的 SELinux 安全上下文，举例来说，/var/www/html 原本就是 httpd 可以读取的目录。既然如此，那有没有可以使用默认的安全上下文来还原的方式? 有的，那就是 restorecon：

```
[root@www ~]# restorecon [-Rv] 文件或目录
参数:
-R  : 连同子目录一起修改;
-v  : 将过程显示到屏幕上。

范例一: 将刚才错误的 index.html 以默认的安全上下文改正过来
[root@www ~]# restorecon -Rv /var/www/html/index.html
restorecon reset /var/www/html/index.html context system_u:object_r:etc_t:s0->
system_u:object_r:httpd_sys_content_t:s0
# 上面这两行其实是同一行。表示将 index.html 由 etc_t 改为 httpd_sys_content_t
```

- 然后回到刚才的图 17-10 给他刷新一下，又可以看到正确的内容啦！这个过程完全没有动到 rwx 权限，因为该权限本来就是对的。而错的部分是在于 SELinux 的安全上下文当中那个类型（type）设置错误！而设置错误的原因很可能是因为该文件由其他位置复制或移动过来所导致的。因此，你得要善用 restorecon 及 chcon 来处理这方面的问题。

17.5.5 SELinux 所需的服务

　　由于 SELinux 是整合到内核的一个内核功能，因此你几乎不需要启动什么额外的服务来打开 SELinux 的。开机完成后，SELinux 就启动了。不过，你刚才也发现到当我们复制或移动某些数据到特定的目录时，可能由于没有注意到修改 SELinux 的安全上下文内容，结果导致网络服务无法顺利运行的问题。有没有什么方法可以记录当发生 SELinux 错误时，将那些有用的信息记录下来，并且提供解决的方案呢? 此时就得要下面的几个服务的辅助。

- setroubleshoot: 将错误信息写入/var/log/messages

- 几乎所有 SELinux 相关的程序都会以 se 为开头，这个服务也是以 se 为开头！而 troubleshoot 大家都知道是错误克服，因此这个 setroubleshoot 自然就得要启动它。这个服务会将关于 SELinux 的错误信息与克服方法记录到/var/log/messages 里面，所以你一定得要启动这个服务才好。那如何在开机的时候就启动 setroubleshoot 呢？这样处理先：

```
[root@www ~]# chkconfig --list setroubleshoot
setroubleshoot  0:off 1:off 2:off 3:on 4:on 5:on 6:off
# 我们的 Linux 运行模式是在 3 或 5 号，因此这两个要设为 on 即可。

[root@www ~]# chkconfig setroubleshoot on
# 关于 chkconfig 我们会在后面章节介绍，--list 是列出目前的执行等级是否有启动，
# 如果加上 on，则是在开机时启动，若为 off 则开机时不启动。
```

- 这个服务默认几乎都会启动。除非你看到 3:off 或 5:off 时，才需要以"chkconfigsetroubleshooton"去设置一下。那么如果有发生错误时，信息像什么呢？我们刚才不是以浏览器浏览 index.html 并导致错误吗？那就将该错误捕获来瞧瞧！

```
[root@www ~]# cat /var/log/messages | grep setroubleshoot
Mar 23 17:18:44 www setroubleshoot: SELinux is preventing the httpd from using
potentially mislabeled files (/var/www/html/index.html). For complete SELinux
messages. Run sealert -l 6c028f77-ddb6-4515-91f4-4e3e719994d4
```

- 上面的错误信息可是同一行。大体是说"SELinux 被用来避免 httpd 读取到错误的安全上下文，想要查阅完整的数据，请执行 sealert–l6c02..."没错！你注意到了！重点就是 sealert –l。上面提供的信息并不完整，想要更完整的说明得要靠 sealert 配合检测到的错误代码来处理。实际处理后会像这样：

```
[root@www ~]# sealert -l 6c028f77-ddb6-4515-91f4-4e3e719994d4
Summary:

SELinux is preventing the httpd from using potentially mislabeled files
(/var/www/html/index.html). <==就是刚才 /var/log/messages 的信息

Detailed Description:        <==下面是更完整的描述！要看！

SELinux has denied httpd access to potentially mislabeled file(s)
(/var/www/html/index.html). This means that SELinux will not allow httpd to use
these files. It is common for users to edit files in their home directory or tmp
directories and then move (mv) them to system directories. The problem is that
the files end up with the wrong file context which confined applications are not
allowed to access.

Allowing Access:         <==若要允许访问，你需要进行的操作！

If you want httpd to access this files, you need to relabel them using
restorecon -v '/var/www/html/index.html'. You might want to relabel the entire
directory using restorecon -R -v '/var/www/html'.
....（下面省略）....
```

- 重点就是上面特殊字体显示的地方。你只要照着"Allowing Access"里面的提示去进行处理，就能够完成你的 SELinux 类型设置了。比较刚才我们上个小节提到的 restorecon 与 chcon 你就能够知道，setroubleshoot 提供的信息又多又有效了吧！
- auditd：将详细数据写入/var/log/audit/audit.log
  - audit 是稽核的意思，这个 auditd 会将 SELinux 发生的错误信息写入/var/log/audit/audit.log 中！与上个服务相同的，你最好在开机时就设置这服务为启动的模式，因此可以照样造句：

```
[root@www ~]# chkconfig --list auditd
auditd    0:off 1:off 2:on  3:on  4:on  5:on  6:off
```

```
[root@www ~]# chkconfig auditd on
# 若 3:off 及 5:off 时，才需要进行!
```

- 与 setroubleshoot 不同的是，auditd 会将许多的 SELinux 信息都记录下来，不只是错误信息而已，因此日志文件/var/log/audit/audit.log 非常庞大。要直接到这文件里面去查找数据是挺累人的。还好，SELinux 有提供一个 audit2why 的命令来让我们查询错误信息的回报呢！那么这个命令如何使用呢？可以这样用的：

```
[root@www ~]# audit2why < /var/log/audit/audit.log
# 意思是，将日志文件的内容读进来分析，并输出分析的结果! 结果有点像这样:
type=AVC msg=audit (1237799959.349:355): avc: denied { getattr } for pid=24094
comm="httpd" path="/var/www/html/index.html" dev=hda2 ino=654685 scontext=root:s
ystem_r:httpd_t:s0 tcontext=root:object_r:user_home_t:s0 tclass=file
    Was caused by:
        Missing or disabled TE allow rule.
        Allow rules may exist but be disabled by boolean settings; check boolean
settings.
        You can see the necessary allow rules by running audit2allow with this
audit message as input.
```

- audit2why 的用法与输出结果如上，比较有趣的是那个 AVC，AVC 是 access vector cache 的缩写，目的是记录所有与 SELinux 有关的访问统计数据。输出的信息当中，会有谈到产生错误的问题为何，如上面的特殊字体部分，你会发现错误信息主要告知 type 不符，所以导致错误的发生。不过，就鸟哥来看，我个人觉得 setrou bleshoot 比较好用呢！这两个好东西都可以帮助你解决 SELinux 的错误，因此，请务必至少要学会其中一项错误分析的方法。

17.5.6　SELinux 的策略与规则管理

现在你应该知道，一个主体进程能否读取到目标文件资源的重点在于 SELinux 的策略以及策略内的各项规则，然后再通过该规则的定义去处理各目标文件的安全上下文，尤其是"类型"的部分。现在我们也知道可以通过 sestatus 与 getenforce 去取得目前的 SELinux 状态。但是，能不能知道更详细的策略说明与规则选项呢？下面我们就来了解了解！

- ◆ 策略查阅
  - CentOS 5.x 默认使用 targeted 策略，那么这个策略提供多少相关的规则呢？此时可以通过 seinfo 来查询。

```
[root@www ~]# seinfo [-Atrub]
参数:
-A : 列出 SELinux 的状态、规则布尔值、身份识别、角色、类型等所有信息;
-t : 列出 SELinux 的所有类型 (type) 种类;
-r : 列出 SELinux 的所有角色 (role) 种类;
-u : 列出 SELinux 的所有身份标识 (user) 种类;
-b : 列出所有规则的种类 (布尔值)。

范例一: 列出 SELinux 在此策略下的统计状态
[root@www ~]# seinfo
Statistics for policy file: /etc/selinux/targeted/policy/policy.21
Policy Version & Type: v.21 (binary, MLS) <==列出策略所在文件与版本

  Classes:         61    Permissions:      220
  Types:         1521    Attributes:       155
  Users:            3    Roles:              6
  Booleans:       213    Cond. Expr.:      190
  Sensitivities:    1    Categories:      1024
  Allow:        86561    Neverallow:         0
```

```
   Auditallow:      34    Dontaudit:      5460
   Role allow:       5    Role trans:        0
....(下面省略)....
# 从上面我们可以看到这个策略是 targeted，此策略的安全上下文类型有 1521 个；
# 而针对网络服务的规则（Booleans）共制订了 213 条规则。

范例二：列出与 httpd 有关的规则（booleans）有哪些
[root@www ~]# seinfo -b | grep httpd
Rule loading disabled
  allow_httpd_mod_auth_pam
  allow_httpd_bugzilla_script_anon_write
  httpd_enable_ftp_server
....(下面省略)....
# 你可以看到，有非常多的与 httpd 有关的规则订定呢！
```

- 从上面我们可以看到与 httpd 有关的布尔值，同样，如果你想要找到有 httpd 字样的安全上下文类型时，就可以使用 "seinfo –t | grep httpd" 来查询了！如果查询到相关的类型或者是布尔值后，想要知道详细的规则时，就得要使用 sesearch 这个命令了！

```
[root@www ~]# sesearch [-a] [-s 主体类型] [-t 目标类型] [-b 布尔值]
参数：
-a  : 列出该类型或布尔值的所有相关信息；
-t  : 后面还要接类型，例如 -t httpd_t；
-b  : 后面还要接布尔值的规则，例如 -b httpd_enable_ftp_server。

范例一：找出目标文件资源类型为 httpd_sys_content_t 的有关信息
[root@www ~]# sesearch -a -t httpd_sys_content_t
Found 74 av rules:
   allow readahead_t httpd_sys_content_t : file { ioctl read getattr lock };
   allow readahead_t httpd_sys_content_t : dir { ioctl read getattr lock search };
....(下面省略)....
# " allow  主体程序安全上下文类型  目标文件安全上下文类型 "
# 如上，说明这个类型可以被那个主体程序的类型所取读，以及目标文件资源的格式。

范例二：找出主体进程为 httpd_t 且目标文件类型为 httpd 相关的所有信息
[root@www ~]# sesearch -s httpd_t -t httpd_* -a
Found 163 av rules:
....(中间省略)....
   allow httpd_t httpd_sys_content_t : file { ioctl read getattr lock };
   allow httpd_t httpd_sys_content_t : dir { ioctl read getattr lock search };
   allow httpd_t httpd_sys_content_t : lnk_file { ioctl read getattr lock };
....(后面省略)....
# 从上面的数据就可以看出当进程为 httpd_t 这个类型时是可以读取
# httpd_sys_content_t 的！
```

- 你可以轻易查询到某个主体进程（subject）可以读取的目标文件资源（Object），从我们上面的练习，我们也可以很轻松地就知道为何 httpd_t 可以读取 httpd_sys_content_t 。那如果是布尔值呢？里面又设置了什么？让我们来看看先！

```
范例三：我知道有个布尔值为 httpd_enable_homedirs ，请问该布尔值设置了多少规则？
[root@www ~]# sesearch -b httpd_enable_homedirs -a
Found 21 av rules:
   allow httpd_t user_home_dir_t : dir { getattr search };
   allow httpd_t cifs_t : file { ioctl read getattr lock };
   allow httpd_t cifs_t : dir { ioctl read getattr lock search };
....(后面省略)....
```

- 从这个布尔值的设置我们可以看到里面设置了非常多的主体进程与目标文件资源的放行与否！所以你知道了，实际设置这些规则的就是布尔值的项目啦！那也就是我们之前所说的一堆规则！你的主体进程能否对某些目标文件进行访问与这个布尔值非常有关系。因为布尔值可以将规则设置为启动（1）或者是关闭（0）。

- 由 seinfo 与 sesearch 的输出信息，我们也会得到实际的策略数据都是放置到 /etc/selinux/targeted/policy/下面，事实上，所有与 targetd 相关的信息都是放置到/etc/selinux/targeted 里面的呢！包括安全上下文相关的信息。这部分等一下谈到安全上下文的默认值修改时，我们再来讨论。

◆ **布尔值的查询与修改**

- 上面我们通过 sesearch 知道了，其实 Subject 与 Object 能否有访问的权限是与布尔值有关的，那么系统有多少布尔值可以通过seinfo –b 来查询,但每个布尔值是启动的还是关闭的呢？这就来查询看看吧：

```
[root@www ~]# getsebool [-a] [布尔值条款]
参数:
-a ：列出目前系统上面的所有布尔值条款设置为开启或关闭值。

范例一：查询本系统内所有的布尔值设置状况
[root@www ~]# getsebool -a
NetworkManager_disable_trans --> off
allow_console_login --> off
allow_cvs_read_shadow --> off
allow_daemons_dump_core --> on
....（下面省略）....
# 你瞧！这就告诉你目前的布尔值状态。
```

- 那么如果查询到某个布尔值，并且以 sesearch 知道该布尔值的用途后，想要关闭或启动它，又该如何处置？

```
[root@www ~]# setsebool [-P] 布尔值=[0|1]
参数:
-P ：直接将设置值写入配置文件，该设置数据将来会生效的！

范例一：查询 httpd_enable_homedirs 是否为关闭，若不为关闭，请关闭它！
[root@www ~]# getsebool httpd_enable_homedirs
httpd_enable_homedirs --> on  <==结果是 on ，依题意给它关闭！

[root@www ~]# setsebool -P httpd_enable_homedirs=0
[root@www ~]# getsebool httpd_enable_homedirs
httpd_enable_homedirs --> off
```

- 这个 setsebool 最好记得一定要加上–P 的参数，因为这样才能将此设置写入配置文件。这是非常棒的工具组！你一定要知道如何使用 getsebool 与 setsebool 才行！

◆ **默认目录的安全上下文查询与修改**

- 还记得我们在使用 restorecon 时谈到每个目录或文件都会有默认的安全上下文吗？会制订目录的安全上下文，是因为系统的一些服务所放置文件的目录已经是确定的，当然有默认的安全上下文管理上较方便。那你如何查询这些目录的默认安全上下文呢？就得要使用 semanage。

```
[root@www ~]# semanage {login|user|port|interface|fcontext|translation} -l
[root@www ~]# semanage fcontext -{a|d|m} [-frst] file_spec
参数:
fcontext ：主要用在安全上下文方面的用途，-l 为查询的意思;
-a ：增加的意思，你可以增加一些目录的默认安全上下文类型设置;
-m ：修改的意思;
-d ：删除的意思。

范例一：查询一下 /var/www/html 的默认安全上下文设置
[root@www ~]# semanage fcontext -l
SELinux fcontext    type        Context
```

```
....（前面省略）....
/var/www（/.*)?     all files     system_u:object_r:httpd_sys_content_t:s0
....（后面省略）....
```

- 从上面的说明，我们知道其实 semanage 可以处理非常多的任务，不过，在这个小节我们主要想了解的是每个目录的默认安全上下文。如上面范例一所示，我们可以查询到每个目录的安全上下文。而目录的设置可以使用正则表达式去指定一个范围。那么如果我们想要增加某些自定义的目录的安全上下文呢？举例来说，我想要制订/srv/samba 成为 public_content_t 的类型时，应该如何指定呢？

```
范例二：利用 semanage 设置 /srv/samba 目录的默认安全上下文为 public_content_t
[root@www ~]# mkdir /srv/samba
[root@www ~]# ll -Zd /srv/samba
drwxr-xr-x  root root root:object_r:var_t    /srv/samba
# 如上所示，默认的情况应该是 var_t 。

[root@www ~]# semanage fcontext -l | grep '/srv'
/srv/.*                        all   files  system_u:object_r:var_t:s0
/srv/([^/]*/)?ftp(/.*)?       All   files  system_u:object_r:public_content_t:s0
/srv/([^/]*/)?www(/.*)?       All   files  system_u:object_r:httpd_sys_content_t:s0
/srv/([^/]*/)?rsync(/.*)?     all   files  system_u:object_r:public_content_t:s0
/srv/gallery2(/.*)?           all   files  system_u:object_r:httpd_sys_content_t:s0
/srv                          directory    system_u:object_r:var_t:s0 <==看这里！
# 上面则是默认的 /srv 下面的安全上下文数据，不过，并没有指定到 /srv/samba

[root@www ~]# semanage fcontext -a -t public_content_t "/srv/samba(/.*)?"
[root@www ~]# semanage fcontext -l | grep '/srv/samba'
/srv/samba(/.*)?               all files  system_u:object_r:public_content_t:s0

[root@www ~]# cat /etc/selinux/targeted/contexts/files/file_contexts.local
# This file is auto-generated by libsemanage
# Please use the semanage command to make changes
/srv/samba(/.*)?    system_u:object_r:public_content_t:s0
# 其实就是写入这个文件。

[root@www ~]# restorecon -Rv /srv/samba* <==尝试恢复默认值
[root@www ~]# ll -Zd /srv/samba
drwxr-xr-x  root root system_u:object_r:public_content_t /srv/samba/
# 有默认值，以后用 restorecon 来修改比较简单！
```

- semanage 的功能很多，不过鸟哥主要用到的仅有 fcontext 这个选项的操作而已。如上所示，你可以使用 semanage 来查询所有的目录默认值，也能够使用它来增加默认值的设置。如果你学会这些基础的工具，那么 SELinux 对你来说，也不是什么太难的。

17.6　重点回顾

- 程序（program）：通常为二进制程序，放置在存储媒介中（如硬盘、光盘、软盘、磁带等），以物理文件的形式保存。
- 进程（process）：程序被触发后，执行者的权限与属性、程序的程序代码与所需数据等都会被加载到存中，操作系统并给予这个内存内的单元一个标识符（PID），可以说，进程就是一个正在运行中的程序。
- 进程彼此之间是有相关性的，故有父进程与子进程之分。而 Linux 系统所有进程的父进程就是 init 这个 PID 为 1 号的进程。
- 在 Linux 的过程调用通常称为 fork-and-exec 的流程！进程都会通过父进程以复制（fork）的方

式产生一个一模一样的子进程，然后被复制出来的子进程再以 exec 的方式来执行实际要进行的进程，最终就成为一个子进程的存在。

◆ 常驻在内存当中的进程通常都是负责一些系统所提供的功能以服务用户各项任务，因此这些常驻进程就会被我们称为服务（daemon）。

◆ 在工作管理（job control）中，可以出现提示符让你操作的环境就称为前台（foreground），至于其他工作就可以让你放入后台（background）去暂停或运行。

◆ 与 job control 有关的按键与关键字有&,[ctrl]-z,jobs,fg,bg,kill%n 等。

◆ 进程管理的查看命令有 ps,top,pstree 等。

◆ 进程之间是可以互相控制的，传递的信息（signal）主要通过 kill 这个命令在处理。

◆ 进程是有优先级的，该选项为 Priority，但 PRI 是内核动态调整的，用户只能使用 nice 值去微调 PRI。

◆ nice 的给予可以有 nice,renice,top 等命令。

◆ vmstat 为相当好用的系统资源使用情况查看命令。

◆ SELinux 当初的设计是为了避免用户资源的误用，而 SELinux 使用的是 MAC 委任访问设置。

◆ 在 SELinux 的运行中，重点在于主体进程（Subject）能否访问目标文件资源（Object），这中间牵涉到策略（Policy）内的规则，以及实际的安全上下文类型（type）。

◆ 安全上下文的一般设置为 "Identify:role:type"，其中又以 type 最重要。

◆ SELinux 的模式有 enforcing,permissive,disabled 三种，而启动的策略（Policy）主要是 targeted。

◆ SELinux 启动与关闭的配置文件在/etc/selinux/config 中。

◆ SELinux 的启动与查看有 getenforce,sestatus 等命令。

◆ 重设 SELinux 的安全上下文可使用 restorecon 与 chcon。

◆ 在 SELinux 启动时，必备的服务至少要启动 setroubleshoot 这个！

◆ 若要管理默认的 SELinux 布尔值，可使用 getsebool,setsebool 来管理！

17.7 本章习题

情境模拟题一

通过一个网络程序 vsftpd 的服务来了解程序与 SELinux 的相关限制行为：

◆ 目标：了解软件、进程、程序、优先线程、网络程序与 SELinux 的相关性；

◆ 需求：已经知道如何安装软件，否则就得要连上 Internet 才能进行 vsftpd 服务的安装。

下面的流程先看看即可，很多数据如果当初忘记安装的话，可能会无法进行。没关系！后续的文章看完后，第二次读到这里后，你就会知道如何处理了。

1. 先查看有无安装 vsftpd 这个软件，如果有的话那就 OK，没有的话，可能需要在线安装才行：

```
[root@www ~]# rpm -q vsftpd
vsftpd-2.0.5-12.el5   <==出现这个才是对的！若没有出现，就是没安装

# 如果没有安装的话，你又已经可以上网了，那么就这样安装：
[root@www ~]# yum install vsftpd
```

2. 启动 vsftpd 这个服务：

```
[root@www ~]# /etc/init.d/vsftpd start
```

3. 假设 vsftpd 这个服务并不是那么重要，因此我想要在这次启动期间，让 vsftpd 的优先线程较不优先 10 分，可以这么做：

```
[root@www ~]# pstree -p | grep vsftpd
     |-vsftpd(2377)   <==找到了 PID 为 2377。
```

```
[root@www ~]# renice 10 2377
[root@www ~]# top -p grep 2377 <==重点是在查看!
```

4. vsftpd 是个网络服务，它到底是启动哪个端口? 可以这样查看:

```
[root@www ~]# netstat -tlunp | grep vsftpd
tcp 0 0 0.0.0.0:21      0.0.0.0:* LISTEN   2377/vsftpd
# 这样的答案够明显了吗?
```

5. vsftpd 提供网络的 FTP 功能，有个用户名为 vbird，他却无法登录自己的账号! 这是什么原因呢? 由于 CentOS 的默认 vsftpd 是能够允许一般用户登录自己主文件夹的，因此无法登录的可能原因是权限还是 SELinux 呢? 我们可以这样测试看看:

```
# 1. 先用 vbird 的身份登录 vsftpd 看看:
[root@www ~]# ftp localhost
Connected to www.vbird.tsai.
Name (localhost:root): vbird
331 Please specify the password.
Password: <==这里输入 vbird 的密码。
500 OOPS: cannot change directory:/home/vbird
Login failed. <==见鬼了! 竟然无法登录自己的主文件夹 /home/vbird 。
ftp> bye

[root@www ~]# ls -ld /home/vbird
drwx------ 4 vbird vbird 4096  8 月 18 18:22 /home/vbird
# 权限明明是对的嘛! 怎么会无法切换?

# 2. 看看日志文件有没有什么重要信息的说明:
[root@www ~]# tail /var/log/messages
Sep 11 16:57:31 www setroubleshoot: SELinux is preventing the ftp daemon from
reading users home directories (/). For complete SELinux messages. run
sealert -l b8bdaf2d-b083-4e28-9465-91fae8df63b1

# 3. 照着做一下:
[root@www ~]# sealert -l b8bdaf2d-b083-4e28-9465-91fae8df63b1
Summary:
SELinux is preventing the ftp daemon from reading users home directories (/).
....（中间省略）....

The following command will allow this access:
setsebool -P ftp_home_dir=1
....（下面省略）....
```

6. 好了，现在让我们处理一下上面的 vsftpd 相关的规则，发现是因为规则挡住了用户的登录了!

```
[root@www ~]# setsebool -P ftp_home_dir=1

[root@www ~]# ftp localhost
Connected to www.vbird.tsai.
Name (localhost:root): vbird
331 Please specify the password.
Password:
230 Login successful. <==看吧! 顺利登录。
Remote system type is UNIX.
Using binary mode to transfer files.
ftp> bye
```

简答题部分

◆ 简单说明什么是程序（program）而什么是进程（process）。

- 我今天想要查询/etc/crontab 与 crontab 这个进程的用法与写法，请问我该如何在线查询?
- 我要如何查询 crond 这个 daemon 的 PID 与它的 PRI 值?
- 我要如何修改 crond 这个 PID 的优先执行顺序?
- 我是一般身份用户，我是否可以调整不属于我的程序的 nice 值? 此外，如果我调整了我自己的进程的 nice 值到 10，是否可以将它调回 5 呢?
- 我要怎么知道我的网卡在开机的过程中有没有被捕获到?

17.8 参考数据与扩展阅读

- 注 1：关于 fork-and-exec 的说明可以参考如下网页与书籍：
  吴贤明老师维护的网站：http://nmc.nchu.edu.cn/linux/process.htm
  杨振和的《操作系统导论》的第 3 章
- 注 2：对 Linux 内核有兴趣的话，可以先看看下面的链接：
  http://www.linux.org.cn/CLDP/OLD/INFO-SHEET-2.html
  http://oreilly.com/catalog/linuxkernel/chapter/ch10.html
- 注 3：来自 Linux Journal 的关于 /proc 的说明：http://www.linuxjournal.com/article/177
- 注 4：关于 SELinux 相关的网站与文件数据：
  美国国家安全局的 SELinux 简介：
  http://www.nsa.gov/research/selinux/
  小州老师在 SA 的简报数据：
  http://kenduest.sayya.org/blog/kenduest-data/2008/10/selinux_sa.pdf
  小州老师上课的讲义：
  http://kenduest.sayya.org/blog/kenduest-data/2008/5/kenduest-UNIX-selinux-2008-05-15.pdf
- Fedora SELinux 说明：http://fedoraproject.org/wiki/SELinux/SecurityContext
  美国国家安全局对 SELinux 的白皮书：
  http://www.nsa.gov/researc h/_files/selinux/papers/module/t1.shtml
  徐秉义老师的 SELinux 设置：
  http://kate.babyface.com.tw/NetAdmin/24200801SELinux/

18

第 18 章　认识系统服务（daemons）

　　在 Unix-Like 的系统中，你会经常听到 daemon 这个字眼。那么什么是传说中的 daemon 呢？这些 daemon 放在什么地方？它的功能是什么？该如何启动这些 daemon？又如何有效地将这些 daemon 管理妥当？此外，要如何查看这些 daemon 开了多少个端口？这些端口要如何关闭？还有，知道你系统的这些端口各代表的是什么服务吗？这些都是最基础需要注意的呢！尤其是在架设网站之前，这里的概念就显得更重要了。

18.1　什么是 daemon 与服务（service）

我们在第 17 章就曾经谈过"服务"，当时的说明是：常驻在内存中的进程，且可以提供一些系统或网络功能，那就是服务。而服务一般的英文说法是"service"。

但如果你经常上网去查看一些数据的话，尤其是 Unix-Like 的相关操作系统，应该经常看到"请启动某 daemon 来提供某种功能"，那么 daemon 与 service 有关啰？否则为什么都能够提供某些系统或网络功能？此外，这个 daemon 是什么东西呀？daemon 的字面上的意思就是"守护神、恶魔"，还真是有点奇怪。

简单地说，系统为了某些功能必须要提供一些服务（不论是系统本身还是网络方面），这个服务就称为 service。但是 service 的提供总是需要进程的运行，否则如何执行呢？所以实现这个 service 的程序我们就称它为 daemon。举例来说，实现循环型例行性工作调度服务（service）的程序为 crond 这个 daemon。这样说比较容易理解了吧！

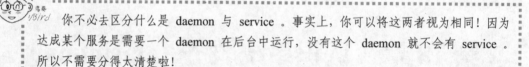

　　你不必去区分什么是 daemon 与 service。事实上，你可以将这两者视为相同！因为达成某个服务是需要一个 daemon 在后台中运行，没有这个 daemon 就不会有 service。所以不需要分得太清楚啦！

一般来说，当我们以文本模式或图形模式（非单用户维护模式）完整开机进入 Linux 主机后，系统已经提供我们很多的服务了，包括打印服务、工作调度服务、邮件管理服务等；那么这些服务是如何被启动的？它们的工作类型如何？下面我们就来谈一谈。

18.1.1　daemon 的主要分类

如果依据 daemon 的启动与管理方式来区分，基本上，可以将 daemon 分为可独立启动的 stand alone，与通过一个 super daemon 来统一管理的服务这两大类，这两类 daemon 的说明如下：

◆ **stand_alone：此 daemon 可以自行单独启动服务**
- 就字面上的意思来说，stand alone 就是"独立的启动"的意思。这种类型的 daemon 可以自行启动而不必通过其他机制的管理；daemon 启动并加载到内存后就一直占用内存与系统资源。最大的优点就是：因为是一直存在于内存内持续的提供服务，因此对于发生客户端的请求时，**stand alone 的 daemon 响应速度较快**。常见的 stand alone daemon 有 WWW 的 daemon（httpd）、FTP 的 daemon（vsftpd）等。

◆ **super daemon：一个特殊的 daemon 来统一管理**
- 这一种服务的启动方式则是通过一个统一的 daemon 来负责唤起服务。这个特殊的 daemon 就被称为 super daemon。早期的 super daemon 是 inetd 这一个，后来则被 xinetd 所替代了。这种机制比较有趣的地方在于，当没有客户端的请求时，各项服务都是未启动的情况，等到有来自客户端的请求时，**super daemon 才唤醒相对应的服务**。当客户端的请求结束后，被唤醒的这个服务也会关闭并释放系统资源。
- 这种机制的好处是：（1）由于 super daemon 负责唤醒各项服务，因此 **super daemon 可以具有安全控管的机制，就是类似网络防火墙的功能**；（2）由于服务在客户端的连接结束后就关闭，因此不会一直占用系统资源。但是缺点是什么呢？因为有客户端的连接才会唤醒该服务，而该服务加载到内存的时间需要考虑进去，因此服务的反应时间会比较慢一些。常见的 super daemon 所管理的服务例如 telnet 这个就是！

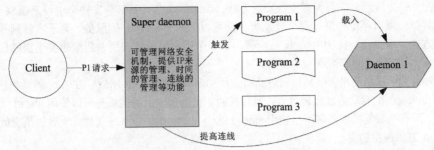

图 18-1 Superdaemon 的运行示意图

- 如图 18-1 所示，Super daemon 是常驻在内存中的，Program 1/2/3 则是启动某些服务的进程（未被启动状态）。当有客户端的请求时，Super daemon 才会去触发相关的进程加载成为 daemon 而存在于内存中，此时，客户端的请求才会被 Super daemon 导向 Daemon1 去达成连接。当客户端的请求结束时，Daemon 1 将会被删除，图中实线的连接就会中断。

- ◆ 窗口类型的解说
  - 那么这两种启动的方式哪一个比较好呢？这还要看该主机的工作负荷与实际的用途。例如当你的主机是用来作为 WWW 服务器的，那么 httpd 自然就以 stand alone 的启动方式较佳！事实上，我们经常开玩笑地说明 stand alone 与 super daemon 的情况，以银行的窗口来作为说明的范例。
    - 个别窗口负责单一服务的 stand alone
    - 在银行里面，假设有一种单一服务的窗口，例如存钱窗口，所以当你需要存钱的时候，直接前往该窗口，就有"专人"为你服务。这就是 stand alone 的情况。
    - 统一窗口负责各种业务的 super daemon
    - 在银行里面假设还有另外一种复合类型的统一窗口，同时提供转账、资金调度、提款等的业务，那当你需要其中一项业务的时候，就需要前往该窗口。但是坐在窗口的这个营业员拿到你的需求单之后，往后面一丢："喂！那个转账的仁兄！该你工作了！"那么那个仁兄就开始工作去。然而里面还有资金调度与提款等负责业务的仁兄呢！都在干自己的事了。
    - 那么这里就会引出另外一个问题。假设银行今天的人特别的多，所以这个窗口后面除了你之外还有很多的人，那么想一想，这个窗口是要一个完成再来下一个还是全部都把你们的单据拿来，我全部处理掉呢？是不是不太一样？基本上，针对这种 super daemon 的处理模式有两种，分别是这样：
    - multi-threaded（多线程）
    - 就是我们提到的，全部的客户的要求都给他拿来，一次给他交办下去，所以一个服务同时会负责好几个进程。
    - single-threaded（单线程）
    - 这个就是目前我们"人类的银行"最常见的方式啦，不论如何，反正一个一个来，第一个没有处理完之前，后面的请排队。所以如果客户端的请求突然大增的话，那么这些晚到的客户端可得等上一等！

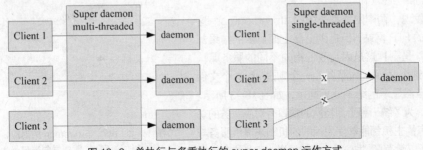

图 18-2 单执行与多重执行的 super daemon 运作方式

- 如图 18-2 所示，左侧为多重执行的方式，daemon 会一直被触发多个进程来提供不同 client 的服务，所以不论你是第几个登录者，都可以享用 daemon 的服务。至于右侧则是单一执行的方式，仅会有一支 daemon 被唤醒，第一个用户达成连接后，后续想要连接的用户就得要等待，因此他们的连接不会成功的。
- 另外，需要注意的是，既然银行里面有这两种窗口同时存在，所以，在 Linux 系统里面，这两种 daemon 的启动方式也是可以同时存在的。也就是说，某些服务可以使用 stand alone 来启动，而有些其他的服务则可以使用 xinetd 这个 super daemon 来管理，大致的情况就是这样。

◆ **daemon 工作形态的类型**
- 如果以 daemon 提供服务的的工作状态来区分，又可以将 daemon 分为两大类，分别是：
  - **signal-control**
  - 这种 daemon 是通过信号来管理的，只要有任何客户端的请求进来，它就会立即启动去处理。例如打印机的服务（cupsd）。
  - **interval-control**
  - 这种 daemon 则主要是每隔一段时间就主动去执行某项工作，所以，你要做的是在配置文件指定服务要进行的时间与工作，该服务在指定的时间才会去完成工作。我们在第 16 章提到的 atd 与 crond 就属于这种类型的 daemon（每分钟检测一次配置文件）。
- 另外，如果你对于开发程序很有兴趣的话，那么可以自行查阅一下"man 3 daemon"看看系统对于 daemon 的详细说明吧！

◆ **daemon 的命名规则**
- 每一个服务的开发者，当初在开发他们的服务时，都有特别的故事。不过，无论如何，这些服务的名称被创建之后，被挂上 Linux 使用时，通常在服务的名称之后会加上一个 d，例如例行性命令的新建的 at 与 cron 这两个服务，它的程序文件名会被取为 atd 与 crond，这个 d 代表的就是 daemon 的意思。所以，在第 17 章中，我们使用了 ps 与 top 来查看进程时，都会发现到很多的{xxx}d 的进程，通常那就是一些 daemon 的进程。

18.1.2　服务与端口的对应

从第 17 章与前一小节对服务的说明后，你应该要知道的是，系统所有的功能都是某些程序所提供的，而进程则是通过触发程序而产生的。同样，系统提供的网络服务当然也是这样的！只是由于网络牵涉到 TCP/IP 的概念，所以显得比较复杂一些就是了。

玩过 Internet 的朋友应该知道 IP 这玩意儿，大家都说 IP 就是代表你的主机在因特网上面的"门牌号码"。但是你的主机总是可以提供非常多的网络服务而不止一项功能而已，但我们仅有一个 IP 呢！当客户端连接我们的主机时，我们主机是如何分辨不同的服务请求呢？那就是通过端口号（port number）。端口号就可想象成你家门牌上面的第几层楼。这个 IP 与 port 就是因特网连接的最重要机制之一。我们拿下面的网址来说明：

- http://ftp.isu.edu.cn/
- ftp://ftp.isu.edu.cn/

有没有发现，两个网址都是指向 ftp.isu.edu.cn 这个义守大学的 FTP 网站，但是浏览器上面显示的结果却是不一样的？是啊！这是因为我们指向不同的服务嘛！一个是 http 这个 WWW 的服务，一个则是 ftp 这个文件传输服务，当然显示的结果就不同了，如图 18-3 所示。

事实上，为了统一整个因特网的端口号对应服务的功能，好让所有的主机都能够使用相同的机制来提供服务与请求服务，所以就有了"协议"。也就是说，有些约定俗成

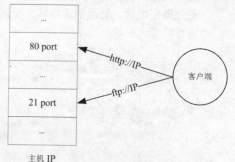

图 18-3　port 与 daemon 的对应，客户端连接协议不同，服务导向端口号也不同

的服务都放置在同一个端口号上面。举例来说，网址栏上面的 http 会让浏览器向 WWW 服务器的 80 端口号进行连接的请求。而 WWW 服务器也会将 httpd 这个软件激活在 port 80，这样两者才能够达成连接的！

那么想一想，系统上面有没有什么设置可以让服务与端口号对应在一起呢？那就是/etc/services。

```
[root@www ~]# cat /etc/services
....（前面省略）....
ftp             21/tcp
ftp             21/udp          fsp fspd
ssh             22/tcp                          # SSH Remote Login Protocol
ssh             22/udp                          # SSH Remote Login Protocol
....（中间省略）....
http            80/tcp          www www-http    # WorldWideWeb HTTP
http            80/udp          www www-http    # HyperText Transfer Protocol
....（下面省略）....
# 这个文件的内容是以下面的方式来编排的:
# <daemon name>   <port/数据包协议>   <该服务的说明>
```

像上面说的是，第一列为 daemon 的名称，第二列为该 daemon 所使用的端口号与网络数据包协议，数据包协议主要为可靠连接的 TCP 数据包以及较快速但为非面向连接的 UDP 数据包。举个例子说，那个远程连接机制使用的是 ssh 这个服务，而这个服务使用的端口号为 22。

请特别注意！虽然有的时候你可以通过修改 /etc/services 来更改一个服务的端口号，不过并不建议如此做，因为很有可能会造成一些协议的错误情况！这里特此说明一番！（除非你要架设一个地下网站，否则的话，使用 /etc/services 原先的设置就好！）

18.1.3　daemon 的启动脚本与启动方式

提供某个服务的 daemon 虽然只是一个进程而已，但是这个 daemon 的启动还是需要执行文件、配置文件、执行环境等，举例来说，你可以查阅一下 httpd 这个进程（man httpd），里面可谈到不少的参数呢！此外，为了管理上面的方便，所以通常 distribution 都会记录每一个 daemon 启动后所取得进程的 PID 并放在/var/run/这个目录下呢！在启动这些服务之前，你可能也要自行处理一下 daemon 能够顺利执行的环境是否正确等。鸟哥这里要讲的是，要启动一个 daemon 考虑的事情很多，并非单纯执行一个进程就够了。

为了解决上面谈到的问题，因此通常 distribution 会给我们一个简单的 shell script 来进行启动的功能。该 script 可以进行环境的检测、配置文件的分析、PID 文件的放置，以及相关重要交换文件的锁住（lock）操作，你只要执行该 script，上述的操作就一口气连续进行，最终就能够顺利且简单地启动这个 daemon。这也是为何我们会希望你可以详细研究一下第 13 章的原因。

那么这些 daemon 的启动脚本（shell script）放在哪里啊？还有，CentOS 5.x 通常将 daemon 相关的文件放在哪里？以及某些重要的配置文件又是放置到哪里？基本上是放在这些地方：

- **/etc/init.d/*：启动脚本放置处**
  - 系统上几乎所有的服务启动脚本都放置在这里。事实上这是公认的目录，我们的 CentOS 实际上放置在/etc/rc.d/init.d 中。不过还是有设置连接文件到/etc/init.d/的。既然这是公认的目录，因此建议你记忆这个目录即可！
- **/etc/sysconfig/*：各服务的初始化环境配置文件**
  - 几乎所有的服务都会将初始化的一些参数设置写入到这个目录下，举例来说，日志文件的 syslog 这个 daemon 的初始化设置就写入在/etc/sysconfig/syslog 这里呢！而网络的设置则写在/etc/sysconfig/network 这个文件中。所以，这个目录内的文件也是挺重要的。
- **/etc/xinetd.conf,/etc/xinetd.d/*：super daemon 配置文件**

- super daemon 的主要配置文件(其实是默认值)为/etc/xinetd.conf，不过我们上面就谈到了，super daemon 只是一个统一管理的机制，它所管理的其他 daemon 的设置则写在/etc/xinetd.d/*里面。

◆ /etc/*：各服务各自的配置文件
- 第 6 章就讲过了，大家的配置文件都是放置在/etc/下面的。

◆ /var/lib/*：各服务产生的数据库
- 一些会产生数据的服务都会将它的数据写入到/var/lib/目录中。举例来说，数据库管理系统 MySQL 的数据库默认就是写入/var/lib/mysql/这个目录下。

◆ /var/run/*：各服务的程序的 PID 记录处
- 我们在第 17 章谈到可以使用信号（signal）来管理进程，既然 daemon 是进程，所以当然也可以利用 kill 或 killall 来管理。不过为了担心管理时影响到其他的进程，因此 daemon 通常会将自己的 PID 记录一份到/var/run/当中！例如日志文件的 PID 就记录在/var/run/syslogd.pid 这个文件中。如此一来，/etc/init.d/syslog 就能够简单地管理自己的进程。

上面谈到的部分是配置文件，那么 stand alone 与 super daemon 所管理的服务启动方式怎么做呢？它是这样做的：

◆ Stand alone 的/etc/init.d/*启动
- 刚才谈到了几乎系统上面所有服务的启动脚本都在/etc/init.d/下面，这里面的脚本会去检测环境、查找配置文件、加载 distribution 提供的函数功能、判断环境是否可以运行此 daemon 等，等到一切都检测完毕且确定可以运行后，再以 shell script 的 case...esac 语法来启动、关闭、查看此 daemon。我们可以简单地以/etc/init.d/syslog 这个日志文件启动脚本来进行说明：

```
[root@www ~]# /etc/init.d/syslog
用法: /etc/init.d/syslog {start|stop|status|restart|condrestart}
# 什么参数都不加的时候，系统会告诉你可以用的参数有哪些，如上所示。

范例一：查看 syslog 这个 daemon 目前的状态
[root@www ~]# /etc/init.d/syslog status
syslogd (pid 4264) 正在执行...
klogd (pid 4267) 正在执行...
# 代表 syslog 管理两个 daemon，这两个 daemon 正在运行中。

范例二：重新让 syslog 读取一次配置文件
[root@www ~]# /etc/init.d/syslog restart
正在关闭内核记录器：                [  确定  ]
正在关闭系统记录器：                [  确定  ]
正在启动系统记录器：                [  确定  ]
正在启动内核记录器：                [  确定  ]
[root@www ~]# /etc/init.d/syslog status
syslogd (pid 4793) 正在执行...
klogd (pid 4796) 正在执行...
# 因为重新启动过，所以 PID 与第一次查看的值就不一样了。
```

- 由于系统的环境都已经帮你制作妥当，所以利用/etc/init.d/*来启动、关闭与查看，就非常简单！话虽如此，CentOS 还是有提供另外一个可以启动 stand alone 服务的脚本，那就是 service 这个进程。其实 service 仅是一个 script，它可以分析你执行的 service 后面的参数，然后根据你的参数再到/etc/init.d/去取得正确的服务来 start 或 stop。它的语法是这样的：

```
[root@www ~]# service [service name] (start|stop|restart|...)
[root@www ~]# service --status-all
参数：
service name: 即是需要启动的服务名称，需与 /etc/init.d/ 对应；
start|...  : 即是该服务要进行的工作；
--status-all: 将系统所有的 stand alone 的服务状态全部列出来。

范例三：重新启动 crond 这个 daemon：
```

```
[root@www ~]# service crond restart
[root@www ~]# /etc/init.d/crond restart
# 这两种方法随便你用哪一种来处理都可以！不过鸟哥比较喜欢使用 /etc/init.d/*

范例四：显示出目前系统上面所有服务的运行状态
[root@www ~]# service --status-all
acpid （pid 4536） 正在执行...
anacron 已停止
atd （pid 4694） 正在执行...
....（下面省略）....
```

- 这样就将一堆服务的运行状态列出，你也可以根据这个输出的结果来查询你的某些服务是否正确运行了！其实，在上面的范例当中，启动方式以 service 这个程序，或者直接去到/etc/init.d/下面启动，都一样啦！自行去解析/sbin/service 就知道为什么了！

> 事实上，在 Linux 系统中，要开或关某个端口，就是需要启动或关闭某个服务。因此，你可以找出某个端口对应的服务及程序对应的服务，进而启动或关闭它，那么那个经由该服务而启动的端口自然就会关掉了！

- ◆ **super daemon 的启动方式**
  - 其实 super daemon 本身也是一个 stand alone 的服务，看图 18-1 就知道啦！因为 super daemon 要管理后续的其他服务，它当然自己要常驻在内存中。所以 super daemon 自己启动的方式与 stand alone 是相同的！但是它所管理的其他 daemon 就不是这样做了。必须要在配置文件中设置为启动该 daemon 才行。配置文件就是/etc/xinetd.d/*的所有文件。那如何得知 super daemon 所管理的服务是否有启动呢？你可以这样做：

```
[root@www ~]# grep -i 'disable' /etc/xinetd.d/*
....（前面省略）....
/etc/xinetd.d/rsync:           disable = yes
/etc/xinetd.d/tcpmux-server:   disable = yes
/etc/xinetd.d/time-dgram:      disable = yes
/etc/xinetd.d/time-stream:     disable = yes
```

  - 因为 disable 是"取消"的意思，因此如果"disable=yes"则代表取消此项服务的启动，如果是"disable=no"才是有启动该服务。假设我想要启动如上的 rsync 这个服务，那么你可以这样做：

```
# 1. 先修改配置文件成为启动的模样：
[root@www ~]# vim /etc/xinetd.d/rsync
# 请将 disable 那一行改成如下的模样 （原本是 yes 改成 no 就对了）
service rsync
{
      disable = no
....（后面省略）....

# 2. 重新启动 xinetd 这个服务
[root@www ~]# /etc/init.d/xinetd restart
正在停止 xinetd:              [ 确定 ]
正在激活 xinetd:              [ 确定 ]

# 3. 查看启动的端口
[root@www ~]# grep 'rsync' /etc/services  <==先看看端口是哪一号
rsync          873/tcp          # rsync
rsync          873/udp          # rsync
[root@www ~]# netstat -tnlp | grep 873
tcp   0 0 0.0.0.0:873    0.0.0.0:*    LISTEN    4925/xinetd
# 注意看！启动的服务并非 rsync，而是 xinetd，因为它要控制 rsync 。
# 若有疑问，一定要去看看图 18-1 才行！
```

- 也就是说，你先修改/etc/xinetd.d/下面的配置文件，然后再重新启动 xinetd 就对了！而 xinetd 是一个 standalone 启动的服务。这部分得要特别留意呢！

18.2 解析 super daemon 的配置文件

前一小节谈到的 super daemon 我们现在知道它是一个总管进程，这个 super daemon 是 xinetd 这一个进程所实现的。而且由图 18-1 我们知道这个 xinetd 可以进行安全性或者是其他管理机制的控制，由图 18-2 则可以了解 xinetd 也能够控制连接的行为。这些控制的手段都可以让我们的某些服务更为安全、资源管理更为合理。而由于 super daemon 可以做这样的管理，因此一些对客户端开放较多权限的服务（例如 telnet）或者本身不具有管理机制或防火墙机制的服务就可以通过 xinetd 来管理。

既然这家伙这么重要，那么下面我们就来谈谈 xinetd 这个服务的默认配置文件/etc/xinetd.conf，以及各个设置选项的意义。

18.2.1 默认值配置文件：xinetd.conf

先来看一看默认的/etc/xinetd.conf 这个文件的内容是什么吧！

```
[root@www ~]# vim /etc/xinetd.conf
defaults
{
# 服务启动成功或失败，以及相关登录行为的日志文件
        log_type        = SYSLOG daemon info       <==日志文件的记录服务类型
        log_on_failure  = HOST                     <==发生错误时需要记录的信息为主机（HOST）
        log_on_success  = PID HOST DURATION EXIT   <==成功启动或登录时的记录信息
# 允许或限制连接的默认值
        cps             = 50 10                    <==同一秒内的最大连接数为 50 个，若超过则暂停 10 秒
        instances       = 50                       <==同一服务的最大同时连接数
        per_source      = 10                       <==同一来源的客户端的最大连接数
# 网络（network）相关的默认值
        v6only          = no                       <==是否仅允许 IPv6？可以先暂时不启动 IPv6 支持
# 环境参数的设置
        groups          = yes
        umask           = 002
}

includedir /etc/xinetd.d                           <==更多的设置值在 /etc/xinetd.d 那个目录内
```

为什么 /etc/xinetd.conf 可以称为默认值的配置文件呢？因为如果你有启动某个 super daemon 管理的服务，但是该服务的设置值并没有指定上述的那些项目，那么该服务的设置值就以上述的默认值为主。至于上述的默认值会将 super daemon 管理的服务设置为：一个服务最多可以有 50 个同时连接，但每秒钟发起的"新"连接最多仅能有 50 条，若超过 50 条则该服务会暂停 10 秒钟。同一个来源的用户最多仅能达成 10 条连接。而登录的成功与失败所记录的信息并不相同。这样说，可以比较清楚了吧？至于更多的参数说明，我们会在下面再强调。

既然这只是个默认参数文件，那么自然有更多的服务参数文件。而所有的服务参数文件都在/etc/xinetd.d 里面，这是由上面的最后一行代码设置的。那么每个参数文件的内容是怎样呢？一般来说，它是这样的：

```
service <service_name>
{
        <attribute>  <assign_op>  <value>  <value> ...
        ..............
}
```

第一行一定都有一个 service，至于那个<service_name>里面的内容则与/etc/services 有关，因为它可以对照着/etc/services 内的服务名称与端口号来决定所要启用的 port 是哪个啊！然后相关的参数就在两个大刮号中间。attribute 是一些 xinetd 的管理参数，assign_op 则是参数的设置方法。assign_op 的主要设置形式为：

- =：表示后面的设置参数就是这样；
- +=：表示后面的设置为在原来的设置里面加入新的参数；
- −=：表示后面的设置为在原来的参数中舍弃这里输入的参数！

用途不太相同，敬请留意。好了！下面再来说一说那些 attribute 与 value，如表 18−1 所示。

表 18−1

attribute（功能）	说明与范例
一般设置选项：服务的识别、启动与程序	
Disable（启动与否）	◆　设置值：[yes|no]，默认 disable=yes disable 为取消的意思，此值可设置该服务是否要启动。默认所有的 super daemon 管理的服务都不启动的。若要启动就得要设置为"disable = no"
id（服务识别）	◆　设置值：[服务的名称] 虽然服务在配置文件开头"service 服务名称"已经指定了，不过有时后会有重复的设置值，此时可以用 id 来取代服务名称。你可以参考一下/etc/xinetd.d/time−stream 来思考一下原理
Server（程序文件名）	◆　设置值：[program 的完整文件名] 这个就是指出这个服务的启动程序！例如/usr/bin/rsync 为启动 rsync 服务的命令，所以这个设置值就会成为"server = /usr/bin/rsync"
server_args（程序参数）	◆　设置值：[程序相关的参数] 这里应该输入的就是你的 server 那里需要输入的一些参数。例如 rsync 需要加入 −−daemon，所以这里就设置"server_args= −−daemon"。与上面 server 搭配，最终启动服务的方式 "/usr/bin/rsync –daemon"
User（服务所属 UID）	◆　设置值：[用户账号] 如果 xinetd 是以 root 的身份启动来管理的，那么这个项目可以设置为其他用户。此时这个 daemon 将会以此设置值指定的身份来启动该服务的程序。举例来说，你启动 rsync 时会以这个设置值作为该进程的 UID
group	跟 user 的意思相同！此项目填入用户组名即可
一般设置选项：连接方式与连接数据包协议	
socket_type（数据包类型）	◆　设置值：[stream|dgram|raw]，与数据包有关 stream 为连接机制较为可靠的 TCP 数据包，若为 UDP 数据包则使用 dgram 机制。raw 代表 server 需要与 IP 直接交互！举例来说 rsync 使用 TCP，故设置为"socket_type = stream"
protocol（数据包类型）	◆　设置值：[tcp|udp]，通常使用 socket_type 取代此设置 使用的网络协议，需参考/etc/protocols 内的协议，一般使用 tcp 或 udp。由于与 socket_type 重复，因此这个选项可以不指定
Wait（连接机制）	◆　设置值：[yes（single）|no（multi）]，默认 wait = no 这就是我们刚才提到的 Multi−threaded 与 single−threaded！一般来说，我们希望大家的要求都可以同时被启用，所以可以设置"wait = no"，此外，一般 udp 设置为 yes 而 tcp 设置为 no
instances（最大连接数）	◆　设置值：[数字或 UNLIMITED] 这个服务可接受的最大连接数量。如果你只想要开放 30 个人连接 rsync 时，可在配置文件内加入："instances = 30"

续表

attribute（功能）	说明与范例
per_source（单用户来源）	◆　设置值：[一个数字或 NULIMITED] 如果想要控制每个来源 IP 仅能有一个最大的同时连接数，就指定这个项目吧！例如同一个 IP 最多只能连 10 条连接"per_source = 10"
Cps（新连接限制）	◆　设置值：[两个数字] 为了避免短时间内大量的连接请求导致系统出现忙碌的状态而有这个 cps 的设置值。第一个数字为一秒内能够接受的最多新连接请求，第二个数字则为若超过第一个数字则暂时关闭该服务的秒数
一般设置选项：日志文件的记录	
log_type（日志文件类型）	◆　设置值：[日志选项等级] 设置当数据记录时，以什么日志选项记载和需要记载的等级（默认为 info 等级）。这两个设置值要看过下一章日志文件后才会知道。这边你先有印象即可
log_on_success log_on_failure （日志状态）	◆　设置值：[PID,HOST,USERID,EXIT,DURATION] 在"成功登录"或"失败登录"之后，需要记录的选项：PID 为记录该服务启动时候的 process ID，HOST 为远程主机的 IP，USERID 为登录者的账号，EXIT 为离开时候记录的项目，DURATION 为该用户使用此服务多久
高级设置选项：环境、网络端口与连接机制等	
env（额外变量设置）	◆　设置值：[变量名称=变量内容] 这一个项目可以让你设置环境变量，环境变量的设置规则可以参考第 11 章
Port（非正规端口号）	◆　设置值：[一组数字（小于 65534）] 这里可以设置不同的服务与对应的 port，但是请记住你的 port 与服务名称必须与/etc/services 内记载的相同才行！不过，若服务名称是你自定义的，那么这个 port 就可以随你指定
redirect（服务转址）	◆　设置值：[IP port] 将 Client 端对我们 Server 的请求转到另一台主机上去。例如当有人要使用你的 Ftp 时，你可以将他转到另一台机器上面去！那个 IP_Address 就代表另一部远程主机的 IP
includedir（调用外部设置）	◆　设置值：[目录名称] 表示将某个目录下面的所有文件都塞进来 xinetd.conf 这个设置里面！这东西有用多了，如此一来我们可以一个一个设置不同的选项，而不需要将所有的服务都写在 xinetd.conf 当中！你可以在/etc/xinetd.conf 中发现这个设置
安全控管选项	
bind（服务接口锁定）	◆　设置值：[IP] 这个是设置"允许使用此服务的适配卡"的意思！举个例子来说，你的 Linux 主机上面有两个 IP，而你只想要让 IP1 可以使用此一服务，但 IP2 不能使用此服务，这里就可以将 IP1 写入即可！那么 IP2 就不可以使用此服务。
interface	◆　设置值：[IP] 与 bind 相同
only_from（防火墙机制）	◆　设置值：[0.0.0.0,192.168.1.0/24,hostname,domainname] 这东西用在安全机制上面，也就是设置为只有这里面规定的 IP 或者是主机名可以登录！如果是 0.0.0.0 表示所有的 PC 皆可登录，如果是 192.168.1.0/24 则表示为 C class 的域（即由 192.168.1.1 ～ 192.168.1.255）皆可登录！另外，也可以选择 domain name，例如.pku.edu.cn 就可以允许北大域的 IP 登录你的主机使用该服务
no_access（防火墙机制）	◆　设置值：[0.0.0.0,192.168.1.0/24,hostname,domainname] 跟 only_from 差不多，就是用来管理可否进入你的 Linux 主机启用你的服务的管理项目！no_access 表示"不可登录"的 PC

续表

attribute（功能）	说明与范例
access_times（时间控制）	◆ 设置值：[00:00-12:00,HH:MM-HH:MM] 这个项目设置该服务启动的时间，使用的是 24 小时的设置！例如你的 Ftp 要在 8 点到 16 点开放的话，就是 08:00-16:00
umask	◆ 设置值：[000,777,022] 还记得在第 7 章提到的 umask 这个东西吗？它可以设置用户新建目录或者是文件时候的属性！系统建议值是 022

我们就利用上面这些参数来架构出我们所需要的一些服务的设置吧！参考看看下面的设置方法。

18.2.2 一个简单的 rsync 范例设置

我们知道通过 super daemon 管理的服务可以多一层管理的手续来达成类似防火墙的机制，那么该如何仔细设置这些类似防火墙机制的设置参数呢？下面我们使用 rsync 这个可以进行远程镜射（mirror）的服务来说明。rsync 可以让两部主机上面的某个目录一模一样，在远程异地备份系统上面是挺好用的一个机制，而且默认一个装好 CentOS 就已经存在了！那就来瞧瞧默认的 rsync 配置文件吧！

```
[root@www ~]# vim /etc/xinetd.d/rsync
service rsync   <==服务名称为 rsync
{
        disable = no                    <==默认是关闭的！刚才被我们打开了
        socket_type    = stream         <==使用 TCP 的连接机制之故
        wait           = no             <==可以同时进行大量连接功能
        user           = root           <==启动服务为 root 这个身份
        server         = /usr/bin/rsync <==就是这个进程启动 rsync 的服务
        server_args    = --daemon       <==这是必要的参数
        log_on_failure += USERID        <==登录错误时，额外记录用户 ID
}
```

能不能修改 user 成为其他身份呢？由于在/etc/services 当中规定 rsync 使用的端口口号码为 873，这个端口小于 1024，所以理论上启动这个端口的身份一定要是 root 才行！这里 user 就请你先别乱改。由于鸟哥的测试主机在安装时已经有找到网卡，目前有两个接口，一个是 192.168.1.100，一个则是 127.0.0.1，假设我将 192.168.1.100 设计为对外域，127.0.0.1 为内网，且内、外网的权限分别设置为：
- 对内部 127.0.0.1 网开放较多权限的部分
    - 这里的设置值需绑在 127.0.0.1 这个接口上；
    - 对 127.0.0.0/8 开放登录权限；
    - 不进行任何连接的限制，包括总连接数量与时间；
    - 但是 127.0.0.100 及 127.0.0.200 不允许登录 rsync 服务。
- 对外部 192.168.1.100 网较多限制的设置
    - 对外设置绑住 192.168.1.100 这个接口；
    - 这个接口仅开放 140.116.0.0/16 这个 B 等级的网段及.edu.cn 网段可以登录；
    - 开放的时间为早上 1：00～9：00 点以及晚上 20：00～24：00 点两个时段；
    - 最多允许 10 条同时连接的限制。

> 有经验的朋友当然知道 127.0.0.1 是内部循环测试用的 IP，用它来设计网络是没有意义的。不过，我们这里仅是作一个设计的介绍，而且我们尚未谈到服务器篇的网络部分，所以大家先这样实际测试。

在这样的规划情况下，我们可以将刚才上面的/etc/xinetd.d/rsync 这个文件修改成为：

```
[root@www ~]# vim /etc/xinetd.d/rsync
# 先针对对内的较为松散的限制来设置:
service rsync
{
        disable = no                        <==要启动才行啊!
        bind            = 127.0.0.1         <==服务绑在这个接口上!
        only_from       = 127.0.0.0/8       <==只开放这个网段的源登录
        no_access       = 127.0.0.{100,200} <==限制这两个不可登录
        instances       = UNLIMITED         <==替代 /etc/xinetd.conf 的设置值
        socket_type     = stream            <==下面的设置则保留
        wait            = no
        user            = root
        server          = /usr/bin/rsync
        server_args     = --daemon
        log_on_failure  += USERID
}

# 再针对对外部的连接来进行限制呢!
service rsync
{
        disable = no
        bind            = 192.168.1.100
        only_from       = 140.116.0.0/16
        only_from       += .edu.tw           <==因为累加，所以利用 += 设置
        access_times    = 01:00-9:00 20:00-23:59  <==时间有两时段，有空格隔开
        instances       = 10                 <==只有 10 条连接
        socket_type     = stream
        wait            = no
        user            = root
        server          = /usr/bin/rsync
        server_args     = --daemon
        log_on_failure  += USERID
}
```

在上面这个配置文件中，鸟哥共写了两段 service rsync 的设置，一段针对内网，一段针对外网，如果设计完毕你将它重新启动后，就会出现如下的状态。

```
# 1. 先看看原本的 873 状态
[root@www ~]# netstat -tnlp | grep 873
tcp   0 0 0.0.0.0:873       0.0.0.0:*       LISTEN       4925/xinetd
# 仔细看，仅针对 0.0.0.0 这个全网监听而已呢!

# 2. 重新启动 xinetd 吧! 不是启动 rsync . 别搞错!
[root@www ~]# /etc/init.d/xinetd restart
[root@www ~]# netstat -tnlp | grep 873
tcp   0 0 192.168.1.100:873    0.0.0.0:*       LISTEN       7227/xinetd
tcp   0 0 127.0.0.1:873        0.0.0.0:*       LISTEN       7227/xinetd
# 有没有看到两个接口啊? 而且, PID 会是同一个呢!
```

如同上面的设置，我们就可以将某个系统服务针对不同的客户端来源指定不同的权限。这样系统服务可以安全多了! 如果将来你的某些服务想要使用这个来设置也是 OK 的。更多的设置数据就有待你自己的理解了。

18.3 服务的防火墙管理 xinetd, TCP Wrappers

一般来说，系统的防火墙分析主要可以通过数据包过滤或者是通过软件分析，我们的 Linux 默认有提供一个软件分析的工具，那就是/etc/hosts.deny 和/etc/hosts.allow 这两个可爱的配置文件! 另外，如

果有安装 tcp wrappers 套件时，我们甚至可以加上一些额外的跟踪功能呢！下面就让我们分别来谈谈。

18.3.1　/etc/hosts.allow,/etc/hosts.deny 管理

我们在前面几章知道了要控制 at 的使用可以通过修改/etc/at.{allow|deny}来管理，至于 crontab 则是使用/etc/cron.{allow|deny}来管理的。那么有没有办法通过什么机制就能够管理某些程序的网络使用呢？就有点像管理某些进程是否能够接受或者是拒绝来自因特网的连接的意思。有的！那就是/etc/hosts.{allow|deny}。

任何以 xinetd 管理的服务都可以通过/etc/hosts.allow,/etc/hosts.deny 来设置防火墙。那么什么是防火墙呢？简单地说，就是针对源 IP 或域进行允许或拒绝的设置，以决定该连接是否能够成功实现连接的一种方式就是了。其实我们刚才修改/etc/xinetd.d/rsync 里面的 no_access,only_from 也可以进行这方面的防火墙设置。不过，使用/etc/hosts.allow,/etc/hosts.deny 则更容易集中管理，在设置与查询方面也较为方便！那么就让我们谈谈这两个文件的设置技巧吧！

其实/etc/hosts.allow 与/etc/hosts.deny 也是/usr/sbin/tcpd 的配置文件，而这个/usr/sbin/tcpd 则是用来分析进入系统的 TCP 网络数据包的一个软件，TCP 是一种面向连接的网络连接数据包，包括 www,email,ftp 等都是使用 TCP 数据包来实现连接的。所以，顾名思义，这个套件本身的功能就是分析 TCP 网络数据数据包。而 TCP 数据包的文件头主要记录了来源与目主机的 IP 与 port，因此通过分析 TCP 数据包并搭配/etc/hosts.{allow,deny}的规则比较，就可以决定该连接是否能够进入我们的主机。所以，我们要使用 TCP Wrappers 来控管的就是：

1. 源 IP 或/与整个域的 IP 网段；
2. port（就是服务啦，前面有谈到启动某个端口是 daemon 的责任啊）。

基本上只要一个服务受到 xinetd 管理，或者是该服务的程序支持 TCP Wrappers 函数的功能时，那么该服务的防火墙方面的设置就能够以/etc/hosts.{allow,deny}来处理。换个方式来说，只要不支持 TCP Wrappers 函数功能的软件程序就无法使用/etc/hosts.{allow,deny}的设置值，这样说有没有比较清楚啊？不过，那要如何得知一个服务的程序有没有支持 TCP Wrappers 呢？你可以这样简单处理。

```
范例一: 测试一下 sshd 及 httpd 这两个程序有无支持 TCP Wrappers 的功能
[root@www ~]# ldd $(which sshd httpd)
/usr/sbin/sshd:
     libwrap.so.0   => /usr/lib64/libwrap.so.0（0x00002abcbfaed000）
     libpam.so.0    => /lib64/libpam.so.0（0x00002abcbfcf6000）
....（中间省略）....
/usr/sbin/httpd:
     libm.so.6     => /lib64/libm.so.6（0x00002ad395843000）
     libpcre.so.0  => /lib64/libpcre.so.0（0x00002ad395ac6000）
....（下面省略）....
# 重点在于软件有没有支持 libwrap.so 那个函数库
```

ldd（library dependency discovery）这个命令可以查询某个程序的动态函数库支持状态，因此通过这个 ldd 我们可以轻松地查询到 sshd、httpd 有无支持 tcp wrappers 所提供的 libwrap.so 这个函数库文件。从上面的输出中我们可以发现，sshd 有支持但是 httpd 则没有支持。因此我们知道 sshd 可以使用/etc/hosts.{allow,deny}进行类似防火墙的抵挡机制，但是 httpd 则没有此项功能。

◆　配置文件语法
　●　这两个文件的设置语法都是一样的，基本上，看起来应该像这样：

```
<service (program_name)> : <IP, domain, hostname> : <action>
<服务　(即程序名称)>      : <IP 或域 或主机名>       : <操作>
```

#上面的< >是不存在于配置文件中的。
　●　重点是两个，第一个是找出你想要管理的那个程序的文件名，第二个才是写下来你想要放行或者是抵挡的 IP 或域。那么程序的文件名要如何写呢？其实就是写下文件名。举例来说，上

面我们谈到过 rsync 配置文件内不是有 server 的参数吗? rsync 配置文件内 /usr/bin/rsync 为其参数值,那么在我们这里就得要写成 rsync 即可。依据 rsync 的配置文件资料,我们将被阻挡的 127.0.0.100, 127.0.0.200 及放行的 140.116.0.0/16 写在这,内容有点像这样:

> 关于 IP、域、网段,还有相关的网络知识,在这个基础篇当中我们不会谈到,你只要记得下面写的 140.116.0.0/255.255.0.0 代表一个域就是了。详细的数据请先自行参考服务器架设篇的内容!

```
[root@www ~]# vim /etc/hosts.deny
rsync : 127.0.0.100 127.0.0.200 : deny
```

- 当然也可以写成两行,即是:

```
[root@www ~]# vim /etc/hosts.deny
rsync : 127.0.0.100      : deny
rsync : 127.0.0.200      : deny
```

- 这样一来,对方就无法以 rsync 进入你的主机。方便吧! 不过,既然如此,为什么要设置成 /etc/hosts.allow 及 /etc/hosts.deny 两个文件呢? 其实只要有一个文件存在就够了,不过,为了设置方便起见,我们使用两个文件,其中需要注意的是:

■ 写在 hosts.allow 当中的 IP 与网段为默认"可通行"的意思,即最后一个字段 allow 可以不用写;

■ 而写在 hosts.deny 当中的 IP 与网段则默认为 deny,第三列的 deny 也可省略;

■ 这两个文件的判断依据是:以 /etc/hosts.allow 为优先,若分析到的 IP 或网段并没有记录在 /etc/hosts.allow,则以 /etc/hosts.deny 来判断。

- 也就是说,/etc/hosts.allow 的设置优先于 /etc/hosts.deny。基本上,只要 hosts.allow 也就够了,因为我们可以将 allow 与 deny 都写在同一个文件内,只是这样一来似乎显得有点杂乱无章,因此,通常我们都是:

1. 允许进入的写在 /etc/hosts.allow 当中;

2. 不许进入的则写在 /etc/hosts.deny 当中。

此外,我们还可以使用一些特殊参数在第一及第二个字段。内容有:

■ ALL:代表全部的 program_name 或者是 IP 都接受的意思,例如 ALL:ALL:deny;

■ LOCAL:代表来自本机的意思,例如 ALL:LOCAL:allow;

■ UNKNOWN:代表不知道的 IP 或者是 domain 或者是服务时;

■ KNOWN:代表为可解析的 IP,domain 等信息时。

- 再强调一次,那个 service_name 其实是启动该服务的程序,举例来说,/etc/init.d/sshd 这个 script 里面,实际上启动 ssh 服务的是 sshd 这个程序,所以,你的 service_name 自然就是 sshd。而 /etc/xinetd.d/telnet (你的系统可能尚未安装) 内有个 server 的设置选项,那个选项代表到 in.telnetd 这个程序来启动的。要多加注意! (请分别使用 vi 进这两个 scripts 查阅) 好了,我们还是以 rsync 为例子来说明好了,现在假设一个比较安全的流程来设置,就是:

1. 只允许 140.116.0.0/255.255.0.0 与 203.71.39.0/255.255.255.0 这两个域,及 203.71.38.123 这个主机可以进入我们的 rsync 服务器;

2. 此外,其他的 IP 全部都挡掉!

- 这样的话,我可以这样设置:

```
[root@www ~]# vim /etc/hosts.allow
rsync:   140.116.0.0/255.255.0.0
rsync:   203.71.39.0/255.255.255.0
rsync:   203.71.38.123
```

```
rsync: LOCAL

[root@www ~]# vim /etc/hosts.deny
rsync: ALL    <==利用 ALL 设置让所有其他来源不可登录
```

18.3.2　TCP Wrappers 特殊功能

那么有没有更安全的设置？例如，当有其他人扫描我的 rsync port 时，我就将他的 IP 记住，以作为将来的查询与认证之用呢？是有的！只是，那就得要有额外的操作参数加在第三列了，而且你还需要安装了 TCP Wrappers 软件才行。要确定有没有安装 TCP Wrappers 可以使用 "rpm -q tcp_wrappers" 来查询。至于更加详细的主要操作则有：

◆ spawn （action）
- 可以利用后续的 shell 来进行额外的工作，且具有变量功能，主要的变量内容为：%h（hostname）、%a（address）、%d（daemon）等。

◆ twist（action）
- 立刻以后续的命令进行，且执行完后终止该次连接的请求（DENY）。

为了达成跟踪来源目标的相关信息的目的，此时我们需要 safe_finger 这个命令的辅助才行。而且我们还希望客户端的这个恶意者能够被警告。整个流程可以是这样的：

1. 利用 safe_finger 去跟踪出对方主机的信息（包括主机名、用户相关信息等）；
2. 将该跟踪到的结果以 Email 的方式寄给我们本机的 root；
3. 在对方屏幕上面显示不可登录且警告他已经被记录的信息。

由于是阻挡的机制，因此我们这个 spawn 与 twist 的操作大多是写在/etc/hosts.deny 文件中的。我们将上述的操作写成类似如下：

```
[root@www ~]# vim /etc/hosts.deny
rsync : ALL: spawn ( echo "security notice from host $(/bin/hostname)" ;\
        echo;   /usr/sbin/safe_finger @%h ) | \
        /bin/mail -s "%d-%h security" root & \
        : twist ( /bin/echo -e "\n\nWARNING connection not allowed.\n\n" ) ZW1
```

上面其实是针对一个 rsync 所写的信息，你可以看到上面这四行共有三个冒号来隔开，它的意义是：

1. rsync：指的就是 rsync 这个服务的进程。
2. ALL：指的是源，这个范围指的当然是全部的所有源，因为是 ALL。
3. spawn（echo"security notice from host $（/bin/hostname）";echo;/usr/sbin/safe_finger@%h）| /bin/mail -s "%d-%h security" root &：由于要将一些检测的数据送给 root 的邮件信箱，因此需要使用数据流汇整的括号（ ），括号内的重点在于 safe_finger 的选项，它会检测到客户端主机的相关信息，然后使用管道命令将这些数据送给 mail 处理，mail 会将该信息以标题为 security 的字样寄给 root。由于 spawn 只是中间的过程，所以还能够有后续的操作。
4. twist（/bin/echo -e "\n\nWARNING connection not allowed.\n\n"）：这个操作会将 Warning 的字样传送到客户端主机的屏幕上，然后将该连接中断。

在上面的例子中，第三行的 root 那个账号，可以写成你的个人账号或者其他 email，这样就能够寄到你常用的 email，这样也比较好管理。如此一来，当未经允许的计算机尝试登录你的主机时，对方的屏幕上就会显示上面的最后一行，并且将他的 IP 寄到 root（或者是你自己的信箱）那里去！

18.4　系统开启的服务

好了，现在假设你已经知道了 daemons 的启动文件放置的目录，也知道了服务与 port 的对应，那么要如何查询目前系统上面已经启动了的服务呢？不要再打混了！已经学过了 ps 与 top 应该要会应用才对。没错，可以使用 ps 与 top 来查找已经启动了的服务的程序与它的 PID 呢！不过，我们怎么知道该服务启动的 port 是哪一个？好问题！可以直接使用 netstat 这个网络状态查看命令来检查我们的 port 呢！甚至它也可以帮我们找到该 port 的进程呢（PID）！这个命令的相关用途我们在第 17 章程序管理中已经谈过了，不清楚的话请回去查一查先，这里仅介绍如何使用。

18.4.1　查看系统启动的服务

查看系统已启动的服务方式很多，不过，我们最常使用 netstat 来查看。基本上，以 ps 来查看整个系统上面的服务是比较妥当的，因为它可以将全部的 process 都找出来。不过，我们比较关心的还是在于有启动网络监听的服务，所以鸟哥会比较喜欢使用 netstat 来查阅。

```
范例一：找出目前系统开启的网络服务有哪些
[root@www ~]# netstat -tulp
Active Internet connections（only servers）
Proto Recv-Q Send-Q Local Address          Foreign Address State  PID/Program name
tcp        0      0 www.vbird.tsai:2208 *:*                LISTEN 4575/hpiod
tcp        0      0 *:737                  *:*              LISTEN 4371/rpc.statd
tcp        0      0 *:sunrpc               *:*              LISTEN 4336/portmap
tcp        0      0 www.vbird.tsai:ipp  *:*                 LISTEN 4606/cupsd
tcp        0      0 www.vbird.tsai:smtp *:*                LISTEN 4638/sendmail: acce
tcp        0      0 *:ssh                  *:*              LISTEN 4595/sshd
udp        0      0 *:filenet-tms          *:*                     4755/avahi-daemon:
....（下面省略）....
# 看一下上面，Local Address 的地方会出现主机名与服务名称的，要记得的是，
# 可以加上 -n 来显示 port number，而服务名称与 port 对应则在 /etc/services 中

范例二：找出所有的有监听网络的服务（包含 socket 状态）：
[root@www ~]# netstat -lnp
Active Internet connections（only servers）
Proto Recv-Q Send-Q Local Address  Foreign Address  State   PID/Program name
tcp        0      0 127.0.0.1:2208 0.0.0.0:*         LISTEN  4575/hpiod
....（中间省略）....
Active UNIX domain sockets（only servers）
Proto RefCnt Flags   Type    State   I-Node PID/Program name Path
....（中间省略）....
unix  2      [ ACC ] STREAM LISTENING 10624  4701/xfs        /tmp/.font-unix/fs7100
unix  2      [ ACC ] STREAM LISTENING 12824  5015/Xorg        /tmp/.X11-unix/X0
unix  2      [ ACC ] STREAM LISTENING 12770  4932/gdm-binary /tmp/.gdm_socket
....（以下省略）....
# 仔细瞧一瞧，除了原有的网络监听 port 之外，还会有 socket 显示在上面，
# 我们可以清楚地知道有哪些服务被启动呢！

范例三：查看所有的服务状态
[root@www ~]# service --status-all
# 这个命令有趣，本章之前有谈过这个命令，自行查询。
```

利用 netstat 可以取得很多跟网络有关的服务信息，通过这个命令，我们可以轻易了解到网络的状态，并且可以通过 PID 与 kill 的相关功能，将有问题的数据给他杀掉。当然，要更详细地取得 PPID 的话，才能够完全阻挡有问题的进程！

另外，除了已经存在系统当中的 daemon 之外，如何在一开机就完整启动我们所需要的服务呢？下面我们就来谈一谈 chkconfig 及 ntsysv 这两个好用的东西！

18.4.2　设置开机后立即启动服务的方法

就如同上面提到的，我们使用 netstat 仅能查看到目前已经启动的 daemon，使用 service 这个命令或

者是 "/etc/init.d/* start" 的方法则仅能在目前的环境下立即启动某个服务而已。那么重新启动后呢？该服务是否还是继续自动启动？这个时候我们就得要了解一下，到底我的 Linux 主机是怎么开机的呢？

1. 打开计算机电源，开始读取 BIOS 并进行主机的自我测试；
2. 通过 BIOS 取得第一个可开机设备，读取主要开机区（MBR）取得启动装载程序；
3. 通过启动装载程序的设置，取得 kernel 并加载内存且检测系统硬件；
4. 内核主动调用 init 进程；
5. init 进程开始执行系统初始化（/etc/rc.d/rc.sysinit）；
6. 依据 init 的设置进行 daemonstart（/etc/rc.d/rc[0-6].d/*）；
7. 加载本机设置（/etc/rc.d/rc.local）。

关于更多开机流程的详细说明，我们会在第 20 章时再来跟大家说明。由上面的流程你可以看到系统服务在开机时就可以被启动的地方是在第六个步骤，而事实上第六个步骤就是以不同的执行等级调用不同的服务。那么什么叫做执行等级呢？

我们在启动 Linux 系统时，可以进入不同的模式，这模式我们称为执行等级（run level）。不同的执行等级有不同的功能与服务，目前你先知道正常的执行等级有两个，一个是具有 X 窗口界面的 run level 5，另一个则是纯文本界面的 run level 3。由于默认我们是以图形界面登录系统的，因此可以想象得到的是，我们应该是在 run level 5 的环境中。那你怎么知道 run level 5 有哪些服务默认可以启动呢？这就得要使用特殊的命令来查询。

- chkconfig：管理系统服务默认开机启动与否

```
[root@www ~]# chkconfig --list [服务名称]
[root@www ~]# chkconfig [--level [0123456]] [服务名称] [on|off]
参数：
--list : 仅将目前的各项服务状态栏显示出来
--level: 设置某个服务在该 level 下启动 （on） 或关闭 （off）

范例一：列出目前系统上面所有被 chkconfig 管理的服务
[root@www ~]# chkconfig --list |more
NetworkManager 0:off  1:off  2:off  3:off  4:off  5:off  6:off
acpid          0:off  1:off  2:off  3:on   4:on   5:on   6:off
....（中间省略）....
yum-updatesd   0:off  1:off  2:on   3:on   4:on   5:on   6:off

xinetd based services:  <==下面为 super daemon 所管理的服务
        chargen-dgram:  off
        chargen-stream: off
....（下面省略）....
# 你可以发现上面分为两个块，一个具有 1, 2, 3 等数字，一个则被 xinetd
# 管理。没错！从这里我们就能够发现服务有 stand alone 与 super daemon 之分。

范例二：显示出目前在 run level 3 为启动的服务
[root@www ~]# chkconfig --list | grep '3:on'

范例三：让 atd 这个服务在 run level 为 3, 4, 5 时启动:
[root@www ~]# chkconfig --level 345 atd on
```

- chkconfig 是否很容易管理我们所需要的服务呢？真的很方便啦！你可以轻松地通过 chkconfig 来管理 super daemon 的服务。另外，你得要知道的是，chkconfig 仅是设置开机时默认会启动的服务而已，所以该服务目前的状态如何是不知道的。我们举个下面的例子来说明好了：

```
范例四：先查看 httpd，再查看默认有无启动，之后以 chkconfig 设置为默认启动
[root@www ~]# /etc/init.d/httpd status
httpd 已停止  <==根本就没有启动

[root@www ~]# chkconfig --list httpd
httpd          0:off  1:off  2:off  3:off  4:off  5:off  6:off
```

```
# 原因是默认并没有启动。

[root@www ~]# chkconfig httpd on; chkconfig --list httpd
httpd           0:off   1:off   2:on    3:on    4:on    5:on    6:off
# 已经设置为"开机默认启动"了，再来查看看看到底该服务启动没。

[root@www ~]# /etc/init.d/httpd status
httpd 已停止
#竟然还是没有启动喔！怎么会这样啊？
```

- 上面的范例四并没有启动 httpd 的原因很简单，因为我们并没有使用/etc/init.d/httpd start 。我们仅是设置开机时启动而已啊！那我们又没有重新启动，所以当然使用 chkconfig 并不会导致该服务立即被启动！也不会让该服务立即被关闭，而是只有在开机时才会被加载或取消载入而已。而既然 chkconfig 可以设置开机是否启动，那么我们能不能用来管理 super daemon 的启动与关闭呢？非常好！我们就来试看看下面的案例：

```
范例五：查看 rsync 是否启动，若要将其关闭该如何处理？
[root@www ~]# /etc/init.d/rsync status
-bash: /etc/init.d/rsync: No such file or directory
# rsync 是 super daemon 管理的，所以当然不可以使用 stand alone 的启动方式来查看

[root@www ~]# netstat -tlup | grep rsync
tcp 0 0 192.168.201.110:rsync *:*      LISTEN      4618/xinetd
tcp 0 0 www.vbird.tsai:rsync *:*       LISTEN      4618/xinetd

[root@www ~]# chkconfig --list rsync
rsync           on    <==默认启动呢！将它处理成默认不启动吧！

[root@www ~]# chkconfig rsync off; chkconfig --list rsync
rsync           off   <==看吧！关闭了。现在来处理一下 super daemon 。

[root@www ~]# /etc/init.d/xinetd restart; netstat -tlup | grep rsync
```

- 最后一个命令你会发现原本 rsync 不见了！这样是否很轻易地就能够启动与关闭你的 super daemon 管理的服务呢！

◆ ntsysv：类图形界面管理模式

- 基本上，chkconfig 真的已经很好用了，不过，我们的 CentOS 还有提供一个更不错的东东，那就是 ntsysv 了！注意，chkconfig 在很多的 distributions 中都存在，但是 ntsysv 则是 Red Hat 系统特有的！

```
[root@www ~]# ntsysv [--level <levels>]
参数：
--level : 后面可以接不同的 run level，例如 ntsysv --level 35
```

- 一般我们都是直接输入 ntsysv 即可进入管理界面了，整个界面如图 18-4 所示。
- 图中的中间部分是每个服务默认开机是否会启动的设置值，若中括号内出现星号（*）代表默认开机会启动，否则就是不会在开机时启动。你可以使用上下键来移动中括号内的光标到你想要更改的那个服务上面，然后按下空格键就能够选取或取消。如果一切都选择完毕后，你可以使用[tab]按键来移动光标到[OK]、[Cancel]等按钮上面，当然，按下[Ok]就是确认你的选取会生效。总结一下上述的按钮功能：
  - 上下键：可以在中间的方框当中，在各个服务之间移动；
  - 空格键：可以用来选择你所需要的服务，前面的[*]会有*出现；
  - tab 键：可以在方框、OK、Cancel 之间移动；
  - [F1]键：可以显示该服务的说明。
- 图 18-5 所示是鸟哥将光标移动到 atd 这个服务上面后，再按下[F1]所出现的结果，所以，你可以通过 ntsysv 去查看默认开机启动的服务，还能够查阅该服务的基本功能为何，这样就能

够稍微理清一下该服务是否需要存在。这样理解了吧？

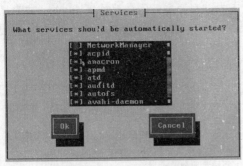

图 18-4　ntsysv 的执行示意图

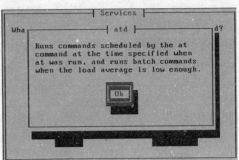

图 18-5　ntsysv 的执行示意图

◆ chkconfig：设置自己的系统服务

```
[root@www ~]# chkconfig [--add|--del] [服务名称]
参数：
--add：增加一个服务名称给 chkconfig 来管理，该服务名称必须在 /etc/init.d/ 内
--del：删除一个给 chkconfig 管理的服务
```

- 现在你知道 chkconfig 与 ntsysv 是真好用的东西，那么如果我自己写了一个程序并且想要让该程序成为系统服务好让 chkconfig 来管理时，可以怎么进行呢？只要将该服务加入 init 可以管理的 script 当中，即是/etc/init.d/当中即可。举个例子，我们在/etc/init.d/里面新建一个 myvbird 文件，该文件仅是一个简单的服务范例，基本上没有任何用途，对于该文件的必须性是这样的：
  - myvbird 将在 run level 3 及 5 启动；
  - myvbird 在/etc/rc.d/rc[35].d 当中启动时，以 80 顺序启动，以 70 顺序结束。
- 关于所谓的顺序问题，我们会在第 20 章介绍，这里你先看看即可。你该如何进行呢？可以这样做：

```
[root@www ~]# vim /etc/init.d/myvbird
#!/bin/bash
# chkconfig: 35 80 70
# description: 没什么！只是用来作为练习之用的一个范例
echo "Nothing"
```

- 这个文件很好玩。你可以参考你自己系统上面的文件；基本上，比较重要的是第二行，它的语法是："chkconfig: [runlevels] [启动顺序][停止顺序]"。其中，runlevels 为不同的 run level 状态，启动顺序（start number）与结束顺序（stop number）则是在/etc/rc.d/rc[35].d 内新建以 S80myvbird 及 K70myvbird 为文件名的设置方式！

```
[root@www ~]# chkconfig --list myvbird
service myvbird supports chkconfig, but is not referenced in any
runlevel (run 'chkconfig --add myvbird')
# 尚未加入 chkconfig 的管理机制中！所以需要再动点手脚

[root@www ~]# chkconfig --add myvbird; chkconfig --list myvbird
myvbird          0:off   1:off   2:off   3:on    4:off   5:on    6:off
# 看吧！加入了 chkconfig 的管理当中了！
# 很有趣吧！如果要将这些数据都删除的话，那么就下达这样的命令：

[root@www ~]# chkconfig --del myvbird
[root@www ~]# rm /etc/init.d/myvbird
```

- chkconfig 真的是个不错用的工具吧？尤其是当你想要自己创建自己的服务时。

18.4.3　CentOS 5.x 默认启动的服务简易说明

随着 Linux 上面软件支持性越来越多，加上自由软件蓬勃的发展，我们可以在 Linux 上面用的

daemons 真的越来越多了。所以，想要写完所有的 daemons 介绍几乎是不可能的，因此，鸟哥这里仅介绍几个很常见的 daemons 而已，更多的信息呢，就得要麻烦你自己使用 ntsysv 或者是 vi /etc/init.d/*里面的文件去瞧一瞧。下面的建议主要是针对 Linux 单机服务器的角色来说明的，不是台式机的环境喔！如表 18-2 所示。

表 18-2

CentOS 5.x 默认启动的服务内容	
服 务 名 称	功 能 简 介
acpid	（系统）高级电源管理的接口，这是一个新的电源管理模块，可以监听来自内核层的电源相关事件而予以回应。CentOS 的配置文件在/etc/acpi/events/ power.conf 中，默认仅有当你按下 power 按钮时，系统会自动关机[注1]
anacron（可关闭）	（系统）与循环型的工作调度 cron 有关，可在调度过期后还可以唤醒来继续执行，配置文件在/etc/anacrontab 中。详情请参考第 16 章的说明
apmd（可关闭）	（系统）配置文件在/etc/sysconfig/apmd 中，也是电源管理模块啦！可检测电池电量，当电池电力不足时，可以自动关机以保护计算机主机
atd	（系统）单一的例行性工作调度，详细说明请参考第 16 章。阻挡机制的配置文件在/etc/at.{allow,deny}
auditd	（系统）还记得前一章的 SELinux 所需服务吧？这就是其中一项，可以让系统需 SELinux 审核的信息写入/var/log/audit/audit.log 中。若此服务没有启动，则信息会传给 syslog 管理
autofs（可关闭）	（系统）可用来自动挂载来自网络上的其他服务器所提供的网络驱动器机（一般是 NFS）。不过我们是单机系统，所以目前还没必要这个服务
avahi-daemon（可关闭）	（系统）也是一个客户端的服务，可以通过 Zeroconf 自动分析与管理网络。Zeroconf 较常用在笔记本电脑与行动设备上，所以我们可以先关闭它啦[注2]
bluetooth（可关闭）	（系统）用在蓝牙设备的查找上，如果 Linux 是当作服务器使用时，这个服务可以暂时关闭也没关系
cpuspeed	（系统）可以用来管理 CPU 的频率功能。若系统闲置时，此项功能可以自动降低 CPU 频率来节省电量与降低 CPU 温度。
crond	（系统）系统配置文件为/etc/crontab，详细数据可参考第 16 章的说明
cups（可关闭）	（网络）用来管理打印机的服务，可以提供网络连接的功能，有点类似打印服务器的功能。你可以在 Linux 本机上面以浏览器的 http://localhost:631 来管理打印机。由于我们目前没有打印机，所以可以暂时关闭它
firstboot（可关闭）	（系统）还记得系统第一次进入图形界面还需要进行一些额外的设置吗？就是这个服务的帮忙。既然已经安装妥当，现在你可以将这个服务关闭
gpm	（系统）在 tty1~tty6 的环境下你竟然可以使用鼠标功能来复制贴上，就是这个 gpm 提供的能力啦
haldaemon（可关闭）	（系统）通常用在台式机的环境中，可检测类似 usb 的设备呢！不过，如果是服务器环境，这个服务倒是可以关闭。如果是台式机，那最好可以启动[注3]
hidd（可关闭）	（系统）也是蓝牙服务的功能。可以提供键盘、鼠标等蓝牙设备的检测。必须搭配 bluetooth。服务器环境倒是不需要此项服务
hplip（可关闭）	（系统）主要是针对 HP 的打印机功能所开发的脚本服务，如果你的环境中并没有 HP 相关设备，这个服务就关闭吧
ip6tables（可关闭）	（网络）是针对本机的防火墙功能！这个防火墙主要是针对 IPv6 的版本，如果你的网络环境并没有 IPv6 的设备，那么这个服务是可以关闭的
iptables	（网络）本机防火墙功能，是内核支持的。所以功能与性能都非常棒！当然不能够取消啊！只是设置上就得要努力研究。我们会在服务器篇介绍网络相关信息的

续表

CentOS 5.x 默认启动的服务内容	
服 务 名 称	功 能 简 介
irqbalance	（系统）如果你的系统是多内核的硬件，那么这个服务要启动，因为它可以自动分配系统中断（IRQ）之类的硬件资源
isdn（可关闭）	（网络）ISDN 是一种宽带设备（调制解调器的一种），但是我们比较常使用 ADSL 及光纤设备，所以这个服务可以关闭
kudzu（可关闭）	（系统）如果你有增加新的硬件时，这个服务可以在开机时自动检测硬件，并且会自动调用相关的设置软件，方便你在开机时就处理好你的硬件
lm_sensors（可关闭）	（系统）这个服务可以帮你检测主板的相关检测芯片，举例来说，某些主板会主动检测 CPU 温度、频率、电压等，这个 lm_sensors 能够将这些温度、频率等数据显示出来。我们会在第 21 章谈这玩意儿
lvm2-monitor	（系统）我们已经谈过 LVM。所以我们当然要启动这个服务比较妥当
mcstrans	（系统）与 SELinux 有关的服务，最好也启动
mdmonitor（可关闭）	（系统）可以检测所有软件的状态，暂时似乎也不需要启动这个服务
messagebus（可关闭）	（系统）可用来"交流"各个软件之间的信息，有点类似剪贴板的感觉。不过在服务器环境则没有强烈需求就是了
microcode_ctl（可关闭）	（系统）Intel 的 CPU 会提供一个外挂的微指令集提供系统运作，不过，如果你没有下载 Intel 相关的指令集文件，那么这个服务不需要启动的，也不会影响系统运行[注4]
netfs（可关闭）	（网络）可以进行网络驱动器（NFS,SMB/CIFS）的挂载与卸载功能。目前我们尚未使用网络，因此这个服务可以先关闭
network	（网络）提供网络设置的功能，所以一定要启动
nfslock（可关闭）	（网络）NFS 为一种 Unix like 的网络驱动器，但在进行文件的分享时，为了担心同一文件多重编辑的问题，所以会有这个锁住（lock）的服务！可以避免同一个文件被两个不同的人编辑时所造成的文件错误问题
pcscd（可关闭）	（系统）智能卡检测的服务，可以关闭它
portmap	（网络）用在远程过程调用的服务，很多服务都使用这个玩意儿来辅助连接的，因此建议不要取消它，除非你确定你的系统没有使用到任何的 RPC 服务
readahead_earlyreadahead_later（可关闭）	（系统）在系统开机的时候可以先将某些进程加载到内存中，以方便快速加载，可加快一些启动的速度
restorecond	（系统）利用/etc/selinux/restorecond.conf 的设置来判断当新建文件时该文件的 SELinux 类型应该如何还原。需要注意的是，如果你的系统有很多非正规的 SELinux 文件类型设置时，这个 daemon 最好关闭，否则它会将你设置的 type 修改回默认值
rpcgssdrpcidmapd（可关闭）	（网络）与 NFS 有关的客户端功能，在你还没有玩到网络阶段时，这两个也能够先取消
sendmail	（网络）这就是电子邮件的软件啊！我们想要拥有可寄信的功能时，这个服务可不能关闭。不过，默认这个服务仅能支持本机的功能，无法收到来自因特网的邮件
setroubleshoot	（系统）一定要启动。因为这玩意儿可以将你的 SELinux 相关信息记录在/var/log/messages 里面，非常有帮助
smartd	（系统）这个服务可以自动检测硬盘状态，如果硬盘发生问题的话，还能够自动回报给系统管理员，是个非常有帮助的服务。不可关闭它啊
sshd	（网络）这个是远程连接服务器的软件功能，这个协议比 telnet 好的地方在于 sshd 在传送数据时可以进行加密。这个服务不要关闭它啦
syslog	（系统）这个服务可以记录系统所产生的各项信息，包括/var/log/messages 内的几个重要的日志文件

续表

CentOS 5.x 默认启动的服务内容	
服 务 名 称	功 能 简 介
xfs（可关闭）	（系统）这个是 X Font Server，主要提供图形界面的字型的一个服务，如果你不启动 X 窗口的话，那么这个服务可以启动。但是如果你有需要用到 X 时，一定要启动这玩意儿，否则图形界面是无法启动的
xinetd	（系统）就是 super daemon 啊，不必讲了吧
yum-updatesd	（系统）可以通过 yum 的功能进行软件的在线升级机制，若有升级的软件释出时，就能够以邮件或者是 syslog 来通知系统管理原来手动升级啊

上面的服务是 CentOS 5.x 默认有启动的，这些默认启动的服务很多是针对台式机所设计的，所以，如果你的 Linux 主机用于服务器上面的话，那么有很多服务是可以关闭的。如果你还有某些不明白的服务想要关闭的，请务必要搞清楚该服务的功能。举例来说，那个 syslog 就不能关闭，如果你关掉它的话，系统就不会记录日志文件，那你的系统所产生的警告信息就无法记录起来，你将无法进行调试。

下面鸟哥继续说明一些可能在你的系统当中的服务，只是默认并没有启动这个服务就是了。只是说明一下，各服务的用途还是需要你自行查询相关的文章，如表 18-3 所示。

表 18-3

其他服务的简易说明	
服 务 名 称	功 能 简 介
dovecot	（网络）可以设置 POP3/IMAP 等接受信件的服务，如果你的 Linux 主机是 email server 才需要这个服务，否则不需要启动它
httpd	（网络）这个服务可以让你的 Linux 服务器成为 www server
named	（网络）这是域名服务器（Domain Name System）的服务，这个服务非常重要，但是设置非常困难！目前应该不需要这个服务
nfs	（网络）这就是 Network Filesystem，是 Unix-Like 之间互相作为网络驱动器的一个功能
ntpd	（网络）服务的全名是 Network Time Protocol，这个服务可以用来进行网络校时，让你系统的时间永远都是正确的
smb	（网络）这个服务可以让 Linux 仿真成为 Windows 上面的网络邻居。如果你的 Linux 主机想要作为 Windows 客户端的网络驱动器服务器，这玩意儿得要好好玩一玩
squid	（网络）作为代理服务器的一个服务，可作为一个局域网的防火墙之用
vsftpd	（网络）作为文件传输服务器（FTP）的服务

18.5　重点回顾

◆ 服务（daemon）主要可以分为 stand alone（服务可单独启动）及 super daemon（通过 xinetd 统一管理的服务）两种。

◆ super daemon 由于是经过一个统一的 xinetd 来管理，因此可以具有类似防火墙管理功能。此外，管理的连接机制又可以分为 multi-threaded 及 single-threaded。

◆ 启动 daemon 的进程通常最末会加上一个 d，例如 sshd,vsftpd,httpd 等。

◆ stand alone daemon 启动的脚本放置到/etc/init.d/这个目录中，super daemon 的配置文件放在 /etc/xinetd.d/*内，而启动的方式则为/etc/init.d/xientd restart。

◆ 立即启动 stand alone daemon 的方法也可以使用 service 这个命令。

◆ super daemon 的配置文件/etc/xinetd.conf，个别 daemon 配置文件则在/etc/xinetd.d/*内。在配

置文件内还可以设置连接客户端的连接与否，具有类似防火墙的功能。

◆ 若想要统一管理防火墙的功能，可以通过/etc/hosts.{allow,deny}，若安装 TCP Wrappers 时，还
  能够使用额外的 spawn 功能等。

◆ 若想要设置开机时启动某个服务时，可以通过 chkconfig,ntsysv 等命令。

◆ 一些不需要的服务可以关闭。

18.6 本章习题

情境模拟题一

通过安装、设置、启动、查看与管理防火墙等机制，完整了解一个服务的启动与查看现象。

◆ 目标：了解 daemon 的管理机制，以 super daemon 为例；

◆ 前提：需要对本章已经了解，尤其是 super daemno 部分；

◆ 需求：最好已经连上 Internet，因为会动用到安装软件。

在本情境中，我们使用 telnet 这个服务来查看，假设最终我们只开放.edu.cn 的网段来使用本机
的 telnet 服务，可以这样做看看：

1. 先看看 telnet 服务器有没有安装。telnet 服务器在 CentOS 上面指的是 telnet-server 这个程序，
   所以可以这样看看：

```
[root@www ~]# rpm -q telnet-server
package telnet-server is not installed

[root@www ~]# yum install telnet-server
================================================================
 Package          Arch      Version         Repository    Size
================================================================
Installing:
 telnet-server    i386      1:0.17-39.el5   base          35 k

Transaction Summary
================================================================
Install      1 Package(s)
Update       0 Package(s)
Remove       0 Package(s)

Total download size: 35 k
Is this ok [y/N]: y
Downloading Packages:
telnet-server-0.17-39.el5.i386.rpm          | 35 kB    00:00
warning: rpmts_HdrFromFdno: Header V3 DSA signature: NOKEY, key ID e8562897
Importing GPG key 0xE8562897 "CentOS-5 Key（CentOS 5 Official Signing Key）
<centos-5-key@centos.org>" from /etc/pki/rpm-gpg/RPM-GPG-KEY-CentOS-5
Is this ok [y/N]: y
Running rpm_check_debug
Running Transaction Test
Finished Transaction Test
Transaction Test Succeeded
Running Transaction
  Installing    : telnet-server        [1/1]

Installed: telnet-server.i386 1:0.17-39.el5
Complete!
```

2. 如果已经安装了，那么直接来查看一下配置文件，看看 telnet 是 stand alone 还是 super daemon。
   最简单的方法就是 chkconfig 了！

```
[root@www ~]# chkconfig --list telnet
telnet          off  <==只有 on 或 off 者为 super daemon

[root@www ~]# ll /etc/xinetd.d/telnet
-rw-r--r-- 1 root root 305 Dec 1 2007 /etc/xinetd.d/telnet
# 看吧! 果然是 super daemon 哩!

[root@www ~]# grep '^telnet' /etc/services
telnet          23/tcp
telnet          23/udp
```

由上面可以看到，telnet 是 super daemon，而启动的端口在 port 23 这个地方。

3. 如果要启动的话，可以这样来处理：

```
[root@www ~]# chkconfig telnet on; chkconfig --list telnet
telnet          on
[root@www ~]# /etc/init.d/xinetd restart
正在停止 xinetd:                    [  确定  ]
正在激活 xinetd:                    [  确定  ]

[root@www ~]# netstat -tlnp | grep xinetd
tcp 0 0 0.0.0.0:23  0.0.0.0:*    LISTEN       2487/xinetd
# 确认一下，确实有启动 port 23 。
```

4. 现在假设我们仅要针对.edu.tw 来开放，至于其他的来源则予以关闭。我们这里选择 /etc/hosts.{allow,deny}来处理，你必须要这样做：

```
# 1. 先找到 telnet 的主程序是哪一个
[root@www ~]# grep server /etc/xinetd.d/telnet
     server                = /usr/sbin/in.telnetd

# 2. 开始指定开放的网段:
[root@www ~]# vim /etc/hosts.allow
in.telnetd : .edu.tw

[root@www ~]# vim /etc/hosts.deny
in.telnetd: ALL
```

简单! 搞定!

简答题部分

◆ 使用 netstat –tul 与 netstat –tunl 有什么差异? 为何会这样?
◆ 你能否找出来启动 port 3306 这个端口的服务是什么?
◆ 你可以通过哪些命令查询到目前系统默认开机会启动的服务?
◆ 承上，那么哪些服务目前是在启动的状态?
◆ 利用 tcp wrappers 与 xinetd，可以使用哪两个文件进行网络防火墙的管理?

18.7 参考数据与扩展阅读

◆ 注 1：高级电源管理接口设置（Advanced Configuration and Power Interface,ACPI）官网 http://acpid.sourceforge.net/
◆ 注 2：Zeroconf 自动网络管理机制 http://www.zeroconf.org/
◆ 注 3：桌面计算机的自动硬件检测服务 http://www.freedesktop.org/wiki/Software/hal
◆ 注 4：CPU 微指令集加载服务的说明 http://www.urbanmyth.org/microcode/

19

第 19 章　认识与分析日志文件

　　当你的 Linux 系统出现不明原因的问题时，很多人都告诉你，你要查阅一下日志文件才能够知道系统出了什么问题了，所以说，了解日志文件是很重要的事情。日志文件可以记录系统在什么时间、哪个主机、哪个服务、出现了什么信息等，这些信息也包括用户识别数据、系统故障排除须知等信息。如果你能够善用这些日志文件信息的话，你的系统出现错误时，你将可以在第一时间发现，而且也能够从中找到解决的方案，而不是昏头转向地乱问人呢！此外，日志文件所记录的信息量是非常大的，要人眼分析实在很困难。此时利用 shell script 或者是其他软件提供的分析工具来处理复杂的日志文件，可以帮助你很多喔！

19.1　什么是日志文件

　　详细而确实地分析以及备份系统的日志文件是一个系统管理员应该要进行的任务之一。那么什么是日志文件呢？简单地说，就是记录系统活动信息的几个文件，例如：何时、何地（来源 IP）、何人（什么服务名称）、做了什么操作（信息日志）。换句话说就是：记录系统在什么时候由哪个进程做了什么样的行为时，发生了何种的事件等。

　　要知道的是，我们的 Linux 主机在后台下有相当多的 daemons 同时在工作着，这些工作中的进程总是会显示一些信息，这些显示的信息最终会被记载到日志文件当中。也就是说，记录这些系统的重要信息就是日志文件的工作。

Ⅰ 日志文件的重要性

　　为什么说日志文件很重要，重要到系统管理员需要随时注意它呢？我们可以这么说：

◆ **解决系统方面的错误**
   ● 用 Linux 这么久了，你应该偶而会发现系统可能会出现一些错误，包括硬件捕获不到或者是某些系统程序无法顺利运行的情况。此时你该如何是好？由于系统会将硬件检测过程记录在日志文件内，你只要通过查询日志文件就能够了解系统做了什么事，并且由第 17 章我们也知道 SELinux 与日志文件的关系更加密切！所以，查询日志文件可以克服一些系统问题。

◆ **解决网络服务的问题**
   ● 你可能在做完了某些网络服务的设置后，却一直无法顺利启动该服务，此时该怎办？去庙里面拜佛抽签吗？三太子可能无法告诉你要怎么处理呢！由于网络服务的各种问题通常都会被写入特别的日志文件，其实你只要查询日志文件就会知道出了什么差错，还不需要请示三太子。举例来说，如果你无法启动邮件服务器（sendmail），那么查询一下/var/log/maillog 通常可以得到不错的解答！

◆ **过往事件记录簿**
   ● 这个东西相当重要！例如：你发现 WWW 服务（apache 软件）在某个时刻流量特别大，你想要了解为什么时，可以通过日志文件去找出该时段是哪些 IP 在联机与查询的网页数据是什么，就能够知道原因。此外，万一哪天你的系统被入侵，并且被利用来攻击他人的主机，由于被攻击主机会记录攻击者，因此你的 IP 就会被对方记录。这个时候你要如何告知对方你的主机是由于被入侵所导致的问题，并且协助对方继续往恶意来源追查呢？此时日志文件可是相当重要的呢！

　　所以我们常说"天助自助者"是真的。通过查看屏幕上面的错误信息与日志文件的错误信息，几乎可以解决大部分的 Linux 问题！

Ⅱ Linux 常见的日志文件名

　　日志文件可以帮助我们了解很多系统重要的事件，包括登录者的部分信息，因此日志文件的权限通常是设置为仅有 root 能够读取而已。而由于日志文件可以记载系统这么多的详细信息，所以，一个有经验的主机管理员会随时随地查阅一下自己的日志文件，以随时掌握系统的最新动态。那么常见的几个日志文件有哪些呢？一般而言，有下面几个：

◆ **/var/log/cron**
   ● 还记得第 16 章例行性工作调度吧？你的 crontab 调度有没有实际被进行？进行过程有没有发生错误？你的/etc/crontab 是否编写正确？在这个日志文件内查询看看。

- ◆ /var/log/dmesg
  - 记录系统在开机的时候内核检测过程所产生的各项信息。由于 CentOS 默认将开机时内核的硬件检测过程取消显示，因此额外将数据记录一份在这个文件中。
- ◆ /var/log/lastlog
  - 可以记录系统上面所有的账号最近一次登录系统时的相关信息。第 14 章讲到的 lastlog 命令就是利用这个文件的记录信息来显示的。
- ◆ /var/log/maillog 或/var/log/mail/*
  - 记录邮件的往来信息，其实主要是记录 sendmail（SMTP 协议提供者）与 dovecot（POP3 协议提供者）所产生的信息。SMTP 是发信所使用的协议，POP3 则是收信使用的协议。sendmail 与 dovecot 则分别是两套不同协议的软件。
- ◆ /var/log/messages
  - 这个文件相当重要，几乎系统发生的错误信息（或者是重要的信息）都会记录在这个文件中；如果系统发生莫名的错误时，这个文件是一定要查阅的日志文件之一。
- ◆ /var/log/secure
  - 基本上，只要牵涉到需要输入账号密码的软件，那么当登录时（不管登录正确或错误）都会被记录在此文件中。包括系统的 login 程序、图形界面登录所使用的 gdm 程序、su、sudo 等程序，还有网络联机的 ssh、telnet 等程序，登录信息都会被记载在这里。
- ◆ /var/log/wtmp,/var/log/faillog
  - 这两个文件可以记录正确登录系统者的账户信息（wtmp）与错误登录时所使用的账户信息（faillog）。我们在第 11 章谈到的 last 就是读取 wtmp 来显示的，这对于追踪一般账号者的使用行为很有帮助！
- ◆ /var/log/httpd/*,/var/log/news/*,/var/log/samba/*
  - 不同的网络服务会使用它们自己的日志文件案来记载它们自己产生的各项信息！上述的目录内则是个别服务所制定的日志文件。

常见的日志文件就是这几个，但是不同的 Linux distributions 中，通常日志文件的文件名不会相同（除了/var/log/messages 之外）。所以说，你还是得要查阅你 Linux 主机上面的日志文件设置数据才能知道你的日志文件主要文件名。

⫴ 日志文件所需相关服务（daemon）与进程

那么这些日志文件是怎么产生的呢？基本上有两种方式，一种是由软件开发商自行定义写入的日志文件与相关格式，例如 WWW 软件 apache 就是这样处理的；另一种则是由 Linux distribution 提供的日志文件管理服务来统一管理，你只要将信息丢给这个服务后，它就会自己分门别类地将各种信息放置到相关的日志文件去！CentOS 提供 syslogd 这个服务来统一管理日志文件。

除了这个 syslogd 之外，我们的内核也需要额外的登录服务来记录内核产生的各项信息，这个专门记录内核信息的日志文件服务就是 klogd。所以说，日志文件所需的服务主要就是 **syslogd** 与 **klogd** 这两者。

不过要注意的是，如果你任凭日志文件持续记录的话，由于系统产生的信息天天都有，那么你的日志文件的容量将会无限增大。如果你的日志文件容量太大时，可能会导致大文件读写效率不佳的问题（因为要从磁盘读入内存，越大的文件消耗内存越多）。所以，你需要对日志文件备份与更新。那需要手动处理？当然不需要，我们可以通过 logrotate（日志文件轮替）这玩意儿来自动化处理日志文件容量与更新的问题！

所谓的 logrotate，基本上就是将旧的日志文件更改名称，然后新建一个空的日志文件，如此一来，新的日志文件将重新开始记录，然后只要将旧的日志文件留下一阵子，那就可以达到将日志文件"轮转"的目的啦！此外，如果旧的记录（大概要保存几个月吧）保存了一段时间没有问题，那么就可以让系统自动将它砍掉，免得占掉很多宝贵的硬盘空间。

总结一下，针对日志文件所需的功能，我们需要的服务与程序有：

♦ syslogd：主要登录系统与网络等服务的信息；
♦ klogd：主要登录内核产生的各项信息；
♦ logrotate：主要进行日志文件的轮替功能。

由于我们的着眼点在于想要了解系统上面软件所产生的各项信息，因此本章主要针对 syslogd 与 logrotate 来介绍。接着下来我们来谈一谈怎么样规划。就由 syslogd 这个程序先谈起吧！毕竟得先有日志文件，才可以进行 logrotate 呀！你说是吧？

19.2　syslogd：记录日志文件的服务

刚才提到说 Linux 的日志文件主要是由 syslogd 在负责，那么你的 Linux 是否有启动 syslogd 呢？而且是否有设置开机时启动呢？检查一下先：

```
[root@www ~]# ps aux | grep syslog
USER   PID %CPU %MEM  VSZ  RSS TTY   STAT START  TIME COMMAND
root  4294  0.0  0.0 1716  568 ?     Ss   Mar31  0:00 syslogd -m 0
# 瞧！确实有启动的！

[root@www ~]# chkconfig --list syslog
syslog   0:off 1:off 2:on  3:on  4:on  5:on  6:off
# 默认情况下，命令行界面与图形界面（3，5）都有启动。
```

看到 syslog 这个服务名称了吧？所以知道它已经在系统中工作。好了，既然本章主要是讲日志文件，那么你知道日志文件的内容是如何展现的？syslog 的配置文件在哪里？如何设置？如果你的 Linux 主机想要当作日志文件服务器时，又该如何设置？下面就让我们来玩玩！

19.2.1　日志文件内容的一般格式

一般来说，系统产生的信息经过 syslog 而记录下来的数据中，每条信息均会记录下面的几个重要数据：
♦ 事件发生的日期与时间；
♦ 发生此事件的主机名；
♦ 启动此事件的服务名称（如 samba,xinetd 等）或函数名称（如 libpam）；
♦ 该信息的实际数据内容。

当然，这些信息的"详细度"是可以修改的，而且，这些信息可以作为系统排错之用呢！我们拿登录时一定会记载账户信息的/var/log/secure 为例来说好了：

```
[root@www ~]# cat /var/log/secure
1 Mar 14 15:38:00 www atd[18701]: pam_unix(atd:session): session opened for
  user root by (uid=0)
2 Mar 14 15:38:00 www atd[18701]: pam_unix(atd:session): session closed for
  user root
3 Mar 16 16:01:51 www su: pam_unix(su-l:auth): authentication failure; logn
  ame=vbird uid=500 euid=0 tty=pts/1 ruser=vbird rhost=  user=root
4 Mar 16 16:01:55 www su: pam_unix(su-l:session): session opened for user
  root by vbird(uid=500)
5 Mar 16 16:02:22 www su: pam_unix(su-l:session): session closed for user root
  |--日期/时间---|-H-|-----服务与相关函数-------|--信息说明------>
```

我们拿第一条数据来说明好了，该数据是说：在 3 月 14 日（Mar 14）的下午 15:38 分，由 www 这台主机的 atd [PID 为 18701]传来的消息，这个消息是通过 pam_unix 这个模块所提出的，信息内容为 root（uid=0）这个账号已经开启 atd 的活动了。够清楚吧！那请你自行翻译一下后面的 4 条信息内容是什么。

其实还有很多的信息值得查阅的呢！尤其是/var/log/messages 的内容。记住：一个好的系统管理员要经常去"巡视"日志文件的内容，尤其是发生下面几种情况时：

- 当你觉得系统似乎不太正常时；
- 某个 daemon 老是无法正常启动时；
- 某个用户老是无法登录时；
- 某个 demon 执行过程老是不顺畅时；

  还有很多啦！反正觉得系统不太正常，就得要查询查询日志文件就是了。

> 提供一个鸟哥常做的检查方式：当我老是无法成功启动某个服务时，我会在最后一次启动该服务后立即检查日志文件，先找到现在时间所登录的信息"第一字段"；再找到我想要查询的那个服务"第三字段"，最后再仔细查阅第四字段的信息，来找到错误点。

19.2.2　syslog 的配置文件：/etc/syslog.conf

什么？日志文件还有配置文件？是 syslogd 这个 daemon 的配置文件啦！我们现在知道 syslogd 可以负责主机产生的各个信息的登录，而这些信息本身是有"严重等级"之分的，而且，这些数据最终要传送到哪个文件去是可以修改的，所以我们才会在一开头的地方讲说，每个 Linux distributions 放置的日志文件名可能会有所区别啊！

基本上，syslog 针对各种服务与信息记录在某些文件的配置文件就是/etc/syslog.conf，这个文件规定了**什么服务的什么等级信息以及需要被记录在哪里（设备或文件）**这三个东西，所以设置的语法会是这样：

```
服务名称[.=!]信息等级        信息记录的文件名或设备或主机
# 下面以 mail 这个服务产生的 info 等级为例：
mail.info               /var/log/maillog_info
# 这一行说明：mail 服务产生的大于等于 info 等级的信息，都记录到
# /var/log/maillog_info 文件中。
```

我们将上面的数据简单地分为三部分来说明：

- **服务名称**
  - syslog 本身有设置一些服务，你可以通过这些服务来存储系统的信息。syslog 设置的服务主要有下面这些，如表 19-1 所示（可使用 man 3 syslog 查询到相关的信息）。

- 表 19-1

服 务 类 型	说　　明
auth（authpriv）	主要与认证有关的机制，例如 login,ssh,su 等需要账号/密码
cron	就是例行性工作调度 cron/at 等生成信息日志的地方
daemon	与各个 daemon 有关的信息
kern	就是内核（kernel）产生信息的地方
lpr	即是打印相关的信息
mail	只要与邮件收发有关的信息记录都属于这个
news	与新闻组服务器有关的东西
syslog	就是 syslogd 这个程序本身生成的信息
user,uucp,local0～local7	与 Unix like 机器本身有关的一些信息

- 上面谈到的都是 syslog 自行制定的服务名称，软件开发商可以通过调用上述的服务名称来记录他们的软件。举例来说，sendmail 与 postfix 及 dovecot 都是与邮件有关的软件，这些软件在设计日志文件记录时，都会主动调用 syslogd 内的 mail 服务名称（LOG_MAIL），所以上述三个软件（sendmail,postfix,dovecot）产生的信息在 syslog 看起来，就会是 mail 类型的服务了。我们可以将这个概念按照如图 19-1 所示内容来理解。

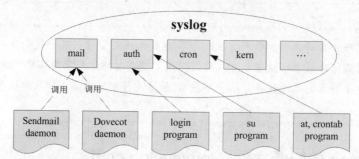

图 19-1　syslog 所制定的服务名称与软件调用的方式

- 另外，每种服务所产生的数据量其实区别是很大的，举例来说，mail 的日志文件信息多得要命，每一封信件进入后，mail 至少需要记录寄信人的信息与收信者的信息等；而如果是用来作为工作站主机的，那么登录者（利用 login 登录主机处理事情）的数量一定不少，那个 authpriv 所管辖的内容可就多了。
- 为了让不同的信息放置到不同的文件当中，好让我们分门别类进行日志文件的管理，所以，将各种类型的服务日志文件记录在不同的文件里面，就是我们/etc/syslog.conf 所要做的规范了！

◆ 信息等级

- 同一个服务所产生的信息也是有差别的，有启动时仅通知系统而已的一般信息（information），有出现还不至于影响到正常运行的警告信息（warn），还有系统硬件发生严重错误时所产生的重大问题信息（error 等）；信息到底有多少种严重的等级呢？基本上，syslog 将信息分为 7 个主要的等级，依序是这样的，如表 19-2 所示（由不重要排列到重要信息等级）。

- 表 19-2

等　级	等　级　名　称	说　　明
1	info	仅是一些基本的信息说明而已
2	notice	除了 info 外还需要注意的一些信息内容
3	warning（warn）	警示的信息，可能有问题，但是还不至于影响到某个 daemon 运行的信息；基本上，info,notice,warn 这三个信息都是在告知一些基本信息而已，应该还不至于造成一些系统运行困扰
4	err（error）	一些重大的错误信息，例如配置文件的某些设置值造成该服务服无法启动的信息说明，通常通过 err 的错误告知，应该可以了解到该服务无法启动的问题呢
5	crit	比 error 还要严重的错误信息，这个 crit 是临界点（critical）的缩写，这个错误已经很严重了
6	alert	警告，已经很有问题的等级，比 crit 还要严重
7	emerg（panic）	"疼痛"等级，意指系统已经几乎要死机的状态！很严重的错误信息了。通常大概只有硬件出问题导致整个内核无法顺利运行，就会出现这样的等级的信息吧

- 除了这些有等级的信息外，还有两个特殊的等级，那就是 debug（错误检测等级）与 none（不需登录等级）两个，当我们想要做一些错误检测或者是忽略掉某些服务的信息时，就用这两个！
- 特别留意一下在信息等级之前还有[.=!]的链接符号。它代表的意思是这样的：
  - "."代表比后面还要高的等级（含该等级）都被记录下来的意思，例如：mail.info 代表只要是 mail 的信息，而且该信息等级高于 info（含 info 本身）时，就会被记录下来的意思。

- ■ ".="代表所需要的等级就是后面接的等级而已，其他的不要！
- ■ ".!"代表不等于，即是除了该等级外的其他等级都记录。
- ● 一般来说，我们比较常使用的是"."这个连接符号。
- ◆ **信息记录的文件名或设备或主机**
  - ● 再来则是这个信息要放置在哪里的记录了。通常我们使用的都是记录的文件。但是也可以输出到设备，例如打印机之类的。也可以记录到不同的主机上头去呢！下面就是一些常见的放置处：
    - ■ 文件的绝对路径：通常就是放在/var/log 里面的文件。
    - ■ 打印机或其他：例如/dev/lp0 这个打印机设备。
    - ■ 用户名称：显示给用户。
    - ■ 远程主机：例如@www.vbird.tsai，当然，要对方主机也能支持才行！
    - ■ *：代表目前在线的所有人，类似 wall 这个命令的意义！
- ◆ **syslog.conf 语法练习**
  - ● 基本上，整个 syslog 的配置文件就只是这样而已，下面我们来思考一些例题，好让你可以更清楚地知道如何设置 syslogd。

例题

如果我要将我的 mail 相关的数据写入/var/log/maillog 当中，那么在/etc/syslog.conf 的语法如何设计？

答：基本的写法是这样的：

```
mail.info       /var/log/maillog
```

注意到上面，当我们的等级使用 info 时，那么任何大于 info 等级（含 info 这个等级）之上的信息，都会被写入到后面接的文件之中！这样可以了解吗？也就是说，我们可以将所有 mail 的日志信息都记录在/var/log/maillog 里面的意思。

例题

我要将新闻组资料（news）及例行性工作调度（cron）的信息都写入到一个称为/var/log/cronnews 的文件中，但是这两个程序的警告信息则额外地记录在/var/log/cronnews.warn 中，那该如何设置我的 syslog.conf 呢？

答：很简单，既然是两个程序，那么只好以分号来隔开了，此外，由于第二个指定文件中我只要记录警告信息，因此设置上需要指定".="这个符号，所以语法成为了：

```
news.*;cron.*            /var/log/cronnews
news.=warn;cron.=warn  /var/log/cronnews.warn
```

上面那个".="就是在指定等级的意思。由于指定了等级，因此，只有这个等级的信息才会被记录在这个文件里面呢！此外你也必须要注意，news 与 cron 的警告信息也会写入/var/log/cronnews 内。

例题

我的 messages 这个文件需要记录所有的信息，但是就是不想要记录 cron,mail 及 news 的信息，那么应该怎么写才好？

答：可以有两种写法，分别是：

```
*.*;news,cron,mail.none           /var/log/messages
*.*;news.none;cron.none;mail.none  /var/log/messages
```

使用 "," 分隔时，那么等级只要接在最后一个即可，如果是以 ";" 来分的话，那么就需要将服务与等级都写上去。

◆ **CentOS 5.x 默认的 syslog.conf 内容**

● 了解语法之后，我们来看一看 syslog 有哪些系统服务已经在记录了呢？就是瞧一瞧/etc/syslog.conf 这个文件的默认内容。（注意，如果需要将该行作为批注时，那么就加上#符号就可以。）

```
# 来自 CentOS 5.x 的相关数据
[root@www ~]# vim /etc/syslog.conf
 1  #kern.*                                              /dev/console
 2  *.info;mail.none;news.none;authpriv.none;cron.none   /var/log/messages
 3  authpriv.*                                           /var/log/secure
 4  mail.*                                              -/var/log/maillog
 5  cron.*                                               /var/log/cron
 6  *.emerg                                              *
 7  uucp,news.crit                                       /var/log/spooler
 8  local7.*                                             /var/log/boot.log
 9  news.=crit                                           /var/log/news/news.crit
10  news.=err                                            /var/log/news/news.err
11  news.notice                                          /var/log/news/news.notice
```

● 上面总共仅有 11 行设置值，每一行的意义是这样的：

1. #kern.*：只要是内核产生的信息，全部都送到 console（终端机）去。console 通常是由外部设备连接到系统而来，举例来说，很多封闭型主机（没有键盘、屏幕的系统）可以通过连接 RS 232 连接口将信息传输到外部的系统中，例如以笔记本电脑连接到封闭主机的 RS 232 插口。这个选项通常应该是用在系统出现严重问题而无法使用默认的屏幕查看系统时，可以通过这个选项来连接取得内核的信息[注1]。

2. *.info;mail.none;news.none;authpriv.none;cron.none：由于 mail,news,authpriv,cron 等类型生成的信息较多，且已经写入下面的数个文件中，因此在/var/log/messages 里面就不记录这些选项。除此之外的其他信息都写入/var/log/messages 中。这也是为什么我们说这个 messages 文件很重要的缘故！

3. authpriv.*：认证方面的信息均写入/var/log/secure 文件。

4. mail.*：邮件方面的信息则均写入/var/log/maillog 文件。

5. cron.*：例行性工作调度均写入/var/log/cron 文件。

6. *.emerg：当产生最严重的错误等级时，将该等级的信息以 wall 的方式广播给所有在系统登录的账号，要这么做的原因是希望在线的用户能够赶紧通知系统管理员来处理这么可怕的错误问题。

7. uucp,news.crit：uucp 是早期 Unix-like 系统进行数据传递的协议，后来常用在新闻组的用途中。news 则是新闻组。当新闻组方面的信息有严重错误时就写入/var/log/spooler 文件中。

8. local7.*：将本机开机时应该显示到屏幕的信息写入到/var/log/boot.log 文件中。

9. 后面的 news.=crit、news.=err、news.notice 则主要分别记录新闻组产生的不同等级的信息。

● 在上面的第四行关于 mail 的记录中，在记录的文件**/var/log/maillog** 前面还有个减号 " - " 是干嘛用的？由于邮件所产生的信息比较多，因此我们希望邮件产生的信息先存储在速度较快的内存中（buffer），等到数据量够大了才一次性将所有数据都填入磁盘内，这样将有助于日志文件的访问性能。只不过由于信息是暂存在内存内，因此若不正常关机导致日志信息未回填到日志文件中，可能会造成部分数据的丢失。

● 此外，每个 Linux distributions 的 syslog.conf 设置区别是很大的，如果你想要找到相对应的日志信息时，可得要查阅一下/etc/syslog.conf 这个文件才行，否则可能会发生分析到错误的信息。举例来说，鸟哥有自己写一个分析日志文件的 script，这个 script 是依据 Red Hat 系统默认的日志文件所写的，因此不同的 distributions 想要使用这个程序时，就得要自行设计与修改一下/etc/syslog.conf 才行，否则就可能会分析到错误的信息。那么如果你有自己的需要而得要修订日志文件时，该如何进行？

◆　自行增加日志文件文件功能

　　●　如果你有其他的需求，所以需要特殊的文件来帮你记录时，别客气，千万记录在/etc/syslog.conf
　　　　当中，如此一来，你就可以重复地将许多的信息记录在不同的文件当中，以方便你的管理呢，让
　　　　我们来作个练习题吧！如果你想要让所有的信息都额外写入到/var/log/admin.log 这个文件时，你
　　　　可以怎么做呢？先自己想一想，并且做一下，再来看看下面的做法。

```
# 1. 先设置好所要建立的文件设置!
[root@www ~]# vim /etc/syslog.conf
# Add by VBird 2009/04/08      <==再次强调，自己修改的时候加入一些说明
*.info      /var/log/admin.log <==有用的是这行。

# 2. 重新启动 syslog 呢!
[root@www ~]# /etc/init.d/syslog restart
[root@www ~]# ll /var/log/admin.log
-rw------- 1 root root 118 Apr  8 13:50 /var/log/admin.log
#新建了这个日志文件。
```

　　●　很简单吧！如此一来，所有的信息都会写入/var/log/admin.log 里面了！

19.2.3　日志文件的安全性设置

　　好了，由上一个小节里面我们知道了 syslog.conf 的设置，也知道了日志文件内容的重要性了，
所以，如果幻想你是一个很厉害的黑客，想利用他人的计算机干坏事，然后又不想留下证据，你会怎
么做？对啦！就是离开的时候将所有可能的信息都给他抹煞掉，所以第一个动脑筋的地方就是日志文
件的清除工作。如果你的日志文件不见了，那该怎办？

> 　　鸟哥教人家干坏事？喂！不要乱讲话。俺的意思是，如果改天你发现你的日志文件
> 不翼而飞了，或者是发现你的日志文件似乎不太对劲的时候，最常发现的就是网友经常
> 会说，他的 /var/log 这个目录不见了！不要笑！这是真的事情！请记得，赶快清查你的
> 系统！

　　伤脑筋呢！有没有办法防止日志文件被删除或者是被 root 自己不小心更改呢？有呀！拔掉网线或
电源线就好了。别担心，基本上，我们可以通过一个隐藏的属性来设置你的日志文件成为只可以增加
数据但是不能被删除的状态，那么或许可以达到些许的保护。不过，如果你的 root 账号被破解了，那
么下面的设置还是无法保护的，因为你要记得 root 是可以在系统上面进行任何事情的，因此，请将你
的 root 这个账号的密码设置得安全一些！千万不要轻视这个问题呢！

> 　　为什么日志文件还要防止被自己（root）不小心修改过呢？鸟哥在教 Linux
> 的课程时，我的学生经常会举手说："老师，我的日志文件不能记录信息了！是不是
> 被入侵了啊？"奇怪，明明是计算机教室的主机，使用的是 Private IP 而且还有阻
> 挡机制，不可能被攻击吧？查询了才知道原来同学很喜欢使用" :wq "来离开 vim
> 的环境，但是 syslog 的日志文件只要"被编辑过"就无法继续记录，所以才会导致
> 不能记录的问题。此时你得要改变使用 vim 的习惯；重新启动 syslog 让它再继续
> 提供服务才行。

既然如此，那么我们就来处理一下隐藏属性吧！我们在第 7 章谈到过 lsattr 与 chattr。如果将一个文件以 chattr 设置 i 这个属性时，那么该文件连 root 都不能删掉，而且也不能新增数据，但是，如此一来日志文件的功能岂不是也就消失了？因为没有办法写入呀！所以，我们要使用的是 a 这个属性。你的日志文件如果设置了这个属性的话，那么它将只能被增加，而不能被删除！这个选项就非常符合我们日志文件的需求。因此，你可以这样增加你的日志文件的隐藏属性。

请注意，下面的这个 chattr 的设置状态仅适合已经对 Linux 系统很有概念的朋友来设置，对于新手来说，建议你直接使用系统的默认值就好了，免得到最后日志文件无法写入。

```
[root@www ~]# chattr +a /var/log/messages
[root@www ~]# lsattr /var/log/messages
-----a-------- /var/log/messages
```

加入了这个属性之后，你的/var/log/messages 日志文件从此就仅能被增加，而不能被删除，直到 root 以 "chattr-a/var/log/messages" 取消这个 a 的参数之后，才能被删除或移动。

虽然，为了你日志文件的信息安全，这个 chattr 的+a 标识可以帮助你维护好这个文件，不过，如果你的系统已经被取得 root 的权限，而既然 root 可以执行 chattr −a 来取消这个标志，所以，还是有风险的。此外，前面也稍微提到，新手最好还是先不要增加这个标识，很容易由于自己忘记了导致系统的重要信息无法记录。

基本上，鸟哥认为，这个标识最大的用处除了在保护你日志文件的数据外，它还可以帮助你避免不小心写入日志文件的状况。要注意的是，当你不小心手动改动过日志文件后，例如那个/var/log/messages，你不小心用 vi 打开它，离开却执行:wq 的参数，那么该文件将来将不会再继续进行日志操作。这个问题真的经常发生。由于你以 vi 保存了日志文件，则 syslogd 会误判为该文件已被改动过，将导致 syslogd 不再写入该文件新的内容，很伤脑筋的！

要让该日志文件可以继续写入，你只要重新启动 syslog（/etc/init.d/syslog restart）即可。不过，总是比较麻烦。所以，如果你针对日志文件执行 chattr +a 的参数，将来你就不需要害怕不小心改动该文件了，因为无法写入，除了可以新增之外。

不过，也因为这个+a 的属性让该文件无法被删除与修改，所以，当我们进行日志文件轮替时（logrotate），将会无法移动该日志文件的文件名呀！所以会造成很大的困扰。这个困扰虽然可以使用 logrotate 的配置文件来解决，但是，还是先将日志文件的+a 标志去掉吧！

```
[root@www ~]# chattr -a /var/log/messages
```

19.2.4 日志文件服务器的设置

我们在之前稍微提到，在 syslog.conf 文件当中，可以将日志数据传送到打印机或者是远程主机上面去。这样做有什么意义呢？如果你将日志信息直接传送到打印机上面的话，那么万一不小心你的系统被 cracker 入侵，他也将你的/var/log/删掉了，怎么办？没关系啊！反正你已经将重要数据直接以打印机记录起来了。他是无法逃开的啦！

再想象一个环境，你的办公室内有 10 台 Linux 主机，每一台负责一个网络服务，你为了要了解每台主机的状态，因此，你经常需要登录这 10 台主机去查阅你的日志文件，想想，每天要进入 10 台主机去查数据，想到就烦，没关系，这个时候我们可以让某一部主机当成"日志文件服务器"，用它来记录所有的 10 台 linux 主机的信息，这样我就直接进入一台主机就可以了。省时又省事，真方便。

那要怎么达到这样的功能呢？很简单，我们 CentOS 5.x 默认的 syslog 本身就已经具有这个日志文件服务器的功能了，只是默认并没有启动该功能而已。你可以通过 man syslogd 去查询一下相关的参数就能够知道。既然是日志文件服务器，那么我们的 Linux 主机当然会启动一个端口来监听了，那个默认的端口就是 UDP 的 514。

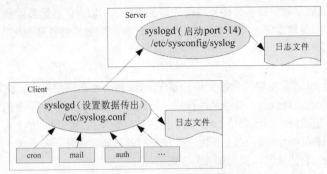

图 19-2　日志文件服务器的架构

如图 19-2 所示，服务器会启动监听的端口，客户端则将日志文件再转出一份送到服务器去。而既然是日志文件"服务器"，所以当然有服务器与客户端（client）。这两者的设置分别是这样的：

```
# 1. Server 端: 修改 syslogd 的启动配置文件, 通常在 /etc/sysconfig 内!
[root@www ~]# vim /etc/sysconfig/syslog
# 找到下面这一行:
SYSLOGD_OPTIONS="-m 0"
# 改成下面这样子!
SYSLOGD_OPTIONS="-m 0 -r"

# 2. 重新启动与查看 syslogd 。
[root@www ~]# /etc/init.d/syslog restart
[root@www ~]# netstat -lunp | grep syslog
Proto Recv-Q Send-Q Local Address  Foreign Address State   PID/Program name
udp    0      0 0.0.0.0:514    0.0.0.0:*                13981/syslogd
#你的日志文件主机已经设置妥当。很简单吧!
```

通过这个简单的操作，你的 Linux 主机已经可以接收来自其他主机的日志信息了。当然，你必须要知道网络方面的相关基础，这里鸟哥只是先介绍，将来了解了网络相关信息后，再回头来这里瞧一瞧先！

至于客户端的设置就简单多了！只要指定某个信息传到这部主机即可！举例来说，我们的日志文件服务器 IP 为 192.168.1.100，而客户端希望所有的数据都送给主机，所以，可以在/etc/syslog.conf 里面新增这样的一行：

```
[root@www ~]# vim /etc/syslog.conf
*.*        @192.168.1.100
```

再重新启动 syslog 后，立刻就搞定了！而将来主机上面的日志文件当中，每一行的"主机名"就会显示来自不同主机的信息了。接下来，让我们来谈一谈如何针对日志文件来进行轮替（rotate）。

19.3　日志文件的轮替（logrotate）

假设我们已经将日志数据写入了记录文件中了，也已经利用 chattr 设置了+a 这个属性了，那么该如何进行 logrotate 的工作呢？这里请特别留意的是：syslog 利用的是 daemon 的方式来启动的，当有需求的时候立刻就会被执行的，但是 logrotate 却是在规定的时间到了之后才来进行日志文件的轮替，所以这个 logrotate 程序当然就是挂在 cron 下面进行的。仔细看一下/etc/cron.daily/里面的文件，/etc/cron.daily/logrotate 就是记录了每天要进行的日志文件轮替的行为。下面我们就来谈谈怎么样设计这个 logrotate 吧！

19.3.1 logrotate 的配置文件

既然 logrotate 主要是针对日志文件来进行轮替的操作，所以，它当然必须要记载在什么状态下才将日志文件进行轮替的设置。那么 logrotate 这个程序的参数配置文件在哪里呢？那就是：

◆ /etc/logrotate.conf
◆ /etc/logrotate.d/

那个 logrotate.conf 才是主要的参数文件，至于 logrotate.d 是一个目录，该目录里面的所有文件都会被主动读入/etc/logrotate.conf 当中来进行！另外，在/etc/logrotate.d/里面的文件中，如果没有指定一些：详细设置，则以/etc/logrotate.conf 这个文件的规定来指定为默认值！

好了，刚才我们提到 logrotate 的主要功能就是将旧的日志文件移动成旧文件，并且重新新建一个新的空的文件来记录，它的执行结果如图 19-3 所示。

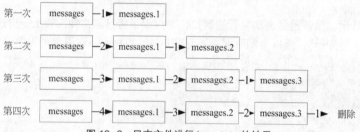

图 19-3　日志文件进行 logrotate 的结果

由上面的图示我们可以清楚地知道，当第一次执行完 rotate 之后，原本的 messages 会变成 messages.1 而且会制造一个空的 messages 给系统来保存日志文件。而第二次执行之后，则 messages.1 会变成 messages.2 而 messages 会变成 messages.1，又造成一个空的 messages 来保存日志文件。那么如果我们仅设置保留三个日志文件而已的话，那么执行第四次时，则 messages.3 这个文件就会被删除，并由后面的较新的保存日志文件所替代。基本的工作就是这样。

那么多久进行一次这样的 logrotate 工作呢？这些都记录在 logrotate.conf 里面，我们来看一下默认的 logrotate 的内容吧！

```
[root@www ~]# vim /etc/logrotate.conf
# 下面的设置是 logrotate 的默认设置值，如果个别的文件设置了其他的参数，
# 则将以个别的文件设置为主，若该文件没有设置到的参数则以这个文件的内容为默认值！

weekly    <==默认每个礼拜对日志文件进行一次 rotate 的工作。
rotate 4  <==保留几个日志文件呢？默认是保留四个！
create    <==由于日志文件被重命名，因此新建一个新的来继续存储！
#compress <==被改动的日志文件是否需要压缩？如果日志文件太大则可考虑此参数启动。

include /etc/logrotate.d
# 将 /etc/logrotate.d/ 这个目录中的所有文件都读进来执行 rotate 的工作！

/var/log/wtmp {          <==仅针对 /var/log/wtmp 所设置的参数
    monthly             <==每个月一次，替代每周！
    minsize 1M          <==文件容量一定要超过 1MB 后才进行 rotate（略过时间参数）
    create 0664 root utmp <==指定新建文件的权限与所属账号/用户组
    rotate 1            <==仅保留一个，即仅有 wtmp.1 保留而已。
}
# 这个 wtmp 可记录登录者与系统重新启动时的时间与来源主机及登录期间的时间。
# 由于具有 minsize 的参数，因此不见得每个月一定会进行一次。要看文件容量。
# 由于仅保留一个日志文件而已，不满意的话可以将它改成 rotate 5 吧！
```

由这个文件的设置我们可以知道/etc/logrotate.d 其实就是由/etc/logrotate.conf 所规划出来的目

录，所以，其实我们可以将所有的数据都写入/etc/logrotate.conf 即可，但是这样一来这个文件就实在是太复杂了，尤其是当我们使用很多的服务在系统上面时，每个服务都要去修改/etc/logrotate.conf 的设置也似乎不太合理。所以，如果独立出来一个目录，那么每个以 RPM 打包方式所新建服务的日志文件轮替设置，就可以独自成为一个文件，并且放置到/etc/logrotate.d/当中即可，真是方便又合理的做法啊！

一般来说，这个/etc/logrotate.conf 是默认的轮替状态而已，我们的各个服务都可以拥有自己的日志文件轮替设置，你也可以自行修改成自己喜欢的样式。例如，如果你的系统的空间够大，并且担心调试以及黑客的问题，那么可以：

◆ 将 rotate 4 改成 rotate 9 左右，以保存较多的备份文件；
◆ 大部分的日志文件不需要压缩。但是空间太小就需要压缩！尤其是很占硬盘空间的 httpd 更需要压缩。

好了，上面我们大致介绍了/var/log/wtmp 这个文件的设置，现在你知道了 logrotate.conf 的设置语法。

```
日志文件的绝对路径文件名 ...{
      个别的参数设置值，如 monthly, compress 等
}
```

下面我们再以/etc/logrotate.d/syslog 这个轮替 syslog 服务的文件，来看看该如何设置它的 rotate。

```
[root@www ~]# vi /etc/logrotate.d/syslog
/var/log/messages /var/log/secure /var/log/maillog /var/log/spooler \
/var/log/boot.log /var/log/cron {
 sharedscripts
 postrotate
   /bin/kill -HUP `cat /var/run/syslogd.pid 2> /dev/null` 2> /dev/null || true
   /bin/kill -HUP `cat /var/run/rsyslogd.pid 2> /dev/null` 2> /dev/null || true
 endscript
}
```

在上面的语法当中，我们知道正确的 logrotate 的写法为：

◆ **文件名**：被处理的日志文件绝对路径文件名写在前面，可以使用空格符分隔多个日志文件；
◆ **参数**：上述文件名进行轮替的参数使用{ }包括起来；
◆ ：可调用外部命令来进行额外的命令执行，这个设置需与 sharedscripts...endscript 设置起使用才行。至于可用的环境为：
    ■ **prerotate**：在启动 logrotate 之前进行的命令，例如修改日志文件的属性等操作；
    ■ **postrotate**：在做完 logrotate 之后启动的命令，例如重新启动（kill-HUP）某个服务；
    ■ Prerotate 与 postrotate 在对于已加上特殊属性的文件处理上面，是相当重要的执行程序。

那么/etc/logrotate.d/syslog 内设置的 6 个文件的轮替功能就能变成了：

◆ 该设置只对/var/log/内的 messages,secure,maillog,spooler,boot.log,cron 有效；
◆ 日志文件轮替每周一次、保留四个且轮替下来的日志文件不进行压缩（未更改默认值）；
◆ 轮替完毕后（postrotate）取得 syslog 的 PID 后，以 kill -HUP 重新启动 syslogd。

假设我们有针对/var/log/messages 这个文件增加 chattr +a 的属性时，依据 logrotate 的工作原理，我们知道，这个/var/log/messages 将会被重命名成为/var/log/messages.1 才是。但是由于加上这个+a 的参数，所以重命名是不可能成功的！那怎么办呢？就利用 prerotate 与 postrotate 来进行日志文件轮替前后所需要做的操作啊！果真如此时，那么你可以这样修改一下这个文件。

```
[root@www ~]# vi /etc/logrotate.d/syslog
/var/log/messages /var/log/secure /var/log/maillog /var/log/spooler \
/var/log/boot.log /var/log/cron {
 sharedscripts
 prerotate
   /usr/bin/chattr -a /var/log/messages
 endscript
```

```
 sharedscripts
 postrotate
   /bin/kill -HUP `cat /var/run/syslogd.pid 2> /dev/null` 2> /dev/null || true
   /bin/kill -HUP `cat /var/run/rsyslogd.pid 2> /dev/null` 2> /dev/null || true
   /usr/bin/chattr +a /var/log/message
 endscript
}
```

看到没？就是先给他去掉 a 这个属性，让日志文件/var/log/messages 可以进行轮替的操作，然后执行了轮替之后，再给他加入这个属性！请特别留意的是，那个/bin/kill -HUP...的意义，这一行的目的在于将系统的 syslogd 重新以其参数文件（syslog.conf）的数据读入一次。也可以想成是 reload 的意思。由于我们新疆了一个新的空的记录文件，如果不执行此一行来重新启动服务的话，那么记录的时候将会发生错误。（请回到第 17 章读一下 kill 后面的 signal 的内容说明。）

19.3.2 实际测试 logrotate 的操作

好了，设置完成之后，我们来测试看看这样的设置是否可行呢？执行下面的命令：

```
[root@www ~]# logrotate [-vf] logfile
参数:
-v : 启动显示模式，会显示 logrotate 运行的过程。
-f : 不论是否符合配置文件的数据，强制每个日志文件都进行 rotate 的操作。

范例一: 执行一次 logrotate 看看整个流程为何
[root@www ~]# logrotate -v /etc/logrotate.conf
reading config file /etc/logrotate.conf <==读取主要配置文件
including /etc/logrotate.d             <==调用外部的设置
reading config file acpid              <==就是外部设置。
....（中间省略）....
Handling 21 logs                       <==共有 21 个日志文件被记录
....（中间省略）....
rotating pattern: /var/log/messages /var/log/secure /var/log/maillog \
/var/log/spooler /var/log/boot.log /var/log/cron  weekly（4 rotations）
empty log files are rotated, old logs are removed
considering log /var/log/messages      <==开始处理 messages
 log does not need rotating            <==因为时间未到，不需要改动！
....（下面省略）....

范例二: 强制进行 logrotate 的操作
[root@www ~]# logrotate -vf /etc/logrotate.conf
....（前面省略）....
rotating log /var/log/messages, log->rotateCount is 4
renaming /var/log/messages.4 to /var/log/messages.5（rotatecount 4, logstart 1, i 4），
renaming /var/log/messages.3 to /var/log/messages.4（rotatecount 4, logstart 1, i 3），
renaming /var/log/messages.2 to /var/log/messages.3（rotatecount 4, logstart 1, i 2），
renaming /var/log/messages.1 to /var/log/messages.2（rotatecount 4, logstart 1, i 1），
renaming /var/log/messages.0 to /var/log/messages.1（rotatecount 4, logstart 1, i 0），
old log /var/log/messages.0 does not exist
....（下面省略）....
# 看到否？整个 rotate 的操作就是这样一步一步进行的。

[root@www ~]# ll /var/log/messages*; lsattr /var/log/messages
-rw------- 1 root root    63 Apr  8 15:19 /var/log/messages
-rw------- 1 root root   670 Apr  8 14:22 /var/log/messages.1
-rw------- 1 root root 24984 Apr  1 19:26 /var/log/messages.2
-rw------- 1 root root  1911 Mar 28 11:32 /var/log/messages.3
-rw------- 1 root root 25193 Mar 22 04:02 /var/log/messages.4
-----a-------- /var/log/messages <==主动加入 a 的隐藏属性。
```

上面那个–f 具有"强制执行"的意思，如果一切的设置都没有问题的话，那么理论上，你的/var/log 这个目录就会起变化，而且应该不会出现错误信息才对！

由于 logrotate 的工作已经加入 crontab 里面了，所以现在每天系统都会自动查看 logrotate。不用担心。只是要注意一下那个/var/log/messages 里面是否经常有类似下面的字眼：

```
Apr 8 15:19:47 www syslogd 1.4.1: restart (remote reception).
```

这说明的是 syslogd 重新启动的时间（就是因为/etc/logrotate.d/syslog 的设置的缘故）！下面我们来进行一些例题的练习，让你更详细地了解 logrotate 的功能！

19.3.3　自定义日志文件的轮替功能

假设前提是这样的，前一小节当中，假设你已经新建了/var/log/admin.log 这个文件，现在，你想要将该文件加上+a 这个隐藏标签，而且设置下面的相关信息：

◆ 日志文件轮替一个月进行一次；

◆ 该日志文件若大于 10MB 时，则主动进行轮替，不需要考虑一个月的期限；

◆ 保存五个备份文件；

◆ 备份文件需要压缩。

那你可以怎么样设置呢？很简单啊！看看下面的操作吧！

```
# 1. 先新建 +a 这个属性啊！
[root@www ~]# chattr +a /var/log/admin.log
[root@www ~]# lsattr /var/log/admin.log
-----a------- /var/log/admin.log
[root@www ~]# mv /var/log/admin.log /var/log/admin.log.1
mv: cannot move `/var/log/admin.log' to `/var/log/admin.log.1':
Operation not permitted
# 这里确定了加入 a 的隐藏属性！所以 root 无法移动此日志文件！

# 2. 开始新建 logrotate 的配置文件，增加一个文件在 /etc/logrotate.d 内就对了！
[root@www ~]# vi /etc/logrotate.d/admin
# This configuration is from VBird 2009/04/08
/var/log/admin.log {
        monthly   <==每个月进行一次
        size=10M  <==文件容量大于 10M 则开始处置
        rotate 5  <==保留五个！
        compress  <==进行压缩。
        sharedscripts
        prerotate
                /usr/bin/chattr -a /var/log/admin.log
        endscript
        sharedscripts
        postrotate
                /usr/bin/killall -HUP syslogd
                /usr/bin/chattr +a /var/log/admin.log
        endscript
}

# 3. 测试一下 logrotate 相关功能的信息显示:
[root@www ~]# logrotate -v /etc/logrotate.conf
....（前面省略）....
rotating pattern: /var/log/admin.log  10485760 bytes (5 rotations)
empty log files are rotated, old logs are removed
considering log /var/log/admin.log
  log does not need rotating
not running prerotate script, since no logs will be rotated
not running postrotate script, since no logs were rotated
```

```
....（下面省略）....
# 因为还不足一个月，文件也没有大于 10MB，所以不需进行轮替！

# 4. 测试一下强制 logrotate 与相关功能的信息显示:
[root@www ~]# logrotate -vf /etc/logrotate.d/admin
reading config file /etc/logrotate.d/admin
reading config info for /var/log/admin.log

Handling 1 logs

rotating pattern: /var/log/admin.log  forced from command line （5 rotations）
empty log files are rotated, old logs are removed
considering log /var/log/admin.log
  log needs rotating
rotating log /var/log/admin.log, log->rotateCount is 5
renaming /var/log/admin.log.5.gz to /var/log/admin.log.6.gz （rotatecount 5, logstart 1, i 5），
old log /var/log/admin.log.5.gz does not exist
renaming /var/log/admin.log.4.gz to /var/log/admin.log.5.gz （rotatecount 5, logstart 1, i 4），
old log /var/log/admin.log.4.gz does not exist
renaming /var/log/admin.log.3.gz to /var/log/admin.log.4.gz （rotatecount 5, logstart 1, i 3），
old log /var/log/admin.log.3.gz does not exist
renaming /var/log/admin.log.2.gz to /var/log/admin.log.3.gz （rotatecount 5, logstart 1, i 2），
old log /var/log/admin.log.2.gz does not exist
renaming /var/log/admin.log.1.gz to /var/log/admin.log.2.gz （rotatecount 5, logstart 1, i 1），
old log /var/log/admin.log.1.gz does not exist
renaming /var/log/admin.log.0.gz to /var/log/admin.log.1.gz （rotatecount 5, logstart 1, i 0），
old log /var/log/admin.log.0.gz does not exist
log /var/log/admin.log.6.gz doesn't exist -- won't try to dispose of it
running prerotate script
renaming /var/log/admin.log to /var/log/admin.log.1
running postrotate script
compressing log with: /bin/gzip


[root@www ~]# lsattr /var/log/admin.log*
-----a------- /var/log/admin.log
------------- /var/log/admin.log.1.gz  <==有压缩过喔！
```

看到了吗？通过这个方式，我们可以新建起属于自己的 logrotate 配置文件，很简便吧！尤其要注意的是，/etc/syslog.conf 与/etc/logrotate.d/*文件经常要搭配起来，例如刚才我们提到的两个案例中所新建的/var/log/admin.log 就是一个很好的例子。新建后，还要使用 logrotate 来轮替。

19.4 分析日志文件

日志文件的分析是很重要的。你可以自行以 vi 进入日志文件去查阅相关的信息。而系统也提供一些软件可以让你从日志文件中取得数据，例如之前谈过的 last,lastlog,dmesg 等命令。不过，这些数据毕竟都非常分散，如果你想要一口气读取所有的日志信息，其实有点困扰的。不过，好在 CentOS 有提供 logwatch 这个日志文件分析程序，你可以通过该程序来了解日志文件信息。此外，鸟哥也依据 Red Hat 系统的 syslog 写了一个小程序给大家使用。

19.4.1 CentOS 默认提供的 logwatch

虽然有一些有用的系统命令，不过，要了解系统的状态，还是得要分析整个日志文件才行。事实上，目前已经有相当多的日志文件分析工具，例如 CentOS 5.x 上面默认的 logwatch 这个套件所提供的分析工具，它会每天分析一次日志文件，并且将数据以 email 的格式寄送给 root 呢！你也可以直接

到 logwatch 的官方网站上面看看：

◆ http://www.logwatch.org/

logwatch 分析的结果如下所示：

```
[root@www ~]# mail
Mail version 8.1 6/6/93.  Type ? for help.
"/var/spool/mail/root": 433 messages 433 new
>N  1 logwatch@www.vbird.t  Fri Sep 5 11:42  43/1542  "Logwatch for www.vbird.tsai (Linux)"
 N  2 logwatch@www.vbird.t  Sat Sep 6 15:34  92/2709  "Logwatch for www.vbird.tsai (Linux)"
 N  3 logwatch@www.vbird.t  Mon Sep 8 15:26  43/1542  "Logwatch for www.vbird.tsai (Linux)"
....（中间省略）....
 N431 logwatch@www.vbird.t  Wed Apr 8 04:02  53/1772  "Logwatch for www.vbird.tsai (Linux)"
& 431
Message 431:
From root@www.vbird.tsai  Wed Apr  8 04:02:05 2009
Date: Wed, 8 Apr 2009 04:02:05 +0800
To: root@www.vbird.tsai
From: logwatch@www.vbird.tsai
Subject: Logwatch for www.vbird.tsai （Linux）
MIME-Version: 1.0
Content-Transfer-Encoding: 7bit
Content-Type: text/plain; charset="iso-8859-1"

# 先会说明分析的日期与相关的分析期间！
 #################### Logwatch 7.3 （03/24/06） ####################
        Processing Initiated: Wed Apr  8 04:02:05 2009
        Date Range Processed: yesterday
                            （ 2009-Apr-07 ）
                          Period is day.
      Detail Level of Output: 0
              Type of Output: unformatted
          Logfiles for Host: www.vbird.tsai
 ################################################################

# 下面则是依据各种服务来进行各项分析！先是登录者的 ssh 服务分析
 --------------------- SSHD Begin ------------------------

 Users logging in through sshd:
    root:
       192.168.100.101: 1 time
       192.168.100.254: 1 time

 --------------------- SSHD End ------------------------

# 磁盘容量分析！可以避免你的系统使用过量的磁盘空间，导致的系统不稳问题！
 --------------------- Disk Space Begin ------------------------

 Filesystem         Size  Used Avail Use% Mounted on
 /dev/hda2          9.5G  3.8G  5.3G  42% /
 /dev/hda3          4.8G  1.1G  3.5G  23% /home
 /dev/hda1          99M   21M   73M  23% /boot

 --------------------- Disk Space End ------------------------
 #################### Logwatch End #####################
```

由于鸟哥的测试用主机尚未启动许多服务，所以分析的选项很少。若你的系统已经启动许多服务的话，那么分析的选项理应会多很多才对。

19.4.2 鸟哥自己写的日志文件分析工具

虽然已经有了类似 logwatch 的工具，但是鸟哥自己想要分析的数据毕竟与对方不同。所以，鸟哥就自己写了一个小程序（shell script 的语法）用来分析自己的日志文件，这个程序分析的日志文件数据其实是固定的，包括：

- /var/log/secure
- /var/log/messages
- /var/log/maillog

当然，还不只这些啦，包括各个主要常见的服务，如 pop3,mail,ftp,su 等会使用到 pam 的服务，都可以通过鸟哥写的这个小程序来分析与处理。整个数据还会输出一些系统信息。如果你想要使用这个程序的话，欢迎下载：

- http://linux.vbird.org/download/index.php?action=detail&fileid=69

安装的方法也很简单，只要将上述文件下载并解压缩后，就会得到一个名为 logfile 的目录，将此目录移动到/usr/local/virus/目录下并修改一下：/usr/local/virus/logfile.sh 文件，里面的 email 与相关的信息只要修改一下，你就可以使用啦。还要记得，将这个程序的执行写入/etc/crontab 当中。可以在每天的 12:10 执行这个小程序。

```
[root@www ~]# mkdir /usr/local/virus
[root@www ~]# tar -zxvf logfile-0.1-4-2.tgz -C /usr/local/virus
[root@www ~]# cd /usr/local/virus/logfile
[root@www ~]# vi logfile.sh
email="root@localhost" <==大约在 93 行，请填入你的 Email ，否则保留默认值
basedir="/usr/local/virus/logfile" <==保留默认值，除非你的执行目录不同与此！

[root@www ~]# sh logfile.sh
# 开始尝试分析系统的日志文件，依据你的日志文件大小，分析的时间不固定！

[root@www ~]# vi /etc/crontab
10 0 * * * root /usr/local/virus/logfile/logfile.sh
# 增加这一行！让系统在每天的凌晨自己进行日志文件分析！

[root@www ~]# mail
# 自己找到刚才输出的结果，该结果的输出有点像下面这样：

# 先进行程序的声明。你也可以在下面的连接找到一些错误回报！
###########################################################
欢迎使用本程序来查验你的日志文件
本程序目前版本为：Version 0.1-4-2
程序最后更新日期为：2006-09-22
若在你的系统中发现本程序有问题，欢迎与我联络！
鸟哥的首页 http://linux.vbird.org
问题回报：http://phorum.vbird.org/viewtopic.php?t=3425
###########################################################

# 先看看你的硬件与操作系统的相关情况，尤其是分区的使用量更需要随时注意！
================ 系统信息=============================
内核版本 : Linux version 2.6.18-92.el5 (mockbuild@builder16.centos.org)
CPU 信息 : Intel (R) Celeron (TM) CPU
         : 1200.062 MHz
主机名 : www.vbird.tsai
统计日期 : 2009/April/08 17:00:59 ( Wednesday )
分析的日期：Apr  8
已开机期间：7 days, 22:46,
目前主机挂载的 partitions
     Filesystem          Size  Used Avail Use% Mounted on
     /dev/hda2           9.5G  3.8G  5.3G  42% /
     /dev/hda3           4.8G  1.1G  3.5G  23% /home
     /dev/hda1            99M   21M   73M  23% /boot
     tmpfs               363M     0  363M   0% /dev/shm

# 这个程序会将针对 internet 与内部监听的端口分开来显示！
```

```
================= Ports 的相关分析信息 ========================
主机启用的 port 与相关的 process owner:
仅对本机界面开放的 ports（PID|owner|command）
     tcp 25|（root）|sendmail: accepting connections
     tcp 631|（root）|cupsd
     tcp 2207|（root）|python ./hpssd.py
     tcp 2208|（root）|./hpiod
对外部接口开放的 ports（PID|owner|command）
     tcp 22|（root）|/usr/sbin/sshd
     tcp 111|（rpc）|portmap
     tcp 737|（root）|rpc.statd
     udp 111|（rpc）|portmap
     udp 514|（root）|syslogd -m 0 -r
     udp 631|（root）|cupsd
     udp 731|（root）|rpc.statd
     udp 734|（root）|rpc.statd
     udp 5353|（avahi）|avahi-daemon: running [www.local]
     udp 32768|（avahi）|avahi-daemon: running [www.local]
     udp 32769|（avahi）|avahi-daemon: running [www.local]

# 以下针对有启动的服务进行分析!
================= SSH 的日志文件信息汇整 ========================
今日没有使用 SSH 的记录


================= Sednamil 的日志文件信息汇整 ==================
你的主机有进行 SASL 身份认证的功能

今日没有 sendmail 的相关信息


================= 全部的日志文件信息汇整 ========================
1. 重要的日志记录文件（Secure file）
   说明: 已经取消了 pop3 的信息!
Apr  8 15:46:22 www su: session opened for user vbird by root（uid=0）
Apr  8 15:47:02 www su: session closed for user vbird

2. 使用 last 这个命令输出的结果

wtmp begins Wed Apr  8 15:19:47 2009

3. 将特重要的 /var/log/messages 列出来。
   已经取消 crond 与 snmpd 的信息
Apr  8 15:19:47 www syslogd 1.4.1: restart（remote reception）.
Apr  8 15:34:25 www syslogd 1.4.1: restart（remote reception）.
```

目前鸟哥都是通过这个程序去分析自己管理的主机，然后再据以了解系统状况，如果有特殊状况则实时进行系统处理。而且鸟哥都是将上述的 Email 调整成自己可以在 Internet 上面读到的邮件，这样我每天都可以收到正确的日志文件分析信息。

19.5　重点回顾

◆　日志文件可以记录一个事件的何时、何地、何人、何事四大信息，故系统有问题时务必查询日志文件。

◆　系统的日志文件默认都集中放置到/var/log/目录内，其中又以 messages 记录的信息最多!

◆　日志文件记录的主要服务与程序为 syslogd,klogd,log。

◆　syslogd 的配置文件在/etc/syslog.conf 中，内容语法为：服务.等级记载设备或文件。

- syslogd 本身有提供日志文件服务器的功能，通过修改/etc/sysconfig/syslog 内容即可实现。
- logrotate 程序利用 crontab 来进行日志文件的轮替功能。
- logrotate 的配置文件为/etc/logrotate.conf，而额外的设置则可写入/etc/logrotate.d/*内。
- logwatch 为 CentOS 5 默认提供的一个日志文件分析软件。

19.6　本章习题

练习题

- 请在你的 CentOS 5.x 上面，依照鸟哥提供的 logfile.sh 去安装，并将结果取出分析看看。

简答题部分

- syslogd 可以作为日志文件服务器，请以 man page 的方式配合 network 关键字，查出 syslogd 需要加上什么参数就能够成为日志文件服务器。
- 如果你想要将 auth 这个服务的结果中只要信息等级高于 warn 的就发送 Email 到 root 的信箱，该如何处理？
- 启动系统注册表信息时，需要启动哪两个 daemon 呢？
- syslogd 以及 logrotate 个别通过什么机制来执行？

19.7　参考数据与扩展阅读

- 注 1：关于 console 的说明可以参考下面的链接：
http://en.wikipedia.org/wiki/Console
http://publib.boulder.ibm.com/infocenter/systems/index.jsp?topic=/com.ibm.aix.files/doc/aixfiles/console.htm

第 20 章　启动流程、模块管理
与 Loader

　　系统启动其实是一项非常复杂的程序，因为内核得先检测硬件并加载适当的驱动程序后，接下来则必须要调用程序来准备好系统运行的环境，以让用户能够顺利操作整台主机系统。如果你能够理解启动的原理，那么将有助于你在系统出问题时能够快速修复系统。而且还能够顺利配置多重操作系统的多重引导问题。为了多重引导的问题，你就不能不学学 grub 这个 Linux 下面优秀的引导装载程序（boot loader）。而在系统运行期间，你也得要学会管理内核模块呢！

20.1 Linux 的启动流程分析

开机不是只要单击电源按钮而关机只要关掉电源按钮就可以了吗？有何学问？话是这样没错，但是由于 Linux 是一套多用户、多任务的操作系统，你难保你在关机时没有人在线，如果你关机的时候碰巧一大群人在线工作，那会让当时在线工作的人马上断线的。那不是害死人了？一些数据可是无价之宝。

另外 Linux 在执行的时候，虽然你在界面上只会看到黑黑的一片，完全没有任何界面，但其实它是有很多的进程在后台下面执行的，例如日志文件管理程序、前面提到的例行性工作调度等，当然还有一大堆网络服务，如邮件服务器、WWW 服务器等。你如果随便关机的话，是很容易伤害硬盘及数据传输的操作。所以在 Linux 下关机可是一门大学问。

20.1.1 启动流程一览

既然启动是很严肃的一件事，那我们就来了解一下整个启动的过程吧！好让大家比较容易发现启动过程里面可能会发生问题的地方，以及出现问题后的解决之道。不过，由于启动的过程中，那个引导装载程序(Boot Loader)使用的软件可能不一样, 例如目前各大 Linux distributions 的主流为 grub，但早期 Linux 默认是使用 LILO，现在很多朋友喜欢使用 spfdisk。但无论如何，我们总是得要了解整个 boot loader 的工作情况，才能了解为何进行多重引导的设置时，老是听人家讲要先安装 Windows 再安装 Linux 的原因。

假设以个人计算机架设的 Linux 主机为例 (先回到第 0 章计算机概论看看相关的硬件常识)，当你按下电源按键后计算机硬件会主动读取 BIOS 来加载硬件信息及进行硬件系统的自我测试，之后系统会主动读取第一个可启动的设备 (由 BIOS 设置的)，此时就可以读入引导装载程序了。

引导装载程序可以指定使用哪个内核文件来启动，并实际加载内核到内存当中解压缩与执行，此时内核就能够开始在内存内活动，并检测所有硬件信息与加载适当的驱动程序来使这部主机开始运行，等到内核检测硬件与加载驱动程序完毕后，一个最牛的操作系统就开始在你的 PC 上面跑了。

主机系统开始运行后，此时 Linux 才会调用外部程序开始准备软件执行的环境，并且实际加载所有系统运行所需的软件程序。最后系统就会开始等待你的登录与操作。简单来说，系统启动的过程如下：

1. 加载 BIOS 的硬件信息与进行自我测试，并依据设置取得第一个可启动的设备；
2. 读取并执行第一个启动设备内 MBR 的 boot Loader（即是 grub,spfdisk 等程序）；
3. 依据 boot loader 的设置加载 Kernel，Kernel 会开始检测硬件与加载驱动程序；
4. 在硬件驱动成功后，Kernel 会主动调用 init 进程，而 init 会取得 run-level 信息；
5. init 执行/etc/rc.d/rc.sysinit 文件来准备软件执行的操作环境（如网络、时区等）；
6. init 执行 run-level 的各个服务的启动（script 方式）；
7. init 执行/etc/rc.d/rc.local 文件；
8. init 执行终端机模拟程序 mingetty 来启动 login 进程，最后就等待用户登录。

大概的流程就是上面写的那样，你会发现 init 这个家伙占的比重非常重。所以我们才会在第 17 章的 pstree 命令中谈到这家伙。那每一个程序的内容主要是在干嘛呢？下面就分别来谈一谈吧！

20.1.2 BIOS,boot loader 与 kernel 加载

我们在第 3 章曾经谈过简单的启动流程与 MBR 的功能，当时为了多重引导而进行的简短的介绍。

现在你已经有足够的 Linux 基础了，所以下面让我们来加强说明。

- ◆ BIOS,开机自我测试与 MBR
  - ● 我们在第 0 章的计算机概论就曾谈过计算机主机架构，在个人计算机架构下，你想要启动整个系统首先就得要让系统去加载 BIOS（Basic Input Output System），并通过 BIOS 程序去加载 CMOS 的信息，并且通过 CMOS 内的设置值取得主机的各项硬件配置，例如 CPU 与接口设备的通信频率、启动设备的查找顺序、硬盘的大小与类型、系统时间、各周边总线是否启动 Plugand Play（PnP,即插即用设备）、各接口设备的 I/O 地址以及与 CPU 通信的 IRQ 中断等的信息。
  - ● 在取得这些信息后，BIOS 还会进行开机自检（Power-on Self Test, POST）[注1]。然后开始执行硬件检测的初始化，并配置 PnP 设备，之后再定义出可启动的设备顺序，接下来就会开始进行启动设备的数据读取了（MBR 相关的任务开始）。
  - ● 由于我们的系统软件大多放置到硬盘中。所以 BIOS 会指定启动的设备好让我们可以读取磁盘中的操作系统内核文件。但由于不同的操作系统的文件系统格式不相同，因此我们必须要以一个引导装载程序来处理内核文件加载（load）的问题，因此这个引导装载程序就被称为 BootLoader 了。那这个 Boot Loader 程序安装在哪里呢？就在启动设备的第一个扇区（sector）内，也就是我们一直谈到的 MBR（MasterBoot Record, 主引导分区）。
  - ● 那你会不会觉得很奇怪啊？既然内核文件需要 loader 来读取，那每个操作系统的 loader 都不相同，这样的话 BIOS 又是如何读取 MBR 内的 loader 呢？很有趣的问题吧！其实 BIOS 是通过硬件的 INT 13 中断功能来读取 MBR 的，也就是说，只要 BIOS 能够检测得到你的磁盘（不论该磁盘是 SATA 还是 IDE 接口），那它就有办法通过 INT13 这条信道来读取该磁盘的第一个扇区内的 MBR[注2]。这样 boot loader 也就能够被执行。

> 我们知道每块硬盘的第一个扇区内含有 446 B 的 MBR 区域，那么如果我的主机上面有两块硬盘的话，系统会去哪块硬盘的 MBR 读取 boot loader 呢？这个就得要看 BIOS 的设置了。基本上，我们经常讲的"系统的 MBR"其实指的是第一个启动设备的 MBR 才对！所以，改天如果你要将引导装载程序安装到某块硬盘的 MBR 时，要特别注意当时系统的第一个启动设备是哪个，否则会安装到错误的硬盘上面的 MBR。尤其重要！

- ◆ Boot Loader 的功能
  - ● 刚才说到 Loader 的最主要功能是要认识操作系统的文件格式并据以加载内核到内存中去执行。由于不同操作系统的文件格式不一致，因此每种操作系统都有自己的 boot loader。用自己的 loader 才有办法载入内核文件。那问题就来啦，你应该有听说过多操作系统吧？也就是在一台主机上面安装多种不同的操作系统。既然你必须要使用自己的 loader 才能够加载属于自己的操作系统内核，而系统的 MBR 只有一个，那你怎么会有办法同时在一部主机上面安装 Windows 与 Linux 呢？
  - ● 这就得要回到第 8 章的磁盘文件系统去回忆一下文件系统功能了。其实每个文件系统（filesystem,或者是 partition）都会保留一块引导扇区（boot sector）提供操作系统安装 boot loader,而通常操作系统默认都会安装一份 loader 到它根目录所在的文件系统的 boot sector 上。如果我们在一台主机上面安装 Windows 与 Linux 后，该 boot sector,boot loader 与 MBR 的相关性会有点如图 20-1 所示。
  - ● 如图 20-1 所示，每个操作系统默认是会安装一套 boot loader 到它自己的文件系统中（就是每个文件系统左下角的方框），而在 Linux 系统安装时，你可以选择将 boot loader 安装到 MBR 去,也可以选择不安装。如果选择安装到 MBR 的话，那理论上你在 MBR 与 boot sector

都会保有一份 boot loader 程序。至于 Windows 安装时，它默认会主动将 MBR 与 boot sector 都装上一份 boot loader。所以，你会发现安装多重操作系统时，你的 MBR 经常会被不同的操作系统的 boot loader 所覆盖。

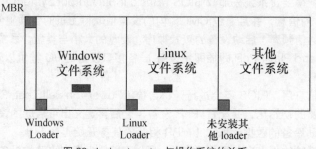

图 20-1　boot sector 与操作系统的关系

- 我们刚才提到的两个问题还是没有解决啊！虽然各个操作系统都可以安装一份 boot loader 到它们的 boot sector 中，这样操作系统可以通过自己的 boot loader 来加载内核了。问题是系统的 MBR 只有一个。你要怎么执行 boot sector 里面的 loader 啊？这个我们得要回忆一下第 3 章提过的 boot loader 的功能了。boot loader 主要的功能如下。
  - 提供菜单：用户可以选择不同的启动选项，这也是多重引导的重要功能！
  - 加载内核文件：直接指向可启动的程序区段来开始操作系统。
  - 转交其他 loader：将引导装载功能转交给其他 loader 负责。
- 由于具有菜单功能，因此我们可以选择不同的内核来启动。而由于具有控制权转交的功能，因此我们可以加载其他 boot sector 内的 loader。不过 Windows 的 loader 默认不具有控制权转交的功能，因此你不能使用 Windows 的 loader 来加载 Linux 的 loader。这也是为什么第 3 章谈到 MBR 与多重引导时，会特别强调先装 Windows 再装 Linux 的缘故。我们将上述的 3 个功能以图 20-2 来解释你就看得懂了！（与第 3 章的图示也非常类似。）

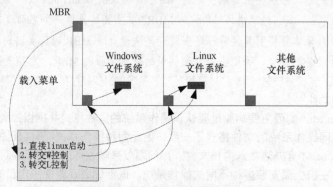

图 20-2　引导装载程序的菜单功能与控制权转交功能示意图

- 如图 20-1 所示，我的 MBR 使用 Linux 的 grub 这个引导装载程序，并且里面假设已经有了 3 个菜单，第一个菜单可以直接指向 Linux 的内核文件并且直接加载内核来启动；第二个菜单可以将引导装载程控权交给 Windows 来管理，此时 Windows 的 loader 会接管启动流程，这个时候它就能够启动 Windows 了。第三个菜单则是使用 Linux 在 boot sector 内的引导装载程序，此时就会跳出另一个 grub 的菜单。
- 而最终 boot loader 的功能就是加载 kernel 文件。
- 加载内核检测硬件与 initrd 的功能
  - 当我们通过 boot loader 的管理而开始读取内核文件后，接下来，Linux 就会将内核解压缩到内存当中，并且利用内核的功能，开始测试与驱动各个周边设备，包括存储设备、CPU、网卡、声卡等。此时 Linux 内核会以自己的功能重新检测一次硬件，而不一定会使用 BIOS 检测到的硬件信息。也就是说，内核此时才开始接管 BIOS 后的工作了。那么内核文件在哪里啊？一般来说，它会被放置到/boot 里面，并且取名为/boot/vmlinuz 才对！

```
[root@www~]# ls --format=single-column -F /boot
config-2.6.18-92.el5       <==此版本内核被编译时选择的功能与模块配置文件
grub/                      <==就是引导装载程序 grub 相关数据目录
initrd-2.6.18-92.el5.img   <==虚拟文件系统文件
System.map-2.6.18-92.el5   <==内核功能放置到内存地址的对应表
vmlinuz-2.6.18-92.el5      <==就是内核文件。非常重要！
```

- 从上面我们也可以知道此版本的 Linux 内核为 2.6.18-92.el5 这个版本。为了硬件开发商与其他内核功能开发者的便利，因此 Linux 内核是可以通过动态加载内核模块的（就请想成驱动程序即可），这些内核模块就放置在/lib/modules/目录内。由于模块放置到磁盘根目录内（要记得/lib 不可以与/分别放在不同的分区），因此在启动的过程中内核必须要挂载根目录，这样才能够读取内核模块提供加载驱动程序的功能，而且为了担心影响到磁盘内的文件系统，因此启动过程中根目录是以只读的方式来挂载。

- 一般来说，非必要的功能且可以编译成为模块的内核功能，目前的 Linux distributions 都会将它编译成为模块。因此 USB,SATA,SCSI 等磁盘设备的驱动程序通常都是以模块的方式来存在的。现在来思考一种情况，假设你的 linux 是安装在 SATA 磁盘上面的，你可以通过 BIOS 的 INT13 取得 boot loader 与 kernel 文件来启动，然后 kernel 会开始接管系统并且检测硬件及尝试挂载根目录来取得额外的驱动程序。

- 问题是，内核根本不认识 SATA 磁盘，所以需要加载 SATA 磁盘的驱动程序，否则根本就无法挂载根目录。但是 SATA 的驱动程序在/lib/modules 内，你根本无法挂载根目录，又怎么读取到/lib/modules/内的驱动程序？是吧！非常两难吧？在这个情况之下，你的 Linux 是无法顺利启动的！那怎办？没关系，我们可以通过虚拟文件系统来处理这个问题。

- 虚拟文件系统（InitialRAM Disk）一般使用的文件名为/boot/initrd，这个文件的特色是，它也能够通过 boot loader 来加载到内存中，然后这个文件会被解压缩并且在内存当中仿真成一个根目录，且此仿真在内存当中的文件系统能够提供一个可执行的程序，通过该程序来加载启动过程中所最需要的内核模块，通常这些模块就是 USB, RAID, LVM, SCSI 等文件系统与磁盘接口的驱动程序。等载入完成后，会帮助内核重新调用 /sbin/init 来开始后续的正常启动流程。

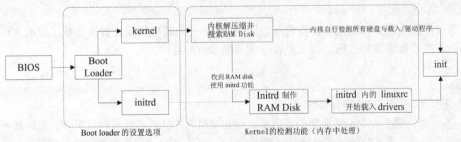

图 20-3　BIOS 与 boot loader 及内核加载流程示意图

- 如图 20-3 所示，Boot Loader 可以加载 kernel 与 initrd，然后在内存中让 initrd 解压缩成为根目录，kernel 就能够借此加载适当的驱动程序，最终释放虚拟文件系统，并挂载实际的根目录文件系统，就能够开始后续的正常启动流程。更详细的 initrd 说明，你可以自行使用 maninitrd 去查阅看看。下面让我们来了解一下 CentOS 5.x 的 initrd 文件内容有什么吧！

```
#1. 先将 /boot/initrd 复制到 /tmp/initrd 目录中，等待解压缩：
[root@www ~]# mkdir /tmp/initrd
[root@www ~]# cp /boot/initrd-2.6.18-92.el5.img /tmp/initrd/
[root@www ~]# cd /tmp/initrd
[root@www initrd]# file initrd-2.6.18-92.el5.img
initrd-2.6.18-92.el5.img: gzip compressed data, ...
# 原来是 gzip 的压缩文件！因为是 gzip ，所以扩展名给它改成 .gz 吧！

# 2. 将上述的文件解压缩：
[root@www initrd]# mv initrd-2.6.18-92.el5.img initrd-2.6.18-92.el5.gz
[root@www initrd]# gzip -d initrd-2.6.18-92.el5.gz
[root@www initrd]# file initrd-2.6.18-92.el5
initrd-2.6.18-92.el5: ASCII cpio archive （SVR4 with no CRC）
# 搞了老半天，原来还是 cpio 的命令压缩成的文件。解压缩看看！

# 3. 用 cpio 解压缩
[root@www initrd]# cpio -ivcdu < initrd-2.6.18-92.el5
[root@www initrd]# ll
drwx------  2 root root    4096 Apr 10 02:05 bin
drwx------  3 root root    4096 Apr 10 02:05 dev
drwx------  2 root root    4096 Apr 10 02:05 etc
-rwx------  1 root root    1888 Apr 10 02:05 init
-rw-------  1 root root 5408768 Apr 10 02:00 initrd-2.6.18-92.el5
drwx------  3 root root    4096 Apr 10 02:05 lib
drwx------  2 root root    4096 Apr 10 02:05 proc
lrwxrwxrwx  1 root root       3 Apr 10 02:05 sbin -> bin
drwx------  2 root root    4096 Apr 10 02:05 sys
drwx------  2 root root    4096 Apr 10 02:05 sysroot
# 看! 是否很像根目录？尤其也是有 init 这个执行文件。务必看一下权限！
# 接下来看看 init 这个文件内有什么。

# 4. 查看 init 文件内较重要的执行选项
[root@www initrd]# cat init
#!/bin/nash                 <==使用类似 bash 的 shell 来执行
mount -t proc /proc /proc   <==挂载内存的虚拟文件系统
...（中间省略）...
echo Creating initial device nodes
mknod /dev/null c 1 3       <==新建系统所需要的各项设备！
...（中间省略）...
echo "Loading ehci-hcd.ko module"
insmod /lib/ehci-hcd.ko     <==加载各项内核模块，就是驱动程序！
...（中间省略）...
echo Creating root device.
mkrootdev -t ext3 -o defaults,ro hdc2 <==尝试挂载根目录啦！
...（下面省略）...
```

- 通过上述执行文件的内容，我们可以知道 initrd 有加载模块并且尝试挂载了虚拟文件系统。接下来就能够顺利运行。那么是否一定需要 initrd 呢？

例题

是否没有 initrd 就无法顺利启动？

答：不见得，需要 initrd 最重要的原因是，当启动时无法挂载根目录的情况下，此时就一定需要 initrd，例如你的根目录在特殊的磁盘接口（USB, SATA, SCSI）中，或者是你的文件系统较为特殊（LVM, RAID 等），才会需要 initrd。

如果你的 Linux 是安装在 IDE 接口的磁盘上，并且使用默认的 ext2/ext3 文件系统，那么不需要 initrd 也能够顺利启动进入 Linux 的！

在内核完整加载后，你的主机应该就开始正确运行了，接下来，就是要开始执行系统的第一个程序：/sbin/init。

20.1.3　第一个进程 init 及配置文件/etc/inittab 与 runlevel

在内核加载完毕进行完硬件检测与驱动程序加载后，此时你的主机硬件应该已经准备就绪了
（ready），此时内核会主动调用第一个进程，那就是/sbin/init。这也是为什么第 17 章介绍 pstree 命令
时，你会发现 init 的 PID 号码是 1 号。/sbin/init 最主要的功能就是准备软件执行的环境，包括系统的
主机名、网络设置、语系处理、文件系统格式及其他服务的启动等。而所有的操作都会通过 init 的配
置文件，即是/etc/inittab 来规划，而 inittab 内还有一个很重要的设置选项，那就是默认的 run level（启
动执行等级）。

- ◆ run level：执行等级
  - ● 那么什么是 run level 呢？它有什么功能啊？其实很简单，Linux 就是通过设置 run level 来
    规定系统使用不同的服务来启动，让 Linux 的使用环境不同。基本上，依据有无网络与有无
    X Window 而将 run level 分为 7 个等级，分别是：
    - ■ 0 - halt　（系统直接关机）；
    - ■ 1 - single user mode（单用户维护模式，用在系统出问题时的维护）；
    - ■ 2 - Multi-user, without NFS（类似下面的 runlevel3，但无 NFS 服务）；
    - ■ 3 - Full multi-user mode（完整含有网络功能的纯文本模式）；
    - ■ 4 - unused（系统保留功能）；
    - ■ 5 - X11（与 runlevel 3 类似，但加载使用 X Window）；
    - ■ 6 - reboot（重新启动）。
  - ● 由于 runlevel 0/4/6 不是关机、重新启动就是系统保留的，所以你当然不能将默认的 run level
    设置为这三个值"，否则系统就会不断自动关机或自动重新启动。好了，那么我们启动时，
    到底是如何取得系统的 run level 的？当然是/etc/inittab 所设置的。那么/etc/inittab 到底有
    什么信息呢？我们先来看看这个文件的内容好了：
- ◆ /etc/inittab 的内容与语法

```
[root@www ~]# vim /etc/inittab
id:5:initdefault:                  <==默认的 run level 设置, 此 run level 为 5

si::sysinit:/etc/rc.d/rc.sysinit  <==准备系统软件执行的环境的脚本执行文件

# 7 个不同 run level 的, 需要启动的服务的 script 放置路径:
l0:0:wait:/etc/rc.d/rc 0    <==runlevel 0 在 /etc/rc.d/rc0.d/
l1:1:wait:/etc/rc.d/rc 1    <==runlevel 1 在 /etc/rc.d/rc1.d/
l2:2:wait:/etc/rc.d/rc 2    <==runlevel 2 在 /etc/rc.d/rc2.d/
l3:3:wait:/etc/rc.d/rc 3    <==runlevel 3 在 /etc/rc.d/rc3.d/
l4:4:wait:/etc/rc.d/rc 4    <==runlevel 4 在 /etc/rc.d/rc4.d/
l5:5:wait:/etc/rc.d/rc 5    <==runlevel 5 在 /etc/rc.d/rc5.d/
l6:6:wait:/etc/rc.d/rc 6    <==runlevel 6 在 /etc/rc.d/rc6.d/

# 是否允许按下 [ctrl]+[alt]+[del] 就重新启动的设置选项:
ca::ctrlaltdel:/sbin/shutdown -t3 -r now

# 下面两个设置则是关于不断电系统的 (UPS), 一个是没电时的关机, 一个是复电的处理
pf::powerfail:/sbin/shutdown -f -h +2 "Power Failure; System Shutting Down"
pr:12345:powerokwait:/sbin/shutdown -c "Power Restored; Shutdown Cancelled"

1:2345:respawn:/sbin/mingetty tty1  <==其实 tty1~tty6 是由这六行决定的。
2:2345:respawn:/sbin/mingetty tty2
3:2345:respawn:/sbin/mingetty tty3
4:2345:respawn:/sbin/mingetty tty4
5:2345:respawn:/sbin/mingetty tty5
6:2345:respawn:/sbin/mingetty tty6
```

```
x:5:respawn:/etc/X11/prefdm -nodaemon <==X window 则是这行决定的!
```

- 让我们解析一下这个文件。首先，这个文件的语法是利用冒号（:）将设置分隔成为四个字段，每个字段的意义与说明如下：

```
[设置选项]:[run level]:[init 的操作行为]:[命令选项]
```

1. 设置选项：最多四个字符，代表 init 的主要工作选项，只是一个简单的代表说明。
2. run level：该选项在哪些 run level 下面进行的意思。如果是 35 则代表 runlevel 3/5 都会执行。
3. init 的操作行为：主要可以进行的操作选项意义如表 20-1 所示。

表 20-1

inittab 设置值	意 义 说 明
initdefault	代表默认的 runlevel 设置值
sysinit	代表系统初始化的操作选项
ctrlaltdel	代表[ctrl]+[alt]+[del]三个按键是否可以重新启动的设置
wait	代表后面字段设置的命令项目必须要执行完毕才能继续下面其他的操作
respawn	代表后面字段的命令可以无限制的再生（重新启动）。举例来说，tty1 的 mingetty 产生的可登录界面，在你注销而结束后，系统会再开一个新的可登录界面等待下一个登录

更多的设置项目请参考 man inittab 的说明。

4. 命令选项：即应该可以进行的命令，通常是一些 script。

- init 的处理流程
  - 事实上/etc/inittab 的设置也有点类似 shell script，因为该文件内容的设置也是一行一行从上往下处理的，因此我们可以知道 CentOS 的 init 依据 inittab 设置的处理流程会是：
1. 先取得 runlevel 即默认执行等级的相关等级（以鸟哥的测试机为例，为 5 号）；
2. 使用/etc/rc.d/rc.sysinit 进行系统初始化；
3. 由于 runlevel 是 5，因此只进行 "5:5:wait:/etc/rc.d/rc5"，其他行则略过；
4. 设置好[ctrl]+[alt]+[del]这组的组合键功能；
5. 设置不断电系统的 pf、pr 两种机制；
6. 启动 mingetty 的 6 个终端机（tty1 ~ tty6）；
7. 最终以/etc/X11/perfdm –nodaemon 启动图形界面！

  - 现在你可以知道为啥[ctrl]+[alt]+[del]可以重新启动而我们默认提供 6 个虚拟终端机（tty1~tty6）给你使用了。由于整个设置都是依据/etc/inittab 来决定的，因此如果你想要修改任何细节的话，可以这样做：
    - 如果不想让用户利用[crtl]+[alt]+[del]来重新启动系统，可以将 "ca::ctrlaltdel:/ sbin/shutdown –t3 –r now" 加上批注（#）来取消该设置。
    - 规定启动的默认 run level 是纯文本的 3 号或者是具有图形界面的 5 号，可经由 "id:5:initdefault:" 那个数字来决定！以鸟哥自己这个文件为例，我是使用默认的图形界面。如果你想要关闭图形界面的话，将该行 5 改成 3 即可。
    - 如果不想要启动 6 个终端机（tty1~tty6），那么可以将 "6:2345:respawn:/ sbin/mingetty tty6" 关闭多个。但务必至少激活一个。
  - 所以说，你现在会自行修改登录时的默认 run level 设置值了吗？够简单吧？一般来说，我们默认都是 3 或者是 5 来作为默认的 run level 的。但有时后可能需要进入 run level 1，也就是单用户维护模式的环境当中。这个 run level 1 有点像是 Windows 系统当中的 "安全模式"，专门用来处理当系统有问题时的操作环境。此外，当系统发现有问题时，举例来说，不正常关机造成文件系统的不一致现象时，系统会主动进入单用户维护模式呢！

● 好了，init 在取得 run level 之后，接下来要干嘛？上面/etc/inittab 文件内容不是有提到 sysinit 吗？准备初始化系统了吧！

20.1.4　init 处理系统初始化流程（/etc/rc.d/rc.sysinit）

还记得上面提到 /etc/inittab 里头有这一句"si::sysinit:/etc/rc.d/rc.sysinit"吧？这表示：开始加载各项系统服务之前，得先设置好整个系统环境，主要利用/etc/rc.d/rc.sysinit 这个 shell script 来设置好我的系统环境的。够清楚了吧？所以，我想要知道到底 CentOS 启动的过程当中帮我进行了什么操作，就得要仔细分析/etc/rc.d/rc.sysinit。

> 老实说，这个文件的文件名在不同的 distributions 当中都不相同，例如 SuSE Server 9 就使用 /etc/init.d/boot 与 /etc/init.d/rc 来进行的。所以，你最好还是自行到 /etc/inittab 去查看一下系统的工作。

如果你使用 vim 去查阅过/etc/rc.d/rc.sysinit 的话，那么可以发现主要的工作大抵有这几项：

1. 取得网络环境与主机类型：
读取网络配置文件/etc/sysconfig/network，取得主机名与默认网关（gateway）等网络环境。

2. 测试与挂载内存设备/proc 及 USB 设备/sys：
除挂载内存设备/proc 之外，还会主动检测系统上是否具有 usb 的设备，若有则会主动加载 usb 的驱动程序，并且尝试挂载 usb 的文件系统。

3. 决定是否启动 SELinux：
我们在第 17 章谈到的 SELinux 在此时进行一些检测，并且检测是否需要帮所有的文件重新编写标准的 SELinux 类型（autorelabel）。

4. 启动系统的随机数生成器
随机数生成器可以帮助系统进行一些密码加密演算的功能，在此需要启动两次随机数生成器。

5. 设置终端机（console）字体。

6. 设置显示于启动过程中的欢迎界面（textbanner）。

7. 设置系统时间（clock） 与时区设置：需读入/etc/sysconfig/clock 设置值。

8. 接口设备的检测与 Plug and Play（PnP）参数的测试：
根据内核在启动时检测的结果（/proc/sys/kernel/modprobe）开始进行 ide/scsi/网络/音效等接口设备的检测，以及利用以加载的内核模块进行 PnP 设备的参数测试。

9. 用户自定义模块的加载：
用户可以在/etc/sysconfig/modules/*.modules 中加入自定义的模块,则此时会被加载到系统当中。

10. 加载内核的相关设置：
系统会主动去读取/etc/sysctl.conf 这个文件的设置值，使内核功能成为我们想要的样子。

11. 设置主机名与初始化电源管理模块（ACPI）。

12. 初始化软件磁盘阵列：主要是通过/etc/mdadm.conf 来设置好的。

13. 初始化 LVM 的文件系统功能。

14. 以 fsck 检验磁盘文件系统：会进行 filesystem check。

15. 进行磁盘配额 quota 的转换（非必要）。

16. 重新以可读写模式挂载系统磁盘。

17. 启动 quota 功能：所以我们不需要自定义 quotaon 的操作。
18. 启动系统伪随机数生成器（pseudo-random）。
19. 清除启动过程当中的临时文件。
20. 将启动相关信息加载/var/log/dmesg 文件中。

在/etc/rc.d/rc.sysinit 中将基本的系统设置数据都写好了，也将系统的数据设置完整！而如果你想要知道到底启动的过程中发生了什么事情呢？那么就执行"dmesg"吧。另外，基本上，在这个文件当中所进行的很多工作的默认配置文件其实都在/etc/sysconfig/当中呢！所以，请记得将/etc/sysconfig/内的文件好好瞧一瞧。

在这个过程当中，比较值得注意的是自定义模块的加载！在 CentOS 当中，如果我们想要加载内核模块的话，可以将整个模块写入到/etc/sysconfig/modules/*.modules 当中，在该目录下，只要记得文件名最后是以.modules 结尾即可。这个过程是非必要的，因为我们目前的默认模块实在已经很够用了，除非是你的主机硬件实在太新了，非要自己加载新的模块不可，否则，在经过/etc/rc.d/rc.sysinit 的处理后，你的主机系统应该是已经跑得很顺畅了，就等着你将系统相关的服务与网络服务启动。

20.1.5 启动系统服务与相关启动配置文件(/etc/rc.d/rc N & /etc/sysconfig)

加载内核让整个系统准备接受命令来工作，再经过 /etc/rc.d/rc.sysinit 的系统模块与相关硬件信息的初始化后，你的 CentOS 系统应该已经顺利工作了。只是，我们还得要启动系统所需要的各项服务啊！这样主机才能提供我们相关的网络或者是主机功能。这个时候，依据我们在/etc/inittab 里面提到的 run level 设置值，就可以来决定启动的服务选项了。举例来说，使用 run level 3 当然就不需要启动 X Window 的相关服务，你说是吧？

那么各个不同的 run level 服务启动的各个 shell script 放在哪？还记得/etc/inittab 里面提到的：

```
l0:0:wait:/etc/rc.d/rc 0
l1:1:wait:/etc/rc.d/rc 1
l2:2:wait:/etc/rc.d/rc 2
l3:3:wait:/etc/rc.d/rc 3
l4:4:wait:/etc/rc.d/rc 4
l5:5:wait:/etc/rc.d/rc 5   <==本例中，以此选项来解释
l6:6:wait:/etc/rc.d/rc 6
```

上面提到的就是各个 run level 要执行的各项脚本放置处。主要是通过/etc/rc.d/rc 这个命令来处理相关任务。由于鸟哥使用默认的 run level 5，因此我们主要针对上述特殊字体那行来解释好了：/etc/rc.d/rc5 的意义是这样的:(建议你自行使用 vim 去查看一下/etc/rc.d/rc 这个文件,你会更有概念！)

◆ 通过外部第一号参数（$1）来取得想要执行的脚本目录，即由/etc/rc.d/rc 5 可以取得/etc/rc5.d/这个目录来准备处理相关的脚本程序；
◆ 找到/etc/rc5.d/K??*开头的文件，并进行" /etc/rc5.d/K??*stop"的操作；
◆ 找到/etc/rc5.d/S??*开头的文件，并进行"/etc/rc5.d/S??*start"的操作。

通过上面的说明我们可以知道所有的选项都与/etc/rc5.d/有关,那么我们就来瞧瞧这个目录下有些什么吧！

```
[root@www ~]# ll /etc/rc5.d/
lrwxrwxrwx 1 root root 16 Sep 4 2008 K02dhcdbd -> ../init.d/dhcdbd
...（中间省略）...
lrwxrwxrwx 1 root root 14 Sep 4 2008 K91capi -> ../init.d/capi
lrwxrwxrwx 1 root root 23 Sep 4 2008 S00microcode ctl -> ../init.d/microcode ctl
lrwxrwxrwx 1 root root 22 Sep 4 2008 S02lvm2-monitor -> ../init.d/lvm2-monitor
...（中间省略）...
lrwxrwxrwx 1 root root 17 Sep 4 2008 S10network -> ../init.d/network
...（中间省略）...
lrwxrwxrwx 1 root root 11 Sep 4 2008 S99local -> ../rc.local
```

```
lrwxrwxrwx 1 root root 16 Sep  4 2008 S99smartd -> ../init.d/smartd
....（下面省略）....
```

在这个目录下的文件很有趣，主要具有几个特点：

◆　文件名全部以 Sxx 或 Kxx 开头，其中 xx 为数字，且这些数字在文件之间是有相关性的！
◆　全部是连接文件，连接到 stand alone 服务启动的目录/etc/init.d/去。

我们在第 18 章谈过服务的启动主要是以/etc/init.d/服务文件名{start,stop}来启动与关闭的，那么通过刚才/etc/rc.d/rc 程序的解说，我们可以清楚地了解到/etc/rc5.d/[SK]xx 其实就是跑到/etc/init.d/去找到相对应的服务脚本，然后分别进行 start（Sxx）或 stop（Kxx）的操作而已。举例来说，以上述的 K91capi 及 S10network 为例好了，通过/etc/rc.d/rc5 的执行，这两个文件会这样进行：

◆　/etc/rc5.d/K91capistop-->/etc/init.d/capistop
◆　/etc/rc5.d/S10networkstart-->/etc/init.d/networkstart

所以说，你有想要启动该 runlevel 时就执行的服务，那么利用 Sxx 并指向/etc/init.d/的特定服务启动脚本后，该服务就能够在启动时启动。就这么简单！问题是，你需要自行处理这个 K,S 开头的连接文件吗？并不需要的，第 18 章谈到的 chkconfig 就是在负责处理这个连接文件啦！这样有没有跟第 18 章的概念混在一起了呢？

那么为什么 K 与 S 后面要有数字呢？因为各个不同的服务其实还是互有关系的。举例来说，如果要启动 WWW 服务，总是得要有网络吧？所以/etc/init.d/network 就会比较先被启动。那么你就会知道在 S 或者是 K 后面接的数字是啥意思了吧？那就是执行的顺序啦！那么哪个文件被最后执行呢？看到最后一个被执行的选项是什么？没错，就是 S99local，即是/etc/rc.d/rc.local 这个文件啦！

20.1.6　用户自定义开机启动程序（/etc/rc.d/rc.local）

在完成默认 runlevel 指定的各项服务的启动后，如果我还有其他的操作想要完成时，举例来说，我还想要寄一封 mail 给某个系统管理账号，通知他系统刚才重新启动完毕，那么是否应该要制作一个 shell script 放置在/etc/init.d/里面，然后再以连接方式连接到/etc/rc5.d/里面呢？当然不需要！还记得上一小节提到的/etc/rc.d/rc.local 吧？这个文件就可以执行你自己想要执行的系统命令了。

也就是说，我有任何想要在启动时就进行的工作时，直接将它写入/etc/rc.d/rc.local，那么该工作就会在启动的时候自动被加载。而不必等我们登录系统去启动呢！一般来说，鸟哥就很喜欢把自己制作的 shell script 完整文件名写入/etc/rc.d/rc.local，如此一来，启动就会执行我的 shell script，真是好棒啊！

20.1.7　根据/etc/inittab 的设置加载终端机或 X Window 界面

在完成了系统所有服务的启动后，接下来 Linux 就会启动终端机或者是 X Window 来等待用户登录。实际参考的选项是/etc/inittab 内的这一段：

```
1:2345:respawn:/sbin/mingetty tty1
2:2345:respawn:/sbin/mingetty tty2
3:2345:respawn:/sbin/mingetty tty3
4:2345:respawn:/sbin/mingetty tty4
5:2345:respawn:/sbin/mingetty tty5
6:2345:respawn:/sbin/mingetty tty6
x:5:respawn:/etc/X11/prefdm -nodaemon
```

这一段代表在 run level 2/3/4/5 时，都会执行/sbin/mingetty，而且执行 6 个，这也是为何我们 Linux 会提供 6 个纯文本终端机的设置所在，因为 mingetty 就是在启动终端机的命令。

要注意的是那个 respawn 的 init 操作选项，它代表当后面的命令被终止（terminal）时，init 会主动重新启动该选项。这也是为何我们登录 tty1 终端机接口后，以 exit 离开后，系统还是会重新显示等待用户输入的界面的原因。

如果改天你不想要有 6 个终端机时，可以取消某些终端机接口吗？当然可以。就将上面的某些项目批注掉即可！例如不想要 tty5 与 tty6，就将那两行批注，则下次重新启动后，你的 Linux 就只剩下 F1~F4 有效而已，这样说，可以了解吧！

至于如果我们使用的是 run level 5 呢？那么除了这 6 个终端机之外，init 还会执行/etc/X11/prefdm-nodaemon 那个命令。该命令我们会在第 24 章、X Window 再来详谈！它主要的功能就是启动 X Window。

20.1.8 启动过程会用到的主要配置文件

我们在/sbin/init 的运行过程中有谈到许多执行脚本，包括/etc/rc.d/rc.sysinit 以及/etc/rc.d/rc 等，其实这些脚本都会使用到相当多的系统配置文件，这些启动过程会用到的配置文件则大多放置在/etc/sysconfig/目录下。同时，由于内核还是需要加载一些驱动程序（内核模块），此时系统自定义的设备与模块对应文件（/etc/modprobe.conf）就显得挺重要了。

◆ **关于模块：/etc/modprobe.conf**
- 还记得我们在/etc/rc.d/rc.sysinit 当中谈到的加载用户自定义模块的地方吗？就是在/etc/sysconfig/modules/目录下。虽然内核提供的默认模块已经很足够我们使用了，但是，某些条件下我们还是得对模块进行一些参数的规划，此时就得要使用到/etc/modprobe.conf。举例来说，鸟哥的 CentOS 主机的 modprobe.conf 有点像这样：

```
[root@www ~]# cat /etc/modprobe.conf
alias eth0 8139too              <==让 eth0 使用 8139too 的模块
alias scsi_hostadapter pata_sis
alias snd-card-0 snd-trident
options snd-card-0 index=0      <==额外指定 snd-card-0 的参数功能
options snd-trident index=0
```

- 这个文件大多在于指定系统内的硬件所使用的模块。这个文件通常系统是可以自行产生的，所以你不必手动去处理它！不过，如果系统检测到错误的驱动程序，或者是你想要使用更新的驱动程序来对应相关的硬件配备时，你就得要自行手动处理一下这个文件了。
- 以上面的第一行为例，鸟哥使用（Realtek 的芯片组）来作为我的网卡，使用的模块就是 8139too。这样看得懂了吧？当我要启动网卡时，系统会跑到这个文件来查阅一下，然后加载 8139too 驱动程序来驱动网卡。更多的相关说明请 man modprobe.conf。

◆ **/etc/sysconfig/***
- 不说你也知道，整个启动的过程当中，老是读取的一些服务的相关配置文件都是记录在/etc/sysconfig 目录下的！那么该目录下面有些什么呢？我们找几个重要的文件来谈谈：
  - **authconfig**
- 这个文件主要设置用户的身份认证的机制，包括是否使用本机的/etc/passwd,/etc/shadow 等，以及/etc/shadow 密码记录使用何种加密算法，还有是否使用外部密码服务器提供的账号验证（NIS, LDAP）等。系统默认使用 MD5 加密算法，并且不使用外部的身份验证机制。
  - **clock**
- 此文件用于设置 Linux 主机的时区，可以使用格林威治时间（GMT），也可以使用北京的本地时间（local）。基本上，在 clock 文件内的设置选项"**ZONE**"所参考的时区位于/usr/share/**zoneinfo** 目录下的相对路径中，而且要修改时区的话，还得将/usr/share/zoneinfo/Asia/

Shanghai 这个文件复制成为/etc/localtime 才行！

- **i18n**
- i18n 用于设置一些语系的使用方面，例如最麻烦的命令行界面下的日期显示问题！如果你是以中文安装的，那么默认语系会被选择 zh_CN.UTF8，所以在命令行界面下，你的文件日期显示可能就会呈现乱码！这个时候就需要更改一下这里。改动这个 i18n 的文件，将里面的 LC_TIME 改成 en 即可！

- **keyboard & mouse**
- keyboard 与 mouse 就是设置键盘与鼠标的形式。

- **network**
- network 可以设置是否要启动网络，以及设置主机名还有网关（GATEWAY）这两个重要信息呢！

- **network-scripts/**
- 至于 network-scripts 里面的文件，则是主要用于设置网卡。这部分我们在服务器架设篇才会提到！

总而言之，一句话，这个目录下的文件很重要的。启动过程里面经常会读取到的！

20.1.9 Run level 的切换

在我们完成上面的所有信息后，其实整个 Linux 主机就已经在等待我们用户的登录。但是，相信你应该还是会有一点疑问的地方，那就是：“我该如何切换 run level 呢？会不会很难啊？”不会啦！很简单。但是依据执行的时间而有不同的方式啊！

事实上，与 run level 有关的启动其实是在/etc/rc.d/rc.sysinit 执行完毕之后。也就是说，其实 run level 的不同仅是/etc/rc[0-6].d 里面启动的服务不同而已。不过，依据启动是否自动进入不同 run level 的设置，我们可以说：

1. 要每次启动都执行某个默认的 run level，则需要修改/etc/inittab 内的设置选项，即是 "id:5:initdefault:"里头的数字；
2. 如果仅只是暂时更改系统的 run level 时，则使用 init[0-6]来进行 run level 的更改，但下次重新启动时，依旧会是以 /etc/inittab 的设置为准。

假设原本我们是以 run level 5 登录系统的，但是因为某些因素，想要切换成为 run level 3 时，该怎么办呢？很简单，执行 "init3" 即可切换。但是 init3 这个操作到底做了什么呢？我们不是说了吗？事实上，不同的 run level 只是加载的服务不同罢了，即是/etc/rc5.d/还有/etc/rc3.d 内的 Sxxname 与 Kxxname 有差异而已。所以说，当执行 init3 时，系统会：

- 先比较/etc/rc3.d/及/etc/rc5.d 内的 K 与 S 开头的文件；
- 在新的 run level 即是/etc/rc3.d/内有多的 K 开头文件，则予以关闭；
- 在新的 run level 即是/etc/rc3.d/内有多的 S 开头文件，则予以启动。

也就是说，两个 run level 都存在的服务就不会被关闭啦！如此一来，就很容易切换 run level 了，而且还不需要重新启动呢！真方便！那我怎么知道目前的 run level 是多少呢？直接在 bash 当中输入 run level 即可。

```
[root@www ~]# runlevel
N 5
# 左边代表前一个 runlevel，右边代表目前的 runlevel。
# 由于之前并没有切换过 runlevel，因此前一个 runlevel 不存在（N）

# 将目前的 runlevel 切换成为 3（注意，tty7 的数据会消失！）
[root@www ~]# init 3
NIT: Sending processes the TERM signal
```

```
Applying Intel CPU microcode update:            [  OK  ]
Starting background readahead:                  [  OK  ]
Starting irqbalance:                         [  OK  ]
Starting httpd:                            [  OK  ]
Starting anacron:                            [  OK  ]
# 这代表新的 runlevel（即是 runlevel 3）比前一个 runlevel 多出了上述 5 个服务

[root@www ~]# runlevel
5 3
# 看吧！前一个是 runlevel 5，目前的是 runlevel 3．
```

那么你能不能利用 init 来进行关机与重新启动呢？可以的。利用"init 0"就能够关机，而"init 6"就能够重新启动！为什么？往前翻一下 runlevel 的定义即可了解吧！

20.2　内核与内核模块

谈完了整个启动的流程，你应该会知道，在整个启动的过程当中，是否能够成功驱动我们主机的硬件配备是内核（kernel）的工作。而内核一般都是压缩文件，因此在使用内核之前，就得要将它解压缩后才能加载内存当中。

另外，为了应付日新月异的硬件，目前的内核都是具有可读取模块化驱动程序的功能，即所谓的 "modules"（模块化）的功能。所谓的模块化可以将它想成是一个"插件"，该插件可能由硬件开发厂商提供，也有可能我们的内核本来就支持。不过，较新的硬件通常都需要硬件开发商提供驱动程序模块。

那么内核与内核模块放在哪？

◆　内核：/boot/vmlinuz 或 /boot/vmlinuz–version；
◆　内核解压缩所需 RAMDisk：/boot/initrd（/boot/initrd–version）；
◆　内核模块：/lib/modules/version/kernel 或 /lib/modules/$（uname–r）/kernel；
◆　内核源码：/usr/src/linux 或 /usr/src/kernels（要安装才会有！默认不安装）。
　　如果该内核被顺利加载到系统当中了，那么就会有几个信息记录下来：
◆　内核版本：/proc/version；
◆　系统内核功能：/proc/sys/kernel。
　　问题来啦，如果我有个新的硬件，偏偏我的操作系统不支持，该怎么办？很简单啊！
◆　重新编译内核，并加入最新的硬件驱动程序源码；
◆　将该硬件的驱动程序编译成为模块，在启动时加载该模块。
　　上面第一点还很好理解，反正就是重新编译内核就是了。不过，内核编译很不容易啊！我们会在后续章节简单介绍内核编译的整个程序。比较有趣的则是将该硬件的驱动程序编译成为模块。关于编译的方法，可以参考后续的第 22 章源码与 tarball 的介绍。我们这个章节仅是说明一下，如果想要加载一个已经存在的模块时，该如何是好？

20.2.1　内核模块与依赖性

既然要处理内核模块，自然就得要了解了解我们内核提供的模块之间的相关性。基本上，内核模块的放置处是在 /lib/modules/$（uname –r）/kernel 当中，里面主要还分成几个目录：

```
arch      : 与硬件平台有关的选项，例如 CPU 的等级等；
crypto    : 内核所支持的加密的技术，例如 md5 或者是 des 等；
drivers   : 一些硬件的驱动程序，例如显卡、网卡、PCI 相关硬件等；
fs        : 内核所支持的文件系统，例如 vfat, reiserfs, nfs 等；
```

```
lib     ：一些函数库；
net     ：与网络有关的各项协议数据，还有防火墙模块（net/ipv4/netfilter/*）等；
sound   ：与音效有关的各项模块；
```

如果要我们一个一个去检查这些模块的主要信息，然后定义出它们的依赖性，我们可能会疯掉。所以说，我们的 Linux 当然会提供一些模块依赖性的解决方案。对啦！那就是检查/lib/modules/$（uname –r）/modules.dep 这个文件。它记录了在内核支持的模块的各项依赖性。

那么这个文件如何创建呢？挺简单！利用 depmod 这个命令就可以达到创建该文件的需求了！

```
[root@www ~]# depmod [-Ane]
参数：
-A ：不加任何参数时，depmod 会主动去分析目前内核的模块，并且重新写入
     /lib/modules/$（uname -r）/modules.dep 当中。若加入 -A 参数时，则 depmod
     会查找比 modules.dep 内还要新的模块，如果真找到新模块，才会更新。
-n ：不写入 modules.dep，而是将结果输出到屏幕上（standard out）；
-e ：显示出目前已加载的不可执行的模块名称

范例一：若我做好一个网卡驱动程序，文件名为 a.ko，该如何更新内核依赖性？
[root@www ~]# cp a.ko /lib/modules/$（uname -r）/kernel/drivers/net
[root@www ~]# depmod
```

以上面的范例一为例，我们的 Linuxkernel 2.6.x 版本的内核模块扩展名一定是.ko 结尾的，当你使用 depmod 之后，该程序会跑到模块标准放置目录/lib/modules/$（uname –r）/kernel，并依据相关目录的定义将全部的模块找出来分析，最终才将分析的结果写入 modules.dep 文件中的。这个文件很重要，因为它会影响到本章稍后会介绍的 modprobe 命令的应用。

20.2.2　内核模块的查看

那你到底知不知道目前内核加载了多少的模块呢？很简单，利用 lsmod 即可！

```
[root@www ~]# lsmod
Module              Size  Used by
autofs4            24517  2
hidp               23105  2
....（中间省略）....
8139too            28737  0
8139cp             26305  0
mii                 9409  2 8139too,8139cp <==mii 还被 8139cp, 8139too 使用
....（中间省略）....
uhci_hcd           25421  0 <==下面三个是 USB 相关的模块！
ohci_hcd           23261  0
ehci_hcd           33357  0
```

使用 lsmod 之后，系统会显示出目前已经存在于内核当中的模块，显示的内容包括：

◆　模块名称（Module）；
◆　模块的大小（size）；
◆　此模块是否被其他模块所使用（Used by）。

也就是说，模块其实真的有依赖性。上文中，mii 这个模块会被 8139too 所使用。简单说，就是当你要加载 8139too 时，需要先加载 mii 这个模块才可以顺利加载 8139too。那么除了显示出目前的模块外，我还可以查阅每个模块的信息吗？举例来说，我们知道 8139too 是网卡的驱动程序，那么 mii 是什么？就用 modinfo 来查看吧！

```
[root@www ~]# modinfo [-adln] [module_name|filename]
参数：
-a ：仅列出作者名称；
-d ：仅列出该 modules 的说明（description）；
```

```
-l ：仅列出授权（license）；
-n ：仅列出该模块的详细路径。

范例一：从上面的 lsmod 例子中，列出 mii 这个模块的相关信息：
[root@www ~]# modinfo mii
filename:      /lib/modules/2.6.18-92.el5/kernel/drivers/net/mii.ko
license:       GPL
description:   MII hardware support library
author:        Jeff Garzik <jgarzik@pobox.com>
srcversion:    16DCEDEE4B5629C222C352D
depends:
vermagic:      2.6.18-92.el5 SMP mod_unload 686 REGPARM 4KSTACKS gcc-4.1
# 可以看到这个模块的来源，以及该模块的简易说明（是硬件支持库）！

范例二：我有一个模块名称为 a.ko ，请问该模块的信息是什么？
[root@www ~]# modinfo a.ko
....（省略）....
```

事实上，这个 modinfo 除了可以查阅内核内的模块之外，还可以检查某个模块文件，因此，如果你想要知道某个文件代表的意义，利用 modinfo 加上完整文件名看看就知道是什么了。

20.2.3　内核模块的加载与删除

好了，如果我想要自行手动加载模块，又该如何是好？有很多方法，最简单而且建议的是使用 modprobe 这个命令来加载模块，这是因为 modprobe 会主动去查找 modules.dep 的内容，先克服了模块的依赖性后，才决定需要加载的模块有哪些，很方便。至于 insmod 则完全由用户自行加载一个完整文件名的模块，并不会主动分析模块依赖性。

```
[root@www ~]# insmod [/full/path/module_name] [parameters]

范例一：请尝试载入 cifs.ko 这个文件系统模块
[root@www ~]# insmod /lib/modules/$(uname -r)/kernel/fs/cifs/cifs.ko
[root@www ~]# lsmod | grep cifs
cifs              212789  0
```

它立刻就将该模块加载，但是 insmod 后面接的模块必须要是完整的"文件名"才行！那如何删除这个模块呢？

```
[root@www~]# rmmod [-fw] module_name
参数：
-f ：强制将该模块删除掉，不论是否正被使用；
-w ：若该模块正被使用，则 rmmod 会等待该模块被使用完毕后才删除它！

范例一：将刚才加载的 cifs 模块删除！
[root@www ~]# rmmod cifs

范例二：请加载 vfat 这个文件系统模块
[root@www ~]# insmod /lib/modules/$(uname -r)/kernel/fs/vfat/vfat.ko
insmod: error inserting '/lib/modules/2.6.18-92.el5/kernel/fs/vfat/vfat.ko':
-1 Unknown symbol in module
# 无法加载 vfat 这个模块。
```

使用 insmod 与 rmmod 的问题就是，你必须要自行找到模块的完整文件名才行，而且如同上述范例二的结果，万一模块有依赖属性的问题时，你将无法直接加载或删除该模块呢！所以近年来我们都建议直接使用 modprobe 来处理模块加载的问题，这个命令的用法是：

```
[root@www~]# modprobe [-lcfr] module_name
参数：
```

```
-c : 列出目前系统所有的模块！（更详细的代号对应表）；
-l : 列出目前在 /lib/modules/`uname -r`/kernel 当中的所有模块完整文件名；
-f : 强制加载该模块；
-r : 类似 rmmod，就是删除某个模块。
```

范例一：加载 cifs 模块
```
[root@www ~]# modprobe cifs
# 很方便吧！不需要知道完整的模块文件名，这是因为该完整文件名已经记录到
# /lib/modules/`uname -r`/modules.dep 当中的缘故。如果要删除的话，使用以下命令：
[root@www ~]# modprobe -r cifs
```

使用 modprobe 真的是要比 insmod 方便很多！因为它是直接去查找 modules.dep 的记录，所以，可以克服模块的依赖性问题，而且还不需要知道该模块的详细路径呢！好方便！

例题

尝试使用 modprobe 加载 vfat 这个模块，并且查看该模块的相关模块是哪个。

答：我们使用 modprobe 来加载，再以 lsmod 与 grep 来查看、选取关键字看看：

```
[root@www ~]# modprobe vfat
[root@www ~]# lsmod | grep vfat
vfat          15809  0
fat           51165  1 vfat  <==原来就是 fat 这个模块啊！

[root@www ~]# modprobe -r vfat  <==测试完删除此模块
```

20.2.4　内核模块的额外参数设置：/etc/modprobe.conf

这个文件我们之前已经谈过了，这里只是再强调一下而已，如果你想要修改某些模块的额外参数设置，就在这个文件内设置吧！我们假设一个案例好了，假设我的网卡 eth0 是使用 ne，但是 eth1 同样也使用 ne，为了避免同一个模块会导致网卡的错乱，因此，我可以先找到 eth0 与 eth1 的 I/O 与 IRQ，假设：

◆　eth0：I/O（0x300）且 IRQ=5
◆　eth1：I/O（0x320）且 IRQ=7

则：
```
[root@www~]# vi /etc/modprobe.conf
alias eth0 ne
alias eth1 ne
options eth0 io=0x300 irq=5
options eth1 io=0x320 irq=7
```
如此一来，我的 Linux 就不会捕获错网卡的对应了，因为被我强制指定某个 I/O 了。

20.3　Boot Loader: Grub

在看完了前面的整个启动流程以及内核模块的整理之后，你应该会发现到一件事情，那就是 bootloader 是载入内核的重要工具。没有 boot loader 的话，那么 kernel 根本就没有办法被系统加载的呢！所以，下面我们会先谈一谈 boot loader 的功能，然后再讲一讲现阶段 Linux 里头最主流的 grub 这个 boot loader 吧！

20.3.1　boot loader 的两个 stage

我们在第一小节启动流程的地方曾经讲过，在 BIOS 读完信息后，接下来就是会到第一个启动设备的 MBR 去读取 boot loader 了。这个 boot loader 可以具有菜单功能、直接加载内核文件以及控制

权移交的功能等，系统必须要有 loader 才有办法加载该操作系统的内核就是了。但是我们都知道，MBR 是整个硬盘的第一个 sector 内的一个块，充其量整个大小也才 446bytes 而已。我们的 loader 功能这么强，光是程序代码与设置数据不可能只占不到 446bytes 的容量吧？那如何安装？

为了解决这个问题，所以 Linux 将 boot loader 的程序代码执行与设置值加载分成两个阶段（stage）来执行：

◆ **Stage1：执行 boot loader 主程序**

● 第一阶段为执行 boot loader 的主程序，这个主程序必须要被安装在启动区，即是 MBR 或者是 boot sector。但如前所述，因为 MBR 实在太小了，所以，MBR 或 boot sector 通常仅安装 boot loader 的最小主程序，并没有安装 loader 的相关配置文件。

◆ **Stage2：主程序加载配置文件**

● 第二阶段为通过 boot loader 加载所有配置文件与相关的环境参数文件（包括文件系统定义与主要配置文件 menu.lst），一般来说，配置文件都在/boot 下面。

那么这些配置文件是放在哪里啊？这些与 grub 有关的文件都放置到/boot/grub 中，那我们就来看看有哪些文件吧！

```
[root@www ~]# ls -l /boot/grub
-rw-r--r--  device.map              <==grub 的设备对应文件（下面会谈到）
-rw-r--r--  e2fs_stage1_5           <==ext2/ext3 文件系统的定义文件
-rw-r--r--  fat_stage1_5            <==FAT 文件系统的定义文件
-rw-r--r--  ffs_stage1_5            <==FFS 文件系统的定义文件
-rw-------  grub.conf               <==grub 在 Red Hat 中的配置文件
-rw-r--r--  iso9660_stage1_5        <==光驱文件系统定义文件
-rw-r--r--  jfs_stage1_5            <==jfs 文件系统定义文件
lrwxrwxrwx  menu.lst -> ./grub.conf <==其实 menu.lst 才是配置文件！
-rw-r--r--  minix_stage1_5          <==minix 文件系统定义文件
-rw-r--r--  reiserfs_stage1_5       <==reiserfs 文件系统定义文件
-rw-r--r--  splash.xpm.gz           <==启动时在 grub 下面的后台图示
-rw-r--r--  stage1                  <==stage 1 的相关说明
-rw-r--r--  stage2                  <==stage 2 的相关说明
-rw-r--r--  ufs2_stage1_5           <==UFS 的文件系统定义文件
-rw-r--r--  vstafs_stage1_5         <==vstafs 文件系统定义文件
-rw-r--r--  xfs_stage1_5            <==xfs 文件系统定义文件
```

从上面的说明你可以知道/boot/grub/目录下最重要的就是配置文件（menu.lst）以及各种文件系统的定义！我们的 loader 读取了这种文件系统定义数据后，就能够认识文件系统并读取该文件系统内的内核文件。至于 grub 的配置文件名，其实应该是 menu.lst 的，只是在 Red Hat 里面被定义成为/boot/grub.conf 而已。鸟哥建议你还是记忆 menu.lst 比较好。

所以从上面的文件来看，grub 认识的文件系统真的非常多。正因为如此，所以 grub 才会替代 Lilo 这个老牌的 boot loader。好了，接下来就来瞧瞧配置文件内有什么设置值吧！

20.3.2 grub 的配置文件/boot/grub/menu.lst 与菜单类型

grub 是目前使用最广泛的 Linux 引导装载程序，旧的 Lilo 这个引导装载程序现在已经很少见了，所以本章才会将 Lilo 的介绍舍弃。grub 的优点挺多的，包括：

◆ 认识与支持较多的文件系统，并且可以使用 grub 的主程序直接在文件系统中查找内核文件名；

◆ 启动的时候，可以自行编辑与修改启动设置选项，类似 bash 的命令模式；

◆ 可以动态查找配置文件，而不需要在修改配置文件后重新安装 grub，即我们只要修改完/boot/grub/menu.lst 里头的设置后，下次启动就生效了！

上面第三点其实就是 Stage 1,Stage2 分别安装在 MBR（主程序）与文件系统当中（配置文件与定义文件）的原因。好了，接下来，让我们好好了解一下 grub 的配置文件：/boot/grub/menu.lst，要注意，那个 lst 是 LST 的小写，不要搞错。

◆ **硬盘与分区在 grub 中的代号**

- 安装在 MBR 的 grub 主程序最重要的任务之一就是从磁盘当中加载内核文件，以让内核能够顺利驱动整个系统的硬件。所以，grub 必须要认识硬盘才行啊！那么 grub 到底是如何认识硬盘的呢？grub 对硬盘的代号设置与传统的 Linux 磁盘代号可完全是不同的！grub 对硬盘的识别使用的是如下的代号：
- （hd0,0）
- 够神了吧？跟/dev/hda1 不相同。怎么办啊？其实只要注意几个东西即可，那就是：
  - 硬盘代号以小括号（ ）括起来；
  - 硬盘以 hd 表示，后面会接一组数字；
  - 以"查找顺序"作为硬盘的编号，而不是依照硬盘扁平电缆的排序！（这个重要！）
  - 第一个查找到的硬盘为 0 号，第二个为 1 号，以此类推；
  - 每块硬盘的第一个分区代号为 0，依序类推。
- 所以说，第一块查找到的硬盘代号为（hd0），而该块硬盘的第一号分区为（hd0,0），这样说了解了吧？反正你要记得，在 grub 里面，它开始的数字是 0 而不是 1 就是了！

> 在较旧的主板上面，通常第一块硬盘会插在 IDE 1 的 master 上，就会是 /dev/hda，所以经常我们可能会误会 /dev/hda 就是（hd0），其实不是。要看你的 BIOS 设置值才行！有的主板 BIOS 可以调整启动的硬盘查找顺序，那么就要注意了，因为 grub 的硬盘代号可能会跟着改变。

- 所以说，整个硬盘代号如表 20-2 所示。
- 表 20-2

硬盘查找顺序	在 Grub 当中的代号
第一块	（hd0）（hd0,0）（hd0,1）（hd0,4）...
第二块	（hd1）（hd1,0）（hd1,1）（hd1,4）...
第三块	（hd2）（hd2,0）（hd2,1）（hd2,4）...

- 这样应该比较好看出来了吧？第一块硬盘的 MBR 安装处的硬盘代号就是（hd0），而第一块硬盘的第一个分区的 boot sector 代号就是（hd0,0），第一块硬盘的第一个逻辑分区的 boot sector 代号为"（hd0,4）"。

例题

假设你的系统仅有一块 SATA 硬盘，请说明该硬盘的第一个逻辑分区在 Linux 与 grub 当中的文件名与代号。

答：因为是 SATA 磁盘，加上使用逻辑分区，因此 Linux 当中的文件名为/dev/sda5 才对（1~4 保留给 primary 与 extended 使用）。至于 grub 当中的磁盘代号则由于仅有一块磁盘，因此代号会是（hd0,4）才对。

◆ /boot/grub/menu.lst 配置文件
- 了解了 grub 当中最麻烦的硬盘代号后，接下来，我们就可以瞧一瞧配置文件的内容了。先看一下鸟哥的 CentOS 内的/boot/grub/menu.lst 好了：

```
[root@www ~]# vim /boot/grub/menu.lst
default=0    <==默认启动选项，使用第 1 个启动菜单（title）
timeout=5    <==若 5 秒内未动键盘，使用默认菜单启动
splashimage=(hd0,0)/grub/splash.xpm.gz <==后台图示所在的文件
hiddenmenu    <==读秒期间是否显示出完整的菜单界面（默认隐藏）
```

```
title CentOS (2.6.18-92.el5)      <==第一个菜单的内容
      root (hd0,0)
      kernel /vmlinuz-2.6.18-92.el5 ro root=LABEL=/1 rhgb quiet
      initrd /initrd-2.6.18-92.el5.img
```

- title 以前的四行都是属于 grub 的整体设置，包括默认的等待时间与默认的启动选项，还有显示的界面特性等。至于 title 后面才是指定启动的内核文件或者是 boot loader 控制权。在整体设置方面的选项主要常见的有：

- default=0

- 这个必须要与 title 作为对照，在配置文件里面有几个 title，启动的时候就会有几个菜单可以选择。由于 grub 起始号码为 0 号，因此 default=0 代表使用第一个 title 选项来启动的意思。default 的意思是如果在读秒时间结束前都没有按键，grub 默认使用此 title 选项（在此为 0 号）来启动。

- timeout = 5

- 启动时会进行读秒，如果在 5 秒钟内没有按下任何按键，就会使用上面提到的 default 后面接的那个 title 选项来启动的意思。如果你觉得 5 秒太短，那可以将这个数值调大（例如 30 秒）即可。此外，如果 timeout=0 代表直接使用 default 值进行启动而不读秒，timeout=-1 则代表直接进入菜单不读秒了！

- splashimage=（hd0,0）/grub/splash.xpm.gz

- 有没有发现你的 CentOS 在启动的时候后台不是黑白而是有色彩变化的呢？那就是这个文件提供的后台图示[注3]。不过这个文件的实际路径写法怎么会是这样啊？很简单！上述代表的是（hd0,0）这个分区内的最顶层目录中下面的 grub/splash.xpm.gz 那个文件的意思。由于鸟哥将/boot 这个目录独立成为/dev/hda1，因此这边就会写成在/dev/hda1 里面的 grub/splash.xpm.gz 的意思。想一想，如果你的/boot 目录并没有独立成为一个分区，这里会写成如何？

- hiddenmenu

- 这个说的是，启动时是否要显示菜单？目前 CentOS 默认是不要显示菜单，如果你想要显示菜单，那就将这个设置值批注掉！

- 整体设置的地方大概是这样，而下面那个 title 则是显示启动的设置项目。如同前一小节提到的，启动时可以选择直接指定内核文件启动或将 boot loader 控制权转移到下个 loader（此过程称为 chain-loader）。每个 title 后面接的是该启动项目名称的显示，即在菜单出现时菜单上面的名称而已。那么这两种方式的设置有什么不同呢？

1. 直接指定内核启动

既然要指定内核启动，所以当然要找到内核文件。此外，有可能还需要用到 initrd 的 RAMDisk 配置文件。但是如前面所说的，尚未启动完成，所以我们必须要以 grub 的硬盘识别方式找出完整的 kernel 与 initrd 文件名才行。因此，我们可能需要有下面的方式来设置才行！

```
1. 先指定内核文件放置的分区，再读取文件（目录树），
   最后才加入文件的实际文件名与路径（kernel 与 initrd）；
   鸟哥的 /boot 为 /dev/hda1，因此内核文件的设置则成为：
root    (hd0,0)          <==代表内核文件放在哪个分区当中
kernel /vmlinuz-2.6.18-92.el5 ro root=LABEL=/1 rhgb quiet
initrd /initrd-2.6.18-92.el5.img
```

上面的 root, kernel,initrd 后面接的参数的意义说明如下：

- root：代表的是内核文件放置的那个分区，而不是根目录。不要搞错了！以鸟哥的案例来说，我的根目录为/dev/hda2 而/boot 独立为/dev/hda1，因为与/boot 有关，所以磁盘代号就会成为（hd0,0）。

- kernel：至于 kernel 后面接的则是内核的文件名，而在文件名后面接的则是内核的参数。由于启动过程中需要挂载根目录，因此 kernel 后面接的那个 root=LABEL=/1 指的是 Linux 的根目录在哪个分区的意思。还记得第 8 章谈过的 LABEL 挂载功能吧？是的，这里使用

　　　　LABEL 来挂载根目录。至于 rhgb 为色彩显示而 quiet 则是安静模式（屏幕不会输出内核
　　　　检测的信息）。

- initrd：就是前面提到的 initrd 制作出 RAM Disk 的文件名。

```
2. 直接指定分区与文件名，不需要额外指定内核文件所在设备代号
kernel  (hd0,0)/vmlinuz-2.6.18-92.el5 ro root=LABEL=/1 rhgb quiet
initrd  (hd0,0)/initrd-2.6.18-92.el5.img
```

- 老实说，鸟哥比较喜欢这种样式的文件名写法，因为这样我们就能够知道内核文件所对应设
  备内的哪一个文件，而不会去想到我们的根目录（/,root）。让我们来想想/boot 有独立分区
  与无独立分区的情况吧！

例题

　　我的系统分区是/dev/hda1（/）、/dev/hda2（swap）而已，且我的内核文件为/boot/vmlinuz，请
问 grub 的 menu.lst 内该如何编写内核文件位置？

　　答：我们使用迭代的方式来了解一下好了。由于内核文件名为/boot/vmlinuz，转成设备文件名与
代号会成为如下的过程：

　　　　源文件　　　：/boot/vmlinuz↓
　　　　Linux 设备　：（/dev/hda1）/boot/vmlinuz↓
　　　　grub 设备　：（hd0,0）/boot/vmlinuz

　　所以最终的 kernel 写法会变成：

　　kernel（hd0,0）/boot/vmlinuz root=/dev/hda1...

例题

　　同上，只是我的分区情况变成/dev/sda1（/boot）、/dev/sda5（/）时呢？

　　答：由于/boot 被独立出来了，所以情况会不一样。如下所示：

　　　　源文件　　　：/boot/vmlinuz↓
　　　　Linux 设备　：（/dev/sda1）/vmlinuz↓
　　　　grub 设备　：（hd0,0）/vmlinuz

　　所以最终的 kernel 写法会变成：

　　kernel（hd0,0）/vmlinuz root=/dev/sda5...

---

2. 利用 chain loader 的方式转交控制权

- 所谓的 chain loader（引导装载程序的连接）仅是在将控制权交给下一个 boot loader 而已，
  所以 grub 并不需要"认识"与找出 kernel 的文件名，它只是将 boot 的控制权交给下一个
  boot sector 或 MBR 内的 boot loader 而已，所以通常它也不需要去检查下一个 boot loader
  的文件系统！
- 一般来说，chain loader 的设置只要两个就够了，一个是预计要前往的 boot sector 所在的
  分区代号，另一个则是设置 chain loader 在那个分区的 boot sector（第一个扇区）上！假
  设我的 Windows 分区在/dev/hda1，且我又只有一块硬盘，那么要 grub 将控制权交给
  Windows 的 loader 只要这样就够了：

```
[root@www~]# vi /boot/grub/menu.lst
....前略....
title Windows partition
    root (hd0,0)    <==设置使用此分区
    chainloader +1  <== +1 可以想成第一个扇区，即是 boot sector
```

- 上面的范例中，我们可以很简单地这样想：那个（hd0,0）就是 Windows 的 C 盘所在磁盘，而 chainloader+1 就是让系统加载该分区当中的第一个扇区（就是 boot sector）内的引导装载程序。不过，由于 Windows 的系统盘需要设置为活动（active）状态，且我们的 grub 默认会去检验该分区的文件系统，因此我们可以重新将上面的范例改写成这样：

```
[root@www ~]# vi /boot/grub/menu.lst
....前略....
title Windows partition
        rootnoverify (hd0,0)    <==不检验此分区
        chainloader +1
        makeactive               <==设置此分区为活动的（active）
```

- grub 的功能还不止此，它还能够隐藏某些分区。举例来说，我的/dev/hda5 是安装 Linux 的分区，我不想让 Windows 能够认识这个分区时，你可以这样做：

```
[root@www ~]# vi /boot/grub/menu.lst
....前略....
title Windows partition
        hide (hd0,4)            <==隐藏（hd0,4）这个分区
        rootnoverify (hd0,0)
        chainloader +1
        makeactive
```

20.3.3　initrd 的重要性与创建新 initrd 文件

我们在本章稍早之前 "boot loader 与 kernel 加载" 的地方已经提到过 initrd，它的目的在于提供启动过程中所需要的最重要内核模块，以让系统启动过程可以顺利完成。会需要 initrd 的原因，是因为内核模块放置于/lib/modules/$（uname –r）/kernel/当中，这些模块必须要根目录（/）被挂载时才能够被读取。但是如果内核本身不具备磁盘的驱动程序时，当然无法挂载根目录，也就没有办法取得驱动程序，因此造成两难的地步。

initrd 可以将/lib/modules/....内的启动过程当中一定需要的模块打包成一个文件（文件名就是 initrd），然后在启动时通过主机的 INT13 硬件功能将该文件读出来解压缩，并且 initrd 在内存内会仿真成为根目录，由于此虚拟文件系统（Initial RAM Disk）主要包含磁盘与文件系统的模块，因此我们的内核最后就能够认识实际的磁盘，那就能够进行实际根目录的挂载。所以说：initrd 内所包含的模块大多是与启动过程有关，而主要以文件系统及硬盘模块（如 usb、SCSI 等）为主的。

一般来说，需要 initrd 的时刻为：

- 根目录所在磁盘为 SATA、USB 或 SCSI 等连接接口；
- 根目录所在文件系统为 LVM、RAID 等特殊格式；
- 根目录所在文件系统为非传统 Linux "认识" 的文件系统时；
- 其他必须要在内核加载时提供的模块。

之前鸟哥忽略 initrd 这个文件的重要性，是因为鸟哥很穷。因为鸟哥的 Linux 主机都是较早期的硬件，使用的是 IDE 接口的硬盘，而且并没有使用 LVM 等特殊格式的文件系统，而 Linux 内核本身就认识 IDE 接口的磁盘，因此不需要 initrd 也可以顺利启动完成的。自从 SATA 硬盘流行起来后，没有 initrd 就没办法启动了！因为 SATA 硬盘使用的是 SCSI 模块来驱动的，而 Linux 默认将 SCSI 功能编译成为模块。

　　一般来说，各 distribution 提供的内核都会附上 initrd 文件，但如果你有特殊需要所以想重制 initrd 文件的话，可以使用 mkinitrd 来处理的。这个文件的处理方式很简单，man mkinitrd 就知道了！我们还是简单介绍一下！

```
[root@www ~]# mkinitrd [-v] [--with=模块名称] initrd 文件名 内核版本
参数：
-v ： 显示 mkinitrd 的运行过程
--with=模块名称：模块名称指的是模块的名字而已，不需要填写文件名。举例来说，
        目前内核版本的 ext3 文件系统模块为下面的文件名：
        /lib/modules/$（uname -r）/kernel/fs/ext3/ext3.ko
        那你应该要写成 "--with=ext3" 就好了 （省略 .ko）。
Initrd 文件名：你所要创建的 initrd 文件名，尽量取有意义又好记的名字。
内核版本  ：某一个内核的版本，如果是目前的内核则是 "$（uname -r）"。

范例一：以 mkinitrd 的默认功能创建一个 initrd 虚拟磁盘文件
[root@www ~]# mkinitrd -v initrd_$（uname -r） $（uname -r）
Creating initramfs
Looking for deps of module ehci-hcd
Looking for deps of module ohci-hcd
....（中间省略）....
Adding module ehci-hcd  <==最终加入 initrd 的就是下面的模块
Adding module ohci-hcd
Adding module uhci-hcd
Adding module jbd
Adding module ext3
Adding module scsi_mod
Adding module sd_mod
Adding module libata
Adding module pata_sis

[root@www ~]# ll initrd_*
-rw------- 1 root root 2406443 Apr 30 02:55 initrd 2.6.18-92.el5
# 由于目前的内核版本可使用 uname -r 取得，因此鸟哥使用较简单的命令来处理。
# 此时 initrd 会被创建起来，你可以将它移动到 /boot 等待使用。

范例二：增加 8139too 这个模块的 initrd 文件
[root@www ~]# mkinitrd -v --with=8139too initrd_vbirdtest $（uname -r）
....（前面省略）....
Adding module mii
Adding module 8139too  <==看到没？这样就加入了！
```

　　initrd 创建完成之后，同时内核也处理完毕后，我们就可以使用 grub 新建菜单了！下面继续瞧一瞧吧！

20.3.4　测试与安装 grub

　　如果你的 Linux 主机本来就是使用 grub 作为 loader 的话，那么你就不需要重新安装 grub 了，因为 grub 本来就会主动去读取配置文件。你说是吧！但如果你的 Linux 原来使用的并非 grub，那么就需要来安装。如何安装呢？首先，你必须要使用 grub-install 将一些必要的文件复制到/boot/grub 里面去，你应该这样做的：

　　安装些什么呢？因为 boot loader 有两个 stage ，而配置文件得要放置到适当的地方。这个 grub-install 就是在安装配置文件 （包括文件系统定义文件与 menu.lst 等）。 如果要将 grub 的 stage1 主程序安装起来，就得要使用 grub shell 的功能。本章稍后会介绍。

```
[root@www~]#grub-install[--root-directory=DIR] INSTALL_DEVICE
参数:
--root-directory=DIR 那个 DIR 为实际的目录，使用 grub-install 默认会将
  grub 所有的文件都复制到 /boot/grub/* ，如果想要复制到其他目录与设备去，
  就得要用这个参数。
INSTALL_DEVICE 安装的设备代号。

范例一：将 grub 安装在目前系统的 MBR 下面，我的系统为 /dev/hda:
[root@www ~]# grub-install /dev/hda
# 因为原本 /dev/hda 就是使用 grub ，所以似乎不会出现什么特别的信息。
# 如果去查阅一下 /boot/grub 的内容，会发现所有的文件都更新了，因为我们重装了！

范例二：我的 /home 为独立的 /dev/hda3 ，如何安装 grub 到 /dev/hda3（boot sector）
[root@www ~]# grub-install --root-directory=/home /dev/hda3
Probing devices to guess BIOS drives. This may take a long time.
Installation finished. No error reported.
This is the contents of the device map /home/boot/grub/device.map.
Check if this is correct or not. If any of the lines is incorrect,
fix it and re-run the script 'grub-install'.

(fd0)    /dev/fd0
(hd0)    /dev/hda    <==会给予设备代号的对应表！

[root@www ~]# ll /home/boot/grub/
-rw-r--r-- 1 root root    30 Apr 30 11:12 device.map
-rw-r--r-- 1 root root  7584 Apr 30 11:12 e2fs_stage1_5
....（下面省略）....
# 看！文件都安装进来了！但是注意到，我们并没有配置文件。那要自己创建。
```

所以说，grub-install 是安装 grub 相关的文件（例如文件系统定义文件）到你的设备上面去等待在启动时被读取，但还需要设置好配置文件（menu.lst）后，再以 grub shell 来安装 grub 主程序到 MBR 或者是 boot sector 上面去。好了，那我们来思考一下想要安装的数据。

例题

我预计启动时要直接显示菜单，且菜单倒数为 30 秒。另外，在原本的 menu.lst 当中新增三个启动菜单，分别说明如下：
1. 假设/dev/hda1 内含有 boot loader，此 loader 如何取得控制权？
2. 如何重新读取 MBR 内的 loader？
3. 利用你原本的系统内核文件，新建一个可强制进入单用户维护模式的菜单。

答：第一点很简单，就利用上一小节的说明来处理即可。至于第二点，MBR 的读取的是整块硬盘的第一个扇区，因此 root（hd0）才是对的。第三点则与内核的后续参数有关。整个文件可以被改写成这样：

```
[root@www~]# vim /boot/grub/menu.lst
default=0
timeout=30
splashimage=(hd0,0)/grub/splash.xpm.gz
#hiddenmenu
title CentOS (2.6.18-92.el5)
      root (hd0,0)
      kernel /vmlinuz-2.6.18-92.el5 ro root=LABEL=/1 rhgb quiet
      initrd /initrd-2.6.18-92.el5.img
title /dev/hda1 boot sector  <==本例中的第一个新增菜单
      root (hd0,0)
      chainloader +1
title MBR loader        <==新增的第二个菜单
      root (hd0)            <==MBR 为整块磁盘的第一个扇区，所以用整块磁盘的代号
```

```
        chainloader +1
title single user mode          <==新增的第三个菜单（其实由原本的 title 复制来的）
        root（hd0,0）
        kernel /vmlinuz-2.6.18-92.el5 ro root=LABEL=/1 rhgb quiet single
        initrd /initrd-2.6.18-92.el5.img
```

下次启动时，你就会发现有四个菜单可以选择，而默认会以第一个菜单来启动。

我们已经将配置文件处理完毕，但是你要知道的是，我们并不知道/dev/hda1 到底有没有包含 grub 的主程序，因此我们想要将 grub 主程序再次安装到/dev/hda1 的 boot sector，也想要重新安装 grub 到 MBR 上面去。此时我们就得要使用 grub shell。整个安装与 grub shell 的操作其实很简单，如果你有兴趣研究的话，可以使用 info grub 去查阅。鸟哥这里仅介绍几个有用的命令而已。

◆　用"root（hdx,x）"选择含有 grub 目录的那个分区代号；
◆　用"find/boot/grub/stage1"看看能否找到安装信息文件；
◆　用"find/boot/vmlinuz"看看能否找到内核文件（不一定要成功）；
◆　用"setup（hdx,x）"或"setup（hdx）"将 grub 安装在 boot sector 或 MBR 中；
◆　用"quit"来离开 grub shell！

由于我们最需要安装的就是那个 stage1。那才是 grub 的主程序。而且配置文件通常与主程序摆在同一个目录下。因此我们需要使用 root（hd0,0）去找到/boot/grub/stage1。接下来，请用 grub 来进入 grub shell 吧！进入 grub 后，会出现一个 "grub>" 的提示符。

```
[root@www ~]# grub

# 1. 先设置一下含有 grub 目录的那个分区。
grub> root（hd0,0）
 Filesystem type is ext2fs, partition type 0x83
# 鸟哥主机的分区中，/boot/grub 在 /boot 的分区（即是 /dev/hda1）内。
# 另外，grub 也能够分辨出该分区的文件系统（ext2）。

# 2. 查找一下是否存在 stage1 这个信息文件
grub> find /boot/grub/stage1
 (hd0,2)
# 见鬼！怎么会只有一个我们明明有 /boot/grub 与 /home/boot/grub 啊！
# 因为 /boot 是独立的，因此要找到该文件名就得要用如下的方式：

grub> find /grub/stage1
 (hd0,0)
# 这样就能够找到啰！要特别注意 grub 找到的不是目录树，而是设备内的文件。

# 3. 查找一下是否可以找到内核/boot/vmlinuz-2.6.18-92.el5 ？
grub> find /boot/vmlinuz-2.6.18-92.el5
Error 15: File not found
grub> find /vmlinuz-2.6.18-92.el5
 (hd0,0)
# 再次强调，因为 /boot/ 是独立的，因此就会变成上面的模样。

# 4. 将主程序安装上去吧！安装到 MBR 看看！
grub> setup (hd0)
 Checking if "/boot/grub/stage1" exists... no <==因为 /boot 是独立的
 Checking if "/grub/stage1" exists... yes     <==所以这个文件名才是对的！
 Checking if "/grub/stage2" exists... yes
 Checking if "/grub/e2fs stage1 5" exists... yes
 Running "embed /grub/e2fs stage1 5 (hd0)"... 15 sectors are embedded.
succeeded
 Running "install /grub/stage1 (hd0) (hd0)1+15 p (hd0,0)/grub/stage2
/grub/grub.conf"... succeeded <==将 stage1 程序安装妥当。
Done.
# 很好！确实有装起来，这样 grub 就在 MBR 当中了！

# 5. 那么重复安装到我的 /dev/hda1 呢？即是 boot sector 当中？
grub> setup (hd0,0)
```

```
Checking if "/boot/grub/stage1" exists... no
Checking if "/grub/stage1" exists... yes
Checking if "/grub/stage2" exists... yes
Checking if "/grub/e2fs stage1_5" exists... yes
Running "embed /grub/e2fs_stage1_5 (hd0,0)"... failed (this is not fatal)
Running "embed /grub/e2fs_stage1_5 (hd0,0)"... failed (this is not fatal)
Running "install /grub/stage1 (hd0,0) /grub/stage2 p /grub/grub.conf "...
succeeded
Done.
# 虽然无法将 stage1_5 安装到 boot sector 去, 不过, 还不会有问题,
# 重点是最后面那个 stage1 要安装后显示 succeeded 字样就可以了!

grub> quit
```

如此一来, 就已经将 grub 安装到 MBR 及/dev/hda1 的 boot sector 里面去了! 而且读取的是 (hd0,0) 里面的/grub/menu.lst 那个文件。真是很重要啊!

最后总结一下：

1. 如果是从其他 boot loader 转成 grub 时, 得先使用 grub-install 安装 grub 配置文件；
2. 开始编辑 menu.lst 这个重要的配置文件；
3. 通过 grub 来将主程序安装到系统中, 如 MBR 的（hd0）或 boot sector 的（hd0,0）等。

20.3.5 启动前的额外功能修改

事实上, 上一个小节设置好之后, 你的 grub 就已经在你的 Linux 系统上面了, 而且同时存在于 MBR 与 boot sector 当中呢! 所以, 我们已经可以重新启动来查阅看看。另外, 如果你正在进行启动, 那么请注意, 我们可以在默认菜单（鸟哥的范例当中是 30 秒）按下任意键, 还可以进行 grub 的 "在线编辑" 功能。真是棒! 先来看看启动界面吧! 如图 20-4 所示。

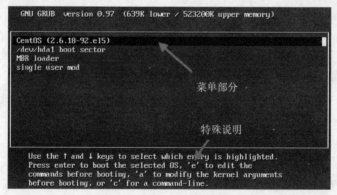

图 20-4 grub 启动界面示意图

由于鸟哥将隐藏菜单的功能取消了, 因此你会直接看到这四个菜单, 同时会有读秒的倒数。菜单部分的界面其实就是 title 后面的文字。你现在知道如何修改 title 后面的文字了吧! 如果你使用上下键去选择第二（/dev/hda1 boot sector）或第三（MBR loader）时, 会发现同样的界面重复出现。这是因为那两个是 loader 移交而已。而我们都使用相同的 grub 与相同的 menu.lst 配置文件。因此这个界面就会重复出现了。

另外, 如果你再仔细看的话, 会发现到上图中底部还有一些细部的选项, 似乎有个'e'edit 的样子! 没错, grub 支持在线编辑命令。这是个很有用的功能! 假如刚才你将 menu.lst 的内容写错了, 导致出现无法启动的问题时, 我们可以查阅该 title 菜单的内容并加以修改。举例来说, 我想要知道第一个菜单的实际内容时, 将光带移动到第一个菜单, 再按下'e'会进入如图 20-5 所示的界面。

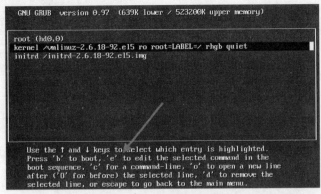

图 20-5　grub 单一菜单内容

这不就是我们在 menu.lst 里面设置的东西吗？没错！此时你还可以继续进一步修改。注意看到上图最下面的说明，你还可以使用：

◆　e：进入 grub shell 的编辑界面；
◆　o：在光标所在行下面再新增一行；
◆　d：将光标所在行删除。

我们说过，grub 是可以直接使用内核文件来启动的，所以，如果你很清楚地知道你的根目录（/）在哪个分区，而且知道你的内核文件名（通常都会有个/boot/vmlinuz 连接到正确的文件名），那么直接在图 20-5 的界面当中以上述的 o,d,e 三个按键来编辑，如图 20-6 所示。

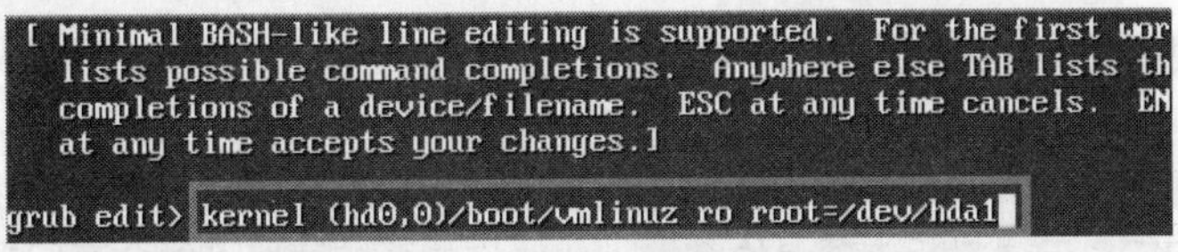

图 20-6　grubedit 的在线编辑功能

按下[Enter]键后，然后输入 b 来 boot，就可以启动啦！所以说，万一你的/boot/grub/menu.lst 设置错误，或者是因为安装的缘故，或者是因为内核文件的缘故，导致无法顺利启动时，记得，可以在 grub 的菜单部分使用 grub shell 的方式去查询（find）或者是直接指定内核文件，就能够启动啦！

另外，很多时候我们的 grub 可能会发生错误，导致连 grub 都无法启动，那么根本就无法使用 grub 的在线编辑功能。怎么办？没关系啊！我们可以利用具有 grub 启动的 CD 来启动，然后再以 CD 的 grub 的在线编辑，同样可以使用硬盘上面的内核文件来启动。

20.3.6　关于内核功能当中的 vga 设置

事实上，你的 tty1~tty6 除了 80x24 的分辨率外，还能够有其他分辨率的支持。但前提是你的内核必须支持 FRAMEBUFFER_CONSOLE 这个内核功能参数才行。如何确定有没有支持呢？你可以查阅/boot/config-2.6.18-92.el5 这个文件，然后这样查找：

```
[root@www~]# grep 'FRAMEBUFFER_CONSOLE' /boot/config-2.6.18-92.el5
CONFIG_FRAMEBUFFER_CONSOLE=y
# 这个项目如果出现 y 那就是有支持啦！如果被批注或是 n ，那就是没支持。
```

那么如何调整 tty1~tty6 终端机的分辨率呢？先参考下面的表 20-3 再说（此为十进制数值）。

表 20-3

颜色彩度\分辨率	640x480	800x600	1024x768	1280x1024	bit
256	769	771	773	775	8 bit
32768	784	787	790	793	15 bit
65536	785	788	791	794	16 bit
16.8M	786	789	792	795	32 bit

假设你想要将你的终端机屏幕分辨率调整到 1024x768，且颜色深度为 15bit 色的时候，就得要指定 vga=790 那个数字。举例来说，鸟哥的 tty1 就想要这样的分辨率时，你可以这样做：

```
[root@www~]# vim /boot/grub/menu.lst
....（前面省略）....
title CentOS（2.6.18-92.el5）
    root（hd0,0）
    kernel /vmlinuz-2.6.18-92.el5 ro root=LABEL=/1 rhgb quiet vga=790
    initrd /initrd-2.6.18-92.el5.img
....（后面省略）....
```

重新启动并选择此菜单进入 Linux，你跑到 tty1 去看看，就已经是 1024x768 的分辨率。只是字会变得很小，但是界面的范围会加大就是了。不过，某些版本支持的是十六进制，所以还需要修改一下格式。一般使用上表当中的值应该就可以了。不过，由于不同的操作系统与硬件可能会有不一样的情况，因此，上面的值不见得一定可以在你的机器上面测试成功，建议你可以分别设置看看，以找出可以使用的值。

20.3.7　BIOS 无法读取大硬盘的问题

现今的硬盘容量越来越大，如果你使用旧的主板来安插大容量硬盘时，可能由于系统 BIOS 或者是其他问题，导致 BIOS 无法判断该硬盘的容量，此时你的系统读取可能会有问题。为什么呢？

我们在本章一开始的启动流程讲过，当进入 Linux 内核功能后，它会主动再去检测一下整个系统，因此 BIOS 识别不到的硬件在 Linux 内核反而可能会可以捉到而正常使用。举例来说，过去很多朋友经常会发现：系统使用 DVD 启动安装时，可以顺利安装好 Linux，但是第一次启动时，屏幕只出现黑黑的一片，且出现 grub>的字样，而无法进入 Linux 系统中，这又是怎么一回事？

◆　在安装的过程中，由于是使用 DVD 或 CD 启动，因此加载 Linux 内核不成问题，而内核会去检测系统硬件，因此可以识别 BIOS 识别不到的硬盘，此时你确实可以安装 Linux 在大容量的硬盘上，且不会出现任何问题。

◆　但是在进入硬盘启动时，由于 kernel 与 initrd 文件都是通过 BIOS 的 INT13 通道读取的，因此你的 kernel 与 initrd 如果放置在 BIOS 无法判断的扇区中，当然就无法被系统加载，而仅会出现 grubshell（grub>）等待你的处理而已。

更多 grub 错误的代码查询可以到下面的链接查阅：

◆　http://orgs.man.ac.uk/documentation/grub/grub_toc.html#SEC_Contents

现在你知道问题所在啦！那就是 BIOS 无法读取大容量磁盘内的 kernel 与 initrd 文件。那如何解决呢？很简单。就让 kernel 与 initrd 文件放置在大硬盘的最前头，由于 BIOS 至少可以读到大磁盘的 1024 柱面的数据，因此就能够读取内核与虚拟文件系统的文件。那如何让 kernel 与 initrd 放置到整块硬盘的最前面呢？简单得很。就新建/boot 独立分区，并将/boot 放置到最前面即可。更多其他的解决方案可参考文后的扩展阅读[注4]。

万一你已经安装了 Linux 且发生了上述的问题，那该怎办？你可以这样：

◆　最简单的做法，就是直接重装，并且制作出/boot 挂载的分区，同时确认该分区是在 1024cylinder

之前才行。

◆ 如果实在不想重装，没有关系，利用我们刚才上头提到的 grub 功能，额外新建一个可启动软盘，或者是直接以光驱启动，然后以 grub 的编写能力进入 Linux。

◆ 另外的办法其实是骗过 BIOS，直接将硬盘的 cylinder,head,sector 等信息直接写到 BIOS 当中去，如此一来你的 BIOS 可能就可以读取与支持你的大硬盘了。

　　不过，鸟哥还是建议你可以重新安装，并且制作出/boot 这个分区。这也是为什么这一版中，鸟哥特别强调要分出/boot 这个分区的原因。

20.3.8　为某个菜单加上密码

　　想象这么一个情景，如果你管理的是一间计算机教室，这间计算机教室是可对外开放的，但是你又担心某些分区被学生不小心弄乱，因此你可能会想要将某些启动菜单作个别保护。这个时候，为每个菜单做个加密的密码就是个可行的方案。那如何在启动的过程里面提供密码保护呢？首先，你必须要创建密码，而且还需要是加密过后的，否则人家跑到/boot/grub/menu.lst 不就可以探查到你的启动密码了？那如何创建加密的密码呢？我们可以通过 grub 提供的 md5 编码来处理的，如下所示：

```
[root@www ~]# grub-md5-crypt
Password: <==输入密码
Retype password: <==再输入一次
$1$kvlI0/$byrbNgkt/.REKPQdfg287. <==这就是产生的 md5 密码!
```

　　上面产生的最后一行，由$开始到.结束的那行，就是你的密码经过 md5 编码过后的。将这个密码复制下来吧！假设我们要将第一个选项加入这个密码，而第四个选项加入另外的密码，那你应该要这样做：

```
[root@www~]# vim /boot/grub/menu.lst
....（前面省略）....
title CentOS (2.6.18-92.el5)
        password --md5 $1$kvlI0/$byrbNgkt/.REKPQdfg287.
        root (hd0,0)
        kernel /vmlinuz-2.6.18-92.el5 ro root=LABEL=/1 rhgb quiet vga=790
        initrd /initrd-2.6.18-92.el5.img
....（中间省略）....
title single user mode
        password --md5 $1$GFnI0/$UuiZc/7snugLtVN4J/WyM/
        root (hd0,0)
        kernel /vmlinuz-2.6.18-92.el5 ro root=LABEL=/1 rhgb quiet single
        initrd /initrd-2.6.18-92.el5.img
```

　　上面的案例中，我们两个菜单进入的密码并不相同，可以进行同样的分类。不过这样也造成一个问题，那就是一定要输入密码才能够进入启动流程，如果你在远程使用 reboot 重新启动，并且主机前面并没有任何人的话，你的主机并不会主动进入启动程序喔！

　　你必须要注意的是：password 这个选项一定要处在 title 下面的第一行。不过，此项功能还是可能被破解的，因为用户可以通过编辑模式（e）进入菜单，删除密码字段并按下 b 就能够进行启动流程了！那怎办？只好通过整体的 password（放在所有的 title 之前），然后在 title 下面的第一行设置 lock，那用户想要编辑时，也得要输入密码才行。设置有点像这样：

```
[root@www ~]# vim /boot/grub/menu.lst
default=0
timeout=30
password --md5 $1$kvlI0/$byrbNgkt/.REKPQdfg287. <==放在整体设置处
splashimage=(hd0,0)/grub/splash.xpm.gz
#hiddenmenu
```

```
title CentOS (2.6.18-92.el5)
    lock  <==多了死锁的功能
    root (hd0,0)
    kernel /vmlinuz-2.6.18-92.el5 ro root=LABEL=/1 rhgb quiet vga=790
    initrd /initrd-2.6.18-92.el5.img
```

那么重新启动后，界面如图 20-7 所示。

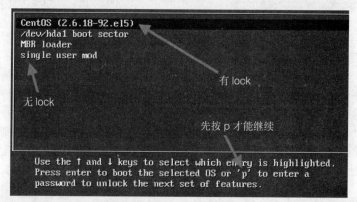

图 20-7　grub 加密的示意图

你可以看到最下方仅出现 p 的功能，由于 2, 3, 4 菜单并没有使用 lock，因此这三个菜单用户还是可以执行启动程序，但是第一个菜单由于有 lock 选项，因此除非你输入正确的密码，否则第一个菜单是无法被加载执行的。另外，这个项目也能够避免你的 menu.lst 在启动的过程中被乱改，是具有保密 menu.lst 的功能，与刚才的菜单密码功能不同。

20.4　启动过程的问题解决

很多时候，我们可能因为做了某些设置，或者是因为不正常关机（例如未经通知的停电等）而导致系统的文件系统错乱，此时，Linux 可能无法顺利启动成功，那么怎么办呢？难道要重装？当然不需要。进入 runlevel1（单用户维护模式）去处理，应该就 OK 啦！下面我们就来谈一谈如何处理几个常见的问题！

20.4.1　忘记 root 密码的解决之道

大家都知道鸟哥的记忆力不佳，容易忘东忘西的，那如果连 root 的密码都忘记了，怎么办？其实在 Linux 环境中 root 密码忘记时还是可以救回来的！只要能够进入并且挂载/，然后重新设置一下 root 的密码，就救回来啦！这是因为启动流程中，若强制内核进入 runlevel 1 时，默认是不需要密码即可取得一个 root 的 shell 来救援的。整个操作有点像这样：

1. 重新启动，一定要重新启动！
2. 启动进入 grub 菜单后，在你要进入的菜单上面点'e'进入详细设置；将光标移动到 kernel 上方并点'e'进入编辑界面；然后出现如下界面来处理：

```
grub edit> kernel /vmlinuz-2.6.18-92.el5 ro root=LABEL=/ rhgb quiet single
```

重点就是那个特殊字体。按下[enter]再按下 b 就能够启动进入单用户维护模式了。

3. 进入单用户维护模式后，系统会以 root 的权限直接给你一个 shell，此时你就能够执行 "passwd" 这个命令来重建 root 的密码。然后直接执行 "init 5" 就可以切换成为 X 窗口界面。就是这么简单！

20.4.2 init 配置文件错误

前一个 root 密码挽救的方法其实可以用在很多地方，唯一一个无法挽救的情况，那就是/etc/inittab 这个文件设置错误导致的无法启动！根据启动流程，我们知道 runlevel 0~runlevel 6 都会读取 /etc/inittab 配置文件，因此你使用 single mode（runlevel 1）当然也是要读取/etc/inittab 来进行开机的。那既然无法进入单用户维护模式，就表示这题无解？非也非也，既然默认的 init 无法执行，那我们就告诉内核不要执行 init，改调用 bash 啊！可以略过 init 吗？可以的，同样在启动进入 grub 后，同样在 grub edit 的情况下这样做：

```
grubedit> kernel /vmlinuz-2.6.18-92.el5 ro root=LABEL=/ rhgb quiet init=/bin/bash
```

因为我们指定了内核调用的第一个进程（init）变成/bin/bash，因此/sbin/init 就不会被执行。又根据启动流程的说明，我们知道此时虽然可以利用 root 取得 bash 来工作，但此时除了根目录外，其他的目录都没有被挂载；根目录被挂载成为只读状态。因此我们还需要进行一些操作才行，如图 20-8 所示。

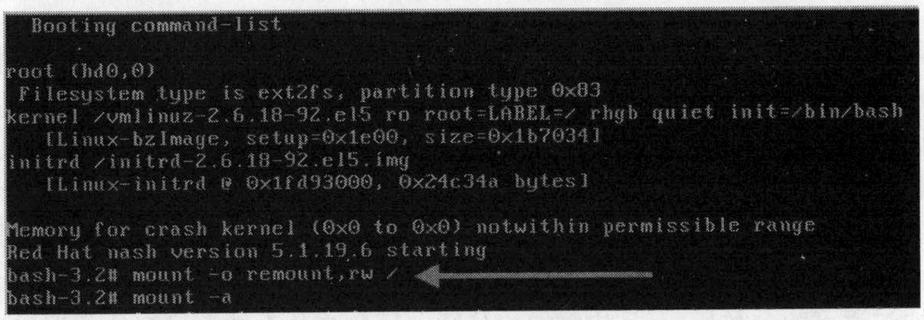

图 20-8 略过 init 的进程直接进入 bash shell

鸟哥仅执行两个命令：mount –o remount、rw /用途是将根目录重新挂载成为可读写，至于 mount –a 则是参考/etc/fstab 的内容重新挂载文件系统！此时你又可以启动进行救援的工作了！只是救援完毕后，你得要使用 reboot 重新启动一次才行！

20.4.3 BIOS 磁盘对应的问题（device.map）

由于目前硬盘很便宜，所以很多朋友就想说："那我能不能将 Windows 安装在/dev/had 中而 Linux 安装在/dev/hdb 中，然后调整 BIOS 的启动设备顺序，如此则两套系统各有各的 loader 安装在名硬盘的 MBR 当中了！"。这个想法非常好，如此一来两者就不会互相干扰，因为每块磁盘的 MBR 有不同操作系统的 loader。问题是，**grub 对磁盘的设备代号使用的是检测到的顺序！**也就是说，你调整了 BIOS 磁盘启动顺序后，你的 menu.lst 内的设备代号就可能会对应到错误的磁盘上了。

没关系的，我们可以通过/boot/grub/device.map 这个文件来写死每个设备对 grub 磁盘代号的对应关系。举例来说，鸟哥的这个文件内容如下：

```
[root@www ~]# cat /boot/grub/device.map
（fd0） /dev/fd0
（hd0） /dev/hda
```

如果你不清楚如何处理的话，也可以利用 grub-install 的功能。例如：

```
[root@www ~]# grub-install --recheck /dev/hda1
```

这样 device.map 就会主动被更新了！

20.4.4   因文件系统错误而无法启动

如果因为设置错误导致无法开机时，要怎么办啊？这就更简单了！最容易出错的设置而导致无法顺利启动的步骤通常就是/etc/fstab 这个文件了，尤其是用户在实践 Quota 时，最容易写错参数，又没有经过 mount –a 来测试挂载，就立刻直接重新启动，真要命！无法启动成功怎么办？这种情况的问题大多如图 20-9 所示。

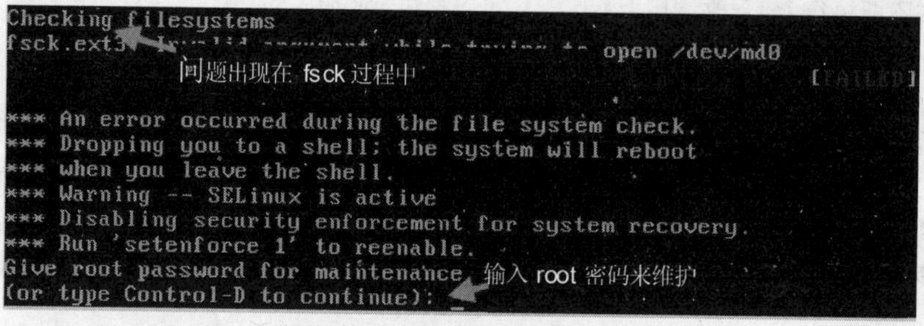

```
Checking filesystems
fsck.ext3                           open /dev/md0
        问题出现在 fsck 过程中                              [FAILED]

*** An error occurred during the file system check.
*** Dropping you to a shell; the system will reboot
*** when you leave the shell.
*** Warning -- SELinux is active
*** Disabling security enforcement for system recovery.
*** Run 'setenforce 1' to reenable.
Give root password for maintenance  输入 root 密码来维护
(or type Control-D to continue):
```

图 20-9   文件系统错误的示意图

看到最后两行，它说可以输入 root 的密码继续加以救援。那请输入 root 的密码来取得 bash 并以 mount –o remount、rw/将根目录挂载成可读写后继续处理吧！其实会造成上述界面可能的原因除了/etc/fstab 编辑错误之外，如果你曾经不正常关机后，也可能导致文件系统不一致（Inconsistent）的情况，也有可能会出现相同的问题。如果是扇区错乱的情况，请看上图中的第二行，fsck 告知其实是/dev/md0 出错，此时你就应该要利用 fsck 去检测/dev/md0 才是！等到系统发现错误，并且出现"clear[Y/N]"时，输入"y"吧！

这个fsck 的过程可能会很长，而且如果你的分区上面的文件系统有过多的数据损坏时，即使fsck 完成后，可能因为伤到系统盘，导致某些关键系统文件数据的损坏，那么依旧是无法进入 Linux 的。此时，最好就是将系统当中的重要数据复制出来，然后重新安装，并且检验一下是否物理硬盘有损伤的现象才好。不过一般来说，不太可能会这样啦、通常都是 fsck 处理完毕后就能够顺利再次进入 Linux 了。

20.4.5   利用 chroot 切换到另一块硬盘工作

仔细检查一下，你的 Linux 里面应该会有一个名为 chroot 的命令才对！这是什么？这是"change root directory"的意思。意思就是说，可以暂时将根目录移动到某个目录下，然后去处理某个问题，最后再离开该 root 而回到原本的系统当中。

举例来说，有两三个 Linux 系统在同一个主机上面，假设我的第一个 Linux 无法进入了，那么我可以使用第二个 Linux 启动，然后在第二个 Linux 系统下将第一个 Linux 挂载起来，最后用 chroot 变换到第一个 Linux，就能够进入到第一个 Linux 的环境当中去处理工作了。

你同样也可以将你的 Linux 硬盘拔到另一个 Linux 主机上面去，然后用这个 chroot 来切换，以处理你的硬盘问题，那怎么做啊？很简单。

1. 用尽任何方法，进入一个完整的 Linux 系统（runlevel 3 或 runlevel 5）；
2. 假设有问题的 Linux 磁盘在/dev/hdb1 上面，且它整个系统的排列是：

挂载点	设备文件名
/	→ /dev/hdb1
/var	→ /dev/hdb2
/home	→ /dev/hdb3

```
/usr                    → /dev/hdb5
```

若如此的话，那么在我目前的这个 Linux 下面，我可以新建一个目录，然后可以这样做：

```
挂载点              设备文件名
/chroot/            /dev/hdb1
/chroot/var/        /dev/hdb2
/chroot/home/   →   /dev/hdb3
/chroot/usr/    →   /dev/hdb5
```

3. 全部挂载完毕后，再输入 "chroot /chroot"，你就会发现，根目录 （/）变成那个/dev/hdb1 的环境了。

20.5　重点回顾

◆ Linux 不可随意关机，否则容易造成文件系统错乱或者是其他无法启动的问题。
◆ 启动流程主要是 BIOS、MBR、Loader、kernel+initrd、/sbin/init 等流程。
◆ loader 具有提供菜单、加载内核文件、转交控制权给其他 loader 等功能。
◆ boot loader 可以安装在 MBR 或者是每个分区的 bootsector 区域中。
◆ initrd 可以提供内核在启动过程中所需要的最重要的模块(通常是与磁盘及文件系统有关的模块)。
◆ init 的配置文件为/etc/initab，此文件内容可以设置默认 runlevel、系统初始化脚本、不同执行等级的服务启动等。
◆ 额外的设备与模块对应可写入/etc/modprobe.conf 中。
◆ 内核模块的管理可使用 lsmod, modinfo, rmmod, insmod, modprobe 等命令。
◆ modprobe 主要参考/lib/modules/$(uname –r)/modules.dep 的设置来加载与卸载内核模块。
◆ grub 的配置文件与相关文件系统定义文件大多放置于/boot/grub 目录中，配置文件名为 menu.lst。
◆ grub 对磁盘的代号设置与 Linux 不同，主要通过检测的顺序来给予设置，如（ hd0 ）及（ hd0,0 ）等。
◆ menu.lst 内每个菜单与 titile 有关，而直接指定内核启动时，至少需要 kernel 及 initrd 两个文件。
◆ menu.lst 内设置 loader 控制权移交时，最重要的为 chainloader+1 这个选项。
◆ 若想要重建 initrd，可使用 mkinitrd 处理。
◆ 重新安装 grub 到 MBR 或 boot sector 时，可以利用 grub shell 来处理。
◆ 若想要进入救援模式,可于启动菜单过程中，在 kernel 的选项后面加入"single"或"init=/bin/bash" 等方式来进入救援模式。
◆ 我们可以对 grub 的各个菜单给予不同的密码。

20.6　本章习题

情境模拟题一
利用救援光盘来处理系统的错误导致无法启动的问题。
◆ 目标：了解救援光盘的功能；
◆ 前提：了解 grub 的原理，并且知道如何使用 chroot 功能；
◆ 需求：打字可以再加快一点啊！
这个部分鸟哥就不抓图了，请大家自行处理。假设你的系统出问题而无法顺利启动，此时拿出原版光盘，然后重新以光盘来启动你的系统。然后你应该要这样做：
1. 利用光盘启动时，到了看到 boot:的阶段，按下[F5]之后会看到可以输入的选项，此时请输入：

```
boot: linux rescue
```

就能够进入救援模式的检测了！

2. 然后请选择语系与键盘对应，这个与安装过程是一模一样的，所以选择 "English" 与 "us" 即可！

3. 接下来会问你是否需要启动网络，因为我们的系统是出问题要处理，所以不需要启动网络，选择 "No" 即可；

4. 然后就进入救援光盘模式的文件系统查找了。这个救援光盘会去找出目前你的主机里面与 CentOS 5.x 相关的操作系统，并将该操作系统设置成为一个 chroot 的环境等待你的处置！但是它会有三个模式可以选择，分别是：continue，继续成为可读写挂载；Read-Only，将检测到的操作系统变成只读挂载；Skip，略过这次的救援动作。在这里我们选择 Continue 吧！

5. 然后系统会将检测到的信息通知你！一般来说，可能会在屏幕上显示类似这样的信息："chroot/mnt/sysimage"。此时请按下 OK 吧！

6. 按下 OK 后，系统会丢给你一个 shell 使用，先用 df 看一下挂载情况是否正确。若不正确请手动挂载其他未被挂载的分区。等到一切搞定后，利用 chroot/mnt/sysimage 来转成你原本的操作系统环境。等到你将一切出问题的地方都搞定，请重启系统，且取出光盘，用硬盘启动吧！

简答题部分

◆ 如何查看与修改 runlevel 呢？

◆ 我有个朋友跟我说，他想要让一个程序在 Linux 系统下一开机就启动，但是在关机前会自动先结束该程序，我该怎么建议他？

◆ 万一不幸我的一些模块没有办法让 Linux 的内核捕获到，但是偏偏这个内核明明就有支持该模块，我要让该模块在启动的时候就被加载，那么应该写入哪个文件？

◆ 如何在 grub 启动过程当中，指定以 "runlevel1" 来启动？

◆ 由于一些无心之过，导致系统启动时，只要执行 init 就会产生错误而无法继续启动，我们知道可以在启动的时候，不要以 init 加载系统，可以转换第一个执行程序，假设我第一个执行程序想要改为/bin/bash，好让我自行维护系统（不同于 runlevel 1），该如何进行此工作？

◆ 如果你不小心先安装 Linux 再安装 Windows 导致 boot loader 无法找到 Linux 的启动菜单，该如何挽救？

20.7　参考数据与扩展阅读

◆ 注 1：BIOS 的 POST 功能解释：http://en.wikipedia.org/wiki/Power-on_self-test

◆ 注 2：BIOS 的 INT13 硬件中断解释：http://en.wikipedia.org/wiki/INT_13

◆ 注 3：关于 splash 的相关说明：http://ruslug.rutgers.edu/~mcgrof/grub-images/

◆ 注 4：一些 grub 出错时的解决之道：
http://wiki.linuxquestions.org/wiki/GRUB_boot_menu
http://forums.gentoo.org/viewtopic.php?t=1 22656&highlight=grub+error+collection

◆ infogrub

◆ GNU 官方网站关于 grub 的说明文件：
http://www.gnu.org/software/grub/manual/html_node/

◆ 纯文本屏幕分辨率的修改方法：
http://phorum.study-area.org/viewtopic.php?t=14776

21

第 21 章　系统设置工具（网络与打印机）与硬件检测

除了手动设置之外，其实系统提供了一个名为 setup 的命令给系统管理员使用！这个命令还能够设置网络呢。此外，我们也应该要知道如何在 Linux 下面连接打印机，否则一些数据怎么印出来？另外，如果你的主板支持 CPU 温度检测的话，我们还能够利用 lm_sensors 这个软件功能来检测硬件的电压、风扇转速、CPU 温度等信息。

21.1 CentOS 系统设置工具：setup

系统设置除了使用手动的方式编辑配置文件之外（例如/etc/inittab,/etc/fstab 等），其实 Red Hat 系统的 RHEL，CentOS 及 Fedora 还有提供一支综合程序来管理的，那就是 setup 这个命令的功能。老实说，setup 其实只有在 Red Hat 的系列才有，在其他的 Linux distributions 中并不存在，因此，鸟哥并没有很要求一定要学会它。只不过，setup 还是挺好用的，所以我们还是来玩玩。

这个 setup 的处理方法非常简单，就是利用 root 的身份下达这个命令，如果你已经使用远程操作系统的话，记得最好切换一下语系成为英文语系（比较不会出现边框是乱码的情况），结果就会出现如图 21-1 所示的界面了。

图 21-1　setup 的命令允许界面示意图

如上图所示，那就是 setup 提供的各项系统设置功能。这个界面的使用方式其实在图中的最下面一行有说明了，可以利用[tab]按键在三个界面中切换，使用 Run Tool 可以开始设置该项目，使用 Quit 可以离开 setup 命令。那么上面的主菜单部分有哪些功能呢？这些设置的基本功能是这样的：

◆ Authentication configuration
  ● 这是与用户身份认证有关的设置，包括本机的账号与利用远程服务器提供的账号来登录本机等功能的设置。
◆ Firewall configuration
  ● 简单设置防火墙与 SELinux 的启动模式（Disable,Enforcing, Permissive）。SELinux 请参考第 17 章的说明，防火墙则请参考服务器篇的解释了。这个地方的设置比较简单，有时候可能会让你自己搞不清楚设置值的意义。所以，还是手动处理比较妥当。
◆ Keyboard configuration
  ● 就是键盘按键的对应表。注意，这个设置仅与 tty 接口有关，至于 X Window 则不是以这个为设置值。
◆ Networkconfiguration
  ● 设置网络参数的地方，包括 IP, network, netmask, dns 等，不过，还需要看完服务器篇关于网络基础的介绍后，才能够比较了解设置值的意义。
◆ System services
  ● 其实就是第 18 章提到的 ntsysv 的内容，即设置一些系统服务是否在开机时启动的地方。
◆ Timezone configuration
  ● 安装的时候不是可以通过全世界地图挑选时区吗？这个就是在安装完毕后重新选择时区的地方。
◆ X configuration
  ● 设置 X Window 相关的设置，例如分辨率等。我们会在第 24 章再提到 X Window 方面的基础知识。

下面我们就来大致介绍一下 setup。除了网络 IP 的设置外，其余的部分鸟哥会很快带过去而已。毕竟 setup 仅是一个统整的工具，每个设置项目其实都牵涉到各自的基础功能，那些基础功能还得要持续摸索的。

21.1.1　用户身份验证设置

在按下了"Authentication configuration"选项后，会出现如图 21-2 所示的界面。

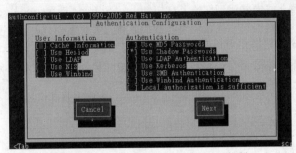

图 21-2　Setup 命令的用户身份认证机制

我们的 Linux 除了使用自己提供的用户密码验证机制之外，还能够使用其他外部身份验证服务器所提供的各项验证功能。上面图示左侧 User Information 的地方指的是：我们系统上的用户可以使用什么方式对外取得账户信息，也就是说，这部主机除了/etc/passwd 的账号之外，还能够使用其他的账号来登录系统的。我们支持的账号管理服务器主要有 LDAP,NIS,Winbind 等。

至于右侧的 Authentication 则是登录时需要提供的身份验证码（密码）所使用的机制。在默认的情况下，我们身份验证仅参考本机的/etc/passwd,/etc/shadow 而已，而且使用 MD5 的密码验算机制，因此图

21-2 右侧的部分仅会有最上方两个而已。事实上，这个部分的设置主要是修改了/etc/sysconfig/authconfig，同时还加入了各个服务器的客户端程序设置功能。

你一定会问，那么什么时候可以用到这个机制呢？思考一下，如果你的网络环境是计算机教室，你希望每个同学都能够有自己的账号来登录每台主机。此时，你会希望每台主机都帮同学创建同一个账号吗？那如果每一个同学都想要修改密码，那就糟了！因为每台主机都得要重新修改密码才行啊！这个时候账号管理服务器就很重要了。它的功能如图21-3 所示。

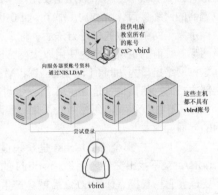

图 21-3　身份管理服务器的功能示意图

如图 21-3 所示，我（vbird）想要登录某一台主机时，这部主机会向外要求账户信息，就是最上方那台服务器。此时，你只要在最上方的服务器上将该账号设置好，并且在每台主机都利用 NIS 或 LDAP 功能来指定身份查询的方向，那么 vbird 就能够使用同一组账号密码来登录每台主机了，这样管理是否很方便呢？因为只要管理一部服务器即可！我们在服务器篇谈到 NIS 时再来实践这个环境！

> 其实 NIS 与 LDAP 等，都是一种网络协议，我们可以通过网络协议来进行数据的传输。用户账户信息当然也能够通过这个机制来管理。有兴趣的朋友请继续阅读鸟哥写的服务器篇。

21.1.2 网络配置选项（手动设置 IP 与自动获取）

网络其实是又可爱又麻烦的，如果你是网络管理员，那么你必须要了解局域网内的 IP,gateway,netmask 等参数，如果还想要连上 Internet，那么就得要理解 DNS 代表的意义为何。如果你的单位想要拥有自己的域名，那么架设 DNS 服务器则是不可或缺的。总之，要设置网络服务器之前，你得要先理解网络基础就是了。没有人愿意自己的服务器老是被攻击或者是网络问题层出不穷。

但鸟哥这里的网络介绍仅止于当你是一部单机的 Linux 客户端，而非服务器！所以你的各项网络参数只要找到网络管理员，或者是找到你的 ISP（Internet Service Provider），向他询问网络参数的取得方式以及实际的网络参数即可。通常网络参数的取得方式有下面这几种：

1．手动配置固定 IP

常见于学术网络的服务器设置、公司行号内的特定座位等。这种方式你必须要取得下面的几个参数才能够让你的 Linux 上网的：

- IP；
- 子网掩码（netmask）；
- 网关（gateway）；
- DNS 主机的 IP（通常会有两个，若记不住的话，硬背 168.95.1.1 即可）。

2．网络参数可自动获取

常见于路由器后端的主机，或者是利用电视线路的调制解调器（cable modem），或者是学校宿舍的网络环境等。这种网络参数取得方式就被称为 DHCP，你啥事都不需要知道，只要知道设置上网方式为 DHCP 即可。

3．通过 ADSL 宽带拨号

不论你的 IP 是固定的还是每次拨号都不相同，只要是通过宽带调制解调器拨号上网的，就是使用这种方式。拨号上网虽然还是使用网卡连接到调制解调器上，不过，系统最终会产生一个替代调制解调器的网络接口（ppp0），那个 ppp0 也是一个物理网络接口。

了解了网络参数的取得方法后，你还需要知道一下我们通过什么硬件连上 Internet 的呢？其实就是网卡。目前的主流网卡为使用以太网络协议所开发出来的以太网卡（Ethernet），因此我们 Linux 就称这种网络接口为 ethN（N 为数字）。举例来说，鸟哥的这台测试机上面有一块以太网卡，因此鸟哥这部主机的网络接口就是 eth0（第一张为 0 号开始）。

好了，那就让我们通过 setup 来设置网络。按下 "Network Configuration" 会出现如图 21-4 所示的界面。

图 21-4 中那个 eth1.bak 是系统报错的文件，因为这个程序会跑到/etc/sysconfig/ network-scripts/目录下找出文件名为 ifcfg-ethN 的文件内容来显示的。因为鸟哥仅有一张网卡，因此那个 eth1 不要理会它！直接点选 eth0 之后就会产生如图 21-5 所示的界面。

图 21-5 中那个 Name 与 Device 名称最好要相同，尽量不要修改它！这里的设置是这样的：

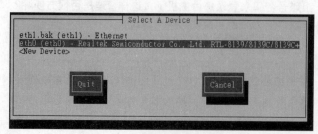

图 21-4 setup 的网络接口选择示意图

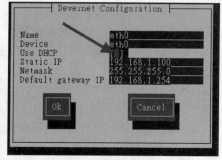

图 21-5 网络接口的各项网络参数设置示意图

　　1. 如果你是使用手动设置的话，"Use DHCP"一定不能勾选，然后将下面的 Static IP, Netmask, Default gateway IP 设置值填上去即可。这三个设置值请联系你的网络管理员。

　　2. 如果你是使用 DHCP 的自动获取 IP 方式，勾选"Use DHCP"后，将后面的三个设置清空，这样就设置好网络参数了；

　　如果你是使用 ADSL 拨号的话，那么上面的设置项目就不适用了。你得要使用 adsl-setup 来进行设置，然后再以 adsl-start 来启动 ADSL 拨号，详细的方法我们会在服务器篇再来介绍的。上面谈的都是 IP 的取得方式，并没有谈到主机名解析的部分（DNS）。只有手动设置才需要进行 DNS IP 的设置，使用 dhcp 及 adsl-start 都不需要进行下面的动作。假设你的 IP 为 168.95.1.1 时，那就得这样设置：

```
[root@www ~]# vim /etc/resolv.conf
nameserver 168.95.1.1
```

　　重点是 nameserver 后面加上你的 DNS IP 即可！一切设置都妥当之后，你还得要进行一个任务，那就是重新启动网络看看。重新启动网络的方法很简单，这样做即可：

```
[root@www ~]# /etc/init.d/network restart
Shutting down interface eth0:
Shutting down loopback interface:
Bringing up loopback interface:
Bringing up interface eth0:
```

　　由于网络涉及的范围相当广泛，还包括如何进行网络除错的工作等，鸟哥将这部分写在服务器篇了，所以这里不再多费唇舌。假设你现在已经连上 Internet 了，那么防火墙的设置则不可不知啊！下面就来谈谈。

21.1.3　防火墙设置

　　防火墙的认识是非常困难的，因为你必须要有很强的网络基础概念才行。CentOS 提供的这个简单的设置其实有时候反而会让我们困扰不已。基本上，这里仅是介绍你可以这样做，但并不代表你必须这样做。所以，有兴趣的还是得要再继续钻研网络技术。好了，在按下 Firewall configuration 后，会出现如图 21-6 所示的界面。

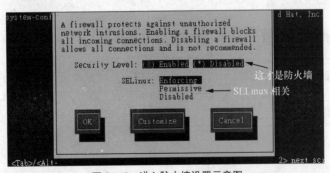

图 21-6　进入防火墙设置示意图

　　图 21-6 中主要出现两个部分，一个是关于 SELinux 的部分，一个则是防火墙的部分。SELinux 我们在第 17 章介绍过了，这里不再浪费篇幅。请依据你的需求设置 Enforcing,Permissive 或 Disabled 。（当然最好还是务必要启动 SELinux 。）

　　防火墙的部分，由于我们安装时建议不要启动防火墙，因此上图你会看到"Disabled"的部分被选择了。但是由于现在你的系统已经上网了（假设已经上网了），那么你务必要启动防火墙来管理网络才好。由于默认你的防火墙会开放远程主机对你的登录联机，因此最好使用 Customize（客户设置）来改变设置比较好！按下"Customize"会出现图 21-7 所示界面。

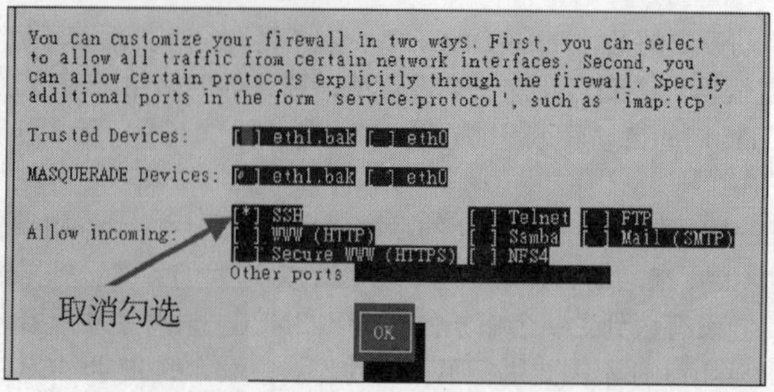

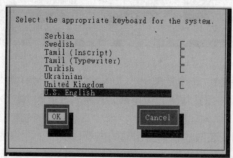

图 21-7　设置防火墙抵挡机制的示意图

这个地方不是三言两语讲得完的！包括信任设备以及允许进入的服务器数据包，很是麻烦。基本上，你只要这样想就好了：

◆　Trusted Devices：这是信任设备，如果你有两块网卡，一块是 eth0（对内），一块是 eth1（对外），假设是 eth1，那么如果你想要让 eth0 的进出数据包都是为信任，那么这里就可以将 eth0 勾选。不过，要非常非常注意，接到外部网络（Internet）的那块网卡千万不能勾选，否则大家就都能够通过那块网卡连到你的主机上！在默认的情况中，这里都不要选择任何接口。

◆　MASQUERADE Devices：这个是"数据包伪装"的功能，即是进行路由器的功能。如果你的 Linux 主机是作为类似路由器的功能，那么对外那张网卡就得要启动 MASQUERADE 才行！因为我们尚未谈到网络服务器，因此这里可千万不要随意选择。

◆　Allowincoming：这里提到的就是各个服务的内部选项，举例来说，你的 Linux 有提供 WWW 服务，又希望大家都能够来查阅，那么这个时候就可以在 WWW 那个选项前面勾选。你要注意到的是，默认 Linux 都会开放 ssh 这个服务（如上图），记得先将它取消勾选，因为这个 ssh 现在很容易被攻击。所以不要开放人家使用这个服务连接到你的主机上。

基本上，这个操作仅是新建/etc/sysconfig/iptables 这个文件而已。而这个文件默认是不存在的（因为我们没有启动防火墙啊）。这里你先有个概念即可，因为，我们将来会介绍以 shell script 的方式建立属于你自己的防火墙系统，细节我们会在服务器篇慢慢介绍的啊！

如果你已经有网络了，记得在这个选项的设置中，在图 21-6 中选择防火墙为"Enable"的状态，按下"Customize"进入图 21-7 当中取消 ssh 的勾选，最后再回到 21-6 当中按下"OK"来启动 Linux 客户端的防火墙设置。这样你的系统就具有最起码的防火墙功能。

21.1.4　键盘形式设置

某些情况下面你的键盘可能会发生一些对应错误的情况，举例来说，使用的键盘并非常见的 104 按键导致很多英文对应不起来。此时你可以使用 setup 来修改！按下"Keyboard configuration"会出现如图 21-8 所示的界面。

图 21-8　键盘形式选择

其实这个文件就仅会修改/etc/sysconfig/keyboard，很简单的设置选项。

21.1.5　系统服务的启动与否设置

我们在第 18 章谈过系统服务的启动与关闭，当时介绍过 ntsysv 吧？没错，这个 System services 的项目就是会调用 ntsysv 这支程序来处理服务的设置。详细的设置请回第 18 章参考。这里不再浪费篇幅。

21.1.6　系统时钟的时区设置

我们知道地球是圆的，所以想要看王建民在纽约投球都得要三更半夜才有办法看得到！这也就是说，其实在同一个时间点全世界的时钟指的时间都不相同啊！我们的 Linux 是支持多国语系的国际化操作系统，所以你可以将这台主机拿到任何地方且不需要修改系统时钟，因为系统会主动依据你提供的时区来变化时间的。当你将笔记本电脑带到美国纽约并且想要更改成为美国时间时，可以按下"Timezone configuration"的选项，如图 21-9 所示。

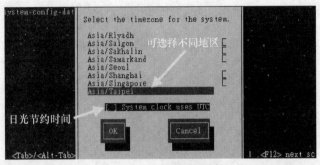

图 21-9　setup 的时区选择

如图 21-9 所示，你在上半部界面中，可以使用箭头来选择正确的位置，然后再用[tab]键移动到[OK]按钮即可。时区的设置，其实就是找出与/etc/sysconfig/clock 有关的设置选项而已。实际上，上面图示出现的界面就与/usr/share/zoneinfo/目录内的数据有关而已。

21.1.7　X 窗口界面分辨率设置

X Window System 我们会在第 24 章再来详细说明，这里仅是告知一下，如果你想要更改你的 X 窗口界面的分辨率时，就可以使用这个选项了。不过要注意的是，这个选项的执行不可以使用类似 ssh 协议联机后，在远程主机上执行这个设置选项。因为这个选项的执行会产生一个新的 X 终端机在 tty7 或 tty8 上面，因此，你如果使用远程联机机制的话，会看不到界面的，理解吗？

在你选择了"X 配置"之后，就会出现如图 21-10 所示界面。其中硬件及设置两个页面较常被更改。先来瞧瞧图示吧！如图 21-10 所示，由于窗口分辨率的范围与屏幕的支持有关，因此你必须要先处理屏幕的更新频率后才能够修改窗口分辨率。所以我们会先处理"硬件"部分，鸟哥的屏幕是旧式的 4：3 传统屏幕，所以选择 1024 x 768，如果你的屏幕是宽屏，那么请自行挑选适当的分辨率吧！处理完毕后就能够开始设置窗口分辨率了，如图 21-11 所示。

此时会出现可调整的分辨率。整理整理就能够显示出你想要的窗口分辨率。其实这些设置都是修改/etc/X11/xorg.conf 这个配置文件。等到了第 24 章时，我们再来详细谈谈这玩意。至于关于 X 方面的日志文件则在/var/log/Xorg.0.log 中。

鸟哥个人认为，这个 setup 的工具是很好用的。只是，如果能够完全清楚整个系统架构的话，再来玩这个小程序会比较好。另外，原本的旧版 CentOS 还有提供打印机的设置功能，不过由于新版的数据已经转由 CUPS 负责打印，而打印可以使用浏览器界面来显示，因此就取消了这个 setup 的组件。下面我们就来玩玩如何简单设置你的打印机！

图 21-10　setup 的 X 分辨率设置之一

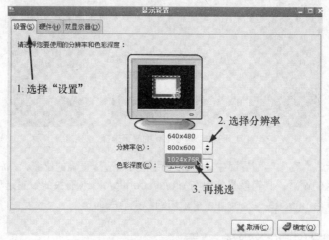

图 21-11　setup 的 X 分辨率设置之二

21.2　利用 CUPS 设置 Linux 打印机

打印机对于日常生活来说很重要。尤其我们的 Linux 主机如果将来还要作为 Printing server 的话，那么自然就得要先新建好打印机的连接。在本章里面我们仅谈论一下如何让你的 Linux 可以连接到打印机，让你的 Linux 可以顺利将文件数据打印出来。现在就来谈谈！

21.2.1　Linux 的打印组件（打印操作、队列、服务与打印机）

◆　硬件支持度
- 要谈论 Linux 的打印，首先就得要知道 Linux 下面整个打印的行为是怎样的一个流程呢？而且也得要了解一下你的硬件是否支持打印作业！在硬件部分，你必须要在 BIOS 中将打印机的支持启动才行！不过，这大概都属于旧式打印机才需要的操作。为什么呢？因为现在打印机大部分都是 USB 或者是网络打印机了，根本不需要使用 25 针串行端口的支持！

　　为什么会谈到 25 针串行端口以及 BIOS 的支持呢？这是因为鸟哥曾经发生过一件糗事。由于鸟哥常用旧型主机的关系，所以总喜欢先在 BIOS 里面将没用到的设备选项全部取消（disable），所以没有接打印机的情况下，当然连打印机的串行端口（Parallel）也关闭了。没想到后来为了测试打印机的连接取得一台旧式打印机，要命啊！连续测试两天的时间却无法顺利打印出正确的文件信息！最后才想到可能是 BIOS 内部的问题。进入 BIOS 将打印机支持启动成为 EPP/SPP 之后，俺的 Linux 就能够顺利识别打印机并进行打印。真想哭啊！　不是感动得想哭，是气得想哭！

　　除了主机本身的支持之外，你的打印机也必须要能够支持 Linux 才行！其实并不是 Linux 的问题。而是打印机制造商必须要能够提供给 Linux 用的驱动程序，这样你的 Linux 才能够使用该型号的打印机。老实说，鸟哥是 HP 打印机的爱好者，因为 HP 打印机对 Linux 的支持非常好！但是另一品牌的 L 开头的打印机总是很慢或者不推出给 Linux 用的驱动程序，所以该品牌的打印机很难安装在 Linux 主机上！真困扰。

　　因为鸟哥过去所在的研究室大多购买 HP 的打印机，所以测试打印机时完全没有出现任何问题。但是某天在家里使用鸟嫂购买的某 L 开头品牌的打印机时，连忙了三天却都无法连接到该打印机来顺利输出。最终查询 Linux 打印机支持网站，才发现该型号的打印机根本没有推出给 Linux 用的驱动程序，所以就无法顺利使用该打印机，最终鸟哥就放弃该测试了。唉！真浪费时间！

- 那到底你该如何确认你的打印机有否支持 Linux 呢？或者是，如果你想要购买新的打印机时，如何查询该打印机能否在 Linux 上面安装呢？很简单，直接到下面的网站去查询一下即可！
  - http://www.linuxfoundation.org/en/OpenPrinting
- 举例来说，鸟哥现在的研究室有一部 HP 的 LaserJet P2 015dn 打印机，我想要知道这部打印机对 Linux 的支持度好不好，那就先进入上述的网站链接，出现如图 21-12 的界面。

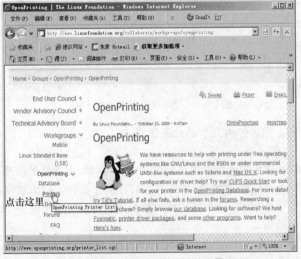

图 21-12　打印机支持网站的主界面

- 在如上界面中请按下 "Printers" 来查看打印机的特性，会出现如图 21-13 所示的界面。

图 21-13　选择打印机示意图

- 在上图中填入正确的品牌（HP）以及正确的打印机型号（LaserJet P2 015dn）后，请按下"Show"那个按钮，该网站就会从数据库内搜索支持度的情况给你看，如图 21-14 所示。

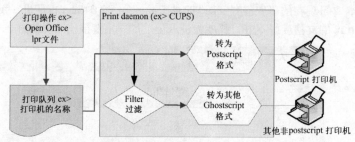

图 21-14　鸟哥的打印机对 Linux 的支持度

- 在显示的界面中，你最要注意的是那个企鹅数量。如果达到 3 只，那就代表支持度是非常完美的。两支企鹅是可接受的范围内。如果是小于一只企鹅时，那么该打印机对 Linux 的支持可能就是比较差的！还好，鸟哥这台含有网络功能的打印机还有两只企鹅的支持，等一下应该能够顺利安装到我的 Linux 测试机上。

◆ 打印组件

- 你有没有发现，在打印机还没有启动电源的情况下面，其实我们还是可以通过软件来将某个任务打印出来的，只是该项任务就会被放入到等待的环境中（队列），为什么会这样呢？这是因为整个打印的行为被区分为许多部分，每个部分都可以单独存在的。我们将整个部分绘制成图 21-15 来瞧瞧。

图 21-15　打印行为的各组件示意图

- 我们大概可以将上图区分为几个部分来说明：

■ 打印操作

- 例如 Open Office 这类较大型的办公室软件中，可以利用内置的程序产生打印的操作。我们也可以使用类似 lpr 这类命令行程序来直接打印某个文件。打印软件产生的打印操作就是产生一个打印的工作（job），这个打印操作就会进入排队等待（队列,queue）的环境中，等待打印服务来进行输出。

■ 打印队列

- 这是放置打印作业的重要项目！这个打印队列与打印服务有关。一般来说，打印队列会以打印机的名字来命名，让大家知道你的打印作业将要使用哪部打印机输出之故。当打印作业放置到队列后，就开始等待打印服务的取用与输出了。

- 打印服务

- 就是实际负责沟通队列内的打印操作与打印机的服务。打印服务其实就是将队列内的打印操作的数据转成打印机认识的格式后，直接交给打印机来输出而已。但是打印服务必须要与打印机交互，因此它就得要连上打印机与驱动打印机才行。目前常见的打印服务有 CUPS 与 LPRng，不过以 CUPS 为主流。

- 一般我们说的打印机驱动程序其实就是将打印作业的数据转成打印机格式。而目前常见的打印机格式为使用 Postscript 的打印格式，Linux 默认的 CUPS 本身就支持这种打印格式，因此，只要你购买的打印机有支持 postscript，那么安装起来应该是很轻松的才是。我们在上面提到的打印机支持网站中，里面的驱动程序很多就是 postscript 打印机描述文件（Postscript Printer Description[注1]）。

- 那万一没有 PPD 文件呢？没关系，我们可以通过打印机厂商提供的其他定义文件（例如 Ghostscript）来解释打印操作的数据，让打印机认识该格式后，就能够顺利打印了！这也就是说，其实打印机驱动程序就是将数据转成打印机认识的格式后，就能够加以输出了。而常见的格式为 Postscript 及 Ghostscript。

- 那么这些打印的 PPD 驱动程序文件放在哪里呢？其实就放在/usr/share/cups/model/下面。CentOS 已经提供一些默认的驱动程序了，如果想要取得更新的 PPD 驱动程序文件，请参考上面的打印机网站，从那上面来下载即可。若想要直接下载全部的 PPD 文件，可以参考链接：http://www.linuxprinting.org/download/PPD/。

为什么需要打印队列（queue）呢？因为打印机只能够给单一任务进行打印，没办法像 CPU 可以交替运行的！所以打印操作就得要排队等待打印机的打印，而打印机得要将前一份任务栏印完毕后才能够打印下一份工作，否则如果是交错打印，那印出的东西不就混杂在一起了？这样说了解吗？

21.2.2　CUPS 支持的联机模式

如果你的打印机具有网卡，那么你当然可以使用网络联网到你的打印机上面。不过，这种打印机提供什么服务呢？也就是说，你可以使用什么连接协议来连上打印机呢？常见的打印机联机模式有下面这些：

- socket

- 数据通过 internet socket（端口）来传送，一般为 port 9100 或 35。如果想要进行数据的传输与打印，可以通过在浏览器上面输入 socket://host-printer:9 100/来进行。不过，这种模式不常用就是了。

- LPD（Line Pritner Daemon）

- LPD 是较早之前的打印服务，刚才上面提到的 LPRng 就是使用这种方式的联机。LPD 主要是利用串行端口来达成打印的需求，打印机名称就是 LPT1/LPT2 等。目前还是可以在比较早期的 Linux distributions 中看到这种打印方式。

- IPP（Internet Printing Protocol）

- 这是目前比较流行的打印机打印协议，我们的 CUPS 默认也是支持这种协议啊！当启动 IPP 时，打印机会启动 port 631，打印的数据就是通过这个端口来进行传送的。另外，如果你的打印机或者 Linux 主机启动了 ipp 之后，嘿嘿！你可以直接使用浏览器输入

ipp://printer_IP /printername，或者是 http:/printer_IP:631 就能够直接在线处理打印机的设置了！方便得很啊！

- ◆ SMB（Server Message Block）
  - ● 它就是网络上的邻居。协议使用的是 smb://user:password@host/printer。

CentOS 5.x 默认提供的就是 CUPS 的 IPP 协议，而且 CUPS 默认开机就启动了，因此，你可以随时随地以 Web 接口设置自己的打印机。真是非常方便！那如果你的打印机是通过数据线（USB/串行端口）连上主机的呢？那就得要考虑下面的连接接口。

- ◆ parallel：串行端口啊，就是 25 针那种玩意！它是连接到/dev/lp[0-2]等设备。在 CUPS 里面的设备使用格式为：parallel:/dev/lp0。
- ◆ USB：越来越常见的 USB 打印机啊！CUPS 使用的格式为：usb:/dev/usb/lp0。

21.2.3 以 Web 界面管理网络打印机

事实上，管理 Linux 的打印机是非常简单的一件事情，因为你只要启动 CUPS 之后，再以浏览器接口来管理即可。不过，在默认的情况下面，要进行浏览器界面的管理操作时，你必须要：

- ◆ 启动 CUPS 这个服务（/etc/init.d/cups start）；
- ◆ 具有 root 的权限（需要 root 的密码来设置）；
- ◆ 默认仅能在本机（localhost）管理，无法使用远程联网连到此 Linux 管理。

如果你想要在局域网内将打印机的控制权移交给其他用户管理时，就得要修改 CUPS 的设置了。在这里，我们先以本机的方式来处理打印机的联机！首先，鸟哥以具有网卡的打印机 HP LaserJetP2 015dn 这台为例（因为鸟哥也只有这台打印机具有网卡啊），这台打印机的 IP 为 192.168.201.253，而鸟哥 Linux 测试机 IP 为 192.168.201.250。然后，你可以这样做：

- ◆ 确认打印机存在且支持 CUPS 认可的相关协议
  - ● 如果想要加入 CUPS 的网络打印机，那么你的打印机当然就得要支持 CUPS 认可的通讯协议。如何确定呢？首先，你必须要依照你打印机所提供的手册去设置好 IP，以鸟哥上面的环境来说，我的打印机 IP 为 192.168.201.253，因此我可以这样确定该打印机是否存在：

```
# 1. 先确定 IP 是否正确：
[root@www ~]# ping -c 3 192.168.201.253
PING 192.168.201.253（192.168.201.253）56（84）bytes of data.
64 bytes from 192.168.201.253: icmp seq=1 ttl=255 time=0.464 ms
64 bytes from 192.168.201.253: icmp seq=2 ttl=255 time=0.313 ms
64 bytes from 192.168.201.253: icmp seq=3 ttl=255 time=0.356 ms

--- 192.168.201.253 ping statistics ---
3 packets transmitted, 3 received, 0% packet loss, time 2000ms
rtt min/avg/max/mdev = 0.313/0.377/0.464/0.067 ms
# 重点是有没有出现响应的时间参数，即是 time 那个字段！

# 2. 使用 nmap 测试打印机有没有出现打印相关的服务接口：
[root@www ~]# nmap 192.168.201.253
Starting Nmap 4.11 ( http://www.insecure.org/nmap/ ) at 2009-05-27 22:07 CST
Interesting ports on 192.168.201.253:
Not shown: 1676 closed ports
PORT     STATE SERVICE
80/tcp   open  http
139/tcp  open  netbios-ssn
515/tcp  open  printer
9100/tcp open  jetdirect
MAC Address: 00:18:FE:9E:4C:58（Unknown）

Nmap finished: 1 IP address (1 host up) scanned in 3.875 seconds
# 鸟哥这台打印机仅支持 LPD 服务（515）以及 HP 独家的服务（9100）
```

- 这样就确定我的打印机实际存在，且这台打印机仅支持 HP 独家的网络服务（port 9100）以及旧版的 LPD 服务而已，这个信息很重要，因为等一下我们使用 CUPS 联机时，就得要使用这个 LPD 的服务。另外，请特别留意一下，那个 nmap 是个可以扫描主机端口的软件（port scan），它默认并没有安装到 CentOS 上，但是你可以使用 "yum install nmap" 来安装它。请注意，因为这个软件可以是恶意攻击的，因此千万不要用来查看别人的主机，否则恐怕会有违法之虞！
- 接下来，让我们来了解一下，系统有没有 CUPS 的支持。

◆ **查询你 Linux 主机是否启动 CUPS 服务**

- 再来查看看你的主机是否已经启动了 CUPS 呢？使用 netstat 这个命令看看：

```
[root@www ~]# netstat -tlunp | grep 631
tcp 0 0 127.0.0.1:631      0.0.0.0:*          LISTEN      4231/cupsd
udp 0 0 0.0.0.0:631        0.0.0.0:*                      4231/cupsd
```

- 确实有启动 631 接口以及 cupsd 的服务。接下来，我们可以直接连上 CUPS 了！请打开浏览器，然后在地址栏输入 "http://localhost:631" 即可！因为浏览器要连接的并非正规的 WWW 服务接口，因此就得要加上冒号（:）来指定接口连接。顺利的话，应该可以出现如图 21-16 所示界面。

图 21-16　CUPS 进站界面

- 主界面主要可以分为上下两个按钮列来说明，其中又以下方的按钮列为常见的操作选项。我们会用到的按钮大概就是：
- Add Printer：添加打印机，就是从这个按钮开始的！
- Manage Jobs：打印工作管理，如果有打印工作要取消的，这个就对了！
- Manage Printers：管理打印机，包括是否启动或者是删除打印机等。
- 不啰唆，赶紧来添加打印机看看！按下 "Add Printer" 选项吧！

图 21-17　CUPS 添加打印机的界面示意图

- 上面图示中，最重要的其实是那个 "Name" 的选项，那就是你打印机的队列名称！将来所有打印的工作都是放在该名称下面排队的！鸟哥的这个打印机名称比较复杂。你可以取个比较简单的名字，以后比较容易使用命令行软件来打印。至于位置（Location）与描述（Description）都是这个打印机的说明，可写可不写！写完后按下"continue"。

- 接下来则是选择这个打印机队列所联网的打印机提供什么服务的打印功能，你可以看到前一小节我们使用 nmap 的时候就发现 port 9100 就是 HP JetDirect，因此我们可以选择图 21-18 中的第一个项目。由于这台打印机也提供 port 515 的 LPD 服务，因此你也可以选择图中的"LPD/LPR Host or Printer"项目。不过，在这里鸟哥选择的是第一项。选择完毕后再按下"Continue"进入打印机的物理位置项目，如图 21-19 所示。

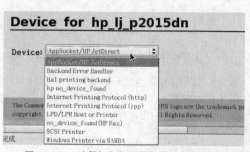

图 21-18 选择打印机所提供的服务项目

图 21-19 填写打印机的实际联机方式（要填正确）

- 其中提供了很多范例，我们由于使用到 port 9100，因此使用的就是 socket://那个范例使用的状态。填写正确的位置后，接下来按下"Continue"来继续选择打印机的型号。
- 如图 21-20 所示，我们选择的是 HP 的品牌。品牌选择完毕后会出现如图 21-20 所示的型号选择。
- 但图 21-21 中我们并没有看到 P2015dn 这台打印机的型号！那怎办？没关系，可以联机到 http://www.linuxfoundation.org/en/OpenPrinting 网站下载适当的驱动程序后，按下图中的"浏览"按钮来选择该文件即可。不过，从该网站的介绍中，可以发现鸟哥的这台打印机似乎使用默认的 Postscript 驱动程序即可，该网站也没有提供这部打印机的驱动程序啊！那怎办？没关系，在/usr/share/cups/model/目录下就有默认的驱动程序。所以请按下"浏览"来处理一下！

图 21-20 选择打印机的实际型号（驱动程序确认）

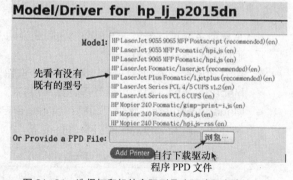

图 21-21 选择打印机的实际型号（驱动程序确认）

如图 21-22 所示，选择正确的驱动程序，然后再按下"打开"按钮，最后按下"AddPrinter"按钮就可以进入管理员密码输入界面。

到此为止我们的打印机设置就 OK 了！如果你回到 CUPS 的进站界面，并且点选 Printers 之后，就会出现如图 21-22 所示的打印机界面。

上面界面中的按钮都看得懂吧？其中比较重要的是那个"Set As Default"项目，那就是设置为"默认打印机"，当你产生打印作业后，该工作默认就会丢给这个 hp_lj_p2015dn 的队列来处理的意思。接下来，当然就是按下"Print Test Page"看看能否打印出正确的界面。如果可以顺利打印，恭喜你！打印机设置成功！

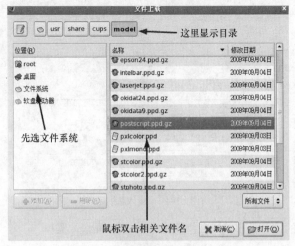

这里显示目录

先选文件系统

鼠标双击相关文件名

图 21-22　选择驱动程序文件

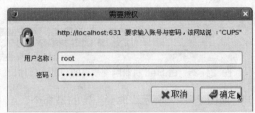

图 21-23　输入管理员账号密码（默认用 root）

图 21-24　打印机的控制界面

21.2.4　以 Web 界面管理 USB 本地打印机

上一小节提到的是网络打印机，那如果你的打印机是一般普通的具有 USB 接口的打印机呢？由于打印机的设备文件名为/dev/usb/lp0 开始的名称，既然已经知道打印机名称了，那么我们先来注意看看 USB 是否识别该打印机，由于我们的 Linux 已经能够处理即插即用（PnP）的设备，因此直接执行 ls 去查看文件名是否存在即可：

```
[root@www ~]# ll /dev/usb/lp0
crw-rw---- 1 root lp 180, 0 Jun  1 22:32 /dev/usb/lp0
# 这个文件会被自动建立起来，你不需要手动建立这个文件！
```

老实说，除非你的 USB 打印机是非常冷门的机种，否则，我们的 CUPS 应该已经自动识别并且设置好该打印机。以鸟哥为例，鸟哥办公室的打印机为 HP Diskjet F380，如果使用列出 USB 设备的 lsusb 时，可以看到：

```
[root@www ~]# lsusb
Bus 001 Device 001: ID 03f0:5511 Hewlett-Packard Deskjet F300 series
Bus 002 Device 001: ID 0000:0000
Bus 002 Device 002: ID 0d62:a100 Darfon Electronics Corp. Benq Mouse
```

接下来，同样我们使用 CUPS 的 Web 界面来设置一下这部打印机。在地址栏输入 http://localhost:631 之后再按下 "ManagePrinters" 会出现如图 21-25 所示界面。

由图 21-25 我们可以发现 CUPS 已经识别打印机了，连驱动程序都安装妥当！这是怎么回事啊？这是因为 CentOS 提供了 HAL 的机制来处理 PnP 设备的缘故。关于 HAL 的机制我们会在下一小节再来讨论。不过由于这个设备使用的是 HAL 提供的设备文件名，我们如果想要使用/dev/usb/lp0 来作为打印机的输出文件名的话，那么就自己来新建一个打印机的队列。同样在 CUPS 界面中按下"Add Printer"来添加一个打印机。

图 21-25　由 HAL 机制顺利取得的 USB 打印机

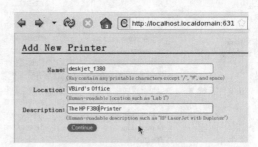

图 21-26　输入队列名称

如图 21-27 所示，你要指定的是那个有#1 的位置，那就是我们的第一个 USB 插槽位置！

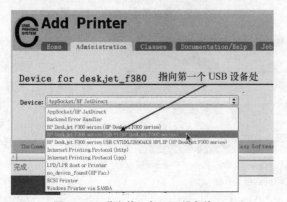

图 21-27　指向第一个 USB 设备处

图 21-28　选择打印机的驱动程序

如图 21-29 所示，最后就会多出一个名为 deskjet_f380 的打印机名称，接下来当然就是用"Print Test Page"测试看看能否打印。如果能够打印得出来，那就是设置妥当了。所以说，USB 打印机的设置要简单得多。

图 21-29　最终结果

21.2.5　将 Linux 本地打印机开放成为网络打印机

想象这么一个情况，你仅有 USB 打印机安装在 Linux 上面，整个办公室或实验室里面仅有这台打印机。虽然你可以加装打印服务器来使 USB 打印机变成网络打印机，但总是得多花钱啊！有没有办法可以让你的本地打印机变成网络打印机呢？有的，那就是修改 CUPS 的设置即可。如何修改呢？我们还是通过 CUSP 的浏览器界面来处理即可！选择"Administration"会出现如图 21-30 所示的界面。

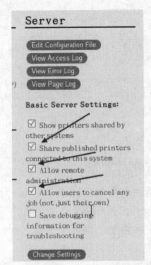

图 21-30 勾选可让 CUPS 成为打印服务器的功能

如图 21-30 所示，在箭头指定的地方进行勾选即可。勾选完毕后按下"Change Settings"就能够让你的 CUPS 变成打印服务器，而你原本的打印机就会成为"ipp://你的 IP:631/printers/打印机队列名称"，举例来说，鸟哥这部 Laserjet p2015dn 在网络上看到的就会是"ipp://192.168.201.250/printers/hp_lj_p2015dn"的名称啊！你可以在其他客户端计算机上面以这个 URI 来进行联网！

21.2.6 手动设置打印机

事实上我们刚才在上面所进行的各项动作大多是修改/etc/cups/里面的几个文件而已啊！几个重要的文件为：

◆ /etc/cups/printers.conf：打印机的设置值，都写在这个文件中；
◆ /etc/cups/cupsd.conf：CUPS 的主要配置文件，包括作为服务器用途的设置；
◆ /etc/cups/ppd/*.ppd：就是各个打印机的驱动程序（PPD 配置文件）。

既然只是改了这几个配置文件，你当然也可以使用 vim 去编辑，不过，因为涉及硬件联机的问题，因此还是建议使用 Web 界面来进行修改啦。不过，某些时候如果你没有浏览器接口时，那么使用终端机接口的命令来修改也是可以的。我们下面只以鸟哥办公室拥有的这一部 HP P2015dn 的激光打印机来作为范例。

◆ 1.下载合适的 PPD 驱动程序定义文件
● 首先你必须要前往打印机网站下载你的打印机驱动程序定义文件。鸟哥之前已经查询过，这台打印机使用默认的 PPD 文件即可。所以鸟哥这部打印机的驱动程序定义文件基本上在/usr/share/cups/model/postscript.ppd.gz 中。如果你下载了打印机的驱动程序时，请将你下载的文件放到/usr/share/cups/model/目录下，因为后续要操作的命令会到此目录中找寻驱动程序定义文件。

◆ 2.启动 CUPS 以及打印机
● 接下来请确定你的 CUPS 是启动的，而且打印机也已经打开电源了。启动 CUPS 的方法与检查是否启动 CUPS 的操作如下：

```
# 1. 重新启动 CUPS 的方法
[root@www ~]# /etc/init.d/cups restart
正在停止 cups:                [ 确定 ]
正在激活 cups:                [ 确定 ]

[root@www ~]# netstat -tlunp | grep 631
tcp  0  0 0.0.0.0:631        0.0.0.0:*        LISTEN        4939/cupsd
```

```
tcp  0  0 :::631          :::*           LISTEN      4939/cupsd
udp  0  0 0.0.0.0:631     0.0.0.0:*                  4939/cupsd
# 因为 CUPS 启动的网络服务端口就是 port 631！所以确定是启动的！

# 2. 确认打印机提供的服务为何
[root@www ~]# nmap 192.168.201.253
Starting Nmap 4.11 ( http://www.insecure.org/nmap/ ) at 2009-06-03 00:43 CST
Interesting ports on 192.168.201.253:
Not shown: 1676 closed ports
PORT    STATE SERVICE
80/tcp   open  http
139/tcp  open  netbios-ssn
515/tcp  open  printer
9100/tcp open  jetdirect
# 再次强调，鸟哥这部打印机仅有提供 HP 自家的打印机协议 9100 端口！
```

- 从上面的输出可以很清楚地看到鸟哥的打印机与 Linux 上面的 CUPS 都有顺利运行中！其中还是要强调，你千万不要拿 nmap 去扫描别人的系统！很可怕的！而由于上面输出的结果，我们也知道鸟哥这部打印机在网络上的联网方式为"socket://192.168.201.253:9100"的样子，这个地方也请先记录下来。

◆ 3.使用 lpadmin 进行打印机的新建与删除

- 命令设置/删除打印机的方式就是通过 lpadmin 这个命令。这个命令的语法是这样的：

```
[root@www ~]# lpadmin [-p 自定义队列名] [-v URI] [-m PPD] [-E]  <==建立打印机
[root@www ~]# lpadmin [-d 已存在的队列名]   <==设置成为默认打印机
[root@www ~]# lpadmin [-x 已存在的队列名]   <==删除此一打印机队列
选项与参数：
-p ：后面接的就是打印机的队列名称，这个名称可自定义，但还是定为有意义较佳。
-v ：后面接的就是设备的相关位置，常见的设备有：
     串行端口        ：  parallel:/dev/lp0
     USB            ：  usb:/dev/usb/lp0
     网络打印机       ：  ipp://192.168.201.253/
     提供特殊插槽     ：  socket://192.168.201.253:9100
-m ：后面接的通常就是 PPD 的定义文件，注意，要放置到 /usr/share/cups/model/ 下面！
-E ：作为可接受（accept）此打印操作之意！

# 1. 先列出本机上面所有已经存在的打印机。
[root@www ~]# lpstat -a
Deskjet F300 series accepting requests since Tue Jun  2 00:48:59 2009
deskjet f380 accepting requests since Mon Jun  1 23:34:21 2009
hp lj p2015dn accepting requests since Tue Jun  2 00:22:31 2009

# 2. 删除所有已经存在的打印机。
[root@www ~]# lpadmin -x Deskjet F300 series
[root@www ~]# lpadmin -x deskjet f380
[root@www ~]# lpadmin -x hp lj p2015dn
[root@www ~]# lpstat -a
lpstat: No destinations added.
# 这样就确定没有任何存在的打印机。

# 3. 加入 hp p2015 打印机，打印机参数如前面两小节所示：
[root@www ~]# lpadmin -p hp p2015 -v socket://192.168.201.253:9100 \
> -m postscript.ppd.gz -E

# 4. 因为仅有一部打印机，因此让此打印机成为默认打印打印机
[root@www ~]# lpadmin -d hp p2015
```

- 其实这个 lpadmin 命令只是更新/etc/cups/目录里面的两个数据而已，一个是/etc/cups/printers.conf，这个文件主要设定了打印机的相关设备、是否接受打印操作、打印机的队列名称、页面的限制等，反正就是整个打印机的设定就是了。至于这个打印机相关的 PPD 文件则是以打印机的队列名称链接到/etc/cups/ppd/目录下。不相信吗？让我们来瞧瞧 printers.conf 的文件内容！

```
[root@www ~]# cat /etc/cups/printers.conf
# Printer configuration file for CUPS v1.2.4
# Written by cupsd on 2009-06-03 01:06
<DefaultPrinter hp p2015>               <==这就是打印机队列名称
Info hp p2015
DeviceURI socket://192.168.201.253:9100  <==就是打印机所在的设备位置
```

```
State Idle
StateTime 1243962326
Accepting Yes
Shared Yes
JobSheets none none
QuotaPeriod 0
PageLimit 0
KLimit 0
OpPolicy default
ErrorPolicy stop-printer
</Printer>

[root@www ~]# ll /etc/cups/ppd
-rw-r--r-- 1 root root 7714 Jun  3 01:05 hp p2015.ppd
# 这就是刚才找到的，给 hp p2015 用的打印机定义文件！
```

◆ 4. 打印机状态的查看

● 设置完打印机后，来查看一下目前的打印机状态！下面的 lpstat 是个不错用的查看命令。

```
[root@www ~]# lpstat [-adprt]
参数：
-a : 列出目前可以接受打印操作的打印机队列名称；
-d : 列出目前系统的默认打印机（未指定打印队列时默认输出的打印机）；
-p : 列出每部打印机目前的工作状态，包含工作的 ID；
-r : 列出目前 CUPS 服务是否有在运作；
-t : 列出目前打印系统中更为详细的信息说明，很适合查询！

# 1. 列出目前系统上面所有的打印机队列与接受工作与否的情形
[root@www ~]# lpstat -a
hp p2015 accepting requests since Wed Jun  3 01:05:26 2009
# 表示有一部名为 hp p2015 的打印机从 2009/6/3 开始接受打印操作之意！

# 2. 列出目前的“打印系统”状态，不只包括打印机而已。
[root@www ~]# lpstat -t
scheduler is running  <==CUPS 这个服务有在运作的意思
system default destination: hp p2015  <==默认的打印机为这一部 hp 2015
device for hp p2015: socket://192.168.201.253:9100  <==这部打印机的设备地址
hp p2015 accepting requests since Wed Jun  3 01:05:26 2009
printer hp p2015 is idle.  enabled since Wed Jun  3 01:05:26 2009
# 这部打印机目前是发呆（Idle）的状态，但可接受打印作业！
```

● 如果不清楚你的打印机状态，使用 lpstat 就能够看得清楚。接下来，让我们开始来使用打印命令产生打印操作。

◆ 5.利用 lpr 与 lp 来产生打印操作

● 如果你没有浏览器或者是你没有图形界面的软件时，可以通过 lpr 或者是 lp 这两个命令来打印某些文件或数据流重定向的东东。下面的测试会实际打印出数据来，因此，建议你可以先将打印机电源关闭，让 CUPS 可以接受打印队列的工作，却无法输出到打印机，这样也方便我们后续管理命令的查询！所以，请先将打印机的电源关闭！再来看看这两个命令如何操作。

```
[root@www ~]# lpr [-P printer 队列] [-#  打印份数] -U [username] file
参数：
-P : 若没有默认打印机（default）或者想要由不同打印机输出时，可用 -P 指定打印机
-# : 如果这份文件你想要打印多个副本时，用这个 -# 加上份数就对了！
-U : 有些打印机有限制可使用的用户账号，此时就得要使用这个参。

# 1. 指定 hp p2015 这部打印机来打印 /etc/passwd 这个文件
[root@www ~]# lpr -P hp p2015 /etc/passwd

# 2. 关闭打印机后，将 /root/ 下面的文件名输出到这部打印机
[root@www ~]# ll /root | lpr -P hp_p2015
```

● 要注意的是，因为鸟哥有指定默认打印机，因此上面的范例中即使没有加上 [-P hp_p2015] 这个参数时，依旧能够顺利打印。但如果你没有指定默认打印机，那么就一定要加上这个项目，否则 lpr 会不知到要将数据输出到哪里去！看完了 lpr，再来聊聊 lp 这个命令的用法吧！

```
[root@www ~]# lp [-d printer 队列] [-n 打印份数] file
参数：
```

```
-d ：后面接的是打印机的队列名称。如果有多部打印机才需要指定；
-n ：就是打印的份数。

# 打印出 2 份 /etc/issue 数据
[root@www ~]# lp -d hp_p2015 -n 2 /etc/issue
request id is hp_p2015-11 (1 file(s))  <==以 hp_p2015 来打印，工作号码为 11
```

◆ **6. 打印作业的查看（lpq）与删除（lprm）**

● 我们已经有产生三个工作，但是第一个工作可顺利打印（打印机是开启的），因此还有两个工作尚未完成才对！那我们如何知道还有哪些打印作业在队列内呢？可以使用下面的命令来查看！

```
[root@www ~]# lpq [-al] [-P 打印队列]
参数：
-a ：列出所有打印机上面在队列当中的工作情况；
-l ：用其他较长格式来输出打印的相关信息（所有者与文件大小等等）；
-P ：后面接特定的打印机，与 -a 不同。

# 1. 显示出目前所有打印机的工作队列状况
[root@www ~]# lpq -a
Rank    Owner   Job     File(s)                 Total Size
active  root    10      (stdin)                 1024 bytes
1st     root    11      issue                   1024 bytes
# 上面的意思是，有 2 份工作，第一个工作为来自 stdin 的数据流，打印号码为 10，
# 整份打印数据占去 1024 bytes 。同理，第二份工作为文件，文件名为 issue。

# 2. 用更详细的信息显示打印作业
[root@www ~]# lpq -l -P hp_p2015
hp_p2015 is ready and printing

root: active                    [job 10 localhost]
      (stdin)                   1024 bytes

root: 1st                       [job 11 localhost]
      2 copies of issue         1024 bytes
# 你可以看到，issue 会被打印两份！
```

● 如果这些打印操作你想要取消该怎么办呢？那就使用 lprm。

```
[root@www ~]# lprm [-P printer 队列] job id
参数：
-P ：后面直接指定某部打印机的某个工作号码。注意，那个 job id
     就是刚才我们使用 lpq 查看到的那个 Job 的号码。

# 将使用 lpq 看到的第 11 号打印操作取消！
[root@www ~]# lprm 11
[root@www ~]# lpq -a
Rank    Owner   Job     File(s)                 Total Size
active  root    10      (stdin)                 1024 bytes
# 嘿！只剩下一个工作而已。
```

● 整个命令模式处理打印机的任务大约到此为止，其他的还是使用 Web 接口去管理比较方便。

◆ **7.一个简单的练习**

● 假设你目前的 CentOS 主机上面接着一台 USB 接口的打印机，这台 USB 接口的打印机是 Samsung 的 ML-1210 打印机，请问，你可以如何安装这部打印机？

1. 先下载 PPD 定义文件，文件名为 Samsung-ML-1210-gdi.ppd，保存到/usr/share/cups/model/当中；

2. 加入打印机，使用下列方法：

```
[root@www ~]# lpadmin -p samsung -v usb:/dev/usb/lp0 \
> -m Samsung-ML-1210-gdi.ppd -E
```

3. 开始用 "lpr -P samsung /etc/passwd" 测试练习一下，如果有东西打印出来，那就是 OK。

● 另外，如果老是看到屏幕前面显示 "Printer not connected; will retry in 30 seconds..."，很有可能是因为我们的设备代号输入错误，请使用 " lpstat -t" 查看一下是否正确设置好了？

基本上，安装一部 Linux 支持的打印机真的是快速。

21.3　硬件数据收集与驱动及 lm_sensors

"工欲善其事，必先利其器！"这是一句大家耳熟能详的古人名言，在我们的信息设备上面也是一样的。如同前面小节谈到的，如果你的打印机本身就没有提供给 Linux 系统用的驱动程序，那么我们就不要浪费时间在该打印机设备上了。同理可证，如果我们想要好好使 Linux 安装在自己的主机上面，那么主机上面的硬件信息最好还是能够了解一下好。现在一般主板也都有提供 CPU 电压与温度的检测，那我们也能够通过 lm_sensors 这个软件来取得该数据！下面就让我们来玩玩！

21.3.1　硬件信息的收集与分析

现在我们知道系统硬件是由操作系统内核所管理的，由第 20 章的开机流程分析中，我们也知道 Linux kernel 在开机时就能够检测主机硬件并加载适当的模块来驱动硬件了。而内核所检测到的各项硬件设备后来就会被记录在/proc 与/sys 当中，包括/proc/cpuinfo,/proc/partitions,/proc/interrupts 等等。更多的/proc 内容介绍，先回到第 17 章的程序管理瞧一瞧先！

> 其实内核所检测到的硬件可能并非完全正确！因为它仅是使用最适当的模块来驱动这个硬件而已，所以有时候难免会误判（虽然几率非常之低）！那你可能想要以最新最正确的模块来驱动你的硬件，此时，重新编译内核是一条可以实现的道路。不过，现在的 Linux 系统并没有很建议你一定要重新编译内核就是了。

那除了直接调用出/proc 下面的文件内容之外，其实 Linux 有提供几个简单的命令来将内核所检测到的硬件"呼"出来的，常见的命令有下面这些：

- fdisk：第 8 章曾经谈过，可以使用 fdisk –l 将分区表列出；
- hdparm：第 8 章谈过的，可查看硬盘的信息与测试读写速度；
- dmesg：第 17 章谈过，查看内核运行过程当中所显示的各项信息记录；
- vmstat：第 17 章谈过，可分析系统（CPU/RAM/IO）目前的状态；
- lspci：列出整个 PC 系统的 PCI 接口设备！很有用的命令；
- lsusb：列出目前系统上面各个 USB 端口的状态与连接的 USB 设备；
- iostat：与 vmstat 类似，可实时列出整个 CPU 与接口设备的 I/O 状态。

lspci,lsusb,iostat 是本章新谈到的命令，尤其如果你想要知道主板与各周边相关设备时，那个 lspci 真是不可多得的好工具！而如果你想要知道目前 USB 接口的使用情况以及检测到的 USB 设备，那个 lsusb 则很好用。至于 iostat 则是一个实时分析软件，与 vmstat 有异曲同工之妙。既然本节是想要使用 lm_sensors 分析各组件的温度与电压，那么这几个命令得要来使用看看才行啊！

基本上，想要知道你 Linux 主机的硬件配备，最好的方法还是直接拆开主机去察看上面的信息（这也是为何第 0 章会谈到计算机概论啊）！如果环境因素导致你无法直接拆开主机的话，那么直接用 lspci 是很棒的方法：

- lspci

```
[root@www ~]# lspci [-vvn]
参数：
-v ：显示更多的 PCI 接口设备的详细信息；
-vv：比 -v 还要更详细的信息；
-n ：直接查看 PCI 的 ID 而不是厂商名称。
```

```
范例一：查看你系统内的 PCI 设备：
[root@www ~]# lspci
00:00.0 Host bridge: Silicon Integrated Systems [SiS] 630 Host (rev 30)
00:00.1 IDE interface: Silicon Integrated Systems [SiS] 5513 [IDE] (rev d0)
00:01.0 ISA bridge: Silicon Integrated Systems [SiS] SiS85C503/5513 (LPC Bridge)
00:01.2 USB Controller: Silicon Integrated Systems [SiS] USB 1.1 Controller (rev 07)
00:01.3 USB Controller: Silicon Integrated Systems [SiS] USB 1.1 Controller (rev 07)
00:01.4 Multimedia audio controller: Silicon Integrated Systems [SiS] SiS PCI Audio
Accelerator (rev 02)
00:02.0 PCI bridge: Silicon Integrated Systems [SiS] Virtual PCI-to-PCI bridge (AGP)
00:0e.0 Ethernet controller: Realtek Semiconductor Co., Ltd. RTL-8139/8139C/8139C+ (rev 10)
01:00.0 VGA compatible controller: Silicon Integrated Systems [SiS] 630/730 PCI/AGP
VGA Display Adapter (rev 21)
# 不必加任何的参数，就能够显示出目前主机上面的各个 PCI 接口的设备。
```

- 不必加上任何参数，就能够显示出目前的硬件配备。上面就是鸟哥的测试机所使用的主机配备。包括使用 SIS 这家公司推出的 630 主板芯片组，使用 USB 1.1 的控制器，内置 SIS 的声卡，使用内置的 SIS 的 AGP 显示适配器，以及网卡为螃蟹卡（型号为 RTL-8139）。你瞧瞧！很清楚不是？

- 由于目前的主机配备实在太高档了，因此很多朋友学习 Linux 时，习惯以类似 Virtualbox 或 VMWare 等虚拟机进行模拟，此时你得要特别注意，你的硬件配备将是 Virtualbox 或 VMWare 模拟出来的，并不是原本的主机配备！实在是由于讨论区太多网友发问类似"我的螃蟹卡为何识别不到"等问题，询问后，才发现他使用 VMWare 仿真硬件。此时你就得要使用 lspci 去列出 Linux 内核捉到的硬件，而不是你原本的硬件。注意注意！

- 如果你还想要了解某个设备的详细信息时，可以加上–v 或–vv 来显示更多的信息！举例来说，鸟哥想要知道那个以太网卡更详细的信息时，可以使用如下的参数来处理：

```
[root@www ~]# lspci -s 00:0e.0 -vv
```

- –s 后面接的那个怪东西表示每个设备的总线、插槽与相关函数功能。那个是我们硬件检测所得到的数据。你可以对照下面这个文件来了解该串数据的意义：
  - /usr/share/hwdata/pci.ids
- 其实那个就是 PCI 的标准 ID 与品牌名称的对应表。此外，刚才我们使用 lspci 时，其实所有的数据都是由/proc/bus/pci/目录下的数据所取出的。了解了吗？

◆ lsusb
  - 刚才谈到的是PCI接口设备，如果是想要知道系统接了多少个USB设备呢？那就使用lsusb。这个命令也是很简单的！

```
[root@www ~]# lsusb [-t]
参数：
-t  ：使用类似树状目录来显示各个 USB 端口的相关性

范例一：列出目前鸟哥的测试用主机 USB 各端口状态
[root@www ~]# lsusb
Bus 001 Device 001: ID 0000:0000
Bus 002 Device 001: ID 0000:0000
Bus 002 Device 002: ID 0d62:a100 Darfon Electronics Corp. Benq Mouse
# 如上所示，鸟哥的主机有两个 USB 控制器 (bus)，而 Bus 002 接了一个设备，
# 该设备的 ID 是 0d62:a100，对应的厂商与产品为 Benq（明基）的鼠标。
```

- 确实非常清楚！其中比较有趣的就属那个 ID 号码与厂商型号对照了！那也是写入在/usr/share/hwdata/pci.ids 的东西，你也可以自行去查询一下！更多信息我们留待下一小节再来讨论。

◆ iostat

- 刚才那个 lspci 找到的是目前主机上面的硬件配备，那么整台机器的存储设备主要是硬盘。请问，你的硬盘由开机到现在已经存取了多少数据呢？这个时候就得要 iostat 这个命令的帮忙了！不过，默认 CentOS 并没有安装这个软件，因此你必须要先安装它才行！如果你已经联网了，那么使用 "yum install sysstat" 先来安装此软件，否则无法进行如下的测试。

```
[root@www ~]# iostat [-c|-d] [-k|-m] [-t] [间隔秒数] [检测次数]
参数：
-c ：仅显示 CPU 的状态；
-d ：仅显示存储设备的状态，不可与 -c 一起用；
-k ：默认显示的是 block，这里可以改成 KB 的大小来显示；
-m ：与 -k 类似，只是以 MB 的单位来显示结果。
-t ：显示日期出来；

范例一：显示一下目前整个系统的 CPU 与存储设备的状态
[root@www ~]# iostat
Linux 2.6.18-92.el5 (www.vbird.tsai)    06/03/2009

avg-cpu:  %user   %nice %system %iowait  %steal   %idle
           0.35    0.31    0.25    0.03    0.00   99.06

Device:            tps   Blk read/s   Blk wrtn/s   Blk read   Blk wrtn
hda               0.29         3.46         4.01    1116645    1295796
# 瞧！上面数据总共分为上下两部分，上半部显示的是 CPU 的当前信息；
# 下面数据则是显示存储设备 /dev/hda 的相关数据，它的数据意义为：
# tps       ：平均每秒钟的传送次数！与数据传输 "次数" 有关，非容量；
# kB read/s ：开机到现在平均的读取单位；
# kB wrtn/s ：开机到现在平均的写入单位；
# kB read   ：开机到现在总共读出来的文件单位；
# kB wrtn   ：开机到现在总共写入的文件单位。

范例二：每两秒钟检测一次，并且共检测三次存储设备
[root@www ~]# iostat -d 2 3
Linux 2.6.18-92.el5 (www.vbird.tsai)    06/03/2009

Device:            tps   Blk read/s   Blk wrtn/s   Blk read   Blk wrtn
hda               0.29         3.46         4.01    1116645    1296276

Device:            tps   Blk read/s   Blk wrtn/s   Blk read   Blk wrtn
hda               0.00         0.00         0.00          0          0

Device:            tps   Blk read/s   Blk wrtn/s   Blk read   Blk wrtn
hda               0.00         0.00         0.00          0          0
# 仔细看一下，如果是有检测次数的情况，那么第一次显示的是从开机到现在的数据，
# 第二次以后所显示的数据则代表两次检测之间的系统传输值。举例来说，上面的信息中，
# 第二次显示的数据则是两秒钟内（本例）系统的总传输量与平均值。
```

- 通过 lspci 及 iostat 可以大约了解到目前系统的状态，还有目前的主机硬件数据。知道这些信息后，我们就可以来玩一些比较不一样的东西。

21.3.2 驱动 USB 设备

在现在的计算机里面，你或许真的无法想象没有 USB 接口设备的主机，因为不论我们的键盘、鼠标、打印机、扫描仪、U 盘等，几乎都是使用到 USB 来作为传输的接口的。所谓这 USB(Universal Serial Bus)最早是在 1994 年被发展出来，到 1996 年前后发展出 version 1.0，当时的速度大约在 12Mbit/ s，到了 2000 年发展出 version 2.0，这一版的速度则提高到 480Mbit/s，这也是目前使用最广泛的一个速度。2008 年则发布 USB 3.0，这一版的速度比 2.0 要快 10 倍，不过目前市面上该产品还是非常少见[注2]。

USB 有很多的优点，包括它是可以扩展的，每个 USB 接口都可以最多接到 127 个设备，速度快，又具有 Plug and Play（即插即用）的优点，所以近期以来被用来作为携带式设备的主要数据传输接口。

- 关于 USB 的芯片版本
  - 目前 USB 1.1 版本的控制器主要有两种规格，分别是：
    - OHCI（Open Host Controller Interface）：主要由 Compaq 所开发，包括 Compaq,SiS,ALi

等厂商开发的芯片都使用这个模块;

- UHCI（Universal Host Controller Interface）：主要由 Intel 所开发，包括 Intel,VIA 等厂商开发的芯片都是使用这个模块。

- 由于我们的 Linux 会将这两种 USB 的驱动程序加载，因此不论你的 USB 是使用哪种芯片，我们的 Linux 都可以顺利检测到并且正确驱动的。至于 USB 2.0 在 Linux 上都以 Enahnced Host Controller Interface （EHCI）来驱动的。我们使用 lsmod 来找一下 hci 这个关键词看看鸟哥的测试主机驱动了多少 USB 模块了。

```
[root@www ~]# lsmod | grep hci
Module              Size  Used by
uhci_hcd           25421  0
ohci_hcd           23261  0
ehci_hcd           33357  0
# 三个模块都有加载，再来找一下 ehci_hcd 的说明看看:

[root@www ~]# modinfo ehci_hcd
filename:     /lib/modules/2.6.18-92.el5/kernel/drivers/usb/host/ehci-hcd.ko
license:      GPL
author:       David Brownell
description:  10 Dec 2004 USB 2.0 'Enhanced' Host Controller （EHCI） Driver
srcversion:   006DD5CF82C35E943696BE7
....（下面省略）....
```

◆ 启动 U 盘

- 我们之前谈过 USB 的磁盘代号是/dev/sd[a-p]之类的，类似 SCSI 硬盘的代号，这是因为 USB 的磁盘设备使用 SCSI 相关的设备代号，因此，如果你要使用 U 盘的话，那么你的 Linux 主机就得要支持 SCSI 设备才行。

- 此外，为了让 USB 磁盘设备顺利被使用，因此，有时候还得要启动 usb-storage 模块才行。所以，光是有 USB 的 uhci 模块还不行，还得要配合 usb-storage，而一般 USB 的设备都会被主动检测，内核也会主动加载 USB 设备的驱动模块，所以你应该不需要手动加载 usb-storage 才是。不过，如果老是无法驱动时，那么不妨手动加载 usb-storage 试看看。

- 顺利加载各个需要的模块之后，直接执行 fdisk -l 应该就可以看到你的 USBU 盘的设备代号才是。一般来说，如果是第一个 USB 磁盘设备的话，应该可以看到一个名为/dev/sda1 的设备，使用 mount 将它挂载起来即可啊!

- 在这里要强调的是，如果你是使用类似笔记本电脑的 2.5 寸硬盘作为随身硬盘的话，由于它就是硬盘的规格，因此你可以看到一个完整的/dev/sda 之类的磁盘信息，你也可以进行额外的分区。但如果是闪存的话，闪存并不是传统的硬盘，它并不是使用磁盘读取头与磁盘来记录数据，因此你只能使用/dev/sda1 之类的文件名来挂载，理论上是无法进行额外分区的! 这部分要特别强调一下。

◆ 启动 USB 打印机

- 要驱动 USB 打印机也很简单啊! 只要做好 USB 打印机的设备代号即可! 反正我们的 usb 模块已经加载了! 目前的 CentOS 5.x 会主动帮我们新建打印机的设备文件名，所以下面的动作我们根本不需要进行。不过如果你的 Linux 是较老式的系统，那可能得要使用 mknod 来新建起 USB 打印机才行。通过内核设备代码[注3]的查询，我们知道 USB 打印机的主要/次要设备代码为 180 /0~15，所以，新建的方法为:

```
# 假设你已经有 /dev/usb/lp0，那我们来尝试新建 /dev/usb/lp1 看看
[root@www ~]# mkdir -p /dev/usb
[root@www ~]# mknod /dev/usb/lp1 c 180 1
[root@www ~]# chown root:lp /dev/usb/lp1
[root@www ~]# chmod 660 /dev/usb/lp1
```

```
[root@www ~]# ls -l /dev/usb/lp1
crw-rw---- 1 root lp 180, 1 Jun 3 14:27 /dev/usb/lp1
[root@www ~]# echo "testing" > /dev/usb/lp1
```

- 在我们一般的生活当中，最常见的两种 USB 设备就是 U 盘与打印机了，所以鸟哥在这里仅
  就这两种设备来介绍启动的方法，如果你还有其他的 USB 设备要驱动的话，请参考下面这
  一篇的内容：
  - http://www.linux-usb.org/USB-guide/book1.html

21.3.3 使用 lm_sensors 取得温度、电压等信息

玩计算机的朋友们一定都听过"超频"，所谓的"超频"就是让系统原有的工作频率增加，让
CPU/PCI/VGA 前端总线速度提升到非正规的频率，以取得较高的计算机性能。这在早期对于单价还是很
贵的计算机来说，可以让我们花比较少的钱去获得比较高性能的计算机。不过，超频要注意的地方可不少，
包括电压不可高出 CPU 的负荷、CPU 风扇必须要强有力以避免因为温度过高导致系统死机等。

不过现今的计算机速度已经够快了，我们的 Linux 主机也实在不建议你超频，因为整体性能可能
增加不了多少，但是却会让你的主机寿命减少、系统不稳定。而由早期超频的经验可知，**CPU 的温度、
系统的相关电压是影响主机是否稳定的一项重要**指标。所以，如果能够随时掌握温度、电压，其实对
于系统还是有一定程度的监控。

其实各大主要主板商与芯片组在主机内都会有温度、电压的检测器，这个我们可以在主板操作手
册或者是在 BIOS 内的相关项目找到相关的温度、电压数据。在 Windows 系统当中，厂商有推出相关
的软件来检测，那么在 Linux 当中呢？也是有啊！那就是 lm_sensors 这套好用的东西了！

目前较新的 Linux distributions 都默认会帮忙安装这套软件，但如果你的 Linux 是比较早期的版本，
那么就只好请你自行前往 http://www.lm-sensors.org 官方网站直接下载 tarball 并且安装它。

- ◆ 检测主板的型号
  - 由于 lm_sensors 主要是依据主板芯片组的型号，带入相关的模块后，再检测其温度、电压
    的，如果该主板芯片组并不是 lm_sensors 所支持的模块，那自然就无法找出该芯片组的温
    压。所以，我们在使用 lm_sensors 之前，必须要确定主板是有提供温度、电压的，再来，
    必须要加载主板的驱动模块，然后才有办法使用 lm_sensors 来进行检测。
  - 好消息是，lm_sensors 本来就提供给我们一个不错的主板芯片组检测程序，那就是
    sensors-detect 这个命令。检测到主板芯片组后，将该信息写入配置文件当中，就可以使用
    sensors 命令直接读取目前的 CPU、机壳、电源、风扇等的信息了！直接来做看看。

```
[root@www ~]# sensors-detect
# sensors-detect revision 1.413 (2006/01/19 20:28:00)
....（中间省略）....
It is generally safe and recommended to accept the default answers to all
questions, unless you know what you're doing. <==就一直接受就对了！

 We can start with probing for (PCI) I2C or SMBus adapters.
 You do not need any special privileges for this.
 Do you want to probe now? (YES/no): y
Probing for PCI bus adapters...
Use driver `i2c-sis630' for device 00:00.0: Silicon Integrated Systems SIS630
Probe succesfully concluded.
# 接下来的行为当中，反正你就一直按 Enter 就可以了！让它自动去检测！

To make the sensors modules behave correctly, add these lines to
/etc/modprobe.conf:

#----cut here----
```

```
# I2C module options
alias char-major-89 i2c-dev
#----cut here----

To load everything that is needed, add this to some /etc/rc* file:

#----cut here----
# I2C adapter drivers
modprobe i2c-sis630
modprobe i2c-isa
# I2C chip drivers
modprobe eeprom
modprobe it87
# sleep 2 # optional
/usr/bin/sensors -s # recommended
#----cut here----

Do you want to generate /etc/sysconfig/lm_sensors? (YES/no) :
Copy prog/init/lm sensors.init to /etc/rc.d/init.d/lm_sensors
for initialization at boot time.
```

- 上面就进行好型号的检测，并且主动新建了/etc/sysconfig/lm_sensors 的参数配置文件。不过我们依旧需要进行一些额外的处理，包括让系统开机主动加载模块的功能。这样我们就能够直接使用 lm_sensors 来检测而不需要手动加载检测模块。你可以这样做：

```
[root@www ~]# vi /etc/modprobe.conf
alias char-major-89 i2c-dev
# 将刚才检测到的模块写入到这个文件当中！

[root@www ~]# vi /etc/rc.d/rc.local
# I2C adapter drivers
modprobe i2c-sis630
modprobe i2c-isa
# I2C chip drivers
modprobe eeprom
modprobe it87
sleep 2s
/usr/bin/sensors -s

[root@www ~]# chkconfig --list  lm_sensors
lm sensors    0:off  1:off  2:on   3:on   4:on   5:on   6:off
# 确定 lm_sensors 默认开机会启动即可！此时你可以重启，
# 或者执行上述的 modprobe 之后再进行下面的检测。
```

- 利用 sensors 检测温度、电压等硬件参数
  - 检测的命令就是 sensors 啊！直接操作。

```
[root@www ~]# sensors
it87-isa-0290  <==使用到的模块功能！
Adapter: ISA adapter
VCore 1:   +1.55 V  (min =  +1.42 V, max =  +1.57 V)
VCore 2:   +1.09 V  (min =  +2.40 V, max =  +2.61 V)     ALARM
+3.3V:     +1.25 V  (min =  +3.14 V, max =  +3.47 V)     ALARM
+5V:       +2.69 V  (min =  +4.76 V, max =  +5.24 V)     ALARM
+12V:      +5.82 V  (min = +11.39 V, max = +12.61 V)     ALARM
-12V:     -17.05 V  (min = -12.63 V, max = -11.41 V)     ALARM
-5V:       -7.40 V  (min =  -5.26 V, max =  -4.77 V)     ALARM
Stdby:     +2.07 V  (min =  +4.76 V, max =  +5.24 V)     ALARM
VBat:      +0.40 V
fan1:         0 RPM  (min =    0 RPM, div = 2)
fan2:         0 RPM  (min = 3000 RPM, div = 2)           ALARM
```

```
fan3:      2689 RPM   (min = 3000 RPM, div = 2)
M/B Temp:   +33°C   (low =   +15°C, high =   +40°C)   sensor = diode
CPU Temp:   +37°C   (low =   +15°C, high =   +45°C)   sensor = thermistor
Temp3:      -5°C   (low =   +15°C, high =   +45°C)   sensor = disabled
# 你可以发现一大堆的错误信息！没关系的！这是因为鸟哥的主板太旧，
# 导致 lm_sensors 误判，所以输出的结果就会有点差异！至少转速与温度是正常的。
```

- 基本上，只需要这样的步骤，你的主机就可以主动检测温度与电压，还有风扇转速等等信息。不过，事实上，由于主板设计的不同，所以检测的结果很有可能是有误差的。以鸟哥的情况来说，我所使用的主板型号是太旧了，lm_sensors 确实找到错误的信息啊！此时或许就需要进行调校了。调校的步骤很简单，先确定使用 sensors 显示的结果每个项目代表的意义（可以参考 BIOS 硬件检测结果的顺序来排列），然后进入/etc/sensors.conf 进行修改即可。

- 如果想要以图表输出的话，那么不妨搭配 MRTG 来进行网页绘图。这部分网络上面的文章就比较多一点，也可以先参考鸟哥的一篇旧文章：

  - http://linux.vbird.org/linux_security/old/04mrtg.php

21.3.4　udev 与 hal 简介

从上面的介绍中，我们不难发现目前新的 Linuxdistributions 大多能够类似窗口操作系统，就是能够实时检测即插即用硬件，例如 USB 接口的各项硬设备等。那我们也知道其实所有的硬件都是文件，这些设备文件必须要使用 mknod 才能创建的。那到底硬件如何检测与设备文件如何主动创建呢？这就与 udev 及 HAL 这两个东西有关了。

事实上，系统所有的硬件应该都是给内核管理的，但我们知道操作系统在内存内是受保护的，用户根本无权使用操作系统内核。为了解决这个问题于是有 udev 的产生。这个 udev 是个用户级软件，它可以让用户自行处理/dev 下面的设备，如此一来就能够解决一般用户在使用类似 USB 时需要额外硬件的问题[注4]。

但我们如何知道系统上面多了个硬件呢？这时候就得要硬件抽象层（Hardware Abstraction Layer, HAL）的辅助了。HAL 可以将系统目前的所有硬件进行快照，并持续检查这个快照的内容[注5]。如果有新的 PnP 硬件插入时，HAL 就会发现目前的硬件与快照不同，此时就会通知 udev 进行新的设备的生成了。如此一来，两者的配合就能够让你的设备 PnP。

目前这两个在 CentOS 上面都会是启动的，其中 udev 是在/etc/rc.d/rc.sysinit 启动后就启动了，而 hal 则是在/etc/init.d/haldaemon 这个服务启动后才启动。让我们检查看看是否真的有启动啊！

```
[root@www ~]# pstree -p | egrep '(udevd|hal)'
     |-hald(4814)---hald-runner(4815)-+-hald-addon-acpi(4822)
     |                                |-hald-addon-keyb(4827)
     |                                `-hald-addon-stor(4837)
     |-udevd(401)
# 确实有启动！一个是 udevd 一个是 hald 。
```

老实说，如果你已经启动了这两个家伙，那么其他的事不需要进行，交给这两个小玩意自己处理即可。但如果你想要多了解 udev 是如何进行设备的创建时，那么我们可以来玩玩下面的东东。

- ◆ 自定义设备名称进行设备创建
  - 假设你想要将你的 U 盘取名为较有趣的设备，不想再使用类似/dev/sda1 之类的名称时，可以怎么做呢？我们可以通过更改 udev 的规则（rule）来使用 mknod 创建不同名称的设备文件。举例来说，鸟哥这台测试机的硬盘使用为/dev/hda，因此第一个 USB 闪存设备应该是/dev/sda1 才对！如果你的系统使用 SATA 磁盘，那么你的闪存可能就得要由/dev/sdb1 开始编号起来了。

- udev 创建设备文件的规则放置到/etc/udev/rules.d/目录下，在该目录下的文件可以依序进行处理的。以最简单的语法来看，在该目录下可以使用的变量与对应可以是：

```
KERNEL=="内核能够分析到的文件名",NAME="你要使用的设备文件名"
```

- 当然还有很多语法，不过这里我们先不介绍，有兴趣的查一下本文最后的链接去看看。假设鸟哥的/dev/sda1 要取名字成为/dev/vbirdusb，你可以这样做：

```
# 1. 先在规则目录下添加一个文件，文件名设置为 99-vbirdusb.rules 好了
[root@www ~]# cd /etc/udev/rules.d/
[root@www rules.d]# vi 99-vbirdusb.rules
KERNEL=="sda1", NAME="vbirdusb"
# 上面这一行就足够。注意，文件名前的 /dev 不需要写入!

# 2. 插入一个U盘，然后检查看看:
[root@www rules.d]# ll /dev/sda* /dev/vbirdusb
brw-r----- 1 root disk 8, 0 Jun  3 16:43 /dev/sda
brw-r----- 1 root disk 8, 1 Jun  3 16:43 /dev/vbirdusb
# 唔！ /dev/sda1 不见了，取而代之的是 /dev/vbirdusb 。

[root@www rules.d]# mount /dev/vbirdusb /mnt
[root@www rules.d]# df
Filesystem         1K-blocks      Used Available Use% Mounted on
....(中间省略)....
/dev/vbirdusb         976064    192784    783280  20% /mnt
# 很有趣，设备名称被鸟哥改过了!
```

- 虽然这样很具有个性化的需求，不过总是不太可靠，万一哪天忘记自己进行了这些操作，偏偏用内核默认的文件名去处理时，会发生很多不明的错误啊！所以将刚才创建的数据反向删除回来。

```
# 1. 先卸载系统。
[root@www ~]# umount /dev/vbirdusb

# 2. 拔除U盘，并将规则文件删除!
[root@www ~]# rm /etc/udev/rules.d/99-vbirdusb.rules

# 3. 再插入U盘，测试一下文件名有没有恢复正常。
[root@www ~]# ll /dev/sda*
brw-r----- 1 root disk 8, 0 Jun  3 16:50 /dev/sda
brw-r----- 1 root disk 8, 1 Jun  3 16:50 /dev/sda1
# 看起来，文件名确实恢复正常。
```

21.4　重点回顾

- CentOS 提供了好用的 setup 功能，可以帮忙设置认证方式、防火墙、键盘格式、网络、系统默认启动的服务、时区、X 分辨率与硬件配置等。
- 因特网（Internet）就是 TCP/IP，一般常见的取得 IP 的方法有手动直接设置、自动取得、拨号取得与 cable 宽带等方式。
- 主机的网络设置要成功，必须要有下面的数据：IP、Netmask、gateway 与 DNS 服务器等项目。
- DNS 服务器 IP 的指定，需写入/etc/resolv.conf 这个文件中。
- 默认 Linux 的打印服务使用 CUPS，更早之前则是使用 lpd 这个服务。

- Linux 支持的打印机网站查询：http://www.linuxfoundation.org/en/OpenPrinting。
- 打印组件主要有打印命令、打印操作、打印队列、打印服务、打印机。
- 网络打印机的格式主要有 ipp、smb 等类型。
- CUPS 可使用 http://localhost:631 来连接，然后使用浏览器界面来管理。
- PPD 指的是 postscript 打印定义文件，可视为打印机的驱动程序。
- 命令行管理打印机的方式主要通过 lpadmin,lpstat,lpq, lprm 等命令。至于产生打印操作的命令则为 lpr,lp。
- 本章新增硬件信息的收集命令有 lspci,lsusb,iostat 等。
- USB 的驱动模块主要有 OHCI 与 UHCI，至于 USB 2.0 则使用 EHCI。
- lm_sensors 可用来检测主板的温度、电压、风扇转速等功能。
- 动态管理硬件，通过用户层级的管理方式，主要通过 udev 与 HAL 的管理！

21.5　本章习题

简答题部分
- 如果你一定要创建一个不存在的打印机设备文件，例如/dev/usb/lp8，该如何处置？
- 如果你想要知道整个系统的周边硬件设备，可以使用哪个命令查询？
- 承上题，那么如果单纯只想要知道 USB 设备呢？又该如何查询？
- 试说明打印操作、打印队列、打印命令、打印服务与打印机之间的相关性。
- 说出三种以上目前常见的网络打印通信协议。
- 如何使用 lm_sensors 检测主机内的温度？详细说明整个步骤。
- （挑战题）如果你的网络设置妥当了，但是却老是发现网络不通，你觉得应该如何进行测试？

21.6　参考数据与扩展阅读

- 注 1：PPD 的解释：http://en.wikipedia.org/wiki/PostScript_Printer_Description
- 注 2：USB 的相关解释与书籍
  维基百科的解释：http://en.wikipedia.org/wiki/Universal_Serial_Bus
  USB 的在线书籍：http://www.linux-usb.org/USB-guide/book1.html
  LinuxUSB：http://www.linux-usb.org/
- 注 3：内核代码的相关网页：http://www.kernel.org/pub/linux/docs/device-list/devices.txt
- 注 4：关于 udev 的简单说明：
  内核网站的说明：http://kernel.org/pub/linux/utils/kernel/hotplug/udev.html
  linuxjournal 的说明：http://www.linuxjournal.com/article/7316
  注 5：hal 的官网 http://www.freedesktop.org/wiki/Software/hal
  LM_sensors 官方网站：http://www.lm-sensors.org/

22

第 22 章 软件安装：源码与 Tarball

我们在第 1 章 Linux 是什么当中提到了 GNU 计划与 GPL 授权所产生的自由软件与开放源码等。不过，前面的章节都还没有提到真正的开放源码是什么的信息。在这一章当中，我们将通过 Linux 操作系统里面的执行文件来理解什么是可执行的程序，以及了解什么是编译程序。另外，与程序息息相关的函数库（library）的信息也需要了解一番！不过，在这个章节当中，鸟哥并不是要你成为一个开放源码的程序设计师，而是希望你可以了解如何将开放源码的程序设计、加入函数库的原理、通过编译而成为可以执行的二进制程序，乃至最后该执行文件可被我们所使用的一连串过程！

了解上面的概念有什么好处呢？因为在 Linux 的世界里面，由于客制化的关系，有时候我们需要自行安装软件在自己的 Linux 系统上面，所以如果你有简单的程序编译概念，那么将很容易进行软件的安装。甚至在发生软件编译过程中的错误时，你也可以自行做一些简易的修改！而最传统的软件安装过程自然就是由源码编译而来的！所以，在这里我们将介绍最原始的软件管理方式：使用 Tarball 来安装与升级管理我们的软件。

22.1 开放源码的软件安装与升级简介

如果鸟哥想要在我的 Linux 服务器上面跑网页服务器（WWW server）这项服务，那么我应该要做些什么事呢？当然就一定需要安装网页服务器的软件。如果鸟哥的服务器上面没有这个软件的话，那当然也就无法启用 WWW 的服务。所以，想要在你的 Linux 上面进行一些有的没的功能，学会如何安装软件是很重要的一个课题！

咦！安装软件有什么难的？在 Windows 的操作系统上面安装软件时，不是只要一直按"下一步"就可以安装妥当了吗？话是这样说没错，不过，也由于如此，所以在 Windows 系统上面的软件都是一模一样的，也就是说，你无法修改该软件的源代码，因此，万一你想要增加或者减少该软件的某些功能时，大概只能求助于当初发行该软件的厂商了！（这就是所谓的商机吗？）

或许你会说："唉呦！我不过是一般人，不会用到多余的功能，所以不太可能会更改到程序代码吧？"如果你这么想的话，很抱歉。是有问题的！怎么说呢？像目前网络上面的病毒、黑客软件、木马程序等，都可能对你的主机上面的某些软件造成影响，导致主机死机或者是其他数据损毁等的伤害。如果你可以通过安全信息单位所提供的修改方式进行修改，那么你将可以很快速地自行修补好该软件的漏洞，而不必一定要等到软件开发商提供修补的程序包。要知道，提早打补丁是很重要的一件事。

> 并不是软件开发商故意要搞出一个有问题的软件，而是某些程序代码当初设计时可能没有考虑周全，或者是程序代码与操作系统的权限设置并不相同所导致的一些漏洞。当然，也有可能是黑客通过某些攻击程序测试到程序的不周全所致。无论如何，只要有网络存在的一天，可以想象得到，程序的漏洞永远补不完！但能补多少就补多少吧！

这样说可以了解 Linux 的优点了吗？没错！因为 Linux 上面的软件几乎都是经过 GPL 的授权，所以每个软件几乎均提供源代码，并且你可以自行修改该程序代码，以符合你个人的需求呢！很棒吧？这就是开放源码的优点。不过，到底什么是开放源码？这些程序代码是什么？Linux 上面可以执行的相关软件与开放源码之间是如何转换的？不同版本的 Linux 之间能不能使用同一个可执行文件或者是该可执行文件需要由源代码的部分重新进行转换？这些都是需要理清概念的。下面我们先就源代码与可执行文件来进行说明。

22.1.1 什么是开放源码、编译程序与可执行文件

在讨论程序代码是什么之前，我们先来谈论一下什么是可执行文件。我们说过，在 Linux 系统上面，一个文件能不能被执行看的是有没有可执行的那个权限（具有 x 权限），不过，**Linux 系统上真正识别的可执行文件其实是二进制文件**，例如/usr/bin/passwd、/bin/touch 这些文件即为二进制程序代码。

或许你会说 shell script 不是也可以执行吗？其实 shell script 只是利用 shell（例如 bash）这个程序的功能进行一些判断式，而最终执行的除了 bash 提供的功能外，仍是调用一些已经编译好的二进制程序来执行的呢！当然，bash 本身也是一个二进制程序。那么我怎么知道一个文件是否为二进制呢？还记得我们在第 7 章里面提到的 file 这个命令的功能吗？对！用它就是了！我们现在来测试一下！

```
# 先以系统的文件测试看看：
[root@www ~]# file /bin/bash
```

```
/bin/bash: ELF 32-bit LSB executable, Intel 80386, version 1 (SYSV), for GNU/
Linux 2.6.9, dynamically linked (uses shared libs), for GNU/Linux 2.6.9, stripped

# 如果是系统提供的 /etc/init.d/syslog 呢?
[root@www ~]# file /etc/init.d/syslog
/etc/init.d/syslog: Bourne-Again shell script text executable
```

如果是二进制程序而且是可以执行的时候，它就会显示可执行文件类（ELF 32-bit LSB executable），同时会说明是否使用共享库（shared libs），而如果是一般的 script，那它就会显示出 text executables 之类的字样！

> 事实上，syslog 的数据显示出 Bourne-Again ... 那一行，是因为你的 scripts 上面第一行有声明 #!/bin/bash 的缘故，如果你将 script 的第一行去掉，那么不管 /etc/init.d/syslog 的权限为何，它其实显示的是 ASCII 文本文件的信息！

既然 Linux 操作系统真正认识的其实是二进制程序，那么我们是如何做出这样的一个二进制的程序呢？首先，我们必须要写程序，用什么东西写程序？就是一般的文本处理器啊！鸟哥都喜欢使用 vim 来进行程序的编写，写完的程序就是所谓的源代码。这个程序代码文件其实就是一般的纯文本文件。在完成这个源码文件的编写之后，再来就是要将这个文件"编译"成为操作系统看得懂的二进制程序。而要编译自然就需要"编译程序"来操作，经过编译程序的编译与连接之后，就会生成一个可以执行的二进制程序。

举个例子来说，在 Linux 上面最标准的程序语言为 C，所以我使用 C 的语法进行源代码的书写，写完之后，以 Linux 上标准的 C 语言编译程序 gcc 这个程序来编译，就可以制作一个可以执行的二进制程序。整个的流程如图 22-1 所示。

图 22-1　利用 gcc 编译程序进行程序的编译流程示意图

事实上，在编译的过程当中还会生成所谓的目标文件（Object file），这些文件是以*.o 的扩展名形式存在的！至于 C 语言的源代码文件通常以*.c 作为扩展名。此外，有的时候，我们会在程序当中引用、调用其他的外部子程序，或者是利用其他软件提供的"函数功能"，这个时候，我们就必要要在编译的过程当中将该函数库加进去，如此一来，编译程序就可以将所有的程序代码与函数库做一个链接（Link）以生成正确的执行文件。

总之，我们可以这么说：

- 开放源码：就是程序代码，写给人类看的程序语言，但机器并不认识，所以无法执行；
- 编译程序：将程序代码转译成为机器看得懂的语言，就类似翻译者的角色；
- 可执行文件：经过编译程序变成二进制程序后机器看得懂所以可以执行的文件。

22.1.2　什么是函数库

在前一小节的图 22-1 中，在编译的过程里面有提到函数库这东西。什么是函数库呢？先举个例子来说：我们的 Linux 系统上通常已经提供一个可以进行身份验证的模块，就是在第 14 章提到的 PAM

模块。这个 PAM 提供的功能可以让很多的程序在被执行的时候，除了可以验证用户登录的信息外，还可以将身份确认的数据记录在日志文件里面，以方便系统管理器的跟踪。

既然有这么好用的功能，那如果我要编写具有身份认证功能的程序时，直接引用该 PAM 的功能就好，如此一来，我就不需要重新设计认证机制。也就是说，只要在我写的程序代码里面，设置调用 PAM 的函数功能，我的程序就可以利用 Linux 原本就有的身份认证的程序了。除此之外，其实我们的 Linux 内核也提供了相当多的函数库来给硬件开发者利用。

函数库又分为动态与静态函数库，我们分别在后面的小节对它们加以说明。这里我们以一个简单的流程图来示意一个有调用外部函数库的程序的执行情况。而如果要在程序里面加入引用的函数库，就需要如图 22-2 所示，即在编译的过程当中就需要加入函数库的相关设置。事实上，Linux 的内核提供很多的内核相关函数库与外部参数，这些内核功能在设计硬件的驱动程序的时候是相当有用的信息，这些内核相关信息大多放置在 /usr/include,/lib, /usr/lib 里面。我们在本章的后续小节再来探讨。反正我们可以简单地这么想：

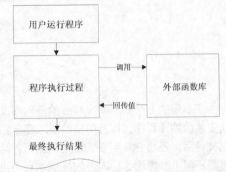

◆ 函数库：类似子程序的角色，可以被调用来执行的一段功能函数。

图 22-2　程序执行时引用外部动态函数库的示意图

22.1.3　什么是 make 与 configure

事实上，使用类似 gcc 的编译程序来进行编译的过程并不简单，因为一套软件并不会仅有一个程序，而是有一堆程序代码文件。所以除了每个主程序与子程序均需要写上一条编译过程的命令外，还需要写上最终的链接程序。程序代码小还好，如果是类似 WWW 服务器软件（例如 Apache），或者是类似内核的源码，动则数百 MB 的数据量，编译命令会写到疯掉。这个时候，我们就可以使用 make 这个命令的相关功能来进行编译过程的命令简化了。

当执行 make 时，make 会在当前的目录下搜索 Makefile(or makefile)这个文本文件，而 Makefile 里面则记录了源码如何编译的详细信息。make 会自动判别源码是否经过变动了而自动更新执行文件，是软件工程师相当好用的一个辅助工具呢！

make 是一个程序，会去找 Makefile，那 Makefile 怎么写？通常软件开发商都会写一个检测程序来检测用户的操作环境，以及该操作环境是否有软件开发商所需要的其他功能，该检测程序检测完毕后，就会主动新建这个 Makefile 的规则文件。通常这个检测程序的文件名为 configure 或者是 config。

那为什么要检测操作环境呢？在第 1 章当中，不是曾经提过其实每个 Linux distribution 都使用同样的内核吗？但你得要注意，不同版本的内核所使用的系统调用可能不相同，而且每个软件所需要的相关的函数库也不相同，同时，软件开发商不会仅针对 Linux 开发，而是会针对整个 UNIX-Like 做开发啊！所以他也必须要检测该操作系统平台有没有提供合适的编译程序才行！所以当然要检测环境啊！一般来说，检测程序会检测的数据大约有下面这些：

◆ 是否有适合的编译程序可以编译本软件的程序代码；
◆ 是否已经存在本软件所需要的函数库或其他需要的相关软件；
◆ 操作系统平台是否适合本软件，包括 Linux 的内核版本；
◆ 内核的头定义文件（header include）是否存在（驱动程序必须要的检测）。

至于 make 与 configure 运行流程的相关性，我们可以使用图 22-3 来示意一下啊！下图中，你要进行的任务其实只有两个，一个是执行 configure 来新建 Makefile，这个步骤一定要成功！成功之后再以 make 来调用所需要的数据来编译即可，非常简单！

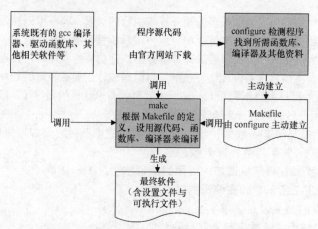

图 22-3　通过 configure 与 make 进行编译示意图

　　由于不同的 Linux distribution 的函数库文件所放置的路径，或者是函数库的文件名定义，或者是默认安装的编译程序，以及内核的版本都不相同，因此理论上，你无法在 CentOS 5.x 上面编译出二进制文件后，还将它拿到 SuSE 上面执行，这个操作通常是不可能成功的。因为调用的目标函数库位置可能不同（参考图 22-2），内核版本更不可能相同，能够执行的情况是微乎其微。所以同一套软件要在不同的平台上面执行时，必须要重复编译，因此才需要源码。

　　详细的 make 用法与 Makefile 规则，在后续的小节里面再探讨！

22.1.4　什么是 Tarball 的软件

　　从前面几个小节的说明来看，我们知道所谓的源代码其实就是一些写满了程序代码的纯文本文件。那我们在第 9 章压缩命令的介绍当中，也了解了纯文本文件在网络上其实是很浪费带宽的一种文件格式。所以，如果能够将这些源码通过文件的打包与压缩技术来将文件的数量与容量减小，不但让用户容易下载，软件开发商的网站带宽也能够节省很多。这就是 Tarball 文件的由来。

　　想一想，一个内核的源码文件大约要 300~500MB 以上，如果每个人都去下载这样的一个内核文件，那么网络带宽会变得非常拥挤！

　　所谓的 Tarball 文件，其实就是将软件的所有源码文件先以 tar 打包，然后再以压缩技术来压缩，通常最常见的就是以 gzip 来压缩了。因为利用了 tar 与 gzip 的功能，所以 **tarball 文件**一般的扩展名就会写成*.tar.gz 或者是简写为*.tgz。不过，近来由于 bzip2 的压缩率较佳，所以 Tarball 渐渐以 bzip2 的压缩技术来取代 gzip，因此文件名也会变成*.tar.bz2 之类的。所以说，Tarball 是一个软件包，你将它解压缩之后，里面的文件通常就会有：

◆　源代码文件；
◆　检测程序文件（可能是 configure 或 config 等文件名）；
◆　本软件的简易说明与安装说明（INSTALL 或 README）。

　　其中最重要的是那个 INSTALL 或者是 README 这两个文件，通常你只要能够参考这两个文件，Tarball 软件的安装是很简单的。我们在后面的章节会再继续介绍 Tarball 这个玩意。

22.1.5　如何安装与升级软件

　　将源码做了一个简单的介绍，也知道了系统其实认识的可执行文件是二进制文件之后，好了，得要聊一聊，那么怎么安装与升级一个 Tarball 的软件？为什么要安装一个新的软件呢？当然是因为我们的主机上面没有该软件。那么，为何要升级呢？原因可能有下面这些：

◆ 需要新的功能，但旧有主机的旧版软件并没有，所以需要升级到新版的软件；
◆ 旧版本的软件上面可能有安全上的顾虑，所以需要更新到新版的软件；
◆ 旧版的软件执行性能不佳，或者执行的能力不能让管理者满足。

　　在上面的需求当中，尤其需要注意的是第二点，当一个软件有安全上的顾虑时，千万不要怀疑，赶紧更新软件吧！否则造成网络危机，那可不是闹着玩的！那么更新的方法有哪些呢？基本上更新的方法可以分为两大类，分别是：

◆ 直接以源码通过编译来安装与升级；
◆ 直接以编译好的二进制程序来安装与升级。

　　上面第一点很简单，就是直接以 Tarball 在自己的机器上面进行检测、编译、安装与设置等操作来升级就是了。不过，这样的操作虽然让用户在安装过程当中具有很高的可选择性，但毕竟比较麻烦一点，如果 Linux distribution 厂商能够针对自己的操作平台先进行编译等过程，再将编译好的二进制程序释出的话，那由于我的系统与该 Linux distribution 的环境是相同的，所以它所释出的二进制程序就可以在我的机器上面直接安装，省略了检测与编译等等繁杂的过程呢！

　　这个预先编译好程序的机制存在于很多 distribution，包括 Red Hat 系统（含 Fedora/CentOS 系列）开发的 RPM 软件管理机制与 yum 在线更新模式；Debian 使用的 dpkg 软件管理机制与 APT 在线更新模式等。

　　由于 CentOS 系统是依循标准的 Linux distribution，所以可以使用 Tarball 直接进行编译的安装与升级，当然也可以使用 RPM 相关的机制来进行安装与升级。这里主要针对 Tarball，至于 RPM 则留待下个章节再来介绍呢！

　　好了，那么一个软件的 Tarball 是如何安装的呢？基本流程是这样的：

1．将 Tarball 由厂商的网页下载下来；
2．将 Tarball 解压缩，生成很多的源码文件；
3．开始以 gcc 进行源码的编译（会生成目标文件）；
4．然后以 gcc 进行函数库、主程序、子程序的链接，以形成主要的二进制文件；
5．将上述的二进制文件以及相关的配置文件安装至自己的主机上面。

　　上面第 3、4 步骤当中，我们可以通过 make 这个命令的功能来简化它，所以整个步骤其实是很简单的。只不过你就得需要至少有 gcc 以及 make 这两个软件在你的 Linux 系统里面才行。详细的过程以及需要的软件我们在后面的章节继续来介绍。

22.2　使用传统程序语言进行编译的简单范例

　　经过上面的介绍之后，你应该比较清楚地知道源码、编译程序、函数库与执行文件之间的相关性了。不过，详细的流程可能还是不很清楚，所以，在这里我们以一个简单的程序范例来说明整个编译的过程！赶紧进入 Linux 系统，实际操作一下下面的范例吧！

22.2.1　单一程序：打印 Hello World

　　我们以 Linux 上面最常见的 C 语言来编写第一个程序。第一个程序最常做的就是在屏幕上面打印"Hello World!"的字样。当然，这里我们是以简单的 C 语言来编写，如果你对于 C 有兴趣的话，那么请自行购买相关的书籍。好了，立刻编辑第一个程序吧！

请先确认你的 Linux 系统里面已经安装了 gcc 了！如果尚未安装 gcc 的话，请先参考下一节的 RPM 安装法，先安装好 gcc 之后，再回来阅读本章。如果你已经联网了，那么直接使用 " yum groupinstall "Development Tools" " 预安装好所需的所有软件即可。rpm 与 yum 均会在下一章介绍。

◆ 编辑程序代码，即源码

```
[root@www ~]# vim hello.c  <==用 C 语言写的程序扩展名建议用 .c
#include <stdio.h>
int main (void)
{
        printf ("Hello World\n");
}
```

- 上面是用 C 语言的语法写成的一个程序文件。第一行的那个 "#" 并不是批注！如果你担心输入错误，请到下面的链接下载这个文件：
- http://linux.vbird.org/linux_basic/0520source/hello.c

◆ 开始编译与测试执行

```
[root@www ~]# gcc hello.c
[root@www ~]# ll hello.c a.out
-rwxr-xr-x 1 root root 4725 Jun  5 02:41 a.out   <==此时会产生这个文件名
-rw-r--r-- 1 root root   72 Jun  5 02:40 hello.c

[root@www ~]# ./a.out
Hello World <==呵呵！结果出现了！
```

- 在默认的状态下，如果我们直接以 gcc 编译源码，并且没有加上任何参数，则执行文件的文件名会被自动设置为 a.out 这个文件名。所以你就能够直接执行 ./a.out 这个执行文件。上面的例子很简单吧！那个 hello.c 就是源码，而 gcc 就是编译程序，至于 a.out 就是编译成功的可执行文件。如果我想要产生目标文件 (object file) 来进行其他的操作，而且执行文件的文件名也不要用默认的 a.out，那该如何是好？其实你可以将上面的第 2 个步骤改成这样：

```
[root@www ~]# gcc -c hello.c
[root@www ~]# ll hello*
-rw-r--r-- 1 root root  72 Jun  5 02:40 hello.c
-rw-r--r-- 1 root root 868 Jun  5 02:44 hello.o <==就是被生成的目标文件

[root@www ~]# gcc -o hello hello.o
[root@www ~]# ll hello*
-rwxr-xr-x 1 root root 4725 Jun  5 02:47 hello <==这就是可执行文件
-rw-r--r-- 1 root root   72 Jun  5 02:40 hello.c
-rw-r--r-- 1 root root  868 Jun  5 02:44 hello.o

[root@www ~]# ./hello
Hello World
```

- 这个步骤主要是利用 hello.o 这个目标文件制作出一个名为 hello 的执行文件，详细的 gcc 语法我们会在后续章节中继续介绍。通过这个操作后，我们可以得到 hello 及 hello.o 两个文件，真正可以执行的是 hello 这个二进制文件。或许你会觉得只要一个操作得出 a.out 就好了，干嘛还要先制作目标文件再做成执行文件呢？通过下个范例，你就可以知道为什么。

22.2.2 主程序、子程序链接：子程序的编译

如果我们在一个主程序里面又调用了另一个子程序呢？这是很常见的一个程序写法，因为可以简化整个程序的易读性。在下面的例子当中，我们以 thanks.c 这个主程序去调用 thanks_2.c 这个子程序，写法很简单！

◆ 编写所需要的主程序、子程序

```
# 1. 编辑主程序:
[root@www ~]# vim thanks.c
#include <stdio.h>
int main(void)
{
        printf("Hello World\n");
        thanks 2();
}
# 上面的 "thanks 2();" 那一行就是调用子程序!

[root@www ~]# vim thanks 2.c
#include <stdio.h>
void thanks 2(void)
{
        printf("Thank you!\n");
}
```

- 上面这两个文件你可以到下面下载：
  - http://linux.vbird.org/linux_basic/0520source/thanks.c
  - http://linux.vbird.org/linux_basic/0520source/thanks_2.c

◆ 进行程序的编译与链接（Link）

```
# 2. 开始将源码编译成为可执行的 binary file:
[root@www ~]# gcc -c thanks.c thanks 2.c
[root@www ~]# ll thanks*
-rw-r--r-- 1 root root  76 Jun  5 16:13 thanks 2.c
-rw-r--r-- 1 root root 856 Jun  5 16:13 thanks 2.o  <==编译生成的
-rw-r--r-- 1 root root  92 Jun  5 16:11 thanks.c
-rw-r--r-- 1 root root 908 Jun  5 16:13 thanks.o    <==编译生成的
[root@www ~]# gcc -o thanks thanks.o thanks 2.o
[root@www ~]# ll thanks*
-rwxr-xr-x 1 root root 4870 Jun  5 16:17 thanks     <==最终会生成此结果

# 3. 执行一下这个文件:
[root@www ~]# ./thanks
Hello World
Thank you!
```

- 知道为什么要制作出目标文件了吗？由于我们的源码文件有时并非仅只有一个文件，所以我们无法直接进行编译。这个时候就需要先生成目标文件，然后再以链接制作成为二进制可执行文件。另外，如果有一天，你更新了 thanks_2.c 这个文件的内容，则你只要重新编译 thanks_2.c 来产生新的 thanks_2.o，然后再以链接制作出新的二进制可执行文件即可，而不必重新编译其他没有改动过的源码文件。这对于软件开发者来说，是一个很重要的功能，因为有时候要将偌大的源码全部编译完成，会花很长的一段时间呢！
- 此外，如果你想要让程序在执行的时候具有比较好的性能或者是其他的调试功能时，可以在编译的过程里面加入适当的参数，例如下面的例子：

```
[root@www ~]# gcc -O -c thanks.c thanks 2.c  <== -O 为生成优化的参数

[root@www ~]# gcc -Wall -c thanks.c thanks 2.c
thanks.c: In function 'main':
thanks.c:5: warning: implicit declaration of function 'thanks 2'
thanks.c:6: warning: control reaches end of non-void function
# -Wall 为产生更详细的编译过程信息。上面的信息为警告信息 (warning)
# 所以不用理会也没有关系!
```

- 至于更多的 gcc 额外参数功能，就得要 man gcc，参数可多了，跟天书一样！

22.2.3 调用外部函数库：加入链接的函数库

刚才我们都仅只是在屏幕上面打印一些字眼而已，如果说要计算数学公式呢？例如我们想要计算出三角函数里面的 sin（90°）。要注意的是，大多数的程序语言都是使用径度而不是一般我们在计算的"角度"，180°约等于 3.14(π)。那我们就来写一下这个程序吧！

```
[root@www ~]# vim sin.c
#include <stdio.h>
int main (void)
{
        float value;
        value = sin ( 3.14 / 2 );
        printf ("%f\n",value);
}
```

上面这个文件的内容可以在下面取得：

- http://linux.vbird.org/linux_basic/0520source/sin.c

那要如何编译这个程序呢？我们先直接编译看看：

```
[root@www ~]# gcc sin.c
sin.c: In function 'main':
sin.c:5: warning: incompatible implicit declaration of built-in function 'sin'
/tmp/ccsfvijY.o: In function `main':
sin.c: (.text+0x1b): undefined reference to `sin'
collect2: ld returned 1 exit status
# 注意看到上面最后一行，会有个错误信息，代表没有成功！
```

特别注意上面的错误信息，怎么没有编译成功？它说的是"undefined reference to sin"，说的是"没有 sin 的相关定义参考值"，为什么会这样呢？这是因为 C 语言里面的 sin 函数是写在 libm.so 这个函数库中，而我们并没有在源码里面将这个函数库功能加进去，所以当然就需要在编译与链接的时候将这个函数库链接进执行文件里面啊！我们可以这样做：

- 编译时加入额外函数库链接的方式：

```
[root@www ~]# gcc sin.c -lm -L/lib -L/usr/lib  <==重点在 -lm
[root@www ~]# ./a.out                          <==尝试执行新文件
1.00 0000
```

- 特别注意，使用 gcc 编译时所加入的那个–lm 是有意义的，它可以拆开成两部分来看：
- -l：是加入某个函数库（library）的意思；
- m：则是 libm.so 这个函数库，其中，lib 与扩展名（.a 或 .so）不需要写。
- 所以–lm 表示使用 libm.so（或 libm.a）这个函数库的意思。至于那个–L 后面接的路径呢？这表示我要的函数库 libm.so 请到/lib 或/usr/lib 里面搜索。
- 上面的说明很清楚了吧？不过，要注意的是，由于 Linux 默认是将函数库放置在/lib 与/usr/lib 当中，所以你没有写–L/lib 与–L/usr/lib 也没有关系的！不过，万一哪天你使用的函数库并非放置在这两个目录下，那么–L/path 就很重要了，否则会找不到函数库！
- 除了链接的函数库之外，你或许已经发现一个奇怪的地方，那就是在我们的 sin.c 当中第一行"#include<stdio.h>"，这行说的是要将一些定义数据由 stdio.h 这个文件读入，这包括 printf 的相关设置。这个文件其实是放置在/usr/include/stdio.h 的。那么万一这个文件并非放置在这里呢？那么我们就可以使用下面的方式来定义出要读取的 include 文件放置的目录：

```
[root@www~]# gcc sin.c -lm -I/usr/include
```

- –I/path 后面接的路径（Path）就是设置要去搜索相关的 include 文件的目录。不过，同样，默认值是放置在/usr/include 下面，除非你的 include 文件放置在其他路径，否则也可以略过这个选项。

- 通过上面的几个小范例，你应该对于 gcc 以及源码有一定程度的认识了，再接下来，我们来稍微整理一下 gcc 的简易使用方法吧！

22.2.4　gcc 的简易用法（编译、参数与链接）

前面说过，gcc 为 Linux 上面最标准的编译程序，这个 gcc 是由 GNU 计划所维护的，有兴趣的朋友请自行前往参考。既然 gcc 对于 Linux 上的开放源码是这么重要，所以下面我们就列举几个 gcc 常见的参数，如此一来大家应该更容易了解源码的各项功能吧！

```
# 仅将源码编译成为目标文件，并不制作链接等功能:
[root@www ~]# gcc -c hello.c
# 会自动生成 hello.o 这个文件，但是并不会生成可执行文件。

# 在编译的时候，依据操作环境给予优化执行速度
[root@www ~]# gcc -O hello.c -c
# 会自动的生成 hello.o 这个文件，并且进行优化!

# 在进行二进制文件制作时，将链接的函数库与相关的路径填入
[root@www ~]# gcc sin.c -lm -L/usr/lib -I/usr/include
# 这个命令较常执行在最终链接成 binary file 的时候，
# -lm 指的是 libm.so 或 libm.a 这个函数库文件;
# -L 后面接的路径是刚才上面那个函数库的搜索目录;
# -I 后面接的是源码内的 include 文件的所在目录。

# 将编译的结果输出成某个特定文件名
[root@www ~]# gcc -o hello hello.c
# -o 后面接的是要输出的 binary file 文件名

# 在编译的时候，输出较多的信息说明
[root@www ~]# gcc -o hello hello.c -Wall
# 加入 -Wall 之后，程序的编译会变得较为严谨一点，
# 所以警告信息也会显示出来!
```

比较重要的大概就是这一些。另外，我们通常称-Wall 或者-O 这些非必要的参数为标志（FLAGS），因为我们使用的是 C 程序语言，所以有时候也会简称这些标识为 CFLAGS，这些变量偶尔会被使用，尤其是在后头会介绍的 make 相关的用法时更是重要！

22.3　用 **make** 进行宏编译

在本章一开始我们提到过 make 的功能是可以简化编译过程里面所执行的命令，同时还具有很多很方便的功能。那么下面咱们就来试看看使用 make 简化执行编译命令的流程吧！

22.3.1　为什么要用 make

先来想象一个案例，假设我的执行文件里面包含了 4 个源码文件，分别是 main.c、haha. c、sin_value.c 和 cos_value.c 这 4 个文件，这 4 个文件的目的是:

- main.c：让用户输入角度数据与调用其他 3 个子程序;
- haha.c：输出一堆信息而已;
- sin_value.c：计算用户输入的角度（360）的 sin 数值;
- cos_value.c：计算用户输入的角度（360）的 cos 数值。

这 4 个文件你可以到 http://linux.vbird.org/linux_basic/0520source/main.tgz 下载。由于这 4 个文件里面包含了相关性，并且还用到数学函数在里面，所以如果你想要让这个程序可以运行，那么就需要这样编译:

```
# 1. 先进行目标文件的编译，最终会有四个 *.o 的文件名出现：
[root@www ~]# gcc -c main.c
[root@www ~]# gcc -c haha.c
[root@www ~]# gcc -c sin value.c
[root@www ~]# gcc -c cos value.c

# 2. 再进行链接成为可执行文件，并加入 libm 的数学函数，以生成 main 可执行文件：
[root@www ~]# gcc -o main main.o haha.o sin value.o cos value.o \
> -lm -L/usr/lib -L/lib

# 3. 本程序的执行结果必须输入姓名、360 度角的角度值来计算：
[root@www ~]# ./main
Please input your name: VBird    <==这里先输入名字
Please enter the degree angle（ex）: 90）: 30    <==输入以 360 度角为主的角度
Hi, Dear VBird, nice to meet you.    <==这三行为输出的结果
The Sin is: 0.50
The Cos is: 0.87
```

编译的过程需要进行好多操作，而且如果要重新编译，则上述的流程得要重新来一遍，光是找出这些命令就够烦人的了！如果可以的话，能不能一个步骤就完成上面所有的操作呢？那就利用 make 这个工具吧！先试看看在这个目录下新建一个名为 makefile 的文件，内容如下：

```
# 1. 先编辑 makefile 这个规则文件，内容只要制作出 main 这个可执行文件
[root@www ~]# vim makefile
main: main.o haha.o sin value.o cos value.o
        gcc -o main main.o haha.o sin value.o cos value.o -lm
# 注意：第二行的 gcc 之前是 <tab> 按键生成的空格！

# 2. 尝试使用 makefile 制订的规则进行编译的行为：
[root@www ~]# rm -f main *.o    <==先将之前的目标文件去除
[root@www ~]# make
cc    -c -o main.o main.c
cc    -c -o haha.o haha.c
cc    -c -o sin value.o sin value.c
cc    -c -o cos value.o cos value.c
gcc -o main main.o haha.o sin value.o cos value.o -lm
# 此时 make 会去读取 makefile 的内容，并根据内容直接去编译相关的文件！

# 3. 在不删除任何文件的情况下，重新执行一次编译的操作：
[root@www ~]# make
make: `main' is up to date.
# 看到了吧！是否很方便呢？只会进行更新（update）的操作而已。
```

或许你会说："如果我建立一个 shell script 来将上面的所有操作都集合在一起，不是具有同样的效果吗？"呵呵！效果当然不一样，以上面的测试为例，我们仅写出 main 需要的目标文件，结果 make 会主动去判断每个目标文件相关的源码文件，并直接予以编译，最后再直接进行链接的操作。真的是很方便啊！此外，如果我们改动过某些源码文件，则 make 也可以主动判断哪一个源码与相关的目标文件文件有更新过，并仅更新该文件，如此一来，将可大大节省很多编译的时间。要知道，某些程序在进行编译的行为时，会消耗很多的 CPU 资源。所以说，make 有这些好处：

◆　简化编译时所需要执行的命令；
◆　若在编译完成之后，修改了某个源码文件，则 make 仅会针对被修改了的文件进行编译，其他的目标文件不会被更改；
◆　最后可以依照相依性来更新（update）执行文件。

既然 make 命令有这么多的优点，那么我们当然就得好好了解一下 make！而 make 里面最需要注意的大概就是那个规则文件，也就是 makefile 这个文件的语法！所以下面我们就针对 makefile 的语法来加以介绍。

22.3.2　makefile 的基本语法与变量

make 的语法可是相当多而复杂的，有兴趣的话可以到 GNU[注 1]去查阅相关的说明，鸟哥这里仅列出一些基本的规则，重点在于让读者们将来在接触源码时不会太紧张啊！好了，基本的 makefile 规则

是这样的：

```
目标（target）：目标文件 1  目标文件 2
<tab>    gcc -o 欲新建的可执行文件 目标文件 1  目标文件 2
```

那个目标（target）就是我们想要建立的信息，而目标文件就是具有相关性的 object files，那建立可执行文件的语法就是以<tab>按键开头的那一行！特别留意的是：**命令行必须要以 tab 按键作为开头才行！** 它的规则基本上是这样的：

◆ 在 makefile 当中的#代表批注；

◆ <tab>需要在命令行（例如 gcc 这个编译程序命令）的第一个字符；

◆ 目标（target）与相关文件（就是目标文件）之间需以 ":" 隔开。

同样，我们以刚才上一个小节的范例进一步说明，如果我想要有两个以上的执行操作时，例如执行一个命令就直接清除掉所有的目标文件与可执行文件，该如何制作呢？

```
# 1. 先编辑 makefile 来建立新的规则，此规则的目标名称为 clean：
[root@www ~]# vi makefile
main: main.o haha.o sin_value.o cos_value.o
        gcc -o main main.o haha.o sin_value.o cos_value.o -lm
clean:
        rm -f main main.o haha.o sin_value.o cos_value.o

# 2. 以新的目标（clean）测试看看执行 make 的结果：
[root@www ~]# make clean  <==就是这里！通过 make 以 clean 为目标
rm -rf main main.o haha.o sin_value.o cos_value.o
```

如此一来，我们的 makefile 里面就具有至少两个目标，分别是 main 与 clean，如果我们想要建立 main 的话，输入 "make main"，如果想要清除信息，输入 "make clean" 即可。而如果想要先清除目标文件再编译 main 这个程序的话，就可以这样输入：makeclean main，如下所示：

```
[root@www ~]# make clean main
rm -rf main main.o haha.o sin_value.o cos_value.o
cc    -c -o main.o main.c
cc    -c -o haha.o haha.c
cc    -c -o sin_value.o sin_value.c
cc    -c -o cos_value.o cos_value.c
gcc -o main main.o haha.o sin_value.o cos_value.o -lm
```

这样就很清楚了吧！但是，你是否会觉得 makefile 里面怎么重复的数据这么多啊？没错！所以我们可以再通过 shell script 那时学到的 "变量" 来更简化 makefile：

```
[root@www ~]# vi makefile
LIBS = -lm
OBJS = main.o haha.o sin_value.o cos_value.o
main: ${OBJS}
        gcc -o main ${OBJS} ${LIBS}
clean:
        rm -f main ${OBJS}
```

与 bash shell script 的语法有点不太相同，变量的基本语法为：

1. 变量与变量内容以 "=" 隔开，同时两边可以具有空格；

2. 变量左边不可以有<tab>，例如上面范例的第一行 LIBS 左边不可以是<tab>；

3. 变量与变量内容在 "=" 两边不能具有 ":"；

4. 在习惯上，变量最好是以 "大写字母" 为主；

5. 运用变量时，以${变量}或$（变量）使用；

6. 在该 shell 的环境变量是可以被套用的，例如提到的 CFLAGS 这个变量；

7. 在命令行模式也可以定义变量。

由于 gcc 在进行编译的行为时，会主动去读取 CFLAGS 这个环境变量，所以，你可以直接在 shell 定义出这个环境变量，也可以在 makefile 文件里面去定义，更可以在命令列当中定义。例如：

```
[root@www ~]# CFLAGS="-Wall" make clean main
# 这个操作在上 make 进行编译时，会去取用 CFLAGS 的变量内容！
```

也可以这样：

```
[root@www ~]# vi makefile
LIBS = -lm
OBJS = main.o haha.o sin_value.o cos_value.o
CFLAGS = -Wall
main: ${OBJS}
        gcc -o main ${OBJS} ${LIBS}
clean:
        rm -f main ${OBJS}
```

我可以利用命令行进行环境变量的输入，也可以在文件内直接指定环境变量，那万一这个 CFLAGS 的内容在命令行与 makefile 里面并不相同时，以哪个方式输入的为主？问了个好问题啊！环境变量取用的规则是这样的：

1. make 命令行后面加上的环境变量为第一优先；

2. makefile 里面指定的环境变量第二优先；

3. shell 原本具有的环境变量第三优先。

此外，还有一些特殊的变量需要了解的：

◆ $@：代表目前的目标（target）

所以我也可以将 makefile 改成：

```
[root@www~]# vi makefile
LIBS = -lm
OBJS = main.o haha.o sin_value.o cos_value.o
CFLAGS = -Wall
main: ${OBJS}
        gcc -o $@ ${OBJS} ${LIBS}    <==那个 $@ 就是 main！
clean:
        rm -f main ${OBJS}
```

这样是否稍微了解了 makefile（也可能是 Makefile）的基本语法？这对于你将来自行修改源码的编译规则时是很有帮助的。

22.4 Tarball 的管理与建议

在我们知道了源码的相关信息之后，再来要了解的自然就是如何使用具有源码的 Tarball 来建立一个属于自己的软件！从前面几个小节的说明当中，我们晓得其实 Tarball 的安装是可以跨平台的，因为 C 语言的程序代码在各个平台上面是可以共通的，只是需要的编译程序可能并不相同而已。例如 Linux 上面用 gcc 而 Windows 上面也有相关的 C 编译程序。所以，同样的一组源码既可以在 CentOS Linux 上面编译，也可以在 SuSE Linux 上面编译，当然，也可以在大部分的 UNIX 平台上面编译成功的！

如果万一没有编译成功怎么办？很简单啊，通过修改小部分的程序代码（通常是因为很小部分的变动而已）就可以进行跨平台的移植了！也就是说，刚才我们在 Linux 下面写的程序理论上是可以在 Windows 上面编译的！这就是源码的好处！所以说，如果朋友们想要学习程序语言的话，鸟哥个人是比较建议学习具有跨平台能力的程序语言，例如 C 就是很不错的一个！

哎呀！又扯远了！赶紧回来继续说明我们的 Tarball！

22.4.1　使用源码管理软件所需要的基础软件

从源码的说明我们晓得要制作一个二进制文件需要很多内容的呢！这包括下面这些基础的软件：

◆　gcc 或 cc 等 C 语言编译程序（compiler）

没有编译程序怎么进行编译的操作？所以 C 编译器是一定要有的。不过 Linux 上面有众多的编译程序，其中当然以 GNU 的 gcc 是首选的自由软件编译程序！事实上很多在 Linux 平台上面发展的软件的源码原本就是以 gcc 为底来设计的呢！

◆　make 及 autoconfig 等软件

一般来说，以 Tarball 方式释出的软件当中，为了简化编译的流程，通常都是配合前几个小节提到的 make 这个命令来根据目标文件的相依性而进行编译。但是我们也知道 make 需要 makefile 这个文件的规则，那由于不同的系统里面可能具有的基础软件环境并不相同，所以就需要检测用户的操作环境，好自行建立一个 makefile 文件。这个自行检测的小程序也必须要通过 autoconfig 这个相关的软件来辅助才行。

◆　需要 Kernel 提供的 Library 以及相关的 Include 文件

从前面的源码编译过程，我们知道函数库（library）的重要性，同时也晓得有 include 文件的存在。很多的软件在发展的时候都是直接取用系统内核提供的函数库与 include 文件的，这样才可以与这个操作系统兼容啊！尤其是在驱动程序方面的模块，例如网卡、声卡、USB 等驱动程序在安装的时候经常是需要内核提供的相关信息的。在 Red Hat 的系统当中（包含 Fedora/CentOS 等系列），这个内核相关的功能通常都是被包含在 kernel-source 或 kernel-header 这些软件当中，所以记得要安装这些软件！

虽然 Tarball 的安装上面相当简单，如同我们前面几个小节的例子，只要顺着开发商提供的 README 与 INSTALL 文件所载明的步骤来进行，安装是很容易的。但是我们却还是经常会在 BBS 或者是新闻组当中发现这些留言："我在执行某个程序的检测文件时，它都会告诉我没有 gcc 这个软件，这是怎么回事？"还有："我没有办法使用 make 耶！这是什么问题？"这就是没有安装上面提到的那些基础软件！

为什么用户不安装这些软件呢？这是因为目前的 Linux distribution 大多已经偏向于桌面计算机的使用（非服务器端），他们希望用户能够按照厂商自己的希望来安装相关的软件即可，所以通常"默认"是没有安装 gcc 或者是 make 等软件的。所以，如果你希望将来可以自行安装一些以 Tarball 方式释出的软件时，记得请自行挑选想要安装的软件名称！例如在 CentOS 或者是 Red Hat 当中记得选择 Development Tools 以及 Kernel Source Development 等相关字眼的软件呢。

那万一我已经安装好一台 Linux 主机，但是使用的是默认值所安装的软件，所以没有 make、gcc 等，该如何是好？问题其实不大，目前使用最广泛的 CentOS/Fedora 或者是 Red Hat 大多是以 RPM（下一章会介绍）来安装软件的，所以，你只要拿出当初安装 Linux 时的原版光盘，然后以下一章介绍的 RPM 来一个一个加入到你的 Linux 主机里面就好！很简单的！尤其现在又有 yum 这玩意儿，更方便！

在 CentOS 当中，如果你已经可以连上 Internet 的话，那么就可以使用下一章会谈到的 yum。通过 yum 的软件组安装功能，你可以这样做：

◆　如果是要安装 gcc 等软件开发工具，请使用 "yum groupinstall "Development Tools""；

◆　若待安装的软件需要图形接口支持，一般还需要 "yum groupinstall "X Software Development""；

◆　若安装的软件较旧，可能需要 "yum groupinstall "Legacy Software Development""。

大概就是这样，更多的信息请参考下一章的介绍。

22.4.2　Tarball 安装的基本步骤

我们提过以 Tarball 方式释出的软件是需要重新编译可执行的二进制文件的。而 Tarball 是以 tar 这个命令来打包与压缩的文件，所以，当然就需要先将 Tarball 解压缩，然后到源码所在的目录下进行

makefile 的建立，再以 make 来进行编译与安装的操作啊！所以整个安装的基础操作大多是这样的：

1. 取得源文件：将 tarball 文件在/usr/local/src 目录下解压缩；
2. 取得步骤流程：进入新建立的目录下面，去查阅 INSTALL 与 README 等相关文件内容（很重要的步骤）；
3. 相关属性软件安装：根据 INSTALL/README 的内容查看并安装好一些相关的软件（非必要）；
4. 建立 makefile：以自动检测程序（configure 或 config）检测操作环境，并建立 Makefile 这个文件；
5. 编译：以 make 这个程序并使用该目录下的 Makefile 作为它的参数配置文件，来进行 make（编译或其他）的操作；
6. 安装：以 make 这个程序，并以 Makefile 这个参数配置文件，依据 install 这个目标（target）的指定来安装到正确的路径。

注意到上面的第二个步骤，通常在每个软件在释出的时候，都会附上 INSTALL 或者是 README 这种文件名的帮助文件，这些帮助文件请详细阅读过一遍，通常这些文件会记录这个软件的安装要求、软件的工作项目与软件的安装参数设置及技巧等，只要仔细读完这些文件，基本上，要安装好 tarball 的文件，都不会有什么大问题。

至于 makefile 在制作出来之后，里头会有相当多的目标（target），最常见的就是 install 与 clean。通常"makeclean"代表着将目标文件（object file）清除掉，"make"则是将源代码进行编译而已。注意，编译完成的可执行文件与相关的配置文件还在源代码所在的目录当中！因此，最后要进行"makeinstall"来将编译完成的所有内容都安装到正确的路径去，这样就可以使用该软件！

我们下面简略提一下大部分的 tarball 软件之安装的命令执行方式：

1. ./configure

   这个步骤就是建立 **Makefile** 这个文件。通常程序开发者会写一个 script 来检查你的 Linux 系统、相关的软件属性等，这个步骤相当重要，因为将来你的安装信息都是这一步骤内完成的。另外，这个步骤的相关信息应该要参考一下该目录下的 README 或 INSTALL 相关的文件。

2. makeclean

   make 会读取 Makefile 中关于 clean 的工作。这个步骤不一定会有，但是希望执行一下，因为它可以去除目标文件。因为谁也不确定源码里面到底有没有包含上次编译过的目标文件（*.o）存在，所以当然还是清除一下比较妥当的。至少等一下新编译出来的执行文件我们可以确定是使用自己的机器所编译完成的。

3. make

   make 会依据 Makefile 当中的默认工作进行编译的行为。编译的工作主要是进行 gcc 来将源码编译成为可以被执行的目标文件，但是这些目标文件通常还需要一些函数库之类的链接后，才能生成一个完整的可执行文件！使用 make 就是要将源码编译成为可以被执行的可执行文件，而这个可执行文件会放置在目前所在的目录之下，尚未被安装到预定安装的目录中。

4. make install

   通常这就是最后的安装步骤了，make 会依据 Makefile 这个文件里面关于 install 的选项，将上一个步骤所编译完成的数据安装到默认的目录中，就完成安装！

请注意，上面的步骤是一步一步来进行的，而其中只要一个步骤无法成功，那么后续的步骤就完全没有办法进行的！因此，要确定每一的步骤都是成功的才可以。举个例子来说，万一今天你在./configure 就不成功了，那么就表示 Makefile 无法被建立起来，要知道，后面的步骤都是根据 Makefile 来进行的，既然无法建立 Makefile，后续的步骤当然无法成功！

另外，如果在 make 无法成功的话，那就表示源文件无法被编译成可执行文件，那么 make install 主要是将编译完成的文件放置到文件系统中的，既然都没有可用的执行文件了，怎么进行安装？所以，要每一个步骤都正确无误才能往下继续做！此外，如果安装成功，并且是安装在独立的一个目录中，例如/usr/local/packages 这个目录中好了，那么你就必须手动将这个软件的 man page 写入/etc/man.config 里面去。

22.4.3　一般 Tarball 软件安装的建议事项（如何删除、升级）

或许你已经发现了也说不定，那就是为什么前一个小节里面，Tarball 要在/usr/local/src 里面解压缩呢？基本上，在默认的情况下，原本的 Linux distribution 发布安装的软件大多是在/usr 里面的，而用户自行安装的软件则建议放置在/usr/local 里面，这是考虑到管理用户所安装软件的便利性。

怎么说呢？我们知道几乎每个软件都会提供在线帮助的服务，那就是 info 与 man 的功能。在默认的情况下，man 会去搜索/usr/local/man 里面的说明文件，因此，如果我们将软件安装在/usr/local 下面的话，那么自然安装完成之后，该软件的说明文件就可以被找到了。此外，如果你所管理的主机其实是由多人共同管理的，或者是如同学校里面，一部主机是由学生管理的，但是学生总会毕业吧？所以需要进行交接，如果大家都将软件安装在/usr/local 下面，那么管理上不就显得特别容易吗！

所以，通常我们会建议大家将自己安装的软件放置在/usr/local 下，至于源码（Tarball）则建议放置在/usr/local/src（src 为 source 的缩写）下面。

再来，让我们先来看一看 Linux distribution 默认的安装软件的路径会用到哪些？我们以 apache 这个软件来说明的话（apache 是 WWW 服务器软件，详细的数据请参考服务器架设篇。你的系统不见得有装这个软件）：

◆　/etc/httpd
◆　/usr/lib
◆　/usr/bin
◆　/usr/share/man

我们会发现软件的内容大致上是摆在 etc,lib,bin,man 等目录当中，分别代表配置文件、函数库、可执行文件、在线帮助文档。好了，如果你是以 tarball 来安装时呢？如果是放在默认的/usr/local 里面，由于/usr/local 原本就默认这几个目录了，所以你的数据就会被放在：

◆　/usr/local/etc
◆　/usr/local/bin
◆　/usr/local/lib
◆　/usr/local/man

但是如果你每个软件都选择在这个默认的路径下安装的话，那么所有的软件的文件都将放置在这 4 个目录当中，因此，如果你都安装在这个目录下的话，那么将来再想要升级或删除的时候，就会比较难以追查文件源。而如果你在安装的时候选择的是单独的目录，例如我将 apache 安装在/usr/local/apache 当中，那么你的文件目录就会变成：

◆　/usr/local/apache/etc
◆　/usr/local/apache/bin
◆　/usr/local/apache/lib
◆　/usr/local/apache/man

单一软件的文件都在同一个目录之下，那么要移除该软件就简单得多了！只要将该目录移除即可视为该软件已经被删除。以上面为例，我想要删除 apache 只要执行 "rm –rf/usr/local/apache" 就算删除这个软件。当然，实际安装的时候还是得视该软件的 Makefile 里头的 install 信息才能知道到底它的安装情况为何的，因为例如 sendmail 的安装就很麻烦。

这个方式虽然有利于软件的删除，但不知道你有没有发现，我们在执行某些命令的时候与该命令是否在 PATH 这个环境变量所记录的路径有关，以上面为例，我的/usr/local/apache/bin 肯定是不在 PATH 里面的，所以执行 apache 的命令就得要利用绝对路径了，否则就得将这个/usr/local/apache/bin 加入 PATH 里面。另外，那个/usr/local/apache/ man 也需要加入 man page 搜索的路径当中啊！

除此之外，Tarball 在升级的时候也是挺困扰的，怎么说呢？我们还是以 apache 来说明好了。

WWW 服务器为了考虑互动性，所以通常会将 PHP+MySQL+Apache 一起安装起来（详细的信息请参考服务器架设篇），果真如此的话，那么每个软件在安装的时候都有一定的顺序与程序！因为它们三者之间具有相关性，所以安装时需要三者同时考虑到它们的函数库与相关的编译参数。

假设今天我只要升级 PHP 呢？有的时候因为只有涉及动态函数库的升级，那么我只要升级 PHP 即可！其他的部分或许影响不大。但是如果今天 PHP 需要重新编译的模块比较多，那么可能会连带地连 Apache 这个程序也需要重新编译过才行，真是有点头痛！没办法！使用 tarball 确实有它的优点，但是在这方面确实也有它一定的伤脑筋程度。

由于 Tarball 在升级与安装上面具有这些特色，亦即 Tarball 在反安装上面具有比较高的难度（如果你没有好好规划的话），所以，为了方便 Tarball 的管理，通常鸟哥会这样建议用户：

1. 最好将 tarball 的原始数据解压缩到/usr/local/src 当中；
2. 安装时，最好安装到/usr/local 这个默认路径下；
3. 考虑将来的反安装步骤，最好可以将每个软件单独安装在/usr/local 下面；
4. 为安装到单独目录的软件的 man page 加入 man path 搜索。

如果你安装的软件放置到/usr/local/software/中，那么在 man page 搜索的设置中可能就得要在/etc/man.config 内的 40~50 行左右处写入如下的一行：

      MANPATH/usr/local/software/man

这样才可以使用 man 来查询该软件的在线文件！

22.4.4 一个简单的范例（利用 ntp 来示范）

读万卷书不如行万里路啊！所以当然我们就来测试一下，看你是否真的了解了如何利用 Tarball 来安装软件呢？我们利用时间服务器（network time protocol，ntp）这个软件来测试安装看看。先请到 http://www.ntp.org/downloads.html 这个目录去下载文件，请下载最新版本的文件即可，或者直接到鸟哥的网站下载 2009/05 公告发布的稳定版本：

    http://linux.vbird.org/linux_basic/0520source/ntp-4.2.4p7.tar.gz

假设我对这个软件的要求是这样的：

◆ 假设 ntp-4.2.4p7.tar.gz 这个文件放置在/root 这个目录下；
◆ 源码请解压缩在/usr/local/src 下面；
◆ 我要安装到/usr/local/ntp 这个目录中。

那么你可以依照下面的步骤来安装测试看看。（如果可以的话，请你不要参考下面的文件数据，先自行安装过一遍这个软件，然后再来对照一下鸟哥的步骤。）

◆ 解压缩下载的 tarball，并参阅 README/INSTALL 文件

```
[root@www ~]# cd /usr/local/src   <==切换目录
[root@www src]# tar -zxvf /root/ntp-4.2.4p7.tar.gz <==解压缩到此目录
ntp-4.2.4p7/        <==会新建这个目录
ntp-4.2.4p7/libopts/
....（下面省略）....
[root@www src]# cd ntp-4.2.4p7/
[root@www ntp-4.2.4p7]# vi INSTALL <==记得 README 也要看一下
# 特别看一下 28 行到 54 行之间的安装简介！可以了解安装的流程！
```

◆ 检查 configure 支持参数，并实际生成 makefile 规则文件

```
[root@www ntp*]# ./configure --help | more <==查询可用的参数有哪些
 --prefix=PREFIX        install architecture-independent files in PREFIX
 --enable-all-clocks    + include all suitable non-PARSE clocks:
 --enable-parse-clocks  - include all suitable PARSE clocks:
# 上面列出的是比较重要的，或者是你可能需要的参数功能！
```

```
[root@www ntp*]# ./configure --prefix=/usr/local/ntp \
> --enable-all-clocks --enable-parse-clocks    <==开始建立 makefile
checking for a BSD-compatible install... /usr/bin/install -c
checking whether build environment is sane... yes
....（中间省略）....
checking for gcc... gcc                  <==也有找到 gcc 编译程序了
....（中间省略）....
config.status: creating Makefile  <==现在知道这个重要性了吧
config.status: creating config.h
config.status: executing depfiles commands
```

- 一般来说 configure 较重要的就是那个--prefix=/path 了，--prefix 后面接的路径表示**这个软件将来要安装到哪个目录去，如果你没有指定--prefix=/path 这个参数，通常默认参数就是/usr/local**。至于其他的参数意义就得要参考./configure--help 了。这个操作完成之后会产生 makefile 或 Makefile 这个文件。当然，这个检测检查的过程会显示在屏幕上，**特别留意关于 gcc 的检查，还有最重要的是最后需要成功的新建起 Makefile 才行！**

◆ 最后开始编译与安装！

```
[root@www ntp*]# make clean; make
[root@www ntp*]# make check
[root@www ntp*]# make install
# 将数据安装在 /usr/local/ntp 下面
```

- 整个操作就这么简单，你完成了吗？完成之后到 /usr/local/ntp 下你发现了什么？

22.4.5 利用 patch 更新源码

我们在本章一开始介绍了为何需要进行软件的升级，这是很重要的。那假如我是以 Tarball 来进行某个软件的安装，那么是否当我要升级这个软件时，就得要下载这个软件的完整全新的 Tarball 呢？举个例子来说，鸟哥帮别人在 http://www.dic.ksu.edu.tw/phpbb3 这个网址架设了个论坛，这个论坛是以 phpBB 这个软件来架设的，而鸟哥的论坛版本为 phpbb3.0.4.tar.gz，目前（2009/06）最新发布的版本则是 phpbb3.0.5.tar.gz。那我是否需要下载全新的 phpbb3.0.5.tar.gz 这个文件来更新原本的旧程序呢？

事实上，当我们发现一些软件的漏洞，通常是某一段程序代码写得不好所致。因此，所谓的"更新源码"经常是只有更改部分文件的小部分内容而已。既然如此的话，那么我们是否可以就那些被改动的文件来进行修改就可以了？也就是说，旧版本到新版本间没有改动过的文件就不要理它，仅将有修改过的文件部分来处理即可。

这有什么好处呢？首先，没有改动过的文件的目标文件根本就不需要重新编译，而且改动过的文件又可以利用 make 来自动 update（更新），如此一来，我们原先的设置（makefile 文件里面的规则）将不需要重新改写或检测，可以节省很多宝贵的时间呢（例如后续章节会提到的内核的编译）。

从上面的说明当中，我们可以发现，如果可以将旧版的源码数据改写成新版的版本，那么就能直接编译了，而不需要将全部的新版 Tarball 重新下载一次，可以节省带宽与时间。那么如何改写源码？难道要我们一个文件一个文件去参考然后修改吗？当然没有这么没人性！

我们在第 12 章介绍正则表达式的时候有提到一个比较文件的命令，那就是 diff，这个命令可以将**两个文件之间的差异性列出来呢！**那我们也知道新旧版本的文件之间其实只有修改一些程序代码而已，那么我们可以通过 diff 比较出新旧版本之间的文字差异，然后再以相关的命令来将旧版的文件更新吗？当然可以！那就是 patch 这个命令！很多的软件开发商在更新了源码之后，几乎都会发布所谓的 patch file，也就是直接将源码更新而已的一个方式！我们下面以一个简单的范例来说明。

关于 diff 与 patch 的基本用法我们在第 12 章都谈过了，所以这里不再就这两个命令的语法进行介绍，请回去参阅第 12 章的内容。这里我们来举个案例解释一下好了。假设我们刚才计算三角函数的程序（main）历经多次改版，0.1 版仅会简单输出，0.2 版的输出就会含有角度值，因此这两个版本的内容不相同。如下所示，两个文件的意义为：

- http://linux.vbird.org/linux_basic/0520source/main-0.1.tgz：main 的 0.1 版；
- http://linux.vbird.org/linux_basic/0520source/main_0.1_to_0.2.patch：main 由 0.1 升级到 0.2 的 patch file。

请你先下载这两个文件，并且解压缩到你的/root 下面，你会发现系统生成一个名为 main-0.1 的目录。该目录内含有五个文件，就是刚才的程序加上一个 Makefile 的规则文件。你可以到该目录下去看看 Makefile 的内容，在这一版当中含有 main 与 clean 两个目标功能而已。至于 0.2 版则加入了 install 与 uninstall 的规则设置。接下来，请看一下我们的做法：

◆ 测试旧版程序的功能

```
[root@www ~]# tar -zxvf main-0.1.tgz
[root@www ~]# cd main-0.1
[root@www main-0.1]# make clean main
[root@www main-0.1]# ./main
version 0.1
Please input your name: VBird
Please enter the degree angle（ex> 90）: 45
Hi, Dear VBird, nice to meet you.
The Sin is: 0.71
The Cos is: 0.71
```

- 与之前的结果非常类似，只是鸟哥将 Makefile 直接给你了！但如果你执行 makeinstall 时，系统会告知没有 install 的 target 啊！而且版本是 0.1 也告知了。那么如何更新到 0.2 版呢？通过这个 patch 文件吧！这个文件的内容有点像这样：

◆ 查阅 patch file 内容

```
[root@www main-0.1]# vim ~/main_0.1_to_0.2.patch
diff -Naur main-0.1/cos_value.c main-0.2/cos_value.c
--- main-0.1/cos_value.c      2009-06-09 22:52:33.000000000 +0800
+++ main-0.2/cos_value.c      2009-06-12 00:45:10.000000000 +0800
@@ -6,5 +6,5 @@
 {
     float value;
....（下面省略）....
```

- 上面有个下划线的部分，那代表使用 diff 比较时被比较的两个文件所在路径，这个路径非常重要。patch 的基本语法如下：
- patch -p 数字< patch_file
- 特别留意那个"-p 数字"，那是与 patch_file 里面列出的文件名有关的信息。假如在 patch_file 第一行写的是这样：
- ***/home/guest/example/expatch.old
- 那么当我执行 "patch –p0 < patch_file" 时，则更新的文件是 "/home/guest/example/expatch.old"，如果执行 "patch–p1<patch_file"，则更新的文件为 "home/guest/example/expatch.old"，如果执行 "patch–p4 < patch_file" 则更新 "expatch.old"，也就是说，-p xx 那个 xx 代表拿掉几个斜线（/）的意思！这样可以理解了吗？好了，根据刚才上面的资料，我们可以发现比较的文件是 main-0.1/xxx 与 main-0.2/xxx，所以说，如果你是在 main-0.1 下面并且想要处理更新时，就得要拿掉一个目录（因为并没有 main-0.2 的目录存在，我们是在当前的目录进行更新的），因此使用的是–p1 才对！所以：

◆ 更新源码，并且重新编译程序

```
[root@www main-0.1]# patch -p1 < ../main_0.1_to_0.2.patch
patching file cos value.c
patching file main.c
patching file Makefile
patching file sin value.c
# 请注意，鸟哥目前所在目录是在 main-0.1 下面！注意与 patch 文件的相对路径！
# 虽然有五个文件，但其实只有四个文件有修改而已！上面显示了修改过的文件！

[root@www main-0.1]# make clean main
[root@www main-0.1]# ./main
version 0.2
Please input your name: VBird
Please enter the degree angle（ex> 90）: 45
Hi, Dear VBird, nice to meet you.
The sin (45.000000) is:  0.71
The cos (45.000000) is:  0.71
# 你可以发现，输出的结果中版本变了，输出信息多了括号（）！

[root@www main-0.1]# make install    <==将它安装到 /usr/local/bin 给大家用
cp -a main /usr/local/bin
[root@www main-0.1]# main            <==直接输入命令可执行
[root@www main-0.1]# make uninstall  <==删除此软件
rm -f /usr/local/bin/main
```

- 很有趣的练习吧？所以你只要下载 patch file 就能够对你的软件源码更新了。只不过更新了源码并非软件就更新，你还是得要将该软件进行编译后才会是最终正确的软件，因为 patch 的功能主要仅只是更新源码文件而已。切记切记！此外，如果你 patch 错误呢？没关系的！我们的 patch 是可以还原的。通过 "patch–R < ../main_0.1_to_0.2.patch" 就可以还原！

例题

如果我有一个很旧版的软件，这个软件已经更新到很新的版本，例如内核，那么我可以使用 patch file 来更新吗？

答：这个问题挺有趣的，首先，你必须要确定旧版本与新版本之间确实有释出 patch file 才行，以 kernel 2.2.xx 及 2.4.xx 来说，这两者基本上的架构已经不同了，所以两者间是无法以 patch file 来更新的。不过，2.4.xx 与 2.4.yy 就可以更新了。不过，因为 kernel 每次推出的 patch 文件都仅针对前一个版本而已，所以假设要由 kernel 2.4.20 升级到 2.4.26，就必须要使用 patch 2.4.21、2.4.22、2.4.23、2.4.24、2.4.25、2.4.26 六个文件来 "依序更新" 才行。当然，如果有朋友帮你比较过 2.4.20 与 2.4.26，那你自然就可以使用该 patch file 来直接一次更新！

22.5　函数库管理

在我们的 Linux 操作系统当中，函数库是很重要的一个项目，因为很多的软件之间都会互相使用彼此提供的函数库来进行特殊功能的运行，例如很多需要验证身份的程序都习惯利用 PAM 这个模块提供的验证机制来实作，而很多网络联机机制则习惯利用 SSL 函数库来进行联机加密的机制。所以说，函数库的利用是很重要的。不过，函数库又依照是否被编译到程序内部而分为动态与静态函数库，这两者之间有何差异？哪一种函数库比较好？下面我们就先来谈一谈！

22.5.1　动态与静态函数库

首先我们要知道的是函数库的类型有哪些，依据函数库被使用的类型而分为两大类，分别是静态

（Static）与动态（Dynamic）函数库两类。下面我们来谈一谈这两种类行的函数库吧！

- 静态函数库的特色
  - 扩展名（为.a）
    - 这类的函数库通常扩展名为 libxxx.a 的类型。
  - 编译行为
    - 这类函数库在编译的时候会直接整合到执行程序当中，所以利用静态函数库编译成的文件会比较大一些。
  - 独立执行的状态
    - 这类函数库最大的优点就是编译成功的可执行文件可以独立执行，而不需要再向外部要求读取函数库的内容（请参照动态函数库的说明）。
  - 升级难易度
    - 虽然可执行文件可以独立执行，但因为函数库是直接整合到可执行文件中，因此若函数库升级时，整个可执行文件必须要重新编译才能将新版的函数库整合到程序当中。也就是说，在升级方面，只要函数库升级了，所有将此函数库纳入的程序都需要重新编译。
- 动态函数库的特色
  - 扩展名（为.so）
    - 这类函数库通常扩展名为 libxxx.so 的类型。
  - 编译行为
    - 动态函数库与静态函数库的编译行为差异挺大的。与静态函数库被整个捕捉到程序中不同，动态函数库在编译的时候，在程序里面只有一个"指向"（Pointer）的位置而已。也就是说，动态函数库的内容并没有被整合到可执行文件当中，而是当可执行文件要使用到函数库的机制时，程序才会去读取函数库来使用。由于可执行文件当中仅具有指向动态函数库所在的指标而已，并不包含函数库的内容，所以它的文件会比较小一点。
  - 独立执行的状态
    - 这类型的函数库所编译出来的程序不能被独立执行，因为当我们使用到函数库的机制时，程序才会去读取函数库，所以函数库文件必须要存在才行，而且，函数库的所在目录也不能改变，因为我们的可执行文件里面仅有"指标"，亦即当要取用该动态函数库时，程序会主动去某个路径下读取，所以动态函数库可不能随意移动或删除，会影响很多相关的程序软件。
  - 升级难易度
    虽然这类型的可执行文件无法独立运行，然而由于是具有指向的功能，所以，当函数库升级后，可执行文件根本不需要进行重新编译的行为，因为可执行文件会直接指向新的函数库文件（前提是函数库新旧版本的文件名相同）。

目前的 Linux distribution 比较倾向于使用动态函数库，因为如同上面提到的最重要的一点，就是函数库的升级方便。由于 Linux 系统里面的软件相关性太复杂了，如果使用太多的静态函数库，那么升级某一个函数库时，都会对整个系统造成很大的冲击，因为其他相关的可执行文件也要同时重新编译啊！这个时候动态函数库可就有用多了，因为只要动态函数库升级就好，其他的软件根本无须变动。

那么这些函数库放置在哪里呢？绝大多数的函数库都放置在/usr/lib、lib 目录下。此外，Linux 系统里面很多的函数库其实 kernel 就提供了，那么 kernel 的函数库放在哪里？呵呵！就是在/lib/modules 里面！里面的数据可多着呢！不过要注意的是，不同版本的内核提供的函数库差异性是挺大的，所以 kernel 2.4.xx 版本的系统不要想将内核换成 2.6.xx，很容易由于函数库的不同而导致很多原本可以执行的软件无法顺利运行呢！

22.5.2 ldconfig 与/etc/ld.so.conf

在了解了动态与静态函数库，也知道我们目前的 Linux 大多是将函数库做成动态函数库之后，再来要知道的就是，那有没有办法增加函数库的读取性能？我们知道内存的访问速度是硬盘的好几倍，所以，如果我们将常用到的动态函数库先加载内存当中（缓存，cache），如图 22-4 所示，如此一来，当软件要使用动态函数库时，就不需要从头由硬盘里面读出，这样不就可以增进动态函数库的读取速度？没错，是这样的！这个时候就需要 ldconfig 与/etc/ld.so.conf 的协助了。

如何将动态函数库加载高速缓存当中呢？

1. 首先，我们必须要在/etc/ld.so.conf 里面写下想要读入高速缓存当中的动态函数库所在的目录，注意，是目录而不是文件；

2. 接下来则是利用 ldconfig 这个可执行文件将/etc/ld.so.conf 的数据读入缓存当中；

3. 同时也将数据记录一份在/etc/ld.so.cache 这个文件当中。

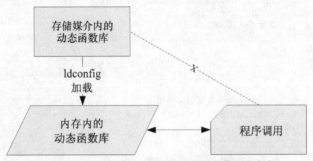

图 22-4 使用 ldconfig 预加载动态函数库到内存中

事实上，ldconfig 还可以用来判断动态函数库的链接信息呢！赶紧利用 CentOS 来测试看看。假设你想要将目前你系统下的 MySQL 函数库加入到缓存当中时，可以这样做：

```
[root@www ~]# ldconfig [-f conf] [ -C cache]
[root@www ~]# ldconfig [-p]
参数:
-f conf : 那个 conf 指的是某个文件名，也就是说，使用 conf 作为 libarary
          函数库的取得路径，而不以 /etc/ld.so.conf 为默认值
-C cache: 那个 cache 指的是某个文件名，也就是说，使用 cache 作为缓存暂存
          的函数库资料，而不以 /etc/ld.so.cache 为默认值
-p      : 列出目前的所有函数库数据内容（/etc/ld.so.cache 内的数据）

范例一：假设我的 MySQL 数据库函数库在 /usr/lib/mysql 当中，如何读进 cache ？
[root@www ~]# vi /etc/ld.so.conf
include ld.so.conf.d/*.conf
/usr/lib/mysql   <==这一行新增的！

[root@www ~]# ldconfig <==画面上不会显示任何的信息，不要太紧张！正常的！

[root@www ~]# ldconfig -p
530 libs found in cache `/etc/ld.so.cache'
    libz.so.1 (libc6) => /usr/lib/libz.so.1
    libxslt.so.1 (libc6) => /usr/lib/libxslt.so.1
....（下面省略）....
#    函数库名称 => 该函数库实际路径
```

通过上面的操作，我们可以将 MySQL 的相关函数库读入缓存当中，这样可以加快函数库读取的效率呢！在某些时候，你可能会自行加入某些 Tarball 安装的动态函数库，而你想要让这些动态函数库的相关链接可以被读入到缓存当中，这个时候你可以将动态函数库所在的目录名称写入/etc/ld.so.conf 当中，然后执行 ldconfig 就可以！

22.5.3 程序的动态函数库解析：ldd

说了这么多，那么我如何判断某个可执行的二进制文件含有什么动态函数库呢？很简单，利

用 ldd 就可以知道了！例如我想要知道/usr/bin/passwd 这个程序含有的动态函数库有哪些，可以这样做：

```
[root@www ~]# ldd [-vdr] [filename]
参数：
-v ：列出所有内容信息；
-d ：重新将数据有丢失的 link 点显示出来！
-r ：将 ELF 有关的错误内容显示出来！

范例一：找出 /usr/bin/passwd 这个文件的函数库数据
[root@www ~]# ldd /usr/bin/passwd
....（前面省略）....
        libaudit.so.0 => /lib/libaudit.so.0（0x00494000）    <==SELinux
        libselinux.so.1 => /lib/libselinux.so.1（0x00101000） <==SELinux
        libc.so.6 => /lib/libc.so.6（0x00b99000）
        libpam.so.0 => /lib/libpam.so.0（0x004ab000）        <==PAM 模块
....（下面省略）....
# 我们前言的部分不是一直提到 passwd 有使用到 pam 的模块吗！怎么知道？
# 利用 ldd 查看一下这个文件，看到 libpam.so 了吧？这就是 pam 提供的函数库

范例二：找出 /lib/libc.so.6 这个函数的相关其他函数库！
[root@www ~]# ldd -v /lib/libc.so.6
        /lib/ld-linux.so.2（0x00ab3000）
        linux-gate.so.1 =>（0x00636000）

        Version information: <==使用 -v 选项，增加显示其他版本信息
        /lib/libc.so.6:
                ld-linux.so.2（GLIBC PRIVATE）=> /lib/ld-linux.so.2
                ld-linux.so.2（GLIBC 2.3）=> /lib/ld-linux.so.2
                ld-linux.so.2（GLIBC 2.1）=> /lib/ld-linux.so.2
```

将来如果你经常升级安装 RPM 的软件时（下一章节会介绍），应该经常会发现那个相关属性的问题吧？没错！我们可以先以 ldd 来视察相关函数库之间的相关性，以先取得了解！例如上面的例子中，我们检查了 libc.so.6 这个在/lib 当中的函数库，结果发现它其实还跟 ld-linux.so.2 有关，所以我们就需要来了解一下，那个文件到底是什么软件的函数库。使用–v 这个参数还可以得知该函数库来自于哪一个软件，像上面的数据中，就可以得到该 libc.so.6 其实可以支持 GLIBC_2.1 等的版本。

22.6　检验软件正确性

前面提到很多升级与安装需要注意的事项，因为我们需要克服很多的程序漏洞，所以需要前往 Linux distribution 或者是某些软件开发商的网站，下载最新并且较安全的软件文件来安装才行。好了，那么有没有可能我们下载的文件本身就有问题？是可能的！因为黑客无所不在，很多的软件开发商已经公布过他们发布的文件曾经被窜改过！那怎么办？连下载原版的数据都可能有问题了，难道没有办法判断文件的正确性吗？

这个时候我们就要通过每个文件独特的指纹验证数据了！因为每个文件的内容与文件大小都不相同，所以如果一个文件被修改之后，必然会有部分的信息不一样！利用这个东东，我们可以使用 MD5 这个指纹验证机制来判断该文件有没有被改动过。举个例子来说，下面所提供的 CentOS 5.3 原版光盘下载点：

- http://ftp.twaren.net/Linux/CentOS/5.3/isos/i386/

同时提供了 CentOS 5.3 所有光盘/DVD 的 ISO 文件 MD5 编码，通过这个编码的比较，我们就可以得晓下载的文件是否有问题。那么万一 CentOS 提供的光盘影像文件被下载之后，让有心人士偷偷修改过再转到 Internet 上面流传，那么你下载的这个文件偏偏不是原厂提供的，你能保证该文件的内容完全没有问题吗？当然不能对不对？是的，这个时候就有 md5sum 与 sha1sum 这个文件指纹的出

现！说说它的用法吧！

目前有多种机制可以计算文件的指纹码，我们选择使用较为广泛的 MD5 与 SHA1 加密机制来处理。同样，我们以上面谈到的 CentOS 5.3 的网络安装镜像文件来处理试看看好了。在上面的链接网址上面，你会看到几个文件：

◆ CentOS-5.3-i386-netinstall.iso：CentOS 5.3 的网络安装镜像文件；
◆ md5sum.txt：MD5 指纹编码；
◆ sha1sum.txt：SHA1 指纹编码。

如果你下载了 CentOS-5.3-i386-netinstall.iso 后，再以 md5sum 与 sha1sum 去检验这个文件时，文件所回传的指纹码应该要与网站上面提供的文件指纹码相同才对！我们由网站上面提供的指纹码知道这个镜像文件的指纹为：

◆ MD5: 6ae4077a9fc2dcedca96013701bd2a43
◆ SHA1: a0c640ae0c68cc0d9558cf4f8855f24671b3dadb

```
[root@www ~]# md5sum/sha1sum [-bct] filename
[root@www ~]# md5sum/sha1sum [--status|--warn] --check filename
参数：
-b ：使用二进制的读取方式，默认为 Windows/DOS 文件类型的读取方式；
-c ：检验文件指纹；
-t ：以文本类型来读取文件指纹。

范例一：将刚才的文件下载后，测试看看指纹码
[root@www ~]# wget \
> http://ftp.twaren.net/Linux/CentOS/5.3/isos/i386/CentOS-5.3-i386-netinstall.iso
[root@www ~]# md5sum CentOS-5.3-i386-netinstall.iso
6ae4077a9fc2dcedca96013701bd2a43  CentOS-5.3-i386-netinstall.iso
[root@www ~]# sha1sum CentOS-5.3-i386-netinstall.iso
a0c640ae0c68cc0d9558cf4f8855f24671b3dadb  CentOS-5.3-i386-netinstall.iso
# 看！显示的编码是否与上面相同呢？赶紧测试看看！
```

一般而言，每个系统里面的文件内容大概都不相同，例如你的系统中的/etc/passwd 这个登录信息文件与我的一定不一样，因为我们的用户与密码、Shell 及目录等大概都不相同，所以由 md5sum 这个文件指纹分析程序所自行计算出来的指纹表当然就不相同！

好了，那么如何应用这个东西呢？基本上，你必须要在你的 Linux 系统上为你的这些重要的文件进行指纹数据库的创建（好像在做户口调查），将下面这些文件新建数据库：

◆ /etc/passwd
◆ /etc/shadow((假如你不让用户改密码了)
◆ /etc/group
◆ /usr/bin/passwd
◆ /sbin/portmap
◆ /bin/login（这个也很容易被黑客利用）
◆ /bin/ls
◆ /bin/ps
◆ /usr/bin/top

这几个文件最容易被修改了！因为很多木马程序执行的时候，还是会有所谓的"线程,PID"为了怕被 root 追查出来，所以它们都会修改这些检查进程的文件，如果你可以为这些文件新建指纹数据库（就是使用 md5sum 检查一次，将该文件指纹记录下来，然后经常以 shell script 的方式由程序自行来检查指纹表是否不同了），那么对于文件系统会比较安全。

22.7　重点回顾

◆ 源码其实大多是纯文本文件，需要通过编译程序的编译操作后才能够制作出 Linux 系统能够识别的可执行的二进制文件。

◆ 开放源码可以加速软件的更新速度，让软件性能更快、漏洞修补更实时。

◆ 在 Linux 系统当中，最标准的 C 语言编译程序为 gcc。

◆ 在编译的过程当中，可以通过其他软件提供的函数库来使用该软件的相关机制与功能。

◆ 为了简化编译过程当中的复杂的命令输入，可以通过 make 与 makefile 规则定义来简化程序的更新、编译与链接等操作。

◆ Tarball 为使用 tar 与 gzip/bzip2 压缩功能所打包与压缩的具有源码的文件。

◆ 一般而言，要使用 Tarball 管理 Linux 系统上的软件，最好需要 gcc、make、autoconfig、kernelsource、kernel header 等软件才行，所以在安装 Linux 之初，最好就能够选择 Software development 以及 kernel development 之类的组。

◆ 函数库有动态函数库与静态函数库之分，动态函数库在升级上具有较佳的优势。动态函数库的扩展名为*.so，而静态函数库则是*.a。

◆ patch 的主要功能是更新源码，所以更新源码之后，还需要进行重新编译的操作才行。

◆ 可以利用 ldconfig 与/etc/ld.so.conf 来制作动态函数库的链接与缓存。

◆ 通过 MD5 的编码可以判断下载的文件是否为原本厂商所发布的文件。

22.8　本章习题

练习题部分

◆ 请前往企鹅游戏网站 http://xpenguins.seul.org/下载 xpenguins-2.2.tar.gz 源码文件，并安装该软件。安装完毕之后，请在 GNOME 图形界面执行 xpenguins，看看有没有出现如同官网上面出现的小企鹅?

情境模拟题部分

◆ 请依照下面的方式来建立你的系统的重要文件指纹码。

1. 将/etc/{passwd,shadow,group}以及系统上面所有的 SUID/SGID 文件创建文件列表，该列表文件名为 "important.file"。

```
[root@www ~]# ls /etc/{passwd,shadow,group} > important.file
[root@www ~]# find /bin /sbin /usr/sbin /usr/bin -perm +6000 \
> >> important.file
```

2. 通过这个文件名列表，以名为 md5.checkfile.sh 的文件名去新建指纹码，并将该指纹码文件 "finger1.file" 设置成为不可修改的属性。

```
[root@www ~]# vim md5.checkfile.sh
#!/bin/bash
for filename in $(cat important.file)
do
      md5sum $filename >> finger1.file
done

[root@www ~]# sh md5.checkfile.sh
[root@www ~]# chattr +i finger1.file
```

3. 通过相同的机制去新建后续的分析数据为 finger_new.file，并将两者进行比较，若有问题则提供 email 给 root 查阅：

```
[root@www ~]# vim md5.checkfile.sh
#!/bin/bash
if [ "$1" == "new" ]; then
    for filename in $(cat important.file)
    do
        md5sum $filename >> finger1.file
    done
    echo "New file finger1.file is created."
    exit 0
fi
if [ ! -f finger1.file ]; then
    echo "file: finger1.file NOT exist."
    exit 1
fi

[ -f finger_new.file ] && rm finger_new.file
for filename in $(cat important.file)
do
    md5sum $filename >> finger_new.file
done

testing=$(diff finger1.file finger_new.file)
if [ "$testing" != "" ]; then
    diff finger1.file finger_new.file | mail -s 'finger trouble..' root
fi

[root@www ~]# vim /etc/crontab
30 2 * * * root cd /root; sh md5.checkfile.sh
```

如此一来，每天系统会主动去分析你认为重要文件的指纹数据，然后再加以分析，看看有没有被改动过。不过，如果该变动是正常的，例如 CentOS 自动升级时，那么你就得要删除 finger1.file，再重新建置一个新的指纹数据库才行，否则你会每天收到有问题信件的回报。

22.9　参考数据与扩展阅读

◆ 注 1：GNU 的 make 网页：http://www.gnu.org/software/make/manual/make.html
◆ 几种常见加密机制的全名：
　　md5（Message–Digest algorithm 5）http://en.wikipedia.org/wiki/MD5
　　sha（Secure Hash Algorithm）http://en.wikipedia.org/wiki/SHA_hash_functions
　　des（Data Encryption Standard）http://en.wikipedia.org/wiki/Data_Encryption_Standard
◆ 洪朝贵老师的 C 程序语言教程：http://www.cyut.edu.tw/~ckhung/b/c/

23

第 23 章　软件安装：RPM、SRPM 与 YUM 功能

虽然使用源代码进行软件编译可以具有定制化的设置，但对于 Linux distribution 的发行商来说，则有软件管理不易的问题，毕竟不是每个人都会进行源代码编译的。如果能够将软件预先在相同的硬件与操作系统上面编译好才发行的话，不就能够让相同的 distribution 具有完全一致的软件版本吗？如果再加上简易的安装/删除/管理等机制的话，对于软件管理就会简易得多。有这种东西吗？有的，那就是 RPM 与 YUM 这两个好用的东东。既然这么好用，我们当然不能错过学习机会，赶紧来参详参详！

23.1　软件管理器简介

在前一章我们提到以源代码的方式来安装软件，也就是利用厂商发布的 Tarball 来进行软件的安装。不过，你应该很容易发现，那就是每次安装软件都需要检测操作系统与环境、设置编译参数、实际的编译，最后还要依据个人喜好的方式来安装软件到定位。这过程是真的很麻烦的，而且对于不熟悉整个系统的朋友来说，还真是累人啊！

那有没有想过，如果我的 Linux 系统与厂商的系统一模一样，那么在厂商的系统上面编译出来的可执行文件自然也就可以在我的系统上面跑。也就是说，**厂商先在他们的系统上面编译好了我们用户所需要的软件，然后将这个编译好提可执行的软件直接发布给用户来安装**，如此一来，由于我们本来就使用厂商的 Linux distribution，所以当然系统（硬件与操作系统）是一样的，那么使用厂商提供的编译过的可执行文件就没有问题。说得比较直白一些，那就是利用类似 Windows 的安装方式，由程序开发者直接在已知的系统上面编译好，再将该程序直接给用户来安装，如此而已。

那么如果在安装的时候还可以加上一些与这些程序相关的信息，将它新建成为数据库，那不就可以进行安装、反安装、升级与验证等的相关功能（类似 Windows 下面的"添加或删除程序"）？确实如此，在 Linux 上面至少就有两种常见的这方面的软件管理器，分别是 RPM 与 Debian 的 dpkg。我们的 CentOS 主要是以 RPM 为主，但也不能不知道 dpkg。所以下面就来简略介绍一下这两个玩意。

23.1.1　Linux 界的两大主流:RPM 与 DPKG

由于自由软件的蓬勃发展，加上大型 UNIX-Like 主机的强大性能，让很多软件开发者将他们的软件使用 Tarball 来发布。后来 Linux 发展起来后，由一些企业或社区将这些软件收集起来制作成为 distributions 以发布这个好用的 Linux 操作系统。但后来发现到，这些 distribution 的软件管理实在伤脑筋，如果软件有漏洞时，又该如何修补呢？使用 tarball 的方式来管理吗？又经常不晓得到底我们安装过了哪些程序？因此，一些社区与企业就开始思考 Linux 的软件管理方式。

如同刚才谈过的方式，Linux 开发商先在固定的硬件平台与操作系统平台上面将需要安装或升级的软件编译好，然后将这个软件的所有相关文件打包成为一个特殊格式的文件，在这个软件文件内还包含了预先检测系统与依赖软件的脚本，并提供记载该软件提供的所有文件信息等，最终将这个软件文件发布。客户端取得这个文件后，只要通过特定的命令来安装，那么该软件文件就会按照内部的脚本来检测相关的前驱软件是否存在，若安装的环境符合需求，那就会开始安装，安装完成后还会将该软件的信息写入软件管理机制中，以完成未来可以进行升级、删除等操作。

目前在 Linux 界软件安装方式最常见的有两种，分别是：

- dpkg
  - 这个机制最早是由 Debian Linux 社区所开发出来的，通过 dpkg 的机制，Debian 提供的软件就能够简单安装起来，同时还能提供安装后的软件信息，实在非常不错。只要是派生于 Debian 的其他 Linux distributions 大多使用 dpkg 这个机制来管理软件，包括 B2D, Ubuntu 等。
- RPM
  - 这个机制最早是由 Red Hat 这家公司开发出来的，后来实在很好用，因此很多 distributions 就使用这个机制来作为软件安装的管理方式，包括 Fedora, CentOS, SuSE 等知名的开发商都是用它。

如前所述，不论是 dpkg 还是 rpm，这些机制或多或少都会有软件属性依赖的问题，那该如何解决呢？其实前面不是谈到过每个软件文件都有提供依赖属性的检查吗？那么如果我们将依赖属性的数据做成列表，等到实际软件安装时，若发生有依赖属性的软件情况时，例如安装 A 需要先安装 B 与 C，而安装 B 则需要安装 D 与 E 时，那么当你要安装 A，通过依赖属性列表，管理机制自动去取得 B、C、

D、E 来同时安装，不就解决了属性依赖的问题吗？

没错！你真聪明！目前新的 Linux 开发商都有提供这样的"在线升级"机制，通过这个机制，原版光盘就只有第一次安装时需要用到而已，其他时候只要有网络，你就能够取得原本开发商所提供的任何软件了呢！在 dpkg 管理机制上就开发出 APT 的在线升级机制，RPM 则依开发商的不同，有 Red Hat 系统的 yum、SuSE 系统的 Yast Online Update（YOU）和 Mandriva 的 urpmi 软件等，如表 23-1 所示。

表 23-1

distribution 代表	软件管理机制	使用命令	在线升级机制（命令）
Red Hat/Fedora	RPM	rpm, rpmbuild	YUM （yum）
Debian/Ubuntu	DPKG	dpkg	APT（apt-get）

我们这里使用的是 CentOS 系统。所以说：使用的软件管理机制为 RPM 机制，而用来作为在线升级的方式则为 yum。下面就让我们来谈谈 RPM 与 YUM 的相关说明吧！

23.1.2　什么是 RPM 与 SRPM

RPM 全名是"RedHat Package Manager"，简称则为 RPM。顾名思义，当初这个软件管理的机制是由 Red Hat 这家公司发展出来的。RPM 是以一种数据库记录的方式来将你所需要的软件安装到你的 Linux 系统的一套管理机制。

RPM 最大的特点就是将你要安装的软件先编译过，并且打包成为 RPM 机制的安装包，通过包装好的软件里头默认的数据库记录这个软件要安装的时候必须具备的依赖属性软件，当安装在你的 Linux 主机时，RPM 会先依照软件里头的数据查询 Linux 主机的依赖属性软件是否满足，若满足则予以安装，若不满足则不予安装。那么安装的时候就将该软件的信息整个写入 RPM 的数据库中，以便未来的查询、验证与反安装。这样一来的优点是：

1．由于已经编译完成并且打包完毕，所以软件传输与安装上很方便（不需要再重新编译）；

2．由于软件的信息都已经记录在 Linux 主机的数据库上，很方便查询、升级与反安装。

但是这也造成些许的困扰。由于 RPM 文件是已经包装好的数据，也就是说，里面的数据已经都"编译完成"了，所以，该软件文件几乎只能安装在原本默认的硬件与操作系统版本中。也就是说，你的主机系统环境必须要与当初建立这个软件文件的主机环境相同才行！举例来说，rp-pppoe 这个ADSL 拨号软件，它必须要在 ppp 这个软件存在的环境下才能进行安装！如果你的主机并没有 ppp 这个软件，那么很抱歉，除非你先安装 ppp 否则 rp-pppoe 就是不让你安装的（当然你可以强制安装，但是通常都会有点问题发生就是了）。

所以，通常不同的 distribution 所发布的 RPM 文件并不能用在其他的 distributions 上。举例来说，Red Hat 释出的 RPM 文件通常无法直接在 SuSE 上面进行安装的。更有甚者，相同 distribution 的不同版本之间也无法互通，例如 CentOS 4.x 的 RPM 文件就无法直接应用在 CentOS 5.x！因此，这样可以发现这些软件管理机制的问题是：

1．软件安装的环境必须与打包时的环境需求一致或相当；

2．需要满足软件的依赖属性需求；

3．反安装时需要特别小心，最底层的软件不可先删除，否则可能造成整个系统的问题！

那怎么办？如果我真的想要安装其他 distributions 提供的好用的 RPM 软件时？还好，还有 SRPM 这个东西！SRPM 是什么呢？顾名思义，它是 Source RPM 的意思，也就是这个 RPM 文件里面含有源代码。特别 意的是，这个 SRPM 所提供的软件内容并没有经过编译，它提供的是源代码。

通常 SRPM 的扩展名是以***.src.rpm 这种格式来命名的。不过，既然 SRPM 提供的是源代码，那么为什么我们不使用 Tarball 直接来安装就好了？这是因为 SRPM 虽然内容是源代码，但是它仍然含有该软件所需要的依赖性软件说明以及所有 RPM 文件所提供的数据。同时，它与 RPM 不同的是，它也提供了参数设置文件（就是 configure 与 makefile）。所以，如果我们下载的是 SRPM，那么要安装该软件时，你就必须要：

◆ 先将该软件以 RPM 管理的方式编译，此时 SRPM 会被编译成为 RPM 文件；

◆ 然后将编译完成的 RPM 文件安装到 Linux 系统当中。

怪了，怎么 SRPM 这么麻烦。还要重新编译一次，那么我们直接使用 RPM 来安装不就好了？通常一个软件在发布的时候，都会同时释出该软件的 RPM 与 SRPM。我们现在知道 RPM 文件必须要在相同的 Linux 环境下才能够安装，而 SRPM 既然是源代码的格式，自然我们就可以通过修改 SRPM 内的参数设置文件，然后重新编译生成能适合我们 Linux 环境的 RPM 文件，如此一来，不就可以将该软件安装到我们的系统当中，而不必与原作者打包的 Linux 环境相同了？这就是 SRPM 的用处了，如表 23-2 所示。

表 23-2

文件格式	文件名格式	直接安装与否	内含程序类型	可否修改参数并编译
RPM	xxx.rpm	可	已编译	不可
SRPM	xxx.src.rpm	不可	未编译的源代码	可

为何说 CentOS 是"社区维护的企业版"呢？ Red Hat 公司的 RHEL 发布后，连带会将 SRPM 发布。一些社区的朋友就将这些 SRPM 收集起来并重新编译成所需要的软件，再重复发布成为 CentOS，所以才能号称与 Red Hat 的 RHEL 企业版同步啊！真要感谢 SRPM 。如果你想要理解 CentOS 是如何编译一个程序的，也能够通过学习 SRPM 内含的编译参数来学习。

23.1.3　什么是 i386、i586、i686、noarch、x86_64

从上面的说明，现在我们知道 RPM 与 SRPM 的格式分别为：

```
xxxxxxxxx.rpm   <==RPM 的格式，已经经过编译且包装完成的 rpm 文件;
xxxxx.src.rpm   <==SRPM 的格式，包含未编译的源代码信息。
```

那么我们怎么知道这个软件的版本、适用的平台、编译发布的次数呢？只要通过文件名就可以知道了！例如 rp-pppoe-3.1-5.i386.rpm 这的文件的意义为：

```
rp-pppoe -      3.1    -    5      .i386      .rpm
软件名称    软件的版本信息   发布的次数   适合的硬件平台    扩展名
```

除了后面适合的硬件平台与扩展名外，主要是以 "-" 来隔开各个部分，这样子可以很清楚地发现该软件的名称、版本信息、打包次数与操作的硬件平台。好了，来谈一谈每个不同的地方吧！

◆ 软件名称

● 当然就是每一个软件的名称了！上面的范例就是 rp-pppoe。

◆ 版本信息

● 每一次更新版本就需要有一个版本的信息，否则如何知道这一版是新是旧？这里通常又分为主版本跟次版本。以上面为例，主版本为 3，在主版本的架构下改动部分源代码内容而释出一个新的版本，就是次版本，以上面为例，就是 1。

◆ 发布版本次数

● 通常就是编译的次数。那么为何需要重复的编译呢？这是由于同一版的软件中，可能由于有某些 bug 或者是安全上的顾虑，所以必须要进行小幅度的 patch 或重设一些编译参数。设置完成之后重新编译并打包成 RPM 文件，因此就有不同的打包数出现了！

◆ 操作硬件平台

- 这是个很好玩的地方，由于 RPM 可以适用在不同的操作平台上，但是不同的平台设置的参数还是有所区别性。并且，我们可以针对比较高级的 CPU 来进行优化参数的设置，这样才能够使用高级别 CPU 所带来的硬件加速功能，所以就有所谓的 i386、i586、i686、x86_64 与 noarch 等的文件名称出现了，如表 23-3 所示。

- 表 23-3

平 台 名 称	适合平台说明
i386	几乎适用于所有的 x86 平台，不论是旧的 pentum 或者是新的 Intel Core2 与 K8 系列的 CPU 等，都可以正常工作。那个 i 指的是 Intel 兼容的 CPU 的意思，至于 386 不用说，就是 CPU 的级别
i586	就是针对 586 级别的计算机进行优化编译。那是哪些 CPU 呢？包括 P-I MMX CPU 及 AMD 的 K5、K6 系列 CPU（socket 7 管脚）等的 CPU 都算是这个级别
i686	在 P-II 以后的 Intel 系列 CPU 及 K7 以后级别的 CPU 都属于这个 686 级别。由于目前市面上几乎仅剩 P-II 以后等级的硬件平台，因此很多 distributions 都直接发布这种级别的 RPM 文件
x86_64	针对 64 位的 CPU 进行优化编译设置，包括 Intel 的 Core 2 以上级别 CPU，以及 AMD 的 Athlon 64 以后级别的 CPU，都属于这一类型的硬件平台
noarch	就是没有任何硬件等级上的限制。一般来说，这种类型的 RPM 文件里面应该没有二进制程序存在，较常出现的就是属于 shell script 方面的软件

- 受惠于目前 x86 系统的支持方面，新的 CPU 都能够执行老版本 CPU 所支持的软件，也就是说硬件方面都可以向下兼容的，因此最低等级的 i386 软件可以安装在所有的 x86 硬件平台上面，不论是 32 位还是 64 位，但是反过来说就不行了。举例来说，目前硬件大多是 64 位，因此你可以在该硬件上面安装 x86_64 或 i386 级别的 RPM 软件。但在你的旧型主机，例如 P-III/P-4 32 位机器上面，就不能够安装 x86_64 的软件！

根据上面的说明，其实我们只要选择 i386 版本来安装在你的 x86 硬件上面就肯定没问题。但是如果强调性能的话，还是选择搭配你的硬件的 RPM 文件吧！毕竟该软件才有针对你的 CPU 硬件平台进行过参数优化的编译嘛！

23.1.4　RPM 的优点

由于 RPM 是通过预编译并打包成为 RPM 文件格式后再加以安装的一种方式，并且还能够进行数据库的记载，所以 RPM 有以下的优点：

◆ RPM 内含已经编译过的程序与设置文件等数据，可以让用户免除重新编译的困扰；
◆ RPM 在被安装之前，会先检查系统的硬盘容量、操作系统版本等，可避免文件被错误安装；
◆ RPM 文件本身提供软件版本信息、依赖属性软件名称、软件用途说明、软件所含文件等信息，便于了解软件；
◆ RPM 管理的方式使用数据库记录 RPM 文件的相关参数，便于升级、删除、查询与验证。

为什么 RPM 在使用上很方便呢？我们前面提过，RPM 这个软件管理器所处理的软件是由软件提供程序在特定的 Linux 操作平台上面将该软件编译完成并且打包好。那用户只要拿到这个打包好的软件，然后将里头的文件放置到应该要摆放的目录，不就完成了安装？对。就是这样！

但是有没有想过，我们在前一章里面提过的，有些软件是有相关性的，例如要安装网卡驱动程序，就得要有 kernel source 与 gcc 及 make 等软件。那么我们的 RPM 软件是否一定可以安装完成呢？如果该软件安装之后，却找不到它相关的前驱软件，那不是挺麻烦的吗？因为安装好的软件也无法使用啊！

为了解决这种具有相关性的软件之间的问题（就是所谓的软件依赖属性），RPM 就在提供打包的软件时，同时加入一些信息记录的功能，这些信息包括软件的版本、打包软件者、依赖属性的其他软件、本软件的功能说明、本软件的所有文件记录等，然后在 Linux 系统上面也建立一个 RPM 软件数据库，如此一来，当你要安装某个以 RPM 类型提供的软件时，在安装的过程中，RPM 会去检验一下数据库里面是否已经存在相关的软件了，如果数据库显示不存在，那么这个 RPM 文件"默认"就不能安装。这个就是 RPM 类型的文件最为人诟病的"软件的属性依赖"问题。

23.1.5　RPM 属性依赖的解决方式：YUM 在线升级

为了重复利用既有的软件功能，因此很多软件都会以函数库的方式释出部分功能，以方便其他软件的调用应用，例如 PAM 模块的验证功能。此外，为了节省用户的数据量，目前的 distributions 在发布软件时，都会将软件的内容分为一般使用与开发使用（development）两大类。所以你才会经常看到有类似 pam-x.x.rpm 与 pam-devel-x.x.rpm 之类的文件名，而默认情况下，大部分的 software-devel-x.x.rpm 都不会安装，因为终端用户大部分不会去开发软件。

因为有上述的现象，因此 RPM 软件文件就会有所谓的属性依赖的问题产生（其实所有的软件管理几乎都有这方面的情况存在）。那有没有办法解决啊？前面不是谈到 RPM 软件文件内部会记录依赖属性的数据吗？那想一想，要是我将这些依赖属性的软件先列表，在有要安装软件需求的时候先到这个列表去找，同时与系统内已安装的软件相比较，没安装到的依赖软件就一口气同时安装起来，那不就解决了依赖属性的问题了吗？有没有这种机制啊？有啊！那就是 YUM 机制的由来！

CentOS 先将发布的软件放置到 YUM 服务器内，然后分析这些软件的依赖属性问题，将软件内的记录信息写下来（header）。然后再将这些信息分析后记录成软件相关性的清单列表。这些列表数据与软件所在的位置可以称为容器（repository）。当客户端有软件安装的需求时，客户端主机会主动向网络上面的 yum 服务器的容器网址下载清单列表，然后通过清单列表的数据与本机 RPM 数据库已存在的软件数据相比较，就能够一口气安装所有需要的具有依赖属性的软件了。整个流程可以简单地用图 23-1 说明。

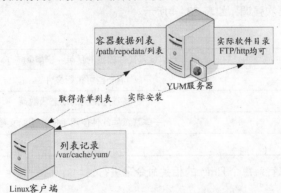

图 23-1　YUM 使用的流程示意图

当客户端有升级、安装的需求时，yum 会向容器要求清单的更新，等到清单更新到本机的 /var/cache/yum 里面后，等一下更新时就会用这个本机清单与本机的 RPM 数据库进行比较，这样就知道该下载什么软件。接下来 yum 会跑到容器服务器（yum server）下载所需要的软件，然后再通过 RPM 的机制开始安装软件。这就是整个流程。谈到最后，还是需要用到 RPM 的。所以下个小节就让我们来谈谈 RPM 这东东吧！

> 为什么要做出"容器"呢？由于 yum 服务器提供的 RPM 文件内容可能有所区别，举例来说，原厂发布的数据有原版数据、更新数据（update）及特殊数据（例如第三方软件，或某些特殊功能的软件）。这些软件文件基本上不会放置到一起，那如何分辨这些软件功能呢？就用"容器"的概念来处理！　不同的"容器"网址可以放置不同的软件功能。

23.2　RPM 软件管理程序：rpm

RPM 的使用其实不难，只要使用 rpm 这个命令即可。鸟哥最喜欢的就是 rpm 命令的查询功能了，可以让我很轻易就知道某个系统有没有安装鸟哥要的软件呢！此外，我们最好还是得要知道一下，到底 RPM 类型的文件将软件的相关文件放置在哪里呢？还有，我们说的那个 RPM 的数据库又是放置在哪里呢？

23.2.1　RPM 默认安装的路径

一般来说，RPM 类型的文件在安装的时候，会先去读取文件内记载的设置参数内容，然后将该数据用来比较 Linux 系统的环境，以找出是否有属性依赖的软件尚未安装的问题。例如 Openssh 这个联网软件需要通过 Openssl 这个加密软件的帮忙，所以得先安装 openssl 才能装 openssh。那你的环境如果没有 openssl，你就无法安装 openssh。

若环境检查合格了，那么 RPM 文件就开始被安装到你的 Linux 系统上。安装完毕后，该软件相关的信息就会被写入/var/lib/rpm/目录下的数据库文件中了。上面这个目录内的数据很重要。因为未来如果我们有任何软件升级的需求，版本之间的比较就是来自于这个数据库，而如果你想要查询系统已经安装的软件，也是从这里查询的。同时，目前的 RPM 也提供数字证书信息，这些数字证书也是在这个目录内记录的呢！所以说，这个目录得要注意不要被删除了。

那么软件内的文件到底是放置到哪里去啊？当然与文件系统有关！我们在第 6 章的目录配置谈过每个目录的意义，这里再次强调，如表 23-4 所示。

表 23-4

/etc	一些设置文件放置的目录，例如/etc/crontab
/usr/bin	一些可执行文件
/usr/lib	一些程序使用的动态函数库
/usr/share/doc	一些基本的软件使用手册与帮助文档
/usr/share/man	一些 man page 文件

好了，下面我们就来针对每个 RPM 的相关命令来进行说明。

23.2.2　RPM 安装（install）

因为安装软件是 root 的工作，因此你得要是 root 的身份才能够操作 rpm 这命令的。用 rpm 来安装很简单。假设我要安装一个文件名为 rp-pppoe-3.5-32.1.i386.rpm 的文件，那么我可以这样：

```
[root@www~]# rpm -i rp-pppoe-3.5-32.1.i386.rpm
```

不过，这样的参数其实无法显示安装的进度，所以，通常我们会这样执行安装命令：

```
[root@www ~]# rpm -ivh package_name
参数：
-i : install 的意思
-v : 查看更详细的安装信息画面
-h : 以安装信息栏显示安装进度

范例一：安装 rp-pppoe-3.5-32.1.i386.rpm
```

```
[root@www ~]# rpm -ivh rp-pppoe-3.5-32.1.i386.rpm
Preparing...       ################################### [100%]
   1:rp-pppoe       ################################### [100%]
```

范例二：一口气安装两个以上的软件时：
```
[root@www ~]# rpm -ivh a.i386.rpm b.i386.rpm *.rpm
# 后面直接接上许多的软件文件
```

范例三：直接由网络上面的某个文件安装，以网址来安装：
```
[root@www ~]# rpm -ivh http://website.name/path/pkgname.rpm
```

另外，如果我们在安装的过程当中发现问题，或者已经知道会发生的问题，而还是"执意"要安装这个软件时，可以使用如下的参数"强制"安装上去，如表 23-5 所示。

表 23-5

可执行的参数	代 表 意 义
--nodeps	使用时机：当发生软件属性依赖问题而无法安装，但你执意安装时 危险性：软件会有依赖性的原因是因为彼此会使用到对方的机制或功能，如果强制安装而不考虑软件的属性依赖，则可能会造成该软件的无法正常使用
--replacefiles	使用时机：如果在安装的过程当中出现了"某个文件已经被安装在你的系统上面"的信息，又或许出现版本不合的信息（confilcting files）时，可以使用这个参数来直接覆盖文件。 危险性：覆盖的操作是无法复原的，所以，你必须要很清楚地知道被覆盖的文件是真的可以被覆盖，否则会欲哭无泪
--replacepkgs	使用时机：重新安某个已经安装过的软件。如果你要安装一堆 RPM 软件文件时，可以使用 rpm –ivh *.rpm，但若某些软件已经安装过了，此时系统会出现"某软件已安装"的信息，导致无法继续安装，此时可使用这个参数来重复安装
--force	使用时机：这个参数其实就是--replacefiles 与--replacepkgs 的综合体
--test	使用时机：想要测试一下该软件是否可以被安装到用户的 Linux 环境当中，可找出是否有属性依赖的问题。范例为： rpm –ivh pkgname.i386.rpm --test
--justdb	使用时机：由于 RPM 数据库损坏或者是某些缘故产生错误时，可使用这个参数来更新软件在数据库内的相关信息
--nosignature	使用时机：想要略过数字证书的检查时，可以使用这个参数
--prefix 新路径	使用时机：要将软件安装到其他非正规目录时。举例来说，你想要将某软件安装到/usr/local 而非正规的/bin,/etc 等目录，就可以使用 "--prefix/usr/local" 来处理了
--noscripts	使用时机：不想让该软件在安装过程中自行执行某些系统命令 说明：RPM 的优点除了可以将文件放置到定位之外，还可以自动执行一些前置操作的命令，例如数据库的初始化。如果你不想要让 RPM 帮你自动执行这一类型的命令，就加上它吧

一般来说，rpm 的安装参数大约就是这些了。通常鸟哥建议直接使用–ivh 就好了，如果安装的过程中发现问题，一个一个去将问题找出来，尽量不要使用"暴力安装法"，就是通过--force 去强制安装。因为可能会发生很多不可预期的问题，除非你很清楚地知道使用上面的参数后安装的结果是你预期的！

例题

在没有网络的前提下，你想要安装一个名为 pam-devel 的软件，你手边只有原版光盘，该如何是好？
答：你可以通过挂载原版光盘来进行数据的查询与安装。请将原版光盘放入光驱，下面我们尝试将光盘挂载到/media 当中：
- 挂载光盘，使用：mount /dev/cdrom /media
- 找出文件的实际路径：find /media –name 'pam-devel*'
- 测试此软件是否具有依赖性：rpm –ivh pam-devel... --test

- 直接安装：rpm –ivh pam–devel...
- 卸载光盘：umount /dev/cdrom

在鸟哥的系统中，刚好这个软件并没有属性依赖的问题，因此最后一个步骤可以顺利进行下去呢！

23.2.3 RPM 升级与更新（upgrade/freshen）

使用 RPM 来升级真是太简单了！就以–Uvh 或–Fvh 来升级即可，而–Uvh 与–Fvh 可以用的参数跟 install 是一样的。不过，–U 与–F 的意义还是不太一样的，基本的差别如表 23–6 所示。

表 23–6

参　　数	差　　别
–Uvh	后面接的软件即使没有安装过，则系统将予以直接安装；若后面接的软件有安装过旧版，则系统自动更新至新版
–Fvh	如果后面接的软件并未安装到你的 Linux 系统上，则该软件不会被安装；亦即只有已安装到你 Linux 系统内的软件会被"升级"

由上面的说明来看，如果你想要大量的升级系统旧版本的软件时，使用–Fvh 则是比较好的做法，因为没有安装的软件才不会被不小心安装进系统中。但是需要注意的是，如果你使用的是–Fvh，偏偏你的机器上尚无这一个软件，那么很抱歉，该软件并不会被安装在你的 Linux 主机上面，所以请重新以 ivh 来安装吧！

通常有的朋友在进行整个操作系统的旧版软件修补时，喜欢这么进行：

1. 先到各厂商的 errata 网站或者是国内的 FTP 镜像站点下载最新的 RPM 文件；
2. 使用-Fvh 来将你的系统内曾安装过的软件进行修补与升级（真是方便呀）！

所以，在不晓得 yum 功能的情况下，你依旧可以到 CentOS 的镜像站点下载 updates 数据，然后利用上述的方法来一口气升级！当然，升级也是可以利用--nodeps/--force 等参数。

23.2.4 RPM 查询（query）

RPM 在查询的时候，其实查询的地方是/var/lib/rpm/这个目录下的数据库文件。另外，RPM 也可以查询未安装的 RPM 文件内的信息。那如何去查询呢？我们先来谈谈可用的选项有哪些。

```
[root@www~]# rpm -qa                              <==已安装软件
[root@www ~]# rpm -q[licdR] 已安装的软件名称        <==已安装软件
[root@www ~]# rpm -qf 存在于系统上面的某个文件名      <==已安装软件
[root@www ~]# rpm -qp[licdR] 未安装的某个文件名称    <==查阅 RPM 文件
参数:
查询已安装软件的信息:
-q : 仅查询，后面接的软件名称是否有安装;
-qa : 列出所有的已经安装在本机 Linux 系统上面的所有软件名称;
-qi : 列出该软件的详细信息 (information)，包含开发商、版本与说明等;
-ql : 列出该软件所有的文件与目录所在完整文件名 (list);
-qc : 列出该软件的所有设置文件 (找出在 /etc/ 下面的文件名而已);
-qd : 列出该软件的所有帮助文件 (找出与 man 有关的文件而已);
-qR : 列出与该软件有关的依赖软件所含的文件 (Required 的意思);
-qf : 由后面接的文件名称找出该文件属于哪一个已安装的软件。
查询某个 RPM 文件内含有的信息:
-qp[icdlR]: 注意 -qp 后面接的所有参数以上面的说明一致，但用途仅在于找出
            某个 RPM 文件内的信息，而非已安装的软件信息! 注意!
```

在查询的部分，所有的参数之前都需要加上–q 才是所谓的查询。查询主要分为两部分，一个是查已安装到系统上面的的软件信息，这部分的信息都是由/var/lib/rpm/所提供；另一个则是查某个 rpm 文

件内容,等于是由 RPM 文件内找出一些要写入数据库内的信息,这部分就得要使用-qp(p 是 package 的意思)。那就来看看几个简单的范例吧!

```
范例一: 找出你的 Linux 是否有安装 logrotate 这个软件
[root@www ~]# rpm -q logrotate
logrotate-3.7.4-8
[root@www ~]# rpm -q logrotating
package logrotating is not installed
# 注意，系统会去找是否安装后面接的软件名称。注意，
# 不必加上版本。至于显示的结果，一看就知道有没有安装。

范例二: 列出上题当中属于该软件所提供的所有目录与文件:
[root@www ~]# rpm -ql logrotate
/etc/cron.daily/logrotate
/etc/logrotate.conf
.... (以下省略)....
# 可以看出该软件到底提供了多少的文件与目录，也可以跟踪软件的数据。

范例三: 列出 logrotate 这个软件的相关说明数据:
[root@www ~]# rpm -qi logrotate
Name        : logrotate          Relocations: (not relocatable)
Version     : 3.7.4                   Vendor: CentOS
Release     : 8                   Build Date: Sun 02 Dec 2007 08:38:06 AM CST
Install Date: Sat 09 May 2009 11:59:05 PM CST    Build Host: builder6
Group       : System Environment/Base  Source RPM: logrotate-3.7.4-8.src.rpm
Size        : 53618                  License: GPL
Signature   : DSA/SHA1, Sun 02 Dec 2007 09:10:01 AM CST, Key ID a8a447dce8562897
Summary     : Rotates, compresses, removes and mails system log files.
Description :
The logrotate utility is designed to simplify the administration of
log files on a system which generates a lot of log files. Logrotate
allows for the automatic rotation compression, removal and mailing of
log files. Logrotate can be set to handle a log file daily, weekly,
monthly or when the log file gets to a certain size. Normally,
logrotate runs as a daily cron job.

Install the logrotate package if you need a utility to deal with the
log files on your system.
# 列出该软件的 information (信息)，里面的信息可多着呢! 包括了软件名称、
# 版本、开发商、SRPM 文件名称、打包次数、简单说明信息、软件打包者、
# 安装日期等! 如果想要详细了解该软件的数据，用这个参数来了解一下。

范例四: 分别仅找出 logrotate 的设置文件与帮助文件
[root@www ~]# rpm -qc logrotate
[root@www ~]# rpm -qd logrotate

范例五: 若要成功安装 logrotate，它还需要什么文件的帮忙?
[root@www ~]# rpm -qR logrotate
/bin/sh
config (logrotate) = 3.7.4-8
libc.so.6
.... (以下省略)....
# 由这里看起来，呵呵~还需要很多文件的支持才行。

范例六: 由上面的范例五，找出 /bin/sh 是那个软件提供的。
[root@www ~]# rpm -qf /bin/sh
bash-3.2-21.el5
# 这个参数后面接的可是 "文件"! 不像前面都是接软件。
# 这个功能在于查询系统的某个文件属于哪一个软件所有的。

范例七: 假设我有下载一个 RPM 文件，想要知道该文件的需求文件，该如何办?
[root@www ~]# rpm -qpR filename.i386.rpm
# 加上 -qpR，找出该文件需求的数据!
```

常见的查询就是这些了! 要特别说明的是，在查询本机上面的 RPM 软件相关信息时，不需要加

上版本的名称，只要加上软件名称即可！因为它会由/var/lib/rpm 这个数据库里面去查询，所以我们可以不需要加上版本名称。但是查询某个 RPM 文件就不同了，我们必须要列出整个文件的完整文件名才行。这一点朋友们经常会搞错。下面我们就来做几个简单的练习。

例题

1. 我想要知道我的系统当中以 c 开头的软件有几个，如何做？
2. 我的 WWW 服务器为 Apache，我知道它使用的 RPM 软件文件名为 httpd。现在，我想要知道这个软件的所有设置文件放置在何处，可以怎么做？
3. 承上题，如果查出来的设置文件已经被我改过，但是我忘记了曾经修改过哪些地方，所以想要直接重新安装一次该软件，该怎么做？
4. 如果我误删了某个重要文件，例如/etc/crontab，偏偏不晓得它属于哪个软件，该怎么办？

答：
1. rpm -qa | grep ^c | wc -l
2. rpm -qc httpd
3. 假设该软件在网络上的地址为：

   http://web.site.name/path/httpd-x.x.xx.i386.rpm

   则我可以这样做：

   rpm -ivh http://web.site.name/path/httpd-x.x.xx.i386.rpm --replacepkgs
4. 虽然已经没有这个文件了，不过没有关系，因为 RPM 有记录在/var/lib/rpm 当中的数据库啊！所以直接执行：

   rpm–qf /etc/crontab

   就可以知道是哪个软件。重新安装一次该软件即可。

23.2.5　RPM 验证与数字证书（Verify/Signature）

　　验证（Verify）的功能主要在于提供系统管理员一个有用的管理机制。其作用的方式是使用/var/lib/rpm 下面的数据库内容来比较目前 Linux 系统的环境下的所有软件文件，也就是说，当你有数据不小心丢失，或者是因为你误杀了某个软件的文件，或者是不小心不知道修改到某一个软件的文件内容，就用这个简单的方法来验证一下原本的文件系统吧！好让你了解这一阵子到底是修改到哪些文件数据了！验证的方式很简单：

```
[root@www~]# rpm -Va
[root@www ~]# rpm -V 已安装的软件名称
[root@www ~]# rpm -Vp 某个 RPM 文件的文件名
[root@www ~]# rpm -Vf 在系统上面的某个文件
参数：
-V ：后面加的是软件名称，若该软件所含的文件被改动过，才会列出来；
-Va：列出目前系统上面所有可能被改动过的文件；
-Vp：后面加的是文件名称，列出该软件内可能被改动过的文件；
-Vf：列出某个文件是否被改动过。

范例一：查询你的 Linux 内的 logrotate 这个软件是否被改动过
[root@www ~]# rpm -V logrotate
# 如果没有出现任何信息，恭喜你，该软件所提供的文件没有被改动过。
# 如果有出现任何信息，才是有出现状况啊！

范例二：查询一下，你的/etc/crontab 是否有被改动过
[root@www ~]# rpm -Vf /etc/crontab
S.5....T  c /etc/crontab
# 瞧！因为有被改动过，所以会列出被改动过的信息类型！
```

好了，那么我怎么知道到底我的文件被改动过的内容是什么？例如上面的范例二。简单说明一下吧！例如，我们检查一下 logrotate 这个软件：

```
[root@www ~]# rpm -ql logrotate
/etc/cron.daily/logrotate
/etc/logrotate.conf
/etc/logrotate.d
/usr/sbin/logrotate
/usr/share/doc/logrotate-3.7.4
/usr/share/doc/logrotate-3.7.4/CHANGES
/usr/share/man/man8/logrotate.8.gz
/var/lib/logrotate.status
#共有 8 个文件啊！请修改 /etc/logrotate.conf 内的 rotate 变成 5

[root@www ~]# rpm -V logrotate
..5....T  c /etc/logrotate.conf
```

你会发现在文件名之前有个 c，然后就是一堆奇怪的文字了。那个 c 代表的是 configuration，就是设置文件的意思。至于最前面的 8 个信息是：

- S（file Size differs）：文件的容量大小是否被改变；
- M（Modediffers）：文件的类型或文件的属性（rwx）是否被改变，如是否可执行等参数已被改变；
- 5（MD5 sum differs）：MD5 这一种指纹码的内容已经不同；
- D（Device major/minor number mis-match）：设备的主/次代码已经改变；
- L（readLink（2） path mis-match）：Link 路径已被改变；
- U（User ownership differs）：文件的所有者已被改变；
- G（Group ownership differs）：文件的所属用户组已被改变；
- T（mTime differs）：文件的创建时间已被改变。

所以，如果当一个设置文件所有的信息都被改动过，那么它的显示就会是：

```
SM5DLUGT c filename
```

至于那个 c 代表的是 "Configfile" 的意思，也就是文件的类型，文件类型有下面这几类：

- c：设置文件（config file）；
- d：文档（documentation）；
- g："鬼" 文件（ghost file），通常是该文件不被某个软件所包含，较少发生；
- l：授权文件（license file）；
- r：自述文件（read me）。

经过验证的功能，你就可以知道哪个文件被改动过。那么如果该文件的更改是预期中的，那么就没有什么大问题，但是如果该文件是非预期的，那么是否被入侵了呢？得注意。一般来说，设置文件（configure）被更改过是很正常的，万一你的二进制程序被更改过呢？那就得要特别特别小心啊！

虽说家丑不可外扬，不过有件事情还是跟大家分享一下的好。鸟哥之前的主机曾经由于安装一套软件，导致被攻击成为跳板。会发现的原因是系统中只要出现 *.patch 的扩展名时，使用 ls -l 就是显示不出来该文件名 （该文件名确实存在）。找了好久，用了好多工具都找不出问题，最终利用 rpm -Va 找出来，原来好多二进制程序被改动过，连 init 都被恶搞！此时，赶紧重新安装 Linux 并删除那套软件，之后就比较正常了。所以说，这个 rpm -Va 是个好功能。

- 数字证书（digital signature）

- 谈完了软件的验证后,不知道你有没有发现一个问题,那就是,验证只能验证软件内的信息与/var/lib/rpm/里面的数据库信息而已,如果该软件文件所提供的数据本身就有问题,那你使用验证的手段也无法确定该软件的正确性啊!那如何解决呢?在 Tarball 与文件的验证方面,我们可以使用前一章谈到的 md5 指纹码来检查,不过,连指纹码也可能会被窜改的嘛!那怎办?没关系,我们可以通过数字证书来检验软件的来源的!

- 就像你自己的签名一样,我们的软件开发商原厂所推出的软件也会有一个厂商自己的证书系统,只是这个证书被数字化了而已。厂商可以数字证书系统产生一个专属于该软件的证书,并将该证书的公钥(public key)发布。当你要安装一个 RPM 文件时:

1. 首先你必须要先安装原厂发布的公钥文件;
2. 实际安装原厂的 RPM 软件时,rpm 命令会去读取 RPM 文件的证书信息,与本机系统内的证书信息比较;
3. 若证书相同则予以安装,若找不到相关的证书信息时,则给予警告并且停止安装。

- 我们 CentOS 使用的数字证书系统为 GNU 计划的 GnuPG(GNU Privacy Guard, GPG)[注1]。GPG 可以通过复杂运算算出独一无二的专属金钥系统或者是数字证书系统,有兴趣的朋友可以参考文末的延伸阅读,去了解一下 GPG 加密的机制。这里我们仅简单说明数字证书在 RPM 文件上的应用而已。而根据上面的说明,我们也会知道首先必须要安装原厂释出的 GPG 数字证书的公钥文件。CentOS 的数字证书位于:

```
[root@www~]# ll /etc/pki/rpm-gpg/RPM-GPG-KEY-CentOS-5
-rw-r--r-- 1 root root 1504 6月 19 2008 /etc/pki/rpm-gpg/RPM-GPG-KEY-CentOS-5
[root@www ~]# cat /etc/pki/rpm-gpg/RPM-GPG-KEY-CentOS-5
-----BEGIN PGP PUBLIC KEY BLOCK-----
Version: GnuPG v1.2.6 (GNU/Linux)

mQGiBEWfB6MRBACrnYW6yKMT+MwJlCIhoyTxGf3mAxmnAiDEy6HcYN8rivssVTjk
....(中间省略)....
-----END PGP PUBLIC KEY BLOCK-----
```

- 从上面的输出,你会知道该数字证书其实仅是一个随机数而已,这个随机数对于数字证书有意义而已,我们看不懂。那么这个文件如何安装呢?通过下面的方式来安装即可。

```
[root@www ~]# rpm --import /etc/pki/rpm-gpg/RPM-GPG-KEY-CentOS-5
```

- 由于不同版本 GPG 金钥文件放置的位置可能不同,不过文件名大多是以 GPG-KEY 来说明的,因此你可以简单使用 locate 或 find 来找寻,如以下的方式来搜索即可:

```
[root@www~]# locate GPG-KEY
[root@www ~]# find /etc -name '*GPG-KEY*'
```

那安装完成之后,这个金钥的内容会以什么方式呈现呢?基本上都是使用 pubkey 作为软件的名称的!那我们先列出金钥软件名称后,再以-qi 的方式来查询看看该软件的信息为何:

```
[root@www ~]# rpm -qa | grep pubkey
gpg-pubkey-e8562897-459f07a4
[root@www ~]# rpm -qi gpg-pubkey-e8562897-459f07a4
Name      : gpg-pubkey    Relocations: (not relocatable)
Version   : e8562897           Vendor: (none)
Release   : 459f07a4       Build Date: Wed 27 May 2009 10:07:26 PM CST
Install Date: Wed 27 May 2009 10:07:26 PM CST  Build Host: localhost
Group     : Public Keys    Source RPM: (none)
Size      : 0                 License: pubkey
Signature  : (none)
Summary   : gpg (CentOS-5 Key <centos-5-key@centos.org>)
Description :
-----BEGIN PGP PUBLIC KEY BLOCK-----
```

```
Version: rpm-4.4.2 (beecrypt-4.1.2)
....（下面省略）....
```

- 重点就是最后面出现的那一串乱码。那可是作为数字证书非常重要的一环。如果你忘记加上数字证书，很可能很多原版软件就不能让你安装，除非你利用 rpm 时选择略过数字证书的参数。

23.2.6　卸载 RPM 与重建数据库（erase/rebuilddb）

卸载就是将软件解除安装。要注意的是，解安装的过程一定要由最上层往下解除，以 rp-pppoe 为例，这一个软件主要是依据 ppp 这个软件来安装的，所以当你要缺载 ppp 的时候，就必须要先解除 rp-pppoe 才行！否则就会发生结构上的问题。这个可以由建筑物来说明，如果你要拆除五、六楼，那么当然要由六楼拆起，否则先拆的是第五楼时，那么上面的楼层难道会悬空？

删除的选项很简单，就通过 -e 即可删除。不过，很常发生软件属性依赖导致无法删除某些软件的问题。我们以下面的例子来说明：

```
# 1. 找出与 pam 有关的软件名称，并尝试删除 pam 这个软件:
[root@www ~]# rpm -qa | grep pam
pam-devel-0.99.6.2-3.27.el5
pam passwdqc-1.0.2-1.2.2
pam pkcs11-0.5.3-23
pam smb-1.1.7-7.2.1
pam-0.99.6.2-3.27.el5
pam ccreds-3-5
pam krb5-2.2.14-1
[root@www ~]# rpm -e pam
error: Failed dependencies:  <==这里提到的是依赖性的问题
        libpam.so.0 is needed by (installed) coreutils-5.97-14.el5.i386
        libpam.so.0 is needed by (installed) libuser-0.54.7-2.el5.5.i386
....（以下省略）....

# 2. 若仅删除 pam-devel 这个之前范例安装上的软件呢?
[root@www ~]# rpm -e pam-devel  <==不会出现任何信息
[root@www ~]# rpm -q pam-devel
package pam-devel is not installed
```

从范例一我们知道 pam 所提供的函数库是让非常多其他软件使用的，因此你不能删除 pam，除非将其他依赖软件一口气也全部删除！你当然也能加 --nodeps 来强制删除，不过，如此一来所有会用到 pam 函数库的软件都将成为无法运行的程序，我想，你的主机也只好准备停机休假了吧！至于范例二中，由于 pam-devel 是依附于 pam 的开发工具，你可以单独安装与单独删除。

由于 RPM 文件经常会安装/删除/升级等，某些操作或许可能会导致 RPM 数据库/var/lib/rpm/内的文件损坏。果真如此的话，那你该如何是好？别担心，我们可以使用 --rebuilddb 这个参数来重建一下数据库。做法如下：

```
[root@www ~]# rpm --rebuilddb  <==重建数据库
```

23.3　SRPM 的使用：rpmbuild

谈完了 RPM 类型的软件之后，再来我们谈一谈包含了 Source code 的 SRPM 该如何使用呢？假如今天我们由网络上面下载了一个 SRPM 的文件，该如何安装它？另外，如果我想要修改这个 SRPM 里面源代码的相关设置值，又该如何修订与重新编译呢？此外，最需要注意的是，新版的 rpm 已经将 RPM 与 SRPM 的命令分开了，SRPM 使用的是 rpmbuild 这个命令，而不是 rpm。如果你是 Red Hat 7.3 以前的用户，那么请使用 rpm 来替代 rpmbuild。

23.3.1　利用默认值安装 SRPM 文件（--rebuid/--recompile）

假设我下载了一个 SRPM 的文件，又不想要修改这个文件内的源代码与相关的设置值，那么我可以直接编译并安装吗？当然可以！利用 rpmbuild 配合选项即可。参数主要有下面两个，如表 23-7 所示。

表 23-7

参　　数	说　　明
--rebuild	这个选项会将后面的 SRPM 进行编译与打包的操作，最后会生成 RPM 的文件，但是产生的 RPM 文件并没有安装到系统上。当你使用--rebuild 的时候，最后通常会发现一行字体： Wrote:/usr/src/redhat/RPMS/i386/pkgname.i386.rpm 这个就是编译完成的 RPM 文件。这个文件就可以用来安装。安装的时候请加绝对路径来安装即可
--recompile	这个动作会直接编译、打包并且安装。请注意，rebuild 仅编译并打包而已，而 recompile 不但进行编译跟打包，还同时进行安装了

不过，要注意的是，这两个参数都没有修改过 SRPM 内的设置值，仅是通过再次编译来产生 RPM 可安装软件文件而已。一般来说，如果编译的操作顺利的话，那么编译过程所生成的临时文件都会被自动删除，如果发生任何错误，则该临时文件会被保留在系统上，等待用户的调试操作。那么，该如何调试呢？如果想要自行调试，或者是想要修改 SRPM 内的设置值时，就得要知道利用 SRPM 的时候系统会动用到哪些重要的目录了！下面我们就来谈一谈当处理 SRPM 时系统会使用到的目录。

23.3.2　SRPM 使用的路径与需要的软件

SRPM 既然含有 source code，那么其中必定有设置文件，所以首先我们需要知道这个 SRPM 在进行编译的时候会使用到哪些目录，这样一来才能够来修改。你可以到你的/usr/src 这个目录里面去查看一下，通常每个 distribution 提供的目录都不太相同，以 CentOS 5.x 为例，它是以/usr/src/redhat/为工作目录，Openlinux 则是以/usr/src/openlinux 为工作目录！无论如何，反正就是在/usr/src 这个目录下就对了！好了，既然我们是 CentOS，请到/usr/src/redhat 里头去看一看，如表 23-8 所示。

表 23-8

参　　数	说　　明
/usr/src/redhat/SPECS	这个目录当中放置的是该软件的设置文件，例如这个软件的信息参数、设置项目等都放置在这里
/usr/src/redhat/SOURCES	这个目录当中放置的是该软件的源文件（*.tar.gz 的文件）以及 config 这个设置文件
/usr/src/redhat/BUILD	编译的过程中，有些暂存的数据都会放置在这个目录当中
/usr/src/redhat/RPMS	经过编译之后，并且顺利编译成功之后，将打包完成的文件放置在这个目录当中。里头有包含了 i386、i586、i686、n oarch 等次目录
/usr/src/redhat/SRPMS	与 RPMS 内相似，这里放置的就是 SRPM 封装的文件。有时候你想要将你的软件用 SRPM 的方式释出时，你的 SRPM 文件就会放置在这个目录中了

此外，在编译的过程当中，可能会发生不明的错误或者是设置的错误，这个时候就会在/tmp 下面产生一个相对应的错误文档，你可以根据该错误文档进行除错的工作呢！等到所有的问题都解决之后，也编译成功了，那么刚才解压缩之后的文件就是在/usr/src/redhat/下的 SPECS、SOURCES、BUILD 等的文件都会被杀掉，而只剩下放置在/usr/src/redhat/RPMS 下面的文件了！

由于 SRPM 需要重新编译，而编译的过程当中，我们至少需要有 make 与其相关的程序，及 gcc、c、c++等其他的编译用的程序语言来进行编译，更多说明请参考第 22 章源代码所需基础软件。所以，如果你在安装的过程当中没有选择软件开发工具之类的软件，得重新拿出你的光盘，然后再安装，只是得要克服一大堆的属性依赖的问题就是了，这问题待会儿可以使用 yum 来处理，你当然也可以先使用 "yum groupinstall "Development Tools"" 来安装开发软件。鸟哥这里假设你已经安装了该软件组。

例题

尝试使用--rebuild 选项制作出一个 RPM 软件文件，可以到 http://ftp.twaren.net/Linux/CentOS/5/os/SRPMS/下载 rp-pppoe 这个 SRPM 软件文件。鸟哥这里使用 CentOS 5.3 的 rp-pppoe-3.5-32.1.src.rpm。

答：假设你已经将 rp-pppoe 软件下载到/root 下面，那接下来可以简单使用下面的方式来重新编译：

```
[root@www ~]# rpmbuild --rebuild rp-pppoe-3.5-32.1.src.rpm
正在安装 rp-pppoe-3.5-32.1.src.rpm
警告: 用户 mockbuild 不存在 - 现使用 root 代替
....（中间省略）....
已写入: /usr/src/redhat/RPMS/i386/rp-pppoe-3.5-32.1.i386.rpm
已写入: /usr/src/redhat/RPMS/i386/rp-pppoe-debuginfo-3.5-32.1.i386.rpm
正在执行 (%clean): /bin/sh -e /var/tmp/rpm-tmp.69789
+ umask 022
+ cd /usr/src/redhat/BUILD
+ cd rp-pppoe-3.5
+ rm -rf /var/tmp/rp-pppoe-3.5-32.1-root
+ exit 0
正在执行 (--clean): /bin/sh -e /var/tmp/rpm-tmp.69789
+ umask 022
+ cd /usr/src/redhat/BUILD
+ rm -rf rp-pppoe-3.5
+ exit 0

[root@www ~]# ll /usr/src/redhat/RPMS/i386/
-rw-r--r-- 1 root root 105443  6月 27 02:51 rp-pppoe-3.5-32.1.i386.rpm
-rw-r--r-- 1 root root 18756  6月 27 02:51 rp-pppoe-debuginfo-3.5-32.1.i386.rpm
```

其实整个过程与 Tarball 的方式差不多，也是编译后变成二进制程序，接着再以 RPM 的机制封装起来。重点在上面特殊字体的部分，记得要查看一下。若一切正常，则会看到 exit0 的字样，且会主动删除（rm）很多临时文件。

23.3.3　设置文件的主要内容（*.spec）

除了使用 SRPM 内默认的参数来进行编译之外，我们还可以修改这些参数后再重新编译。那该如何处理呢？首先我们必须要将 SRPM 内的文件安置到/usr/src/redhat/内的相关目录，然后再去修改设置文件即可。我们就拿刚才上面那个 rp-pppoe 来说明好了，假设我们已经将该文件放置到/root 中，然后：

```
[root@www ~]# rpm -i rp-pppoe-3.5-32.1.src.rpm
# 过程不会显示任何东西，它只会将 SRPM 的文件解开后放置到 /usr/src/redhat/下

[root@www ~]# find /usr/src/redhat/ -type f
/usr/src/redhat/SOURCES/rp-pppoe-3.5-firewall.patch <==补丁文件
/usr/src/redhat/SOURCES/adsl-stop                    <==CentOS 提供的脚本
/usr/src/redhat/SOURCES/rp-pppoe-3.5.tar.gz          <==源代码
/usr/src/redhat/SOURCES/rp-pppoe-3.5-buildroot.patch <==补丁文件
/usr/src/redhat/SOURCES/adsl-start                   <==CentOS 提供的脚本
/usr/src/redhat/SOURCES/adsl-connect
/usr/src/redhat/SOURCES/adsl-setup
/usr/src/redhat/SOURCES/adsl-status
/usr/src/redhat/SOURCES/rp-pppoe-3.4-redhat.patch    <==补丁文件
/usr/src/redhat/SPECS/rp-pppoe.spec                  <==重要设置文件
# 主要含有源代码与一个重要的设置文件 rp-pppoe.spec！
```

好了，来看看我们的设置参数文件，即是在/usr/src/redhat/SPECS 内的*.spec 文件。

```
[root@www ~]# cd /usr/src/redhat/SPECS
[root@www SPECS]# vi rp-pppoe.spec
# 1. 首先，这个部分介绍整个软件的基本相关信息，不论是版本还是发布次数等
Summary: A PPP over Ethernet client (for xDSL support).
Name: rp-pppoe
Version: 3.5
Release: 32.1
License: GPL
Group: System Environment/Daemons
Url: http://www.roaringpenguin.com/pppoe/
Source: http://www.roaringpenguin.com/rp-pppoe-%{version}.tar.gz
Source1: adsl-connect
Source2: adsl-setup
....（中间省略）....

# 2. 这部分则是设置依赖属性需求的地方
BuildRoot: %{ tmppath}/%{name}-%{version}-%{release}-root

Prereq: /sbin/chkconfig  <==需要的前驱程序有哪些
Prereq: /sbin/service
Prereq: fileutils

Requires: ppp >= 2.4.2        <==需要的软件又有哪些
Requires: initscripts >= 5.92
Requires: iproute >= 2.6

BuildRequires: libtool  <==还需要哪些工具软件
BuildRequires: autoconf
BuildRequires: automake

%description          <==此软件的描述
PPPoE (Point-to-Point Protocol over Ethernet) is a protocol used by
many ADSL Internet Service Providers. This package contains the
Roaring Penguin PPPoE client, a user-mode program that does not
require any kernel modifications. It is fully compliant with RFC 2516,
the official PPPoE specification.


# 3. 编译前的预处理以及编译过程当中所需要进行的命令都写在这里
#    尤其 %build 下面的数据，几乎就是 makefile 里面的信息。
%prep  <==这部分在预先（pre）进行处理，大致就是 patch 软件。
%setup -q
%patch0 -p1 -b .config
%patch1 -p1 -b .buildroot
%patch2 -p1 -b .ipchains

%build <==这部分就是在实际编译。
cd src
autoconf
CFLAGS="-D GNU SOURCE" %configure
make

install -m 0755 %{SOURCE1} scripts
install -m 0755 %{SOURCE2} scripts
install -m 0755 %{SOURCE3} scripts
install -m 0755 %{SOURCE4} scripts
install -m 0755 %{SOURCE5} scripts

%install  <==这就是安装过程！
rm -rf %{buildroot}

mkdir -p %{buildroot}/sbin
make -C src install RPM INSTALL ROOT=%{buildroot}
....（中间省略）....

# 4. 这里列出这个软件发布的文件有哪些
%files  <==这个软件发布的文件有哪些，需要记录在数据库内
%defattr(-,root,root)
%doc doc/LICENSE scripts/adsl-connect scripts/adsl-setup scripts/adsl-init
%doc scripts/adsl-start scripts/adsl-status scripts/adsl-stop
%doc configs
```

```
%config(noreplace) %{ sysconfdir}/ppp/pppoe-server-options
%config(noreplace) %{ sysconfdir}/ppp/firewall*
/sbin/*
%{ sbindir}/*
%{ mandir}/man?/*

# 5. 列出这个软件的更改历史记录文件
%changelog
* Wed Jul 12 2006 Jesse Keating <jkeating@redhat.com> - 3.5-32.1
- rebuild
....（中间省略）....
* Wed May 31 2000 Than Ngo <than@redhat.de>
- adopted for Winston.
```

要注意到的是 rp-pppoe.sepc 这个文件，这是主要将 SRPM 编译成 RPM 的设置文件，它的基本规则可以这样看：

1. 整个文件的开头以 Summary 为开始，这部分的设置都是最基础的说明内容；
2. 然后每个不同的段落之间都以%来作为开头，例如%prep 与%install 等。

我们来谈一谈几个常见的 SRPM 设置段落：

◆ 系统整体信息方面

● 刚才你看到的就有下面这些重要的内容，如表 23-9 所示。

表 23-9

参　　数	参 数 意 义
Summary	本软件的主要说明，例如上面说明了本软件是针对 xDSL 的拨号用途
Name	本软件的软件名称（最终会是 RPM 文件的文件名构成之一）
Version	本软件的版本（也会是 RPM 文件名的构成之一）
Release	这个是该版本打包的次数说明（也会是 RPM 文件名的构成之一）。由于我们想要动点手脚，所以上面的文件中，这个部分请修改为 32.2.vbird 看看
License	这个软件的授权模式，我们使用 GPL
Group	这个软件的开发团体名称
Url	这个源代码的主要官方网站
Source	这个软件的来源，如果是网络上下载的软件，通常一定会有这个信息来告诉大家这个源文件的来源！此外，还有来自开发商自己提供的原始文件数据。例如上面的 adsl-start 等程序
Patch	就是作为补丁的 patch file
BuildRoot	设置作为编译时，该使用哪个目录来临时存放中间文件（如编译过程的目标文件/链接文件等）
ExclusiveArch	这个是说明这个软件的适合安装的硬件，通常默认为 i386，当然，你也可以调整为 i586 等的。由于我们的系统是新的 CPU 架构，这里我们修改内容成为 "ExclusiveArch:i686" 来玩玩看
上述为必须要存在的项目，下面为可使用的额外设置值	
Requires	如果你这个软件还需要其他的软件的支持，那么这里就必须写上来，则当你制作成 RPM 之后，系统就会自动去检查。这就是 "依赖属性" 的主要来源
Prereq	这个软件需要的前驱程序为何！这里指的是程序而 Requires 指的是软件
BuildRequires	编译过程中所需要的软件。Requires 指的是安装时需要检查的，因为与实际运行有关，这个 BuildRequires 指的是编译时所需要的软件，只有在 SRPM 编译成为 RPM 时才会检查的项目
Packager	这个软件是经由谁来打包的
Vender	开发的厂商

● 上面几个数据通常都必须要写。但是如果你的软件没有依赖属性的关系时，那么就可以不需要那个 Requires。根据上面的设置，最终的文件名就会是 "{Name}-{Version}-{Release}.

{ExclusiveArch}.rpm" 的样子，以我们上面的设置来说，文件名应该会是 "rp-pppoe-3.5-32.2. vbird.i686.rpm" 的样子。

◆ %description
- 将你的软件做一个简短的说明。这个也是必需的。还记得使用 "rpm-qi 软件名称" 会出现一些基础的说明吗？上面这些东西包括 Description 就是显示这些重要信息的。所以，这里记得要详加解释。

◆ %prep
- pre 这个关键字原本就有 "在……之前" 的意思，因此这个项目在这里指的就是尚未进行设置或安装之前你要编译完成的 RPM 帮你事先做的事情，就是 prepare 的简写。那么它的工作事项主要有：
1. 进行软件的补丁（patch）等相关工作；
2. 寻找软件所需要的目录是否已经存在，确认用的；
3. 事先新建你的软件所需要的目录，或者事先需要进行的任务；
4. 如果待安装的 Linux 系统内已经有安装的时候可能会被覆盖掉的文件时，那么就需要进行备份（backup）的工作了！
- 在本例中，你会发现程序会使用 patch 去进行补丁的操作。

◆ %setup
- 这个选项就是在进行类似解压缩之类的工作。这个选项一定要写。不然你的 tarball 源代码是无法被解压缩的。切记切记！

◆ %build
- build 就是创建。所以当然这个段落就是在谈怎么编译成为可执行的程序。你会发现此部分的程序代码方面就是 ./configure、make 等选项。

◆ %install
- 编译完成（build）之后就是要安装。安装就是写在这里，也就是类似 Tarball 里面的 makeinstall 的意思。

◆ %clean
- 编译与安装完毕后，必须要将一些暂存在 BuildRoot 内的数据删除才好，因此这个时候这个 clean 的项目就重要。这有点像是 make clean 的感觉，保持系统的清爽嘛！

◆ %files
- 这个软件安装的文件都需要写到这里来，当然包括了 "目录"。所以连同目录请一起写到这个段落当中，以备查验呢！此外，你也可以指定每个文件的类型，包括文档（%doc 后面接的）与设置文件（%config 后面接的）等。

◆ %changelog
- 这个选项主要则是在记录这个软件曾经的更新记录。星号（*）后面应该要以时间、修改者、email 与软件版本来作为说明，减号（-）后面则是你要做的详细说明。在这部分鸟哥就新增了两行，内容如下：

```
%changelog
* Wed Jul 01 2009 VBird Tsai <vbird@mail.vbird.idv.tw> - 3.5-32.2.vbird
- only rebuild this SRPM to RPM

* Wed Jul 12 2006 Jesse Keating <jkeating@redhat.com> - 3.5-32.1
....（下面省略）....
```

- 修改到这里也差不多了，你也应该要了解到这个 rp-pppoe.spec 有多么重要！我们用 rpm-q 去查询一堆信息时，其实都是在这里写入的。这样了解否？接下来，就让我们来了解一下如何将 SRPM 编译出 RPM 来吧！

23.3.4　SRPM 的编译命令（-ba/-bb）

要将在/usr/src/redhat 下面的数据编译或者是单纯打包成为 RPM 或 SRPM 时，就需要 rpmbuild 命令与相关选项的帮忙了！我们只介绍两个常用的参数给你了解一下：

```
[root@www ~]# rpmbuild -ba rp-pppoe.spec   <==编译并同时生成 RPM 与 SRPM 文件
[root@www ~]# rpmbuild -bb rp-pppoe.spec   <==仅编译成 RPM 文件
```

这个时候系统就会这样做：

1. 先进入到 BUILD 这个目录中，即是/usr/src/redhat/BUILD 这个目录；
2. 依照*.spec 文件内的 Name 与 Version 定义出工作的目录名称，以我们上面的例子为例，那么系统就会在 BUILD 目录中先删除 rp-pppoe-3.5 的目录，再重新建立一个 rp-pppoe-3.5 的目录，并进入该目录；
3. 在新建的目录里面，针对 SOURCES 目录下的源文件，也就是*.spec 里面的 Source 设置的那个文件，以 tar 进行解压缩，以我们这个例子来说，则会在/usr/src/redhat/BUILD/rp-pppoe-3.5 当中将/usr/src/redhat/SOURCES/rp-pppoe-3.5.tar.gz 进行解压缩；
4. 再来开始%build 及%install 的设置与编译；
5. 最后将完成打包的文件放置到该放置的地方去，如果你规定的硬件是在 i386 的系统，那么最后编译成功的*.i386.rpm 文件就会被放置在/usr/src/redhat/RPMS/i386 里面。如果是 i686 那么自然就是/usr/src/redhat/RPMS/i686 目录下。

整个步骤大概就是这样子！最后的结果数据会放置在 RPMS 那个目录下面就对。我们这个例子中想要同时打包 RPM 与 SRPM，因此请你自行处理一下 "rpmbuild-ba rp-pppoe.spec"。

```
[root@www ~]# cd /usr/src/redhat/SPECS
[root@www SPECS]# rpmbuild -ba rp-pppoe.spec
....（以上省略）....
正在处理文件: rp-pppoe-debuginfo-3.5-32.2.vbird
已写入: /usr/src/redhat/SRPMS/rp-pppoe-3.5-32.2.vbird.src.rpm
已写入: /usr/src/redhat/RPMS/i386/rp-pppoe-3.5-32.2.vbird.i386.rpm
已写入: /usr/src/redhat/RPMS/i386/rp-pppoe-debuginfo-3.5-32.2.vbird.i386.rpm
正在执行（%clean）: /bin/sh -e /var/tmp/rpm-tmp.10628
+ umask 022
+ cd /usr/src/redhat/BUILD
+ cd rp-pppoe-3.5
+ rm -rf /var/tmp/rp-pppoe-3.5-32.2.vbird-root
+ exit 0

[root@www SPECS]# find /usr/src/redhat -name 'rp-pppoe*rpm'
/usr/src/redhat/RPMS/i386/rp-pppoe-3.5-32.2.vbird.i386.rpm
/usr/src/redhat/RPMS/i386/rp-pppoe-debuginfo-3.5-32.2.vbird.i386.rpm
/usr/src/redhat/SRPMS/rp-pppoe-3.5-32.2.vbird.src.rpm
# 上面分别是 RPM 与 SRPM 的文件名！
```

老实说，应该会出现 i686 的文件名才对。不过，可能是源代码本身没有支持 i686 之类的语法吧！所以仅出现 i386 的文件名而已。另外，你可以看到文件名确实是如同我们之前谈到的。那你可以自行制作出有你特殊名称的文件名（例如上面的 vbird）。

23.3.5　一个打包自己软件的范例

这个就有趣了！我们自己来编辑一下自己制作的 RPM 怎么样？会很难吗？完全不会！我们这里就举个例子来玩玩吧！还记得我们在前一章谈到 Tarball 与 make 时曾经谈到的 main 这个程序吗？现

在我们将这个程序加上 Makefile 后，将它制作成为 main-0.1.i386.rpm，该如何进行呢? 下面就让我们来处理处理吧!

◆ 制作源代码文件 tarball 生成

● 请将前一章你曾经处理过的 main.tgz 再次找来，我们将这个文件放置到/root 下面，并且在 /usr/local/src 下面新建一个名为 main-0.1 的目录来解压缩。

```
[root@www ~]# mkdir /usr/local/src/main-0.1
[root@www ~]# tar -zxvf main.tgz -C /usr/local/src/main-0.1
[root@www ~]# cd /usr/local/src/main-0.1
[root@www main-0.1]# vim Makefile    <==新建源代码所需的 make 规则
LIBS = -lm
OBJS = main.o haha.o sin_value.o cos_value.o
main: ${OBJS}
    gcc -o main ${OBJS} ${LIBS}
clean:
    rm -f main ${OBJS}
install:
    install -m 755 main $(RPM_INSTALL_ROOT)/usr/local/bin/main
# 记得 gcc 与 rm 之前是使用 <tab> 按键生成的空白。

[root@www main-0.1]# cd ..
[root@www src]# tar -zcvf main-0.1.tar.gz main-0.1
# 此时会产生 main-0.1.tar.gz，将它挪到 /usr/src/redhat/SOURCES 下面:
[root@www src]# cp main-0.1.tar.gz /usr/src/redhat/SOURCES
```

● 这个时候在/usr/src/redhat 下面的源代码就新建成功了! 接下来就是 spec 文件的创建。

◆ 新建*.spec 的设置文件

● 这个文件的生成是所有 RPM 制作里面最重要的课题! 你必须要仔细设置它，不要随便处理。仔细看看吧!

```
[root@www ~]# cd /usr/src/redhat/SPECS
[root@www SPECS]# vim main.spec
Summary:    calculate sin and cos value.
Name:       main
Version:    0.1
Release:    1
License:    GPL
Group:      VBird's Home
Source:     main-0.1.tar.gz   <==记得要写正确的 Tarball 文件名。
Url:        http://linux.vbird.org
Packager:   VBird
BuildRoot: %{_tmppath}/%{name}-%{version}-%{release}-root

%description
This package will let you input your name and calculate sin cos value.

%prep
%setup -q

%build
make

%install
rm -rf %{buildroot}
mkdir -p %{buildroot}/usr/local/bin
make install RPM_INSTALL_ROOT=%{buildroot}    <==这项目也很重要!

%files
/usr/local/bin/main

%changelog
* Wed Jul 01 2009 VBird Tsai <vbird@mail.vbird.idv.tw> 0.1
- build the program
```

◆ 编译成为 RPM 与 SRPM

- 老实说，spec 文件生成妥当后，后续的操作很简单，开始来编译吧！

```
[root@www SPECS]# rpmbuild -ba main.spec
....（前面省略）....
已写入: /usr/src/redhat/SRPMS/main-0.1-1.src.rpm
已写入: /usr/src/redhat/RPMS/i386/main-0.1-1.i386.rpm
已写入: /usr/src/redhat/RPMS/i386/main-debuginfo-0.1-1.i386.rpm
```

- 很快，我们就已经新建了几个 RPM 文件。接下来让我们好好测试一下打包起来的成果吧！

◆ 安装/测试/实际查询

```
[root@www ~]# rpm -ivh /usr/src/redhat/RPMS/i386/main-0.1-1.i386.rpm
正在准备...              ########################################### [100%]
   1:main              ########################################### [100%]

[root@www ~]# rpm -ql main
/usr/local/bin/main   <==自己尝试执行 main 看看！

[root@www ~]# rpm -qi main
Name       : main              Relocations: (not relocatable)
Version    : 0.1                   Vendor: （none）
Release    : 1                 Build Date: 公元 2009 年 07 月 02 日 （周四）
Install Date: 公元 2009 年 07 月 02 日 Build Host: www.vbird.tsai
Group      : VBird's Home      Source RPM: main-0.1-1.src.rpm
Size       : 3360                 License: GPL
Signature  : （none）
Packager   : VBird
URL        : http://linux.vbird.org
Summary    : calculate sin and cos value.
Description :
This package will let you input your name and calculate sin cos value.
# 看到没？属于自己的软件。真是很愉快的！
```

- 用很简单的方式就可以将自己的软件或者程序修改与设置妥当！以后你就可以自行设置你的 RPM。当然，也可以手动修改你的 SRPM 的源文件内容。

23.4 YUM 在线升级机制

我们在本章一开始的地方谈到过 yum 这玩意，这个 yum 是通过分析 RPM 的标题数据后，根据各软件的相关性制作出属性依赖时的解决方案，然后可以自动处理软件的依赖属性问题，以解决软件安装或删除与升级的问题。详细的 yum 服务器与客户端之间的通信，可以再回到前面的部分查阅一下图 23-1 的说明。

由于 distribution 必须要先释出软件，然后将软件放置于 yum 服务器上面，以提供客户端来要求安装与升级之用的。因此我们想要使用 yum 的功能时，必须要先找到适合的 yum server 才行啊！而每个 yum server 可能都会提供许多不同的软件功能，那就是我们之前谈到的 "容器"。因此，你必须要前往 yum server 查询到相关的容器网址后，再继续处理后续的设置事宜。

事实上 CentOS 在发布软件时已经制作出多部镜像站点（ mirror site ）提供全世界的软件更新之用。所以，理论上我们不需要处理任何设置值，只要能够连上 Internet 就可以使用 yum。下面就让我们来玩玩看吧！

23.4.1 利用 yum 进行查询、安装、升级与删除功能

yum 的使用真是非常简单，就是通过 yum 这个命令。那么这个命令怎么用呢？用法很简单，就让

我们来简单的谈谈：

◆ **查询功能**：yum [list|info|search|provides|whatprovides]参数
  ● 如果想要查询利用 yum 来查询原版 distribution 所提供的软件或已知某软件的名称，想知道
    该软件的功能，可以利用 yum 相关的参数为：

```
[root@www~]# yum [option] [查询工作项目] [相关参数]
参数：
[option]: 主要的参数，包括有:
  -y : 当 yum 要等待用户输入时，这个选项可以自动提供 yes 的响应;
  --installroot=/some/path : 将该软件安装在 /some/path 中而不使用默认路径
[查询工作项目] [相关参数]: 这方面的参数有:
  search : 搜索某个软件名称或者是描述 (description) 的重要关键字;
  list   : 列出目前 yum 所管理的所有的软件名称与版本，有点类似于 rpm -qa;
  info   : 同上，不过有点类似于 rpm -qai 的运行结果;
  provides: 从文件去搜索软件! 类似于 rpm -qf 的功能!

范例一: 搜索磁盘阵列 (raid) 相关的软件有哪些
[root@www ~]# yum search raid
....(前面省略)....
mdadm.i386 : mdadm controls Linux md devices (software RAID arrays)
lvm2.i386 : Userland logical volume management tools
....(后面省略)....
# 在冒号 (:)  左边的是软件名称，右边的则是在 RPM 内的 name 设置 (软件名)
# 瞧! 上面的结果这不就是与 RAID 有关的软件吗? 如果想了解 mdadm 的软件内容呢?

范例二: 找出 mdadm 这个软件的功能为何
[root@www ~]# yum info mdadm
Installed Packages      <==这说明该软件是已经安装的了
Name  : mdadm           <==这个软件的名称
Arch  : i386            <==这个软件的编译架构
Version: 2.6.4          <==此软件的版本
Release: 1.el5          <==发布的版本
Size  : 1.7 M           <==此软件的文件总容量
Repo  : installed       <==容器回报说已安装的
Summary: mdadm controls Linux md devices (software RAID arrays)
Description:            <==看到否? 这就是 rpm -qi 嘛!
mdadm is used to create, manage, and monitor Linux MD (software RAID)
devices.  As such, it provides similar functionality to the raidtools
package.  However, mdadm is a single program, and it can perform
almost all functions without a configuration file, though a configuration
file can be used to help with some common tasks.
# 不要跟我说，上面说了些什么? 自己找字典翻一翻吧!

范例三: 列出 yum 服务器上面提供的所有软件名称
[root@www ~]# yum list
Installed Packages <==已安装软件
Deployment Guide-en-US.noarch          5.2-9.el5.centos     installed
Deployment Guide-zh-CN.noarch          5.2-9.el5.centos     installed
Deployment Guide-zh-TW.noarch          5.2-9.el5.centos     installed
....(中间省略)....
Available Packages <==还可以安装的其他软件
Cluster Administration-as-IN.noarch    5.2-1.el5.centos      base
Cluster Administration-bn-IN.noarch    5.2-1.el5.centos      base
....(下面省略)....
# 上面提供的意义为: " 软件名称   版本   在哪个容器内 "

范例四: 列出目前服务器上可供本机进行升级的软件有哪些
[root@www ~]# yum list updates <==一定要是 updates 。
Updated Packages
Deployment Guide-en-US.noarch          5.2-11.el5.centos     base
Deployment Guide-zh-CN.noarch          5.2-11.el5.centos     base
Deployment Guide-zh-TW.noarch          5.2-11.el5.centos     base
....(下面省略)....
# 上面就列出在哪个容器内可以提供升级的软件与版本!

范例五: 列出提供 passwd 这个文件的软件有哪些
[root@www ~]# yum provides passwd
```

```
passwd.i386 : The passwd utility for setting/changing passwords using PAM
passwd.i386 : The passwd utility for setting/changing passwords using PAM
# 找到。就是上面的这个软件提供了 passwd 这个程序！
```

- 通过上面的查询，你应该大致知道 yum 如何用在查询上面了吧？那么实际来应用一下。

例题

利用 yum 的功能，找出以 pam 为开头的软件名称有哪些，而其中尚未安装的又有哪些。

答：可以通过如下的方法来查询：

```
[root@www ~]# yum list pam*
Installed Packages
pam.i386                    0.99.6.2-3.27.el5      installed
pam_ccreds.i386             3-5                    installed
pam_krb5.i386               2.2.14-1               installed
pam_passwdqc.i386           1.0.2-1.2.2            installed
pam_pkcs11.i386             0.5.3-23               installed
pam_smb.i386                1.1.7-7.2.1            installed
Available Packages <==下面则是 "可升级" 的或 "未安装" 的
pam.i386                    0.99.6.2-4.el5         base
pam-devel.i386             0.99.6.2-4.el5         base
pam_krb5.i386               2.2.14-10              base
```

如上所示，所以可升级者有 pam, pam_krb5 这两个软件，完全没有安装的则是 pam-devel 这个软件。

◆ 安装/升级功能：yum[install|update] 软件

- 既然可以查询，那么安装与升级呢？很简单。就利用 install 与 update 这两项工作来处理即可。

```
[root@www ~]# yum [option] [查询工作项目] [相关参数]
参数：
  install : 后面接要安装的软件！
  update : 后面接要升级的软件，若要整个系统都升级，就直接 update 即可。

范例一：将前一个练习找到的未安装的 pam-devel 安装起来
[root@www ~]# yum install pam-devel
Setting up Install Process
Parsing package install arguments
Resolving Dependencies  <==先检查软件的属性依赖问题
--> Running transaction check
---> Package pam-devel.i386 0:0.99.6.2-4.el5 set to be updated
--> Processing Dependency: pam = 0.99.6.2-4.el5 for package: pam-devel
--> Running transaction check
---> Package pam.i386 0:0.99.6.2-4.el5 set to be updated
filelists.xml.gz            100% |===========================| 1.6 MB    00:05
filelists.xml.gz            100% |===========================| 138 kB    00:00
-> Finished Dependency Resolution

Dependencies Resolved

==============================================================================
 Package          Arch        Version          Repository        Size
==============================================================================
Installing:
 pam-devel        i386        0.99.6.2-4.el5   base              186 k
Updating:
 pam              i386        0.99.6.2-4.el5   base              965 k

Transaction Summary
==============================================================================
Install    1 Package(s)   <==结果发现要安装此软件需要升级另一个依赖的软件
Update     1 Package(s)
Remove     0 Package(s)

Total download size: 1.1 M
Is this ok [y/N]: y  <==确定要安装！
```

```
Downloading Packages: <==先下载！
 (1/2): pam-0.99.6.2-4.el5 100% |=========================| 965 kB   00:05
 (2/2): pam-devel-0.99.6.2 100% |=========================| 186 kB   00:01
Running rpm_check_debug
Running Transaction Test
Finished Transaction Test
Transaction Test Succeeded
Running Transaction <==开始安装！
  Updating  : pam                       ######################### [1/3]
  Installing: pam-devel                 ######################### [2/3]
  Cleanup   : pam                       ######################### [3/3]

Installed: pam-devel.i386 0:0.99.6.2-4.el5
Updated: pam.i386 0:0.99.6.2-4.el5
Complete!
```

- 有没有很高兴啊？你不必知道软件在哪里，你不必手动下载软件，你也不必拿出原版光盘出来挂载之后查询再安装！全部不需要，只要有了 yum 这个家伙，你的安装、升级再也不是什么难事，而且还能主动进行软件的属性依赖处理流程，如上所示，一口气帮我们处理好了所有事情。是不是很过瘾啊？而且整个操作完全免费，够酷吧！

◆ 删除功能：yum [remove]软件
  - 那能不能用 yum 删除软件呢？将刚才的软件删除看看，会出现什么状况呢？

```
[root@www ~]# yum remove pam-devel
Setting up Remove Process
Resolving Dependencies <==同样，先解决属性依赖的问题
--> Running transaction check
---> Package pam-devel.i386 0:0.99.6.2-4.el5 set to be erased
--> Finished Dependency Resolution

Dependencies Resolved

===============================================================================
 Package          Arch      Version          Repository      Size
===============================================================================
Removing:
 pam-devel        i386      0.99.6.2-4.el5   installed       495 k

Transaction Summary
===============================================================================
Install       0 Package(s)
Update        0 Package(s)
Remove        1 Package(s)   <==还好，并没有属性依赖的问题，单纯删除一个软件

Is this ok [y/N]: y
Downloading Packages:
Running rpm_check_debug
Running Transaction Test
Finished Transaction Test
Transaction Test Succeeded
Running Transaction
  Erasing   : pam-devel                 ######################### [1/1]

Removed: pam-devel.i386 0:0.99.6.2-4.el5
Complete!
```

- 连删除也这么简单。看来，似乎不需要 rpm 这个命令也能够快乐地安装所有的软件了！虽然是如此，但是 yum 毕竟是架构在 rpm 上面所发展起来的，所以，鸟哥认为你还是得需要了解 rpm 才行。不要学了 yum 之后就将 rpm 的功能忘记了呢！切记切记！

23.4.2 yum 的设置文件

虽然 yum 是你的主机能够联网就可以直接使用的，不过，由于 CentOS 的镜像站点可能会选错，举例来说，我们在北京，但是 CentOS 的镜像站点却选择到了台湾地区或者是日本，有没有可能发生。有啊！鸟哥教学方面就经常发生这样的问题，要知道，我们联网到台湾地区或日本的速度是非常慢的！那怎办？当然就是手动修改一下 yum 的设置文档就好。

如果你连接到 CentOS 的镜像站点（如 ftp.twaren.net/Linux/CentOS/51）后，就会发现里面有一堆链接，那些链接就是这个 yum 服务器所提供的容器了，包括 addons、centosplus、extras、fasttrack、os、updates 等容器，最好认的容器就是 os（系统默认的软件）与 updates（软件升级版本）。由于鸟哥我的测试用机是利用 i386 的版本，因此那个 os 再点进去就会得到如下的可提供安装的网址：

- http://ftp.twaren.net/Linux/CentOS/5/os/i386/

为什么在上述的网址内呢？有什么特色！最重要的特色就是那个"repodata"的目录。该目录就是分析 RPM 软件后所产生的软件属性依赖数据放置处。因此，当你要找容器所在网址时，最重要的就是该网址下面一定要有个名为 repodata 的目录存在，那就是容器的网址了。其他的容器正确网址，就请各位读者自行寻找一下。现在让我们修改设置文件吧！

```
[root@www ~]# vi /etc/yum.repos.d/CentOS-Base.repo
[base]
name=CentOS-$releasever - Base
mirrorlist=http://mirrorlist.centos.org/?release=$releasever&arch=$basearch&repo=os
#baseurl=http://mirror.centos.org/centos/$releasever/os/$basearch/
gpgcheck=1
gpgkey=http://mirror.centos.org/centos/RPM-GPG-KEY-CentOS-5
```

如上所示，鸟哥仅列出 base 这个容器内容而已，其他的容器内容请自行查阅。上面的数据需要注意的是：

- **[base]**：代表容器的名字。中刮号一定要存在，里面的名称则可以随意取，但是不能有两个相同的容器名称，否则 yum 会不知道该到哪里去找容器相关软件列表文件。
- **name**：只是说明一下这个容器的意义而已，重要性不高！
- **mirrorlist=**：列出这个容器可以使用的镜像站点，如果不想使用，可以批注到这行。
- **baseurl=**：这个最重要，因为后面接的就是容器的实际网址。mirrorlist 是由 yum 程序自行去找镜像站点，baseurl 则是指定固定的一个容器网址。我们刚才找到的网址放到这里来。
- **enable=1**：就是让这个容器被启动。如果不想启动可以使用 enable=0。
- **gpgcheck=1**：还记得 RPM 的数字证书吗？这就是指定是否需要查阅 RPM 文件内的数字证书。
- **gpgkey=**：就是数字证书的公钥文件所在位置。使用默认值即可。

了解这个设置文件之后，接下来让我们修改整个文件的内容，让我们这台主机可以直接使用 ftp.twaren.net 的资源吧！修改的方式鸟哥仅列出 base 这个容器项目而已，其他的选项请你自行依照上述的做法来处理即可！

```
[root@www ~]# vi /etc/yum.repos.d/CentOS-Base.repo
[base]
name=CentOS-$releasever - Base
baseurl=http://ftp.twaren.net/Linux/CentOS/5/os/i386/
gpgcheck=1
gpgkey=http://mirror.centos.org/centos/RPM-GPG-KEY-CentOS-5
# 下面其他的容器项目，请自行到 ftp.twaren.net 去查询后自己处理！
```

接下来当然就是测试一下。如何测试呢？再次使用 yum 即可。

```
范例一: 列出目前 yum server 所使用的容器有哪些
[root@www ~]# yum repolist all
repo id          repo name                    status
addons           CentOS-5 - Addons            enabled
base             CentOS-5 - Base              enabled
c5-media         CentOS-5 - Media             disabled
centosplus       CentOS-5 - Plus              disabled
extras           CentOS-5 - Extras            enabled
updates          CentOS-5 - Updates           enabled
# 上面最右边有写 enabled 才是有激活的! 由于 /etc/yum.repos.d/
# 有多个设置文件, 所以你会发现还有其他的容器存在。
```

◆ **修改容器产生的问题与解决之道**

● 由于我们是修改系统默认的设置文件，事实上，我们应该要在/etc/yum.repos.d/下面新建一个文件，该扩展名必须是.repo 才行！但因为我们使用的是指定特定的镜像站点，而不是其他软件开发生提供的容器，因此才修改系统默认设置文件。但是可能由于使用的容器版本有新旧之分，你得要知道，yum 会先下载容器的清单到本机的/var/cache/yum 里面去！那我们修改了网址却没有修改容器名称（中括号内的文字），可能就会造成本机的列表与 yum 服务器的列表不同步，此时就会出现无法更新的问题了！

● 那怎么办啊？很简单，就清除掉本机上面的旧数据即可。需要手动处理吗？不需要的，通过 yum 的 clean 参数来处理即可。

```
[root@www ~]# yum clean [packages|headers|all]
参数:
 packages: 将已下载的软件文件删除;
 headers : 将下载的软件文件头删除;
 all     : 将所有容器数据都删除。

范例一: 删除已下载过的所有容器的相关数据 (含软件本身与列表)
[root@www ~]# yum clean all
```

23.4.3 yum 的软件组功能

通过 yum 来在线安装一个软件非常简单，但是，如果要安装的是一个大型项目呢？举例来说，鸟哥使用默认安装的方式安装了测试机，这台主机就只有 GNOME 这个窗口管理器，那我如果想要安装 KDE 呢？难道需要重新安装？当然不需要，通过 yum 的软件组功能即可。来看看命令先：

```
[root@www ~]# yum [组功能] [软件组]
参数:
  grouplist   : 列出所有可使用的组列表, 例如 Development Tools 之类的;
  groupinfo   : 后面接 group name, 则可了解该 group 内含的所有组名称;
  groupinstall: 这个好用! 可以安装一整组的软件, 相当不错!
  groupremove : 删除某个组。

范例一: 查看目前容器与本机上面的可用与安装过的软件组有哪些
[root@www ~]# yum grouplist
Installed Groups:
  Office/Productivity
  Editors
  System Tools
....(中间省略)....
Available Groups:
  Tomboy
  Cluster Storage
  Engineering and Scientific
....(以下省略)....
```

你会发现系统上面的软件大多是组的方式一口气来提供安装的！还记得全新安装 CentOS 时，不是可以选择所需要的软件吗？而那些软件不是利用 GNOME/KDE/X Window 之类的名称存在吗？其实那就是软件组。如果你执行上述的命令后，在"Available Groups"下面应该会看到一个"XFCE-4.4"的软件组，想知道那是什么吗？就这样做：

```
[root@www ~]# yum groupinfo XFCE-4.4
Setting up Group Process

Group: XFCE-4.4
 Description: This group contains the XFCE desktop environment.
 Mandatory Packages:
  xfce4-session
....（中间省略）....
 Default Packages:
  xfce4-websearch-plugin
....（中间省略）....
 Optional Packages:
  xfce-mcs-manager-devel
  xfce4-panel-devel
....（以下省略）....
```

你会发现那就是一个桌面环境（desktop environment），也就是一个窗口管理器。至于下面就列出主要的与选择性（optional）的软件名称。让我们直接安装看看：

```
[root@www~]# yum groupinstall XFCE-4.4
```

你会发现系统进行了一大堆软件的安装！那就是整个安装 XFCE 这个窗口接口所需的所有软件！这个东东真是非常方便呢！这个功能请一定要记下来，对你未来安装软件是非常有帮助的。

23.4.4　全系统自动升级

我们可以手动选择是否需要升级，那能不能让系统自动升级，让我们的系统随时保持在最新的状态呢？当然可以。通过"yum –y update"来自动升级，那个–y 很重要，因为可以自动回答 yes 来开始下载与安装，然后再通过 crontab 的功能来处理即可！假设我每天在北京时间凌晨 3:00 网络带宽比较轻松的时候进行升级，你可以这样做的：

```
[root@www ~]# vim /etc/crontab
....（前面省略并保留设置值）....
0 3 * * * root /usr/bin/yum -y update
```

从此你的系统就会自动升级。很棒吧！此外，你还是得要分析登录文件与收集 root 的信件的，因为如果升级的是内核软件（kernel），那么你还是得要重新开机才会让安装的软件顺利运行的！所以还是得分析日志文件，若有新内核安装，就重新开机，否则就让系统自动维持在最新较安全的环境吧！真是轻松愉快的管理啊！

23.5　管理的抉择：RPM 还是 Tarball

很多人经常问一个有趣的问题："如果我要升级的话，或者是全新安装一个新的软件，那么该选择 RPM 还是 Tarball 来安装呢？"事实上考虑的因素很多，不过鸟哥通常是这样建议的：

1. 优先选择原厂的 RPM 功能

    由于原厂发布的软件通常具有一段时间的维护期，举例来说，RHEL 与 CentOS 每一个版本至少提供 5 年以上的更新期限。这对于我们的系统安全性来说，实在是非常好的选项。何解？既然 yum 可以自动升级，加上原厂会持续维护软件更新，那么我们的系统就能够自己保持在软件最新的状态，对于安全来说当然会比较好一些的！此外，由于 RPM 与 yum 具有容易安装/删除/升级等特点，且还提供查询与验证的功能，安装时更有数字证书的保护，让你的软件管理变得更轻松！因此，当然首选就是利用 RPM 来处理。

2. 选择软件官方网站发布的 RPM 或者是提供的容器网址

不过，原厂并不会什么都提供，因此某些特殊软件你的原版厂商并不会提供的！举例来说 CentOS 就没有提供 NTFS 的相关模块。此时你可以自行到官方网站去查阅，看看有没有提供你的系统的 RPM 文件，如果有提供容器网址，那就更好，可以修改 yum 设置文件来加入该容器，就能够自动安装与升级该软件！你说方不方便啊！

3. 利用 Tarball 安装特殊软件

某些特殊用途的软件并不会特别帮你制作 RPM 文件的，此时建议你也不要妄想自行制作 SRPM 来转成 RPM。因为你只有区区一台主机而已，若是你要管理相同的 100 部主机，那么将源代码转制作成 RPM 就有价值！单机版的特殊软件，例如学术网络常会用到的 MPICH/PVM 等串行运算函数库，这种软件建议使用 tarball 来安装即可，不需要特别去搜索 RPM。

4. 用 Tarball 测试新版软件

某些时刻你可能需要使用新版的某个软件，但是原版厂商仅提供旧版软件，举例来说，我们的 CentOS 主要是定位于企业版，因此很多软件的要求是"稳"而不是"新"，但你就是需要新软件，然后又担心新软件装好后产生问题，回不到旧软件，那就惨了！此时你可以用 tarball 安装新软件到/usr/local 下面，那么该软件就能够同时安装两个版本在系统上面了。而且大多数软件安装数种版本时还不会互相干扰，用来作为测试新软件是很不错的，只是你就得要知道你使用的命令是新版软件还是旧版软件了！

所以说，RPM 与 Tarball 各有其优缺点，不过，如果有 RPM 的话，那么优先权还是在于 RPM 安装上面，毕竟管理上比较便利，但是如果软件的架构区别性太大，或者是无法解决依赖属性的问题，那么与其花大把的时间与精力在解决属性依赖的问题上，还不如直接以 tarball 来安装，轻松又惬意！

23.6　重点回顾

- 为了避免用户自行编译的困扰，开发商自行在特定的硬件与操作系统平台上面预编译好软件，并将软件以特殊格式打包成文件，提供给终端用户直接安装到固定的操作系统上，并提供简单的查询/安装/删除等流程。此称为软件管理器。常见的两大主流软件管理器有 RPM 与 DPKG。
- RPM 的全名是 Red Hat Package Manager，原本是由 Red Hat 公司所开发的，流传甚广。
- RPM 类型的软件中，所含有的软件是经过编译后的二进制程序，所以可以直接安装在用户端的系统上，不过，也由于如此，所以 RPM 对于安装者的环境要求相当严格。
- RPM 除了将软件安装至用户的系统上之外，还会将该软件的版本、名称、文件与目录配置、系统需求等均记录于数据库（/var/lib/rpm）当中，方便未来的查询与升级、删除。
- RPM 可针对不同的硬件等级来加以编译，制作出来的文件可于扩展名（i386、i586、i686、x86_64）来分辨。
- RPM 最大的问题为软件之间的依赖性问题。
- SRPM 为 Source RPM，内含的文件为源代码而非二进制文件，所以安装 SRPM 时还需要经过编译，不过，SRPM 最大的优点就是可以让用户自行修改设置参数（makefile/configure 的参数），以符合用户自己的 Linux 环境。
- RPM 软件的属性依赖问题已经可以通过 yum 或者是 APT 等方式加以解决。CentOS 使用的就是 yum 机制。
- yum 服务器提供多个不同的容器放置不同的软件，以提供客户端分别管理软件类型。

23.7　本章习题

情境模拟题一

实际安装 php, php-mysql, php-devel, httpd-devel 等软件的方式：

◆　目标：利用 rpm 查询软件是否已安装，利用 yum 进行在线查询；

◆　目标：你的 Linux 必须要已经接上 Internet 才行；

◆　需求：最好了解磁盘容量是否够用，以及如何启动服务等。

这个模拟题的目的是想要安装一套较为完整的 WWW 服务器，并且此服务器可以支持外挂的其他网页服务器模块。所以需要安装的就会有网页程序语言 php 与数据库软件 MySQL，以及未来开发用的 php-devel,httpd-devel 等软件。整个流程会有点像这样：

1. 检查所需要的软件是否存在，最好直接使用 rpm，因为可以直接取得 RPM 的数据库内容：

```
[root@www ~]# rpm -q httpd httpd-devel php php-devel php-mysql
httpd-2.2.3-22.el5.centos
package httpd-devel is not installed    <==没有安装的软件！
php-5.1.6-23.el5
package php-devel is not installed    <==没有安装的软件！
package php-mysql is not installed    <==没有安装的软件！
```

经过上面的分析，我们知道 httpd-devel、php-devel、php-mysql 等软件并没有安装，那么该如何安装可以使用 yum 直接在线安装？不过我们必须要先有网络才行！

2. 确认网络的可行性：

```
[root@www ~]# ifconfig eth0
eth0    Link encap:Ethernet  HWaddr 08:00:27:11:3B:75
        inet addr:192.168.201.201 Bcast:192.168.201.255 Mask:255.255.255.0
....（下面省略）....
# 你可以看到我们的主机是有 IP 存在的！再来看看有没有路由设置存在

[root@www ~]# route -n
Kernel IP routing table
Destination     Gateway         Genmask         Flags Metric Ref    Use Iface
192.168.201.0   0.0.0.0         255.255.255.0   U     0      0        0 eth0
0.0.0.0         192.168.201.254 0.0.0.0         UG    0      0        0 eth0
# 确实是有路由器（Gateway）存在的！那么该路由是否设置正确呢？

[root@www ~]# ping -c 2 192.168.201.254
PING 192.168.201.254（192.168.201.254）56(84) bytes of data.
64 bytes from 192.168.201.254: icmp_seq=1 ttl=64 time=0.325 ms
64 bytes from 192.168.201.254: icmp_seq=2 ttl=64 time=0.281 ms
# 路由器有回应！表示可以连接到路由器！那么 TCP/IP 设好了，
# 但是域名服务器（DNS）该如何处理？

[root@www ~]# dig www.google.com

; <<>> DiG 9.3.4-P1 <<>> www.google.com
;; global options: printcmd
....（中间省略）....
;; QUESTION SECTION:
;www.google.com.                IN      A
....（中间省略）....
;; ANSWER SECTION:
www.google.com.        522933  IN      CNAME   www.l.google.com.
www.l.google.com.      107     IN      A       72.14.203.103
```

```
....（中间省略）....
;; Query time: 5 msec
;; SERVER: 120.114.150.1#53 (120.114.150.1)
;; WHEN: Fri Sep 18 13:14:45 2009
;; MSG SIZE  rcvd: 340
# 确实有查到 Google 的 IP ，且是由 120.114.150.1 那部 DNS 主机帮忙解析的!
```

3. 网络设置妥当之后，那我们就能够直接使用 yum。可以这样直接进行安装的：

```
[root@www ~]# yum install httpd httpd-devel php php-devel php-mysql
```

然后接着一步一步进行安装即可。

简答题部分

◆ 如果你曾经修改过 yum 设置文件内的容器设置（/etc/yum.repos.d/*.repo），导致下次使用 yum 进行安装时老是发现错误，此时你该如何是好？

◆ 简单说明 RPM 与 SRPM 的异同。

◆ 假设我想要安装一个软件，例如 pkgname.i386.rpm，但却老是发生无法安装的问题，请问我可以加入哪些参数来强制安装它？

◆ 承上题，你认为强制安装之后该软件是否可以正常执行？为什么？

◆ 有些人使用 OpenLinux 3.1 Server 安装在自己的 P-166 MMX，却发现无法安装，在查看了该原版光盘的内容后，发现里面的文件名称为***.i686.rpm。请问无法安装的可能原因为何？

◆ 请问我使用 rpm –Fvh *.rpm 及 rpm –Uvh *.rpm 来升级时两者有何不同？

◆ 假设有一个厂商推出软件时，自行处理了数字证书，你想要安装他们的软件所以需要使用数字证书，假设数字证书的文件名为 signe，那你该如何安装？

◆ 承上，假设该软件厂商提供了 yum 的安装网址为 http://their.server.name/path/ ，那你该如何处理 yum 的设置文件？

23.8　参考数据与扩展阅读

◆ 注 1：GNU Privacy Guard（GPG）官方网站的介绍：http://www.gnupg.org/

◆ RPM 包装文件管理程序：http://www.study-area.org/tips/rpm.htm

◆ 中文 RPM HOW-TO：http://www.linux.org.tw/CLDP/RPM-HOWTO.html

◆ RPM 的使用：http://linux.tnc.edu.tw/techdoc/rpm-howto.htm

◆ 大家来作 RPM：http://freebsd.ntu.edu.tw/bsd/4/3/2/29.html

◆ 一本 RPM 的原文书：http://linux.tnc.edu.tw/techdoc/maximum-rpm/rpmbook/

第 24 章　X Window 设置介绍

　　在 Linux 上头的图形界面我们称为 X Window System，简称为 X 或 X11。为何称之为系统呢？这是因为 X 窗口系统又分为 X Server 与 X Client，既然是 Server/Client（主从架构）这就表示其实 X 窗口系统是可以跨网络且跨平台的！X 窗口系统对于 Linux 来说仅是一个软件，只是这个软件日趋重要。因为 Linux 是否能够在台式机上面流行与这个 X 窗口系统有关。好在，目前的 X 窗口系统整合到 Linux 已经非常优秀了，而且也能够具有 3D 加速的功能，只是，我们还是得要了解一下 X 窗口系统才好，这样如果出问题我们才有办法处理啊！

24.1　什么是 X Window System

UNIX Like 操作系统不是只能进行服务器的架设而已，在排版、制图、多媒体应用上也是有其需要的。这些需求都需要用到图形界面（Graphical User Interface, GUI）的操作的，所以后来才有所谓的 X Window System。那么为什么图形窗口界面要称为 X 呢？因为就英文字母来看 X 是在 W（indow）的后面，因此，人们就戏称这一版的窗口界面为 X（有下一版的新窗口之意）!

事实上，X Window System 是个非常大的架构，它还用到网络功能呢！也就是说，其实 X 窗口系统是能够跨网络与跨操作系统平台的。而鸟哥这个基础篇是还没有谈到服务器与网络主从式架构，因此 X 在这里并不容易理解的。不过，没关系！我们还是谈谈 X 怎么来的，然后再来谈谈这个 X 窗口系统的组件有哪些，慢慢来，应该还是能够理解 X 的。

24.1.1　X Window 的发展简史

X Window 系统最早是由 MIT（Massachusetts Institute of Technology，麻省理工学院）在 1984 年发展出来的，当初 X 就是在 UNIX 的 System V 这个操作系统版本上面开发出来的。在开发 X 时，开发者就希望这个窗口界面不要与硬件有强烈的相关性，这是因为如果与硬件的相关性高，那就等于是一个操作系统了，如此一来的应用性会比较局限。因此 X 在当初就是以应用程序的概念来开发的，而非以操作系统来开发。

由于这个 X 希望能够通过网络进行图形界面的访问，因此发展出许多的 X 协议，这些网络架构非常有趣，所以吸引了很多厂商加入研发，因此 X 的功能一直持续在加强。一直到 1987 年更改 X 版本到 X11，这一版 X 取得了明显的进步，后来的窗口界面改良都是架构于此版本，因此后来 X 窗口也被称为 X11。这个版本持续在进步当中，到了 1994 年发布了新版的 X11R6，后来的架构都是沿用此发布版本，所以后来的版本定义就变成了类似 1995 年的 X11R6.3 之类的样式[注1]。

1992 年 XFree86（http://www.xfree86.org/）计划顺利展开，该计划持续维护 X11R6 的功能性，包括对新硬件的支持以及更多新增的功能等。当初定名为 XFree86 其实是根据 "X + Free software + x86 硬件" 而来的呢！早期 Linux 所使用的 X Window 的主要内核都是由 XFree86 这个计划所提供的，因此，我们经常将 X 系统与 XFree86 挂上等号。

不过由于一些授权的问题导致 XFree86 无法继续提供类似 GPL 的自由软件，后来 Xorg 基金会就接手 X11R6 的维护！Xorg 基金会（http://www.x.org/）利用当初 MIT 发布的类似自由软件的授权，将 X11R6 拿来进行维护，并且在 2004 年发布了 X11R6.8 版本，更在 2005 年后发表了 X11R7.x 版。现在我们 CentOS 5.x 使用的 X 就是 Xorg 提供的 X11R7。而这个 X11R6/X11R7 的版本是自由软件，因此很多组织都利用这个架构去设计它们的图形界面。包括 Mac OS X v10.3 也曾利用过这个架构来设计它们的窗口呢！我们的 CentOS 也是利用 Xorg 提供的 X11。

从上面的说明我们可以知道的是：

◆ 在 UNIX Like 上面的图形用户界面（GUI）被称为 X 或 X11；
◆ X11 是一个 "软件" 而不是一个操作系统；
◆ X11 是利用网络架构来进行图形界面的运行与绘制；
◆ 较著名的 X 版本为 X11R6 这一版，目前大部分的 X 都是这一版演化出来的（包括 X11R7）；
◆ 现在大部分的 distribution 使用的 X 都是由 Xorg 基金会所提供的 X11 软件；
◆ X11 使用的是 MIT 授权，为类似于 GPL 的自由软件授权方式。

24.1.2　主要组件: X Server/X Client/Window Manager/Display Manager

如同前面谈到的, X Window System 是个利用网络架构的图形用户界面软件, 那到底这个架构可以分成多少个组件呢? 基本上是分成 X Server 与 X Client 两个组件而已。其中 X Server 管理硬件,
而 X Client 则是应用程序。在运行上, X Client 应用程序会将所想要呈现的界面告知 X Server, 最终由 X Server 来将结果通过它所管理的硬件绘制出来。整体的架构我们大约可以使用图 24–1 来做个介绍[注2]:

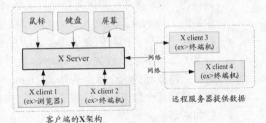

图 24–1　X Window System 的架构

上面的图示非常有趣。我们在客户端想要取得来自服务器的图形数据时, 我们客户端使用的当然是客户端的硬设备, 所以, **X Server 的重点就是管理客户端的硬件,包括接收键盘/鼠标等设备的输入信息,并且将图形绘制到屏幕上**(请注意上图的所有组件之间的箭头指示)。但是到底要绘制个什么东西呢? 绘图总是需要一些数据才能绘制吧! 此时 X Client(就是 X 应用程序)就很重要。它主要提供的就是告知 X Server 要绘制什么东西。那照这样的想法来思考, 我们是想要取得远程服务器的绘图数据来我们的计算机上面显示。所以, 远程服务器提供的是 X client 软件啊!

下面就让我们来更深入地聊一聊这两个组件吧!

◆ **X Server: 硬件管理、屏幕绘制与提供字体功能**

- 既然 X Window System 是要显示图形界面, 因此理所当然需要一个组件来管理我主机上面的所有硬设备才行! 这个任务就是 X Server 所负责的。而我们在 X 发展简史当中提到的 XFree86 计划及 Xorg 基金会主要提供的就是这个 X Server。那么 X Server 管理的设备主要有哪些呢? 其实与输入/输出有关。包括键盘、鼠标、手写板、显示器(monitor)、屏幕分辨率与色彩深度、显卡(包含驱动程序)与显示的字体等, 都是 X Server 管理的。

- 显卡、屏幕以及键盘鼠标的设置, 不是在开机的时候 Linux 系统以/etc/sysconfig 目录下的 keyboard/mouse 等设置文件就设好了吗? 为何 X Server 还要重新设置啊? 这是因为 X Window 在 Linux 里面仅能算是一套很棒的软件, 所以 X Window 有自己的设置文件, 你必须要针对它的设置文件设定妥当才行。也就是说, Linux 的设置与 X Server 的设置不一定要相同的! 因此, 你在 Linux 的 run level 3 想要玩图形界面时, 就得要加载 X Window 需要的驱动程序才行。总之, X Server 的主要功能就是管理主机上面的显示硬件与驱动程序。

- 既然 X Window System 是以通过网络取得图形界面的一个架构, 那么客户端是如何取得服务器端提供的图形界面呢? 由于服务器与客户端的硬件不可能完全相同, 因此我们客户端当然不可能使用到服务器端的硬件显示功能! 举例来说, 你的客户端计算机并没有 3D 图像加速功能, 那么你的界面可能呈现出服务器端提供的 3D 加速吗? 当然不可能吧! 所以, X Server 的目的在于管理客户端的设备! 也就是说: **每部客户端主机都需要安装 X Server, 而服务器端则是提供 X Client 软件, 以提供客户端绘图所需要的数据。**

- X Server/X Client 的互动并非仅有 client →server, 两者其实有互动的! 从图 24–1 我们也可以发现, X Server 还有一个重要的工作, 那就是将来自输入设备(如键盘、鼠标等)的操作告知 X Client, 你晓得, X Server 既然是管理这些周边硬件, 所以, 周边硬件的操作当然是由 X Server 来管理的, 但是 X Server 本身并不知道接口设备这些操作会造成什么显示上的效果, 因此 X Server 会将接口设备的这些操作行为告知 X Client, 让 X Client 去伤脑筋。

◆ **X Client: 负责 X Server 要求的"事件"的处理**

- 前面提到的 X Server 主要是管理显示界面与在屏幕上绘图, 同时将输入设备的行为告知 X Client, 此时 X Client 就会依据这个输入设备的行为来开始处理, 最后 X Client 会得到"嗯!

这个输入装置的行为会产生某个图示"信息，然后将这个图示的显示数据回传给 X Server，X Server 再根据 X Client 传来的绘图资料将它描给在自己的屏幕上，来得到显示的结果。

- 也就是说，X Client 最重要的工作就是处理来自 X Server 的操作，将该操作处理成为绘图数据，再将这些绘图数据传回给 X Server！由于 X Client 的目的在于产生绘图的数据，因此我们也称呼 X Client 为 X Application（X 应用程序）。而且，**每个 X Client 并不知道其他 X Client 的存在**，意思是说，如果有两个以上的 X Client 同时存在时，两者并不知道对方到底传了什么数据给 X Server，因此 X Client 的绘图经常会互相重叠而产生困扰。

- 举个例子来说，当我们在 X Window 的界面中，将鼠标向右移动，那它是怎么告知 X Server 与 X Client 的呢？首先，X Server 会侦测到鼠标的移动，但是它不知道应该怎么绘图啊！此时，它将鼠标的这个操作告知 X Client，X Client 就会去运算，得到结果！其实要将鼠标指针向右移动几个位素，然后将这个结果告知 X server，接下来，你就会看到 X Server 将鼠标指针向右移动。

- 这样做有什么好处啊？最大的好处是 **X Client 不需要知道 X Server 的硬件配备与操作系统**。因为 X Client 单纯就是处理绘图的数据而已，本身是不绘图的。所以，对于客户端的 X Server 用的是什么硬件、用的是哪套操作系统、服务器端的 X Client 根本不需要知道，相当先进与优秀！对吧？整个运行流程可以参考图 24-2，客户端用的是什么操作系统在 Linux 主机端是不在乎的！

图 24-2　　X Server 客户端的操作系统与 X Client 的通信示意

- **X Window Manager：特殊的 X Client，负责管理所有的 X Client 软件**

  - 刚才前面提到，X Client 的主要工作是将来自 X Server 的数据处理成为绘图数据，再回传给 X Server 而已，所以 X Client 本身是不知道它在 X Server 当中的位置、大小以及其他相关信息的。这也是上面我们谈到的，X Client 彼此不知道对方在屏幕的哪个位置。为了解决这个问题，因此就有 Window Manager（WM，窗口管理器）的产生了。窗口管理器也是 X Client，只是它主要负责全部 X Client 的管理，还包括提供某些特殊的功能，例如：

    - 提供许多的控制元素，包括任务栏、背景桌面的设置等；
    - 管理虚拟桌面（virtual desktop）；
    - 提供窗口控制参数，这包括窗口的大小、窗口的重叠显示、窗口的移动、窗口的最小化等。

- 我们经常听到的 KDE，GNOME，XFCE 还有 twm 等，都是一些窗口管理器的项目计划。这些项目计划中，每种窗口管理器所用以开发的显示引擎都不太相同，所着重的方向也不一样，因此我们才会说，在 Linux 下面，每套 Window Manager 都是独特存在的，不是换了桌面与显示效果而已，而是连显示的引擎都不会一样。下面是这些常见的窗口管理器全名与链接：

  - GNOME（GNU Network Object Model Environment）：http://www.gnome.org/
  - KDE （K Desktop Enviroment）：http://kde.org/
  - twm （Tab Window Manager）：http://xwinman.org/vtwm.php
  - XFCE（XForms Common Environment）：http://www.xfce.org/

- 由于 Linux 越来越朝向桌面计算机使用方向走，因此窗口管理器的角色会越来越重要！目前我们 CentOS 默认提供的有 GNOME 与 KDE，这两个窗口管理器上面还有提供非常多的 X Client 软件，包括办公软件（Open Office）以及常用的网络功能（Firefox 浏览器、Thunderbird 邮件软件）等。现在用户想要接触 Linux 其实真的越来越简单了，如果不要架设服务器，那么 Linux 桌面的使用与 Windows 系统可以说是一模一样的！不需要学习也能够入门。

- 那么你知道 X Server/X Client/Window Manager 的关系了吗？我们举 CentOS 默认的 GNOME

为例好了，由于我们要在本机启动 X Window System，因此，在我们的 CentOS 主机上面必须要有 Xorg 的 X Server 内核，这样才能够提供屏幕的绘制。然后为了让窗口管理更方便，于是就加装了 GNOME 这个计划的 Window Manager，然后为了让自己的使用更方便，于是就在 GNOME 上面加上更多的窗口应用软件，包括输入法等，最后就建构出我们的 X Window System！所以你也会知道，X Server/X Client/Window Manager 是同时存在于我们一台 Linux 主机上头的。

◆ Display Manager：提供登录需求
- 谈完了上述的数据后，我们得要了解一下，那么我如何取得 X Window 的控制？在本机的文字界面下面你可以输入 startx 来启动 X 系统，此时由于你已经登录系统了，因此不需要重新登录即可取得 X 环境。但如果是 runlevel 5 的环境呢？你会发现在 tty7 的地方有个可以让你使用图形界面登录（输入账号密码）的东东，那个是什么？是 X Server/X Client 还是什么的？其实那是个 Display Manager。这个 Display Manager 最大的任务就是提供登录的环境，并且加载用户选择的 Window Manager 与语系等数据。
- 几乎所有的大型窗口管理器项目计划都会提供 Display Manager 的，在 CentOS 上面我们主要利用的是 GNOME 的 GNOME Display Manager（gdm）这支程序来提供 tty7 的图形接口登录。至于登录后取得的窗口管理器，则可以在 gdm 上面进行选择的！我们在第 5 章介绍的登录环境其实就是 gdm 提供的。再回去参考看看图示吧！所以说，并非 gdm 只能提供 GNOME 的登录而已。

24.1.3　X Window 的启动流程

现在我们知道要启动 X Window System 时，必须要先启动管理硬件与绘图的 X Server，然后才加载 X Client。基本上，目前都是使用 Window Manager 来管理窗口界面风格的。那么如何取得这样的窗口系统呢？你可以通过登录本机的文字界面后，输入 startx 来启动 X 窗口；也能够通过 Display Manager（如果有启动 runlevel 5）提供的登录界面输入你的账号密码来登录与取得 X 窗口的！

问题是，你的 X Server 设置文件为何？如何修改分辨率与显示器？你能不能自己设置默认启动的窗口管理器？如何设置默认的用户环境（与 X CLient 有关）等，这些数据都需要通过了解 X 的启动流程才能得知！所以，下面我们就来谈谈如何启动 X 的流程吧！

◆ 在文字界面启动 X：通过 startx 命令
- 我们都知道 Linux 是个多人多任务的操作系统，所以啦，X 窗口也是可以根据不同的用户而有不同的设置！这也就是说，每个用户启动 X 时，X Server 的分辨率、启动 X Client 的相关软件及 Window Manager 的选择可能都不一样！但是，如果你是首次登录 X 呢？也就是说，你自己还没有建立自己的专属 X 界面时，系统又是从哪里给你这个 X 默认界面呢？而如果你已经设置好相关的信息，这些信息又是存放于何处呢？
- 事实上，当你在纯文字界面且并没有启动 X 窗口的情况下来输入 startx 时，这个 startx 的作用就是在帮你设置好上头提到的这些操作！startx 其实是一个 shell script，它是一个比较亲和的程序，会主动帮助用户建立起它们的 X 所需要引用的设置文件而已。你可以自行研究一下 startx 这个 script 的内容，鸟哥在这里仅就 startx 的作用做个介绍。
- startx 最重要的任务就是找出用户或者是系统默认的 X Server 与 X Client 的设置文件，而用户也能够使用 startx 外接参数来取代设置文件的内容。这个意思是说：startx 可以直接启动，也能够外接参数，例如下面格式的启动方式：

```
[root@www ~]# startx [X client 参数] -- [X server 参数]

# 范例: 以色彩深度为 16 bit 启动 X
[root@www ~]# startx -- -depth 16
```

- startx 后面接的参数以两个减号 "--" 隔开，前面的是 X Client 的设置，后面的是 X Server 的设置。上面的范例是让 X server 以色彩深度 16 bit 色（亦即每一像素占用 16 bit，也就是 65536 色）显示，因为色彩深度是与 X Server 有关的，所以参数当然是写在--后面，于是就成了上面的模样！

- 你会发现，鸟哥上面谈到的 startx 都是提到如何找出 X Server/X Client 的设置值而已！没错，事实上启动 X 的是 xinit 这支程序，startx 仅是在帮忙找出设置值而已！那么 startx 找到的设置值可用顺序是什么呢？基本上是这样的：

  - **X Server 的参数方面：**
    1. 使用 startx 后面接的参数；
    2. 若无参数，则查找用户根目录的文件，亦即~/.xserverrc；
    3. 若无上述两者，则以/etc/X11/xinit/xserverrc；
    4. 若无上述三者，则单纯执行/usr/bin/X（此即 X server 可执行文件）。

  - **X Client 的参数方面：**
    1. 使用 startx 后面接的参数；
    2. 若无参数，则找寻用户主文件夹的文件，即~/.xinitrc；
    3. 若无上述两者，则使用/etc/X11/xinit/xinitrc；
    4. 若无上述三者，则单纯执行 xterm（此为 X 下面的终端机软件）。

- 根据上述的流程找到启动 X 时所需要的 X server/X client 的参数，接下来 startx 会去调用 xinit 这个程序来启动我们所需要的 X 窗口系统整体。接下来当然就是要谈谈 xinit。

- **由 startx 调用执行的 xinit**

  - 事实上，当 startx 找到需要的设置值后，就调用 xinit 实际启动 X 的。它的语法是：

```
[root@www ~]# xinit [client option] -- [server or display option]
```

  - 那个 client option 与 server option 如何执行呢？其实那两个东东就是由刚才的 startx 去找出来的。在我们通过 startx 找到适当的 xinitrc 与 xserverrc 后，就交给 xinit 来执行。在默认的情况下（用户尚未有~/.xinitrc 等文件时），你输入 startx，就等于进行 xinit/etc/X11/xinit/xinitrc--/etc/ X11/xinit/xserverrc 这个命令一般！但由于 xserverrc 也不存在，参考上一小节的参数搜索顺序，因此实际上的命令是 xinit/etc/X11/xinit/xinitrc--/usr/bin/X，这样了解了吧？

  - 那为什么不要直接执行 xinit 而是使用 startx 来调用 xinit 呢？这是因为我们必须要取得一些参数。startx 可以帮我们快速找到这些参数而不必手动输入的。因为单纯只是执行 xinit 的时候，系统的默认 X Client 与 X Server 的内容是这样的[注3]：

```
xinit xterm -geometry +1+1 -n login -display :0 -- X :0
```

  - 在 X client 方面：那个 xterm 是 X 窗口下面的虚拟终端机，后面接的参数则是这个终端机的位置与登录与否。最后面会接一个 "-display:0"，表示这个虚拟终端机是启动在 "第:0 号的 X 显示界面" 的意思。至于 X Server 方面，而我们启动的 X Server 程序就是 X。其实 X 就是 Xorg 的链接文件，即是 X Server 的主程序！所以我们启动 X 还挺简单的。直接执行 X 而已，同时还指定 X 启动在第:0 个 X 显示界面。如果单纯以上面的内容来启动你的 X 系统时，你就会发现 tty7 有界面了！只是很丑。因为我们还没有启动 Window Manager 啊！

  - 从上面的说明我们可以知道，xinit 主要启动 X server 与加载 X Client，但这个 xinit 所需要的参数则是由 startx 去帮忙找寻的。因此，最重要的当然就是 startx 找到的那些参数。所以呢，重点当然就是/etc/X11/xinit/目录下的 xinitrc 与 xserverrc 这两个文件的内容是什么。虽然 xserverrc 默认是不存在的。下面我们就分别来谈一谈这两个文件的主要内容与启动的方式。

- **启动 X Server 的文件：xserverrc**

  - X 窗口最先需要启动的就是 X Server，那 X Server 启动的脚本与参数是通过/etc/X11/xinit/ 里面的 xserverrc。不过我们的 CentOS 5.x 根本就没有 xserverrc 这个文件啊！那用户主文件夹目前也没有~/.xserverrc，这个时候系统会怎么做呢？其实就是执行/usr/bin/X 这个命令。这个命令也是系统最原始的 X Server 可执行文件。

- 在启动 X Server 时，Xorg 会去读取/etc/X11/xorg.conf 这个设置文件。针对这个设置文件的内容，我们会在下个小节介绍。如果一切顺利，那么 X 就会顺利在 tty7 的环境中启动了 X。单纯的 X 启动时，你只会看到界面一片漆黑，然后中心有个光标而已。
- 由前一小节的说明中，你可以发现到其实 X 启动的时候还可以指定启动的界面。那就是:0 这个参数，这是什么？事实上我们的 Linux 可以同时启动多个 X。第一个 X 的界面是:0 即是 tty7，第二个 X 则是:1 即是 tty8。后面还可以有其他的 X 存在的。因此，上一小节我们也有发现，xterm 在加载时也必须要使用-display 来说明这个 X 应用程序是需要在哪个 X 加载的才行呢！其中比较有趣的是，X Server 未注明加载的界面时，默认是使用:0，但是 X client 未注明时，则无法执行。
- 启动了 X Server 后，接下来就是加载 X Client 到这个 X Server 上面。

◆ 启动 X Client 的文件：xinitrc

- 假设你的主文件夹并没有~/.xinitrc，则此时 X Client 会以/etc/X11/xinit/xinitrc 来作为启动 X Client 的默认脚本。xinitrc 这个文件会将很多其他的文件参数引进来，包括/etc/X11/xinit/xinitrc-common 与/etc/X11/xinit/Xclients 还有/etc/sysconfig/desktop。你可以参考 xinitrc 后去查询各个文件来了解彼此的关系。
- 不过分析到最后，其实最终就是载入 KDE 或者是 GNOME 而已。你也可以发现最终在 X Client 文件当中会有两个命令的查询，包括 startkde 与 gnome-session 这两个，这也是 CentOS 默认会提供的两个主要的 Window Manager。而你也可以通过修改/etc/sysconfig/desktop 内的 DESKTOP=GNOME 或 DESKTOP=KDE 来决定默认使用哪个窗口管理器的。如果你并没有安装这两个大家伙，那么 X 就会去使用 twm 这个窗口管理器来管理你的环境。

不论怎么说，鸟哥还是希望大家可以通过解析 startx 这个 script 的内容去找到每个文件，再根据分析每个文件来找到你 distributions 上面的 X 相关文件。毕竟每个版本的 Linux 还是有所差异的。

- 另外，如果有特殊需求，你当然可以自定义 X Client 的参数！这就得要修改你主文件夹下的~/.xinitrc 这个文件。不过要注意的是，如果你的.xinitrc 设置文件里面有启动的 X Client 很多的时候，千万注意将除了最后一个 Window Manager 或 X Client 之外，都放到后台里面去执行。举例来说，像下面这样：

```
xclock -geometry 100x100-5+5 &
xterm -geometry 80x50-50+150 &
exec /usr/bin/twm
```

- 意思就是说，我启动了 X，并且同时启动 xclock / xterm/twm 这三个 X clients。如此一来，你的 X 就有这三个东东可以使用了！如果忘记加上&的符号，那就会让系统等待，而无法一次就登录 X 呢！

◆ X 启动的端口

- 好了，根据上面的说明，我们知道要在文字界面下面启动 X 时，直接使用 startx 来找到 X server 与 X client 的参数或设置文件，然后再调用 xinit 来启动 X 窗口系统。xinit 先载入 X server 到默认的:0 这个显示接口（默认在 tty7），然后再加载 X client 到这个 X 显示接口上。而 X client 通常就是 GNOME 或 KDE，这两个设置也能够在/etc/sysconfig/desktop 里面做好设置。最后我们想要了解的是，既然 X 是可以跨网络的，那 X 启动的端口是几号？

- 其实，CentOS 由于考虑 X 窗口是在本机上面运行，因此将端口改为插槽文件（socket）了，因此你无法观察到 X 启动的端口的。事实上，X Server 应该是要启动一个 port 6000 来与 X Client 进行沟通的！由于系统上面也可能有多个 X 存在，因此我们就会有 port 6001、port 6002 等，如表 24-1 所示。

表 24-1

X 窗口系统	显示接口号码	默认终端机	网络监听端口
第一个 X	hostname:0	tty7	port 6000
第二个 X	hostname:1	tty8	port 6001

在 X Window System 的环境下，我们称 port 6000 为第 0 个显示接口，也即为 hostname:0，那个主机名称通常可以不写，所以就成了:0 即可。在默认的情况下，第一个启动的 X（不论是启动在第几个 port number）是在 tty7，亦即按下[ctrl]+[Alt]+[F7]那个界面。而启动的第二个 X（注意到了吧？可以有多个 X 同时启动在你的系统上呢）则默认在 tty8 也即[ctrl]+[Alt]+[F8]那个界面呢！很神奇吧！

如前所述，因为主机上的 X 可能有多个同时存在，因此，当我们在启动 X Server/Client 时，应该都要注明该 X Server/Client 主要是提供或接受来自哪个 display 的 port number 才行。

24.1.4　X 启动流程测试

好了，我们可以针对 X Server 与 X client 的架构来做个简单的测试。由于鸟哥不知道你到底有没有启动过 X，因此下面鸟哥将这个练习指定于第二个 X，即是:1 这个显示位置来显示。而且，下面的命令都是在 tty1 的地方执行的，至于下面的界面则是在 tty8 的地方展现。因此，请自行切换 tty1 执行命令与 tty8 查阅结果！（如果是 CentOS 之类的 Red Hat 系统，请务必要启动 xfs 这个服务。）

```
1. 先来启动第一个 X 在 :1 界面中:
[root@www ~]# X :1 &
```

上述的 X 是大写，那个:1 是写在一起的，至于&则是放到后台去执行。此时系统会主动跳到第二个图形界面终端机，也即 tty8 上。所以如果一切顺利的话，你应该可以看到一个 X 的光标可以让你移动了（如图 24-3 所示）。该界面就是 X Server 启动的界面！在 X 上面启动 xterm 终端机显示的结果如图 24-4 所示。丑丑的，而且没有什么 client 可以用啊！接下来，请按下[ctrl]+[alt]+[F1]组合键回到刚才执行命令的终端机：

```
2. 输入数个可以在 X 当中执行的虚拟终端机
[root@www ~]# xterm -display :1 &
[root@www ~]# xterm -display :1 &
```

图 24-3　单纯启动 X Server 的情况

图 24-4　在 X 上面启动 xterm 终端机显示的结果

那个 xterm 是必须要在 X 下面才能够执行的终端机界面。加入的参数-display 则是指出这个 xterm 要在那个 display 使用的。这两个命令请不要一次执行完。先执行一次，然后按下[ctrl]+[alt]+[F8]组合键去到 X 界面中，你会发现多了一个终端机。不过，可惜的是，你无法看到终端机的标题也无法移动终端机，当然也无法调整终端机的大小啊！我们回到刚才的 tty1 然后再次执行 xterm 命令，理论上应该多一个终端机，去到 tty8 查阅一下。唉～没有多出一个终端机啊？这是因为两个终端机重叠了，我们又无法移动终端机，所以只看到一个。接下来，请再次回到 tty1 去执行命令吧！

3. 输入不同的 X client 观察，分别去到 tty8 观察。

```
[root@www ~]# xclock -display :1 &
[root@www ~]# xeyes -display :1 &
```

跟前面一样的，我们又多执行了两个 X Client，其中 xclock 会显示时钟，而 xeyes 则是会出现一双大眼睛来盯着光标！分别启动 xclock 时钟与 xeyes 眼睛的结果如图 24-5 所示。你可以移动一下光标就可以发现眼睛的聚焦会跑。窗口管理器 twm 的功能显示如图 24-6 所示。不过，目前的四个 X Client 通通不能够移动与放大缩小！如此一来，你怎么在 xterm 下面执行命令啊？当然就很困扰。所以让我们来加载最流行的窗口管理器吧！

4. 输入可以管理的 window manager

```
[root@www ~]# twm -display :1 &
```

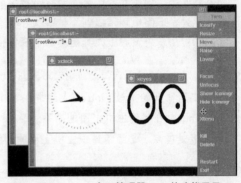

图 24-5　分别启动 xclock 时钟与 xeyes 眼睛的结果　　图 24-6　　窗口管理器 twm 的功能显示

回到 tty1 后，用最简单的 twm 这个窗口管理器来管理我们的 X 吧！输入之后，去到 tty8 看看，用鼠标移动一下终端机看看，可以移动了吧？也可以缩小放大窗口。同时也出现了标题提示，也看到两个终端机。现在终于知道窗口管理器的重要性了吧？在黑屏幕地方按下鼠标右键，就会出现类似上面界面最右边的菜单，你就可以进行额外的管理。玩玩看先！

5. 将所有刚才新建的 X 相关工作全部杀掉！

```
[root@www ~]# kill %6
[root@www ~]# kill %5
[root@www ~]# kill %4
[root@www ~]# kill %3
[root@www ~]# kill %2
[root@www ~]# kill %1
```

很有趣的一个小实验吧？通过这个实验，你应该会对 X server 与 Window manager 及 tty7 以后的终端接口使用方式有比较清楚地了解，加油！

24.1.5　我是否需要启用 X Window System

谈了这么多 X 窗口系统方面的信息后，再来聊聊，那么你的 Linux 主机是否需要默认就启动 X 窗口呢？一般来说，如果你的 Linux 主机定位为网络服务器的话，那么由于 Linux 里面的主要服务的设置文件都是纯文字的格式文件，相当容易设置的，所以，根本就是不需要 X Window 存在。因为 X Window 仅是 Linux 系统内的一个软件而已。

但是万一你的 Linux 主机是用来作为你的台式机用的，那么 X Window 对你而言，就是相当重要的一个东东了！因为我们日常使用的办公室软件都需要使用到 X Window 图形的功能。此外，以鸟哥的例子来说，俺之前接触到的数值分析模式需要利用图形处理软件来将数据读取出来，所以在那台 Linux 主机上面我一定需要 X Window 的。

回归到主题上面，除了主机的用途决定你是否需要启用 X Window 之外，主机的"配备"也是你必须要考虑的一项决定性因素。因为 X Window 如果要美观，可能需要功能较为强大的 KDE 或 GNOME 等窗口管理器的协助，但是这两个庞然大物对于系统的要求又很高，除了 CPU 等级要够，RAM 要足之外，显卡的等级也不能太差。所以，早期的主机可能对于 X Window 就没有办法具有很好的执行效率了。

- 也就是说，你如果想要玩 X Window 的话，特别需要考虑到这两点：

◆ 稳定性

- X Window 仅是 Linux 上面的一个软件，虽然目前的 X Window 已经整合得相当好了，但任何程序的设计都或多或少会有些 bug（臭虫），X 当然也不例外。此外，在你的 Linux 服务器上面启用 X 系统的话，自然多一组程序的启用（X Window 会启动多个程序来执行各项任务），系统的不确定性当然可能会增加一些。因此，鸟哥不是很建议对 Internet 开放的服务器启动 X Window 的。

◆ 性能

- 无论怎么说，程序在跑总是需要系统资源的，所以，多启用了 X 就会造成一些系统资源的损耗。此外，上面也稍稍提到，某些 X 的软件是相当耗费系统资源的呢！所以，启动 X 可能会让你的可用系统资源（尤其是内存）降低很多，可能会造成系统性能低的问题。

> 鸟哥刚开始接触 Linux（大约是在 1999 年左右）时，由于不熟悉，通常都是默认启用 X Window 在我的主机上面的。不过，那个时候的图形界面与 Linux kernel 的整合度比较差，老是挂点，是经常造成主机上面的网络服务无法顺畅的原因之一呢！

就鸟哥的使用经验来看，GNOME 速度稍微快一点，KDE 的接口感觉比较具有亲和力。不过，总体而言，这个 X Window System 的速度其实并不是那么棒。如果你有其他图形界面的需求时，可以使用 yum 去安装一下 XFCE 这一套，XFCE 是比较轻量级的窗口管理器，据说使用上速度比 GNOME 还快些。最近很火红的 Ubuntu 的分支之一— Xubuntu 据说就是使用这套窗口管理器，试看看吧！

24.2 X Server 设置文件解析与设置

从前面的说明来看，我们知道一个 X 窗口系统能不能成功启动，其实与 X Server 有很大的关系的。因为 X Server 负责的是整个界面的描绘，所以没有成功启动 X Server 的话，即使有启动 X Client 也无法将图样显示出来。所以，下面我们就针对 X Server 的设置文件来做个简单的说明，好让大家可以成功启动 X Window System 。

基本上，X Server 管理的是显卡、屏幕分辨率、鼠标按键对应关系等，尤其是显卡芯片的认识，真是重要啊！此外，还有显示的字体也是 X Server 管理的一环。基本上，**X Server 的设置文件都是默认放置在/etc/X11 目录下**，而相关的显示模块或上面提到的总模块则主要放置在/usr/lib/xorg/modules 下面。比较重要的是字体文件与芯片组，它们主要放置在：

- 提供的屏幕字体:/usr/share/X11/fonts/
- 显卡的芯片组:/usr/lib/xorg/modules/drivers/

在 CentOS 下面，我们可以通过 chkfontpath 这个命令来取得目前系统有的字体文件目录。这些都要通过一个统一的设置文件来规范，那就是 X Server 的设置文件啦。这个设置文件的文件名就是/etc/X11/xorg.conf。

24.2.1 解析 xorg.conf 设置

如同前几个小节谈到的，在 Xorg 基金会里面的 X11 版本为 X11R7.xx，那如果你想要知道到底你用的 X Server 版本是第几版，可以使用 X 命令来检查。（你必须以 root 的身份执行下列命令。）

```
[root@www ~]# X -version
X Window System Version 7.1.1
Release Date: 12 May 2006
X Protocol Version 11, Revision 0, Release 7.1.1
Build Operating System: Linux 2.6.18-53.1.14.el5PAE i686 Red Hat, Inc.
Current Operating System: Linux localhost.localdomain 2.6.18-128.1.14.el5 #1
SMP Wed Jun 17 06:40:54 EDT 2009 i686
Build Date: 21 January 2009
Build ID: xorg-x11-server 1.1.1-48.52.el5
        Before reporting problems, check http://wiki.x.org
        to make sure that you have the latest version.
Module Loader present
```

　　由上面的几个关键字我们可以知道，目前鸟哥的这台测试机使用的 X Server 是 Xorg 基金会所提供的 X11R7 版，若有问题则可以到 http://wiki.x.org 去查询，因为是 Xorg 这个 X Server，因此我们的设置文件名为/etc/X11/xorg.conf。所以，理解这个文件的内容对于 X Server 的功能来说是很重要的。

　　注意一下，在修改这个文件之前，务必将这个文件备份下来，免得改错了什么东西导致连 X Server 都无法启动。这个文件的内容是分成数个段落的，每个段落以 Section 开始，以 EndSection 结束，里面含有该 Section（段落）的相关设置值，例如：

```
Section  "section name"
......  <== 与这个 section name 有关的设置项目
......
EndSection
```

　　至于常见的 section name 主要有：

1. Module:被加载到 X Server 当中的模块（某些功能的驱动程序）；
2. InputDevice:包括输入的键盘的格式、鼠标的格式，以及其他相关输入设备；
3. Files: 设置字体所在的目录位置等；
4. Monitor:监视器的格式，主要是设置水平、垂直的更新频率，与硬件有关；
5. Device:这个重要，就是显卡芯片组的相关设置了；
6. Screen:这个是在屏幕上显示的相关分辨率与色彩深度的设置项目，与显示的行为有关；
7. ServerLayout:上述的每个选项都可以重复设置，这里则是此 X Server 要选用的哪个选项值的设置。

　　好了，直接来看看这个文件的内容。这个文件默认的情况是取消很多设置值的，所以你的设置文件可能不会看到这么多的设置选项。不要紧的，后面的章节会交代如何设置这些选项的。

```
[root@www ~]# cd /etc/X11
[root@www X11]# cp -a xorg.conf xorg.conf.20090713  <== 有备份，有保证
[root@www X11]# vim xorg.conf
Section "Module"
      Load  "dbe"
      Load  "extmod"
      Load  "record"
      Load  "dri"
      Load  "xtrap"
      Load  "glx"
      Load  "vnc"
EndSection
# 上面这些模块是 X Server 启动时希望能够额外获得的相关支持的模块。
# 关于更多模块可以查看一下 /usr/lib/xorg/modules/extensions/ 这个目录

Section "InputDevice"
      Identifier  "Keyboard0"
      Driver      "kbd"
      Option      "XkbModel" "pc105"
```

```
        Option      "XkbLayout" "us"  <==注意，是 us 美式键盘对应
EndSection
# 这个玩意是键盘的对应设置数据，重点在于 XkbLayout 那一项，
# 如果没有问题的话，我们都是使用美式键盘对应按钮的。
# 特别注意到 Identifier （定义） 那一项，那个是在说明，我这个键盘的设置文件
# 被定义为名称 Keyboard0，这个名称最后会被用于 ServerLayout 中


Section "InputDevice"
        Identifier  "Mouse0"
        Driver      "mouse"
        Option      "Protocol" "auto"
        Option      "Device" "/dev/input/mice"
        Option      "ZAxisMapping" "4 5 6 7"  <==滚轮支援
EndSection
# 这个则主要设置鼠标功能，重点在那个 Protocol 选项，
# 那个是可以指定鼠标接口的设置值，我这里使用的是自动检测！不论是 USB 还是 PS2。


Section "Files"
        RgbPath     "/usr/share/X11/rgb"
        ModulePath  "/usr/lib/xorg/modules"
        FontPath    "UNIX/:7100"  <==使用另外的服务来提供字体定义
        FontPath    "built-ins"
EndSection
# 我们的 X Server 很重要的一点就是必须要提供字体，这个 Files
# 的选项就是设置字体，当然，你的主机必须要有字体文件才行。一般字体文件在
# /usr/share/X11/fonts/ 目录中。至于那个 Rgb 是与色彩有关的选项，
# 相关的字体说明我们会在下一小节的 xfs 在跟大家报告。


Section "Monitor"
        Identifier  "Monitor0"
        VendorName  "Monitor Vendor"
        ModelName   "Monitor Model"
        HorizSync   30.0 - 80.0
        VertRefresh 50.0 - 100.0
EndSection
# 屏幕显示器的设置仅有一个地方要注意，那就是垂直与水平的更新频率。
# 在上面的 HorizSync 与 VerRefresh 的设置上，要注意，不要设置太高，
# 这个玩意与实际的显示器功能有关，请查询你的显示器手册说明来设置吧！
# 传统 CRT 屏幕设置太高的话，据说会让显示器烧毁呢，要很注意啊！


Section "Device"    <==显卡的驱动程序选项
        Identifier "Card0"
        Driver     "vesa"  <==实际的驱动程序。
        VendorName "Unknown Vendor"
        BoardName  "Unknown Board"
        BusID      "PCI:0:2:0"
EndSection
# 这地方重要了，这就是显卡的芯片模块加载的设置区域。由于鸟哥使用 Virtualbox
# 模拟器模拟这个测试机，因此这个地方显示的驱动程序为通用的 vesa 模块。
# 更多的显示芯片模块可以参考 /usr/lib/xorg/modules/drivers/。


Section "Screen"    <==与显示的界面有关，分辨率与色彩深度
        Identifier "Screen0"
        Device     "Card0"    <==使用哪个显卡来提供显示
        Monitor    "Monitor0"  <==使用哪个监视器
        SubSection "Display"   <==此阶段的附属设置选项
              Viewport  0 0
              Depth     16   <==就是色彩深度
              Modes     "1024x768" "800x600" "640x480" <==分辨率
        EndSubSection
        SubSection "Display"
              Viewport  0 0
              Depth     24
```

```
            Modes      "1024x768" "800x600"
        EndSubSection
EndSection
# Monitor 与实际的显示器有关，而 Screen 则是与显示的界面分辨率、色彩深度有关。
# 我们可以设置多个分辨率，实际应用时可以让用户自行选择想要的分辨率来呈现。
# 不过，为了避免困扰，鸟哥通常只指定一到两个分辨率而已。

Section "ServerLayout"   <==实际选用的设置值
        Identifier    "X.org Configured"
        Screen      0  "Screen0" 0 0              <==分辨率等
        InputDevice   "Mouse0" "CorePointer"       <==鼠标
        InputDevice   "Keyboard0" "CoreKeyboard"  <==键盘
EndSection
# 我们上面设置了这么多的选项之后，最后整个 X Server 要用的选项
# 就通通一股脑写入这里就是了，包括键盘、鼠标以及显示接口。
# 其中 screen 的部分还牵涉到显卡、监视器屏幕等设置值呢！
```

上面设置完毕之后，就等于将整个 X Server 设置妥当了，很简单吧？如果你想要更新其他的例如显示芯片的模块的话，就得要去硬件开发商的网站下载源文件来编译才行。设置完毕之后，你就可以启动 X Server 试看看。基本上，如果你的 Files 那个项目用的是直接写入字体的路径，那就不需要启动 XFS（X Font Server），如果是使用 font server 时，就要先启动 xfs：

```
# 1. 启动 xfs 服务:
[root@www ~]# /etc/init.d/xfs start

# 2. 测试 X Server 的设置文件是否正常:
[root@www ~]# startx  <==直接在 runlevel 3 启动 X 看看
[root@www ~]# X :1    <==在 tty8 下单独启动 X Server 看看
```

当然，你也可以利用 init 5 这个命令直接切换到图形界面的登录来试看看。

经由讨论区网友的说明，如果你发现明明有捕捉到显卡驱动程序却老是无法顺利启动 X 的话，可以尝试去官方网站取得驱动程序来安装，也能够将 "Device" 阶段的 "Driver" 修改成默认的 "Driver "vesa""，使用该驱动程序来暂时启动 X 内的显卡。

24.2.2　X Font Server（XFS）与加入其他中文字体

与 X 有关的设置文件主要是/etc/X11/xorg.conf 这个主设置文件，但是刚才上头解析这个文件时，在 Files 的部分我们还提到了 X Font Server（XFS）这个服务。这个是什么东东？这个服务的目的在于提供 X Server 字体库。也就是说，X Server 所使用的字体其实是 XFS 这个服务所提供的，因此没有启动 XFS 服务时，你的 X Server 是无法顺利启动的。所以，我们当然就来瞧瞧这玩意的功能！

这个 XFS 的主设置文件在/etc/X11/fs/config 中，而字体文件则在/usr/share/X11/fonts/中，这里再次强调一下。至于启动的脚本则在/etc/init.d/xfs 中。那我们就先来瞧瞧主设置文件的内容是怎样的设置吧！

```
[root@www ~]# vi /etc/X11/fs/config
client-limit = 10  <==最多允许几个 X server 向我索求字体（因为跨网络）
clone-self = on    <==与性能有关，若 xfs 达到限制值，启动新的 xfs
catalogue = /usr/share/X11/fonts/misc:unscaled,
        /usr/share/X11/fonts/75dpi:unscaled,
        /usr/share/X11/fonts/100dpi:unscaled,
        /usr/share/X11/fonts/Type1,
        /usr/share/X11/fonts/TTF,
        /usr/share/fonts/default/Type1,
# 上面这些东东，就是字体文件的所在！如果你有新字体，可以放置在该目录。
```

```
default-point-size = 120              <==默认字号，单位为 1/10 点字（point）
default-resolutions = 75,75,100,100 <==这个则是显示的字体像素（pixel）
deferglyphs = 16                      <==延迟显示的字体，此为 16 bits 字体
use-syslog = on                       <==启动支持错误日志
no-listen = tcp                       <==启动 xfs 于 socket 而非 TCP
```

上面这个文件的设置重点在 catalogue 那个设置项目当中。你可以使用 chkfontpath 这个命令来列出目前支持的字体文件，也可以直接修改呢！

另外，虽然目前的 CentOS 已经是支持多国语系了，因此你可以直接在安装完毕后就看到中文，不过默认的中文字体可能让你不太满意。此时，你可以选择其他的中文字体显示。比较有名的中文字体除了默认提供的宋体外，还有一种中国台北字体（taipeifonts），不过这种字体是 Big5 编码的，因此默认并没有在你的字体支持之中（因为目前大多使用 utf8 来显示中文了）。如果你想要测试一下这种字体，除了自行下载字体文件之外，我们可以使用 CentOS 提供的软件来处理。看看下面的做法吧：

```
# 1. 先安装中文字体软件，亦即 fonts-chinese 这个软件
[root@www ~]# yum install fonts-chinese

# 2. 查阅 taipei 字体的所在目录位置：
[root@www ~]# rpm -ql fonts-chinese | grep taipei
/usr/share/fonts/chinese/misc/taipei16.pcf.gz <==重点在目录！
/usr/share/fonts/chinese/misc/taipei20.pcf.gz
/usr/share/fonts/chinese/misc/taipei24.pcf.gz

# 3. 新建字体文件的目录架构
[root@www ~]# cd /usr/share/fonts/chinese/misc
[root@www ~]# mkfontdir
# 这个命令生成 fonts.dir 这个文件，提供字体文件目录的说明。

# 4. 将上述的目录加入 xfs 的支持之中：
[root@www ~]# chkfontpath -a /usr/share/fonts/chinese/misc/
[root@www ~]# chkfontpath
....（前面省略）....
/usr/share/fonts/chinese/misc:unscaled
/usr/share/fonts/chinese/misc <==这两行会被添加出来！
[root@www ~]# /etc/init.d/xfs restart

# 5. 在 X Window 下面启动终端机，测试一下有没有检测到该字体
[root@www ~]# xlsofnts | grep taipei
# 如果顺利的话，你会看到有几个 taipeiXX 的字样在屏幕上出现！
```

这个时候的 X server 已经有新支持的中文字体了，很简单吧！不过如果你想要让 X client 可以使用其他的字体的话，还得要使用 fontconfig 的软件提供的 fc-cache 来新建字体缓存文件才行[注4]！

- ◆ 让窗口管理器可以使用其他的字体
  - 如果想要使用其他的字体的话，你可以自行取得某些字体来处理的。鸟哥这边从 Windows 取得三个文件来作为测试，这边得注明一下是纯粹的测试，测试完毕后文件就给他拿掉了，并没有持续使用，大家参考看看就好了。这三个文件分别是 kaiu.ttf、mingliu.ttc、times.ttf，代表的是楷体、明体、times and Romans 三种字体。那就来看看如何增加字体吧（假设上述的三个字体文件是放置在/root 中）！

```
# 1. 将上述的三个文件放置到系统设置目录，即下面的目录中：
[root@www ~]# cd /usr/share/fonts/
[root@www ~]# mkdir windows
[root@www ~]# cp /root/*.tt[fc] /usr/share/fonts/windows

# 2. 使用 fc-cache 将上述的文件加入字体的支持中：
[root@www ~]# fc-cache -f -v
....（前面省略）....
```

```
/usr/share/fonts/windows: caching, 4 fonts, 0 dirs
....（中间省略）....
fc-cache: succeeded
# -v 仅是列出目前的字体数据，-f 则是强制重新新建字体缓存！

# 3. 通过 fc-list 列出已经被使用的文件看看：
[root@www ~]# fc-list : file    <==找出被缓存的文件名
....（前面省略）....
/usr/share/fonts/windows/kaiu.ttf:
/usr/share/fonts/windows/times.ttf:
/usr/share/fonts/windows/mingliu.ttc:
....（后面省略）....
```

通过 fc-cache 以及 fc-list 去确认过字体确实存在后，就能够使用窗口管理器的功能去检查字体文件了。以 GNOME 为例，单击"系统"→"偏好设置"→"字体"后，就会出现可以调整的字体，接下来你就会发现多出了宋体、标楷体、新细明体"等字体可以选择！试看看吧！鸟哥调整成为"Times and Roman"出现如图 24-7 所示的结果呢！参考看看。

图 24-7　中文字体的调整结果

24.2.3　设置文件重建与显示器参数微调

如果你修改 xorg.conf 结果改错了，导致无法顺利启动 X Server 时，偏偏又忘记制作备份文件，该如何是好？没关系，我们的 Xorg 有提供不错的工具可以处理。同时 CentOS 也有提供相关的设置命令，那就是在第 21 章提到的 setup 这个命令。详细的设置请自行前往参考，在这里我们要介绍的是使用 Xorg 重新制作出设置文件。你可以使用 root 的身份这样执行：

```
[root@www ~]# Xorg -configure :1
```

此时 X 会主动以内置的模块进行系统硬件的探索，并将硬件与字体的检测结果写入/root/xorg.conf.new 这个文件里面去，这就是 xorg.conf 的重制结果。不过，这个新建的文件不见得真的能够启动 X server，所以我们必须要使用下面的命令来测试一下这个新的设置文件是否能够顺利运行：

```
[root@www ~]# X -config /root/xorg.conf.new :1
```

因为鸟哥不知道你到底是在 runlevel 几号，因此上述的测试全部是在 tty8 的终端机上面显示（display 1），这样就能够避免切换到不同的 runlevel。如果一切顺利的话，你就可以将/root/xorg.conf.new 复制成为/etc/X11/xorg.conf 覆盖掉修改错误的文件，然后重新启动 X，应该就能够顺利救回你的 X Window System！

◆ 关于屏幕分辨率与更新率

● 有些朋友偶而会这样问："我的显示器明明还不错，但是屏幕分辨率却永远只能达到 800x600 而已，这该如何处理？"，屏幕的分辨率应该与显卡相关性不高，而是与显示器的刷新频率有关。所谓的刷新频率，指的是在一段时间内屏幕重新绘制界面的速度。举例来说，60Hz 的刷新频率，指的是每秒钟界面更新 60 次的意思。那么关于显示器的更新频率该如何调整呢？你得先去找到你的显示器的使用说明书（或者是网站会有规格介绍），取得最高的更新率后，接下来选择你想要的分辨率，然后通过这个 gtf 的命令功能来调整：

```
[root@www ~]# gtf 水平像素 垂直像素 更新频率 [-xv]
参数:
水平像素: 就是分辨率的 X 轴;
垂直像素: 就是分辨率的 Y 轴;
更新频率: 与显示器有关，一般可以选择 60, 75, 80, 85 等频率;
-x    : 使用 Xorg 设置文件的模式输出，这是默认值;
-v    : 显示检测的过程。

# 1. 使用 1024x768 的分辨率、75 Hz 的刷新频率来取得显示器内容
[root@www ~]# gtf 1024 768 75 -x
# 1024x768 @ 75.00 Hz (GTF) hsync: 60.15 kHz; pclk: 81.80 MHz
Modeline "1024x768 75.00"  81.80  1024 1080 1192 1360  768 769 772 802  -HSync +Vsync
# 重点是 Modeline 那一行! 那行抄下来

# 2. 将上述的数据输入 xorg.conf 内的 Monitor 项目中:
[root@www ~]# vim /etc/X11/xorg.conf
Section "Monitor"
    Identifier    "Monitor0"
    VendorName    "Monitor Vendor"
    ModelName     "Monitor Model"
    Modeline "1024x768_75.00"  81.80  1024 1080 1192 1360  768 769 772 802  -HSync +Vsync
EndSection
# 就是新增上述的那行特殊字体部分到 Monitor 的选项中即可。
```

然后重新启动你的 X，这样就能够选择新的分辨率。那如何重新启动 X 呢？两个方法，一个是用 "init 3；init 5" 从文字模式与图形模式的执行等级去切换；另一个比较简单，如果原本就是 runlevel 5 的话，那么在 X 的界面中按下[alt] + [crtl] + [backspace]三个组合按键就能够重新启动 X 窗口！

24.3 显卡驱动程序安装范例

虽然你的 X 窗口系统已经顺利启动了，也调整到你想要的分辨率了，不过在某些场合下面，你想要使用显卡提供的 3D 加速功能时，却发现 X 提供的默认的驱动程序并不支持！此时真是欲哭无泪啊~ 那该如何是好？ 没关系，安装官方网站提供的驱动程序即可！ 目前世界上针对 x86 提供显卡的厂商最大的应该是 Nvidia、AMD（ATI）、Intel 这三家（没有按照市场占有率排列），所以下面鸟哥就针对这三家的显卡驱动程序安装做个简单的介绍吧！

由于硬件驱动程序与内核有关，因此你想要安装这个驱动程序之前，请务必先参考第 22 章与第 23 章的介绍，才能够顺利编译出显卡驱动程序。建议可以直接使用 yum 去安装 Development Tools 这个软件组以及 kernel-devel 这个软件即可。

24.3.1 NVidia

虽然 Xorg 基金会已经针对 NVidia 公司的显卡驱动程序提供了 nv 这个模块，不过这个模块无法提供很多其他功能。因此，如果你想要使用新的显卡功能时，就得要额外安装 NVidia 提供给 Linux 的

驱动程序才行。你可以这样做：

◆ **下载驱动程序**
- 建议你可以到 NVidia 的官方网站（http://www.nvidia.cn）自行去下载最新的驱动程序，你也可以到下面的链接直接查阅给 Linux 用的驱动程序：
  - http://www.nvidia.cn/object/UNIX_cn.html
- 请自行选择与你的系统相关的环境。鸟哥选择自己的测试机是 Intel Core2 架构，因此选择 Linux AMD64/EM64T 的驱动程序版本，这个版本的驱动程序文件名为：NVIDIA-Linux-x86_64-xxx.yy.zz-pkg2.run，其中的 xxx.yy.z 就是驱动程序的版本号码。我将这个文件放置到/root 主文件夹中。

◆ **开始安装驱动程序**
- 安装过程有点像这样（文件名根据你的环境去下载与执行）：

```
[root@www ~]# sh NVIDIA-Linux-x86_64-185.18.14-pkg2.run
```

上面说的是授权，你必须要接受（Accept）才能继续，如图 24-8 所示。

图 24-8　NVidia 驱动程序安装示意

图 24-9　NVidia 驱动程序安装示意

我们不想让 NVidia 帮我们编译好内核模块，因此这里选择 No，如图 24-9 所示，让我们自己编译模块吧！直接按下 OK（如图 24-10 所示）来继续下一步即可。

图 24-10　NVidia 驱动程序安装示意　　　　图 24-11　NVidia 驱动程序安装示意

开始进行内核模块的编译，如图 24-11 所示，这个过程不会太久。
是否要安装额外的 OpenGL 函数库？要啊！就选择 Yes 吧！如图 24-12 所示。

图 24-12　NVidia 驱动程序安装示意 　　　　图 24-13　NVidia 驱动程序安装示意

这个时候开始安装显卡的驱动程序，会花费一段时间。然后出现图 24-13。
让这个安装程序主动去修改 xorg.conf 吧！比较轻松愉快！就按下 Yes 即可，如图 24-14 所示。

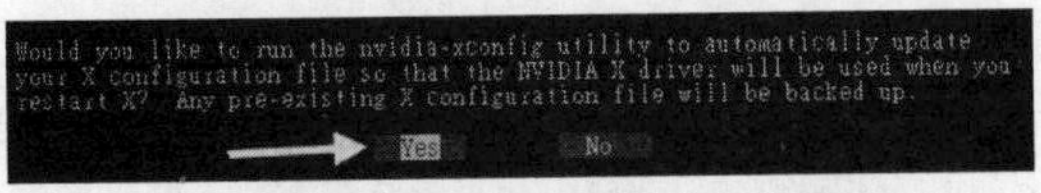

图 24-14　NVidia 驱动程序安装示意 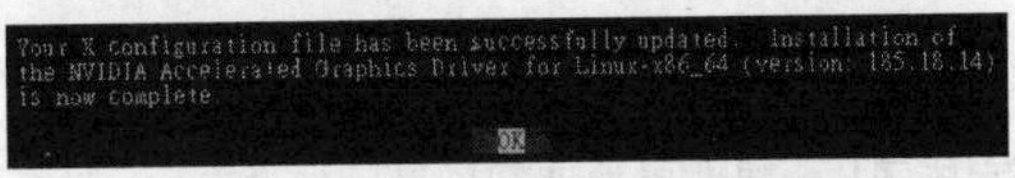　　　　图 24-15　NVidia 驱动程序安装示意

最后按下 OK 就结束安装，如图 24-15 所示。这个时候如果你去查阅一下/etc/X11/xorg.conf 的内容，会发现 Device 的 Driver 设置会成为 nvidia 而不是原本的 nv。这样就搞定！很简单吧！而且这个时候你的/usr/lib64/xorg/modules/drivers 目录内会多出一个 nvidia_drv.so 的驱动程序文件！同时这个软件还提供了一个很有用的程序来帮助我们进行驱动程序升级。

```
[root@www ~]# nvidia-installer --update
# 可以进行驱动程序的升级检查。
```

好，那你就赶紧试看看新的显卡芯片的功能吧。而如果有什么疑问的话，查阅一下 /var/log/nvidia 开头的日志文件看看吧！

24.3.2 ATI（AMD）

ATI 已经被 AMD 收购了，而 AMD 在近期已经宣布了 ATI 的显卡驱动程序要开放成为 Open source，这代表未来你可以很轻松就取得 ATI 的显卡驱动程序而不必要重新安装。不过，就如同前面提到的，若你需要某些特殊功能，建议还是手动安装一下官方提供的驱动程序吧！你要到 AMD 的网站去下载 ATI 显卡驱动程序。你可以到 ATI 公司的中文网站选择 "ATI 驱动程序" 的链接去选择你的显卡驱动程序版本，也可以点击下面的链接：

- http://ati.amd.com/support/driver.html

然后去选择你的操作系统与显卡的型号来下载。鸟哥使用另一台含有 ATI 显卡的主机来安装驱动程序，该主机使用的是 Randon HD 3200 的显卡芯片，最后下载的文件是 ati-driver-installer-9-6-x86.x86_64.run。安装这个驱动程序的方法与 NVidia 的方式很相像，同样直接运行该文件即可：

```
[root@www ~]# sh ati-driver-installer-9-6-x86.x86_64.run
```

选择安装，如图 24-16 所示。

图 24-16　ATI 显卡驱动程序安装示意图

图 24-17　ATI 显卡驱动程序安装示意

这里的目的是让我们确定是否真的是安装在 x86_64 的硬件上面而已，按下 OK 按钮，如图 24-17 所示。

看完授权之后，直接按 Exit 离开授权说明，如图 24-18 所示，然后会出现接受与否的字样，如图 24-19 所示。

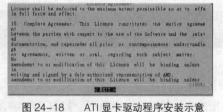

图 24-18　ATI 显卡驱动程序安装示意

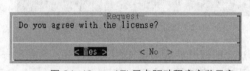

图 24-19　ATI 显卡驱动程序安装示意

要安装啊！所以当然就是 Yes 下去。

最后选择默认安装即可。不需要使用 Expert（专家方式）安装，如图 24-20 所示。这样就安装完毕了！也是非常快速吧！最后就会在/usr/lib64/xorg/modules/drivers/里面出现 fglrx_drv.so 这个新的驱动程序。与 Nvidia 相同的，ATI 也提供一个名为 aticonfig 的命令来帮忙设置 xorg.conf，你可以直接输入 "aticonfig –v" 来看看处理的方式即可。然后你就可以重新启动 X 来看看新的驱动程序功能！非常简单吧！

图 24-20　ATI 显卡驱动程序安装示意

24.3.3 Intel

老实说，由于 Intel 针对 Linux 的图形界面驱动程序已经开放成为 Open source 了，所以理论上你不需要重新安装 Intel 的显卡驱动程序的。除非你想要使用比默认的更新的驱动程序，那么才需要重新安装下面的驱动程序。Intel 对 Linux 的显卡驱动程序已经有独立的网站在运行，如下的链接就是安装的说明网页：

- http://intellinuxgraphics.org/install.html

其实 Intel 的显卡用的地方非常多。因为只要是集成主板芯片组，用的是 Intel 的芯片时，通常都整合了 Intel 的显卡。鸟哥使用的一组 cluster 用的就是 Intel 的芯片，所以，这家伙也是用得到的。

一般来说，Intel 的显卡都经常会使用 i810 等驱动程序，而不是这个较新的 intel 驱动程序！你可以查看一下你系统是否有存在这些文件：

```
[root@www ~]# locate libdrm
/usr/lib/libdrm.so.2          <==32 位的函数库
/usr/lib/libdrm.so.2.0.0
/usr/lib64/libdrm.so.2        <==64 位放置位置不同！
/usr/lib64/libdrm.so.2.0.0
/usr/lib64/xorg/modules/linux/libdrm.so

[root@www ~]# locate intel | grep xorg
/usr/lib64/xorg/modules/drivers/intel_drv.so
# 上面这个就是 Intel 的显卡驱动程序了！
```

我们的 CentOS 有提供新的 Intel 显卡驱动程序。所以不需要重新安装。只是可能需要修改 xorg.conf 这个设置文件的内容。基本上，要修改的地方有：

```
[root@www ~]# vi /etc/X11/xorg.conf
Section "Device"
     Identifier  "Videocard0"
     Driver      "intel"   <==原本可能会是使用 i810
EndSection

Section "Module"
     ....（中间省略）....
     Load "glx"    <==这两个很重要！务必要载入！
     Load "dri"
     ....（中间省略）....
EndSection

Section "DRI"         <==这三行是新增的！让大家都能使用 DRI
     Mode 0666        <==基本上，就是权限的设置
EndSection
```

如果一切顺利的话，接下来就是重新启动 X，使用新的 Intel 驱动程序吧！加油！

24.4 重点回顾

- UNIX Like 操作系统上面的 GUI 使用的是最初由 MIT 所开发的 X Window System，在 1987 释出 X11 版，并于 1994 更改为 X11R6 ，故此 GUI 界面也被称为 X 或 X11。
- X Window System 的 X Server 最初由 XFree86 计划所开发，后来则由 Xorg 基金会持续开发。
- X Window System 主要分为 X Server 与 X Client，其中 X Server 管理硬件，而 X Client 则是应用程序。

◆ 在运行上，X Client 应用程序会将所想要呈现的界面告知 X Server，最终由 X Server 来将结果通过它所管理的硬件绘制出来。

◆ 每一个 X Client 都不知道对方的存在，必须要通过特殊的 X Client 称为 Window Manager 的来管理各窗口的重叠、移动、最小化等工作。

    ◆ startx 可以检测 X Server / X Client 的启动脚本，并调用 xinit 来分别执行；

    ◆ X 可以启动多个，各个 X 显示的位置使用–display 来处理，显示位置为:0、:1 等；

    ◆ Xorg 是一个 X Server，设置文件位于/etc/X11/xorg.conf，里面含有 Module、Files、Monitor、Device 等设置；

    ◆ 字体管理为 X Server 的重点，目前字体管理可由 xfs 及 fontconfig 来处理。

24.5　本章习题

◆ 在 X 设置没问题的情况下，你在 Linux 主机中如何取得窗口界面？

◆ 利用 startx 可以在 runlevel 3 的环境下进入 X Window 系统。请问 startx 的主要功能是什么？

◆ 如何知道你系统当中 X 系统的版本与计划？

◆ 要了解为何 X 系统可以允许不同硬件、主机、操作系统之间的通信，需要知道 X Server /X Client 的相关知识。请问 X Server/X client/Window manager 的主要用途功能是什么？

◆ 如何重新启动 X？

◆ 试说明~/.xinitrc 这个文件的用途。

◆ 我在 CentOS 的系统中，默认使用 GNOME 登录 X。但我想要改以 KDE 登录，该怎么办？

◆ X Server 的 port 默认开放在哪里？

◆ Linux 主机是否可以有两个以上的 X？

◆ X Server 的设置文件是 xorg.conf，在该文件中，Section Files 干嘛用的？

◆ 我发现我的 X 系统键盘所输入的字母老是打不出我所需要的单字，可能原因是什么？该如何修改？

◆ 当我的系统内有安装 GNOME 及 KDE 两个 X Window Manager，我原本是以 KDE 为默认的 WM，若想改为 GNOME 时，应该如何修改？

24.6　参考数据与扩展阅读

◆ 注 1：维基百科对 X Window 的介绍：http://en.wikipedia.org/wiki/X_Window_System

◆ 注 2：X Server/X Client 与网络相关性的参考图标：
http://en.wikipedia.org/wiki/File:X_client_sever_example.svg

◆ 注 3：系统的 man page：man xinit、man Xorg、man startx

◆ 注 4：一些与中文字体有关的网页链接：
洪朝贵老师主笔的字体设置（繁体）：http://www.cyut.edu.tw/~ckhung/b/gnu/font.php
李果正先生的《GNU/Linux 初探》第 16 章：http://edt1023.sayya.org/node17.html
EricCheng 的 fontconfig 软件简介：http://fractal.csie.org/~eric/wiki/Fontconfig

◆ X 相关的官方网站：X.org 官方网站（http://www.x.org/）、XFree86 官方网站（http://www.xfree86.org/）

25

第 25 章　Linux 备份策略

　　一旦 Linux 系统被黑客入侵了，或 Linux 系统由于硬件关系而死机，如何快速恢复系统呢？当然，如果有备份数据的话，那么恢复系统所花费的时间与成本将会很少。平时最好就养成备份的习惯，可以避免遇到突发事件时束手无策。此外，哪些文件最需要备份呢？是需要完整备份还是仅备份重要数据？这些都是本章要讨论的内容。

25.1 备份要点

备份是个很重要的工作，很多人总是在系统损毁的时候才会发现备份资料的重要性。但是备份其实也非常可怕！因为你的重要数据都在备份文件里面，如果这个备份被窃取或遗失，对系统安全的影响也非常大！同时，备份使用的设备选择也非常多样，但是各种存储设备各有其功能与优劣，所以得要慎重选择！

25.1.1 备份资料的考虑

老实说，备份是系统损毁时等待救援的救星。因为你需要重新安装系统时，备份的好坏会影响到你系统恢复的进度。不过，我们想先知道的是，系统为什么会损毁啊？是人为的还是怎样产生的？事实上，系统有可能由于不预期的伤害而导致系统发生错误。什么是不预期的伤害呢？这是由于系统可能因为不预期的硬件损坏，例如硬盘坏掉等或者是软件问题导致系统出错，包括人为的操作不当或是其他不明因素等所致。下面我们就来谈谈系统损坏的情况与为何需要备份吧！

◆ 造成系统损毁的问题：硬件问题

- 基本上，"计算机是一个相当不可靠的机器"这句话在大部分的时间内还是成立的！在当前一些计算机外部硬件的生产成品率（就是将硬件产生出来之后，经过测试，发现可正常工作的与不能正常工作的硬件总数之比值）越来越差的情况之下，计算机的不稳定状态实在是越来越严重了！

- 举个例子来说，鸟哥曾经同时买过同一品牌的 30GB 硬盘三个，买回来之后用了一个星期，其中两个就坏了！其中一个是有坏道，另外一个是完全坏了，拿去公司要求修理，结果店家直接拿了一个新的给我，害我吓一跳，店家的工程师说"唉呀！目前这个牌子的成品率太差了，所以代理商为了怕麻烦，都会直接拿新的替换给我们！"要知道，当初那一个完全坏掉的硬盘是我用来备份我的主机数据的，好在当时我将备份的数据放在三四个地方，还好。

- 一般来说，会造成系统损毁的硬件组件应该要算硬盘。因为其他的组件坏掉时，虽然会影响到系统的运行，不过至少我们的数据还是存在硬盘当中的啊！为了避免这个困扰，于是乎有可备份用的 RAID1，RAID5 等磁盘阵列的应用。但是如果是 RAID 控制芯片坏掉呢？这就麻烦了，所以说，如果有 RAID 系统时，鸟哥个人还是觉得需要保存额外的备份才好的，如果数据够重要的话。

◆ 造成系统损毁的问题：软件问题

- 根据分析，其实系统的软件伤害最严重的就属于用户的操作不当。像最近这几天才在鸟园讨论区发现，有网友失误，结果在命令行输入了"rm –rf/home"，这造成什么后果呢？就造成用户目录被删除了。因为当时执行命令的身份是 root 啊，会欲哭无泪喔！为了避免这方面的"失误"问题，备份是重要的！

- 软件伤害除了来自主机上的用户操作不当之外，最常见的可能是安全攻击事件了。假如你的 Linux 系统上面某些 Internet 的服务软件是最新的！这也意味着可能是相对最安全的，但是，这个世界目前的闲人是相当多的，你不知道什么时候会有所谓的"黑客软件"被提供出来，万一你在 Internet 上面的服务程序被攻击，导致你的 Linux 系统全毁，这个时候怎么办？当然是要恢复系统吧？

- 那如何恢复被伤害的系统呢？"重新安装就好啦！"或许你会这么说，但是，像鸟哥管理的几个网站的数据，尤其是 MySQL 数据库的数据，这些都是弥足珍贵的经验数据，万一被损毁而救不回来的时候，不是很可惜吗？这个还好了，万一你是某家银行的话，那么数据的损毁可就不是能够等闲视之的。关系的可是数千甚至上万人的身家财产！这就是备份的重要性了！

它可以最起码地稍微保障我们的数据有另外一份 copy 的备份以达到 "安全恢复" 的基本要求！

◆ **主机角色不同，备份任务也不同**

- 由于软硬件的问题都可能造成系统的损毁，所以备份当然就很重要啦！问题是，每一台主机都需要备份吗？多久备份一次呢？要备份什么数据呢？
- 如果是个人数据，那么，在一般的台式计算机中，可以利用 Norton 的 Ghost 来做备份。最主要的是，Ghost 可以针对整个分区进行备份，所以，我们可以将 Windows 系统中的整个 C 驱或 D 驱完整地备份下来，还原也非常快，而且操作简便。由于个人计算机所用的数据量通常不大，所以，当 Ghost 完成之后，通常只要将数据刻录到光盘中即可。将光盘保存好，这就是最简单的数据备份模式。此外，由于个人的数据变动通常不大，所以数据的备份频率也不会很高。
- 如果主机提供 Internet 方面的服务，该如何备份呢？举个例子来说，Study Area 团队的论坛网站 http://phorum.study-area.org 提供 BBS 讨论文章，虽然数据量不大，但由于论坛的文件天天增加，每天都有相当多的信息流入，而且一些信息还是重要信息，这个时候，我们能让机器死机吗？
- 2002 年，鸟哥的论坛曾经出过问题，2003 年初，Study-Area 论坛也出过问题，数据库内容如果损坏，无法挽回，那么，诸多朋友长期交流的经验将付诸东流了。所以，新建备份策略相当重要。

◆ **备份因素考虑**

- 由于计算机（尤其是当前的计算机，操作频率太高，硬件质量太差，用户操作习惯不良，某些操作系统的死机率太高）的稳定性较差，所以备份的工作就越来越重要了。
  - **备份哪些文件**
- 我们知道，主机的账号信息在/etc/* 和/home/*等文件中，这些都是很重要的。
  - **选择什么备份的设备**
- 用可擦写光盘、另一个硬盘、同一个硬盘的不同分区，还是使用网络备份系统？哪一种速度最快，最便宜，可将数据保存最久？
  - **考虑备份的方式**
- 是完整备份（类似 Ghost）还是部分备份？
  - **备份的频率**
- 例如 MySQL 数据库是否天天备份，若完整备份，需要多久进行一次？
  - **备份使用的工具**
- 利用 tar、cpio、dd 还是 dump 等的备份工具。
- 下面我们就来谈一谈这些问题的解决之道吧！ ^_^

25.1.2　备份哪些 Linux 数据

　　一般来说，鸟哥比较喜欢备份最重要的文件而已（关键数据备份），而不是整个系统都备份起来（完整备份,Full backup）。那么哪些文件是有必要备份的呢？具有备份意义的文件通常可以粗分为两大类，一类是系统基本设置信息，一类则是类似网络服务的内容数据。那么各有哪些文件需要备份的呢？我们就来稍微分析一下。

◆ **操作系统本身需要备份的文件**

- 这方面的文件主要跟账号与系统配置文件有关系！主要有哪些账号的文件需要备份呢？就是/etc/passwd、/etc/shadow、/etc/group、/etc/gshadow、/home 下面的用户主文件夹等，而由于 Linux 默认的重要参数文件都在/etc/下面，所以只要将这个目录备份下来的话，那么几乎所有的配置文件都可以被保存的！
- 至于/home 目录是一般用户的主文件夹，自然也需要备份！再来，由于用户会有邮件，所以呢，这个/var/spool/mail/内容也需要备份。另外，由于如果你曾经自行更改过内核，那么/boot里头的信息也就很重要！所以，这方面的数据你必须要备份的文件为：

- /etc/整个目录
- /home 整个目录
- /var/spool/mail
- /boot
- /root
- 如果你自行安装过其他的套件，那么/usr/local/或/opt 也最好备份一下！

◆ 网络服务的数据库方面
- 这部分的数据可就多而且复杂了，首先是这些网络服务软件的配置文件部分，如果你的网络软件安装都是以原厂提供的为主，那么你的配置文件大多是在/etc 下面，所以这个就没啥大问题！但若你的套件大多来自于自行的安装，那么/usr/local 这个目录可就相当重要了！
- 再来，每种服务提供的数据都不相同，这些数据很多都是人们提供的。举例来说，你的 WWW 服务器总是需要有人提供网页文件吧？否则浏览器来是要看什么东东？你的讨论区总是要写入数据库系统吧？否则讨论的数据如何更新与记载？所以，用户主动提供的文件以及服务运行过程会产生的数据，都需要被考虑来备份。若我们假设我们提供的服务软件都是使用原厂的 RPM 安装的，所以要备份的数据文件有：
- 软件本身的配置文件，例如：/etc/整个目录，/usr/local/整个目录；
- 软件服务提供的数据，以 WWW 及 MySQL 为例：
- WWW 数据：/var/www 整个目录或/srv/www 整个目录，及系统的用户主文件夹；
- MySQL：/var/lib/mysql 整个目录；
- 其他在 Linux 主机上面提供服务的数据库文件。

◆ 推荐需要备份的目录
- 由上面的介绍来看的话，如果你的硬件或者是由于经费的关系而无法将全部的数据都予以备份时，鸟哥建议你至少需要备份这些目录：
- /boot；
- /etc；
- /home；
- /root；
- /usr/local（或者是/opt 及/srv 等）；
- /var（注：若这个目录当中有些临时目录则可以不备份）。

◆ 不需要备份的目录
- 有些数据是不需要备份的。例如我们在第 6 章文件权限与目录配置里头提到的/proc 这个目录是记录目前系统上面正在运行的程序，这个数据根本就不需要备份的呢！此外，外挂的机器，例如/mnt 或/media 里面都是挂载了其他的硬盘设备、光驱、软盘驱动器等，这些也不需要备份吧？所以。下面有些目录可以不需要备份。
- /dev：备份与否均可；
- /proc：真的不需要备份；
- /mnt 与/media：如果你没有在这个目录内放置你自己系统的东西，也不需要备份；
- /tmp：临时文件，不需要备份。

25.1.3 选择备份设备

用来存储备份数据的设备非常多样化，那该如何选择呢？在选择之前我们先来讲个小故事先！

◆ 一个实际发生的故事

- 在备份的时候，选择一个数据存放的地方也是很需要考虑的一个因素！什么叫做数据存放的地方呢？讲个最简单的例子好了，我们知道说，较为大型的机器都会使用 tape 这一种磁带机来备份数据，而如果是一般个人计算机的话，很可能是使用类似 Mo 这一种可擦写式光盘片来访问数据！但是你不要忘记了几个重要的因素，那就是万一你的 Linux 主机被偷了呢？
- 这不是不可能的，之前鸟哥念书时，隔壁校区的研究室曾经遭遇小偷，里面所有的计算机都被偷走了！包括"Mo 盘"，当他们发现的时候，一开始以为是硬件被偷走了，还好，他们都有习惯进行备份，但是很不幸的，这一次连备份的 MO 都被拿走了！怎么办？！只能道德劝说小偷先生能够良心发现将硬盘拿回来！

◆ **远程备份系统**

- 这个时候，所谓的**"远程备份系统"**就显得相当重要了！什么是远程备份呀！说得太文言了！呵！简单地说，就是将你的系统数据**"备份"**到其他地方去，例如说我的机器在北京，但是我还有另一部机器在上海，这样的话，我可以将北京机器上面重要的数据都定期自动通过网络传输回去！也可以将家里重要的数据丢到北京来！这样的最大优点是可以在北京的机器死掉的时候，即使是遭遇小偷，也可以有一个**"万一"**的备份所在！
- 有没有缺点啊？有啊！缺点就是，**带宽严重的不足**！在这种状态下，所能采取的策略大概就是**仅将最重要的数据传输回去**！至于一些只要系统重新安装就可以恢复的，那就没有这个必要了！当然，如果你的网络是属于 T1 专线的话，那么完整备份将数据丢到另一地去，也是很可行的，只是鸟哥没有那么好命。

◆ **存储设备的考虑**

- 在此同时，我们再来谈一谈，那么除了远程备份这个相对较为安全的备份方法之外，还有没有其他的方法可以存储备份的呢？毕竟这种网络备份系统实在是太耗带宽了！如果像我们一般家用的 ADSL 根本就是吃不消！那么怎么办？那就只好使用近端的设备来备份。这也是目前我们最常见到的备份方法。例如一般我们使用的 Tape,Mo，Zip，CD-RW,DVD-RW，还有备份用抽取式硬盘与移动硬盘等。那么在选择上需要注意些什么呢？需要注意的地方有几点：

■ **备份速度要求：思考硬盘用途**

- **"备份"**在 Linux 主机上面也是很耗系统资源的！因为需要将系统的数据拷贝到其他设备上面去，这个时候 I/O 与 CPU 的负载都会大。你总不希望系统就这样挂点吧！此外，有些系统的数据实在太多了，怎么样也备份不完。所以，**越快的存储设备是越好的**。如果你是个重视速度甚于一切的人，那么我觉得抽取式硬盘是个不错的方式，只不过目前我知道的抽取式硬盘都需要冷启动才行，不太符合 Linux 主机 24 小时全年无休的状态。
- 但是硬盘真的越来越大、越来越便宜了，不使用速度快的硬盘来备份实在很可惜。加上目前的 IEEE 1394 以及移动硬盘技术已经相当成熟，传输速度又快，又可以直接热拔插（Plug and Play），接上移动硬盘，整个复制一下，传输速度理论上可达 480Mbit/s（约 60MB/s）。复制完毕，又可以将硬盘带走，不需要与主机放置在一起，还可以避免同时被偷，真是不错。
- 但是，硬盘还是有一定的困扰，那就是不接电源的硬盘需要很好很好地保养。我们知道计算机最好的保养就是常常开机去运行一下，免得长期不开机造成受潮而损坏。这个移动硬盘只是偶而才会连上主机来进行备份的数据，除非你额外购买一部防潮箱来放置硬盘，否则很容易被损坏。所以，近年来速度越来越快的 DVD-RW 就变得很方便。至于磁带（tape），在速度上完全是落后的。
- 至于使用直接安装在主机上的第二块硬盘来备份，类似 RAID 或者是安装一块备份的硬盘在 Linux 系统当中，这个方案也很好，而且速度上绝对是最具优势的。但是就如同我们刚才提到的，万一你的机器被偷了，连带的，这块备份的硬盘自然也就不见了。

■ **存储容量：磁带备份考虑**

- 这也是一个需要考虑的因素，而且常常是最大考虑的因素呢！虽然目前硬盘越来越便宜，但是毕竟就如同前面说的，抽取式硬盘需要将系统冷启动，而构建在系统内的硬盘又同时具有不安全的成分在，移动硬盘可能又有不容易保存的特性，这个时候一个大容量的替代方案就显得很重要了！虽然 CD-RW 与 DVD-RW 可以提供不错的速度，但是其容量毕竟不足（虽然有高达几十 GB 的蓝光 DVD 可用，但目前尚未普及，光盘太贵了）！所以说，具有大容量的tape（磁带容量最小的一款也可以到达 8GB 左右！）就相当具有这方面的优势，而且携带方便，存放也容易，更可以带走。

- **经费与数据可靠性：DVD 的使用，可保存 10 年左右**
- 在经费不短缺的情况下，我们当然会建议你上面的几个设备都买一买，然后分别在不同的时间进行不同的备份操作（下面我们有些建议的啦）！但是如果经费也是需要考虑的话，那么磁带机这个目前还算贵重的物品可能暂时还动不了。这个时候近来渐渐便宜的 DVD-RW 就显得活跃多了，而且光盘片也可以保存很久的，当然，目前应该不会有人以软盘来备份了吧！软盘可是相当不安全的。
- 无论如何，如果经费允许的话，Tape 备份数据真的是一个不错的点子！因为它的高容量让我好满意。再来，如果经费稍微短缺的话，那么 DVD-RW 经常性地将数据刻录下来，这也是蛮好的，尤其 DVD 又不占空间。再来，如果还是没有办法，那么一块内置在 Linux 的硬盘用来备份也是不错的！什么？连备份的硬盘都没有，唉！怎么跟我一样？这个时候没办法啦，用原来的安装系统的硬盘，多留一个分区用来当作备份之用吧（这也是目前鸟哥常用的方法之一）！下面我们来看一看一些常见的设备代号！
  - 光驱：/dev/cdrom（其实应该是/dev/sdX 或/dev/hdX）
  - 磁带机：/dev/st0（SCSI 界面）,/dev/ht0（IDE 界面）
  - 软盘驱动器：/dev/fd0,/dev/fd1
  - 硬盘：/dev/hd[a-d][1-16]（IDE）,/dev/sd[a-p][1-16]（SCSI/SATA）
  - 移动硬盘：/dev/sd[a-p][1-16]（与 SCSI 相同）
  - 打印机：/dev/lp[0-2]
- 特别要留意的是磁带机！如果你有钱的话，那么买一部磁带机是相当不错的建议！没钱的话，买 IDE 或 SATA 接口的硬盘也很不错。

25.2　备份的种类、频率与工具的选择

再来提到备份的种类，因为想要选择什么存储设备与相关备份工具，都与备份使用的方式有关。那么备份有哪些方式呢？一般可以粗略分为"增量备份"与"差异备份"这两种(注 1)。当然啦，如果你在系统出错时想要重新安装到更新的系统时，仅备份关键数据也就可以了！

25.2.1　完整备份的增量备份（Incremental backup）

备份不就是将重要数据复制出来即可吗？干嘛需要完整备份（Full backup）呢？如果你的主机是负责相当重要的服务，因此如果有不明原因的死机事件造成系统损毁时，你希望在最短的时间内恢复系统。此时，如果仅备份关键数据时，那么你得要在系统出错后再去找新的 Linux distribution 来安装，安装完毕后还得要考虑到数据新旧版本的差异问题，还要进行数据的移植与系统服务的重新建立等，等到建立妥当后，还得要进行相关测试。这种种的工作可至少得要花上一个星期以上的时间才能够处理妥当。所以，仅有关键数据是不够的。

- ◆ 还原的考虑
  - 但反过来讲，如果是完整备份的话呢？若硬件出问题导致系统损毁时，只要将完整备份拿出来，整个给他倒回硬盘去，所有事情就搞定了！有些时候（例如使用 dd 命令）甚至连系统都

不需要重新安装。反正整个系统都给他倒回去，连同重要的 Linux 系统文件等，所以当然也就不需要重新安装。因此，很多企业用来提供重要服务的主机都会使用完整备份，若所提供的服务真的非常重要时，甚至会再架设一部一模一样的机器呢！如此一来，若是原本的机器出问题，那就立刻将备份的机器拿出来接管，以使企业的网络服务不会中断。

- 那你知道完整备份的定义了吧？没错！完整备份就是将根目录（/）整个系统全部备份下来的意思。不过，在某些场合下面，完整备份也可以是备份一个文件系统，例如/dev/sda1 或/dev/md0 或/dev/myvg/mylv 之类的文件系统就是了。

- ◆ **增量备份的原则**
- 虽然完整备份在还原方面有相当良好的表现，但是我们都知道系统用得越久，数据量就会越大。如此一来，完整备份所需要花费的时间与存储设备的使用就会相当麻烦。所以，完整备份并不会也不太可能每天都进行的。那你想要每天都备份数据该如何进行呢？有两种方式，一种是本小节会谈到的增量备份，一种则是下个小节谈到的差异备份。
- 所谓的增量备份，指的是在系统进行完第一次完整备份后，经过一段时间的运行，比较系统与备份文件之间的差异，**仅备份有差异的文件而已**。而第二次增量备份则与第一次增量备份的数据比较，也是仅备份有差异的数据而已。如此一来，由于仅备份有差异的数据，因此备份的数据量小且快速，备份也很有效率。我们可以从图 25-1 来说明。

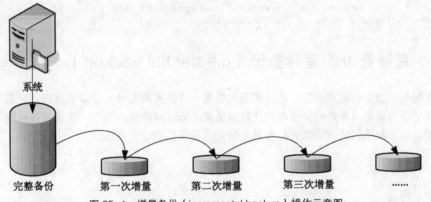

完整备份　　第一次增量　　第二次增量　　第三次增量　　……

图 25-1　增量备份（incremental backup）操作示意图

- 假如我在星期一做好完整备份，则星期二的增量备份是系统与完整备份间的差异数据；星期三的备份是系统与星期二的差异数据，星期四的备份则是系统与星期三的差异数据。那你得要注意的是，星期二的数据是完整备份加第一次增量备份，星期三的数据是完整备份加第一次增量与第二次增量备份，星期四的数据则是星期一的完整备份加第一次加第二次加第三次增量备份。由于每次都仅与前一次的备份数据比较而已，因此备份的数据量就会少很多。
- 那如何还原？经过上面的分析，我们也会知道增量备份的还原方面比较麻烦。假设你的系统在星期五的时候挂点了，那你要如何还原？首先，你必须要还原星期一的完整备份，然后还原星期二的增量备份，再依序还原星期三、星期四的增量备份才算完全恢复。那如果你是经过了九次的增量备份，就得要还原到第九次的阶段，才是最完整的还原程序。

- ◆ **增量备份使用的备份软件**
- 完整备份常用的工具有 dd，cpio，dump/restore 等，因为这些工具都能够备份设备与特殊文件。dd 可以直接读取磁盘的扇区（sector）而不理会文件系统，是相当良好的备份工具，不过缺点就是慢很多。cpio 是能够备份所有文件名，不过，得要配合 find 或其他找文件名的命令才能够处理妥当。以上两个都能够进行完整备份，但增量备份就得要额外使用脚本程序来处理。可以直接进行增量备份的就是 dump 这个命令啰！详细的命令与参数用法，请前往第 9 章查阅，这里仅列出几个简单的范例而已。

```
# 1. 用 dd 来将 /dev/sda 备份到完全一模一样的 /dev/sdb 硬盘上:
[root@www ~]# dd if=/dev/sda of=/dev/sdb
# 由于 dd 是读取扇区, 所以 /dev/sdb 这块磁盘可以不必格式化, 非常方便!
# 只是你会等非常非常久, 因为 dd 的速度比较慢!

# 2. 使用 cpio 来备份与还原整个系统, 假设存储设备为 SATA 磁带机:
[root@www ~]# find / -print | cpio -covB > /dev/st0    <==备份到磁带机
[root@www ~]# cpio -iduv < /dev/st0                     <==还原
```

- 假设/home 为一个独立的文件系统, 而/backupdata 也是一个独立的用来备份的文件系统, 那如何使用 dump 将/home 完整的备份到/backupdata 上呢? 可以像下面这样进行看看:

```
# 1. 完整备份
[root@www ~]# dump -0u -f /backupdata/home.dump /home

# 2. 第一次进行增量备份
[root@www ~]# dump -1u -f /backupdata/home.dump.1 /home
```

- 除了这些命令之外, 其实 tar 也可以用来进行完整备份。举例来说, /backupdata 是个独立的文件系统, 你想要将整个系统全部备份起来时, 可以这样考虑: 将不必要的/proc, /mnt, /tmp 等目录不备份, 其他的数据则予以备份:

```
[root@www ~]# tar --exclude /proc --exclude /mnt --exclude /tmp \
> --exclude /backupdata -jcvp -f /backupdata/system.tar.bz2 /
```

25.2.2 完整备份的差异备份（differential backup）

差异备份与增量备份有点类似, 也是需要进行第一次的完整备份后才能够进行。只是差异备份指的是: 每次的备份都是与原始的完整备份比较的结果。所以系统运行越久, 离完整备份时间越长, 那么该次的差异备份数据可能就会越大! 差异备份的示意图如图 25-2 所示。

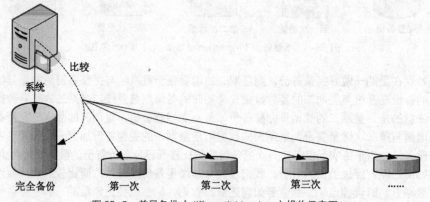

图 25-2　差异备份（differential backup）操作示意图

差异备份常用的工具与增量备份差不多, 因为都需要完整备份。如果使用 dump 来备份的话, 那么每次备份的等级（level）就都会是 level1 的意思。当然, 你也可以通过 tar 的-N 参数来备份。如下所示:

```
[root@www ~]# tar -N '2009-06-01' -jpcv -f /backupdata/home.tar.bz2 /home
# 只有在比 2009-06-01 还要新的文件, 在 /home 下面的文件才会被打包进 home.bz2 中!
# 有点奇怪的是, 目录还是会被记录下来, 只是目录内的旧文件就不会备份。
```

此外, 你也可以通过 rsync 来进行镜像备份。这个 rsync 可以对两个目录进行镜像（mirror）, 算是一个非常快速的备份工具! 简单的命令语法为:

```
[root@www ~]# rsync -av 源目录 目标目录

# 1. 将 /home/ 镜像到 /backupdata/home/ 去
[root@www ~]# rsync -av /home /backupdata/
# 此时会在 /backupdata 下面产生 home 这个目录!
[root@www ~]# rsync -av /home /backupdata/
# 再次进行会快很多。如果数据没有改动,几乎不会进行任何操作!
```

根据分析[注2],差异备份所使用的磁盘容量可能会比增量备份来得大,但是差异备份的还原较快,因为只需要还原完整备份与最近一次的差异备份即可。无论如何,请依据你自己的喜好来选择备份的方式吧!

25.2.3 关键数据备份

完整备份虽然有许多好处,但就是需要花费很多时间! 所以,如果在主机提供的服务并不是一定要 24 小时提供的前提下,我们可以仅备份重要的关键数据即可。由于主机即使死机一两天可能也不会影响到你的正常生活时,仅备份关键数据就好啦! 不需要整个系统都备份。仅备份关键数据是有许多好处的。由于完整备份可能是在系统运行期间进行,不但会花费非常多时间,而且如果备份当时系统已经被攻破,那你备份的数据是有问题的,那还原回去也是有问题的系统啊!

如果仅是备份关键数据而已,那么由于系统的绝大部分可执行文件都可以后来重新安装,因此若你的系统不是因为硬件问题,而是因为软件问题而导致系统被攻破或损毁时,直接获取最新的 Linux distribution,然后重新安装,然后再将系统数据(如账号/密码与主文件夹等)与服务数据(如 www/email/crontab/ftp 等)一个一个填回去,那你的系统不但保持在最新的状态,同时也可以趁机处理一下与重新温习一下系统设置! 是很不错的。

不过,备份关键数据最麻烦的地方其实就是在还原。上述的还原方式是你必须要很熟悉系统运行,否则还原得要花费很多时间的。尤其近来的 Linux 强调安全性,所以加入 SELinux 了,你如果要从旧版的 Linux 升级到新版时,原本若没有 SELinux 而换成新版则需要启动 SELinux 时,调试的时间会很长。鸟哥认为这是仅备份关键数据的一些优缺点。

备份关键数据鸟哥最爱使用 tar 来处理了。如果想要分门别类地将各种不同的服务在不同的时间备份使用不同文件名,配合 date 命令是非常好用的工具。例如下面的案例是依据日期来备份 mysql 的数据库。

```
[root@www ~]# tar -jpcvf mysql.`date +%Y-%m-%d`.tar.bz2 /var/lib/mysql
```

备份是非常重要的工作,你可不希望想到才进行吧? 交给系统自动处理就对啦! 请自己编写 script,配合 crontab 去执行吧! 这样子,备份会很轻松。

25.3 鸟哥的备份策略

每台主机的任务都不相同,重要的数据也不相同,重要性也不一样,因此,每个人的备份思考角度都不一样。有些备份策略是非常有趣的,包括使用多个磁带机与磁带来自动备份企业数据[注3]。

就鸟哥的想法来说,鸟哥并没有想要将整个系统完整备份下来,因为太耗时间了。而且就鸟哥的立场而言,似乎也没有这个必要,所以通常鸟哥只备份较为重要的文件而已。不过,由于鸟哥需要备份/home 与网页数据,如果天天都备份,我想,系统迟早会受不了(因为这两个部分就已经占去数 10GB 的硬盘空间),所以鸟哥就将我的备份分为两大部分,一个是每日备份经常性变动的重要数据,一个则是每周备份就不常变动的信息。这个时候我就写了两个简单的 script,分别来存储这些数据。

所以针对鸟哥的网站来说,我的备份策略是这样的:

1. 主机硬件：使用一个独立的文件系统来存储备份数据，此文件系统挂载到/backup 当中；
2. 每日进行：目前仅备份 MySQL 数据库；
3. 每周进行：包括/home，/var，/etc，/boot，/usr/local 等目录与特殊服务的目录；
4. 自动处理：这方面利用/etc/crontab 来自动提供备份的进行；
5. 远程备份：每月定期将数据分别刻录到光盘上面和使用网络传输到另一台机器上面。

那就来看看鸟哥是怎么备份的吧！

25.3.1　每周系统备份的 script

下面提供鸟哥的备份的 script，希望对大家有点帮助。鸟哥假设你已经知道如何挂载一个新的文件系统到/backup 去，所以格式化与挂载这里就不再强调。

```
[root@www ~]# vi /backup/backupwk.sh
#!/bin/bash
# ===================================================================
# 用户参数输入位置：
# basedir=你用来存储此脚本所预计备份的数据的目录（请独立文件系统）
basedir=/backup/weekly　<==你只要改这里就好了

# ===================================================================
# 下面请不要修改了！用默认值即可
PATH=/bin:/usr/bin:/sbin:/usr/sbin; export PATH
export LANG=C

# 设置要备份的服务的配置文件，以及备份的目录
named=$basedir/named
postfixd=$basedir/postfix
vsftpd=$basedir/vsftp
sshd=$basedir/ssh
sambad=$basedir/samba
wwwd=$basedir/www
others=$basedir/others
userinfod=$basedir/userinfo
# 判断目录是否存在，若不存在则予以建立。
for dirs in $named $postfixd $vsftpd $sshd $sambad $wwwd $others $userinfod
do
    [ ! -d "$dirs" ] && mkdir -p $dirs
done

# 1. 将系统主要服务的配置文件分别备份下来，同时也全部备份 /etc。
cp -a /var/named/chroot/{etc,var}    $named
cp -a /etc/postfix /etc/dovecot.conf $postfixd
cp -a /etc/vsftpd/*               $vsftpd
cp -a /etc/ssh/*            $sshd
cp -a /etc/samba/*            $sambad
cp -a /etc/{my.cnf,php.ini,httpd}    $wwwd
cd /var/lib
  tar -jpc -f $wwwd/mysql.tar.bz2    mysql
cd /var/www
  tar -jpc -f $wwwd/html.tar.bz2    html cgi-bin
cd /
  tar -jpc -f $others/etc.tar.bz2    etc
cd /usr/
  tar -jpc -f $others/local.tar.bz2    local

# 2. 关于用户参数方面
cp -a /etc/{passwd,shadow,group} $userinfod
cd /var/spool
  tar -jpc -f $userinfod/mail.tar.bz2 mail
```

```
cd /
  tar -jpc -f $userinfod/home.tar.bz2 home
cd /var/spool
  tar -jpc -f $userinfod/cron.tar.bz2 cron at

[root@www ~]# chmod 700 /backup/backupwk.sh
[root@www ~]# /backup/backupwk.sh  <==记得自己试跑看看!
```

上面的 script 主要均使用 CentOS 5.x（理论上，RedHat 系列的 Linux 都适用）默认的服务与目录，如果你有设置某些服务的数据在不同的目录时，那么上面的 script 是还需要修改的，不要只是拿来用而已。上面 script 可以在下面的链接取得。

- http://linux.vbird.org/linux_basic/0580backup/backupwk-0.1.sh

25.3.2　每日备份数据的 script

再来，继续提供一下每日备份数据的脚本程序！请注意，鸟哥这里仅有提供 MySQL 的数据库备份目录，与 WWW 的类似留言板程序使用的 CGI 程序与写入的数据而已。如果你还有其他的数据需要每日备份，请自行照样造句。

```
[root@www ~]# vi /backup/backupday.sh
#!/bin/bash
# ============================================================
# 请输入，你想让备份数据放置到哪个独立的目录去
basedir=/backup/daily/   <==你只要改这里就可以了

# ============================================================
PATH=/bin:/usr/bin:/sbin:/usr/sbin; export PATH
export LANG=C
basefile1=$basedir/mysql.$(date +%Y-%m-%d).tar.bz2
basefile2=$basedir/cgi-bin.$(date +%Y-%m-%d).tar.bz2
[ ! -d "$basedir" ] && mkdir $basedir

# 1. MysQL (数据库目录在 /var/lib/mysql)
cd /var/lib
  tar -jpc -f $basefile1 mysql

# 2. WWW 的 CGI 程序 (如果有使用 CGI 程序的话)
cd /var/www
  tar -jpc -f $basefile2 cgi-bin

[root@www ~]# chmod 700 /backup/backupday.sh
root@www ~]# /backup/backupday.sh  <==记得自己试跑看看
```

上面的脚本可以在下面的链接取得。这样一来每天的 MySQL 数据库就可以自动被记录在 /backup/daily/目录里头啦！而且还是文件名会自动改变的。OK！再来就是开始让系统自己跑啦！怎么跑？就是/etc/crontab！提供一下我的相关设置！

- http://linux.vbird.org/linux_basic/0580backup/backupday.sh

```
[root@www ~]# vi /etc/crontab
# 加入这两行即可 (请注意你的文件目录! 不要照抄呦)
30 3 * * 0 root /backup/backupwk.sh
30 2 * * * root /backup/backupday.sh
```

这样系统就会自动在每天的 2：30 进行 MySQL 的备份，而在每个星期日的 3：30 进行重要文件的备份！呵呵！你说，是不是很容易呢？但是请千万记得！还要将/backup/当中的数据 copy 出来才行耶！否则整个系统死掉的时候就惨了，那可不是闹着玩的！所以鸟哥大约一个月到两个月之间，会将/backup 目录内的数据使用 DVD 复制一下，然后将 DVD 放置在家中保存。这个 DVD 很重要的喔！

不可以遗失，否则系统的重要数据（尤其是账户信息）流出去可不是闹着玩的！

　　有些时候，你在进行备份时，被备份的文件可能同时被其他的网络服务所修改喔！举例来说，当你备份 MySQL 数据库时，刚好有人利用你的数据库发表文章，此时，可能会发生一些错误的信息。要避免这类的问题时，可以在备份前将该服务先关掉，备份完成后，再启动该服务即可。感谢讨论区 duncanlo 提供这个方法！

25.3.3　远程备份的 script

　　如果你有管理两台以上的 Linux 主机时，那么互相将对方的重要数据保存一份在自己的系统中也是个不错的想法。那怎么保存啊？使用 U 盘复制来去吗？当然不是。你可以通过网络来处置，我们假设你已经有一台主机，这台主机的 IP 是 192.168.1.100，而且这台主机已经提供了 FTP 与 sshd 这两个网络服务，同时你已经做好了 FTP 的账号、sshd 账号的免密码登录功能等（这部分请参考服务器篇的介绍），接下来你可以这样做：

◆　使用 FTP 上传备份数据
　　●　假设你想将/backup/weekly/目录内的文件统整为一个/backup/weekly.tar.bz2，并且上传到服务器端的/home/backup/下面，使用的账号是 dmtsai，密码是 dmtsai.pass，那么你可以这样做看看：

```
[root@www ~]# vi /backup/ftp.sh
#!/bin/bash
# =================================
# 先输入系统所需要的数据
host="192.168.1.100"       # 远程主机
id="dmtsai"                # 远程主机的 FTP 账号
pw='dmtsai.pass'           # 该账号的密码
basedir="/backup/weekly"   # 本地端的欲被备份的目录
remotedir="/home/backup"   # 备份到远程的何处

# =================================
backupfile=weekly.tar.bz2
cd $basedir/..
 tar -jpc -f $backupfile $ ( basename $basedir)

ftp -n "$host" > ${basedir}/../ftp.log 2>&1 <<EOF
user $id $pw
binary
cd $remotedir
put $backupfile
bye
EOF
```

◆　使用 rsync 上传备份数据
　　●　另一个更简单的方法就是通过 rsync，但是你必须要在你的服务器上面取得某个账号使用权后，并让该账号可以不用密码即可登录才行。这部分得要先参考服务器篇的远程联机服务器才行！假设你已经设置好 dmtsai 这个账号可以不用密码即可登录远程服务器，而同样你要让/backup/weekly/整个备份到/home/backup/weekly 下面时，可以简单地这样做：

```
[root@www ~]# vi /backup/rsync.sh
#!/bin/bash
remotedir=/home/backup/
basedir=/backup/weekly
host=127.0.0.1
```

```
id=dmtsai

# 下面为程序阶段. 不需要修改.
rsync -av -e ssh $basedir ${id}@${host}:${remotedir}
```

- 由于 rsync 可以通过 ssh 来进行镜像备份，所以没有更改的文件将不需要上传的！相当好用呢！好了！大家赶紧写一个适合自己的备份 script 来进行备份的行为吧！重要重要喔！

25.4　灾难恢复的考虑

之所以要备份当然就是预防系统损毁。如果系统真的挂掉的话，那么你该如何还原系统呢?

- **硬件损毁且具有完整备份的数据时**
  - 由于是硬件损毁，所以我们不需要考虑系统软件的不稳定问题，所以可以直接将完整的系统恢复回去即可。首先，你必须要先处理好你的硬件，举例来说，将你的硬盘做个适当的处理，譬如建立成为磁盘阵列之类的，然后依据你的备份状态来恢复。举例来说，如果是使用差异备份，那么将完整备份恢复后，将最后一次的差异备份恢复回去，你的系统就恢复了。非常简单吧！
- **由于软件的问题产生的被攻破安全事件**
  - 由于系统的损毁是因为被攻击，此时即使你恢复到正常的系统，那么这个系统既然会被攻破，没道理你还原成旧系统就不会被再次攻破。所以，此时完整备份的恢复可能不是个好方式。最好是需要这样进行:
  1. 先拔除网线，最好将系统进行完整备份到其他设备上，以备未来查验;
  2. 开始查阅日志文件，尝试找出各种可能的问题;
  3. 开始安装新系统 (最好找最新的 distribution);
  4. 进行系统的升级与防火墙相关机制的制订;
  5. 根据上面找到的错误，安装完成新系统后，将那些 bug 修复;
  6. 进行各项服务与相关数据的恢复;
  7. 正式上线提供服务，并且开始测试。
  - 软件安全事件造成的问题可大可小，一般来说，标准流程都是建议你将出问题的系统备份下来，如果被追踪到你的主机曾经攻击过别人的话，那么你至少可以拿出备份数据来证明你是被攻击者，而不是主动攻击别人的坏人。然后，记得一定要找出问题并予以解决，不然的话，你的系统将一再地被攻击啊！

25.5　重点回顾

- 备份是系统损毁时等待救援的救星，但造成系统损毁的因素可能有硬件与软件等原因。
- 由于主机的任务不同，备份的数据与频率等考虑参数也不相同。
- 常见的备份考虑因素有关键文件、存储设备、备份方式 (完整/关键)、备份频率、使用的备份工具等。
- 常见的关键数据有/etc、/home、/var/spool/mail、/boot、/root 等。
存储设备的选择方式需要考虑的地方有备份速度、设备的容量、经费与设备的可靠性等。
- 与完整备份有关的备份策略主要有增量备份与差异备份。
- 增量备份可具有较小的存储数据量、备份速度快速等，但是在还原方面则比差异备份的还原慢。
- 完整备份的策略中，常用的工具有 dd、cpio、tar、dump 等。

25.6　本章习题

- （挑战题）尝试将你在学习本书所进行的各项任务备份下来，然后删除你的系统，接下来重新安装最新的 CentOS 5.x，再将你备份的数据恢复回来，看看能否成功地让你的系统恢复到之前的状态。
- （挑战题）查询一下何谓企鹅软件，讨论一下该软件的还原机制是属于增量备份还是完整备份。
- 常用的完整备份（full backup）工具命令有哪些？
- 你所看到的常见的存储设备有哪些？

25.7　参考数据与扩展阅读

- 注 1：维基百科的备份说明：http://en.wikipedia.org/wiki/Incremental_backup
- 注 2：关于 differential 与 incremental 备份的优缺点说明：
  http://www.backupschedule.net/databackup/differentialbackup.html
- 注 3：一些备份计划的实施：http://en.wikipedia.org/wiki/Backup_rotation_scheme

26

第 26 章　Linux 内核编译与管理

我们说的 Linux 其实指的就是内核（kernel）而已。这个内核控制你主机的所有硬件并提供系统所有的功能，所以你说它重不重要啊！我们开机的时候其实就是利用开机管理程序加载这个内核文件来检测硬件，在内核加载适当的驱动程序后，你的系统才能够顺利运行。现今的系统由于强调在线升级机制，因此非常不建议自定义内核编译！但是，如果你想要将你的 Linux 安装到 USB 移动设备，想要将你的 Eee PC（上网本）安装自己的 Linux，想让你的 Linux 可以驱动你的上网本，此时，内核编译就是相当重要的一个任务了！这一篇比较高级，如果你对系统移植没有兴趣的话，这一篇可以先略过。

26.1 编译前的任务：认识内核与取得内核源代码

我们在第 1 章里面就谈过 Linux 其实指的是内核。这个"内核"（kernel）是整个操作系统的最底层，它负责了整个硬件的驱动以及提供各种系统所需的内核功能，包括防火墙机制、是否支持 LVM 或 Quota 等文件系统，这些都是内核所负责的。所以，在第 20 章的启动流程中，我们也会看到 MBR 内的 loader 加载内核文件来驱动整个系统的硬件呢！也就是说，如果你的内核不认识某个最新的硬件，那么该硬件也就无法被驱动，你当然也就无法使用该硬件。

26.1.1　什么是内核（Kernel）

这已经是整个 Linux 基础的最后一篇了，所以，下面这些数据你应该都要"很有概念"才行。不能只是"好像有印象"。好了，那就复习一下内核的相关知识吧！

◆ Kernel

- 还记得我们在第 11 章的 bash shell 提到过：计算机真正在工作的东西其实是"硬件"，例如数值运算要使用到 CPU，数据存储要使用到硬盘，图形显示会用到显卡，音乐发声要有声卡，连接 Internet 可能需要网卡等。那么如何控制这些硬件呢？那就是内核的工作了！也就是说，你所希望计算机帮你达成的各项工作都需要通过"内核"的帮助才行。当然，如果你想要达成的工作是内核所没有提供的，那么你自然就没有办法通过内核来控制计算机使它工作。

- 举例来说，如果你想要有某个网络功能（例如内核防火墙机制），但是你的内核偏偏忘记加进去这项功能，那么不论你如何"卖力"地设置该网络组件，很抱歉！不来电！换句话说，你想要让计算机进行的工作，都必须要内核支持才可以。这个标准不论在 Windows 或 Linux 上都相同。如果有一个人开发出来一个全新的硬件，目前的内核不论 Windows 或 Linux 都不支持，那么不论你用什么系统，这个硬件都是英雄无用武之地。那么是否了解了"内核"的重要了呢？所以我们才需要来了解一下如何编译我们的内核。

- 那么内核到底是什么啊？**其实内核就是系统上面的一个文件而已，这个文件包含了驱动主机各项硬件的检测程序与驱动模块。**在第 20 章的开机流程分析中，我们也提到这个文件被读入主存储器的时机，当系统读完 BIOS 并加载 MBR 内的引导装载程序后，就能够加载内核到内存当中。然后内核开始检测硬件，挂载根目录并取得内核模块来驱动所有的硬件，之后调用 /sbin/init 就能够依序启动所有系统所需要的服务了！

- 这个内核文件通常被放置在/boot/vmlinuz 中，不过也不见得，因为一台主机上面可以拥有多个内核文件，只是开机的时候仅能选择一个来加载而已。甚至我们也可以在一个 distribution 上面放置多个内核，然后以这些内核来做成多重开机呢！

◆ 内核模块（kernel module）的用途

- 既然内核文件都已经包含了硬件检测与驱动模块，那么什么是内核模块啊？要注意的是，现在的硬件更新速度太快了，如果我的内核比较旧，但我换了新的硬件，那么，这个内核肯定无法支持。怎么办？重新拿一个新的内核来处理吗？开玩笑，内核的编译过程可是很麻烦的。

- 所以，为了这个缘故，我们的 Linux 很早之前就已经开始使用所谓的模块化设置了！即是将一些不常用的类似驱动程序的内容独立出内核，编译成为模块，然后，内核可以在系统正常运行的过程当中加载这个模块到内核的支持。如此一来，我在不需要改动内核的前提之下，只要编译出适当的内核模块并且加载它，我的 Linux 就可以使用这个硬件，简单又方便！

- 那我的模块放在哪里啊？可恶！怎么会问这个傻问题呢？当然一定要知道的。就是 /lib/modules/$（uname-r）/kernel/当中。

- **内核编译**
  - 刚才上面谈到的内核其实是一个文件，那么这个文件怎么来的？当然是通过源代码（source code）编译而成的啊！因为内核是直接被读入到内存当中的，所以当然要将它编译成为系统可以认识的数据才行！也就是说，我们必须要取得内核的源代码，然后利用第 22 章 Tarball 安装方式提到的编译概念来实现内核的编译才行啊！（这也是本章的重点啊！）
- **关于驱动程序：是厂商的责任还是内核的责任**
  - 现在我们知道硬件的驱动程序可以编译成为内核模块，所以可以在不改变内核的前提下驱动你的新硬件。但是，很多朋友还是常常感到困惑，就是 Linux 上面针对最新硬件的驱动程序总是慢了几个脚步，所以觉得好像 Linux 的支持度不足。其实不可以这么说的，为什么呢？因为在 Windows 上面，对于最新硬件的驱动程序需求，基本上，也都是厂商提供的驱动程序才能让该硬件工作，因此，**在这个驱动程序开发的工作上面来说，应该是属于硬件发展厂商的问题**，因为他要我们买他的硬件，自然就要提供消费者能够使用的驱动程序。
  - 所以，如果大家想要让某个硬件能够在 Linux 上面跑的话，那么似乎可以发起联名的方式，强烈要求硬件开发商发展 Linux 上面的驱动程序！这样一来，也可以促进 Linux 的发展呢！

26.1.2　更新内核的目的

除了 BIOS 之外，内核是操作系统中最早被加载到内存的，它包含了所有可以让硬件与软件工作的信息，所以，如果没有搞定内核的话，那么你的系统肯定会有点小问题！好了，那么是不是将所有目前内核有支持的东西都编译进去我的内核中，那就可以支持目前所有的硬件与可执行的工作。

这话说得是没错，但是你是否曾经看过一个为了怕自己今天出门会口渴、会饿、会冷、会热、会被车撞、会摔跤，而在自己的大包包里面放了大瓶矿泉水、便当、厚外套、短裤、防撞钢梁、止滑垫等一大堆东西，结果却累死在半路上的案例吗？当然有！但是很少。我相信不太有人会这样做！取而代之的是会看一下天气，冷了就只带外套，热了就只带短衣，出远门到没有便利商店的地方才多带矿泉水……

说这个干什么？就是要你了解到，内核的编译重点在于你要你的 **Linux 做什么**，是的，如果没有必要的工作，就干脆不要加在你的内核当中了！这样才能让你的 Linux 跑得更稳、更顺畅！这也是为什么我们要编译内核的最主要原因了！

- **Linux 内核特色与默认内核对终端用户的角色**
  - Linux 的内核有几个主要的特色，除了可以随时随各人喜好而改动之外，**版本改动次数太频繁**也是一个特点。所以，除非你有特殊需求，否则一次编译成功就可以。不需要随时保持最新的内核版本，而且也没有必要（编译一次内核要很久的）。话说到这里又突然想到看到的一篇文章，大意是说老板想要雇用的人会希望是 Linux 的老手，因为他们比较容易了解问题的所在，除此之外，如果有任何问题发生，由于其使用 Linux 是可以随时修补漏洞的。但是如果是 Windows 的话，就得要将机器关闭，直到 MS 推出修复补丁后才能再启用。
  - 那么是否我就一定需要在安装好了 Linux 之后就赶紧编译内核呢？，老实说，并不需要的，这是因为几乎每一个 distribution 都已经默认编译好了相当大量的模块了，所以用户常常或者可能会使用到的数据都已经被编译成为模块，也因此，我们用户确实不太需要重新来编译内核，尤其是普通用户，由于系统已经将内核编译得相当适合普通用户使用了，因此一般入门的用户基本上不太需要编译内核。
- **内核编译的可能目的**
  - OK！那么鸟哥闲着没事干跑来写个什么东西？既然都不需要编译内核还写编译内核的文章，

鸟哥卖弄才学呀？很抱歉，鸟哥虽然是个"不学有术"的混混，却也不会平白无故地写东西请你来指教。当然是有需要才会来编译内核。编译内核的时机可以归纳为几大类：

- **新功能的需求**
- 我需要新的功能，而这个功能只有在新的内核里面才有，那么为了获得这个功能，只好来重新编译我的内核了。例如 iptables 这个防火墙机制只有在 2.4.xx 以后的版本里面才有，而新开发的主机板芯片组很多也需要新的内核推出之后才能正常而且有效率地工作。

- **原内核太过臃肿**
- 如果你是那种对于系统"稳定性"要求很高的人，对于内核多编译了很多莫名其妙的功能而不太喜欢的时候，那么就可以重新编译内核来取消掉该功能。

- **与硬件搭配的稳定性**
- 由于原本 Linux 内核大多是针对 Intel 的 CPU 来做开发的，所以如果你的 CPU 是 AMD 的系统时，有可能（注意：只是有可能，不见得一定会如此）会让系统跑得不太稳。此外，内核也可能没有正确的驱动新的硬件，此时就得重新编译内核来让系统取得正确的模块才好。

- **其他需求（如嵌入式系统）**
- 就是你需要特殊的环境需求时，就得自行设计你的内核！（像是一些商业的软件包系统，由于需要较为精简的操作系统，那么它们的内核就需要更精简了！）

- 另外，需要注意重新编译内核虽然可以针对你的硬件做最佳化的步骤（例如刚才提到的 CPU 的问题），不过由于这些优化步骤对于整体性能的影响是很小很小的，因此如果是为了增加性能来编译内核的话，基本上，效益不大。然而，如果是针对系统稳定性来考虑的话，那么就有充分的理由来支持你重新编译内核。

- 如果系统已经运行很久了，而且也没有什么大问题，加上你又不增加冷门的硬件，那么建议就不需要重新编译内核了，因为重新编译内核的最主要目的是想让系统变得更稳，既然你的 Linux 主机已经达到这个目的了，何必再编译内核？不过，就如同前面提到的，由于默认的内核不见得适合你的需要，加上默认的内核可能并无法与你的硬件配备相配合，此时才开始考虑重新编译内核吧！

> 早期鸟哥是强调最好重新编译内核的一群。不过，最近这个想法改变了。既然原本的 distribution 都已经帮我们考虑好如何使用内核了，那么，我们也不需要再重新的编译内核。尤其是 distribution 都会主动释出新版的内核 RPM 版本，所以，实在不需要自己重新编译的！当然啦，如同前面提到的，如果你有特殊需求的话，那就另当别论！

由于内核的主要工作是控制硬件，所以编译内核之前，请先了解一下你的硬件配备与你这台主机将用于做什么，由于内核是越简单越好，所以只要将这台主机想要的功能编进去就好了！其他的就不用去理它。

26.1.3 内核的版本

内核的版本问题我们在第 1 章已经谈论过，主要的版本定义为"[主].[次].[发布-修改]"的样式。你只要知道 2.6.x 是稳定版本，2.5.x 是测试版本即可。我们要使用最新的内核来重新编译内核时，大多就是使用那种偶数的内核版本。不过这里还是要再提一遍，就是 2.4.x 与 2.6.x 是两个具有相当大差异的内核版本，两者之间使用到的函数库基本上已经不相同了，所以在升级之前，如果你的内核原本是 2.4.xx 版，那么就升级到 2.4.xx 版本的最新版，不要由 2.4.xx 直接升级到 2.6.xx 版，否则到时可能会欲哭无泪，这个问题在讨论区一再地被提起！这里再次说明！

为什么不能从 2.4 版升级到 2.6 版呢？其实还是可以。只是过程很复杂！我们知道软件包（packages）是架构在系统内核上面来进行编译、安装与执行的，也就是说，这些 packages 与内核之间是有相关性的。这些 packages 会用到很多内核提供的功能。但是不同的[主][次]版本之间，它们提供的功能架构差异太大，因此，若你由 2.4 升级到 2.6 的话，那么绝大部分的软件都需要重新再编译！这样了解了为何不要在不同的版本间升级了吧？

此外，2.4.xx 与 2.6.xx 的比较中，**并不是 2.6.xx 就一定比 2.4.xx 还要新**，因为这两种版本同时在进行维护与升级的工作！如果有兴趣的话，可以前往 Linux 内核网站 http://www.kernel.org 一看究竟，你就可以了解目前的内核变动情况了！

基本上，目前最新的 distributions，包括 CentOS, FC, SuSE, Mandriva 等，都使用 2.6 的内核，所以，你可以直接由 http://www.kernel.org 下载最新的 2.6.xx 版本的内核来尝试编译啊！目前（2009/07/27）鸟哥可以查到的最新版本是 2.6.30，下面我们将主要以这个版本来测试。另外，由于较新的内核版本可能会多出一些选项，因此若有不同的选项也没有关系，稍微查看一下说明内容就可以了解。

26.1.4　内核源代码的取得方式

既然内核是个文件，要制作这个文件给系统使用则需要编译，既然要有编译，当然就得要有源代码啊！那么源代码怎么来？基本上，依据你的 distributions 去挑选的内核源代码来源主要有：

◆　原本 distribution 提供的内核源代码文件
* 事实上，各主要 distributions 在推出他们的产品时，其实已经都附上了内核源代码了！以我们的 CentOS 5.x 为例，你可以下载相关的内核 SRPM 的文件！由于 CentOS 5.x 一直有在进行更新动作，因此你也可以在 update 的目录下面找到内核源代码。如下链接所示：
  * 原始推出内核代码：http://ftp.twaren.net/Linux/CentOS/5/os/SRPMS/
  * 更新代码：http://ftp.twaren.net/Linux/CentOS/5/updates/SRPMS/
* 你或许会说：既然要重新编译，那么干嘛还要使用原本 distributions 发布的源代码啊？真没创意！话不是这么说，因为原本的 distribution 发布的源代码当中，含有他们设置好的默认设置值，所以，我们可以轻易就了解当初他们是如何选择与内核及模块有关的各项设置参数的参数值，那么就可以利用这些可以配合我们 Linux 系统的默认参数来加以修改，如此一来，我们就可以修改内核，调整到自己喜欢的样子！而且编译的难度也会比较低一点！
◆　取得最新的稳定版内核源代码
* 虽然使用 distribution 发布的内核 source code 来重新编译比较方便，但是，如此一来，新硬件所需要的新驱动程序也就无法通过原本的内核源代码来编译啊！所以，如果是站在要更新驱动程序的立场来看，当然使用最新的内核可能会比较好啊！
* Linux 的内核目前是由其发明者 Linus Torvalds 所属团队在负责维护的，在其网站可以找到最新的 kernel 信息。不过，美中不足的是目前的内核越来越大了（linux-2.6.30.3.tar.bz2 这一版这一个文件大约 57MB 了），所以如果你的 ISP 网速很慢的话，那么使用镜像站点来下载不失为一个好方法：
  * 内核官网：http://www.kernel.org/
◆　保留原本设置：利用 patch 升级内核源代码
* 如果你曾经自行编译过内核，那么你的系统当中应该已经存在前几个版本的内核源代码，以及上次你自行编译的参数设置值才对；如果你只是想要在原本的内核下面加入某些特殊功能，

而该功能已经针对内核源代码推出 patch 补丁文件时。那你该如何进行内核源代码的更新，以便后续的编译呢？

- 其实每一次内核发布时，除了发布完整的内核压缩文件之外，也会发布该版本与前一版本的差异性补丁（patch）文件，关于 patch 的制作我们已经在第 22 章当中提及，你可以自行前往参考。这里仅是要提供给你的信息是，每个内核的补丁仅有针对前一版的内核来分析而已，所以，万一你想要由 2.6.27 升级到 2.6.30 的话，那么你就得要下载 patch-2.6.28, patch-2.6.29, patch-2.6.30 等文件，然后依序一个一个去进行 patch 的动作后，才能够升级到 2.6.30。这个重要！不要忘记了。

- 但是，如果你想要升级 2.6.30 的修改版本到 2.6.30.3 时，由于修改版本是针对 2.6.30 来制作的，因此你只要下载 patch-2.6.30.3 来直接将 2.6.30 升级至 2.6.30.3 即可。但反过来说，如果你要从 2.6.30.2 升级到 2.6.30.3 呢？很抱歉的是，并没有 2.6.30.2 到 2.6.30.3 的补丁文件，所以你必须要将 2.6.30.2 还原至 2.6.30，然后才能使用 patch-2.6.30.3 来升级 2.6.30。注意这个差异！

- 同样，如果是某个硬件或某些非官方认定的内核添加功能网站所推出的 patch 文件时，你也必须要了解该 patch 文件所适用的内核版本，然后才能够进行 patch，否则容易出现重大错误。这个选项对于某些商业公司的工程师来说是很重要的。举例来说，鸟哥的一个高中同学在业界服务，他主要是进行类似 EeePC 开发的计划，然而该计划的硬件是该公司自行推出的，因此，该公司必须要自行搭配内核版本来设计他们自己的驱动程序，而该驱动程序并非 GPL 授权，因此他们就得要自行将驱动程序整合进内核。如果改天他们要将这个驱动程序发布，那么就得要利用 patch 的方式，将硬件驱动程序文件释出，我们就得要自行以补丁来更新内核。

- 在进行完 patch 之后，你可以直接检查一下原本的设置值，如果没有问题，就可以直接编译，而不需要重新选择内核的参数值，这也是一个省时间的方法啊！至于 patchfile 的下载，同样是在 kernel 的相同目录下，寻找文件名是 patch 开头的就是了。

26.1.5 内核源代码的解压缩/安装/观察

由于鸟哥是比较喜欢直接由内核官网取得原始内核的家伙，所以，下面的动作是使用 2.6.30.3 这个版本的内核来安装的。如果你想要使用 distributions 提供的 SRPM 来处理的话，得自行找到 SRPM 的相关安装方法来处理。其实看一下第 22 章就知道该如何处理啦。总之，本章的内核源代码是由下面的链接取得的：

- ftp://linux.cis.nctu.edu.tw/kernel/linux/kernel/v2.6/linux-2.6.30.3.tar.bz2

◆ 内核源代码的解压缩与放置目录

- 鸟哥这里假设你也是下载上述链接内的文件，然后该文件放置到/root 下面。由于 2.6.x 内核源代码一般建议放置于/usr/src/kernels/目录下面，因此你可以这样处理：

```
[root@www ~]# tar -jxvf linux-2.6.30.3.tar.bz2 -C/usr/src/kernels/
```

- 此时会在/usr/src/kernels 下面产生一个新的目录，那就是 linux-2.6.30.3 这个目录。我们在下个小节会谈到的各项编译与设置都必须要在这个目录下面进行才行。好了，那么这个目录下面的相关文件有什么东东？下面就来谈谈：

◆ 内核源代码下的次目录

- 在上述内核目录下含有哪些重要数据呢？基本上有下面这些东西：
- arch：与硬件平台有关的选项，大部分指的是 CPU 的类型，例如 x86, x86_64, Xen 虚拟支持等；
- block：与区块设备较相关的设置数据，区块数据通常指的是大量储存媒质，还包括类似 ext3 等文件系统的支持是否允许等；
- crypto：内核所支持的加密的技术，例如 md5 或者是 des 等；
- Documentation：与内核有关的一堆帮助文档，若对内核有极大的兴趣，要瞧瞧这里！
- drivers：一些硬件的驱动程序，例如显卡、网卡、PCI 相关硬件等；

- firmware：一些旧式硬件的微指令（固件）数据；
- fs：内核所支持的文件系统，例如 vfat, reiserfs, nfs 等；
- include：一些可让其他过程调用的头（header）定义数据；
- init：一些内核初始化的定义功能，包括挂载与 init 程序的调用等；
- ipc：定义 Linux 操作系统内各程序的通信；
- kernel：定义内核的程序、内核状态、线程、程序的调度（schedule）、进程的信号（signle）等
- lib：一些函数库；
- mm：与内存单元有关的各项数据，包括 swap 与虚拟内存等；
- net：与网络有关的各项协议数据，还有防火墙模块（net/ipv4/netfilter/*）等；
- security：包括 selinux 等在内的安全性设置；
- sound：与音效有关的各项模块；
- virt：与虚拟化机器有关的信息，目前内核支持的是 KVM（Kernel base Virtual Machine）。
- 这些数据先大致有个印象即可，至少将来如果你想要使用 patch 的方法加入额外的新功能时，你要将你的源代码放置于何处？这里就能够提供一些指引了。当然，最好还是跑到 Documentation 那个目录下面去瞧瞧正确的说明，对你的内核编译会更有帮助。

26.2　内核编译的前处理与内核功能选择

什么？内核编译还要进行前处理？没错！事实上，内核的目的在于管理硬件与提供系统内核功能，因此你必须要先找到你的系统硬件，并且规划你的主机将来的任务，这样才能够编译出适合你这台主机的内核。所以，整个内核编译的重要工作就是在挑选你想要的功能。下面鸟哥就以自己的一台主机软/硬件环境来说明，解释一下如何处理内核编译。

26.2.1　硬件环境查看与内核功能要求

鸟哥的一台主机硬件环境如下（通过/proc/cpuinfo 及 lspci 查看）：

- CPU：AMD 的 Athlon64 3000+（旧式，不含虚拟化功能）；
- 主板芯片组：ALi M1689 K8 北桥及 M5249, M1563 南桥芯片（较冷门的硬件）；
- 显卡：AGP 8X 的 NVidia GeForce 6600LE；
- 内存：2.0GB 内存；
- 硬盘：WD（西部数据）2.5GB 硬盘，使用 ALi, ULi 5289 SATA 接口；
- 电源控制器：ALi M7101 Power Management Controller（PMU）；
- 网卡：3Com 3c905C-TX/TX-M（对外）；
- 网卡：Realtek Semiconductor RTL-8139/8139C/8139C+。

硬件大致如上，至于这部主机的需求，是希望作为将来在鸟哥上课时，可以通过虚拟化功能来处理学生的练习用虚拟机器。这部主机也是鸟哥用来放置学校上课教材的机器，因此，这部主机的 I/O 需求必须要好一点，将来还需要开启防火墙、WWW 服务器功能、FTP 服务器功能等，基本上，用途就是一部小型的服务器环境，大致上需要这样的功能。

26.2.2　保持干净源代码：make mrproper

了解了硬件相关的数据后，我们还得要处理一下内核源代码下面的残留文件才行！假设我们是第一次编译，但是我们不清楚到下面载下来的源代码当中有没有保留目标文件（*.o）以及相关的设置文件存在，此时我们可以通过下面的方式来处理这些编译过程的目标文件以及设置文件：

```
[root@www linux-2.6.30.3]# make mrproper
```

请注意，这个操作会将你以前进行过的内核功能选择文件也删除掉，所以几乎只有第一次执行内核编译前才进行这个操作，其余的时刻，你想要删除前一次编译过程的残留数据，只要执行：

```
[root@www linux-2.6.30.3]# make clean
```

因为 make clean 仅会删除类似目标文件之类的编译过程生成的中间文件，而不会删除设置文件。很重要的！千万不要搞乱了。好了，既然我们是第一次进行编译，因此，请执行"make mrproper"吧！

26.2.3 开始挑选内核功能：make XXconfig

不知道你有没有发现/boot/下面存在一个名为 config-xxx 的文件？那个文件其实就是内核功能列表文件。我们下面要进行的动作，其实就是制作出该文件。而我们后续小节所要进行的编译动作，其实也就是通过这个文件来处理的。内核功能的挑选，最后会在/usr/src/kernels/linux-2.6.30.3/下面生成一个名为.config 的隐藏文件，这个文件就是/boot/config-xxx 的文件。那么这个文件如何创建呢？你可以通过非常多的方法来创建这个文件。常见的方法有[注1]：

◆ make menuconfig
  ● 最常使用的，是文字模式下面可以显示类似图形界面的方式，不需要启动 X Window 就能够挑选内核功能菜单。
◆ make oldconfig
  ● 通过使用已存在的./.config 文件内容，使用该文件内的设置值为默认值，只将新版本内核内的新功能选项列出让用户选择，可以简化内核功能的挑选过程。对于作为升级内核源代码后的功能挑选来说，是非常好用的一个选项。
◆ make xconfig
  ● 通过以 Qt 为图形界面基础功能的图形化界面显示，需要具有 X Window 的支持。例如 KDE 就是通过 Qt 来设计的 X Window，因此你如果在 KDE 画面中，可以使用此选项。
◆ make gconfig
  ● 通过以 Gtk 为图形接口基础功能的图形化界面显示,需要具有 X Window 的支持。例如 GNOME 就是通过 Gtk 来设计的 X Window，因此你如果在 GNOME 界面中，可以使用此选项。
◆ make config
  ● 最老式的功能挑选方法，每个选项都以条列式一条一条地列出让你选择，如果设置错误只能够再次选择，很不人性化啊！

大致的功能选择有上述的方法，不过鸟哥个人比较偏好 make menuconfig 这个选项。如果你喜欢使用图形界面，然后使用鼠标去挑选所需要的功能时，也能使用 make xconfig 或 make gconfig，不过需要有相关的图形界面支持。如果你是升级内核源代码并且需要重新编译，那么使用 make oldconfig 会比较适当。好了，那么如何选择呢？以 make menuconfig 来说，出现的画面如图 26-1 所示。

看到图 26-1 之后，你会发现画面主要分为两大部分，一个是大框框内的反白光柱，另一个则是下面的小框框，里面有 select, exit 与 help 三个选项的内容。这几个组件的大致用法如下：

◆ 左右方向键：可以移动最下面的<Select>, <Exit>, <Help>选项；
◆ 上下方向键：可以移动上面大框框部分的反白光标，若该行有箭头则表示该行内部还有其他具体选项需要来设置的意思；
◆ 选定选项：以上上键选择好想要设置的选项之后，并以左右键选择<Select>之后，按下[Enter]就可以进入该选项去作更进一步的详细设置；
◆ 可挑选的功能：在详细选项的设置当中，如果前面有[ ]或< >符号时，该选项才可以选择，而选择可以使用空格键来选择；

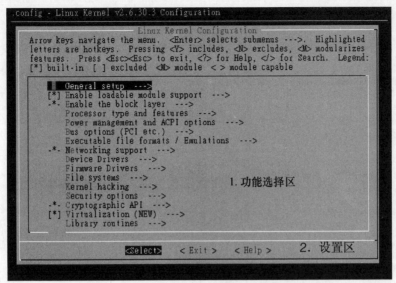

图 26-1　make menuconfig 内核功能挑选菜单示意图

- ◆ 若为[*]、<*>则表示编译进内核；若为<M>则表示编译成模块。如果在不知道该选项为何时，且有模块可以选，那么就可以直接选择为模块。
- ◆ 当在具体选项中选择[Exit]后，并按下[Enter]，那么就可以离开该具体选项。

基本上建议只要上下左右的方向键、空格键、[Enter]这六个按键就好了！不要使用[Esc]，否则一不小心就有可能按错的。另外，关于整个内核功能的选择上面，建议你可以这样思考：

- ◆ "肯定"内核一定要的功能，直接编译进内核内；
- ◆ 可能在将来会用到的功能，那么尽量编译成为模块；
- ◆ 不知道那个东西要干嘛的，看帮助也看不懂的话，那么就保留默认值，或者将它编译成为模块。

总之，尽量保持内核小而美，剩下的功能就编译成为模块，尤其是需要考虑到将来扩展性，像鸟哥之前认为螃蟹卡就够我用的了，结果，后来竟然网站流量大增，鸟哥只好改换 3Com 的网卡。不过，我的内核却没有相关的模块可以使用，因为鸟哥自己编译的内核忘记加入这个模块了。最后，只好重新编译一次内核的模块，真是惨痛的教训啊！

26.2.4　内核功能细项选择

由上面的图示当中，我们知道内核可以选择的选项有很多啊！光是首页，就有 16 个选项，每个选项内还有不同的子选项！真是很麻烦。每个选项其实都可能有<Help>的说明，所以，如果看到不懂的选项，务必要使用 Help 查阅查阅！好了，下面我们就一个一个选项来看看如何选择吧！

- ◆ General setup
  - ● 与 Linux 最相关的程序互动、内核版本说明、是否使用开发中程序代码等信息都在这里设置的。这里的选项主要都是针对内核与程序之间的相关性来设计的，基本上，保留默认值即可！不要随便取消下面的任何一个选项，因为可能会造成某些程序无法被同时执行的困境。不过下面有非常多新的功能，如果你有不清楚的地方，可以按<Help>进入查阅，里面会有一些建议！你可以依据 Help 的建议来选择新功能的启动与否。

```
[ ] Prompt for development and/or incomplete code/drivers
    # 这个建议不要选择，因为我们不是内核专家，不需要使用开发中或不完整的程序代码！
(vbird) Local version - append to kernel release
[*] Automatically append version information to the version string
    # 我希望我的内核版本成为 2.6.30.3.vbird，那这里可以就这样设置！
Kernel compression mode(Bzip2) --->
```

```
              # 建议选择成为 Bzip2 即可, 因为压缩比较佳。
      [*] Support for paging of anonymous memory (swap)
              # 任何人均可访问 swap 是合理的, 所以这里务必要勾选。
      [*] System V IPC
              # IPC 是 Inter Process Communication (程序通信) 缩写, 与程序通信有关, 要选。
      [*] BSD Process Accounting
      [ ]    BSD Process Accounting version 3 file format
              # 与标准 UNIX (BSD) 的程序支持有关, 但不要支持 version 3, 可能有兼容性问题。
      [ ] Export task/process statistics through netlink (EXPERIMENTAL)
              # 这个额外的进阶选项可以将它取消的。
      [*] Auditing support
      [*]    Enable system-call auditing support
              # 上面这两个是额外内核功能 (如 SELinux) 加载时所需要的设置, 务必选择!
          RCU Subsystem  --->
            RCU Implementation (Classic RCU)  --->
              # 选择标准 RCU 即可, 不需要使用大量 CPU 的整合功能。
   <M> Kernel .config support
      [ ]    Enable access to .config through/proc/config.gz (NEW)
              # 让 .config 这个内核功能列表可以写入实际的内核文件中。
    (17) Kernel log buffer size (16 => 64KB, 17 => 128KB)
      [ ] Control Group support (NEW)  --->
              # 整合 CPU 或分离设备的功能, 属于高级设置, 我们先不要使用这功能。
      [*] Create deprecated sysfs layout for older userspace tools (NEW)
              # 如果使用支持旧式设备, 如/sys/devices, 这里要勾选, 但如果是 2008
              # 年后的 distribution, 这里可能需要取消。CentOS 5.x 要选的。
   -*- Kernel->user space relay support (formerly relayfs)
   -*- Namespaces support
      [*]    UTS namespace (NEW)
      [*]    IPC namespace (NEW)
              # 使用 uname 时, 会输出较多的信息, 所以可以尝试选择看看。
      [*] Initial RAM filesystem and RAM disk (initramfs/initrd) support
   ()     Initramfs source file (s)
              # 这是一定要的! 因为要支持开机时加载 initail RAM disk 嘛!
      [*] Optimize for size
              # 可以减低内核的文件大小, 其实是 gcc 参数使用 -Os 而不是 -O2
      [ ] Configure standard kernel features (for small systems)  --->
              # 给嵌入式系统使用的, 我们用 PC, 所以这里不选。
      [ ] Strip assembler-generated symbols during link (NEW)
      [ ] Disable heap randomization (NEW)
              # 2000 年后推出的版本, 可以取消这个选项。
          Choose SLAB allocator (SLAB)  --->
      [*] Profiling support (EXPERIMENTAL)
      [ ] Activate markers (NEW)
   <M> OProfile system profiling (EXPERIMENTAL)
      [ ]    OProfile AMD IBS support (EXPERIMENTAL) (NEW)
      [*] Kprobes
```

- loadable module + block layer
  - 要让你的内核能够支持动态的内核模块, 那么下面的第一个设置就得要启动才行! 至于第二个 block layer 则默认是启动的, 你也可以进入该选项的详细设置, 选择其中你认为需要的功能即可!

```
      [*] Enable loadable module support  --->  <==下面为子选项
       --- Enable loadable module support
      [ ]    Forced module loading      <==大概就是这个不要选, 其他的都选起来!
      [*]    Module unloading
      [*]    Module versioning support
      [*]    Source checksum for all module
   ==============================================================================
   -*- Enable the block layer  --->  <==看吧! 默认就是已经选择了! 下面为子选项
      [ ]    Block layer data integrity support  <==特殊存储设备支持, 可以不选
          IO Schedulers  --->
            <*> Anticipatory I/O scheduler  <==较复杂的一种 I/O 调度
```

```
           <*> Deadline I/O scheduler          <==较适用于 database 的载入
           <*> CFQ I/O scheduler               <==较适用于 desktop 的环境
               Default I/O scheduler(Deadline) ---> <==适用于鸟哥的机器环境
```

◆ CPU 的类型与功能选择

- 进入 "Processor type and features" 后，请挑选你主机的实际 CPU 形式。鸟哥这里使用的是 Athlon 64 的 CPU，而且鸟哥的主机还有启动 Xen 这个虚拟化的服务（在一部主机上面同时启动多个操作系统），因此，所以下面的选择是这样的：

```
    [*] Tickless System(Dynamic Ticks)    <==可增加一些省电功能
    [ ] High Resolution Timer Support
    [*] Symmetric multi-processing support <==多内核 CPU 环境必选
    [ ] Support sparse irq numbering
    [*] Enable MPS table                   <==让多 CPU 支持 ACPI
    [ ] Support for extended(non-PC)x86 platforms
    [*] Single-depth WCHAN output
    [*] Paravirtualized guest support  ---> <==支持半虚拟化功能
       --- Paravirtualized guest support <==下面为 Xen 与 KVM 两种虚拟机器支持!
       [*]   Xen guest support
      (32)  Maximum allowed size of a domain in gigabytes
       [*]     Enable Xen debug and tuning parameters in debugfs
       [n]   KVM paravirtualized clock
       [*]   KVM Guest support
       -*-   Enable paravirtualization code
    ==========================================================================
    [ ] paravirt-ops debugging(NEW) <==不需要具有 debug 的功能
    [ ] Memtest
        Processor family(Opteron/Athlon64/Hammer/K8) ---> <==要选对啊!
    [*] AMD IOMMU support <==启动 AMD 的 IOMMU 功能!
    (8) Maximum number of CPUs
    [ ] SMT(Hyperthreading)scheduler support <==Intel CPU 的超线程功能
    [*] Multi-core scheduler support <==多内核功能的支持
        Preemption Model(No Forced Preemption(Server)) --->
        # 这是与程序有关的设置选项，鸟哥这里新建 Server 主机，因此选这项!
        # 如果是桌面计算机的使用，建议选择 desktop 选项。
    [ ] Reroute for broken boot IRQs
    [*] Machine Check Exception <==可将内核检测的错误返回到终端机显示!
    [*]   Intel MCE features(NEW)
    [*]   AMD MCE features(NEW)
    < > Dell laptop support
    <M>/dev/cpu/microcode - microcode support
    [ ]   Intel microcode patch loading support
    [*]   AMD microcode patch loading support
    <M>/dev/cpu/*/msr - Model-specific register support
    <*>/dev/cpu/*/cpuid - CPU information support
    < >/sys/kernel/debug/x86/cpu/* - CPU Debug support
    [ ] Numa Memory Allocation and Scheduler Support
        Memory model(Sparse Memory) --->
    [*] Sparse Memory virtual memmap <==可强化一些内核性能
    [ ] Allow for memory hot-add
    [*] Add LRU list to track non-evictable pages
    (65536)Low address space to protect from user allocation
    [ ] Check for low memory corruption
    [*] Reserve low 64K of RAM on AMI/Phoenix BIOSen <==重新检测 BIOS 信息
    [*] MTRR(Memory Type Range Register)support
        # 可以让 CPU 具有读取内存特殊区块的能力，尤其在高性能的显卡方面，
        # 可以提高性能。这个选项会产生/proc/mtrr，X 会读取它。
    [*]   MTRR cleanup support
    (0)    MTRR cleanup enable value(0-1)
    (1)    MTRR cleanup spare reg num(0-7)
    [ ]   x86 PAT support
    [ ] EFI runtime service support
```

```
    [*] Enable seccomp to safely compute untrusted bytecode
        Timer frequency (300 HZ) --->
        # 这个选项则与内核针对某个事件立即响应的速度有关。Server 用途可以调整到
        # 300Hz 即可, 如果是桌面计算机使用, 需要调整高一点, 例如 1000Hz 较佳!
    [*] kexec system call
    [ ] kernel crash dumps
   -*- Support for hot-pluggable CPUs
    [ ] Compat VDSO support  <==旧式功能, 可以不要选择
    [ ] Built-in kernel command line <==正常开机选单 (grub) 环境, 不需要此项功能
```

- ◆ 电源管理功能
  - ● 如果选择了 "Power management and ACPI options" 之后, 就会进入系统的电源管理机制中。其实电源管理机制还需要搭配主板以及 CPU 的相关省电功能, 才能够实际达到省电的效率。不论是 Server 还是 Desktop 的使用, 在目前电力不足的情况下, 能省电就加以省电吧!

```
    [*] Power Management support
    [ ]   Power Management Debug Support
    [*] Suspend to RAM and standby
    [ ] Hibernation (aka 'suspend to disk')
    [*] ACPI (Advanced Configuration and Power Interface) Support  --->
        # 这是个较新的电源管理模块, 由于选择后会增加内核约 70K, 所以
        # 对嵌入式系统来说, 可能需要考虑考虑。至于 desktop/server 当然就选择啊!
        --- ACPI (Advanced Configuration and Power Interface) Support
    [ ]   Deprecated/proc/acpi files
    [*]   Deprecated power/proc/acpi directories
    [*]   Future power/sys interface
    [*]   Deprecated/proc/acpi/event support
    <M>   AC Adapter
    <M>   Battery
    <M>   Button
    -M-   Video
    <*>   Fan
    <*>   Processor
    <*>     Thermal Zone
    [ ]   Debug Statements
    <M>   PCI slot detection driver
    <M>   Smart Battery System
    ============================================================================
    CPU Frequency scaling  --->
    # 可以经过内核修改 CPU 的运行频率, 在说明文件当中也提及, 还需要启动下面的
    # dynamic cpufreq governor 才可以顺利启动这个选项。
    [*] CPU Frequency scaling
    [*]   Enable CPUfreq debugging
    <M>   CPU frequency translation statistics
    [*]     CPU frequency translation statistics details
        Default CPUFreq governor (userspace)  --->
    -*-   'performance' governor
    <M>   'powersave' governor
    <M>   'userspace' governor for userspace frequency scaling
    <M>   'ondemand' cpufreq policy governor
    -*-   'conservative' cpufreq governor
        *** CPUFreq processor drivers ***
    <M>   ACPI Processor P-States driver
    <*>   AMD Opteron/Athlon64 PowerNow!  <==因为我们是 AMD 的 CPU 啊!
    <M>   Intel Enhanced SpeedStep (deprecated)
    < >   Intel Pentium 4 clock modulation
    ============================================================================
   -*- CPU idle PM support
    Memory power savings  --->
```

- ◆ 一些总线 (bus) 的选项
  - ● 这个选项则与总线有关。分为最常见的 PCI 与 PCI-express 的支持, 还有笔记本电脑常见的

PCMCIA 接口。要记住的是，那个 PCI-E 的界面务必要选择！不然你的新显卡可能会检测不到！

```
[*] PCI support
[*]   Support mmconfig PCI config space access
[*] PCI Express support
<M>   PCI Express Hotplug driver
[*]   Root Port Advanced Error Reporting support
-*- Message Signaled Interrupts(MSI and MSI-X)
[*] Enable deprecated pci_find_* API
[ ] PCI Debugging
<M> PCI Stub driver
[*] Interrupts on hypertransport devices
[*] PCI IOV support  <==与虚拟化有关！请加选此项！
< > PCCard(PCMCIA/CardBus)support  --->  <==鸟哥的主机不是笔记本，所以不选。
<*> Support for PCI Hotplug  --->  <==不关机情况下，热拔插 PCI 设备
    --- Support for PCI Hotplug
    <M>   Fake PCI Hotplug driver
    <M>   ACPI PCI Hotplug driver
    <M>    ACPI PCI Hotplug driver IBM extensions
    [ ]   CompactPCI Hotplug driver
    <M>   SHPC PCI Hotplug driver
```

◆ **编译成可执行文件的格式**
 ● 选择"Executable file formats/Emulations"会见到如下选项。下面的选项必须要勾选才行。
   因为是给 Linux 内核运行可执行文件之用的数据。通常是与编译行为有关。

```
[*] Kernel support for ELF binaries
[ ] Write ELF core dumps with partial segments
<*> Kernel support for MISC binaries
[*] IA32 Emulation  <==因为我们这里是 64 位，因此 32 位为仿真结果
<M>   IA32 a.out support
```

◆ **内核的网络功能**
 ● 这个"Networking support"选项是相当重要的选项，因为它还包含了防火墙相关的选项，就
   是将来在服务器篇会谈到的防火墙 iptables 这个数据。所以，千万注意了！在这个设置选项
   当中，很多东西其实我们在基础篇还没有讲到，因为大部分的参数都与网络、防火墙有关。
   由于防火墙是在启动网络之后再设置即可，所以绝大部分的内容都可以被编译成为模块，而
   且也建议你编成模块。有用到再载入到内核即可啊！

```
--- Networking support
    Networking options  --->
    # 里面的数据全部都是重要的防火墙选项！尽量编成模块！
    # 至于不确定功能的部分，就尽量保留默认值即可！
  <*> Packet socket          <==网络包，当然要选择啊！
  [*]   Packet socket: mmapped IO
  <*> UNIX domain sockets    <==UNIX 插槽文件，也一定要选择啊！
  <*> Transformation user configuration interface
  <M> PF_KEY sockets
  [*] TCP/IP networking      <==能不选择 TCP/IP 吗？
  [*]   IP: multicasting
  [*]   IP: advanced router
        Choose IP: FIB lookup algorithm(FIB_HASH)  --->
  [*]   IP: policy routing
  [*]   IP: equal cost multipath
  [*]   IP: verbose route monitoring
  [ ]   IP: kernel level autoconfiguration
  <M>   IP: tunneling
  <M>   IP: GRE tunnels over IP
  [*]     IP: broadcast GRE over IP
  [*]   IP: multicast routing
```

```
    [*]     IP: PIM-SM version 1 support
    [*]     IP: PIM-SM version 2 support
    [*]     IP: TCP syncookie support（disabled per default）
    <M>     IP: AH transformation
    <M>     IP: ESP transformation
    <M>     IP: IPComp transformation
    <M>     IP: IPsec transport mode
    <M>     IP: IPsec tunnel mode
    <*>     IP: IPsec BEET mode
    -*-     Large Receive Offload（ipv4/tcp）
    <M>     INET: socket monitoring interface
    [*]     TCP: advanced congestion control  --->  <==内部子选项全为模块
    <M>     The IPv6 protocol  --->  <==除必选外，内部子选项全为模块
    [*]     NetLabel subsystem support
    -*- Security Marking
    [*] Network packet filtering framework（Netfilter）--->
      # 这个就是我们一直讲的防火墙部分！里面子选项几乎全选择成为模块！
        --- Network packet filtering framework（Netfilter）
        [ ]    Network packet filtering debugging  <==debug 部分不选！
        [*]    Advanced netfilter configuration
        [*]     Bridged IP/ARP packets filtering
                Core Netfilter Configuration  --->
        <M>    IP virtual server support  --->
                IP: Netfilter Configuration  --->
                IPv6: Netfilter Configuration  --->
        <M>    Ethernet Bridge tables（ebtables）support  --->
      # 上面的子选项，除了必选外，其他的都编成模块。原始没选的也请选为模块
======================================================================
    <M> Asynchronous Transfer Mode（ATM）
    <M>   Classical IP over ATM
    [ ]     Do NOT send ICMP if no neighbour
    <M>   LAN Emulation（LANE）support
    < >     Multi-Protocol Over ATM（MPOA）support
    <M>   RFC1483/2684 Bridged protocols
    [ ]     Per-VC IP filter kludge
    <M> 802.1d Ethernet Bridging
    <M> 802.1Q VLAN Support
    [ ]   GVRP（GARP VLAN Registration Protocol）support
    <M> DECnet Support
    <M> ANSI/IEEE 802.2 LLC type 2 Support
    [ ]   IPX: Full internal IPX network（NEW）
    <M> Appletalk protocol support
    < >   Appletalk interfaces support
    <M> Phonet protocols family
    [*] QoS and/or fair queueing  --->  <==内容同样全为模块！
    [ ] Data Center Bridging support
       Network testing  --->  <==保留成模块默认值
======================================================================
# 下面的则是一些特殊的网络设备，例如红外线、蓝牙。
# 如果不清楚的话，就使用模块吧！除非你真的知道不要该选项！
 [ ]   Amateur Radio support  --->
 < >   CAN bus subsystem support  --->
 < >   IrDA（infrared）subsystem support  --->
 <M>   Bluetooth subsystem support  --->
        # 这个是蓝牙支持，同样，里面除了必选之外，其他通通挑选成为模块！
 [*]   Wireless  --->
        # 这个则是无线网络设备，里面保留默认值，但可编成模块的就选模块。
 <M>   WiMAX Wireless Broadband support  --->
        # 新一代的无线网络，也请勾选成为模块！
 {M}   RF switch subsystem support  --->
```

◆ 各项设备的驱动程序

- 进入 "Device Drivers"，这个是所有硬件设备的驱动程序库。光是看到里面这么多内容，鸟哥

头都昏了。不过，为了你自己的主机好，建议你还是得要一个选项一个选项去挑选挑选才行。这里面的数据就与你主机的硬件有绝对的关系了！

- 在这里面真的很重要，因为很多数据都与你的硬件有关。内核推出时的默认值是比较符合一般状态的，所以很多数据其实保留默认值就可以编得很不错了！不过，也因为较符合一般状态，所以内核额外编译进来很多跟你的主机系统不符合的数据，例如网卡设备，你可以针对你的主板与相关硬件来进行编译。不过，还是要记得有扩展性的考虑。之前鸟哥不是谈过吗，我的网络卡由螃蟹卡换成 3Com 时，内核检测不出来。因为鸟哥并没有将 3Com 的网卡编译成为模块啊！

```
    Generic Driver Options  --->    <==与固件有关，保留默认值即可
<*> Connector - unified userspace <-> kernelspace linker  --->
    # 与用户/内核层级的信息沟通有关，务必要选择啊！
<M> Memory Technology Device（MTD）support  --->
    # 例如闪存（U 盘之类）的支持，通常与嵌入式系统有关！
    # 但由于我们也会用到移动设备，所以里面的数据全编为模块！
<M> Parallel port support  --->
    # 平行串行端口的支持，例如早期的 25 针打印机与 9 针鼠标等，子选项全编为模块
-*- Plug and Play support  --->    <==不啰唆！当然要选择这个选项
[*] Block devices  --->    <==块设备，就是一些储存媒质！子选项内容请全编为模块
[*] Misc devices  --->    <==一些较冷门的设备，建议还是全部编为模块
<*> ATA/ATAPI/MFM/RLL support  --->  <==IDE 接口相关的芯片组
    # 这个其实与主板的南桥芯片有关。由于鸟哥的主机为 ALi 的板子，所以：
    <*>    ALI M15x3 chipset support
    # 除了可以保留默认值之外，你也可以将没用到的驱动程序取消选择。较重要的还有：
    [ ]    Support for SATA（deprecated; conflicts with libata SATA driver）
    # 这个一定不能选！因为 SATA 的模块是在 SCSI 中！
    <*>    Include IDE/ATAPI CDROM support
    # IDE 的 CDROM 最好直接编译进内核！
    # 其余的驱动程序鸟哥几乎都选择成为模块了！没用到的芯片也将 * 也改成 M。
================================================================================
    SCSI device support  --->
    # 这部分是 SCSI 储存媒质的驱动程序，请一定要选择！因为：
    # 1. 因为 USB 设备用的就是仿真 SCSI 啊！
    # 2. 因为 SATA 的设置选项就在这里面！
    <M> RAID Transport Class
    {M} SCSI device support
    [*] legacy/proc/scsi/support
        *** SCSI support type（disk, tape, CD-ROM）***
    <M> SCSI disk support    <==几乎全编为模块即可！
    <M> SCSI tape support
    <M> SCSI OnStream SC-x0 tape support
    <M> SCSI CDROM support
    [*]    Enable vendor-specific extensions（for SCSI CDROM）
    <M> SCSI generic support
    <M> SCSI media changer support
    <M> SCSI Enclosure Support
        *** Some SCSI devices（e.g. CD jukebox）support multiple LUNs ***
    [*] Probe all LUNs on each SCSI device
    [*] Verbose SCSI error reporting（kernel size +=12K）
    [*] SCSI logging facility
    [*] Asynchronous SCSI scanning
        SCSI Transports  --->    <==子选项保留默认值
    [*] SCSI low-level drivers  --->  <==主要是磁盘阵列卡，子选项可全选为模块
    <M> SCSI Device Handlers  --->    <==子选项全选为模块
    < > OSD-Initiator library
================================================================================
<M> Serial ATA（prod）and Parallel ATA（experimental）drivers  --->
    # SATA 之类的磁盘驱动程序，这里的模块与 SCSI 模块是有相依属性的关系。
    # 下面的子选项全部选择模块，尤其是 ALi 的这个选项，对鸟哥来说，是一定要勾选的
    <M>    ALi PATA support
```

```
    [*] Multiple devices driver support（RAID and LVM）--->
        # RAID 与 LVM 怎可不选？我们第 15 章才讲过这东西！细项均保留默认值即可
    [ ] Fusion MPT device support  --->
        # 一种高级的 SCSI 控制器，可选可不选！因为鸟哥这里不会用到，所以不选。
        IEEE 1394（FireWire）support  --->
        # 这个就是俗称的“火线”，许多外接式设备可能会用这个接口，因此，
        # 在此部分内的子选项部分，请务必设置为模块。不要忘了！
    <M> I2O device support  --->        <==子选项也全选为模块！
    [ ] Macintosh device drivers  ---> <==我们是 PC，所以不需要支持 Mac
    [*] Network device support  --->    <==网络设备的支持是必选！
        --- Network device support
        [*]    Enable older network device API compatibility
        <M>    Intermediate Functional Block support
        <M>    Dummy net driver support
        <M>    Bonding driver support
        <M>    EQL（serial line load balancing）support
        <M>    Universal TUN/TAP device driver support
        <M>    Virtual ethernet pair device
        <M>    General Instruments Surfboard 1000
        < >    ARCnet support  ---> <==较早期的网卡规格，可不选择！
        {M}    PHY Device support and infrastructure  ---> <==子选项全为模块
        [*]    Ethernet（10 or 100Mbit）--->
        [*]    Ethernet（1000 Mbit）--->
        [*]    Ethernet（10000 Mbit）--->
        # 上面三个以太网络网卡支持，不论是否用得到，子选项请全编为模块来待命吧！
        < >    Token Ring driver support  ---> <==IBM 的 LAN，可不选！
               Wireless LAN  --->
               WiMAX Wireless Broadband devices  --->
               USB Network Adapters  --->
        # 上面三个为现阶段很热门的无线网络设备，所以全部内容的子选项全选
        # 为模块！免得将来你的主机加上新的无线设备时会找不到驱动程序！
        [ ]    Wan interfaces support  ---> <==WAN 的广域网设备应该就不用选择了！
        [ ]    ATM drivers  ---> <==高级的 ATM 设备也不用选吧！
        <*>    Xen network device frontend driver
        <*>    FDDI driver support
        <M>     Digital DEFTA/DEFEA/DEFPA adapter support
        [ ]      Use MMIO instead of PIO（NEW）
        <M>     SysKonnect FDDI PCI support
        <M>    PLIP（parallel port）support
        <M>    PPP（point-to-point protocol）support
        [*]      PPP filtering
        <M>      PPP support for async serial ports
        <M>      PPP support for sync tty ports
        <M>      PPP Deflate compression
        <M>      PPP BSD-Compress compression
        <M>      PPP over ATM
        # 如果你有 ADSL 拨接的话，呵呵！PPP 的设备也要选择上。
        <M>    SLIP（serial line）support
        [*]      CSLIP compressed headers
        [*]      Keepalive and linefill
        [ ]      Six bit SLIP encapsulation
        [*]    Fibre Channel driver support
    =========================================================================
    [ ] ISDN support  --->
    < > Telephony support  --->
        # 这两个设备没用到，所以也可以不要选择！
        Input device support  --->
        # 这里面含有鼠标、键盘、游戏杆、触摸板等输入设备，尽量全选为模块吧！
        Character devices  --->
        # 周边组件设备部分，也全选为模块吧！
    {M} I2C support  --->
        # 还记得我们去检测主机板的温度与压力吧？那就是通过内核的这个 I2C
        # 的模块功能！ALi 默认没有被编入内核，所以请进入选择成模块！
```

```
   [ ] SPI support --->
   [ ] GPIO Support --->
   < > Dallas's 1-wire support --->
   -*- Power supply class support --->
       # 绝大部分都没有用到的东东，所以保留默认值，不选择。
   <M> Hardware Monitoring support --->
       # 硬件检测器的支持，记得也要挑选，然后内容全编为模块。
   -*- Generic Thermal sysfs driver --->
   [*] Watchdog Timer Support ---> <==需搭配 watchdog 服务
       # 若搭配 watchdog 服务，可以设置在某些特定状况下重新启动主机。
       Sonics Silicon Backplane --->
       Multifunction device drivers --->
       # 鸟哥没有这样的设备，所以也没有选择。
   [ ] Voltage and Current Regulator Support --->
       Multimedia devices --->
       # 一堆多媒体设备，如图像采集卡、声卡。但如果你的 Linux 是台式机，
       # 里面需要挑选成模块较佳！
       Graphics support ---> <==这就重要了！选择显卡！
       # 嘿嘿！重点之一，显卡的芯片组~刚才前面提到的都是主板对显卡的
       # 总线支持（PCI-E 与 AGP），这里则是针对显卡芯片！鸟哥的显卡是 NVidia
       # 的，所以将它选择即可！其他的可以编成模块。
   <M> Sound card support --->
       # 声卡部分，也全部选择成为模块。反正编成模块又不用钱
   [*] HID Devices ---> <==人机接口设备，保留默认值即可（也可不选）
   [*] USB support --->
       # 不能不选的 USB，内容也全部是模块即可！尤其下面这三个：
       <M>   EHCI HCD（USB 2.0）support
       <M>   OHCI HCD support
       <M>   UHCI HCD（most Intel and VIA）support
   <M> MMC/SD/SDIO card support ---> <==多媒体适配卡，保留默认值
   < > Sony MemoryStick card support（EXPERIMENTAL）--->
   -*- LED Support --->
   [ ] Accessibility support --->
   <M> InfiniBand support ---> <==高级网络设备
   [*] EDAC - error detection and reporting --->
   <M> Real Time Clock ---> <==内容选为模块吧！
   [ ] DMA Engine support --->
   [ ] Auxiliary Display support --->
   < > Userspace I/O drivers --->
   [*] Xen memory balloon driver
   [*]   Scrub pages before returning them to system
   <*> Xen filesystem
   [*]   Create compatibility mount point/proc/xen
   [ ] Staging drivers --->
   [ ] X86 Platform Specific Device Drivers --->
       # 一堆笔记本电脑的驱动，可以不选。
```

- 下面则与 Firmware Drivers 有关。基本上，都保留默认值就好了！

```
   <M> BIOS Enhanced Disk Drive calls determine boot disk
   [ ]   Sets default behavior for EDD detection to off（NEW）
   <M> BIOS update support for DELL systems via sysfs
   <M> Dell Systems Management Base Driver
   [*] Export DMI identification via sysfs to userspace
   [*] iSCSI Boot Firmware Table Attributes
   <M>   iSCSI Boot Firmware Table Attributes module
```

◆ **文件系统的支持**

- 文件系统的支持也是很重要的一项内核功能。因为如果不支持某个文件系统，那么我们的 Linux kernel 就无法认识，当然也就无法使用。例如 Quota, NTFS 等等特殊的文件系统。这部分也是有够麻烦，因为涉及内核是否能够支持某些文件系统，以及某些操作系统支持的

partition table 选项。在进行选择时，也务必要特别小心在意。尤其是我们常常用到的网络操作系统（NFS/Samba 等），以及基础篇谈到的 Quota 等，你都得要勾选啊！否则是无法被支持的。比较有趣的是 NTFS 在这一版的内核里面竟然有支持可写入的选项，着实让鸟哥吓了一跳了！

```
<*> Second extended fs support
[*]    Ext2 extended attributes
[*]      Ext2 POSIX Access Control Lists
[*]      Ext2 Security Labels
[*]    Ext2 execute in place support
<*> Ext3 journalling file system support   <==建议这里直接编进内核
[ ]   Default to 'data=ordered' in ext3（legacy option）
[*]    Ext3 extended attributes
[*]      Ext3 POSIX Access Control Lists
[*]      Ext3 Security Labels
<M> The Extended 4（ext4）filesystem
[*]    Enable ext4dev compatibility
[*]    Ext4 extended attributes（NEW）
[*]      Ext4 POSIX Access Control Lists
[*]      Ext4 Security Labels
# 上面是传统的 EXT2/EXT3 及高级的 EXT4 支持！除了 EXT4 外，其他编入内核吧！
========================================================================
[ ] JBD（ext3）debugging support
[ ] JBD2（ext4）debugging support（NEW）
<M> Reiserfs support
[ ]   Enable reiserfs debug mode（NEW）
[ ]   Stats in/proc/fs/reiserfs（NEW）
[ ]   ReiserFS extended attributes（NEW）
< > JFS filesystem support
<M> XFS filesystem support
[*]   XFS Quota support
[*]   XFS POSIX ACL support
[*]   XFS Realtime subvolume support
< > OCFS2 file system support
[*] Dnotify support
[*] Inotify file change notification support
[*]  Inotify support for userspace
[*] Quota support
[ ]   Report quota messages through netlink interface
[*]   Print quota warnings to console（OBSOLETE）
< > Old quota format support
<*> Quota format v2 support
<M> Kernel automounter support
<M> Kernel automounter version 4 support（also supports v3）
< > FUSE（Filesystem in Userspace）support
# XFS 以及 Reiserfs 与 Quota 也是建议选择。
========================================================================
   Caches  --->
   CD-ROM/DVD Filesystems  --->  <==CD 内的文件格式，默认值即可
   DOS/FAT/NT Filesystems  --->  <==有支持 NTFS，要进入挑挑！
    <M> MSDOS fs support
    <M> VFAT（Windows-95）fs support
   (950) Default codepage for FAT    <==支持繁体中文
   (utf8) Default iocharset for FAT  <==只能支持 utf8 编码
    <M> NTFS file system support
    [ ]   NTFS debugging support（NEW）
    [*]   NTFS write support
========================================================================
   Pseudo filesystems  --->        <==类似/proc，保留默认值
[*] Miscellaneous filesystems  --->  <==其他文件系统的支持，保留默认值
[*] Network File Systems  --->      <==网络文件系统！很重要！
   --- Network File Systems
    <M>  NFS client support
```

```
    [*]    NFS client support for NFS version 3
    [*]      NFS client support for the NFSv3 ACL protocol extension
    <M>   NFS server support
    [*]    NFS server support for NFS version 3
    [*]      NFS server support for the NFSv3 ACL protocol extension
    < >   SMB file system support (OBSOLETE, please use CIFS)
    <M>   CIFS support (advanced network filesystem, SMBFS successor)
# 最重要就这几项，其他保留默认值即可！
===============================================================================
    Partition Types  --->          <==分区类型，也是保持默认值即可！
-*- Native language support  --->  <==选择默认的语系
    --- Native language support
  (utf8) Default NLS Option
    <*>   Traditional Chinese charset (Big5)
# 除了上述这两个之外，其他的请选择成为模块即可！
```

- ◆ Kernel hacking、信息安全、密码应用
  - 再接下来有个 "Kernel hacking" 的选项，那是与内核开发者比较有关的部分，这部分建议保留默认值即可，应该不需要去修改它，除非你想要进行内核方面的研究。然后下面有个 "Security Options"，那是属于信息安全方面的设置，包括 SELinux 这个具体权限强化模块也在这里编入内核的！这部分可以做一些额外的设置。另外还有 "Cryptographic API" 这个密码应用程序接口工具选项，也是可以保留默认值。我们来看看有什么比较特殊的地方吧！

```
Security options  --->
  [*] Enable access key retention support
  [*]   Enable the/proc/keys file by which keys may be viewed
  [*] Enable different security models
  [ ] Enable the securityfs filesystem
  [*] Socket and Networking Security Hooks
  [*]   XFRM (IPSec) Networking Security Hooks
  [ ] Security hooks for pathname based access control
  [ ] File POSIX Capabilities
  [ ] Root Plug Support
  [*] NSA SELinux Support
  [*]   NSA SELinux boot parameter
  (1)     NSA SELinux boot parameter default value
  [*]   NSA SELinux runtime disable
  [*]   NSA SELinux Development Support
  [*]   NSA SELinux AVC Statistics
  (1)   NSA SELinux checkreqprot default value
  [ ]   NSA SELinux maximum supported policy format version
  [ ] Simplified Mandatory Access Control Kernel Support
  [ ] TOMOYO Linux Support
  [ ] Integrity Measurement Architecture (IMA)
# 基本上，这部分保留默认值就对了！你也会发现 NSA 的资料都是直接编进内核！
===============================================================================
Cryptographic API  --->
# 基本上，除了下面这两个编译进内核之外，其他的通通选择成为模块吧！
  {*}   MD5 digest algorithm
  {*}   SHA1 digest algorithm
```

  - 在密码应用程序接口方面，一般我们使用的账号密码登录利用的就是 MD5 这个加密机制，要让内核有支持才行啊！几乎所有的选项都做成模块即可！不过 MD5 与 SHA1 必须要直接由内核支持比较好！

- ◆ 虚拟化与函数库
  - 虚拟化是近年来非常热门的一个议题，因为计算机的能力太强，所以时常闲置在那边，此时，我们可以通过虚拟化技术在一部主机上面同时启动多个操作系统来运行，这就是所谓的虚拟化。Linux 内核已经主动纳入虚拟化功能。而 Linux 认可的虚拟化使用的机制为 KVM (Kernel base

Virtual Machine）。至于常用的内核函数库也可以全部编为模块。

```
[*] Virtualization --->
    --- Virtualization
 <M>   Kernel-based Virtual Machine (KVM) support
 <M>     KVM for Intel processors support
 <M>     KVM for AMD processors support
 [ ]     KVM trace support (NEW)
 <M>   Virtio balloon driver (EXPERIMENTAL)
====================================================================
Library routines --->
  {M} CRC-CCITT functions
  {M} CRC16 functions
  {M} CRC calculation for the T10 Data Integrity Field
  {M} CRC ITU-T V.41 functions
  -*- CRC32 functions
  <M> CRC7 functions
  {*} CRC32c (Castagnoli, et al) Cyclic Redundancy-Check
```

- 最后，还有下面这两个选项，这两个选项与内核功能无关，但是与挑选时的设置文件有关：

```
Load an Alternate Configuration File
Save an Alternate Configuration File
```

- 这两个选项分别是存储刚才做好的所有选项的设置数据，另一个则是将其他人的选择读入。事实上，刚才我们所做的设置只要在离开时选择 SAVE，那么这些选项通通会记录到目前这个目录下的 .config 文件内。而我们也可以使用上面提到的 Save Configuration 这个选项来将刚才做完的设置存储成另外的文件，做成这个文件的好处是，你可以在下次在其他版本的内核作选择时，直接以 Load 来将这个文件的设置选项读入，这样可以减少你还要重新挑选一遍的困境啊！

- 要请你注意的是，上面的资料主要是适用在鸟哥的个人机器上面的，目前鸟哥比较习惯使用原本 distributions 提供的默认内核，因为会主动进行更新，所以鸟哥就懒得自己重编内核了。

- 此外，因为鸟哥重视的地方在于"网络服务器"上面，所以里头的设置少了相当多的桌面 Linux 的硬件编译。所以，如果你想要编译出一个适合你的机器的内核，那么可能还有相当多的地方需要来修正的。不论如何，请随时以 Help 那个选项来看一看内容吧！反正 Kernel 重编的几率不大。花多一点时间重新编译一次，然后将该编译完成的参数文件存储下来，将来就可以直接将该文件调出来读入了！所以花多一点时间安装一次就好！那也是相当值得的！

26.3 内核的编译与安装

将最复杂的内核功能选择完毕后，接下来就是进行这些内核、内核模块的编译了！而编译完成后，当然就是需要使用。那如何使用新内核呢？就得要考虑 grub 这个玩意儿。下面我们就来处理处理。

26.3.1 编译内核与内核模块

内核与内核模块需要先编译起来，而编译的过程其实非常简单，你可以先使用"make help"去查阅一下所有可用编译参数，就会知道有下面这些基本功能：

```
[root@www linux-2.6.30.3]# make vmlinux  <==未经压缩的内核
[root@www linux-2.6.30.3]# make modules  <==仅内核模块
```